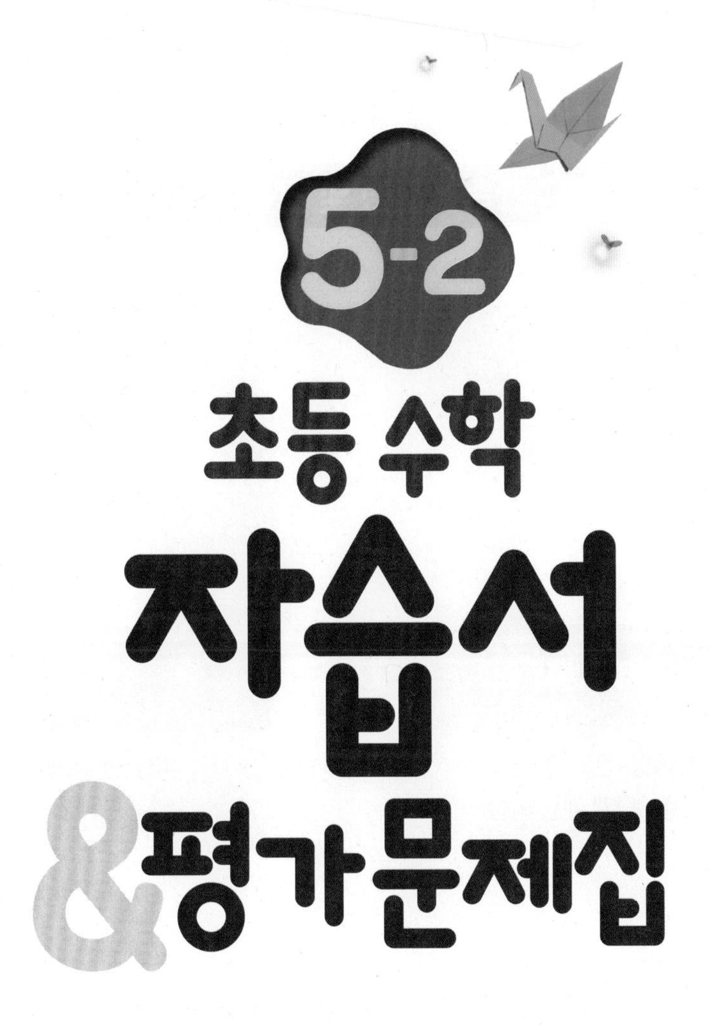

금성출판사

구성과 특징

자습서 구성 및 활용 방법

수학 다잡기

수학 교과서의 본책

체계적인 예습, 진도, 평가 시스템을 갖춘 3단계 개념 학습

평가 문제 다잡기

시험 대비 자료집

다양한 유형의 문제로 평가 대비 강화

교과서 다잡기 구성과 특징

체계적인 3단계 개념 학습(선수 학습 , 본 학습 , 마무리 학습)과 다양한 유형의 문제로 교과서 개념과 각종 시험까지 완벽 대비할 수 있습니다.

선수 학습 - 예습

단원 도입

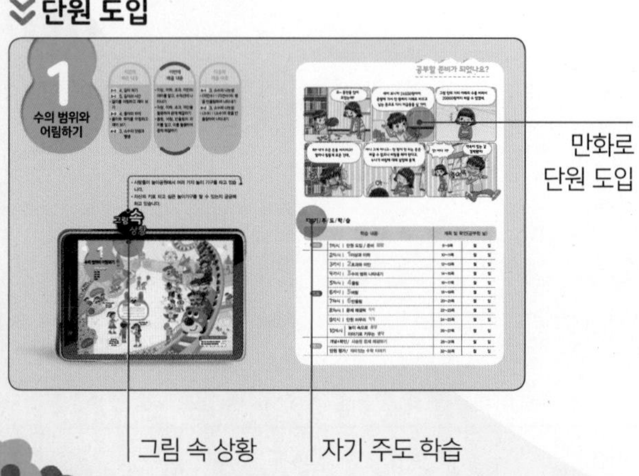

준비 팡팡

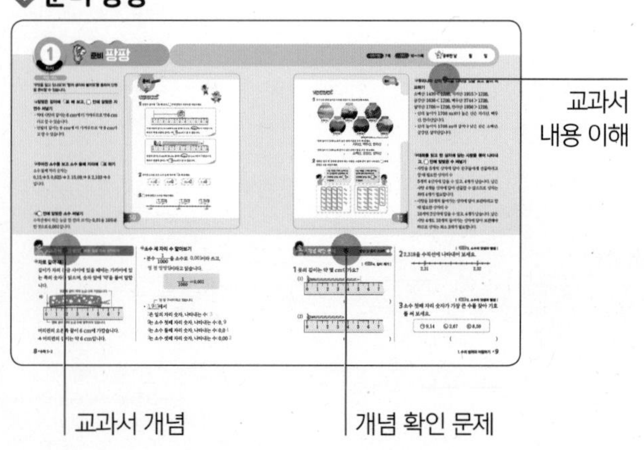

본 학습 - 진도

단원의 주요 개념을 파악합니다.

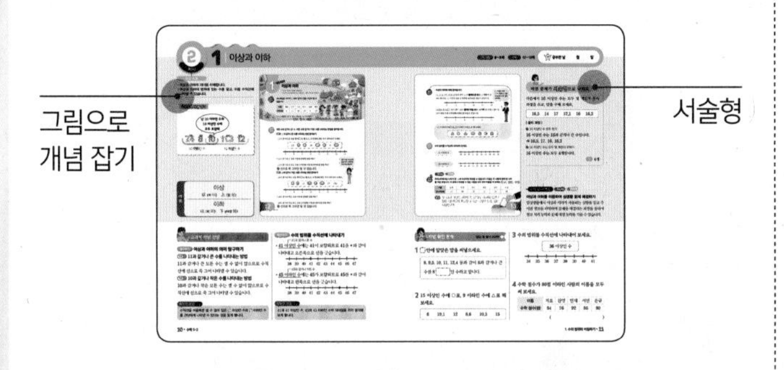

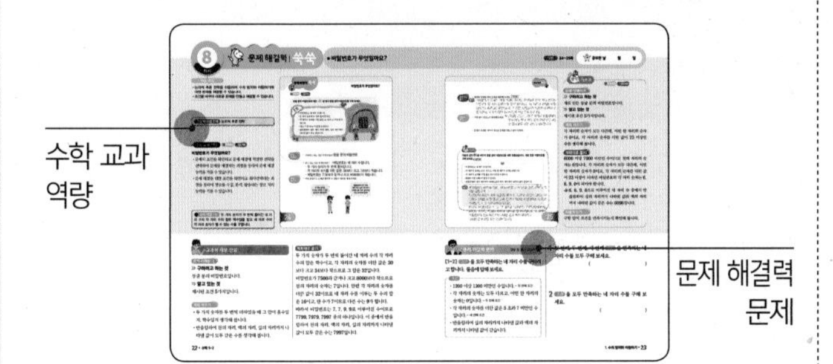

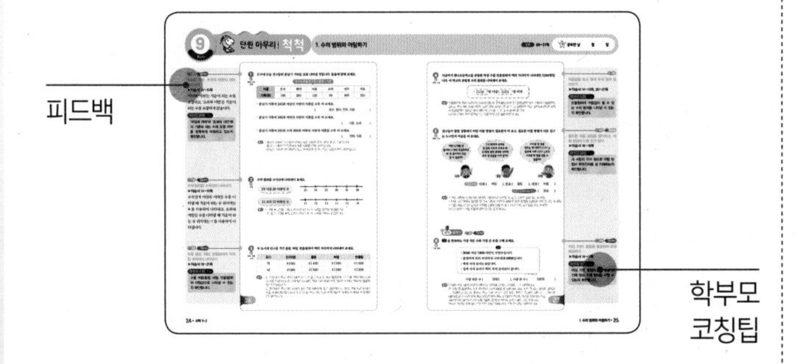

마무리 학습 - 평가

다양한 유형의 문제를 통해 실력을 확인합니다.

개념+확인

교과서 개념과 확인 문제를 풀면서 개념을 이해합니다.

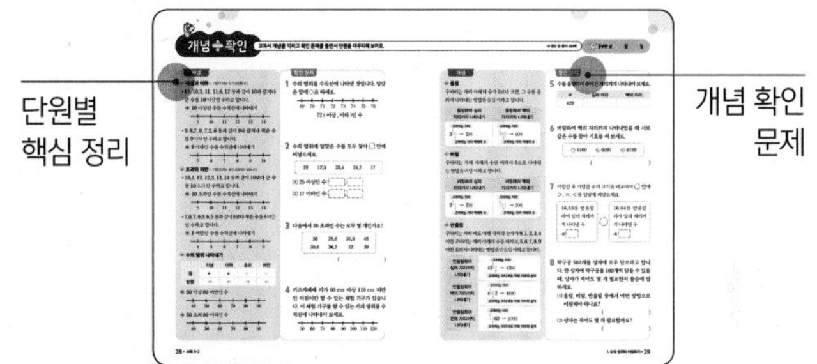

서술형 문제 해결하기

서술형 평가에 대비하며 문제 해결력을 기릅니다.

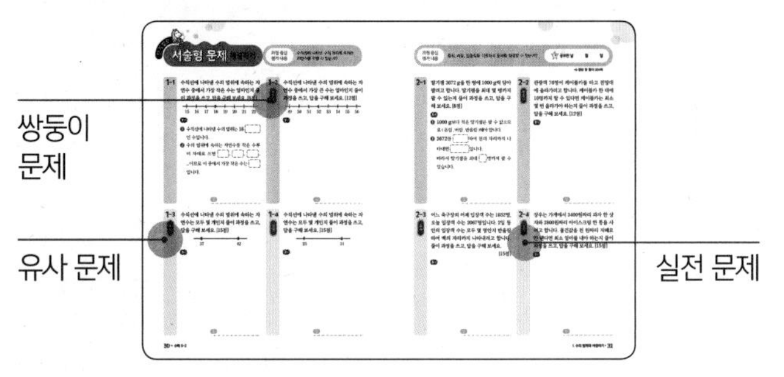

단원 평가

다양한 문제를 풀면서 단원에 대한 학습을 마무리합니다.

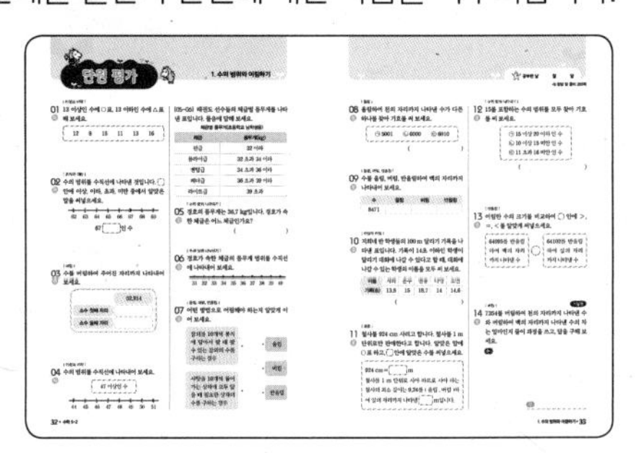

차례

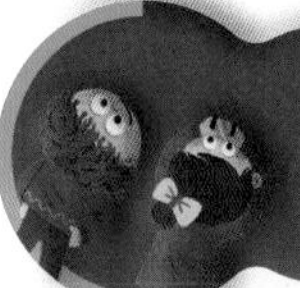

지도 계획표 5-2

지도 계획표는 선생님들께서 사용하시는 지도서의 학기 지도 계획표를 『수학 다잡기』에 맞추어 수정 구성한 것입니다.
학교마다 다를 수 있으니 참고하시기 바랍니다.

월	주	차시	내용
9월	1주	1차시	**1. 수의 범위와 어림하기** 단원 도입 / 준비 팡팡
		2차시	1 이상과 이하
		3차시	2 초과와 미만
		4차시	3 수의 범위 나타내기
	2주	5차시	4 올림
		6차시	5 버림
		7차시	6 반올림
		8차시	문제 해결력 쑥쑥
	3주	9차시	단원 마무리 척척
		10차시	놀이 속으로 풍덩 / 이야기로 키우는 생각
		1차시	**2. 분수의 곱셈** 단원 도입 / 준비 팡팡
		2차시	1 (진분수)×(자연수)
	4주	3차시	2 (대분수)×(자연수)
		4차시	3 (자연수)×(진분수)
		5차시	4 (자연수)×(대분수)

월	주	차시	내용
10월	1주	6~7차시	5 (진분수)×(진분수)
		8차시	6 (대분수)×(대분수)
		9차시	문제 해결력 쑥쑥
	2주	10차시	단원 마무리 척척
		11차시	놀이 속으로 풍덩 / 이야기로 키우는 생각
		1차시	**3. 합동과 대칭** 단원 도입 / 준비 팡팡
		2~3차시	1 도형의 합동
	3주	4차시	2 선대칭도형
		5~6차시	3 선대칭도형의 성질
		7차시	4 점대칭도형
		8~9차시	5 점대칭도형의 성질
	4주	10차시	문제 해결력 쑥쑥
		11차시	단원 마무리 척척
		12차시	놀이 속으로 풍덩 / 이야기로 키우는 생각

월	주	차시	내용
11월	1주	1차시	**4. 소수의 곱셈** 단원 도입 / 준비 팡팡
		2차시	1 (소수)×(자연수) (1)
		3차시	2 (소수)×(자연수) (2)
		4차시	3 (자연수)×(소수) (1)
	2주	5차시	4 (자연수)×(소수) (2)
		6차시	5 (소수)×(소수) (1)
		7차시	6 (소수)×(소수) (2)
		8차시	7 곱의 소수점 위치 변화
	3주	9~10차시	문제 해결력 쑥쑥
		11차시	단원 마무리 척척
		12차시	놀이 속으로 풍덩 / 이야기로 키우는 생각
	4주	1차시	**5. 직육면체와 정육면체** 단원 도입 / 준비 팡팡
		2차시	1 직육면체
		3차시	2 정육면체
		4차시	3 직육면체의 성질

월	주	차시	내용
12월	1주	5차시	4 직육면체의 겨냥도
		6~7차시	5 정육면체의 전개도
		8~9차시	6 직육면체의 전개도
	2주	10차시	문제 해결력 쑥쑥
		11차시	단원 마무리 척척
		12차시	만들기 속으로 뚝딱 / 이야기로 키우는 생각
		1차시	**6. 평균과 가능성** 단원 도입 / 준비 팡팡
	3주	2~3차시	1 평균
		4~5차시	2 평균의 활용
		6~7차시	3 가능성을 말로 표현하고 비교하기
		8차시	4 가능성을 수로 나타내기
	4주	9차시	문제 해결력 쑥쑥
		10차시	단원 마무리 척척
		11차시	놀이 속으로 풍덩 / 이야기로 키우는 생각

1 수의 범위와 어림하기

이전에 배운 내용	이번에 배울 내용	다음에 배울 내용
2-1 4. 길이 재기 3-1 5. 길이와 시간 • 길이를 어림하고 재어 보기 3-2 4. 들이와 무게 • 들이와 무게를 어림하고 재어 보기 4-2 3. 소수의 덧셈과 뺄셈	• 이상, 이하, 초과, 미만의 의미를 알고, 수직선에 나타내기 • 이상, 이하, 초과, 미만을 활용하여 문제 해결하기 • 올림, 버림, 반올림의 의미를 알고, 이를 활용하여 문제 해결하기	6-1 3. 소수의 나눗셈 • (자연수)÷(자연수)의 몫을 반올림하여 나타내기 6-2 3. 소수의 나눗셈 • (소수)÷(소수)의 몫을 반올림하여 나타내기

• 사람들이 놀이공원에서 여러 가지 놀이 기구를 타고 있습니다.
• 자신의 키로 타고 싶은 놀이 기구를 탈 수 있는지 궁금해하고 있습니다.

그림 속 상황

공부할 준비가 되었나요?

자/기/주/도/학/습

	학습 내용		계획 및 확인(공부한 날)		
예습	1차시	단원 도입 / 준비 팡팡	6~9쪽	월	일
진도	2차시	1 이상과 이하	10~11쪽	월	일
	3차시	2 초과와 미만	12~13쪽	월	일
	4차시	3 수의 범위 나타내기	14~15쪽	월	일
	5차시	4 올림	16~17쪽	월	일
	6차시	5 버림	18~19쪽	월	일
	7차시	6 반올림	20~21쪽	월	일
	8차시	문제 해결력 쑥쑥	22~23쪽	월	일
	9차시	단원 마무리 척척	24~25쪽	월	일
	10차시	놀이 속으로 풍덩 이야기로 키우는 생각	26~27쪽	월	일
평가	개념+확인 / 서술형 문제 해결하기		28~31쪽	월	일
	단원 평가 / 재미있는 수학 이야기		32~35쪽	월	일

준비 팡팡

학습 목표

'무엇을 알고 있나요'와 '함께 생각해 볼까요'를 통하여 단원을 준비할 수 있습니다.

알맞은 길이에 ○표 해 보고, ▢ 안에 알맞은 자연수 써넣기

- 막대 사탕의 길이는 6 cm에 더 가까우므로 약 6 cm라고 할 수 있습니다.
- 연필의 길이는 9 cm에 더 가까우므로 약 9 cm라고 할 수 있습니다.

주어진 소수를 보고 소수 둘째 자리에 ○표 하기

소수 둘째 자리 숫자는
0.15 ➔ 5, 0.625 ➔ 2, 15.09 ➔ 9, 2.103 ➔ 0
입니다.

▢ 안에 알맞은 소수 써넣기

수직선에서 작은 눈금 한 칸의 크기는 0.01을 10등분 한 것으로 0.001입니다.

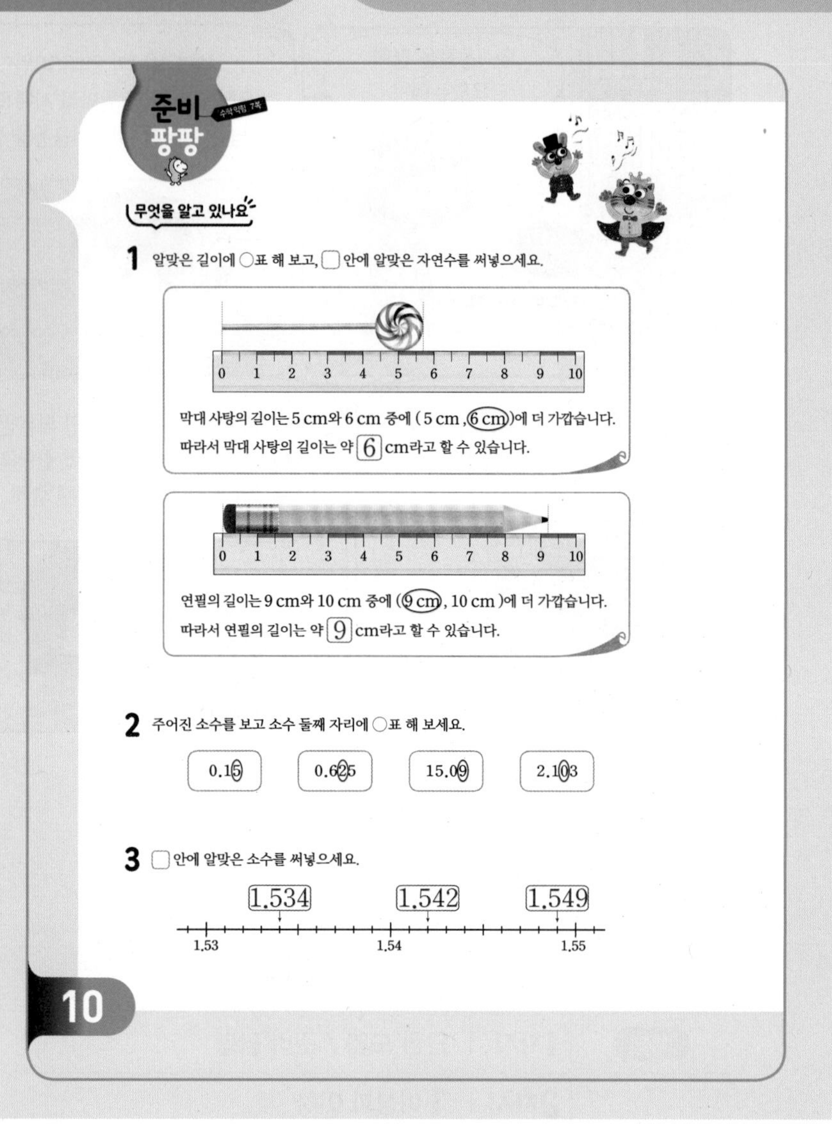

교과서 개념 완성 | 배운 것을 다시 생각하기

자로 길이 재기

길이가 자의 눈금 사이에 있을 때에는 가까이에 있는 쪽의 숫자를 읽으며, 숫자 앞에 '약'을 붙여 말합니다.

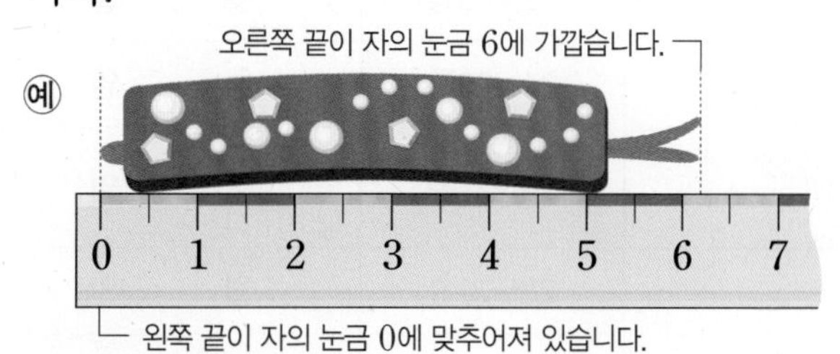

머리핀의 오른쪽 끝이 6 cm에 가깝습니다.
➔ 머리핀의 길이는 약 6 cm입니다.

소수 세 자리 수 알아보기

- 분수 $\frac{1}{1000}$을 소수로 0.001이라 쓰고, 영 점 영영일이라고 읽습니다.

$$\frac{1}{1000}=0.001$$

'삼 점 구사이'라고 읽습니다.

- 3.942에서
  3은 일의 자리 숫자, 나타내는 수: 3
  9는 소수 첫째 자리 숫자, 나타내는 수: 0.9
  4는 소수 둘째 자리 숫자, 나타내는 수: 0.04
  2는 소수 셋째 자리 숫자, 나타내는 수: 0.002

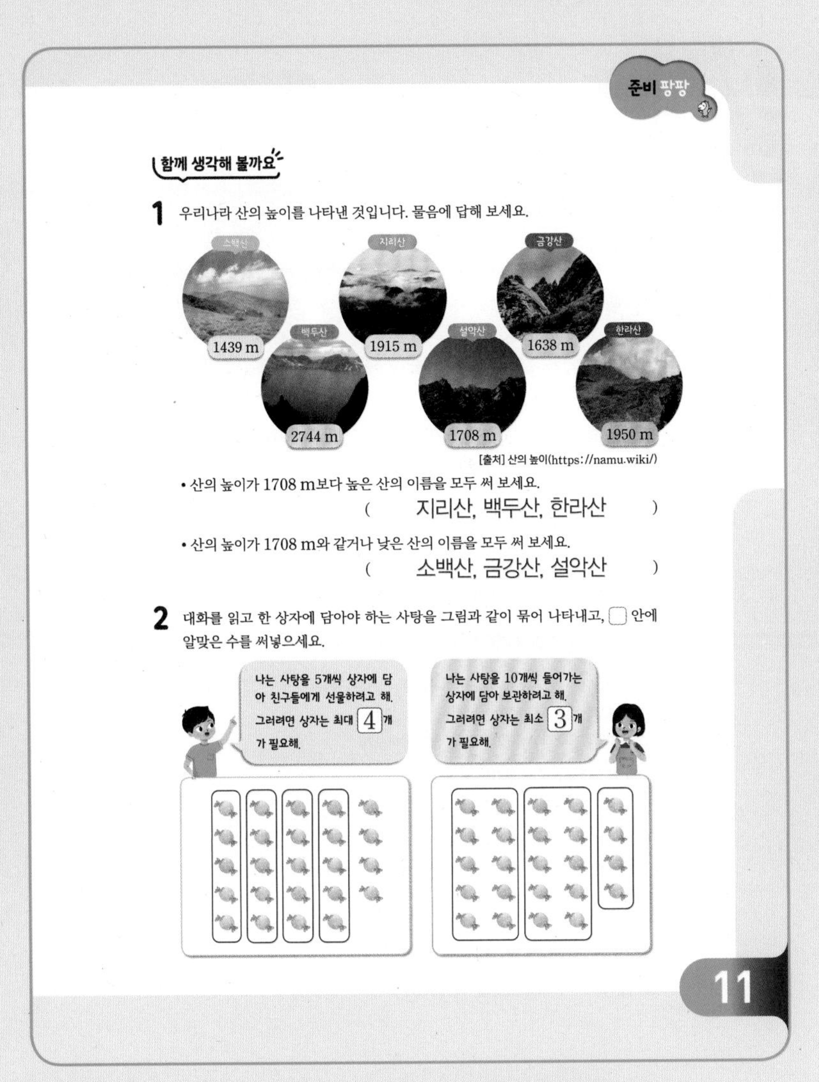
준비 팡팡

함께 생각해 볼까요

1 우리나라 산의 높이를 나타낸 것입니다. 물음에 답해 보세요.

[출처] 산의 높이(https://namu.wiki/)

• 산의 높이가 1708 m보다 높은 산의 이름을 모두 써 보세요.
(지리산, 백두산, 한라산)

• 산의 높이가 1708 m와 같거나 낮은 산의 이름을 모두 써 보세요.
(소백산, 금강산, 설악산)

2 대화를 읽고 한 상자에 담아야 하는 사탕을 그림과 같이 묶어 나타내고, □ 안에 알맞은 수를 써넣으세요.

11

우리나라 산의 높이를 나타낸 것을 보고 높이 비교하기

소백산: 1439 < 1708, 지리산: 1915 > 1708,
금강산: 1638 < 1708, 백두산: 2744 > 1708,
설악산: 1708 = 1708, 한라산: 1950 > 1708

• 산의 높이가 1708 m보다 높은 산은 지리산, 백두산, 한라산입니다.

• 산의 높이가 1708 m와 같거나 낮은 산은 소백산, 금강산, 설악산입니다.

대화를 읽고 한 상자에 담는 사탕을 묶어 나타내고, □ 안에 알맞은 수 써넣기

• 사탕을 5개씩 상자에 담아 친구들에게 선물하려고 할 때 필요한 상자의 수
5개씩 4상자에 담을 수 있고, 4개가 남습니다. 남은 사탕 4개를 상자에 담아 선물할 수 없으므로 상자는 최대 4개가 필요합니다.

• 사탕을 10개씩 들어가는 상자에 담아 보관하려고 할 때 필요한 상자의 수
10개씩 2상자에 담을 수 있고, 4개가 남습니다. 남은 사탕 4개도 10개씩 들어가는 상자에 담아 보관해야 하므로 상자는 최소 3개가 필요합니다.

개념 확인 문제

정답 및 풀이 202쪽

| 2-1 4. 길이 재기 |

1 못의 길이는 약 몇 cm인가요?

(1)

0 1 2 3 4 5 6 7

( )

(2)

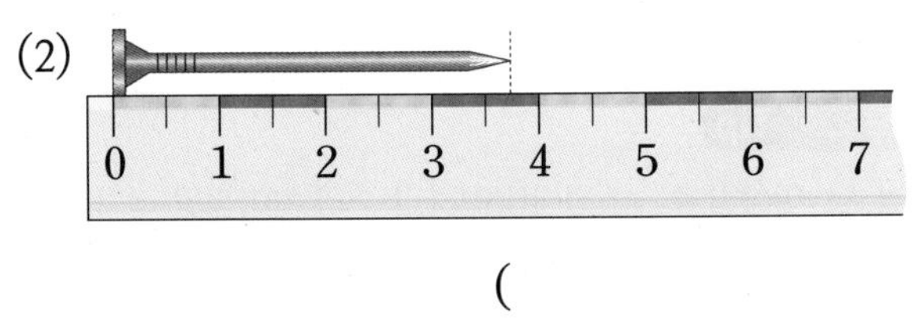

( )

| 4-2 3. 소수의 덧셈과 뺄셈 |

2 2.318을 수직선에 나타내어 보세요.

2.31 2.32

| 4-2 3. 소수의 덧셈과 뺄셈 |

3 소수 첫째 자리 숫자가 가장 큰 수를 찾아 기호를 써 보세요.

㉠ 9.14 ㉡ 2.67 ㉢ 8.59

( )

1 | 이상과 이하

학습 목표

- 이상과 이하의 의미를 이해합니다.
- 이상과 이하의 범위에 있는 수를 알고, 이를 수직선에 나타낼 수 있습니다.

그림으로 개념 잡기

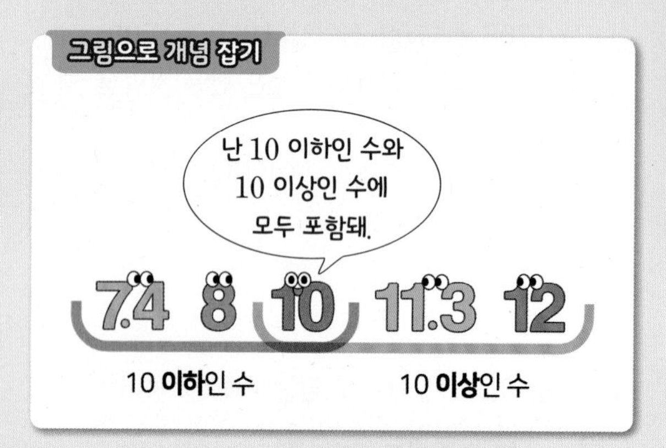

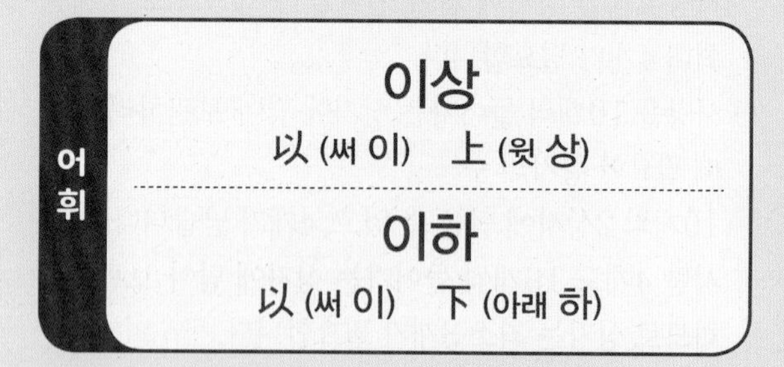

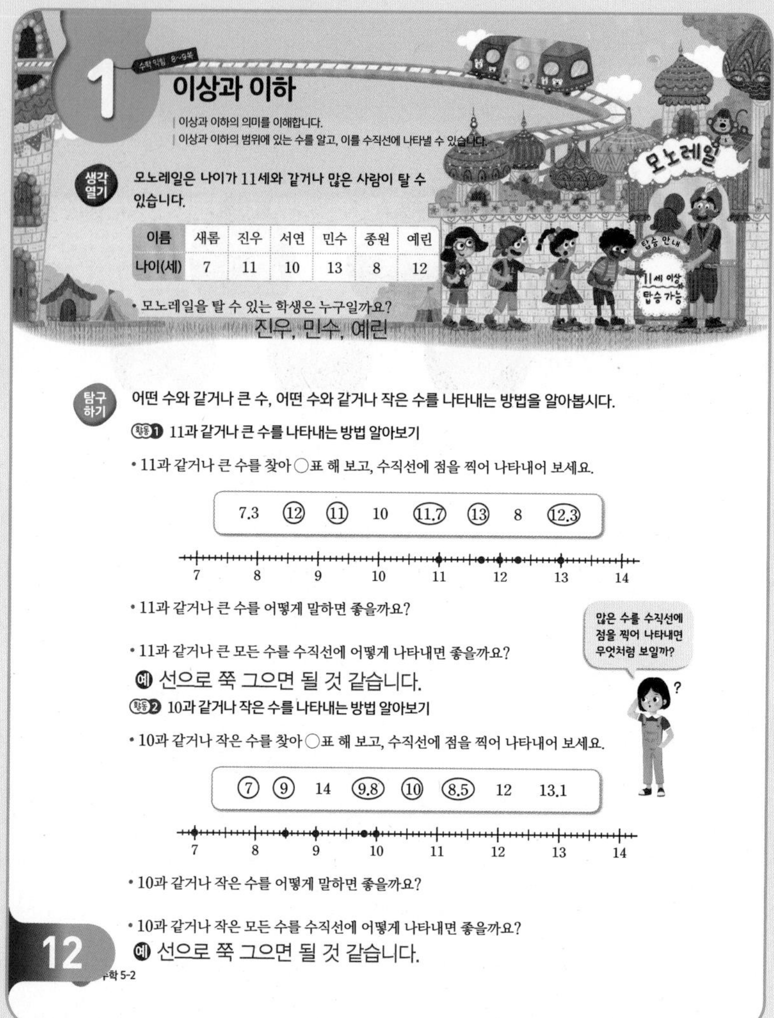

교과서 개념 완성

탐구하기 이상과 이하의 의미 탐구하기

활동 1 11과 같거나 큰 수를 나타내는 방법

11과 같거나 큰 모든 수는 셀 수 없이 많으므로 수직선에 선으로 쭉 그어 나타낼 수 있습니다.

활동 2 10과 같거나 작은 수를 나타내는 방법

10과 같거나 작은 모든 수는 셀 수 없이 많으므로 수직선에 선으로 쭉 그어 나타낼 수 있습니다.

학부모 코칭 Tip

수직선을 이용하면 셀 수 없이 많은 □ 이상인 수와 □ 이하인 수를 간단하게 나타낼 수 있다는 것을 알게 합니다.

확인하기 수의 범위를 수직선에 나타내기

- 41 이상인 수(41과 같거나 큰 수)에는 41이 포함되므로 41을 ●와 같이 나타내고 오른쪽으로 선을 긋습니다.

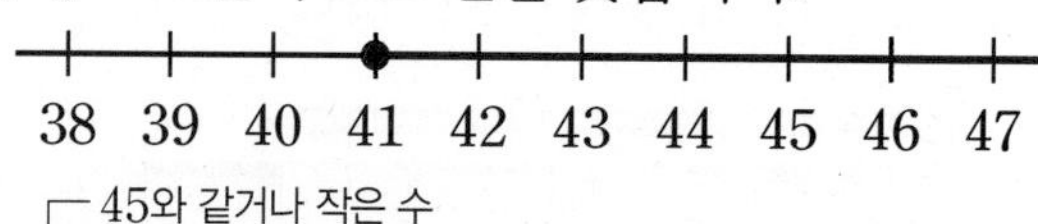

- 45 이하인 수(45와 같거나 작은 수)에는 45가 포함되므로 45를 ●와 같이 나타내고 왼쪽으로 선을 긋습니다.

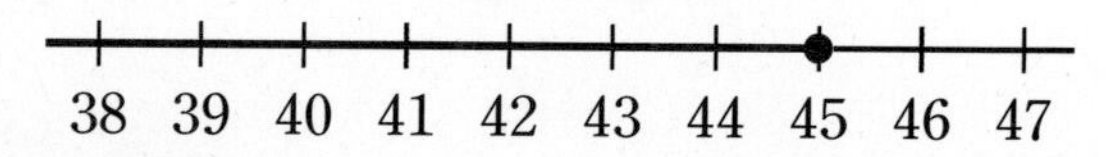

학부모 코칭 Tip

41과 41 이상인 수, 45와 45 이하인 수의 차이점을 각각 생각해 보게 합니다.

 공부한 날 월 일

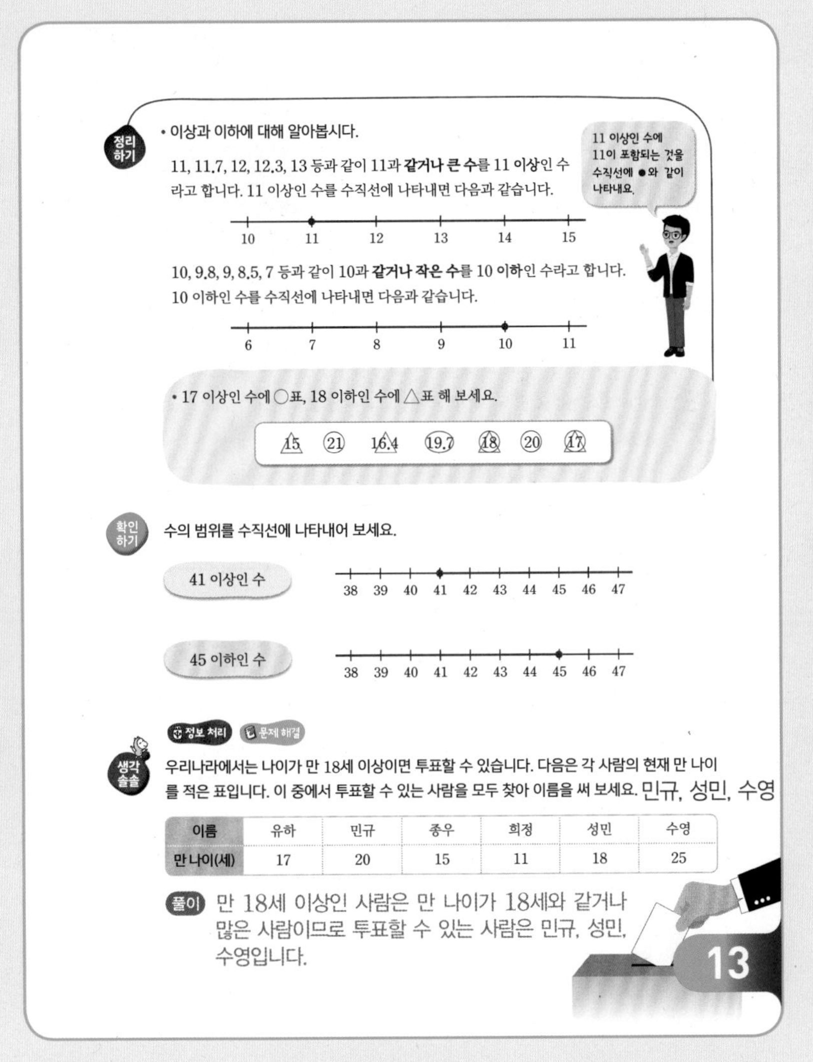

이런 문제가 서술형으로 나와요

다음에서 16 이상인 수는 모두 몇 개인지 풀이 과정을 쓰고, 답을 구해 보세요.

16.5	14	17	12.1	16	16.3

| 풀이 과정 |

❶ 16 이상인 수 모두 찾기

16 이상인 수는 16과 같거나 큰 수입니다.

➔ 16.5, 17, 16, 16.3

❷ 16 이상인 수는 모두 몇 개인지 구하기

16 이상인 수는 모두 4개입니다.

4개

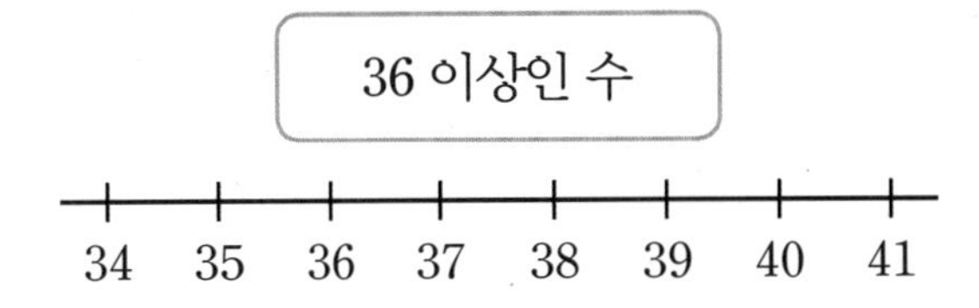

이상과 이하를 이용하여 실생활 문제 해결하기

일상생활에서 이상과 이하가 사용되는 상황을 알고 주어진 정보를 파악하여 문제를 해결하는 과정을 통하여 정보 처리 능력과 문제 해결 능력을 기를 수 있습니다.

개념 확인 문제

정답 및 풀이 202쪽

1 □ 안에 알맞은 말을 써넣으세요.

8, 9.5, 10, 11, 12.4 등과 같이 8과 같거나 큰 수를 8 □인 수라고 합니다.

2 15 이상인 수에 ○표, 9 이하인 수에 △표 해 보세요.

6	19.1	12	8.6	10.3	15

3 수의 범위를 수직선에 나타내어 보세요.

36 이상인 수

34 35 36 37 38 39 40 41

4 수학 점수가 80점 이하인 사람의 이름을 모두 써 보세요.

이름	지효	찬영	민재	서연	은규
수학 점수(점)	84	76	92	85	80

( )

3차시 2 | 초과와 미만

학습 목표

- 초과와 미만의 의미를 이해합니다.
- 초과와 미만의 범위에 있는 수를 알고, 이를 수직선에 나타낼 수 있습니다.

그림으로 개념 잡기

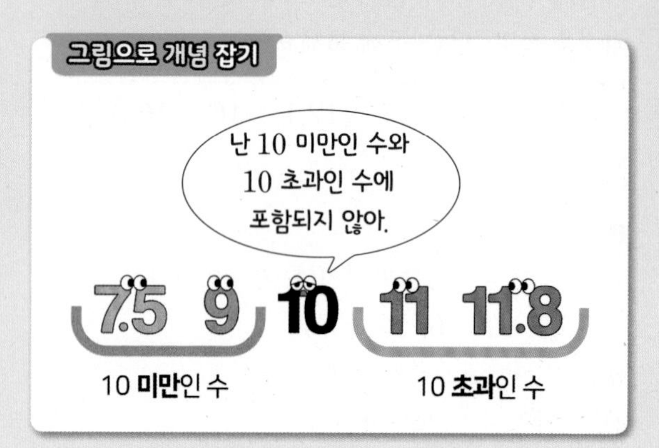

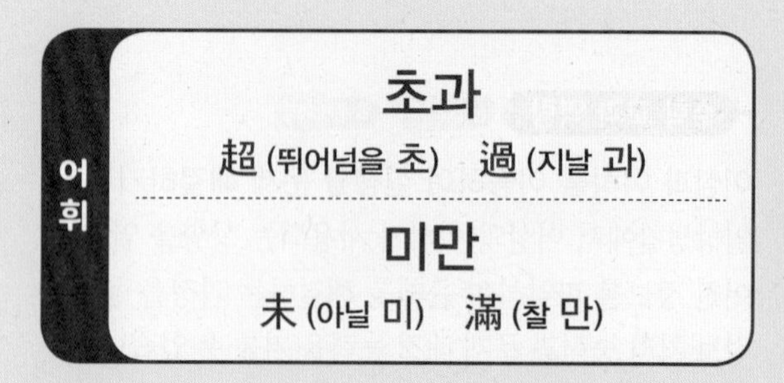

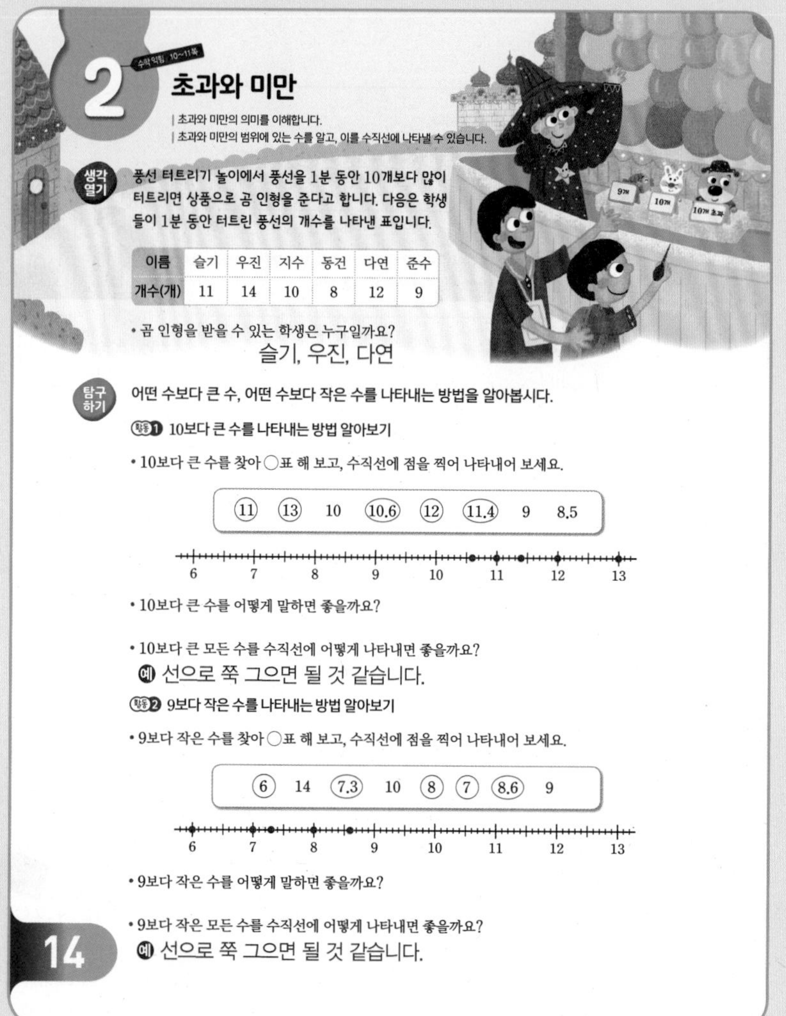

교과서 개념 완성

탐구하기 초과와 미만의 의미 탐구하기

활동1 10보다 큰 수를 나타내는 방법

10보다 큰 모든 수는 셀 수 없이 많으므로 수직선에 선으로 쭉 그어 나타낼 수 있습니다.

활동2 9보다 작은 수를 나타내는 방법

- 9보다 작은 모든 수는 셀 수 없이 많으므로 수직선에 선으로 쭉 그어 나타낼 수 있습니다.
- 이상과 이하인 수는 기준이 되는 수를 포함하고, 초과와 미만인 수는 기준이 되는 수를 포함하지 않습니다.

확인하기 수의 범위를 수직선에 나타내기

- 26 초과인 수(26보다 큰 수)에는 26이 포함되지 않으므로 26을 ○와 같이 나타내고 오른쪽으로 선을 긋습니다.

23 24 25 26 27 28 29 30 31 32

- 29 미만인 수(29보다 작은 수)에는 29가 포함되지 않으므로 29를 ○와 같이 나타내고 왼쪽으로 선을 긋습니다.

23 24 25 26 27 28 29 30 31 32

학부모 코칭 Tip

'이상과 이하'와 '초과와 미만'의 가장 큰 차이점은 기준이 되는 수가 포함되느냐 포함되지 않느냐이므로 이를 구분하는 것이 중요하다는 것을 인지하게 합니다.

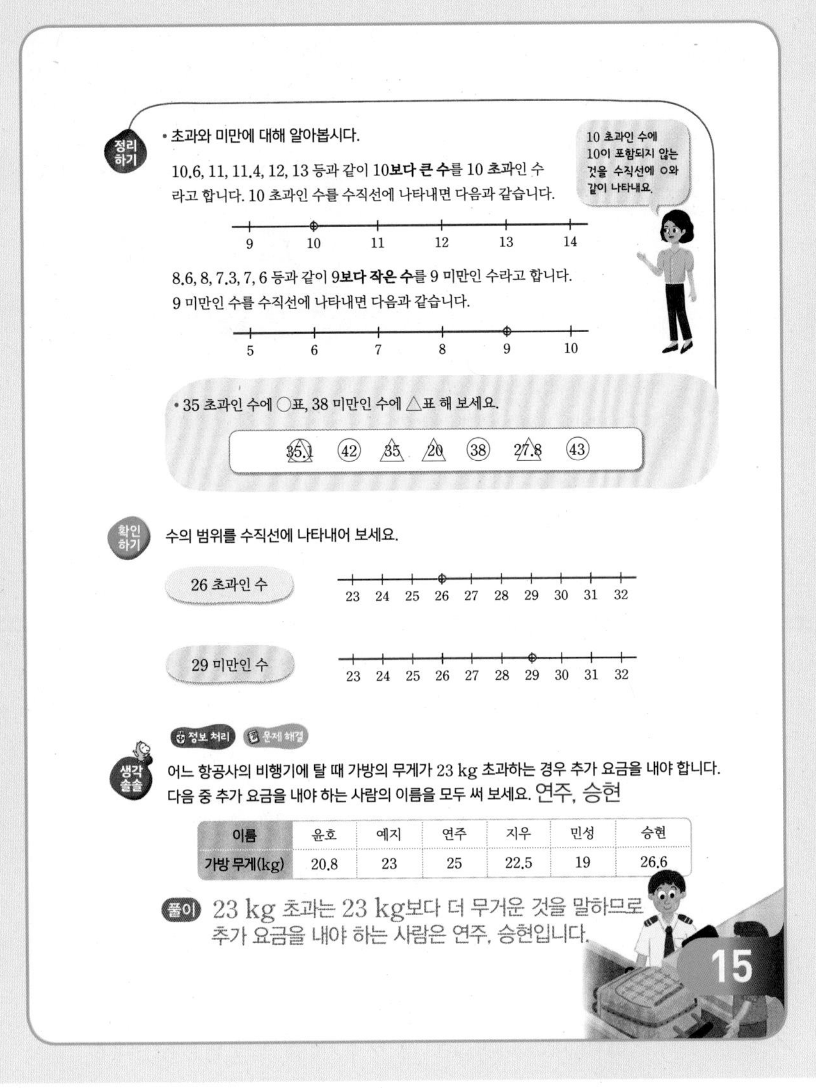

이런 문제가 서술형으로 나와요

6 미만인 자연수는 모두 몇 개인지 풀이 과정을 쓰고, 답을 구해 보세요.

| 풀이 과정 |

❶ 6 미만인 자연수 모두 구하기

6 미만인 수는 6보다 작은 수이므로 6 미만인 자연수는 1, 2, 3, 4, 5입니다.

❷ 6 미만인 자연수는 모두 몇 개인지 구하기

6 미만인 자연수는 모두 5개입니다.

답 5개

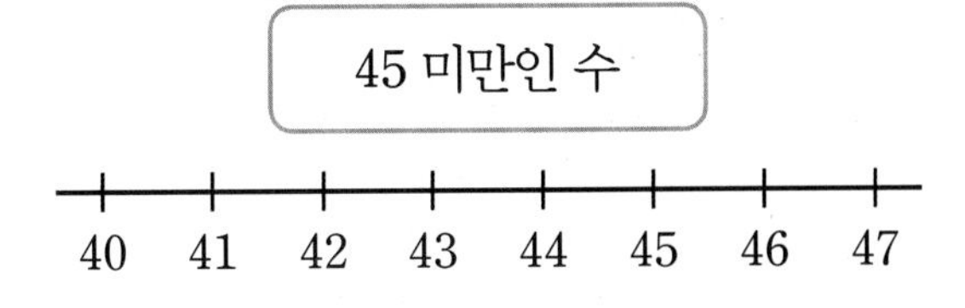

초과와 미만을 이용하여 실생활 문제 해결하기

일상생활에서 초과와 미만이 사용되는 상황을 알고 주어진 정보를 파악하여 문제를 해결하는 과정을 통하여 정보 처리 능력과 문제 해결 능력을 기를 수 있습니다.

개념 확인 문제

정답 및 풀이 202쪽

1 □ 안에 알맞은 말을 써넣으세요.

12.9, 12, 11, 10, 9.5 등과 같이 13보다 작은 수를 13 □인 수라고 합니다.

2 17 초과인 수에 ○표, 15 미만인 수에 △표 해 보세요.

14 20.3 12 18.2 17 15

3 수의 범위를 수직선에 나타내어 보세요.

45 미만인 수

40 41 42 43 44 45 46 47

4 키가 140 cm 초과인 사람의 이름을 모두 써 보세요.

이름	태주	찬열	소미	지안	성준
키(cm)	141	132	138.9	140	143

(   )

3 | 수의 범위 나타내기

학습 목표

수의 범위를 이상, 이하, 초과, 미만을 이용하여 나타낼 수 있습니다.

그림으로 개념 잡기

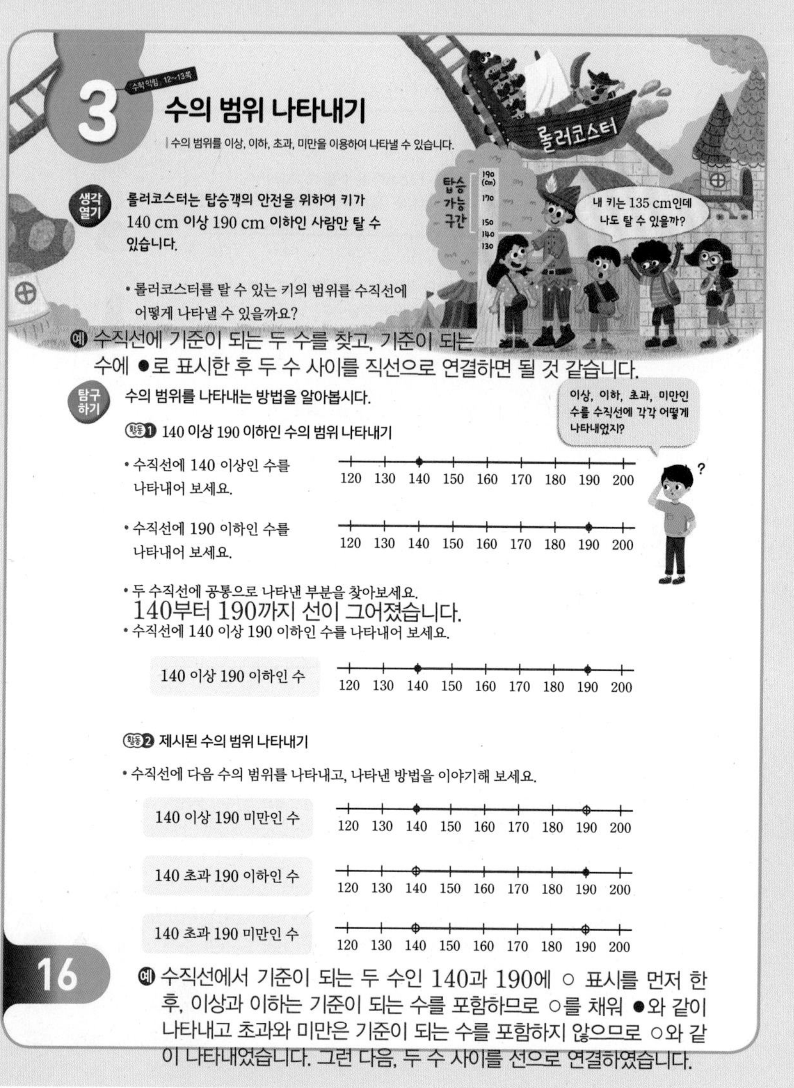

참고 수의 범위를 수직선에 나타내기

	이상	이하	초과	미만
점	●	●	○	○
방향	→	←	→	←

교과서 개념 완성

탐구하기 수의 범위를 나타내는 방법 알아보기

140 이상 190 이하인 수

140과 190을 ●와 같이 나타내고 두 수 사이를 선으로 연결합니다.

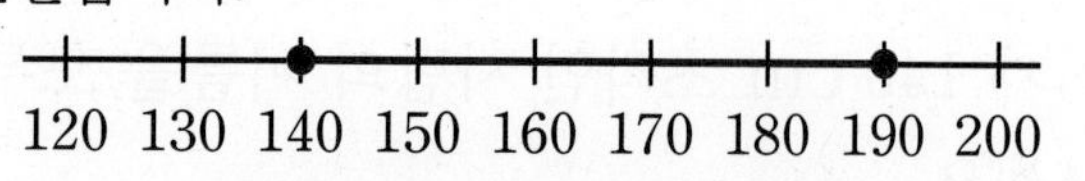

140 초과 190 미만인 수

140과 190을 ○와 같이 나타내고 두 수 사이를 선으로 연결합니다.

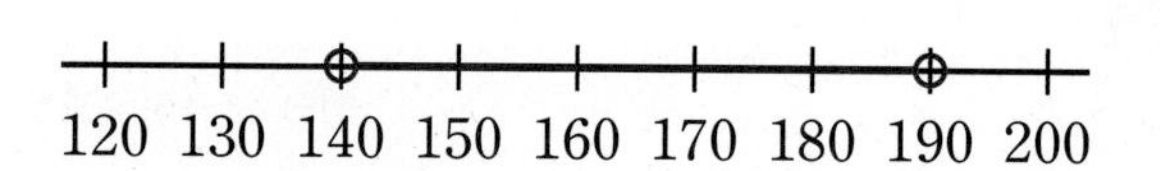

확인하기 수직선에 나타낸 수의 범위를 이상, 이하, 초과, 미만을 이용하여 말로 표현하기

- 52는 포함하고 67은 포함하지 않으므로 52 이상 67 미만인 수입니다.
- 22는 포함하지 않고 34는 포함하므로 22 초과 34 이하인 수입니다.

생각솔솔 수의 범위를 이용하여 실생활 문제 해결하기

7 kg이 포함되는 범위는 5 kg 초과 7 kg 이하에 해당합니다. 따라서 내야 하는 요금은 3700원입니다.

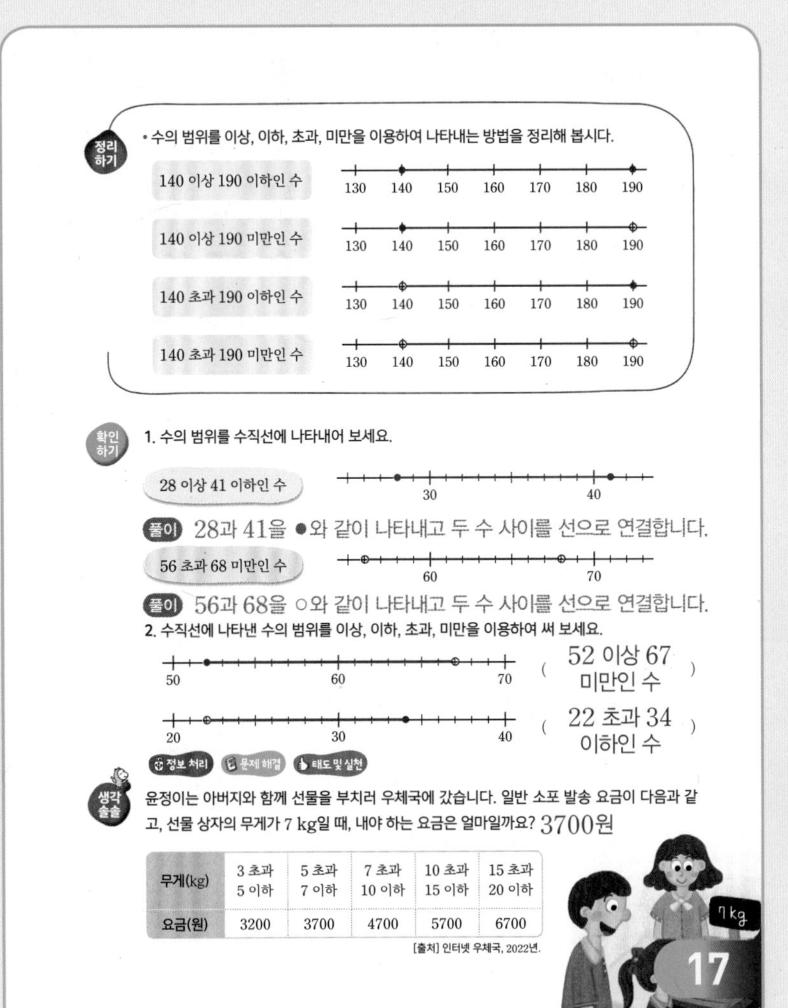

이런 문제가 서술형으로 나와요

20 이상 23 미만인 자연수를 모두 더하면 얼마인지 풀이 과정을 쓰고, 답을 구해 보세요.

| 풀이 과정 |

❶ 20 이상 23 미만인 자연수 구하기

20 이상 23 미만인 자연수는 20과 같거나 크고 23보다 작은 자연수이므로 20, 21, 22입니다.

❷ 위 ❶에서 구한 수들의 합 구하기

$20+21+22=63$

답 63

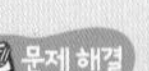

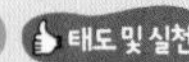

수학 교과 역량 정보 처리 / 문제 해결 / 태도 및 실천

수의 범위를 이용하여 실생활 문제 해결하기

상자의 무게에 따른 소포 발송 가격표를 보고 내야 하는 요금을 구하는 활동을 통하여 정보 처리 능력과 문제 해결 능력을 기를 수 있고, 이와 같이 생활 속에서 수의 범위가 많이 활용되고 있음을 인식함으로써 수학의 필요성과 유용성 및 가치를 알 수 있습니다.

개념 확인 문제

정답 및 풀이 202쪽

1 42 이상 48 미만인 수에 ○표 해 보세요.

40 42 46 47 48 50

2 수의 범위를 수직선에 나타내어 보세요.

14 초과 18 이하인 수

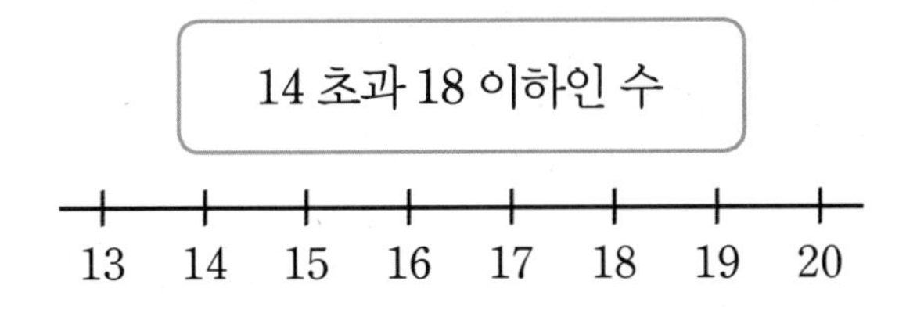

3 수직선에 나타낸 수의 범위를 이상, 이하, 초과, 미만을 이용하여 써 보세요.

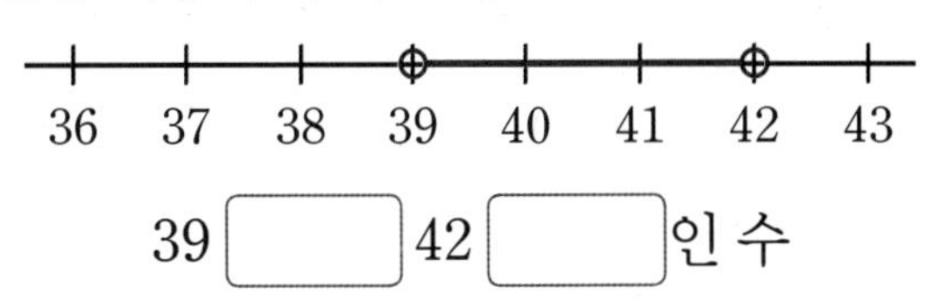

39 [ ] 42 [ ]인 수

4 몸무게가 45 kg 이상 47 kg 이하인 사람의 이름을 써 보세요.

이름	유주	다인	형준	지호
몸무게(kg)	47.2	46	44.8	49

( )

4 | 올림

학습 목표

올림의 의미와 필요성을 알고, 이를 실생활에 활용할 수 있습니다.

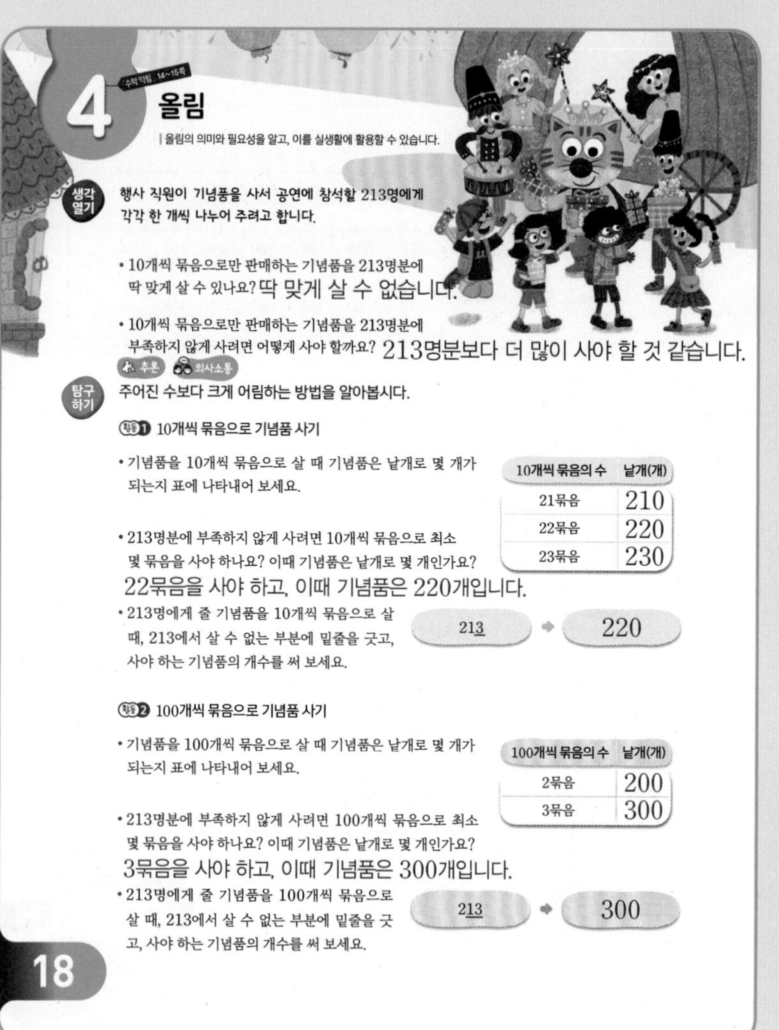

주의 올림하여 구하려는 자리 아래의 숫자가 모두 0인 경우에는 수의 변화가 없습니다.

예 400을 올림하여 백의 자리까지 나타내기

400 → 400

교과서 개념 완성

탐구하기 올림하는 방법 탐구하기

활동 1 10개씩 묶음으로 기념품 사기

213명분에 부족하지 않게 사려면 10개씩 묶음으로 최소 22묶음을 사야 하고, 이때 기념품은 220개입니다.

213 → 220
(3: 살 수 없는 부분)

활동 2 100개씩 묶음으로 기념품 사기

213명분에 부족하지 않게 사려면 100개씩 묶음으로 최소 3묶음을 사야 하고, 이때 기념품은 300개입니다.

213 → 300
(13: 살 수 없는 부분)

확인하기 소수를 올림하여 주어진 자리까지 나타내기

245.106을 올림하여 주어진 자리까지 나타내기

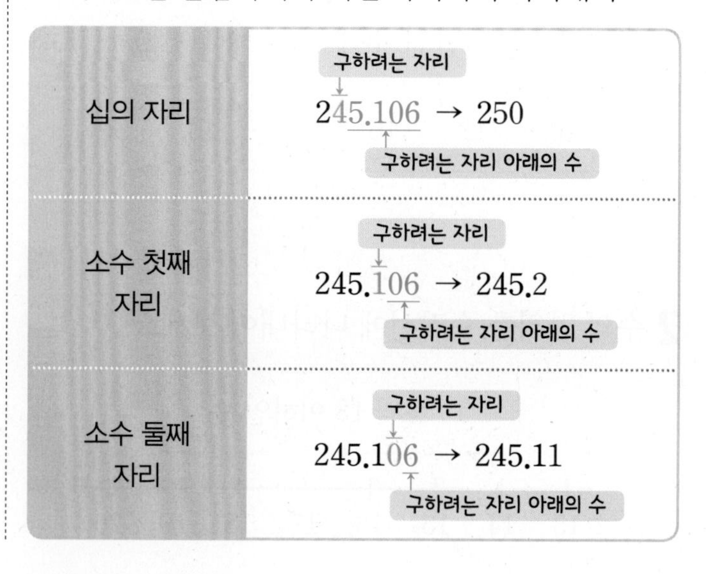

십의 자리	245.106 → 250 (구하려는 자리: 4, 구하려는 자리 아래의 수: 5.106)
소수 첫째 자리	245.106 → 245.2 (구하려는 자리: 1, 구하려는 자리 아래의 수: 06)
소수 둘째 자리	245.106 → 245.11 (구하려는 자리: 0, 구하려는 자리 아래의 수: 6)

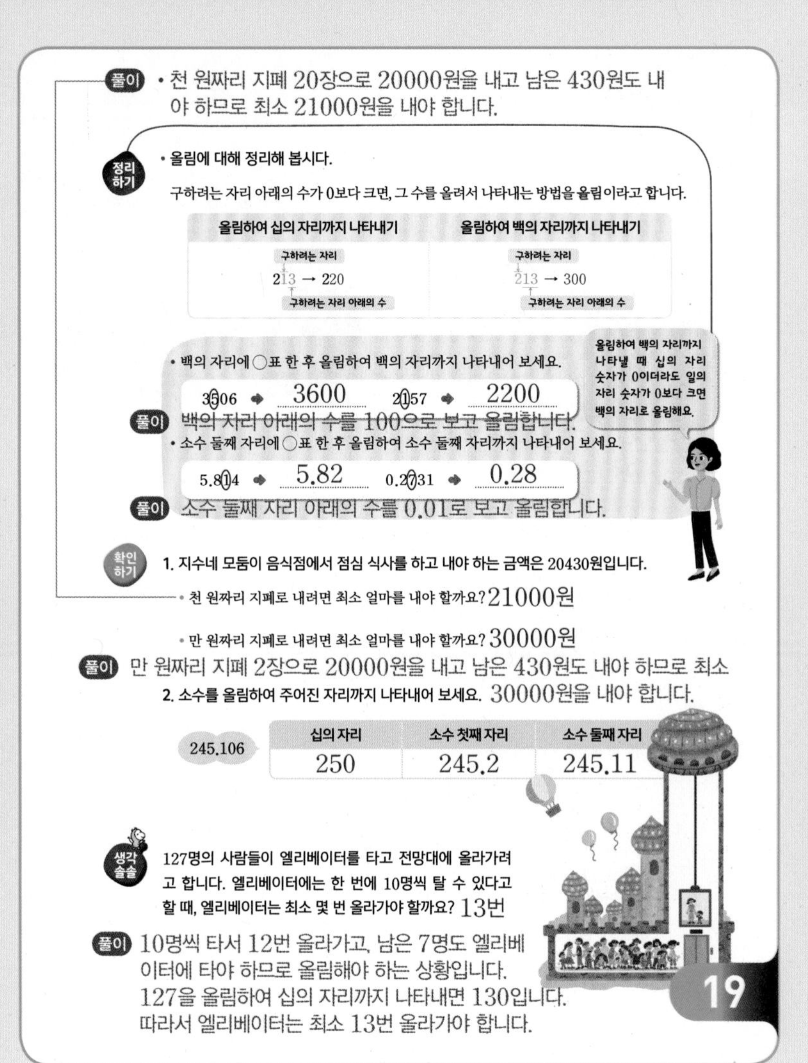
풀이 • 천 원짜리 지폐 20장으로 20000원을 내고 남은 430원도 내야 하므로 최소 21000원을 내야 합니다.

정리하기 • 올림에 대해 정리해 봅시다.

구하려는 자리 아래의 수가 0보다 크면, 그 수를 올려서 나타내는 방법을 올림이라고 합니다.

올림하여 십의 자리까지 나타내기	올림하여 백의 자리까지 나타내기
구하려는 자리 / 213 → 220 / 구하려는 자리 아래의 수	구하려는 자리 / 213 → 300 / 구하려는 자리 아래의 수

• 백의 자리에 ○표 한 후 올림하여 백의 자리까지 나타내어 보세요.

3506 ➜ 3600 2057 ➜ 2200

풀이 백의 자리 아래의 수를 100으로 보고 올림합니다.

올림하여 백의 자리까지 나타낼 때 십의 자리 숫자가 0이더라도 일의 자리 숫자가 0보다 크면 백의 자리로 올림해요.

• 소수 둘째 자리에 ○표 한 후 올림하여 소수 둘째 자리까지 나타내어 보세요.

5.814 ➜ 5.82 0.2731 ➜ 0.28

풀이 소수 둘째 자리 아래의 수를 0.01로 보고 올림합니다.

확인하기 1. 지수네 모둠이 음식점에서 점심 식사를 하고 내야 하는 금액은 20430원입니다.

• 천 원짜리 지폐로 내려면 최소 얼마를 내야 할까요? 21000원

• 만 원짜리 지폐로 내려면 최소 얼마를 내야 할까요? 30000원

풀이 만 원짜리 지폐 2장으로 20000원을 내고 남은 430원도 내야 하므로 최소 30000원을 내야 합니다.

2. 소수를 올림하여 주어진 자리까지 나타내어 보세요.

245.106	십의 자리	소수 첫째 자리	소수 둘째 자리
	250	245.2	245.11

생각솔솔 127명의 사람들이 엘리베이터를 타고 전망대에 올라가려고 합니다. 엘리베이터에는 한 번에 10명씩 탈 수 있다고 할 때, 엘리베이터는 최소 몇 번 올라가야 할까요? 13번

풀이 10명씩 타서 12번 올라가고, 남은 7명도 엘리베이터에 타야 하므로 올림해야 하는 상황입니다. 127을 올림하여 십의 자리까지 나타내면 130입니다. 따라서 엘리베이터는 최소 13번 올라가야 합니다.

19

이런 문제가 서술형으로 나와요

457을 올림하여 십의 자리까지 나타낸 수와 올림하여 백의 자리까지 나타낸 수의 차는 얼마인지 풀이 과정을 쓰고, 답을 구해 보세요.

| 풀이 과정 |

❶ 어림한 두 수 구하기

457을 올림하여 십의 자리까지 나타내면 460, 올림하여 백의 자리까지 나타내면 500입니다.

❷ 어림한 두 수의 차 구하기

어림한 두 수의 차는 $500-460=40$입니다.

답 40

수학 교과 역량 추론 의사소통

올림하는 방법 탐구하기

10개씩 묶음과 100개씩 묶음으로 기념품을 각각 샀을 때 낱개로 기념품의 수가 몇 개가 되는지 알아보고 올림의 상황을 이해하는 과정을 통하여 추론 능력과 의사소통 능력을 기를 수 있습니다.

개념 확인 문제

정답 및 풀이 203쪽

1 주어진 수를 올림하여 천의 자리까지 나타낸 수에 ○표 해 보세요.

4613 ➜ (4000 , 4600 , 5000)

2 수를 올림하여 주어진 자리까지 나타내어 보세요.

	50.142
소수 첫째 자리	
소수 둘째 자리	

3 올림하여 백의 자리까지 나타내면 6100이 되는 수에 ○표 해 보세요.

6054 6000 6101

4 유희가 문구점에서 크레파스를 사고 내야 하는 금액은 5400원입니다. 모두 천 원짜리 지폐로 내려면 천 원짜리 지폐를 최소 몇 장 내야 할까요?

( )

5 | 버림

학습 목표

버림의 의미와 필요성을 알고, 이를 실생활에 활용할 수 있습니다.

주의

버림하여 구하려는 자리 아래의 숫자가 모두 0인 경우에는 수의 변화가 없습니다.

예) 300을 버림하여 백의 자리까지 나타내기

300 → 300

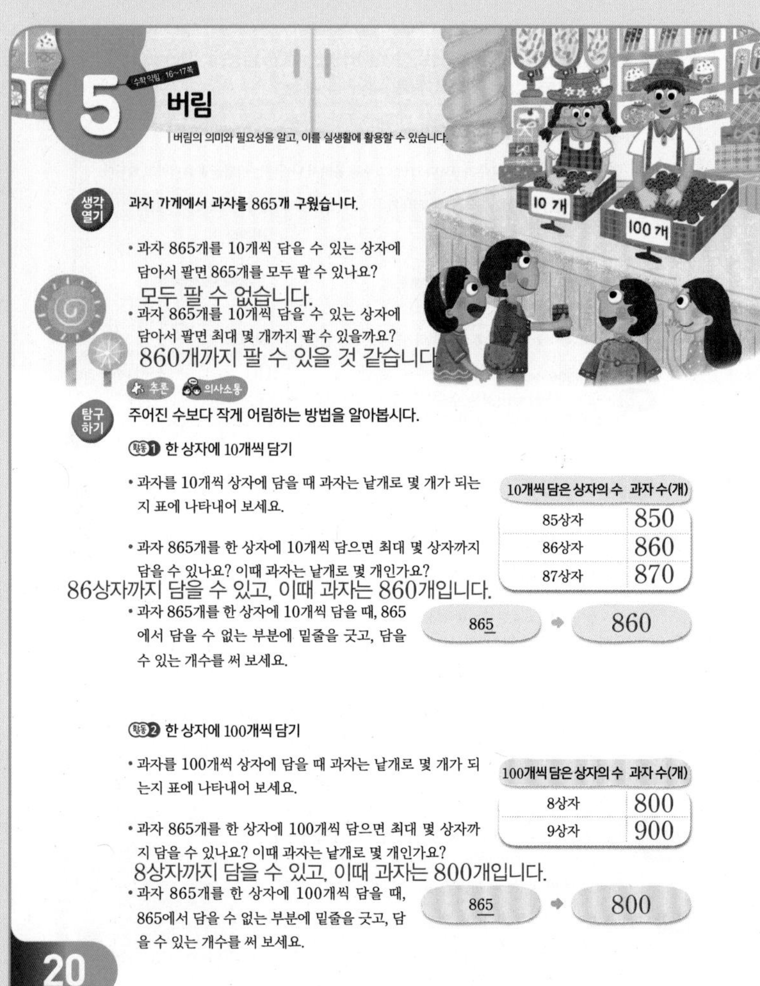

교과서 개념 완성

탐구하기 버림하는 방법 탐구하기

활동1 한 상자에 10개씩 담기

과자 865개를 한 상자에 10개씩 담으면 86상자까지 담을 수 있고, 이때 과자는 860개입니다.

865 → 860 (담을 수 없는 부분)

활동2 한 상자에 100개씩 담기

과자 865개를 한 상자에 100개씩 담으면 8상자까지 담을 수 있고, 이때 과자는 800개입니다.

865 → 800 (담을 수 없는 부분)

확인하기 소수를 버림하여 주어진 자리까지 나타내기

1.5676을 버림하여 주어진 자리까지 나타내기

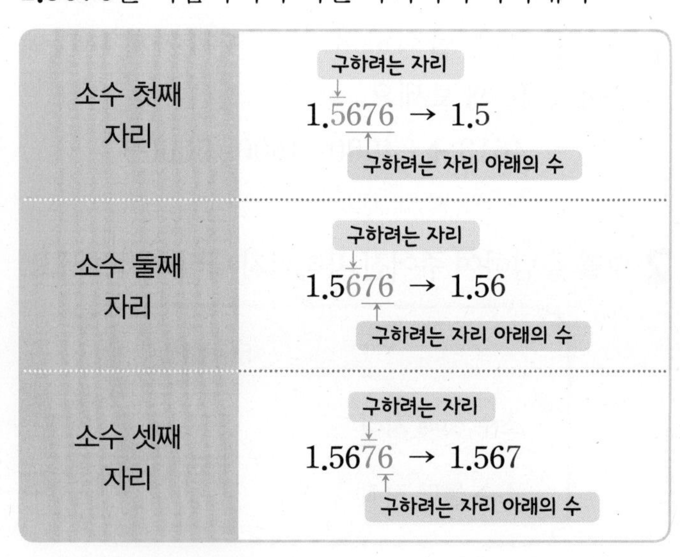

자리	
소수 첫째 자리	1.5676 → 1.5 (구하려는 자리: 5, 구하려는 자리 아래의 수: 676)
소수 둘째 자리	1.5676 → 1.56 (구하려는 자리: 6, 구하려는 자리 아래의 수: 76)
소수 셋째 자리	1.5676 → 1.567 (구하려는 자리: 7, 구하려는 자리 아래의 수: 6)

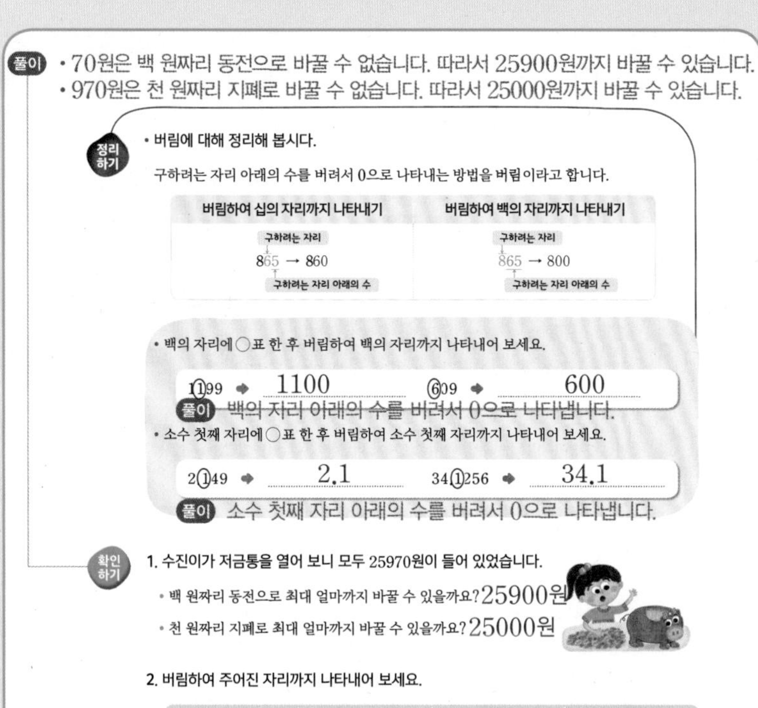
풀이 • 70원은 백 원짜리 동전으로 바꿀 수 없습니다. 따라서 25900원까지 바꿀 수 있습니다.
• 970원은 천 원짜리 지폐로 바꿀 수 없습니다. 따라서 25000원까지 바꿀 수 있습니다.

정리하기 • 버림에 대해 정리해 봅시다.

구하려는 자리 아래의 수를 버려서 0으로 나타내는 방법을 버림이라고 합니다.

버림하여 십의 자리까지 나타내기	버림하여 백의 자리까지 나타내기
865 → 860 (구하려는 자리, 구하려는 자리 아래의 수)	865 → 800 (구하려는 자리, 구하려는 자리 아래의 수)

• 백의 자리에 ○표 한 후 버림하여 백의 자리까지 나타내어 보세요.

1①99 ➜ 1100　⑥09 ➜ 600

풀이 백의 자리 아래의 수를 버려서 0으로 나타냅니다.

• 소수 첫째 자리에 ○표 한 후 버림하여 소수 첫째 자리까지 나타내어 보세요.

2.①49 ➜ 2.1　34.①256 ➜ 34.1

풀이 소수 첫째 자리 아래의 수를 버려서 0으로 나타냅니다.

확인하기 1. 수진이가 저금통을 열어 보니 모두 25970원이 들어 있었습니다.
• 백 원짜리 동전으로 최대 얼마까지 바꿀 수 있을까요? 25900원
• 천 원짜리 지폐로 최대 얼마까지 바꿀 수 있을까요? 25000원

2. 버림하여 주어진 자리까지 나타내어 보세요.

수	천의 자리	백의 자리	십의 자리
12253	12000	12200	12250

수	소수 첫째 자리	소수 둘째 자리	소수 셋째 자리
1.5676	1.5	1.56	1.567

생각 솔솔 선물 상자 한 개를 묶는 데 리본 1 m가 필요합니다. 길이가 742 cm인 리본으로 선물 상자를 최대 몇 개까지 묶을 수 있을까요? 7개

풀이 1 m=100 cm입니다. 즉, 길이가 100 cm인 리본으로 선물 상자 1개를 묶을 수 있으므로 길이가 742 cm인 리본으로는 700 cm까지 사용하여 선물 상자를 최대 7개까지 묶을 수 있습니다.

21

이런 문제가 서술형으로 나와요

수를 버림하여 소수 둘째 자리까지 나타내려고 합니다. 잘못 나타낸 것은 어느 것인지 풀이 과정을 쓰고, 답을 구해 보세요.

㉠ 8.715 ➜ 8.71　㉡ 29.637 ➜ 29.64

| 풀이 과정 |

❶ 수를 버림하여 소수 둘째 자리까지 나타내기

8.715를 버림하여 소수 둘째 자리까지 나타내면 8.71이고, 29.637을 버림하여 소수 둘째 자리까지 나타내면 29.63입니다.

❷ 잘못 나타낸 것의 기호 쓰기

잘못 나타낸 것은 ㉡입니다.

답 ㉡

수학 교과 역량 추론 의사소통

버림하는 방법 탐구하기

과자를 10개씩 담아서 팔 때와 100개씩 담아서 팔 때 몇 개까지 팔 수 있는지 알아보고 버림의 상황을 이해하는 과정을 통하여 추론 능력과 의사소통 능력을 기를 수 있습니다.

개념 확인 문제

정답 및 풀이 203쪽

1 주어진 수를 버림하여 십의 자리까지 나타낸 수에 ○표 해 보세요.

7238 ➜ (7200 , 7230 , 7220)

2 수를 버림하여 주어진 자리까지 나타내어 보세요.

	3.294
소수 첫째 자리	
소수 둘째 자리	

3 버림하여 백의 자리까지 나타낸 수가 2000인 수를 찾아 기호를 써 보세요.

㉠ 2107　㉡ 2054　㉢ 2100

(　　　　　)

4 쿠키 145개를 한 봉지에 10개씩 포장하여 팔려고 합니다. 팔 수 있는 쿠키는 몇 봉지일까요?

(　　　　　)

6 | 반올림

학습 목표

반올림의 의미와 필요성을 알고, 이를 실생활에 활용할 수 있습니다.

그림으로 개념 잡기

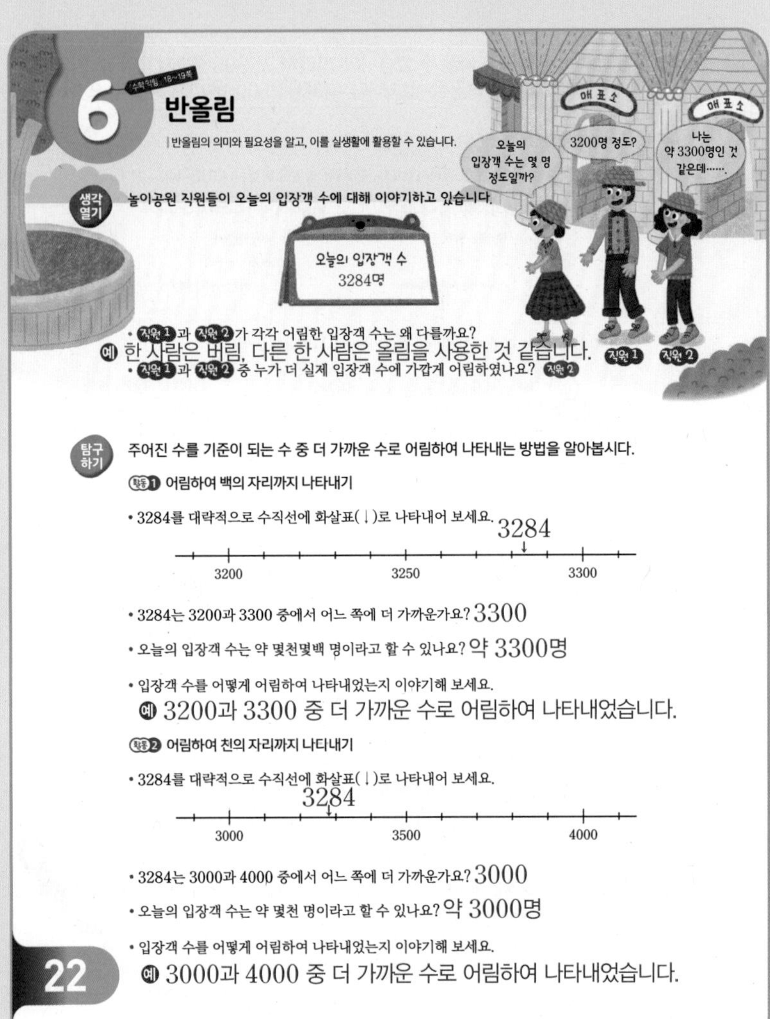

교과서 개념 완성

탐구하기 반올림하는 방법 탐구하기

활동1 어림하여 백의 자리까지 나타내기

3284는 3200과 3300 중에서 3300에 더 가까우므로 입장객 수는 약 3300명이라고 말할 수 있습니다.

활동2 어림하여 천의 자리까지 나타내기

3284는 3000과 4000 중에서 3000에 더 가까우므로 입장객 수는 약 3000명이라고 말할 수 있습니다.

학부모 코칭 Tip

올림과 버림을 할 때는 구하려는 자리 아래에 있는 수를 확인하고, 반올림을 할 때는 구하려는 자리 바로 아래 자리의 숫자 1개만 확인한다는 것을 확실하게 인식할 수 있게 합니다.

확인하기 측정값을 반올림하여 주어진 자리까지 나타내기

테이프의 두께는 1.83 cm입니다.

• 반올림하여 소수 첫째 자리까지 나타내기

소수 첫째 자리 바로 아래 자리의 숫자가 3이므로 버려서 나타내면 1.8 cm입니다.

1.83 → 1.8 (3이므로 버림)

• 반올림하여 일의 자리까지 나타내기

일의 자리 바로 아래 자리의 숫자가 8이므로 올려서 나타내면 2 cm입니다.

1.83 → 2 (8이므로 올림)

풀이 • 천의 자리 바로 아래 자리의 숫자가 7이므로 올림하면 13000입니다.
• 천의 자리 바로 아래 자리의 숫자가 1이므로 버림하면 905000입니다.

정리하기 • 반올림에 대해 정리해 봅시다.

구하려는 자리 바로 아래 자리의 숫자가 0, 1, 2, 3, 4이면 구하려는 자리 아래의 수를 버리고, 5, 6, 7, 8, 9이면 올려서 나타내는 방법을 반올림이라고 합니다.

반올림하여 백의 자리까지 나타내기	반올림하여 천의 자리까지 나타내기
구하려는 자리 3284 → 3300 구하려는 자리 바로 아래 자리의 숫자	구하려는 자리 3284 → 3000 구하려는 자리 바로 아래 자리의 숫자

• 천의 자리에 ◯표 한 후 반올림하여 천의 자리까지 나타내어 보세요.

12720 ➡ 13000 905124 ➡ 905000

• 소수 둘째 자리에 ◯표 한 후 반올림하여 소수 둘째 자리까지 나타내어 보세요.

6.193 ➡ 6.19 0.3189 ➡ 0.32

풀이 • 소수 둘째 자리 바로 아래 자리의 숫자가 3이므로 버림하면 6.19입니다.
• 소수 둘째 자리 바로 아래 자리의 숫자가 8이므로 올림하면 0.32입니다.

확인하기 디지털 자를 이용하여 테이프의 두께를 재었습니다.

• 테이프의 두께가 몇 cm인지 반올림하여 소수 첫째 자리까지 나타내어 보세요. 1.8 cm

• 테이프의 두께가 몇 cm인지 반올림하여 일의 자리까지 나타내어 보세요. 2 cm

태도 및 실천 의사소통

생각 솟솟 영화 관객 수를 말할 때 바름이처럼 반올림하여 말하기도 합니다. 이와 같이 실생활에서 반올림을 사용하는 예를 찾아 이야기해 보세요.

예 - 오늘의 낮 최고 기온이 24.7 ℃일 때, 약 25 ℃라고 말합니다.
- 어느 구단의 야구 관중 수가 1773258명일 때, 약 1770000명이라고 말합니다.

23

이런 문제가 서술형으로 나와요

3장의 숫자 카드 4, 7, 5를 한 번씩 모두 사용하여 세 자리 수를 만들려고 합니다. 만들 수 있는 가장 큰 수를 반올림하여 백의 자리까지 나타내면 얼마인지 풀이 과정을 쓰고, 답을 구해 보세요.

| 풀이 과정 |

❶ 만들 수 있는 가장 큰 세 자리 수 구하기

7>5>4이므로 만들 수 있는 가장 큰 세 자리 수는 754입니다.

❷ ❶에서 구한 수를 반올림하여 백의 자리까지 나타내기

754에서 백의 자리 바로 아래 자리의 숫자가 5이므로 올림하면 800입니다.

답 800

수학 교과 역량 태도 및 실천 의사소통

실생활에서 반올림을 사용하는 예 찾아보기

실생활에서 반올림을 사용하는 여러 가지 상황을 찾아보는 과정을 통하여 의사소통 능력을 기를 수 있고, 수학의 필요성과 유용성 및 가치를 알 수 있습니다.

개념 확인 문제

정답 및 풀이 203쪽

1 □ 안에 알맞은 수를 써넣으세요.

412를 반올림하여 십의 자리까지 나타내면 □입니다.

2 수를 반올림하여 주어진 자리까지 나타내어 보세요.

수	소수 첫째 자리	소수 둘째 자리
9.536		

3 지영이네 집 거실의 온도는 23.6 ℃입니다. 지영이네 집 거실의 온도는 몇 ℃인지 반올림하여 일의 자리까지 나타내어 보세요.

(　　　　　　)

4 6054를 반올림하여 해당 자리까지 나타내었을 때 더 큰 수가 되는 것의 기호를 써 보세요.

㉠ 백의 자리　㉡ 천의 자리

(　　　　　　)

문제 해결력 | 쑥쑥

● 비밀번호가 무엇일까요?

학습 목표

- 논리적 추론 전략을 이용하여 수의 범위와 어림하기에 대한 문제를 해결할 수 있습니다.
- 조건을 바꾸어 새로운 문제를 만들고 해결할 수 있습니다.

문제 해결 전략 논리적 추론 전략

수학 교과 역량 문제 해결 정보 처리

비밀번호가 무엇일까요?

- 문제의 조건을 확인하고 문제 해결에 적절한 전략을 선택하여 문제를 해결하는 과정을 통하여 문제 해결 능력을 기를 수 있습니다.
- 문제 해결을 위한 조건을 확인하고 취사선택하는 과정을 통하여 정보를 수집, 분석, 활용하는 정보 처리 능력을 기를 수 있습니다.

문제 해결 Tip 두 가지 숫자가 두 번씩 들어간 네 자리 수의 각 자리 수의 합은 짝수임을 알고 네 자리 수의 각 자리 숫자가 될 수 있는 수를 구합니다.

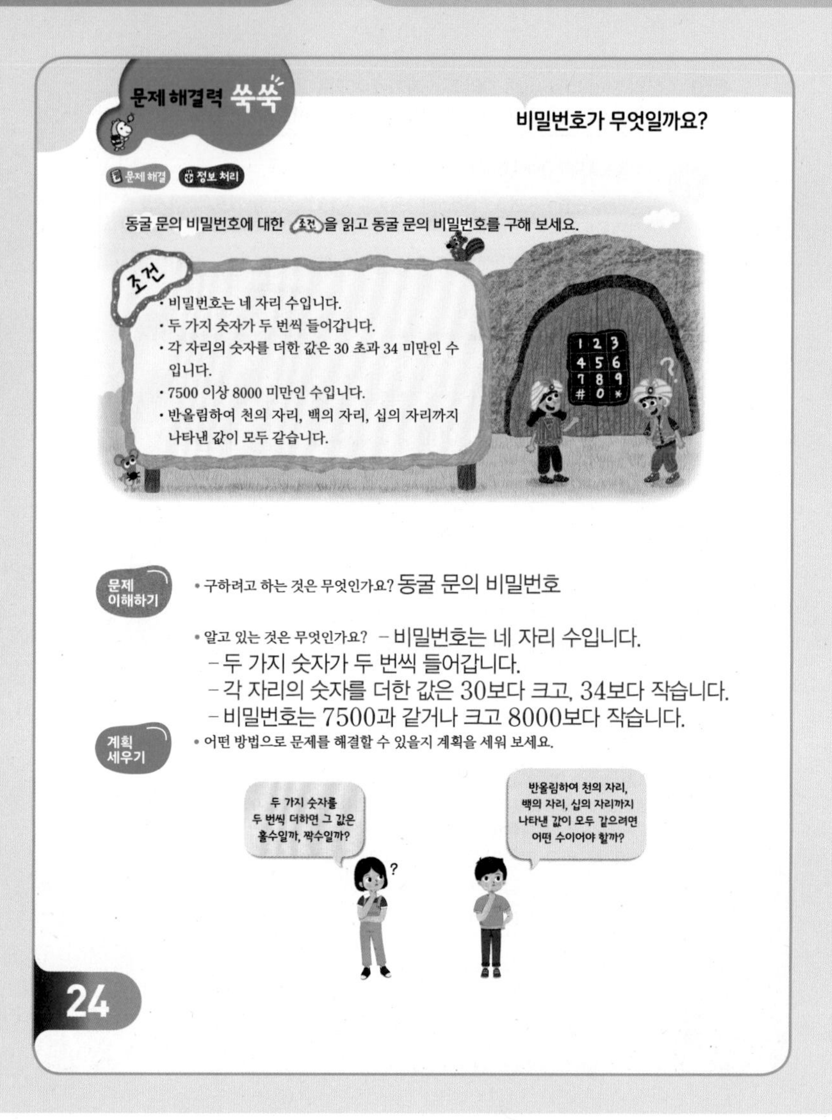

교과서 개념 완성

문제 이해하기

>> 구하려고 하는 것

동굴 문의 비밀번호입니다.

>> 알고 있는 것

제시된 조건 5가지입니다.

계획 세우기

- 두 가지 숫자를 두 번씩 더하였을 때 그 합이 홀수일지, 짝수일지 생각해 봅니다.
- 반올림하여 천의 자리, 백의 자리, 십의 자리까지 나타낸 값이 모두 같은 수를 생각해 봅니다.

계획대로 풀기

두 가지 숫자가 두 번씩 들어간 네 자리 수의 각 자리 수의 합은 짝수이고, 각 자리의 숫자를 더한 값은 30보다 크고 34보다 작으므로 그 합은 32입니다.
비밀번호가 7500과 같거나 크고 8000보다 작으므로 천의 자리의 숫자는 7입니다. 한편 각 자리의 숫자를 더한 값이 32이므로 네 자리 수를 이루는 두 수의 합은 16이고, 한 수가 7이므로 다른 수는 9가 됩니다.
따라서 비밀번호는 7, 7, 9, 9로 이루어진 수이므로 7799, 7979, 7997 중의 하나입니다. 이 중에서 반올림하여 천의 자리, 백의 자리, 십의 자리까지 나타낸 값이 모두 같은 수는 7997입니다.

문제 해결 / 정보 처리

계획대로 풀기 • 계획한 방법에 따라 문제를 해결해 보세요. 7997

풀이 비밀번호가 7500 이상 8000 미만인 수이므로 천의 자리 숫자는 7입니다. 두 가지 숫자가 두 번씩 들어가고, 각 자리의 숫자를 더한 값이 30 초과 34 미만이므로 그 합은 32입니다. 따라서 네 자리 수를 이루는 두 수의 합은 16이고, 두 수는 7과 9입니다.

되돌아보기 • 구한 답이 맞았는지 확인해 보세요. ➔ 7799, 7979, 7997 중에서 반올림하여 천의 자리, 백의 자리, 십의 자리까지 나타낸 값이 모두 같은 수는 7997입니다.

• 문제의 조건을 바꾸어 새로운 문제를 만들고 풀어 보세요.

생각 키우기

다음과 같이 조건을 바꾸어 동굴 문의 비밀번호를 새로 만들었습니다. 새로 만든 비밀번호를 구해 보세요. 6098

조건
- 비밀번호는 네 자리 수입니다.
- 각 자리의 숫자는 모두 다르고, 어떤 한 자리의 숫자는 0입니다.
- 각 자리의 숫자를 더한 값은 23 이상인 수입니다.
- 6000 이상 7000 미만인 수입니다.
- 반올림하여 십의 자리까지 나타낸 값과 백의 자리까지 나타낸 값이 같습니다.

풀이 비밀번호가 6000 이상 7000 미만인 수이므로 천의 자리의 숫자는 6입니다.
각 자리의 숫자가 모두 다른데, 어떤 한 자리의 숫자가 0이고, 각 자리의 숫자를 더한 값이 23과 같거나 크므로 비밀번호의 각 자리 숫자는 6, 8, 9, 0이 되어야 합니다.
따라서 비밀번호는 6, 8, 9, 0으로 이루어진 수이므로 6890, 6809, 6980, 6908, 6098, 6089 중 하나입니다. 이 중에서 반올림하여 십의 자리까지 나타낸 값과 백의 자리까지 나타낸 값이 같은 수는 6098입니다.

25

문제 이해하기

» 구하려고 하는 것

새로 만든 동굴 문의 비밀번호입니다.

» 알고 있는 것

제시된 조건 5가지입니다.

계획 세우기

각 자리의 숫자가 모두 다른데, 어떤 한 자리의 숫자가 0이고, 각 자리의 숫자를 더한 값이 23 이상인 수를 생각해 봅니다.

계획대로 풀기

6000 이상 7000 미만인 수이므로 천의 자리의 숫자는 6입니다. 각 자리의 숫자가 모두 다른데, 어떤 한 자리의 숫자가 0이고, 각 자리의 숫자를 더한 값이 23 이상이 되려면 비밀번호의 각 자리 숫자는 6, 8, 9, 0이 되어야 합니다.

➔ 6, 8, 9, 0으로 이루어진 네 자리 수 중에서 반올림하여 십의 자리까지 나타낸 값과 백의 자리까지 나타낸 값이 같은 수는 6098입니다.

되돌아보기

구한 답이 조건을 만족시키는지 확인해 봅니다.

문제 해결력 문제

정답 및 풀이 203쪽

[1~2] 조건 을 모두 만족하는 네 자리 수를 구하려고 합니다. 물음에 답해 보세요.

조건
- 1200 이상 1300 미만인 수입니다. – 첫 번째 조건
- 각 자리의 숫자는 모두 다르고, 어떤 한 자리의 숫자는 0입니다. – 두 번째 조건
- 각 자리의 숫자를 더한 값은 5 초과 7 미만인 수입니다. – 세 번째 조건
- 반올림하여 십의 자리까지 나타낸 값과 백의 자리까지 나타낸 값이 같습니다.

1 첫 번째, 두 번째, 세 번째 조건 을 만족하는 네 자리 수를 모두 구해 보세요.

( )

2 조건 을 모두 만족하는 네 자리 수를 구해 보세요.

( )

단원 마무리 | 척척

1. 수의 범위와 어림하기

추론 정보 처리

이상과 이하, 초과와 미만의 의미 알아보기

▶자습서 10~15쪽

'이상과 이하'는 기준이 되는 수를 포함하고, '초과와 미만'은 기준이 되는 수를 포함하지 않습니다.

학부모 코칭 Tip

'이상과 이하'와 '초과와 미만'에서 기준이 되는 수의 포함 여부를 정확하게 이해하고 있는지 확인합니다.

1 은수네 모둠 친구들의 줄넘기 기록을 표로 나타낸 것입니다. 물음에 답해 보세요.

13쪽, 15쪽, 17쪽

은수네 모둠 친구들의 줄넘기 기록

이름	은수	현아	다훈	소라	연우	지효
기록(회)	185	294	125	99	305	223

• 줄넘기 기록이 185회 이상인 사람의 이름을 모두 써 보세요.

(은수, 현아, 연우, 지효)

• 줄넘기 기록이 185회 미만인 사람의 이름을 모두 써 보세요.

(다훈, 소라)

• 줄넘기 기록이 185회 초과 294회 이하인 사람의 이름을 모두 써 보세요.

(현아, 지효)

풀이 • 줄넘기 기록이 185회와 같거나 많은 사람은 은수, 현아, 연우, 지효입니다.
• 줄넘기 기록이 185회보다 적은 사람은 다훈, 소라입니다.
• 줄넘기 기록이 185회보다 많고 294회와 같거나 적은 사람은 현아, 지효입니다.

추론 정보 처리

수의 범위를 수직선에 나타내기

▶자습서 14~15쪽

수직선에 이상과 이하인 수를 나타낼 때 기준이 되는 수 위치에는 ●를 사용하여 나타내고, 초과와 미만인 수를 나타낼 때 기준이 되는 수 위치에는 ○를 사용하여 나타냅니다.

2 수의 범위를 수직선에 나타내어 보세요.

17쪽

24 이상 28 미만인 수

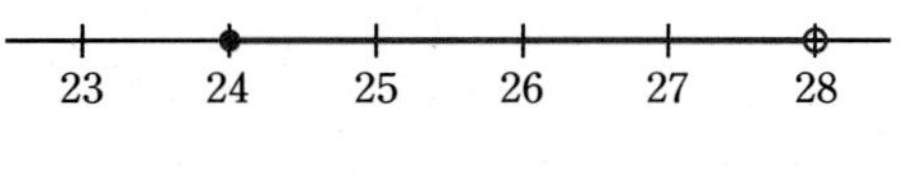

11 초과 15 이하인 수

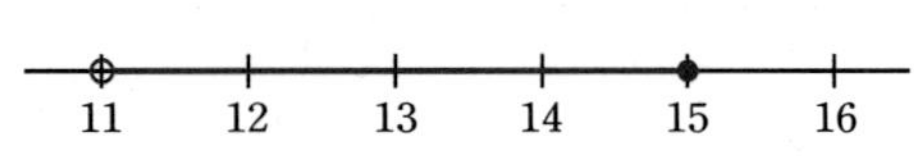

풀이 • 24를 ●, 28을 ○와 같이 나타내고 두 수 사이를 선으로 연결합니다.
• 11을 ○, 15를 ●와 같이 나타내고 두 수 사이를 선으로 연결합니다.

추론 정보 처리

수를 올림, 버림, 반올림하여 주어진 자리까지 나타내기

▶자습서 16~21쪽

학부모 코칭 Tip

수를 어림(올림, 버림, 반올림)하여 어림값으로 나타낼 수 있는지 확인합니다.

3 두 도시의 인구를 각각 올림, 버림, 반올림하여 백의 자리까지 나타내어 보세요.

19쪽, 21쪽, 23쪽

도시	인구(명)	올림	버림	반올림
가	81392	81400	81300	81400
나	47205	47300	47200	47200

풀이 • 81392에서 백의 자리 아래의 수인 92를 100으로 보고 올림하면 81400, 백의 자리 아래의 수를 버려서 0으로 나타내면 81300, 백의 자리 바로 아래 자리의 숫자가 9이므로 올림하면 81400입니다.
• 47205에서 백의 자리 아래의 수인 5를 100으로 보고 올림하면 47300, 백의 자리 아래의 수를 버려서 0으로 나타내면 47200, 백의 자리 바로 아래 자리의 숫자가 0이므로 버림하면 47200입니다.

26

4 지금까지 빛나초등학교를 졸업한 학생 수를 반올림하여 백의 자리까지 나타내면 5200명입니다. 이 학교의 졸업생 수의 범위를 나타내어 보세요.

17쪽, 23쪽

5150 명 이상 5250 명 미만

풀이 반올림하여 백의 자리까지 나타내었을 때 5200이 되려면 5200보다 작은 수에서 반올림하는 경우는 백의 자리 아래 자리인 십의 자리 숫자가 5, 6, 7, 8, 9이어야 하고, 5200보다 큰 수에서 반올림하는 경우는 십의 자리 숫자가 0, 1, 2, 3, 4이어야 합니다.
따라서 구하는 수의 범위는 5150명 이상 5250명 미만입니다.

추론

어림값을 보고 원래 수의 범위 알아보기
▶자습서 14~15쪽, 20~21쪽

학부모 코칭 Tip
반올림하여 어림값이 될 수 있는 수의 범위를 나타낼 수 있는지 확인합니다.

5 친구들이 말한 상황에서 어떤 어림 방법이 필요한지 써 보고, 필요한 어림 방법이 다른 친구는 누구인지 이름을 써 보세요.

19쪽, 21쪽

사탕 53개를 한 봉지에 10개씩 포장하려고 해. 몇 봉지까지 포장할 수 있을까?

245명에게 공책을 한 권씩 나누어 주려고 해. 10권씩 묶인 공책을 산다면 모두 몇 묶음을 사야 할까?

사과잼 한 병을 만드는 데 사과가 1000 g 필요해. 사과 4750 g으로 사과잼 몇 병을 만들 수 있을까?

어림한 방법 다희 (버림), 준호 (올림), 지민 (버림)

어림한 방법이 다른 친구 (준호)

풀이
- 다희: 사탕을 한 봉지에 10개씩 5봉지까지 포장할 수 있고, 3개가 남습니다. ➜ 버림
- 준호: 245명에게 공책을 한 권씩 나누어 주려면 10권씩 묶인 공책을 25묶음 사야 합니다. ➜ 올림
- 지민: 사과 4750 g으로 사과잼 4병을 만들 수 있고 사과 750 g이 남습니다. ➜ 버림

따라서 필요한 어림 방법이 다른 친구는 준호입니다.

추론 의사소통

필요한 어림 방법을 알아보고, 어림 방법이 다른 친구 찾기
▶자습서 16~19쪽

학부모 코칭 Tip
세 사람이 각각 필요한 어림 방법이 무엇인지를 잘 이해하는지 확인합니다.

추론 정보 처리

6 조건을 만족하는 가장 작은 수와 가장 큰 수를 구해 보세요.

17쪽, 19쪽

조건
- 5000 이상 7000 미만인 자연수입니다.
- 올림하여 천의 자리까지 나타내면 6000입니다.
- 백의 자리 숫자는 0입니다.
- 일의 자리 숫자가 백의 자리 숫자보다 큽니다.

가장 작은 수 (5001), 가장 큰 수 (5099)

풀이 5000 이상 7000 미만인 자연수는 5000, 5001, 5002, ..., 6999입니다.
이 수들 중 올림하여 천의 자리까지 나타내었을 때 6000이 되는 수는 5001, 5002, 5003, ..., 6000입니다. 이 중에서 백의 자리 숫자가 0인 수는 5001, 5002, 5003, ..., 5099, 6000입니다. 이때 일의 자리 숫자가 백의 자리 숫자보다 크므로 조건을 만족하는 수는 5001부터 5099까지의 수와 6000 중 일의 자리의 숫자가 0이 아닌 수입니다.
따라서 조건을 만족하는 가장 작은 수는 5001이고, 가장 큰 수는 5099입니다.

추론 정보 처리

이상, 미만, 올림을 활용하여 문제 해결하기
▶자습서 14~17쪽

학부모 코칭 Tip
이상, 미만, 올림의 뜻을 알고 조건에 맞는 수의 범위를 구할 수 있는지 확인합니다.

27

• 놀이 속으로 | 풍덩 • 이야기로 키우는 | 생각

교과서 개념 완성

1 준비물 확인 및 놀이 방법 살펴보기

- 숫자 카드가 준비되어 있는지 확인합니다.
- 놀이 방법을 읽어 보게 하고, 이상과 이하, 초과와 미만을 어떻게 이용할지 이야기를 나누어 보도록 합니다.

학부모 코칭 Tip

이상과 이하, 초과와 미만을 이용하여 수의 범위를 나타내고, 특정한 수가 그 범위에 포함되는지를 살펴보는 시간을 가지면서 수의 범위에 대한 이해 정도를 확인한 후 놀이를 시작하게 합니다.

2 실제 친구와 놀이하기

예 숫자 카드 4와 5를 뽑고, 이 두 숫자를 이용하여 45를 생각한 경우

- 50 이상인가요? 아니요.
- 25 이상 37 이하인가요? 아니요.
- 40 초과 47 이하인가요? 네.
- 45 이상 46 이하인가요? 네.
  └45, 46
- 45 이상 46 미만인가요? 네.
  └45

➜ 답은 45입니다.

학부모 코칭 Tip

놀이를 할 때 이상, 이하, 초과, 미만을 골고루 사용할 수 있게 합니다.

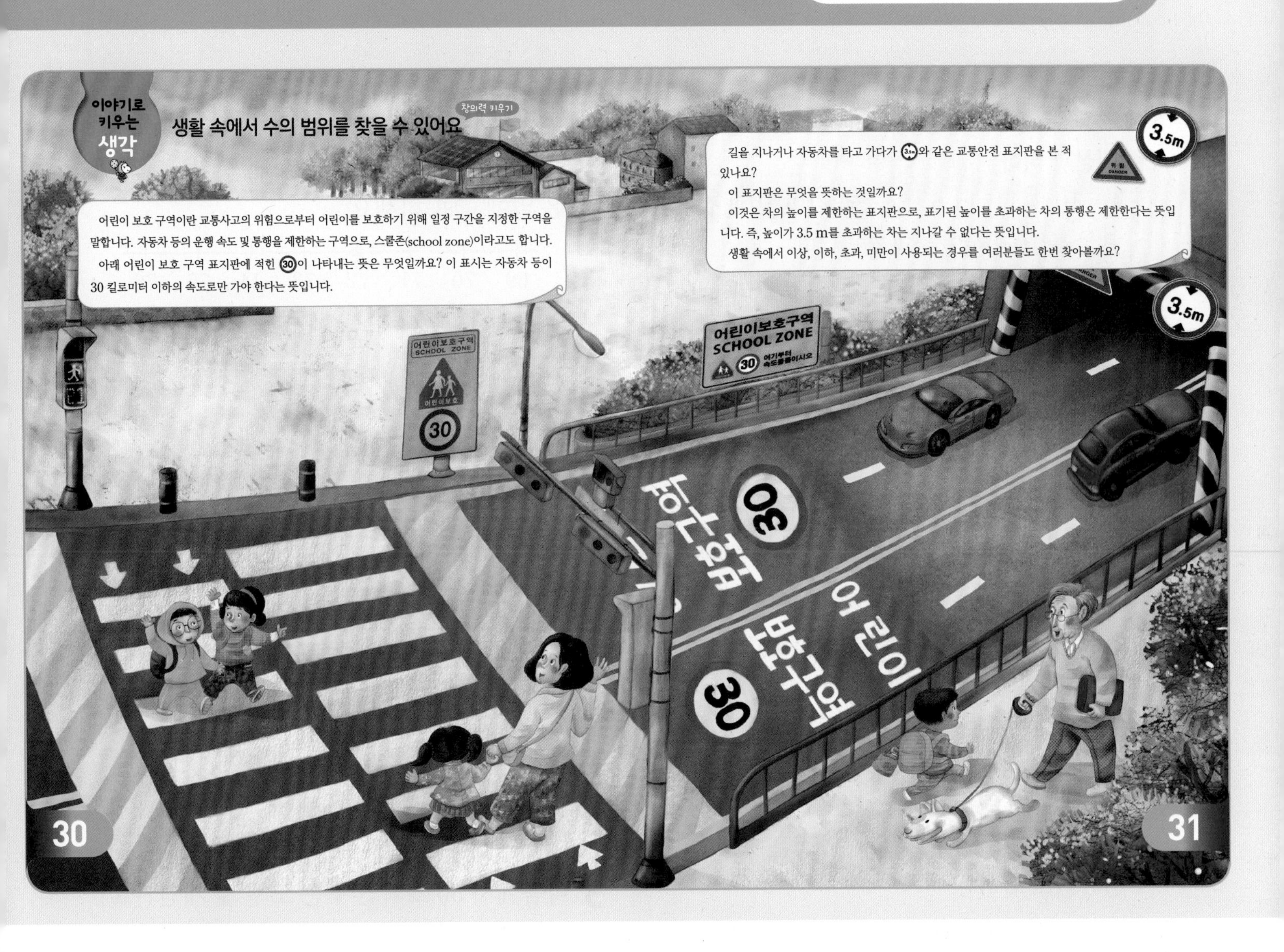

이야기로 키우는 | 생각

생활 속 숨은 수를 찾아서(수의 범위)

'수의 범위'를 구분하는 이상과 이하, 초과와 미만이라는 네 가지 개념을 단순히 수의 범위 구분으로만 인식하기보다는 생활에서 쓰이는 사례를 조사해 보면서 수학이 우리 생활과 어떤 연결 고리를 가지고 있는지를 생각해 봅시다.

1000원을 가지고 '어떤 물건을 살 수 있을까?'하고 생각하면서 대형 마트 한가운데에 서 있다고 상상해 봅시다. '무엇을 살까?'하고 이런저런 생각을 하지만 결국에는 1000원이라는 가격의 범위 내에서 살 수 있는 품목을 골라야 합니다. 이때 수의 범위는 1000 이하인 수가 되는 것입니다.

이번에는 차들이 달리는 도로로 나와 봅시다. 시내버스를 타려면 요금을 내야 하는데, 자기에게 맞는 요금을 내는 것 또한 수의 범위를 자연스럽게 생활 속에서 인식하고 있는 예가 됩니다. 교통 표지판에서도 수의 범위와 관련된 예들을 쉽게 찾아볼 수 있습니다. 최고 속도 제한을 가리키는 표지판이 있고, 육교나 굴다리 옆을 지날 때 마주치는 통과 차량 높이 제한 표지판도 있습니다.

수의 범위는 매월 내는 전기세, 수도세 등과 같은 요금의 범위에서도 찾아볼 수 있습니다.

이처럼 우리 주위에서 수의 범위가 쓰이는 사례들을 많이 찾을 수 있습니다.

[출처] 매일신문, 2004. 6. 4.

개념 + 확인

교과서 개념을 익히고 확인 문제를 풀면서 단원을 마무리해 보아요.

개념

이상과 이하 – 기준이 되는 수가 포함됩니다.

• 10, 10.3, 11, 11.6, 12 등과 같이 10과 **같거나 큰 수**를 10 이상인 수라고 합니다.

예 10 이상인 수를 수직선에 나타내기

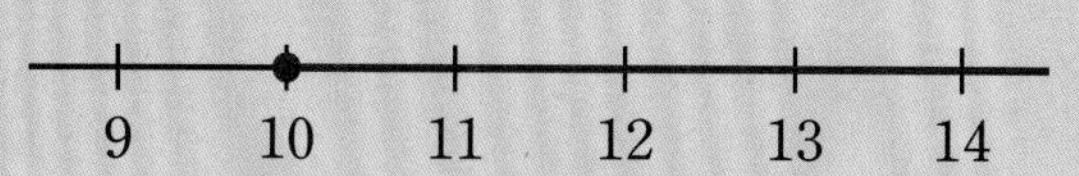

• 9, 8.7, 8, 7.2, 6 등과 같이 9와 **같거나 작은 수**를 9 이하인 수라고 합니다.

예 9 이하인 수를 수직선에 나타내기

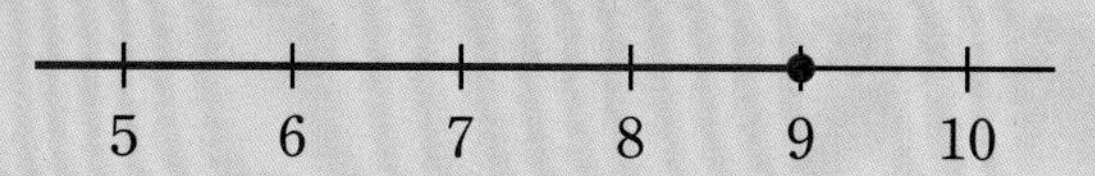

초과와 미만 – 기준이 되는 수가 포함되지 않습니다.

• 10.1, 12, 12.3, 13, 14 등과 같이 10**보다 큰 수**를 10 초과인 수라고 합니다.

예 10 초과인 수를 수직선에 나타내기

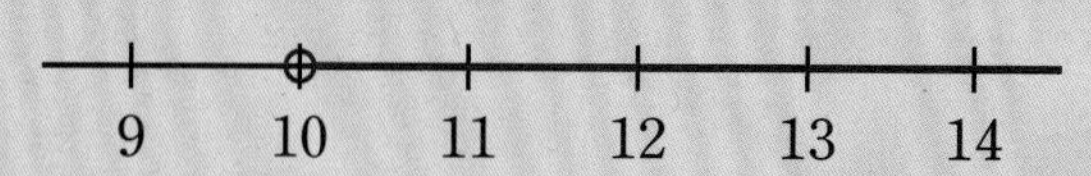

• 7.6, 7, 6.9, 6, 5 등과 같이 8**보다 작은 수**를 8 미만인 수라고 합니다.

예 8 미만인 수를 수직선에 나타내기

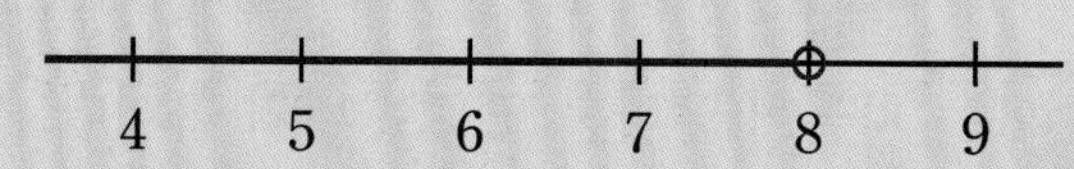

수의 범위 나타내기

	이상	이하	초과	미만
점	●	●	○	○
방향	→	←	→	←

예 50 이상 80 미만인 수

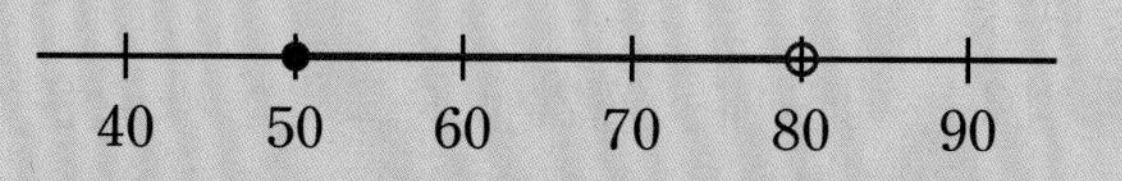

예 50 초과 80 이하인 수

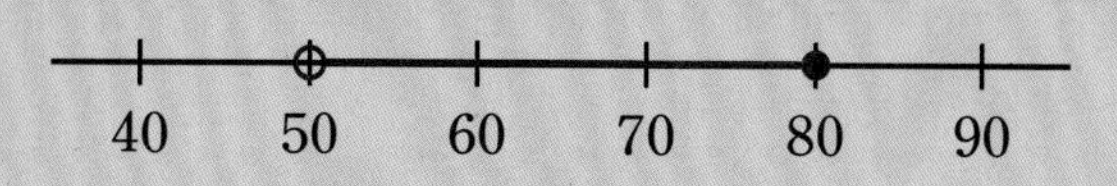

확인 문제

1 수의 범위를 수직선에 나타낸 것입니다. 알맞은 말에 ○표 하세요.

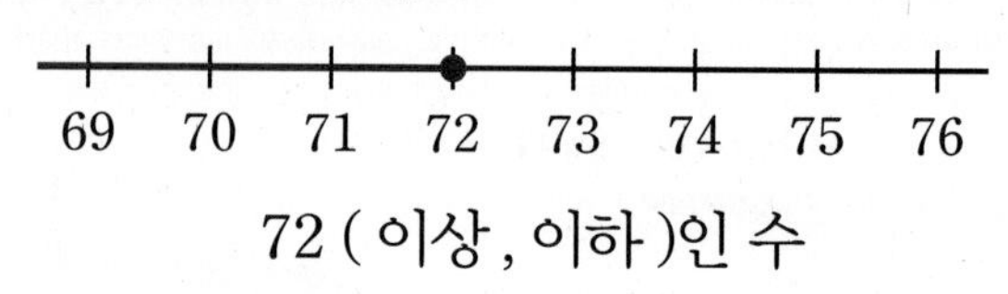

72 (이상 , 이하)인 수

2 수의 범위에 알맞은 수를 모두 찾아 □ 안에 써넣으세요.

29	12.5	35.4	24.7	17

(1) 25 이상인 수: □, □

(2) 17 이하인 수: □, □

3 다음에서 36 초과인 수는 모두 몇 개인가요?

36	29.8	30.5	48
35.6	36.2	32	39

( )

4 키즈카페에 키가 90 cm 이상 110 cm 미만인 어린이만 탈 수 있는 체험 기구가 있습니다. 이 체험 기구를 탈 수 있는 키의 범위를 수직선에 나타내어 보세요.

50 60 70 80 90 100 110 120

➔ 정답 및 풀이 204쪽

개념

올림

구하려는 자리 아래의 수가 0보다 크면, 그 수를 올려서 나타내는 방법을 올림이라고 합니다.

올림하여 십의 자리까지 나타내기	올림하여 백의 자리까지 나타내기
385 → 390 (구하려는 자리: 8, 구하려는 자리 아래의 수: 5)	385 → 400 (구하려는 자리: 3, 구하려는 자리 아래의 수: 85)

버림

구하려는 자리 아래의 수를 버려서 0으로 나타내는 방법을 버림이라고 합니다.

버림하여 십의 자리까지 나타내기	버림하여 백의 자리까지 나타내기
251 → 250 (구하려는 자리: 5, 구하려는 자리 아래의 수: 1)	251 → 200 (구하려는 자리: 2, 구하려는 자리 아래의 수: 51)

반올림

구하려는 자리 바로 아래 자리의 숫자가 0, 1, 2, 3, 4이면 구하려는 자리 아래의 수를 버리고, 5, 6, 7, 8, 9이면 올려서 나타내는 방법을 반올림이라고 합니다.

반올림하여 십의 자리까지 나타내기	4362 → 4360 (구하려는 자리: 6, 구하려는 자리 바로 아래 자리의 숫자: 2)
반올림하여 백의 자리까지 나타내기	4362 → 4400 (구하려는 자리: 3, 구하려는 자리 바로 아래 자리의 숫자: 6)
반올림하여 천의 자리까지 나타내기	4362 → 4000 (구하려는 자리: 4, 구하려는 자리 바로 아래 자리의 숫자: 3)

확인 문제

5 수를 올림하여 주어진 자리까지 나타내어 보세요.

수	십의 자리	백의 자리
429		

6 버림하여 백의 자리까지 나타내었을 때 서로 같은 수를 찾아 기호를 써 보세요.

㉠ 6100 ㉡ 6097 ㉢ 6199

( )

7 어림한 후 어림한 수의 크기를 비교하여 ○ 안에 >, =, <를 알맞게 써넣으세요.

16.53을 반올림하여 일의 자리까지 나타낸 수 ➔ □ ○ 16.04를 반올림하여 일의 자리까지 나타낸 수 ➔ □

8 탁구공 582개를 상자에 모두 담으려고 합니다. 한 상자에 탁구공을 100개씩 담을 수 있을 때, 상자가 적어도 몇 개 필요한지 물음에 답하세요.

(1) 올림, 버림, 반올림 중에서 어떤 방법으로 어림해야 하나요?

( )

(2) 상자는 적어도 몇 개 필요할까요?

( )

단계별로

서술형 문제 해결하기

과정 중심 평가 내용 | 수직선에 나타낸 수의 범위에 속하는 자연수를 구할 수 있는가?

1-1 수직선에 나타낸 수의 범위에 속하는 자연수 중에서 가장 작은 수는 얼마인지 풀이 과정을 쓰고, 답을 구해 보세요. [8점]

15 16 17 18 19 20 21 22

풀이

❶ 수직선에 나타낸 수의 범위는 18 ☐ 인 수입니다.

❷ 수의 범위에 속하는 자연수를 작은 수부터 차례로 쓰면 ☐, ☐, ☐, ...이므로 이 중에서 가장 작은 수는 ☐ 입니다.

답 ....

1-2 쌍둥이

수직선에 나타낸 수의 범위에 속하는 자연수 중에서 가장 큰 수는 얼마인지 풀이 과정을 쓰고, 답을 구해 보세요. [12점]

49 50 51 52 53 54 55 56

풀이

답 ....

1-3 유사

수직선에 나타낸 수의 범위에 속하는 자연수는 모두 몇 개인지 풀이 과정을 쓰고, 답을 구해 보세요. [15점]

풀이

답 ....

1-4 실전

수직선에 나타낸 수의 범위에 속하는 자연수는 모두 몇 개인지 풀이 과정을 쓰고, 답을 구해 보세요. [15점]

풀이

답 ....

과정 중심 평가 내용 올림, 버림, 반올림을 이용하여 문제를 해결할 수 있는가? 공부한 날 월 일

➔ 정답 및 풀이 204쪽

2-1 딸기잼 3672 g을 한 병에 1000 g씩 담아 팔려고 합니다. 딸기잼을 최대 몇 병까지 팔 수 있는지 풀이 과정을 쓰고, 답을 구해 보세요. [8점]

풀이

❶ 1000 g보다 적은 딸기잼은 팔 수 없으므로 (올림 , 버림 , 반올림)해야 합니다.

❷ 3672를 [ ]하여 천의 자리까지 나타내면 [ ]입니다.

따라서 딸기잼을 최대 [ ]병까지 팔 수 있습니다.

답

2-2 쌍둥이

관광객 76명이 케이블카를 타고 전망대에 올라가려고 합니다. 케이블카 한 대에 10명까지 탈 수 있다면 케이블카는 최소 몇 번 올라가야 하는지 풀이 과정을 쓰고, 답을 구해 보세요. [12점]

풀이

답

2-3 유사

어느 축구장의 어제 입장객 수는 1852명, 오늘 입장객 수는 2067명입니다. 2일 동안의 입장객 수는 모두 몇 명인지 반올림하여 백의 자리까지 나타내려고 합니다. 풀이 과정을 쓰고, 답을 구해 보세요. [15점]

풀이

답

2-4 실전

장우는 가게에서 3400원짜리 과자 한 상자와 2800원짜리 아이스크림 한 통을 사려고 합니다. 물건값을 천 원짜리 지폐로만 낸다면 최소 얼마를 내야 하는지 풀이 과정을 쓰고, 답을 구해 보세요. [15점]

풀이

답

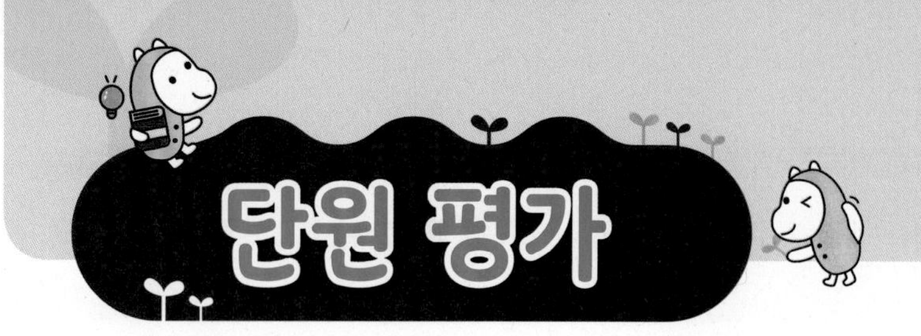

| 이상과 이하 |

01 13 이상인 수에 ○표, 13 이하인 수에 △표 해 보세요.

하

12 8 15 11 13 16

| 초과와 미만 |

02 수의 범위를 수직선에 나타낸 것입니다. □ 안에 이상, 이하, 초과, 미만 중에서 알맞은 말을 써넣으세요.

하

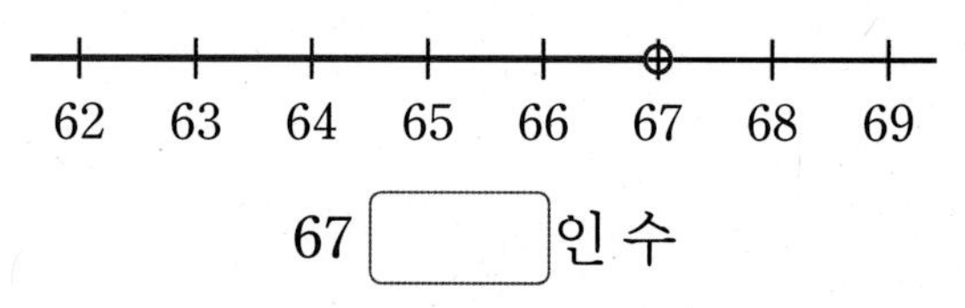

| 버림 |

03 수를 버림하여 주어진 자리까지 나타내어 보세요.

하

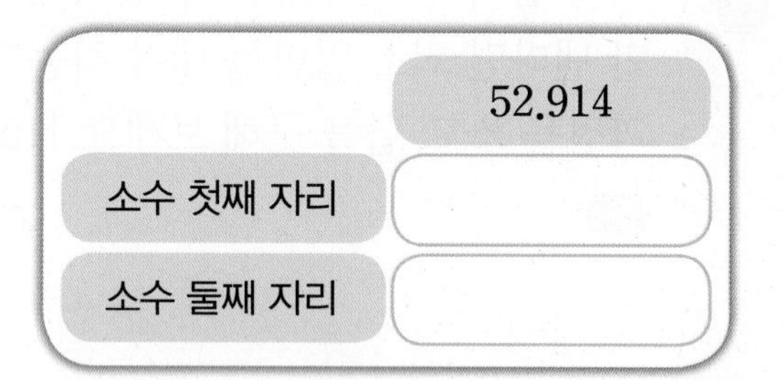

	52.914
소수 첫째 자리	
소수 둘째 자리	

| 이상과 이하 |

04 수의 범위를 수직선에 나타내어 보세요.

하

47 이상인 수

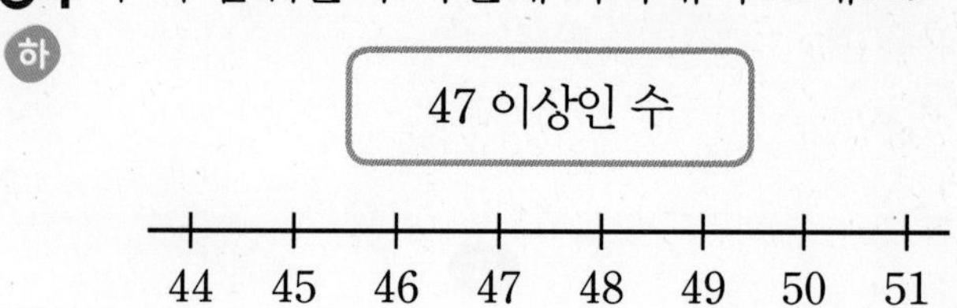

[05~06] 태권도 선수들의 체급별 몸무게를 나타낸 표입니다. 물음에 답해 보세요.

체급별 몸무게(초등학교 남학생용)

체급	몸무게(kg)
핀급	32 이하
플라이급	32 초과 34 이하
밴텀급	34 초과 36 이하
페더급	36 초과 39 이하
라이트급	39 초과

| 수의 범위 나타내기 |

05 경호의 몸무게는 36.7 kg입니다. 경호가 속한 체급은 어느 체급인가요?

중

( )

| 수의 범위 나타내기 |

06 경호가 속한 체급의 몸무게 범위를 수직선에 나타내어 보세요.

중

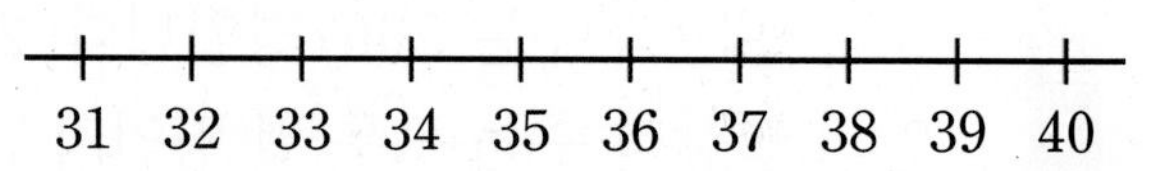

| 올림, 버림, 반올림 |

07 어떤 방법으로 어림해야 하는지 알맞게 이어 보세요.

중

참외를 10개씩 봉지에 담아서 팔 때 팔 수 있는 참외의 수를 구하는 경우 •

사탕을 10개씩 들어가는 상자에 모두 담을 때 필요한 상자의 수를 구하는 경우 •

• 올림

• 버림

• 반올림

| 올림 |

08 올림하여 천의 자리까지 나타낸 수가 다른 하나를 찾아 기호를 써 보세요.

중

㉠ 5001　　㉡ 6000　　㉢ 6010

(　　　　　　　　)

| 올림, 버림, 반올림 |

09 수를 올림, 버림, 반올림하여 백의 자리까지 나타내어 보세요.

중

수	올림	버림	반올림
8471			

| 이상과 이하 |

10 지희네 반 학생들의 100 m 달리기 기록을 나타낸 표입니다. 기록이 14초 이하인 학생이 달리기 대회에 나갈 수 있다고 할 때, 대회에 나갈 수 있는 학생의 이름을 모두 써 보세요.

중

이름	지희	은수	현웅	다영	소연
기록(초)	13.8	15	18.7	14	14.6

(　　　　　　　　)

| 올림 |

11 철사를 924 cm 사려고 합니다. 철사를 1 m 단위로만 판매한다고 합니다. 알맞은 말에 ○표 하고, □ 안에 알맞은 수를 써넣으세요.

중

924 cm＝□ m
철사를 1 m 단위로 사야 하므로 사야 하는 철사의 최소 길이는 9.24를 (올림 , 버림)하여 일의 자리까지 나타낸 □ m입니다.

| 수의 범위 나타내기 |

12 15를 포함하는 수의 범위를 모두 찾아 기호를 써 보세요.

중

㉠ 15 이상 20 이하인 수
㉡ 10 이상 15 미만인 수
㉢ 11 초과 16 미만인 수

(　　　　　　　　)

| 반올림 |

13 어림한 수의 크기를 비교하여 ○ 안에 $>$, $=$, $<$를 알맞게 써넣으세요.

중

64095를 반올림하여 백의 자리까지 나타낸 수 ○ 64102를 반올림하여 십의 자리까지 나타낸 수

| 버림 |　　서술형

14 7354를 버림하여 천의 자리까지 나타낸 수와 버림하여 백의 자리까지 나타낸 수의 차는 얼마인지 풀이 과정을 쓰고, 답을 구해 보세요.

중

답

➔ 정답 및 풀이 206쪽

| 올림, 버림, 반올림 |

15 1149를 어림하였더니 1200이 되었습니다. 어림한 방법을 바르게 설명한 사람을 찾아 이름을 써 보세요.

중

> 시아: 버림하여 백의 자리까지 나타냈어.
> 유준: 반올림하여 십의 자리까지 나타냈어.
> 민지: 올림하여 백의 자리까지 나타냈어.

( )

| 초과와 미만 | 서술형

16 높이가 2.7 m 초과인 자동차는 통과할 수 없는 도로가 있습니다. 도로를 통과할 수 없는 자동차는 모두 몇 대인지 풀이 과정을 쓰고, 답을 구해 보세요.

중

자동차	가	나	다	라	마
높이(m)	2.6	3	2.8	2.75	2.7

풀이

답

| 올림 |

17 희수의 사물함 비밀번호를 올림하여 백의 자리까지 나타내면 7700입니다. □ 안에 알맞은 수를 써넣으세요.

중

> 사물함 비밀번호: □□15

| 초과와 미만 |

18 두 조건을 동시에 만족하는 자연수는 모두 몇 개인가요?

상

> • 96 초과인 수입니다.
> • 103 미만인 수입니다.

( )

| 수의 범위 나타내기 |

19 규성이가 일반 소포로 보낼 두 가지 물건의 무게를 재어 보니 각각 5 kg과 10 kg이었습니다. 물건을 넣을 상자 한 개의 무게가 1 kg일 때, 두 물건을 각각 상자에 넣어 일반 소포를 보낸다면 요금은 모두 얼마일까요?

상

무게(kg)	5 초과 7 이하	7 초과 10 이하	10 초과 15 이하
요금(원)	3700	4700	5700

( )

| 버림 | 서술형

20 구슬 458개를 한 상자에 100개씩 담아 8000원씩 받고 팔려고 합니다. 상자에 들어 있는 구슬을 팔아서 받을 수 있는 돈은 최대 얼마인지 풀이 과정을 쓰고, 답을 구해 보세요.

상

풀이

답

교실 문의 비밀번호를 맞혀 볼까요?

2 분수의 곱셈

이전에 배운 내용	이번에 배울 내용	다음에 배울 내용
3-2 5. 분수 • 전체의 분수만큼 알아보기 4-2 1. 분수의 덧셈과 뺄셈 • (동분모의) 분수의 덧셈과 뺄셈 5-1 4. 약분과 통분 • 약분과 통분 5-1 5. 분수의 덧셈과 뺄셈 • (이분모의) 분수의 덧셈과 뺄셈	• (분수) × (자연수) • (자연수) × (분수) • (진분수) × (진분수) • (대분수) × (대분수)	5-2 4. 소수의 곱셈 • (소수) × (자연수) • (자연수) × (소수) • (소수) × (소수) 6-1 1. 분수의 나눗셈 6-1 3. 소수의 나눗셈 6-2 1. 분수의 나눗셈

• 한지를 이용하여 부채, 연을 만들 것 같습니다.

• $\frac{2}{5} \times 3$을 어떻게 계산하는지 궁금해하고 있습니다.

그림 속 상황

공부할 준비가 되었나요?

자/기/주/도/학/습

	학습 내용	계획 및 확인(공부한 날)	
예습	**1차시** | 단원 도입 / 준비 **팡팡**	36~39쪽	월 일
진도	**2차시** | **1** (진분수)×(자연수)	40~41쪽	월 일
	3차시 | **2** (대분수)×(자연수)	42~43쪽	월 일
	4차시 | **3** (자연수)×(진분수)	44~45쪽	월 일
	5차시 | **4** (자연수)×(대분수)	46~47쪽	월 일
	6~7차시 | **5** (진분수)×(진분수)	48~51쪽	월 일
	8차시 | **6** (대분수)×(대분수)	52~53쪽	월 일
	9차시 | 문제 해결력 **쑥쑥**	54~55쪽	월 일
	10차시 | 단원 마무리 **척척**	56~57쪽	월 일
	11차시 | 놀이 속으로 **풍덩** / 이야기로 키우는 생각	58~59쪽	월 일
평가	**개념+확인** / **서술형 문제 해결하기**	60~63쪽	월 일
	단원 평가 / **재미있는 수학 이야기**	64~67쪽	월 일

준비 팡팡

학습 목표

'무엇을 알고 있나요'와 '함께 생각해 볼까요'를 통하여 단원을 준비할 수 있습니다.

그림을 보고 ▢ 안에 알맞은 수 써넣기

- 부채 12개를 4개씩 묶으면 8개는 3묶음 중 2묶음입니다. 3묶음 중 2묶음은 $\frac{2}{3}$로 나타낼 수 있습니다.
- $\frac{5}{7}$는 전체를 똑같이 7로 나눈 것 중의 5입니다. 따라서 21 cm의 $\frac{5}{7}$는 15 cm입니다.

가분수를 대분수로, 대분수를 가분수로 나타내기

$\frac{15}{4}=\frac{12}{4}+\frac{3}{4}=3\frac{3}{4}$, $\frac{33}{8}=\frac{32}{8}+\frac{1}{8}=4\frac{1}{8}$, $3\frac{5}{6}=\frac{18}{6}+\frac{5}{6}=\frac{23}{6}$, $5\frac{2}{7}=\frac{35}{7}+\frac{2}{7}=\frac{37}{7}$

기약분수로 나타내기

$\frac{5}{10}=\frac{5\div5}{10\div5}=\frac{1}{2}$, $\frac{16}{48}=\frac{16\div16}{48\div16}=\frac{1}{3}$, $\frac{20}{32}=\frac{20\div4}{32\div4}=\frac{5}{8}$

준비 팡팡 수학익힘 21쪽

무엇을 알고 있나요

1 그림을 보고 ▢ 안에 알맞은 수를 써넣으세요.

➡ 부채 12개를 4개씩 묶으면 8개는 12개의 $\frac{2}{3}$입니다.

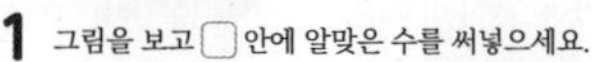

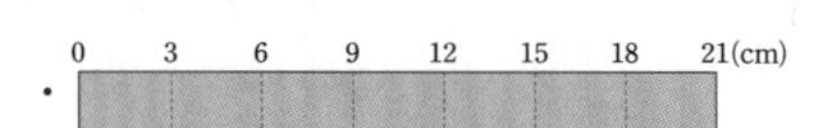

➡ 21 cm의 $\frac{5}{7}$는 전체 21 cm를 똑같이 7 부분으로 나눈 것 중의 5 부분입니다.
21 cm의 $\frac{5}{7}$는 15 cm입니다.

2 가분수를 대분수로, 대분수를 가분수로 나타내어 보세요.

$\frac{15}{4}=3\frac{3}{4}$ $\frac{33}{8}=4\frac{1}{8}$ $3\frac{5}{6}=\frac{23}{6}$ $5\frac{2}{7}=\frac{37}{7}$

3 기약분수로 나타내어 보세요.

$\frac{5}{10}=\frac{1}{2}$ $\frac{16}{48}=\frac{1}{3}$ $\frac{20}{32}=\frac{5}{8}$

34

교과서 개념 완성 | 배운 것을 다시 생각하기

분수로 나타내기

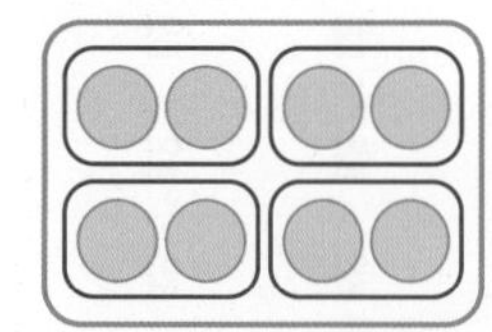

8을 2씩 묶으면 4묶음
6은 4묶음 중의 3묶음
➡ 6은 8의 $\frac{3}{4}$

전체의 분수만큼 알아보기

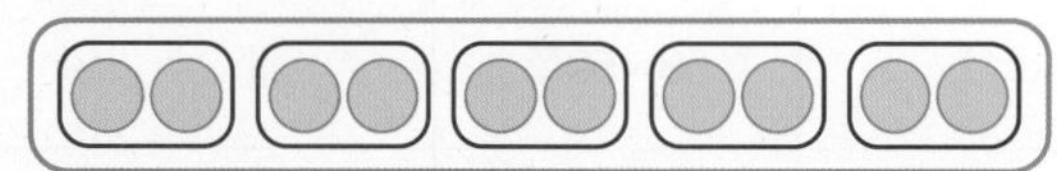

10의 $\frac{4}{5}$는 전체 10개를 똑같이 5묶음으로 나눈 것 중의 4묶음 ➡ 10의 $\frac{4}{5}$는 8

가분수를 대분수로, 대분수를 가분수로 나타내기

- 가분수를 대분수로 나타내기
  예 $\frac{8}{3}$ ➡ 자연수 2와 진분수 $\frac{2}{3}$ ➡ $2\frac{2}{3}$
- 대분수를 가분수로 나타내기
  예 $2\frac{1}{6}$ ➡ 단위분수 $\frac{1}{6}$이 13개 ➡ $\frac{13}{6}$

기약분수로 나타내기

분모와 분자를 분모와 분자의 최대공약수로 나누면 기약분수가 됩니다.

예 $\frac{24}{40}=\frac{24\div8}{40\div8}=\frac{3}{5}$ (8: 24와 40의 최대공약수)

준비 팡팡

함께 생각해 볼까요

1 □ 안에 알맞은 수를 써넣고, 계산 결과를 색칠해 보세요.

· $\frac{3}{4}+\frac{3}{4}+\frac{3}{4}=\frac{9}{4}=2\frac{1}{4}$

· $\frac{2}{5}+\frac{2}{5}+\frac{2}{5}+\frac{2}{5}=\frac{8}{5}=1\frac{3}{5}$

2 전체가 1인 그림에서 보기 와 같이 색칠된 부분을 분수로 나타내어 보세요.

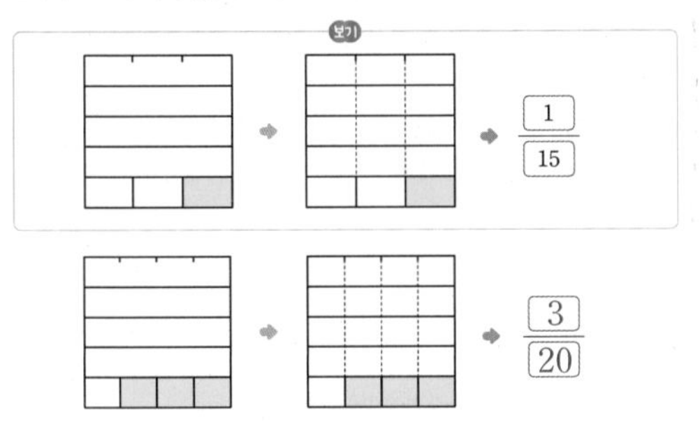

35

분수의 덧셈을 계산하고, 계산 결과 색칠하기

· $\frac{3}{4}+\frac{3}{4}+\frac{3}{4}=\frac{9}{4}=\frac{8}{4}+\frac{1}{4}=2\frac{1}{4}$이므로 그림에 2만큼 색칠한 후 $\frac{1}{4}$만큼 더 색칠합니다.

· $\frac{2}{5}+\frac{2}{5}+\frac{2}{5}+\frac{2}{5}=\frac{8}{5}=\frac{5}{5}+\frac{3}{5}=1\frac{3}{5}$이므로 그림에 1만큼 색칠한 후 $\frac{3}{5}$만큼 더 색칠합니다.

학부모 코칭 Tip

계산 결과인 대분수를 그림에 나타낼 때는 자연수와 진분수만큼의 크기가 연속적으로 그림에 드러나게 합니다.

전체가 1인 그림에서 보기 와 같이 색칠된 부분을 분수로 나타내기

색칠된 부분은 전체 20칸 중 3칸이므로 분수로 나타내면 $\frac{3}{20}$입니다.

학부모 코칭 Tip

보조선을 사용하여 전체를 등분할 한 전체 칸의 개수와 색칠된 칸의 개수를 세어 색칠된 부분을 분수로 나타낼 수 있게 합니다.

개념 확인 문제

정답 및 풀이 207쪽

| 3-2 5. 분수 |

1 그림을 보고 □ 안에 알맞은 수를 써넣으세요.

· 20의 $\frac{1}{5}$은 □입니다.

· 20의 $\frac{4}{5}$는 □입니다.

| 3-2 5. 분수 |

2 $3\frac{5}{7}$를 가분수로 바르게 나타낸 것을 찾아 기호를 써 보세요.

㉠ $\frac{35}{7}$ ㉡ $\frac{30}{7}$ ㉢ $\frac{26}{7}$

( )

| 5-1 4. 약분과 통분 |

3 기약분수로 나타내어 보세요.

$\frac{81}{90}$ → ( )

2 차시 1 | (진분수)×(자연수)

학습 목표

(진분수) × (자연수)의 계산 원리를 이해하고 그 계산을 할 수 있습니다.

그림으로 개념 잡기

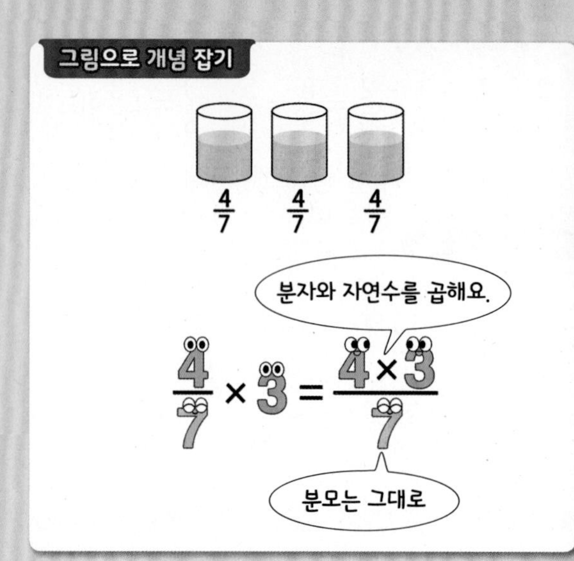

어휘

진분수	분자의 값이 분모보다 작은 분수를 말합니다.
proper fraction	
眞 (참 진) 分 (나눌 분) 數 (셈 수)	

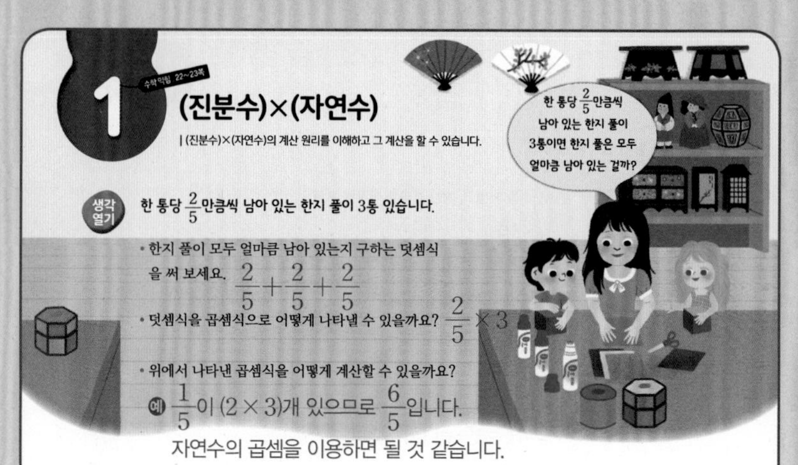

탐구하기 $\frac{2}{5}\times3$을 계산하는 방법을 알아봅시다.

• $\frac{2}{5}\times3$만큼 그림에 색칠해 보세요.

• $\frac{2}{5}$는 $\frac{1}{5}$이 몇 개인가요? 2개

• $\frac{2}{5}\times3$은 $\frac{1}{5}$이 몇 개인가요? 6개

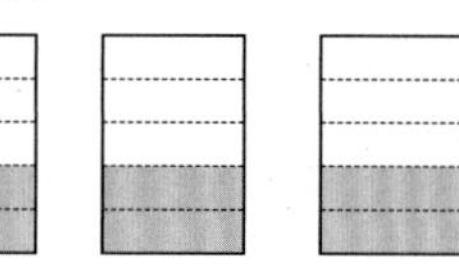

• $\frac{2}{5}\times3$의 계산 결과를 식으로 구해 보세요.

$\frac{2}{5}\times3=\frac{2}{5}+\frac{2}{5}+\frac{2}{5}=\frac{\boxed{2}\times\boxed{3}}{5}=\frac{\boxed{6}}{5}=\boxed{1}\frac{\boxed{1}}{5}$

의사소통 • $\frac{2}{5}\times3$을 어떻게 계산하였는지 이야기해 보세요.

예 분수의 분모는 그대로 두고, 분수의 분자와 자연수를 곱하여 계산하였습니다.

36

교과서 개념 완성

탐구하기 $\frac{2}{5}\times3$의 계산 방법 탐구하기

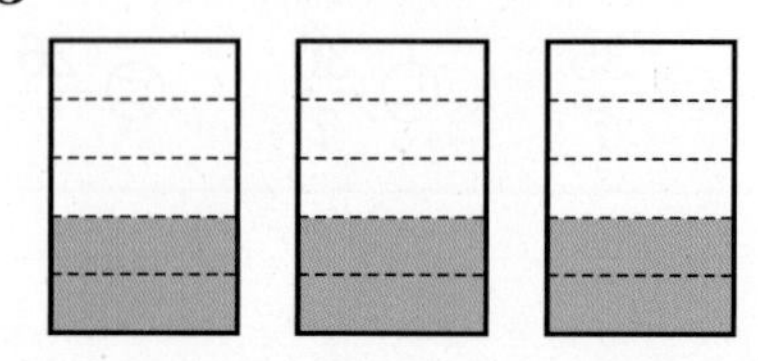

$\frac{2}{5}$는 $\frac{1}{5}$이 2개이니까 $\frac{2}{5}\times3$은 $\frac{1}{5}$이 (2×3)개입니다.

$\frac{2}{5}\times3=\frac{2}{5}+\frac{2}{5}+\frac{2}{5}=\frac{2\times3}{5}=\frac{6}{5}=1\frac{1}{5}$

➔ 분수의 분모는 그대로 두고, 분수의 분자와 자연수를 곱하여 계산하였습니다.

확인하기 (진분수) × (자연수)의 계산 익히기

(진분수) × (자연수)는 분수의 분모는 그대로 두고, 분수의 분자와 자연수를 곱하여 계산합니다.

$\frac{2}{3}\times5=\frac{2\times5}{3}=\frac{10}{3}=3\frac{1}{3}$

$\frac{3}{4}\times7=\frac{3\times7}{4}=\frac{21}{4}=5\frac{1}{4}$

$\frac{3}{8}\times2=\frac{3\times\overset{1}{\cancel{2}}}{\underset{4}{\cancel{8}}}=\frac{3}{4}$

$\frac{5}{\underset{1}{\cancel{6}}}\times\overset{2}{\cancel{12}}=5\times2=10$

분수의 분모와 자연수가 약분이 되면 약분을 먼저 하고 계산하면 편리합니다.

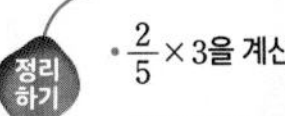

• $\frac{2}{5}\times 3$을 계산하는 방법을 정리해 봅시다.

(진분수)×(자연수)는 분수의 분모는 그대로 두고, 분수의 분자와 자연수를 곱하여 계산합니다.

$\frac{2}{5}\times 3=\frac{2}{5}+\frac{2}{5}+\frac{2}{5}=\frac{2\times 3}{5}=\frac{6}{5}=1\frac{1}{5}$

$\frac{▲}{●}\times ■=\frac{▲\times ■}{●}$

• □ 안에 알맞은 수를 써넣으세요.

$\frac{4}{9}\times 6=\frac{\boxed{4}\times\boxed{6}}{9}=\frac{\boxed{24}}{\boxed{9}}=\boxed{2\frac{6}{9}}\left(=2\frac{2}{3}\right)$

분수의 분모와 자연수가 약분이 되면 약분을 먼저 하고 계산하면 편리합니다.

$\frac{4}{9}\times 6=\frac{4\times \overset{\boxed{2}}{\cancel{6}}}{\underset{\boxed{3}}{\cancel{9}}}=\frac{\boxed{8}}{\boxed{3}}=\boxed{2\frac{2}{3}}$ | $\frac{4}{\underset{\boxed{3}}{\cancel{9}}}\times \overset{\boxed{2}}{\cancel{6}}=\frac{\boxed{8}}{\boxed{3}}=\boxed{2\frac{2}{3}}$

1. 계산해 보세요.

$\frac{2}{3}\times 5=\frac{10}{3}=3\frac{1}{3}$　　$\frac{3}{4}\times 7=\frac{21}{4}=5\frac{1}{4}$

$\frac{3}{8}\times 2=\frac{3}{4}$　　$\frac{5}{6}\times 12=10$

2. 게시판을 꾸미는 데 세 모둠이 각각 $\frac{5}{9}$ m²의 색지를 사용하였습니다. 세 모둠이 사용한 색지는 모두 몇 m²인가요?

식 $\frac{5}{9}\times 3=\frac{5}{3}\left(=1\frac{2}{3}\right)$

답 $\frac{5}{3}\left(=1\frac{2}{3}\right)$ m²

풀이 (세 모둠이 사용한 색지의 넓이)$=\frac{5}{9}\times 3=\frac{5\times \overset{1}{\cancel{3}}}{\underset{3}{\cancel{9}}}=\frac{5}{3}=1\frac{2}{3}$(m²)

37

이런 문제가 서술형으로 나와요

□ 안에 들어갈 수 있는 자연수는 모두 몇 개인지 풀이 과정을 쓰고, 답을 구해 보세요.

$\frac{3}{8}\times 10>\square$

| 풀이 과정 |

❶ 곱셈식 계산하기

$\frac{3}{8}\times 10=\frac{3\times \overset{5}{\cancel{10}}}{\underset{4}{\cancel{8}}}=\frac{15}{4}=3\frac{3}{4}$

❷ □ 안에 들어갈 수 있는 자연수의 개수 구하기

$3\frac{3}{4}>\square$이므로 □ 안에 들어갈 수 있는 자연수는 3, 2, 1로 모두 3개입니다.

답 3개

수학 교과 역량 　의사소통

(진분수)×(자연수)의 계산 원리

탐구하기를 통하여 추론한 $\frac{2}{5}\times 3$의 계산 방법을 이야기해 보면서 의사소통 능력을 기를 수 있습니다.

개념 확인 문제

정답 및 풀이 207쪽

1 □ 안에 알맞은 수를 써넣으세요.

$\frac{5}{6}\times 7=\frac{\square\times\square}{6}=\frac{\square}{\square}=\square$

2 계산해 보세요.

(1) $\frac{4}{7}\times 5$　　(2) $\frac{2}{3}\times 9$

3 빈칸에 알맞은 수를 써넣으세요.

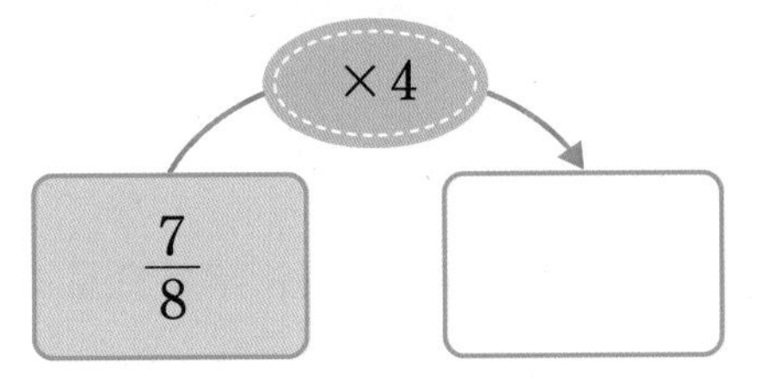

4 물이 $\frac{4}{5}$ L씩 들어 있는 물통이 6개 있습니다. 물은 모두 몇 L인가요?

(　　　　　　　　)

3 차시

2 | (대분수)×(자연수)

학습 목표

(대분수)×(자연수)의 계산 원리를 이해하고 그 계산을 할 수 있습니다.

그림으로 개념 잡기

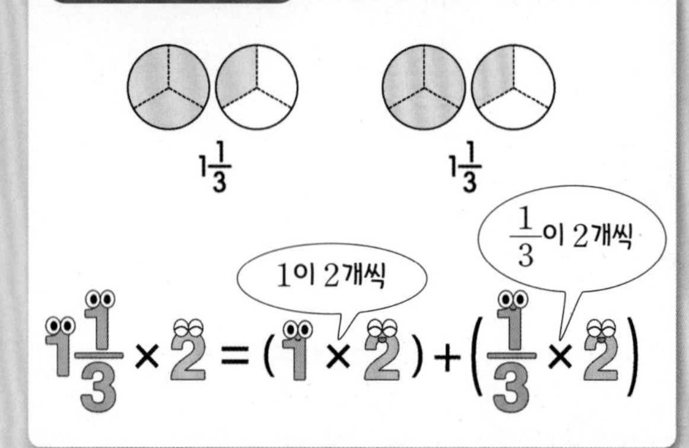

어휘

대분수 mixed fraction 帶 (띠 대) 分 (나눌 분) 數 (셈 수)	자연수와 진분수의 합으로 이루어진 분수를 말합니다.

2 (대분수)×(자연수)

수학 익힘 24~25쪽

(대분수)×(자연수)의 계산 원리를 이해하고 그 계산을 할 수 있습니다.

생각열기 전통 부채 1개를 만드는 데 한지 $1\frac{1}{5}$장이 필요합니다.

• 전통 부채 3개를 만들려면 한지가 모두 몇 장 필요한지 구하는 곱셈식을 써 보세요. $1\frac{1}{5}\times3$

• 위에서 구한 곱셈식을 어떻게 계산할 수 있을까요?

예 대분수를 자연수 부분과 진분수 부분으로 나누어 계산하면 될 것 같습니다.
대분수를 가분수로 바꾸어 계산하면 될 것 같습니다.

탐구하기 $1\frac{1}{5}\times3$을 계산하는 방법을 알아봅시다.

$1\frac{1}{5}$을 자연수 부분과 진분수 부분으로 나누면 $1+\frac{1}{5}$로 나타낼 수 있어.

• $1\frac{1}{5}$을 자연수 부분과 진분수 부분으로 나누어 계산해 보세요.

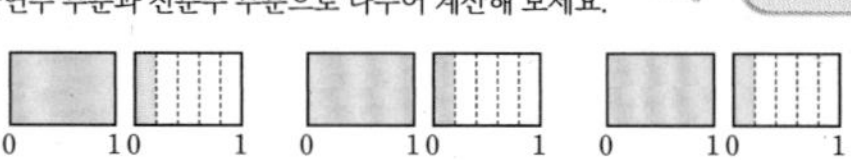

$1\frac{1}{5}\times3=1\frac{1}{5}+1\frac{1}{5}+1\frac{1}{5}=(1\times\boxed{3})+\left(\frac{1}{5}\times\boxed{3}\right)=\boxed{3}+\frac{\boxed{3}}{5}=\boxed{3}\frac{\boxed{3}}{5}$

• $1\frac{1}{5}$을 가분수로 바꾸어 계산해 보세요.

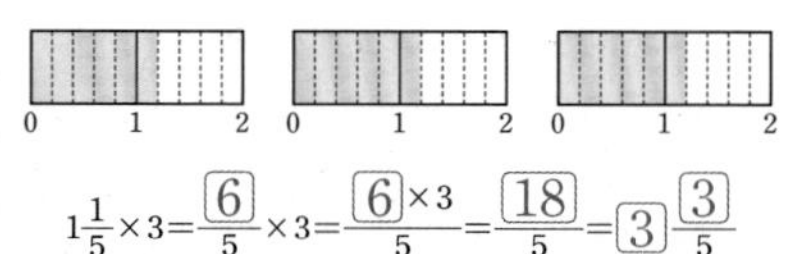

$1\frac{1}{5}\times3=\frac{\boxed{6}}{5}\times3=\frac{\boxed{6}\times3}{5}=\frac{\boxed{18}}{5}=\boxed{3}\frac{\boxed{3}}{5}$

 의사소통

• $1\frac{1}{5}\times3$을 어떻게 계산하였는지 이야기해 보세요.

예 대분수를 자연수 부분과 진분수 부분으로 나누어 계산하였습니다.
대분수를 가분수로 바꾸어 계산하였습니다.

38

교과서 개념 완성

탐구하기 $1\frac{1}{5}\times3$의 계산 방법 탐구하기

• $1\frac{1}{5}$을 자연수 부분과 진분수 부분으로 나누어 계산합니다.

$$\begin{aligned}1\frac{1}{5}\times3&=1\frac{1}{5}+1\frac{1}{5}+1\frac{1}{5}\\&=(1\times3)+\left(\frac{1}{5}\times3\right)\\&=3+\frac{3}{5}\\&=3\frac{3}{5}\end{aligned}$$

$1\frac{1}{5}\times3$은 1이 3개, $\frac{1}{5}$이 3개씩 있습니다.

• $1\frac{1}{5}$을 가분수로 바꾸어 계산합니다.

$$1\frac{1}{5}\times3=\frac{6}{5}\times3=\frac{6\times3}{5}=\frac{18}{5}=3\frac{3}{5}$$

확인하기 (대분수)×(자연수)의 계산 익히기

$$2\frac{3}{4}\times2=(2\times2)+\left(\frac{3}{\cancel{4}_{2}}\times\cancel{2}^{1}\right)=4+\frac{3}{2}=5\frac{1}{2}$$

$$4\frac{6}{7}\times3=(4\times3)+\left(\frac{6}{7}\times3\right)=12+\frac{18}{7}=14\frac{4}{7}$$

$$5\frac{1}{9}\times2=\frac{46}{9}\times2=\frac{92}{9}=10\frac{2}{9}$$

$$3\frac{3}{8}\times4=\frac{27}{\cancel{8}_{2}}\times\cancel{4}^{1}=\frac{27}{2}=13\frac{1}{2}$$

• $1\frac{1}{5}\times3$을 계산하는 방법을 정리해 봅시다.

방법① 대분수를 자연수 부분과 진분수 부분으로 나누어 계산하기

$1\frac{1}{5}\times3=1\frac{1}{5}+1\frac{1}{5}+1\frac{1}{5}=(1\times3)+\left(\frac{1}{5}\times3\right)=3+\frac{3}{5}=3\frac{3}{5}$

방법② 대분수를 가분수로 바꾸어 계산하기

$1\frac{1}{5}\times3=\frac{6}{5}\times3=\frac{6\times3}{5}=\frac{18}{5}=3\frac{3}{5}$

• □ 안에 알맞은 수를 써넣으세요.

방법① $2\frac{1}{5}\times4=(2\times\boxed{4})+\left(\frac{1}{5}\times\boxed{4}\right)=\boxed{8}+\frac{\boxed{4}}{5}=\boxed{8\frac{4}{5}}$

방법② $2\frac{1}{5}\times4=\frac{\boxed{11}}{5}\times4=\frac{\boxed{11}\times4}{5}=\frac{\boxed{44}}{5}=\boxed{8\frac{4}{5}}$

1. 계산해 보세요.

$2\frac{3}{4}\times2=\frac{11}{2}=5\frac{1}{2}$ $4\frac{6}{7}\times3=\frac{102}{7}=14\frac{4}{7}$

$5\frac{1}{9}\times2=\frac{92}{9}=10\frac{2}{9}$ $3\frac{3}{8}\times4=\frac{27}{2}=13\frac{1}{2}$

2. 한 변이 $4\frac{1}{3}$ m인 정사각형 모양의 텃밭이 있습니다. 이 텃밭의 둘레는 몇 m인가요?

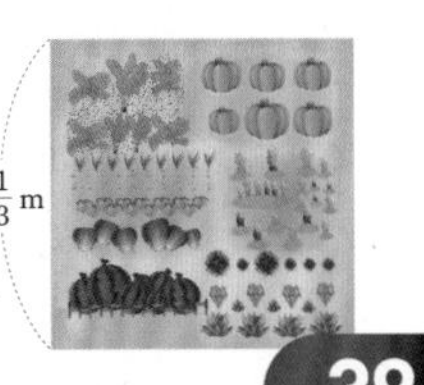

식 $4\frac{1}{3}\times4=\frac{52}{3}\left(=17\frac{1}{3}\right)$

답 $\frac{52}{3}\left(=17\frac{1}{3}\right)$ m

풀이 정사각형의 네 변의 길이는 모두 같으므로 (텃밭의 둘레)$=4\frac{1}{3}\times4=\frac{13}{3}\times4=\frac{52}{3}=17\frac{1}{3}$(m)입니다.

39

이런 문제가 서술형으로 나와요

가장 큰 수와 가장 작은 수의 곱은 얼마인지 풀이 과정을 쓰고, 답을 구해 보세요.

$3\frac{3}{7}$ $5\frac{5}{8}$ 3

| 풀이 과정 |

❶ 가장 큰 수와 가장 작은 수 구하기

가장 큰 수는 $5\frac{5}{8}$, 가장 작은 수는 3입니다.

❷ ❶에서 구한 두 수의 곱 구하기

$5\frac{5}{8}\times3=(5\times3)+\left(\frac{5}{8}\times3\right)=15+\frac{15}{8}$

$=15+1\frac{7}{8}=16\frac{7}{8}$ 답 $16\frac{7}{8}$

수학 교과 역량 의사소통

(대분수)×(자연수)의 계산 원리

탐구하기를 통하여 추론한 $1\frac{1}{5}\times3$의 계산 방법을 이야기해 보면서 의사소통 능력을 기를 수 있습니다.

개념 확인 문제

정답 및 풀이 207쪽

1 보기 와 같이 계산해 보세요.

보기

$1\frac{5}{9}\times2=\frac{14}{9}\times2=\frac{28}{9}=3\frac{1}{9}$

$2\frac{2}{3}\times5=$

2 계산해 보세요.

(1) $1\frac{4}{5}\times3$ (2) $2\frac{1}{6}\times8$

3 다음이 나타내는 수를 구해 보세요.

$2\frac{3}{4}$의 10배

(   )

4 선호네 가족은 쌀을 매일 $1\frac{2}{7}$ kg씩 먹습니다. 선호네 가족이 일주일 동안 먹은 쌀은 모두 몇 kg인가요?

(   )

3 | (자연수)×(진분수)

학습 목표

(자연수)×(진분수)의 계산 원리를 이해하고 그 계산을 할 수 있습니다.

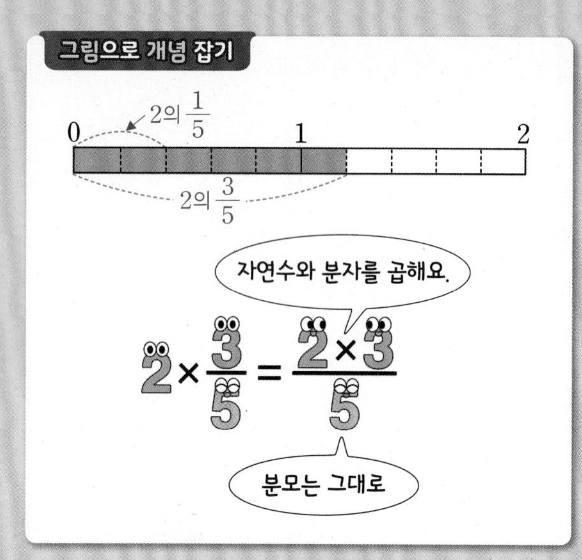

$2\times\frac{3}{5}=\frac{2\times3}{5}$

참고 자연수에 진분수를 곱하면 곱한 값은 처음 수보다 작아집니다.

예 $4\times\frac{2}{3}=2\frac{2}{3}$ < 4

교과서 개념 완성

탐구하기 1 **6의 $\frac{1}{3}$과 6의 $\frac{2}{3}$를 곱셈식으로 나타내는 방법 탐구하기**

6의 2배는 $6\times2=12$, 6의 1배는 $6\times1=6$이므로 6의 $\frac{1}{3}$배는 $6\times\frac{1}{3}=2$, 6의 $\frac{2}{3}$배는 $6\times\frac{2}{3}=4$입니다.

학부모 코칭 Tip

6의 2배는 6×2, 6의 1배는 6×1과 같은 중간 단계를 거치게 하여 자연스럽게 6의 $\frac{1}{3}$은 6의 $\frac{1}{3}$배이고, 이는 다시 $6\times\frac{1}{3}$로 나타낼 수 있다는 것을 이해하게 합니다.

탐구하기 2 **$4\times\frac{1}{3}$과 $4\times\frac{2}{3}$의 계산 방법 탐구하기**

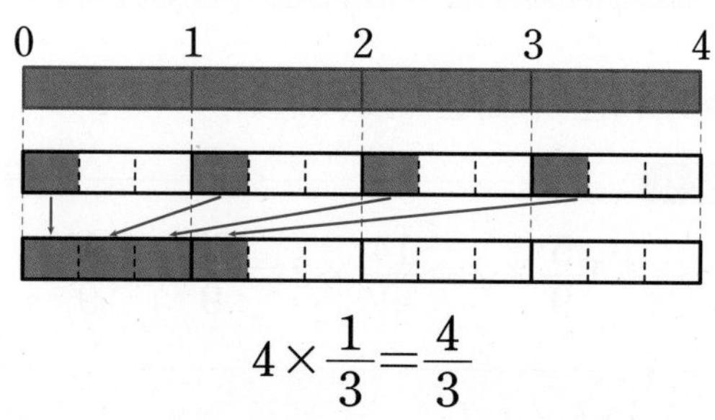

$4\times\frac{1}{3}=\frac{4}{3}$

$4\times\frac{2}{3}$는 $4\times\frac{1}{3}$의 2배이고, $4\times\frac{1}{3}$은 $\frac{4}{3}$입니다.

→ $4\times\frac{2}{3}=\left(4\times\frac{1}{3}\right)\times2=\frac{4}{3}\times2=\frac{4\times2}{3}$

$=\frac{8}{3}=2\frac{2}{3}$

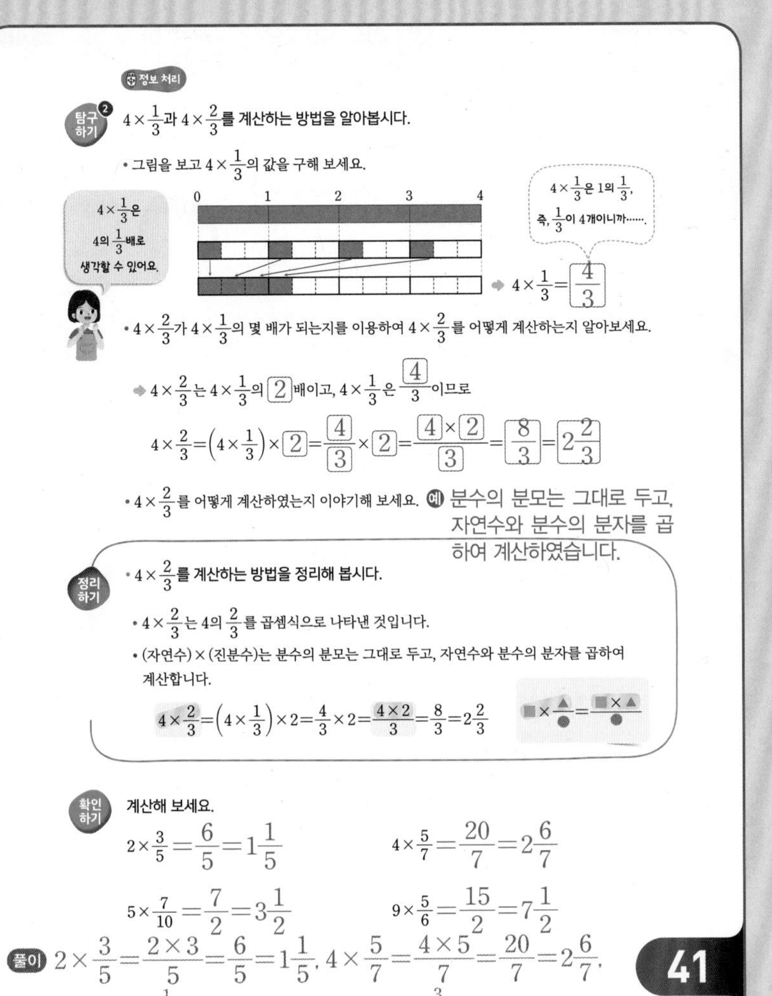
정보 처리

탐구하기 ② $4\times\frac{1}{3}$과 $4\times\frac{2}{3}$를 계산하는 방법을 알아봅시다.

• 그림을 보고 $4\times\frac{1}{3}$의 값을 구해 보세요.

➡ $4\times\frac{1}{3}=\frac{4}{3}$

• $4\times\frac{2}{3}$가 $4\times\frac{1}{3}$의 몇 배가 되는지를 이용하여 $4\times\frac{2}{3}$를 어떻게 계산하는지 알아보세요.

➡ $4\times\frac{2}{3}$는 $4\times\frac{1}{3}$의 2배이고, $4\times\frac{1}{3}$은 $\frac{4}{3}$이므로

$4\times\frac{2}{3}=\left(4\times\frac{1}{3}\right)\times 2=\frac{4}{3}\times 2=\frac{4\times 2}{3}=\frac{8}{3}=2\frac{2}{3}$

• $4\times\frac{2}{3}$를 어떻게 계산하였는지 이야기해 보세요. 예 분수의 분모는 그대로 두고, 자연수와 분수의 분자를 곱하여 계산하였습니다.

정리하기 • $4\times\frac{2}{3}$를 계산하는 방법을 정리해 봅시다.

• $4\times\frac{2}{3}$는 4의 $\frac{2}{3}$를 곱셈식으로 나타낸 것입니다.

• (자연수)×(진분수)는 분수의 분모는 그대로 두고, 자연수와 분수의 분자를 곱하여 계산합니다.

$4\times\frac{2}{3}=\left(4\times\frac{1}{3}\right)\times 2=\frac{4}{3}\times 2=\frac{4\times 2}{3}=\frac{8}{3}=2\frac{2}{3}$

$■\times\frac{▲}{●}=\frac{■\times▲}{●}$

확인하기 계산해 보세요.

$2\times\frac{3}{5}=\frac{6}{5}=1\frac{1}{5}$ $4\times\frac{5}{7}=\frac{20}{7}=2\frac{6}{7}$

$5\times\frac{7}{10}=\frac{7}{2}=3\frac{1}{2}$ $9\times\frac{5}{6}=\frac{15}{2}=7\frac{1}{2}$

풀이 $2\times\frac{3}{5}=\frac{2\times 3}{5}=\frac{6}{5}=1\frac{1}{5}$, $4\times\frac{5}{7}=\frac{4\times 5}{7}=\frac{20}{7}=2\frac{6}{7}$,

$5\times\frac{7}{10}=\frac{\cancel{5}^{1}\times 7}{\cancel{10}_{2}}=\frac{7}{2}=3\frac{1}{2}$, $9\times\frac{5}{6}=\frac{\cancel{9}^{3}\times 5}{\cancel{6}_{2}}=\frac{15}{2}=7\frac{1}{2}$

41

이런 문제가 서술형으로 나와요

형의 몸무게는 36 kg이고, 동생의 몸무게는 형 몸무게의 $\frac{3}{4}$입니다. 형의 몸무게와 동생의 몸무게의 합은 몇 kg인지 풀이 과정을 쓰고, 답을 구해 보세요.

| 풀이 과정 |

❶ 동생의 몸무게 구하기

(동생의 몸무게)$=\cancel{36}^{9}\times\frac{3}{\cancel{4}_{1}}=9\times 3=27$ (kg)

❷ 형의 몸무게와 동생의 몸무게의 합 구하기

형의 몸무게와 동생의 몸무게의 합은 $36+27=63$ (kg)입니다.

답 63 kg

수학 교과 역량 정보 처리

$4\times\frac{1}{3}$과 $4\times\frac{2}{3}$의 계산 방법 탐구하기

$4\times\frac{1}{3}$의 계산 원리를 이해하기 위해 그림을 보고 필요한 정보를 파악하는 과정을 통하여 정보 처리 능력을 기를 수 있습니다.

개념 확인 문제

정답 및 풀이 207쪽

1 □ 안에 알맞은 수를 써넣으세요.

$$8\times\frac{4}{9}=\frac{\square\times\square}{9}=\frac{\square}{\square}=\square$$

2 계산해 보세요.

(1) $4\times\frac{5}{6}$ (2) $15\times\frac{2}{3}$

3 계산 결과가 자연수인 것을 찾아 기호를 써 보세요.

㉠ $12\times\frac{3}{4}$ ㉡ $3\times\frac{5}{21}$ ㉢ $6\times\frac{9}{14}$

( )

4 가로가 5 m, 세로가 $\frac{9}{10}$ m인 직사각형의 넓이는 몇 m^2인가요?

( )

4 | (자연수)×(대분수)

학습 목표

(자연수)×(대분수)의 계산 원리를 이해하고 그 계산을 할 수 있습니다.

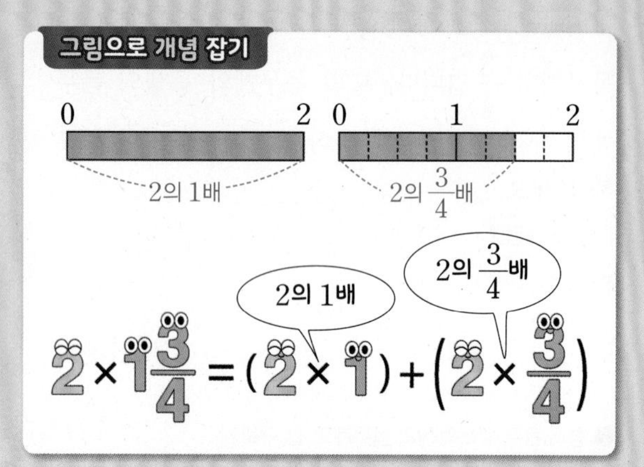

참고

자연수에 대분수를 곱하면 곱한 값은 처음 수보다 커집니다.

예 $2\times1\frac{2}{3}=3\frac{1}{3}$ (>) 2

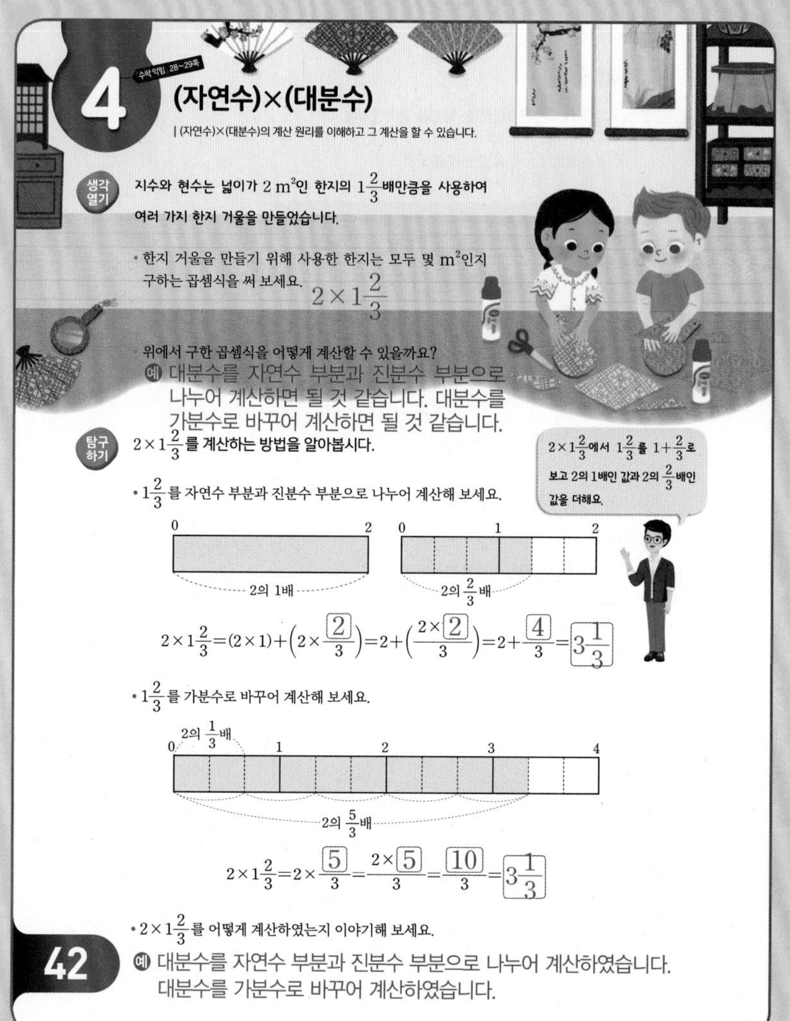

교과서 개념 완성

탐구하기 $2\times1\frac{2}{3}$의 계산 방법 탐구하기

- $1\frac{2}{3}$를 자연수 부분과 진분수 부분으로 나누어 계산합니다.

$$2\times1\frac{2}{3}=(2\times1)+\left(2\times\frac{2}{3}\right)$$
$$=2+\left(\frac{2\times2}{3}\right)$$
$$=2+\frac{4}{3}=3\frac{1}{3}$$

$1\frac{2}{3}$를 $1+\frac{2}{3}$로 보고 2의 1배인 값과 2의 $\frac{2}{3}$배인 값을 더합니다.

- $1\frac{2}{3}$를 가분수로 바꾸어 계산합니다.

$$2\times1\frac{2}{3}=2\times\frac{5}{3}=\frac{2\times5}{3}=\frac{10}{3}=3\frac{1}{3}$$

확인하기 (자연수)×(대분수)의 계산 익히기

$$5\times3\frac{2}{7}=(5\times3)+\left(5\times\frac{2}{7}\right)=15+\frac{10}{7}=16\frac{3}{7}$$

$$10\times2\frac{1}{4}=(10\times2)+\left(\overset{5}{\cancel{10}}\times\frac{1}{\underset{2}{\cancel{4}}}\right)=20+\frac{5}{2}=22\frac{1}{2}$$

$$4\times4\frac{3}{10}=\overset{2}{\cancel{4}}\times\frac{43}{\underset{5}{\cancel{10}}}=\frac{86}{5}=17\frac{1}{5}$$

$$9\times3\frac{1}{3}=\overset{3}{\cancel{9}}\times\frac{10}{\underset{1}{\cancel{3}}}=30$$

정리하기 • $2\times1\frac{2}{3}$를 계산하는 방법을 정리해 봅시다.

방법1 대분수를 자연수 부분과 진분수 부분으로 나누어 계산하기

$2\times1\frac{2}{3}=(2\times1)+\left(2\times\frac{2}{3}\right)=2+\frac{4}{3}=3\frac{1}{3}$

방법2 대분수를 가분수로 바꾸어 계산하기

$2\times1\frac{2}{3}=2\times\frac{5}{3}=\frac{2\times5}{3}=\frac{10}{3}=3\frac{1}{3}$

• □ 안에 알맞은 수를 써넣으세요.

방법1 $3\times2\frac{2}{5}=(3\times\boxed{2})+\left(3\times\frac{\boxed{2}}{5}\right)=\boxed{6}+\frac{\boxed{6}}{5}=\boxed{7\frac{1}{5}}$

방법2 $3\times2\frac{2}{5}=3\times\frac{\boxed{12}}{5}=\frac{3\times\boxed{12}}{5}=\frac{\boxed{36}}{5}=\boxed{7\frac{1}{5}}$

확인하기 계산해 보세요.

$5\times3\frac{2}{7}=\frac{115}{7}=16\frac{3}{7}$ $10\times2\frac{1}{4}=\frac{45}{2}=22\frac{1}{2}$

$4\times4\frac{3}{10}=\frac{86}{5}=17\frac{1}{5}$ $9\times3\frac{1}{3}=30$

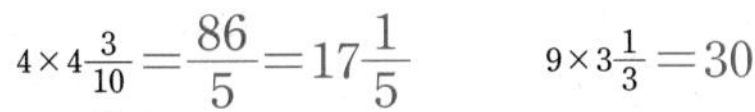

생각술술 주어진 단어를 이용하여 곱셈에 알맞은 문제를 만들고, 답을 구해 보세요.

$8\times1\frac{3}{4}$ 고양이, 강아지, 몸무게

문제 예 고양이의 몸무게가 8 kg입니다. 강아지의 몸무게가 고양이의 몸무게의 $1\frac{3}{4}$배라면 강아지의 몸무게는 몇 kg일까요?

답 14 kg

풀이 $8\times1\frac{3}{4}=\overset{2}{\cancel{8}}\times\frac{7}{\underset{1}{\cancel{4}}}=2\times7=14$ (kg)

43

이런 문제가 서술형으로 나와요

승민이는 딸기를 3 kg 땄고, 지우는 승민이가 딴 딸기의 $1\frac{5}{6}$배만큼 땄습니다. 지우가 딴 딸기는 몇 kg인지 풀이 과정을 쓰고, 답을 구해 보세요.

| 풀이 과정 |

❶ 알맞은 곱셈식 세우기

지우가 딴 딸기는 3 kg의 $1\frac{5}{6}$배만큼이므로 $3\times1\frac{5}{6}$의 곱셈식을 세울 수 있습니다.

❷ 지우가 딴 딸기의 무게 구하기

(지우가 딴 딸기의 무게)

$=3\times1\frac{5}{6}=\overset{1}{\cancel{3}}\times\frac{11}{\underset{2}{\cancel{6}}}=\frac{11}{2}=5\frac{1}{2}$ (kg)

답 $\frac{11}{2}\left(=5\frac{1}{2}\right)$ kg

수학 교과 역량 창의·융합

곱셈에 알맞은 문제를 만들고 답 구하기

(자연수)×(대분수)의 상황에 맞는 문제를 만들고 해결하는 과정을 통하여 창의·융합 능력을 기를 수 있습니다.

개념 확인 문제

정답 및 풀이 208쪽

1 곱셈식의 계산 결과에 ○표 하세요.

$9\times1\frac{1}{2}$ → ($9\frac{1}{2}$, $13\frac{1}{2}$)

2 빈칸에 알맞은 수를 써넣으세요.

20 → $\times1\frac{5}{8}$ → □

3 계산 결과가 5보다 큰 것을 찾아 ○표 하세요.

$5\times\frac{5}{6}$	$5\times1\frac{3}{7}$	5×1
( )	( )	( )

4 굵기가 일정한 철근 1 m의 무게가 16 kg입니다. 이 철근 $2\frac{1}{4}$ m의 무게는 몇 kg인가요?

( )

5 | (진분수)×(진분수)

학습 목표

(진분수) × (진분수)의 계산 원리를 이해하고 그 계산을 할 수 있습니다.

그림으로 개념 잡기

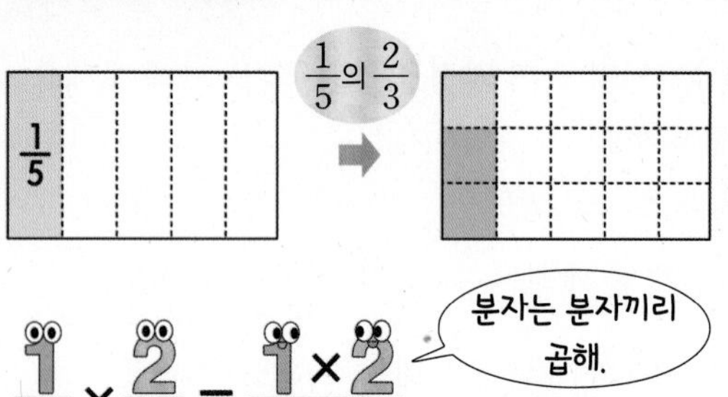

$\frac{1}{5} \times \frac{2}{3} = \frac{1 \times 2}{5 \times 3}$

분자는 분자끼리 곱해.

분모는 분모끼리 곱해.

참고 진분수에 진분수를 곱하면 곱한 값은 처음 수보다 작아집니다.

예) $\frac{1}{5} \times \frac{1}{4} = \frac{1}{20} < \frac{1}{5}$

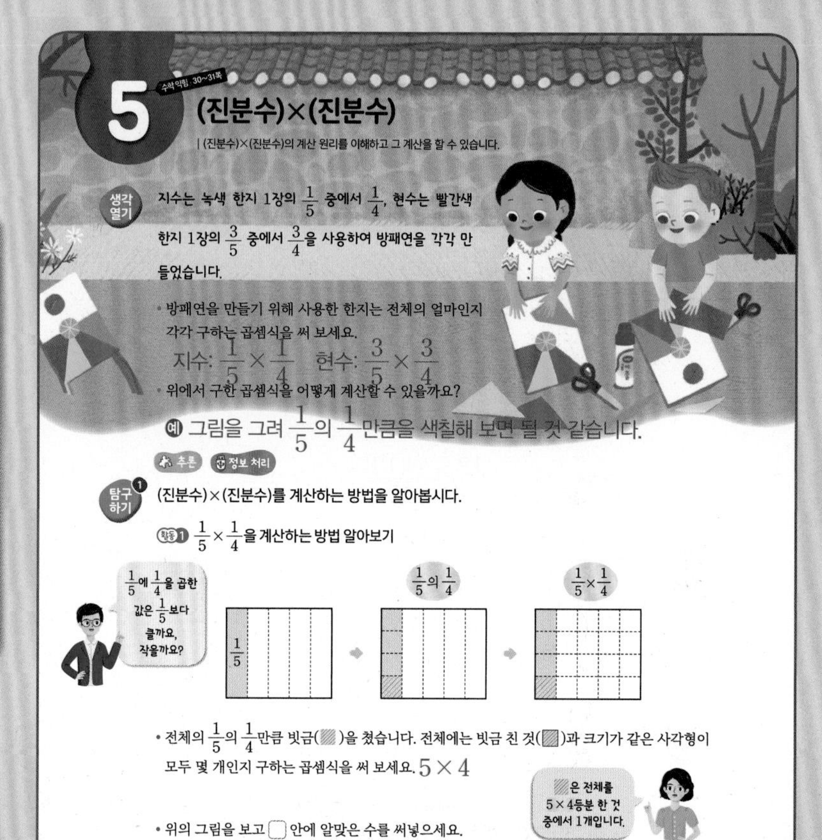

교과서 개념 완성

탐구하기 1 $\frac{1}{5} \times \frac{1}{4}$과 $\frac{3}{5} \times \frac{3}{4}$의 계산 방법 탐구하기

활동 1 $\frac{1}{5} \times \frac{1}{4}$의 계산 방법 탐구하기

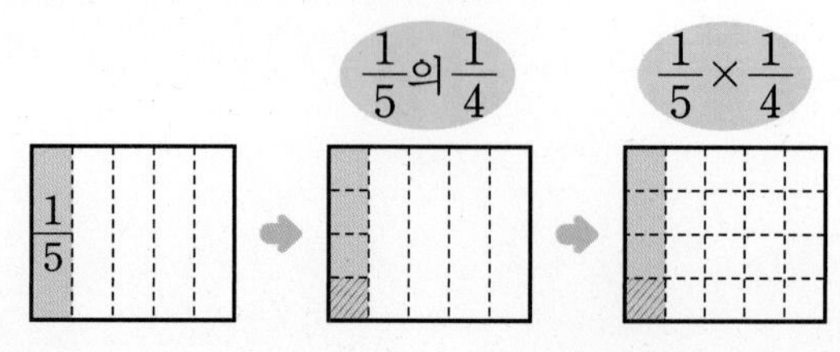

전체에는 빗금 친 것( )과 크기가 같은 사각형이 모두 20개입니다.

└ 전체를 (5 × 4)등분 한 것 중에서 1개

$\frac{1}{5} \times \frac{1}{4} = \frac{1}{5 \times 4} = \frac{1}{20}$

활동 2 $\frac{3}{5} \times \frac{3}{4}$의 계산 방법 탐구하기

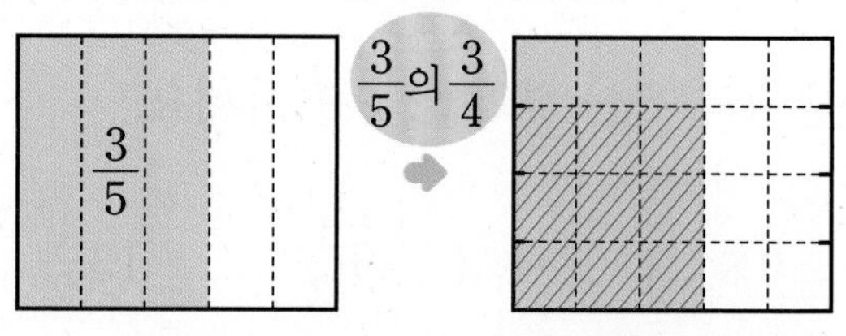

$\frac{3}{5} \times \frac{3}{4} = \frac{3 \times 3}{5 \times 4} = \frac{9}{20}$

(분자 3×3: 빗금 친 부분의 작은 사각형의 개수, 분모 5×4: 작은 사각형의 총 개수)

학부모 코칭 Tip

작은 사각형 전체의 개수는 분수의 분모끼리 곱해서 구하고, 빗금 친 부분의 작은 사각형 개수는 분수의 분자끼리 곱해서 구한다는 것을 연결 지어 관계적으로 이해하게 합니다.

활동2 $\frac{3}{5}\times\frac{3}{4}$을 계산하는 방법 알아보기

• 오른쪽 그림에서 $\frac{3}{5}$을 똑같이 네 부분으로 나누고, $\frac{3}{5}$의 $\frac{3}{4}$만큼 빗금( )을 쳐 보세요.

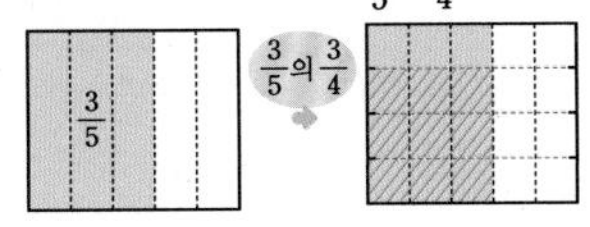

• 빗금 친 부분의 작은 사각형 개수를 구하는 곱셈식을 써 보세요. 3 × 3

작은 사각형 전체의 개수와 빗금 친 부분의 작은 사각형 개수는 각각 어떤 수끼리 곱하면 구할 수 있을까?

• 위의 그림을 보고, □ 안에 알맞은 수를 써넣으세요.

$$\frac{3}{5}\times\frac{3}{4}=\frac{\boxed{3}\times\boxed{3}}{\boxed{5}\times\boxed{4}}=\frac{\boxed{9}}{\boxed{20}}$$

• $\frac{3}{5}\times\frac{3}{4}$을 어떻게 계산하였는지 이야기해 보세요.

예 분모는 분모끼리, 분자는 분자끼리 곱하여 계산하였습니다.

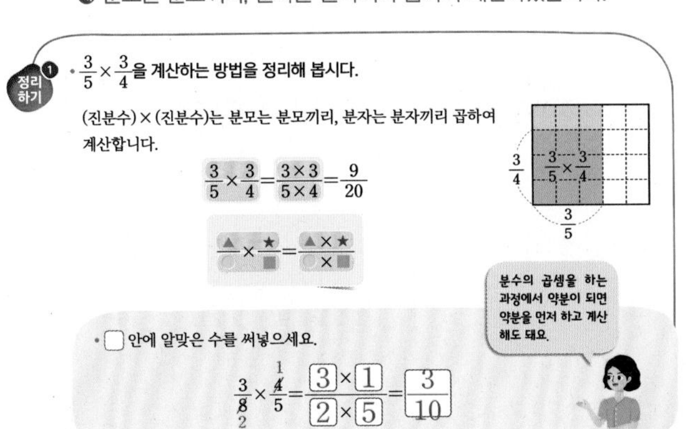

45

이런 문제가 서술형으로 나와요

두 식의 계산 결과의 합은 얼마인지 풀이 과정을 쓰고, 답을 구해 보세요.

$\frac{7}{8}\times\frac{2}{3}$ $\frac{1}{2}\times\frac{5}{6}$

| 풀이 과정 |

❶ 곱셈식 각각 계산하기

$$\frac{7}{\cancel{8}_4}\times\frac{\cancel{2}^1}{3}=\frac{7}{12},\ \frac{1}{2}\times\frac{5}{6}=\frac{5}{12}$$

❷ 계산 결과의 합 구하기

$$\frac{7}{12}+\frac{5}{12}=\frac{12}{12}=1$$

답 1

수학 교과 역량 추론 정보 처리

$\frac{1}{5}\times\frac{1}{4}$, $\frac{3}{5}\times\frac{3}{4}$의 계산 방법 탐구하기

$\frac{1}{5}\times\frac{1}{4}$, $\frac{3}{5}\times\frac{3}{4}$의 계산 원리를 이해하기 위해 그림을 보고 필요한 정보를 파악하는 과정을 통하여 추론 능력과 정보 처리 능력을 기를 수 있습니다.

개념 확인 문제

정답 및 풀이 208쪽

1 □ 안에 알맞은 수를 써넣으세요.

$$\frac{\overset{\square}{\cancel{8}}}{9}\times\frac{5}{\underset{\square}{\cancel{6}}}=\frac{\square\times\square}{\square\times\square}=\frac{\square}{\square}$$

2 계산해 보세요.

(1) $\frac{4}{5}\times\frac{3}{7}$ (2) $\frac{2}{3}\times\frac{1}{8}$

3 두 분수의 곱을 구해 보세요.

$\frac{7}{16}$ $\frac{5}{14}$

( )

4 밀가루 $\frac{9}{10}$ kg 중에서 $\frac{2}{5}$만큼을 사용했습니다. 사용한 밀가루는 몇 kg인가요?

( )

분수의 곱셈을 계산할 때 어느 방법으로 약분하여 계산해도 결과는 같습니다.

예 $\frac{3}{8}\times\frac{4}{5}$의 계산

방법 1 곱셈을 한 후 약분하기

$$\frac{3}{8}\times\frac{4}{5}=\frac{3\times4}{8\times5}=\frac{\overset{3}{\cancel{12}}}{\underset{10}{\cancel{40}}}=\frac{3}{10}$$

방법 2 곱하는 과정에서 약분하기

$$\frac{3}{8}\times\frac{4}{5}=\frac{3\times\overset{1}{\cancel{4}}}{\underset{2}{\cancel{8}}\times5}=\frac{3}{10}$$

방법 3 주어진 식에서 바로 약분하기

$$\frac{3}{\underset{2}{\cancel{8}}}\times\frac{\overset{1}{\cancel{4}}}{5}=\frac{3}{10}$$

참고

학부모 코칭 Tip

분수의 곱셈을 할 때 약분을 한 후에는 약분 표시를 하게 하여 계산 과정에서 실수를 범하지 않게 합니다.

확인하기 1 계산해 보세요.

$\frac{5}{6}\times\frac{7}{8}=\frac{35}{48}$ $\frac{4}{9}\times\frac{3}{7}=\frac{4}{21}$

$\frac{3}{14}\times\frac{7}{9}=\frac{1}{6}$ $\frac{11}{12}\times\frac{8}{33}=\frac{2}{9}$

풀이

$\frac{5}{6}\times\frac{7}{8}=\frac{5\times7}{6\times8}=\frac{35}{48}$, $\frac{4}{9}\times\frac{3}{7}=\frac{4\times\overset{1}{\cancel{3}}}{\underset{3}{\cancel{9}}\times7}=\frac{4}{21}$, $\frac{\overset{1}{\cancel{3}}}{\underset{2}{\cancel{14}}}\times\frac{\overset{1}{\cancel{7}}}{\underset{3}{\cancel{9}}}=\frac{1}{6}$, $\frac{\overset{1}{\cancel{11}}}{\underset{3}{\cancel{12}}}\times\frac{\overset{2}{\cancel{8}}}{\underset{3}{\cancel{33}}}=\frac{2}{9}$

추론 정보 처리

탐구하기 2 $\frac{1}{3}\times\frac{1}{2}\times\frac{1}{4}$을 계산하는 방법을 알아봅시다.

• 오른쪽 그림에서 $\frac{1}{3}\times\frac{1}{2}$을 똑같이 네 부분으로 나누고, $\frac{1}{3}\times\frac{1}{2}\times\frac{1}{4}$만큼 빗금(▨)을 쳐 보세요.

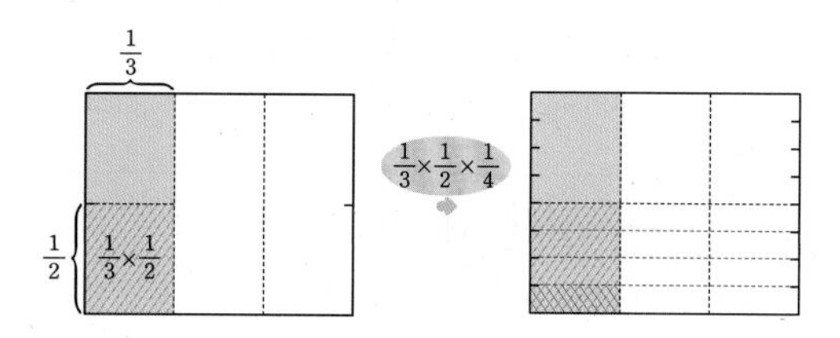

• $\frac{1}{3}\times\frac{1}{2}\times\frac{1}{4}$은 얼마인가요?

$\frac{1}{3}\times\frac{1}{2}\times\frac{1}{4}=\frac{1\times1\times1}{\boxed{3}\times\boxed{2}\times\boxed{4}}=\frac{1}{\boxed{24}}$

• $\frac{1}{3}\times\frac{1}{2}\times\frac{1}{4}$을 어떻게 계산하였는지 이야기해 보세요.

예 분모는 분모끼리, 분자는 분자끼리 곱하여 계산하였습니다.

46

교과서 개념 완성

탐구하기 2 $\frac{1}{3}\times\frac{1}{2}\times\frac{1}{4}$의 계산 방법 탐구하기

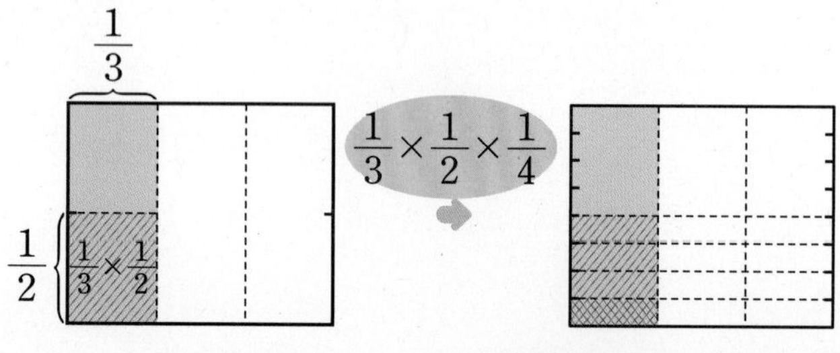

$$\frac{1}{3}\times\frac{1}{2}\times\frac{1}{4}=\frac{1\times1\times1}{3\times2\times4}=\frac{1}{24}$$

분자는 분자끼리 곱하여 계산

분모는 분모끼리 곱하여 계산

확인하기 2 세 진분수의 곱셈 계산 익히기

$$\frac{\overset{1}{\cancel{4}}}{7}\times\frac{3}{\underset{2}{\cancel{8}}}\times\frac{3}{5}=\frac{1\times3\times3}{7\times2\times5}=\frac{9}{70}$$

$$\frac{1}{\underset{1}{\cancel{3}}}\times\frac{\overset{1}{\cancel{3}}}{7}\times\frac{8}{9}=\frac{1\times1\times8}{1\times7\times9}=\frac{8}{63}$$

$\frac{\overset{1}{\cancel{3}}}{\underset{1}{\cancel{\underset{2}{\cancel{4}}}}}\times\frac{\overset{1}{\cancel{2}}}{\underset{1}{\cancel{\underset{3}{\cancel{9}}}}}\times\frac{\overset{1}{\cancel{\overset{2}{\cancel{6}}}}}{11}=\frac{1}{11}$, $\frac{1}{\underset{1}{\cancel{2}}}\times\frac{\overset{1}{\cancel{2}}}{\underset{1}{\cancel{3}}}\times\frac{\overset{1}{\cancel{3}}}{4}=\frac{1}{4}$

공부한 날 월 일

• $\frac{1}{3}\times\frac{1}{2}\times\frac{1}{4}$을 계산하는 방법을 정리해 봅시다.

세 분수의 곱셈은 분모는 분모끼리, 분자는 분자끼리 곱하여 계산합니다.

$\frac{1}{3}\times\frac{1}{2}\times\frac{1}{4}=\frac{1\times1\times1}{3\times2\times4}=\frac{1}{24}$

• □ 안에 알맞은 수를 써넣으세요.

$\frac{2}{3}\times\frac{3}{4}\times\frac{5}{8}=\frac{2\times3\times5}{3\times4\times8}=\frac{\overset{5}{\cancel{30}}}{\underset{16}{\cancel{96}}}=\frac{\boxed{5}}{\boxed{16}}$

$\frac{2}{3}\times\frac{3}{4}\times\frac{5}{8}=\frac{\overset{1}{\cancel{2}}\times\overset{1}{\cancel{3}}\times5}{\underset{1}{\cancel{3}}\times\underset{2}{\cancel{4}}\times8}=\frac{\boxed{5}}{\boxed{16}}$ | $\frac{\overset{1}{\cancel{2}}}{\underset{1}{\cancel{3}}}\times\frac{\overset{1}{\cancel{3}}}{\underset{2}{\cancel{4}}}\times\frac{5}{8}=\frac{\boxed{5}}{\boxed{16}}$

계산해 보세요.

$\frac{4}{7}\times\frac{3}{8}\times\frac{3}{5}=\frac{9}{70}$ $\frac{1}{3}\times\frac{3}{7}\times\frac{8}{9}=\frac{8}{63}$

$\frac{3}{4}\times\frac{2}{9}\times\frac{6}{11}=\frac{1}{11}$ $\frac{1}{2}\times\frac{2}{3}\times\frac{3}{4}=\frac{1}{4}$

잘못 계산한 곳을 찾아 이유를 쓰고, 바르게 계산해 보세요.

잘못된 계산: $\frac{5}{12}\times\frac{7}{12}=\frac{5\times7}{12}=\frac{35}{12}=2\frac{11}{12}$ ➡ 바르게 계산하기: $\frac{5}{12}\times\frac{7}{12}=\frac{5\times7}{12\times12}=\frac{35}{144}$

이유 예 두 진분수의 곱셈을 계산할 때는 분모는 분모끼리, 분자는 분자끼리 곱해서 계산해야 하는데 분자끼리만 곱하였습니다.

47

이런 문제가 서술형으로 나와요

㉮와 ㉯ 중에서 더 큰 수는 어느 것인지 풀이 과정을 쓰고, 답을 구해 보세요.

㉮ $\frac{1}{6}\times\frac{4}{5}\times\frac{1}{3}$ ㉯ $\frac{1}{45}$

| 풀이 과정 |

❶ ㉮의 계산 결과 구하기

$\frac{1}{6}\times\frac{4}{5}\times\frac{1}{3}=\frac{1\times4\times1}{6\times5\times3}=\frac{\overset{2}{\cancel{4}}}{\underset{45}{\cancel{90}}}=\frac{2}{45}$

❷ ㉮와 ㉯ 중에서 더 큰 수는 어느 것인지 구하기

$\frac{2}{45}>\frac{1}{45}$이므로 더 큰 수는 ㉮입니다.

답 ㉮

수학 교과 역량 

$\frac{1}{3}\times\frac{1}{2}\times\frac{1}{4}$의 계산 방법 탐구하기

세 진분수의 곱셈의 계산 원리를 이해하기 위해 그림을 보고 필요한 정보를 파악하는 과정을 통하여 추론 능력과 정보 처리 능력을 기를 수 있습니다.

개념 확인 문제

정답 및 풀이 208쪽

1 □ 안에 알맞은 수를 써넣으세요.

$\frac{\overset{1}{\cancel{4}}}{7}\times\frac{5}{\cancel{9}_{\square}}\times\frac{\overset{1}{\cancel{3}}}{\cancel{8}_{\square}}=\frac{1\times5\times1}{7\times\square\times\square}=\frac{\square}{\square}$

2 잘못 계산한 부분을 찾아 옳게 고쳐 보세요.

$\frac{\overset{1}{\cancel{2}}}{5}\times\frac{\overset{2}{\cancel{4}}}{7}=\frac{1\times2}{5\times7}=\frac{2}{35}$

$\frac{2}{5}\times\frac{4}{7}$ ....

3 빈칸에 알맞은 수를 써넣으세요.

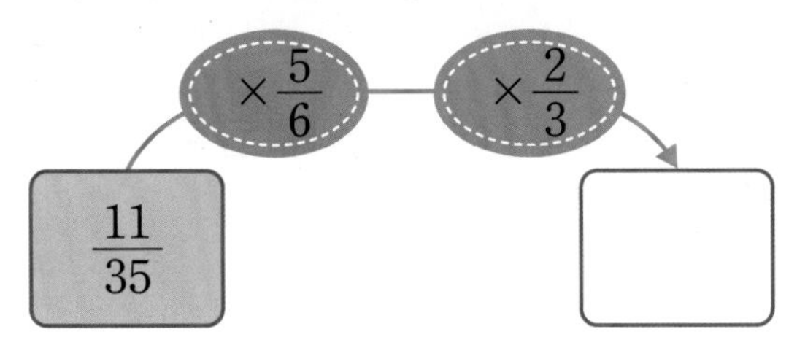

4 계산 결과를 비교하여 ○ 안에 >, =, <를 알맞게 써넣으세요.

$\frac{3}{4}\times\frac{1}{2}\times\frac{8}{9}$ ○ $\frac{1}{12}\times\frac{7}{15}\times\frac{5}{7}$

8 차시 6 | (대분수)×(대분수)

학습 목표

(대분수)×(대분수)의 계산 원리를 이해하고 그 계산을 할 수 있습니다.

그림으로 개념 잡기

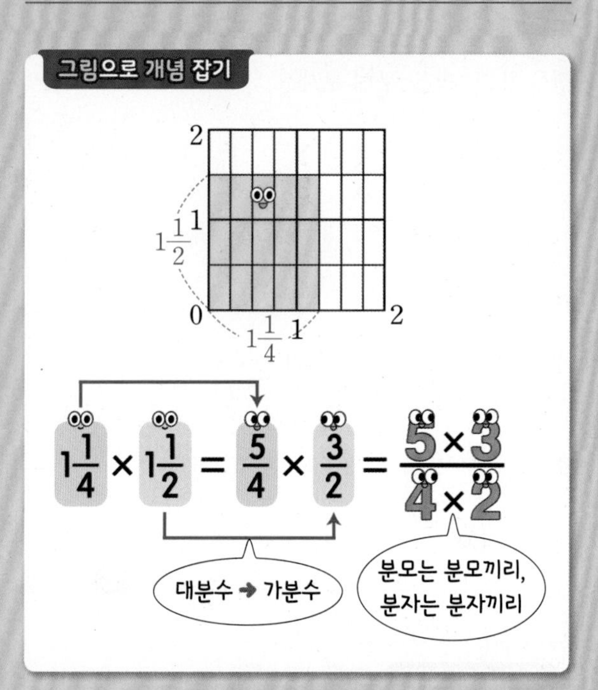

6 (대분수)×(대분수)

| (대분수)×(대분수)의 계산 원리를 이해하고 그 계산을 할 수 있습니다.

생각열기 수정이는 친구들과 함께 가로 $2\frac{3}{5}$ m, 세로 $1\frac{1}{4}$ m인 직사각형 모양의 병풍을 꾸몄습니다.

• 병풍의 넓이를 구하는 곱셈식을 써 보세요.

$2\frac{3}{5}\times1\frac{1}{4}$

• 위에서 구한 곱셈식을 어떻게 계산할 수 있을까요?

예 대분수를 가분수로 바꾼 다음, 분모는 분모끼리, 분자는 분자끼리 곱하여 계산하면 될 것 같습니다.

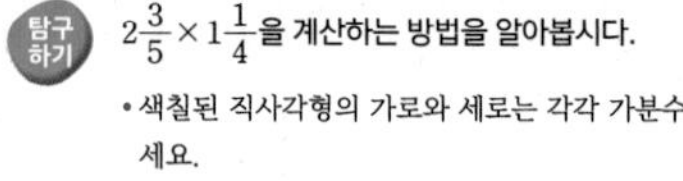

탐구하기 $2\frac{3}{5}\times1\frac{1}{4}$을 계산하는 방법을 알아봅시다.

• 색칠된 직사각형의 가로와 세로는 각각 가분수로 얼마인지 ☐ 안에 알맞은 가분수를 써넣으세요.

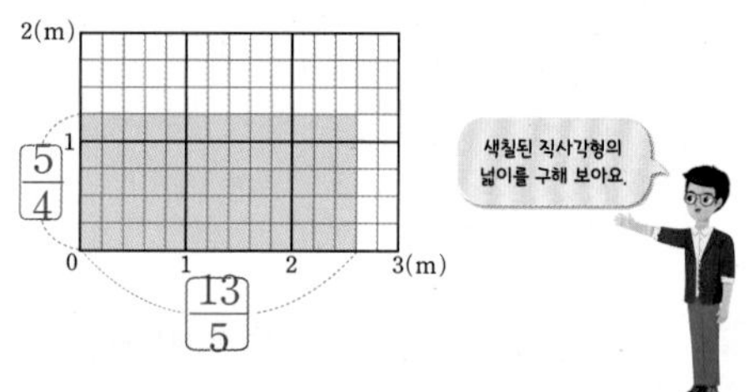

• 색칠된 직사각형의 넓이를 구해 보세요.

$2\frac{3}{5}\times1\frac{1}{4}=\frac{13}{5}\times\frac{5}{4}=\frac{13\times5}{5\times4}=\frac{65}{20}=\frac{13}{4}=3\frac{1}{4}$ (m^2)

• $2\frac{3}{5}\times1\frac{1}{4}$을 어떻게 계산하였는지 이야기해 보세요.

예 대분수를 가분수로 바꾼 다음, 분모는 분모끼리, 분자는 분자끼리 곱하여 계산하였습니다.

48

교과서 개념 완성

탐구하기 $2\frac{3}{5}\times1\frac{1}{4}$의 계산 방법 탐구하기

$2\frac{3}{5}=\frac{13}{5}$, $1\frac{1}{4}=\frac{5}{4}$이므로

$$2\frac{3}{5}\times1\frac{1}{4}=\frac{13}{5}\times\frac{5}{4}=\frac{13\times5}{5\times4}=\frac{\cancel{65}^{13}}{\cancel{20}_{4}}=\frac{13}{4}$$

$=3\frac{1}{4}$입니다.

➔ 대분수를 가분수로 바꾼 다음, 분모는 분모끼리, 분자는 분자끼리 곱하여 계산하였습니다.

확인하기 (대분수)×(대분수)의 계산 익히기

$$1\frac{1}{2}\times3\frac{1}{3}=\frac{\cancel{3}^{1}}{\cancel{2}_{1}}\times\frac{\cancel{10}^{5}}{\cancel{3}_{1}}=5$$

$$3\frac{5}{6}\times1\frac{3}{5}=\frac{23}{\cancel{6}_{3}}\times\frac{\cancel{8}^{4}}{5}=\frac{92}{15}=6\frac{2}{15}$$

$$5\frac{4}{9}\times1\frac{5}{7}=\frac{\cancel{49}^{7}}{\cancel{9}_{3}}\times\frac{\cancel{12}^{4}}{\cancel{7}_{1}}=\frac{28}{3}=9\frac{1}{3}$$

$$2\frac{1}{7}\times2\frac{4}{5}=\frac{\cancel{15}^{3}}{\cancel{7}_{1}}\times\frac{\cancel{14}^{2}}{\cancel{5}_{1}}=6$$

정리하기

• $2\frac{3}{5}\times1\frac{1}{4}$을 계산하는 방법을 정리해 봅시다.

(대분수)×(대분수)는 대분수를 가분수로 바꾼 다음, 분모는 분모끼리, 분자는 분자끼리 곱하여 계산합니다.

$$2\frac{3}{5}\times1\frac{1}{4}=\frac{13}{5}\times\frac{5}{4}=\frac{13\times5}{5\times4}=\frac{\overset{13}{\cancel{65}}}{\underset{4}{\cancel{20}}}=\frac{13}{4}=3\frac{1}{4}$$

• □ 안에 알맞은 수를 써넣으세요.

$$1\frac{5}{7}\times2\frac{3}{4}=\frac{\boxed{12}}{7}\times\frac{\boxed{11}}{4}=\frac{\boxed{12}\times\boxed{11}}{\boxed{7}\times\boxed{4}}=\frac{\overset{33}{\cancel{\boxed{132}}}}{\underset{7}{\cancel{\boxed{28}}}}=4\frac{\boxed{5}}{\boxed{7}}$$

확인하기

계산해 보세요.

$1\frac{1}{2}\times3\frac{1}{3}=5$ $3\frac{5}{6}\times1\frac{3}{5}=\frac{92}{15}=6\frac{2}{15}$

$5\frac{4}{9}\times1\frac{5}{7}=\frac{28}{3}=9\frac{1}{3}$ $2\frac{1}{7}\times2\frac{4}{5}=6$

생각 솔솔 추론 의사소통

□ 안에 알맞은 수를 써넣고, 계산 방법의 공통점을 찾아 이야기해 보세요.

$$2\frac{3}{4}\times1\frac{2}{5}=\frac{\boxed{11}}{\boxed{4}}\times\frac{7}{5}=\frac{\boxed{11}\times\boxed{7}}{\boxed{4}\times5}=\frac{\boxed{77}}{\boxed{20}}=\boxed{3}\frac{\boxed{17}}{\boxed{20}}$$

$$6\times\frac{3}{7}=\frac{6}{\boxed{1}}\times\frac{3}{7}=\frac{\boxed{6}\times\boxed{3}}{\boxed{1}\times7}=\frac{\boxed{18}}{\boxed{7}}=\boxed{2}\frac{\boxed{4}}{\boxed{7}}$$

$$\frac{3}{8}\times5=\frac{3}{8}\times\frac{5}{\boxed{1}}=\frac{\boxed{3}\times\boxed{5}}{8\times\boxed{1}}=\frac{\boxed{15}}{\boxed{8}}=\boxed{1}\frac{\boxed{7}}{\boxed{8}}$$

3은 $\frac{3}{1}$과 같아요. 그러니까 6을 분수로 나타내면……

공통점: 예 자연수나 대분수는 모두 가분수 형태로 나타낸 후, 분모는 분모끼리, 분자는 분자끼리 곱하여 계산하였습니다.

49

이런 문제가 서술형으로 나와요

3장의 숫자 카드 [2], [5], [6]을 한 번씩 모두 사용하여 만들 수 있는 가장 큰 대분수와 $1\frac{7}{8}$의 곱은 얼마인지 풀이 과정을 쓰고, 답을 구해 보세요.

| 풀이 과정 |

❶ 만들 수 있는 가장 큰 대분수 구하기

6>5>2이므로 만들 수 있는 가장 큰 대분수는 $6\frac{2}{5}$입니다.

❷ ❶에서 구한 수와 $1\frac{7}{8}$의 곱 구하기

$$6\frac{2}{5}\times1\frac{7}{8}=\frac{\overset{4}{\cancel{32}}}{\underset{1}{\cancel{5}}}\times\frac{\overset{3}{\cancel{15}}}{\underset{1}{\cancel{8}}}=12$$

답 12

수학 교과 역량 추론 의사소통

□ 안에 알맞은 수를 써넣고, 계산 방법의 공통점을 찾아 이야기하기

계산 방법의 공통점을 찾아 이야기하는 과정을 통하여 추론 능력과 의사소통 능력을 기를 수 있습니다.

개념 확인 문제

정답 및 풀이 208쪽

1 □ 안에 알맞은 수를 써넣으세요.

$$8\times\frac{2}{5}=\frac{8}{\square}\times\frac{2}{5}=\frac{\square}{5}=\square$$

2 계산해 보세요.

(1) $2\frac{2}{9}\times2\frac{1}{4}$ (2) $3\times1\frac{5}{9}$

3 더 작은 것에 색칠해 보세요.

$6\frac{4}{5}\times1\frac{3}{4}$	$8\frac{1}{2}$

4 평행사변형의 넓이는 몇 cm^2인가요?

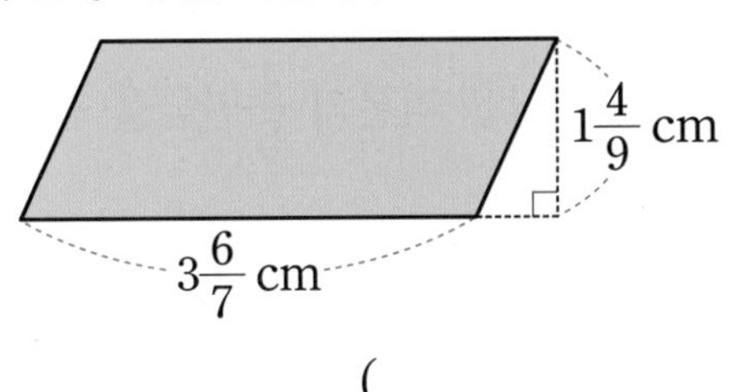

(   )

9 차시 문제 해결력 | 쑥쑥

● 리본의 길이를 구해 볼까요?

학습 목표

- 그림 그리기 전략을 이용하여 문제를 해결하고, 어떻게 해결하였는지 설명할 수 있습니다.
- 문제 해결 과정이 타당한지 검토할 수 있습니다.

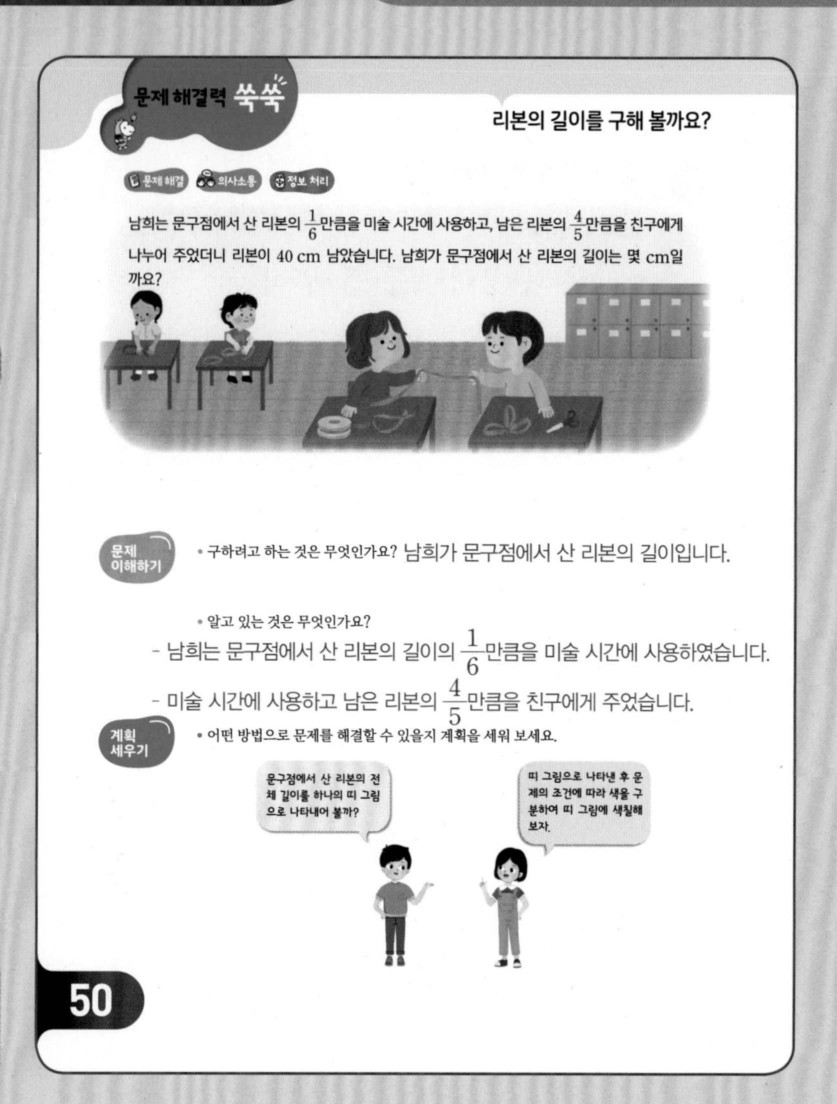

 **문제 해결 전략** 그림 그리기 전략

수학 교과 역량 문제 해결 · 의사소통 · 정보 처리

리본의 길이를 구해 볼까요?

- 문제의 조건을 확인하고 문제 해결에 적절한 전략을 선택하는 과정과 문제의 조건에 따라 그림을 그리고 처리하는 과정을 통하여 문제 해결 능력과 정보 처리 능력을 기를 수 있습니다.
- 자신이 그린 그림이 문제의 조건에 맞는지 설명하는 과정을 통하여 의사소통 능력을 기를 수 있습니다.

문제 해결 Tip 문구점에서 산 리본의 전체 길이를 하나의 띠 그림으로 나타내어 40 cm는 전체의 얼마인지 알아봅니다.

교과서 개념 완성

문제 이해하기

» 구하려고 하는 것

남희가 문구점에서 산 리본의 길이입니다.

» 알고 있는 것

- 문구점에서 산 리본의 길이의 $\frac{1}{6}$만큼을 미술 시간에 사용하고, 남은 리본의 $\frac{4}{5}$만큼을 친구에게 주었습니다.
- 미술 시간에 사용하고, 친구에게 나누어 주고 남은 리본의 길이가 40 cm입니다.

계획 세우기

그림을 그려 구할 수 있습니다.

계획대로 풀기

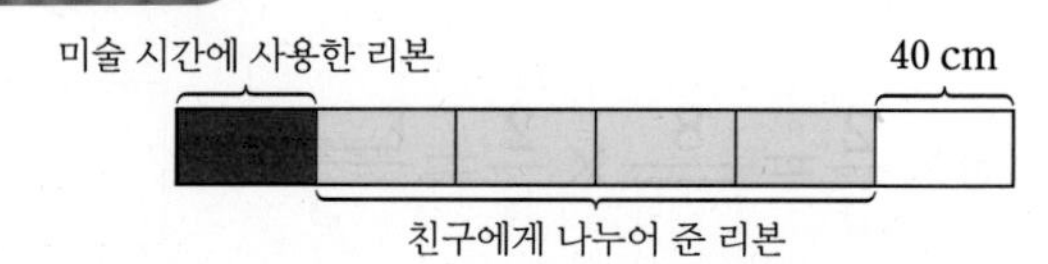

문제의 조건에 따라 그림을 그려 보면 40 cm는 문구점에서 산 리본의 길이의 $\frac{1}{6}$입니다.

(문구점에서 산 리본의 길이) $= 40 \times 6 = 240$ (cm)

되돌아보기

분수의 곱셈을 이용하여 구한 답이 맞았는지 확인해 봅니다.

키우기

문제 해결 의사소통 정보 처리

문제 이해하기

» 구하려고 하는 것

처음 귤 한 상자에 들어 있던 귤의 개수입니다.

» 알고 있는 것

이웃집에 나누어 준 귤의 양, 먹은 귤의 양 등

계획 세우기

그림을 그려서 구할 수 있습니다.

계획대로 풀기

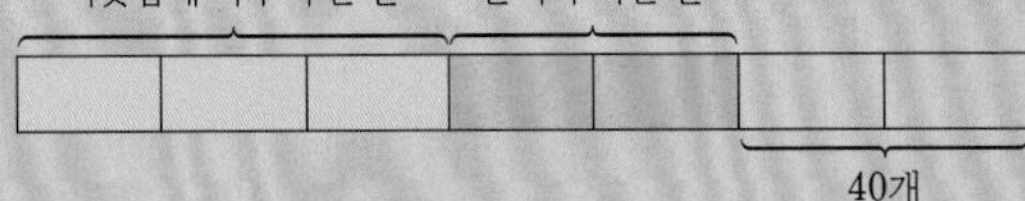

문제의 조건에 따라 그림을 그려 보면 40개는 귤 한 상자에 들어 있던 귤의 개수의 $\frac{2}{7}$만큼입니다. 따라서 처음 귤 한 상자에 들어 있던 귤의 개수의 $\frac{1}{7}$만큼은 20개이므로 처음 귤 한 상자에 들어 있던 귤은 $20 \times 7 = 140$(개)입니다.

되돌아보기

분수의 곱셈을 이용하여 구한 답이 맞았는지 확인해 봅니다.

계획대로 풀기

• 문구점에서 산 리본의 전체 길이를 하나의 띠 그림으로 나타내었습니다. 미술 시간에 사용한 리본의 길이는 빨간색, 친구에게 나누어 준 리본의 길이는 노란색으로 각각 색칠해 보세요.

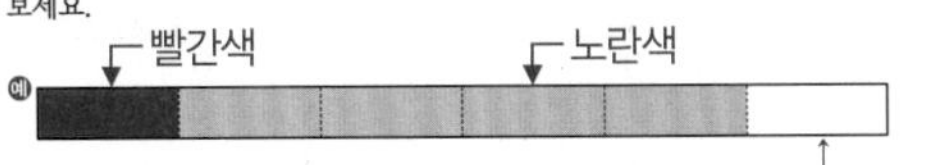

• 남은 리본 40 cm를 띠 그림에서 찾아보세요.

• 문구점에서 산 리본의 길이를 구해 보세요. 240 cm

되돌아보기

• 구한 답이 맞았는지 확인해 보세요.

• 친구들과 문제 해결 과정을 비교해 보고, 어떻게 구하였는지 이야기해 보세요.

(각자 문제를 해결한 과정을 이야기하고 비교해 봅니다.)

키우기

준서가 귤 한 상자의 $\frac{3}{7}$만큼을 이웃집에 나누어 주고, 남은 귤의 $\frac{1}{2}$만큼을 먹었더니 귤이 40개가 남았습니다. 처음 귤 한 상자에는 모두 몇 개의 귤이 들어 있었는지 구하고, 분수의 곱셈을 이용하여 구한 답이 맞았는지 확인해 보세요. 140개

이웃집에 나누어 준 귤의 개수는 $\overset{20}{\cancel{140}} \times \frac{3}{\underset{1}{\cancel{7}}} = 60$(개)입니다.

따라서 남은 귤의 개수는 $140 - 60 = 80$(개)이고, 남은 귤의 $\frac{1}{2}$만큼을 먹었으므로 먹은 귤의 개수는 $\overset{40}{\cancel{80}} \times \frac{1}{\underset{1}{\cancel{2}}} = 40$(개)입니다.

따라서 남은 귤의 개수는 $80 - 40 = 40$(개)입니다.

51

문제 해결력 문제

정답 및 풀이 209쪽

[1~3] 은서가 동화책을 어제는 전체의 $\frac{5}{8}$만큼 읽고, 오늘은 어제 읽고 난 나머지의 $\frac{2}{3}$만큼을 읽었습니다. 아직 읽지 않은 부분이 15쪽일 때, 동화책의 전체 쪽수를 구하려고 합니다. 물음에 답해 보세요.

1 동화책의 전체 쪽수를 하나의 띠 그림으로 나타내었습니다. 어제 읽은 쪽수는 빨간색, 오늘 읽은 쪽수는 노란색으로 각각 색칠해 보세요.

2 아직 읽지 않은 동화책의 쪽수는 동화책 전체 쪽수의 몇 분의 몇인지 구해 보세요.

( )

3 동화책의 전체 쪽수는 몇 쪽인지 구해 보세요.

( )

단원 마무리 | 척척

2. 분수의 곱셈

추론 · 정보 처리

(진분수)×(자연수), (진분수)×(진분수) 계산하기
▶자습서 40~41쪽, 48~51쪽

학부모 코칭 Tip
그림을 이용하여 분수의 곱셈의 계산 원리를 이해하고 있는지 확인합니다.

1 그림을 보고 □ 안에 알맞은 수를 써넣으세요.
37쪽, 45쪽

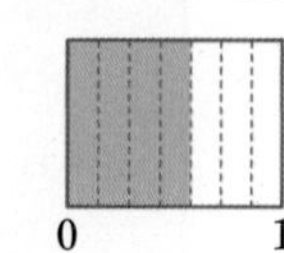 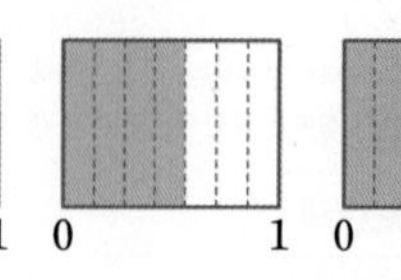 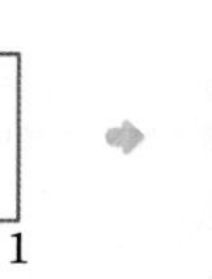 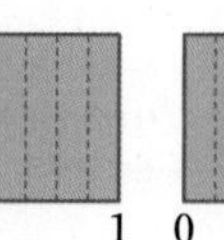 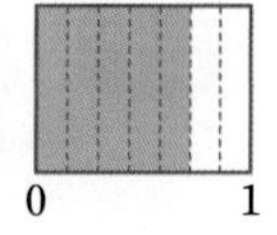

$\frac{4}{7}\times 3=\frac{4\times \boxed{3}}{7}=\frac{\boxed{12}}{7}=\boxed{1}\frac{\boxed{5}}{\boxed{7}}$

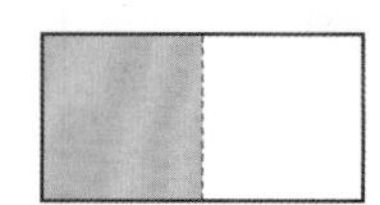 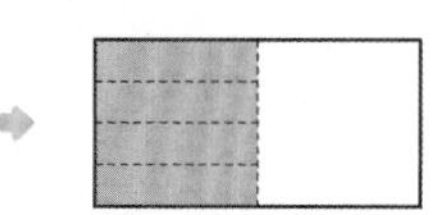 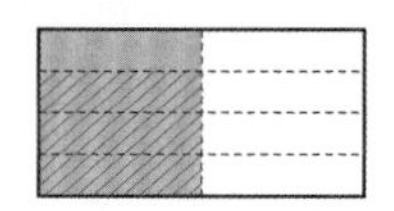

$\frac{1}{2}\times\frac{3}{4}=\frac{\boxed{1}\times\boxed{3}}{\boxed{2}\times\boxed{4}}=\frac{\boxed{3}}{\boxed{8}}$

풀이 (진분수)×(자연수)는 분수의 분모는 그대로 두고, 분수의 분자와 자연수를 곱하여 계산합니다.
(진분수)×(진분수)는 분모는 분모끼리, 분자는 분자끼리 곱하여 계산합니다.

문제 해결 · 정보 처리

분수의 곱셈 계산하기
▶자습서 44~53쪽

학부모 코칭 Tip
분수의 곱셈의 계산 원리를 이해하고 계산하였는지 확인합니다.

2 계산해 보세요.
41쪽, 43쪽, 45쪽, 49쪽

$10\times\frac{3}{5}=6$　　　　$6\times 1\frac{4}{7}=\frac{66}{7}=9\frac{3}{7}$

$\frac{3}{8}\times\frac{12}{15}=\frac{3}{10}$　　　　$2\frac{2}{3}\times 1\frac{3}{4}=\frac{14}{3}=4\frac{2}{3}$

풀이 $10\times\frac{3}{5}=\frac{10\times 3}{5}=\frac{\overset{6}{\cancel{30}}}{\underset{1}{\cancel{5}}}=6$　　　$6\times 1\frac{4}{7}=6\times\frac{11}{7}=\frac{66}{7}=9\frac{3}{7}$

$\frac{\overset{1}{\cancel{3}}}{\underset{2}{\cancel{8}}}\times\frac{\overset{3}{\cancel{12}}}{\underset{5}{\cancel{15}}}=\frac{3}{10}$　　　$2\frac{2}{3}\times 1\frac{3}{4}=\frac{\overset{2}{\cancel{8}}}{3}\times\frac{7}{\underset{1}{\cancel{4}}}=\frac{14}{3}=4\frac{2}{3}$

문제 해결 · 태도 및 실천

(대분수)×(자연수)를 활용하여 실생활 문제 해결하기
▶자습서 42~43쪽

학부모 코칭 Tip
대분수를 가분수로 바꾼 다음 약분하게 합니다.

3 수박 한 통의 무게는 $5\frac{3}{4}$ kg입니다. 수박 6통의 무게는 모두 몇 kg인가요?
39쪽

식 $5\frac{3}{4}\times 6=\frac{69}{2}\left(=34\frac{1}{2}\right)$　　답 $\frac{69}{2}\left(=34\frac{1}{2}\right)$ kg

풀이 $5\frac{3}{4}\times 6=(5\times 6)+\left(\frac{3}{\underset{2}{\cancel{4}}}\times\overset{3}{\cancel{6}}\right)=30+\frac{9}{2}=30\frac{9}{2}=34\frac{1}{2}$

또는 $5\frac{3}{4}\times 6=\frac{23}{\underset{2}{\cancel{4}}}\times\overset{3}{\cancel{6}}=\frac{69}{2}=34\frac{1}{2}$로 계산할 수 있습니다.

52

4 어느 미술 전시관의 입장권은 8000원인데, 할인 기간에는 입장권 가격의 $\frac{4}{5}$만큼만 내면 된다고 합니다. 할인 기간에 판매하는 입장권 1장의 가격은 얼마인가요?

41쪽

(6400원)

풀이 (할인 기간에 판매하는 입장권 1장의 가격)$=\overset{1600}{\cancel{8000}}\times\frac{4}{\underset{1}{\cancel{5}}}=6400$(원)

(자연수)×(진분수)를 활용하여 실생활 문제 해결하기
▶자습서 44~45쪽

5 계산에서 잘못된 부분을 찾아 바르게 계산해 보세요.

43쪽

$$\overset{3}{\cancel{9}}\times1\frac{5}{\underset{2}{\cancel{6}}}=3\times\frac{7}{2}=\frac{21}{2}=10\frac{1}{2}$$

$$9\times1\frac{5}{6}=\overset{3}{\cancel{9}}\times\frac{11}{\underset{2}{\cancel{6}}}=\frac{33}{2}=16\frac{1}{2}$$

풀이 대분수를 가분수로 바꾸지 않고 약분하여 잘못되었습니다.

계산에서 잘못된 부분을 찾아 바르게 계산하기
▶자습서 46~47쪽

학부모 코칭 Tip
계산에서 잘못된 부분을 먼저 찾고, 바르게 계산할 수 있게 합니다.

6 민서는 오른쪽 직사각형 모양의 그림에서 다 부분을 색칠하려고 합니다. 가는 직사각형 전체 넓이의 $\frac{5}{9}$이고, 나는 가의 넓이의 $\frac{1}{2}$입니다. 다는 나의 넓이의 $\frac{3}{5}$일 때, 민서가 색칠해야 할 부분의 넓이는 몇 cm^2인지 구해 보세요.

47쪽

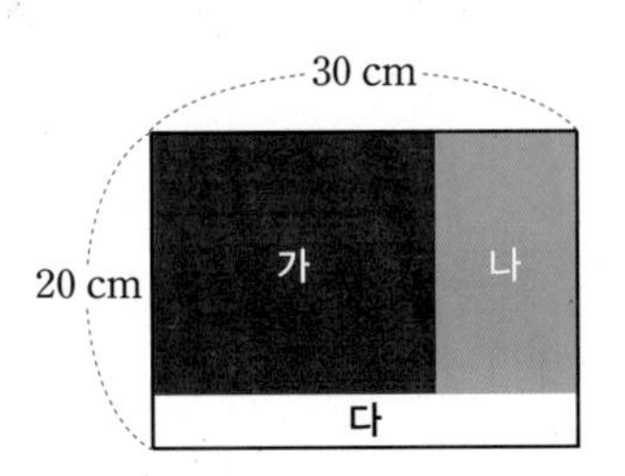

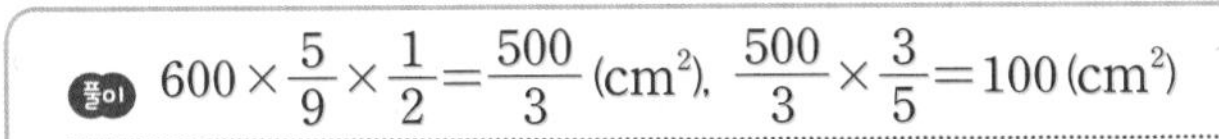

$600\times\frac{5}{9}\times\frac{1}{2}=\frac{500}{3}$ (cm^2), $\frac{500}{3}\times\frac{3}{5}=100$ (cm^2)

답 $100\ cm^2$

풀이 (직사각형의 전체 넓이)$=30\times20=600$ (cm^2)

(나의 넓이)$=\overset{100}{\overset{200}{\cancel{600}}}\times\frac{5}{\underset{3}{\cancel{9}}}\times\frac{1}{\underset{1}{\cancel{2}}}=\frac{500}{3}$ (cm^2), (다의 넓이)$=\frac{\overset{100}{\cancel{500}}}{\underset{1}{\cancel{3}}}\times\frac{\overset{1}{\cancel{3}}}{\underset{1}{\cancel{5}}}=100$ (cm^2)

세 진분수의 곱셈 활용 문제 해결하기
▶자습서 50~51쪽

학부모 코칭 Tip
세 분수의 곱셈을 이용하여 문제에 알맞은 식을 세운 후 계산해 보게 합니다.

11 차시 • 놀이 속으로 | 풍덩 • 이야기로 키우는 | 생각

교과서 개념 완성

놀이 속으로 | 풍덩

1 준비물 확인 및 놀이 방법 살펴보기

- 준비물이 준비되었는지 확인합니다.
- 놀이 방법을 읽어 보게 합니다.
- 놀이 방법을 한 단계 한 단계 시범을 하면서 설명합니다.

학부모 코칭 Tip

놀이 방법을 스스로 파악하도록 시간 여유를 주고, 놀이를 하는 도중에 언제든지 질문하게 합니다.

2 실제로 친구와 놀이하기

예 • 첫 번째 던져 나온 주사위 눈의 수: 3, 4

두 번째 던져 나온 주사위 눈의 수: 5, 2

$\frac{3}{4}$, $\frac{5}{2}$를 만들었고 $\frac{3}{4}\times\frac{5}{2}=\frac{15}{8}=1\frac{7}{8}$입니다.

• 첫 번째 던져 나온 주사위 눈의 수: 1, 3

두 번째 던져 나온 주사위 눈의 수: 5, 6

$\frac{1}{3}$, $\frac{6}{5}$을 만들었고 $\frac{1}{\cancel{3}_{1}}\times\frac{\cancel{6}^{2}}{5}=\frac{2}{5}$입니다.

➜ $1\frac{7}{8}$이 $\frac{2}{5}$보다 더 큽니다. $1\frac{7}{8}$이 나온 팀이 대분수의 자연수 부분인 1칸만큼 이동합니다.

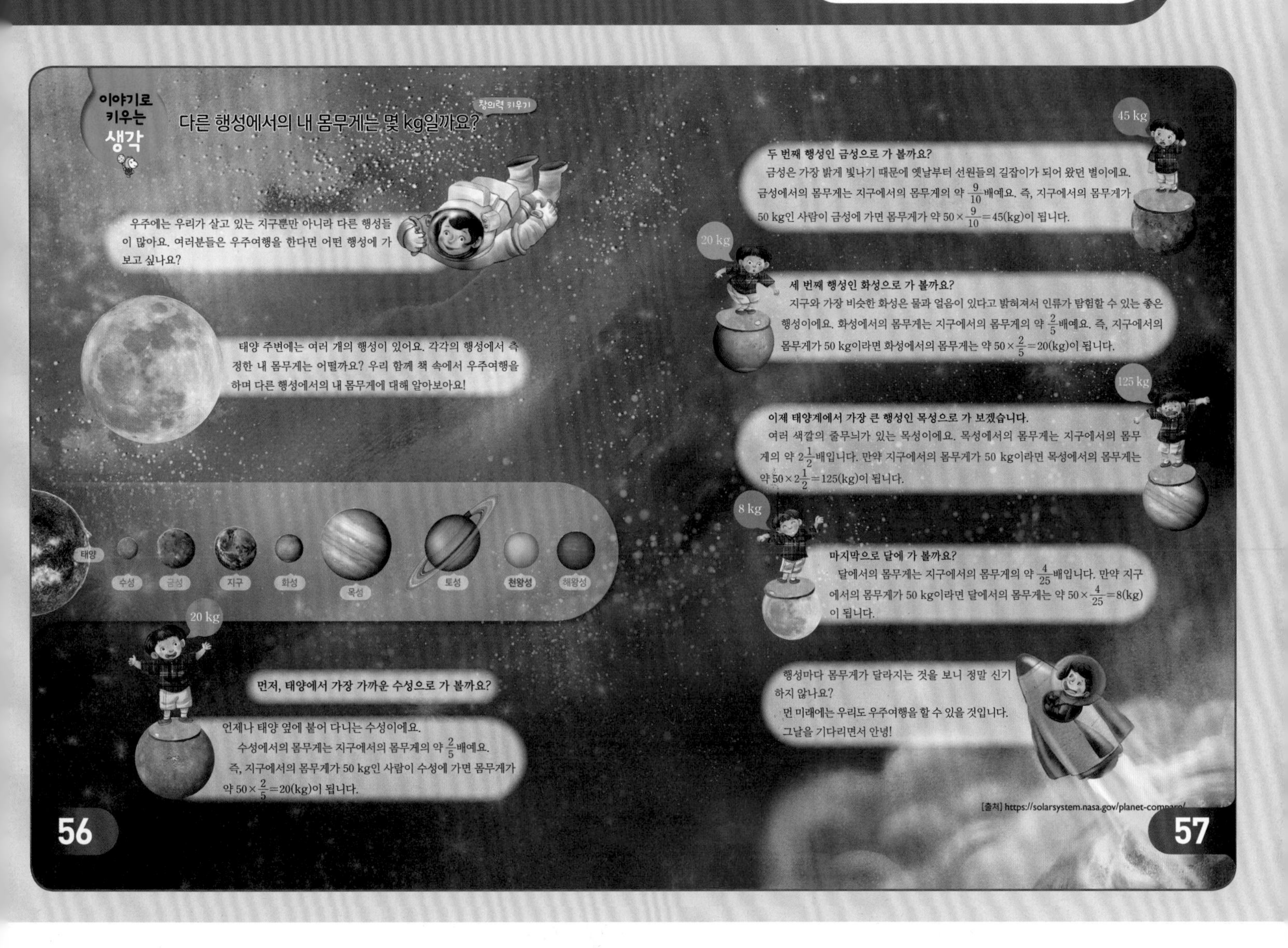

수학 54~57쪽 공부한 날 월 일

이야기로 키우는 생각

창의력 키우기

다른 행성에서의 내 몸무게는 몇 kg일까요?

우주에는 우리가 살고 있는 지구뿐만 아니라 다른 행성들이 많아요. 여러분들은 우주여행을 한다면 어떤 행성에 가 보고 싶나요?

태양 주변에는 여러 개의 행성이 있어요. 각각의 행성에서 측정한 내 몸무게는 어떨까요? 우리 함께 책 속에서 우주여행을 하며 다른 행성에서의 내 몸무게에 대해 알아보아요!

태양 수성 금성 지구 화성 목성 토성 천왕성 해왕성

20 kg

먼저, 태양에서 가장 가까운 수성으로 가 볼까요?

언제나 태양 옆에 붙어 다니는 수성이에요. 수성에서의 몸무게는 지구에서의 몸무게의 약 $\frac{2}{5}$배예요. 즉, 지구에서의 몸무게가 50 kg인 사람이 수성에 가면 몸무게가 약 $50\times\frac{2}{5}=20$(kg)이 됩니다.

56

45 kg

두 번째 행성인 금성으로 가 볼까요?

금성은 가장 밝게 빛나기 때문에 옛날부터 선원들의 길잡이가 되어 왔던 별이에요. 금성에서의 몸무게는 지구에서의 몸무게의 약 $\frac{9}{10}$배예요. 즉, 지구에서의 몸무게가 50 kg인 사람이 금성에 가면 몸무게가 약 $50\times\frac{9}{10}=45$(kg)이 됩니다.

20 kg

세 번째 행성인 화성으로 가 볼까요?

지구와 가장 비슷한 화성은 물과 얼음이 있다고 밝혀져서 인류가 탐험할 수 있는 좋은 행성이에요. 화성에서의 몸무게는 지구에서의 몸무게의 약 $\frac{2}{5}$배예요. 즉, 지구에서의 몸무게가 50 kg이라면 화성에서의 몸무게는 약 $50\times\frac{2}{5}=20$(kg)이 됩니다.

125 kg

이제 태양계에서 가장 큰 행성인 목성으로 가 보겠습니다.

여러 색깔의 줄무늬가 있는 목성이에요. 목성에서의 몸무게는 지구에서의 몸무게의 약 $2\frac{1}{2}$배입니다. 만약 지구에서의 몸무게가 50 kg이라면 목성에서의 몸무게는 약 $50\times2\frac{1}{2}=125$(kg)이 됩니다.

8 kg

마지막으로 달에 가 볼까요?

달에서의 몸무게는 지구에서의 몸무게의 약 $\frac{4}{25}$배입니다. 만약 지구에서의 몸무게가 50 kg이라면 달에서의 몸무게는 약 $50\times\frac{4}{25}=8$(kg)이 됩니다.

행성마다 몸무게가 달라지는 것을 보니 정말 신기하지 않나요?

먼 미래에는 우리도 우주여행을 할 수 있을 것입니다.

그날을 기다리면서 안녕!

[출처] https://solarsystem.nasa.gov/planet-compare/

57

이야기로 키우는 생각

행성의 중력과 몸무게

행성마다 몸무게가 달라지는 이유는 바로 중력이라고 하는 힘 때문입니다. 중력은 쉽게 말해 어떤 물체가 행성의 중심을 향하는 힘, 즉 지구의 중심을 향해 잡아당기는 힘을 말합니다. 만일 중력이 없다면 우리는 우주를 떠돌게 될 것입니다. 중력이 있기 때문에 우리는 우주 밖으로 날아가지 않고 땅을 걸으며 살아갈 수 있는 것입니다. 사실 우리가 알고 있는 무게도 이렇게 지구가 물체를 당기는 힘입니다. 그런데 중력은 행성의 크기와 무게에 따라 다르기 때문에 몸무게도 달라지는 것입니다. 쉽게 설명하면 어떤 사람이 중력이 약한 행성에 가면 몸무게가 가벼워지고, 중력이 강한 행성에 가면 몸무게가 늘어납니다.

다음은 지구의 중력을 1이라고 하였을 때 다른 행성의 중력을 분수로 나타낸 것입니다.

행성	수성	금성	지구	화성	목성	토성	천왕성	해왕성
표면 중력 (m/s^2)	$\frac{2}{5}$	$\frac{9}{10}$	1	$\frac{2}{5}$	$2\frac{1}{2}$	$1\frac{3}{50}$	$\frac{9}{10}$	$1\frac{7}{50}$

[출처] https://solarsystem.nasa.gov/planet－compare

따라서 행성에서의 몸무게를 구하고 싶으면 지구에서의 몸무게에 그 행성의 중력을 곱하면 됩니다.

즉, (행성에서의 몸무게)＝(지구에서의 몸무게)×(중력)입니다.

개념+확인

교과서 개념을 익히고 확인 문제를 풀면서 단원을 마무리해 보아요.

개념

(진분수)×(자연수)

분수의 분모는 그대로 두고, 분수의 분자와 자연수를 곱하여 계산합니다.

예 $\frac{2}{9}\times4$의 계산

$$\frac{2}{9}\times4=\frac{2}{9}+\frac{2}{9}+\frac{2}{9}+\frac{2}{9}=\frac{2\times4}{9}=\frac{8}{9}$$

$$\frac{▲}{●}\times■=\frac{▲\times■}{●}$$

(대분수)×(자연수)

예 $1\frac{2}{7}\times3$의 계산

방법1 대분수를 자연수 부분과 진분수 부분으로 나누어 계산합니다.

$$1\frac{2}{7}\times3=(1\times3)+\left(\frac{2}{7}\times3\right)$$
$$=3+\frac{6}{7}=3\frac{6}{7}$$

방법2 대분수를 가분수로 바꾸어 계산합니다.

$$1\frac{2}{7}\times3=\frac{9}{7}\times3=\frac{9\times3}{7}=\frac{27}{7}=3\frac{6}{7}$$

(자연수)×(진분수)

분수의 분모는 그대로 두고, 자연수와 분수의 분자를 곱하여 계산합니다.

예 $5\times\frac{3}{4}$의 계산

$$5\times\frac{3}{4}=\left(5\times\frac{1}{4}\right)\times3=\frac{5}{4}\times3$$
$$=\frac{5\times3}{4}=\frac{15}{4}=3\frac{3}{4}$$

$$■\times\frac{▲}{●}=\frac{■\times▲}{●}$$

확인 문제

1 계산해 보세요.

(1) $\frac{5}{6}\times7$ (2) $2\frac{1}{3}\times9$

2 보기 와 같은 방법으로 계산해 보세요.

보기

$$3\frac{1}{2}\times5=(3\times5)+\left(\frac{1}{2}\times5\right)$$
$$=15+\frac{5}{2}=17\frac{1}{2}$$

$4\frac{8}{9}\times2=$ ....

....

3 두 수의 곱을 구해 보세요.

14	$\frac{10}{21}$

(　　　　)

4 채소 가게에서 어제 하루 동안 감자를 15 kg 팔았고, 오늘은 어제 판 감자의 $\frac{8}{9}$만큼 팔았습니다. 오늘 판 감자는 몇 kg인가요?

(　　　　)

개념

(자연수) × (대분수)

예 $4\times1\frac{1}{5}$의 계산

방법1 대분수를 자연수 부분과 진분수 부분으로 나누어 계산합니다.

$$4\times1\frac{1}{5}=(4\times1)+\left(4\times\frac{1}{5}\right)$$
$$=4+\frac{4}{5}=4\frac{4}{5}$$

방법2 대분수를 가분수로 바꾸어 계산합니다.

$$4\times1\frac{1}{5}=4\times\frac{6}{5}=\frac{4\times6}{5}=\frac{24}{5}=4\frac{4}{5}$$

(진분수) × (진분수)

분모는 분모끼리, 분자는 분자끼리 곱하여 계산합니다.

예 $\frac{6}{7}\times\frac{3}{4}$의 계산

$$\frac{6}{7}\times\frac{3}{4}=\frac{6\times3}{7\times4}=\frac{\overset{9}{\cancel{18}}}{\underset{14}{\cancel{28}}}=\frac{9}{14}$$

$$\frac{▲}{●}\times\frac{★}{■}=\frac{▲\times★}{●\times■}$$

예 $\frac{1}{3}\times\frac{1}{5}\times\frac{2}{7}$의 계산

$$\frac{1}{3}\times\frac{1}{5}\times\frac{2}{7}=\frac{1\times1\times2}{3\times5\times7}=\frac{2}{105}$$

(대분수) × (대분수)

대분수를 가분수로 바꾼 다음, 분모는 분모끼리, 분자는 분자끼리 곱하여 계산합니다.

예 $1\frac{2}{3}\times2\frac{1}{4}$의 계산

$$1\frac{2}{3}\times2\frac{1}{4}=\frac{5}{3}\times\frac{9}{4}=\frac{5\times9}{3\times4}=\frac{\overset{15}{\cancel{45}}}{\underset{4}{\cancel{12}}}=3\frac{3}{4}$$

확인 문제

5 계산해 보세요.

(1) $2\times4\frac{1}{3}$

(2) $8\times1\frac{3}{10}$

6 빈칸에 알맞은 수를 써넣으세요.

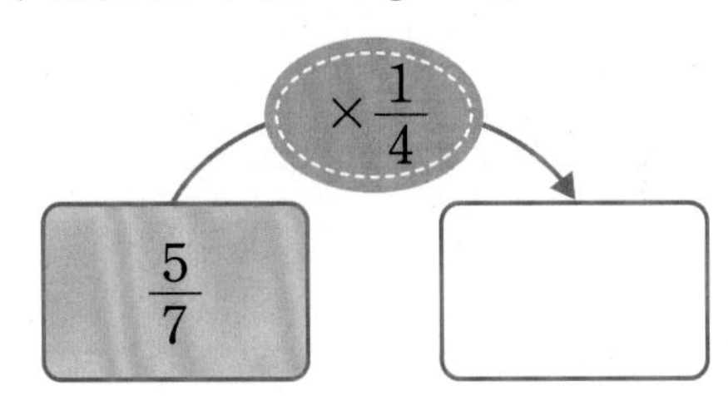

7 계산 결과가 더 큰 것의 기호를 써 보세요.

㉠ $\frac{4}{5}\times\frac{1}{6}\times\frac{1}{2}$ ㉡ $\frac{3}{7}\times\frac{2}{3}\times\frac{1}{4}$

( )

8 파란색 페인트는 $3\frac{4}{7}$ L 있고, 빨간색 페인트는 파란색 페인트의 $2\frac{2}{5}$배만큼 있습니다. 빨간색 페인트의 양은 몇 L인가요?

( )

과정 중심 평가 내용: 분수의 곱셈을 이용하여 남은 부분을 구할 수 있는가?

1-1 미술 시간에 길이가 8 m인 철사의 $\frac{3}{4}$만큼을 사용하였습니다. 사용하고 남은 철사는 몇 m인지 풀이 과정을 쓰고, 답을 구해 보세요. [8점]

풀이

❶ (사용한 철사의 길이)

$=\square\times\frac{\square}{4}=6$ (m)

❷ (사용하고 남은 철사의 길이)

$=8-\square=\square$ (m)

답

1-2 쌍둥이

색 테이프 30 cm 중에서 $\frac{2}{5}$만큼을 사용하였습니다. 사용하고 남은 색 테이프는 몇 cm인지 풀이 과정을 쓰고, 답을 구해 보세요. [12점]

풀이

답

1-3 유사

끈이 $\frac{4}{5}$ m 있었습니다. 이 중에서 형은 $\frac{1}{2}$ m를 사용하고, 동생은 형이 사용하고 남은 끈의 $\frac{5}{7}$만큼을 사용했습니다. 동생이 사용한 끈은 몇 m인지 풀이 과정을 쓰고, 답을 구해 보세요. [15점]

풀이

답

1-4 실전

물통에 물이 $3\frac{1}{6}$ L 있었습니다. 이 물통에 물을 $1\frac{1}{3}$ L 더 부은 후 그중 $\frac{5}{6}$만큼을 사용했습니다. 사용하고 남은 물은 몇 L인지 풀이 과정을 쓰고, 답을 구해 보세요. [15점]

풀이

답

과정 중심 평가 내용	숫자 카드를 사용하여 분수의 곱셈 문제를 해결할 수 있는가?	공부한 날 월 일

➔ 정답 및 풀이 209쪽

2-1 숫자 카드를 한 번씩만 사용하여 대분수를 만들려고 합니다. 만들 수 있는 가장 큰 대분수와 가장 작은 대분수의 곱은 얼마인지 풀이 과정을 쓰고, 답을 구해 보세요. [8점]

1 2 5

풀이

❶ 만들 수 있는 가장 큰 대분수는 ☐이고, 가장 작은 대분수는 ☐입니다.

❷ 두 수의 곱은

☐ × ☐ = ☐입니다.

답

2-2 쌍둥이

숫자 카드를 한 번씩만 사용하여 대분수를 만들려고 합니다. 만들 수 있는 가장 큰 대분수와 가장 작은 대분수의 곱은 얼마인지 풀이 과정을 쓰고, 답을 구해 보세요. [12점]

풀이

답

2-3 유사

숫자 카드 중 3장을 한 번씩만 사용하여 대분수를 만들려고 합니다. 만들 수 있는 가장 큰 대분수와 가장 작은 대분수의 곱은 얼마인지 풀이 과정을 쓰고, 답을 구해 보세요. [15점]

2 3 5 7

풀이

답

2-4 실전

숫자 카드 중 3장을 한 번씩만 사용하여 대분수를 만들려고 합니다. 만들 수 있는 가장 큰 대분수와 가장 작은 대분수의 곱은 얼마인지 풀이 과정을 쓰고, 답을 구해 보세요. [15점]

1 2 7 9

풀이

답

| (진분수)×(자연수) |

01 그림을 보고 □ 안에 알맞은 수를 써넣으세요.

하

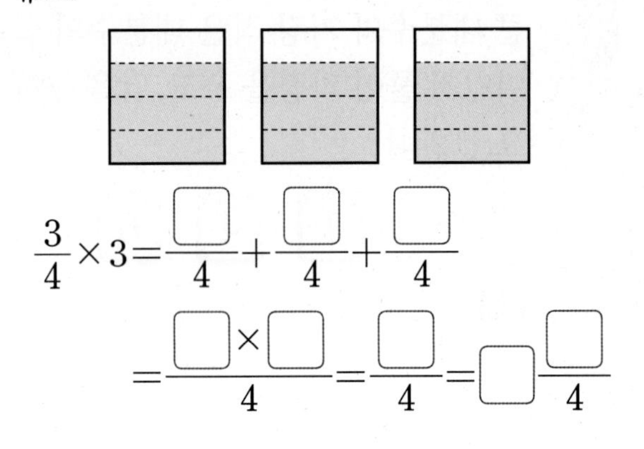

$\frac{3}{4}\times3=\frac{\square}{4}+\frac{\square}{4}+\frac{\square}{4}$

$=\frac{\square\times\square}{4}=\frac{\square}{4}=\square\frac{\square}{4}$

| (대분수)×(대분수) |

02 그림을 보고 □ 안에 알맞은 수를 써넣으세요.

하

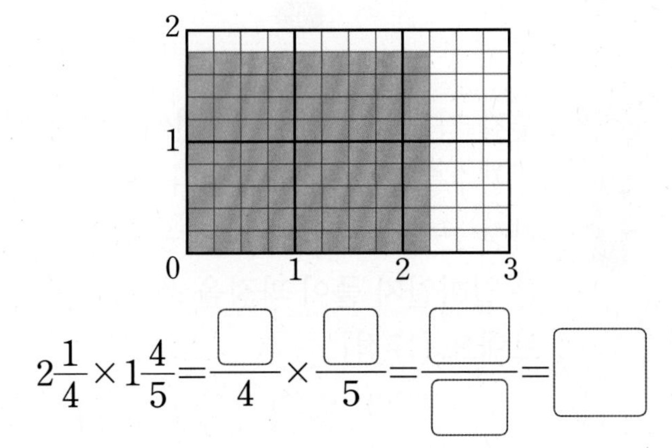

$2\frac{1}{4}\times1\frac{4}{5}=\frac{\square}{4}\times\frac{\square}{5}=\frac{\square}{\square}=\square$

| (자연수)×(대분수) |

03 보기 와 같은 방법으로 계산해 보세요.

보기

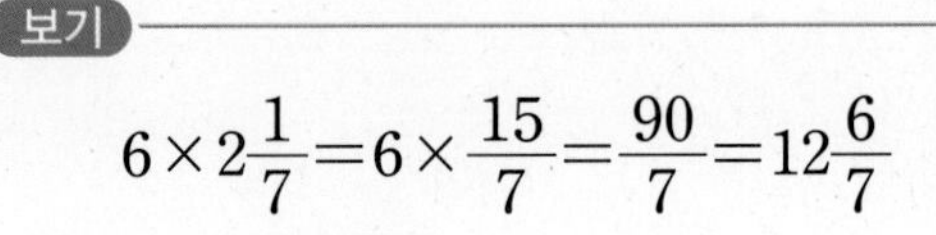

$6\times2\frac{1}{7}=6\times\frac{15}{7}=\frac{90}{7}=12\frac{6}{7}$

$3\times2\frac{4}{5}$ ....

| (진분수)×(진분수) |

04 계산해 보세요.

하

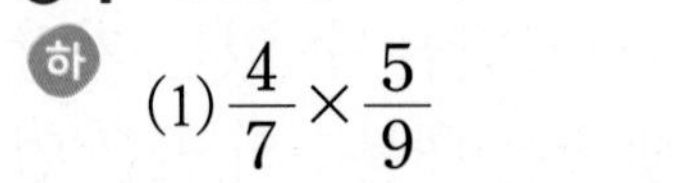

(1) $\frac{4}{7}\times\frac{5}{9}$　　　(2) $\frac{5}{6}\times\frac{3}{10}$

| (대분수)×(자연수) |

05 빈칸에 알맞은 수를 써넣으세요.

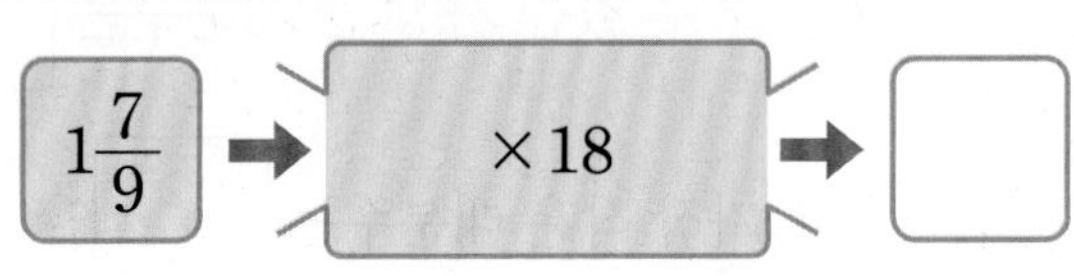

$1\frac{7}{9}$ → $\times18$ → □

| (대분수)×(자연수) |

06 계산 결과가 $2\frac{1}{7}\times3$과 다른 것을 찾아 기호를 써 보세요.

중

㉠ $2\frac{1}{7}+2\frac{1}{7}+2\frac{1}{7}$　　㉡ $2+\frac{1\times3}{7}$

㉢ $(2\times3)+\left(\frac{1}{7}\times3\right)$　　㉣ $\frac{15}{7}\times3$

(　　　　　　　　)

| (자연수)×(진분수) |

07 계산 결과를 비교하여 ○ 안에 >, =, <를 알맞게 써넣으세요.

중

$70\times\frac{3}{14}$ ○ $24\times\frac{2}{3}$

➔ 정답 및 풀이 210쪽

| (진분수)×(진분수) |

08 세 수의 곱을 구해 보세요.

중

$\frac{6}{7}$ $\frac{10}{11}$ $\frac{14}{15}$

( )

| (진분수)×(자연수) |

09 다음이 나타내는 수를 구해 보세요.

중

$\frac{7}{8}$의 20배인 수

( )

| (자연수)×(대분수) |

10 가장 큰 수와 가장 작은 수의 곱을 구해 보세요.

중

$8\frac{2}{5}$ 15 12 $10\frac{1}{4}$

( )

| (진분수)×(자연수) |

11 한 명이 피자 한 판의 $\frac{1}{6}$씩 먹으려고 합니다. 30명이 먹으려면 피자는 모두 몇 판 필요할까요?

중

( )

| (자연수)×(진분수), (자연수)×(대분수) |

12 계산 결과가 9보다 큰 식에 ○표, 9보다 작은 식에 △표 하세요.

중

9×1 $9\times1\frac{2}{3}$ $9\times\frac{11}{12}$ $9\times2\frac{1}{9}$

| (대분수)×(대분수) | 서술형

13 다음 계산에서 잘못된 부분을 찾아 그 이유를 쓰고, 바르게 계산해 보세요.

중

$$1\frac{\overset{1}{\cancel{5}}}{\underset{2}{\cancel{6}}}\times2\frac{\overset{1}{\cancel{3}}}{\underset{2}{\cancel{10}}}=1\frac{1}{2}\times2\frac{1}{2}=\frac{3}{2}\times\frac{5}{2}$$
$$=\frac{15}{4}=3\frac{3}{4}$$

이유

바르게 계산하기

$1\frac{5}{6}\times2\frac{3}{10}$

| (대분수)×(자연수) |

14 한 변의 길이가 $5\frac{1}{9}$ cm인 정육각형의 둘레는 몇 cm인가요?

중

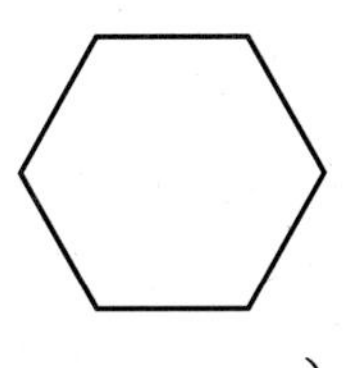

( )

➔ 정답 및 풀이 211쪽

| (자연수)×(진분수) |

15 페인트 28 L 중에서 울타리를 칠하는 데 $\frac{3}{7}$만큼을 사용하였습니다. 사용하고 남은 페인트는 몇 L인가요?

중

(　　　　　　　　)

| (진분수)×(진분수) | 서술형

16 어떤 수는 $\frac{3}{8}$의 $\frac{2}{3}$와 같습니다. $\frac{5}{7}$와 어떤 수의 곱은 얼마인지 풀이 과정을 쓰고, 답을 구해 보세요.

중

풀이

답

| (대분수)×(대분수) |

17 스케치북에 한 변의 길이가 $3\frac{1}{2}$ cm인 정사각형 모양의 색종이 16장을 겹치지 않게 붙였습니다. 색종이를 붙인 부분의 넓이는 몇 cm^2인가요?

중

(　　　　　　　　)

| (자연수)×(진분수) |

18 □ 안에 들어갈 수 있는 자연수는 모두 몇 개인지 구해 보세요.

상

$$16\times\frac{5}{9}<\square<19\times\frac{2}{3}$$

(　　　　　　　　)

| (자연수)×(대분수) | 서술형

19 한 시간에 64 km를 달리는 자동차가 있습니다. 이 자동차가 같은 빠르기로 3시간 15분 동안 달릴 수 있는 거리는 몇 km인지 풀이 과정을 쓰고, 답을 구해 보세요.

상

풀이

답

| (진분수)×(진분수) |

20 현수네 밭 450 m^2의 $\frac{1}{2}$만큼 배추를 심고, 나머지 밭의 $\frac{4}{5}$만큼 감자를 심었습니다. 그리고 남은 밭의 $\frac{4}{9}$만큼 고구마를 심었다면 고구마를 심은 밭의 넓이는 몇 m^2인지 구해 보세요.

상

(　　　　　　　　)

분수의 곱셈으로 넓이를 구해 비교해 볼까요?

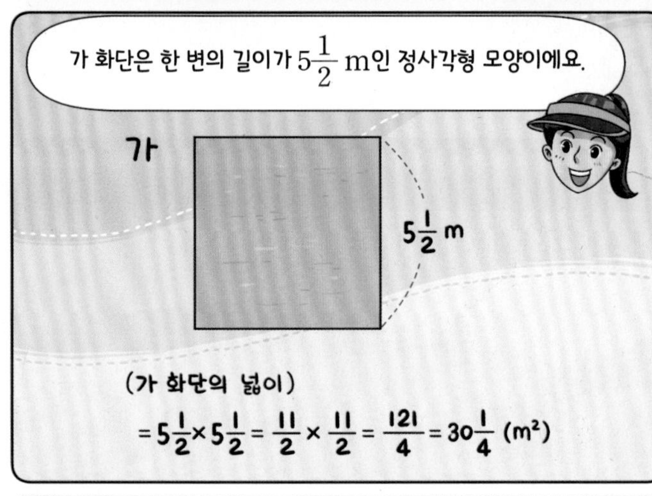

(가 화단의 넓이)

$=5\frac{1}{2}\times5\frac{1}{2}=\frac{11}{2}\times\frac{11}{2}=\frac{121}{4}=30\frac{1}{4}\ (m^2)$

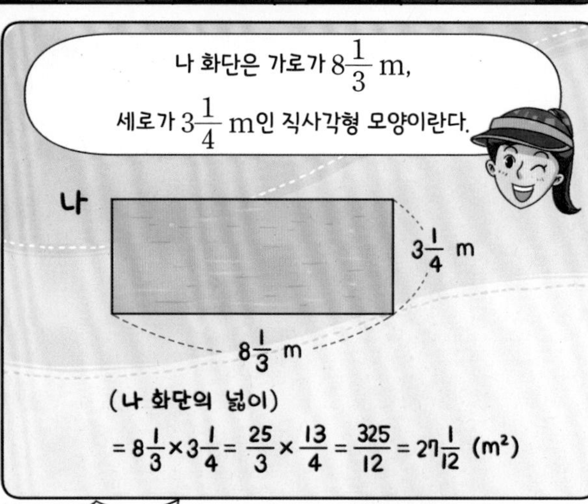

(나 화단의 넓이)

$=8\frac{1}{3}\times3\frac{1}{4}=\frac{25}{3}\times\frac{13}{4}=\frac{325}{12}=27\frac{1}{12}\ (m^2)$

이전에 배운 내용	이번에 배울 내용	다음에 배울 내용
4-1 2. 각도 • 각도의 단위와 각도 측정 4-1 4. 평면도형의 이동 • 평면도형 밀기, 뒤집기, 돌리기 4-2 6. 다각형 • 다각형, 정다각형 • 대각선	• 도형의 합동 알아보기 • 대응점, 대응변, 대응각 알아보기 • 선대칭도형과 그 성질 알아보기 • 선대칭도형 그리기 • 점대칭도형과 그 성질 알아보기 • 점대칭도형 그리기	5-2 5. 직육면체와 정육면체 • 직육면체와 정육면체의 뜻 • 직육면체와 정육면체의 전개도 6-1 2. 각기둥과 각뿔 • 각기둥의 뜻과 성질 • 각기둥의 전개도 • 각뿔의 뜻과 성질

• 학생들이 반으로 접으면 완전히 겹치는 그림을 보고 있습니다.
• 도형 중에서 반으로 접으면 완전히 겹치는 도형이 있는지 궁금해하고 있습니다.

그림 속 상황

공부할 준비가 되었나요?

자/기/주/도/학/습

	학습 내용	계획 및 확인(공부한 날)	
예습	**1차시** | 단원 도입 / 준비 팡팡	68~71쪽	월 일
진도	**2~3차시** | **1** 도형의 합동	72~75쪽	월 일
	4차시 | **2** 선대칭도형	76~77쪽	월 일
	5~6차시 | **3** 선대칭도형의 성질	78~81쪽	월 일
	7차시 | **4** 점대칭도형	82~83쪽	월 일
	8~9차시 | **5** 점대칭도형의 성질	84~87쪽	월 일
	10차시 | 문제 해결력 쑥쑥	88~89쪽	월 일
	11차시 | 단원 마무리 척척	90~91쪽	월 일
	12차시 | 놀이 속으로 풍덩 / 이야기로 키우는 생각	92~93쪽	월 일
평가	개념+확인 / 서술형 문제 해결하기	94~97쪽	월 일
	단원 평가 / 재미있는 수학 이야기	98~101쪽	월 일

학습 목표

'무엇을 알고 있나요'와 '함께 생각해 볼까요'를 통하여 단원을 준비할 수 있습니다.

도형을 왼쪽으로 밀었을 때의 도형 그리기

도형을 왼쪽으로 8칸 밀면 도형의 모양은 변하지 않고 위치가 바뀝니다.

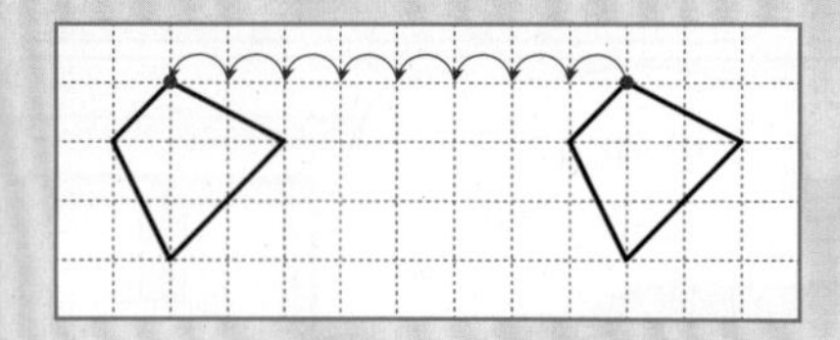

도형을 오른쪽으로 뒤집은 도형 찾기

도형을 오른쪽으로 뒤집으면 오른쪽과 왼쪽이 서로 바뀝니다.

다각형의 대각선 긋기

다각형에서 서로 이웃하지 않는 두 꼭짓점을 이은 선분을 대각선이라고 합니다.

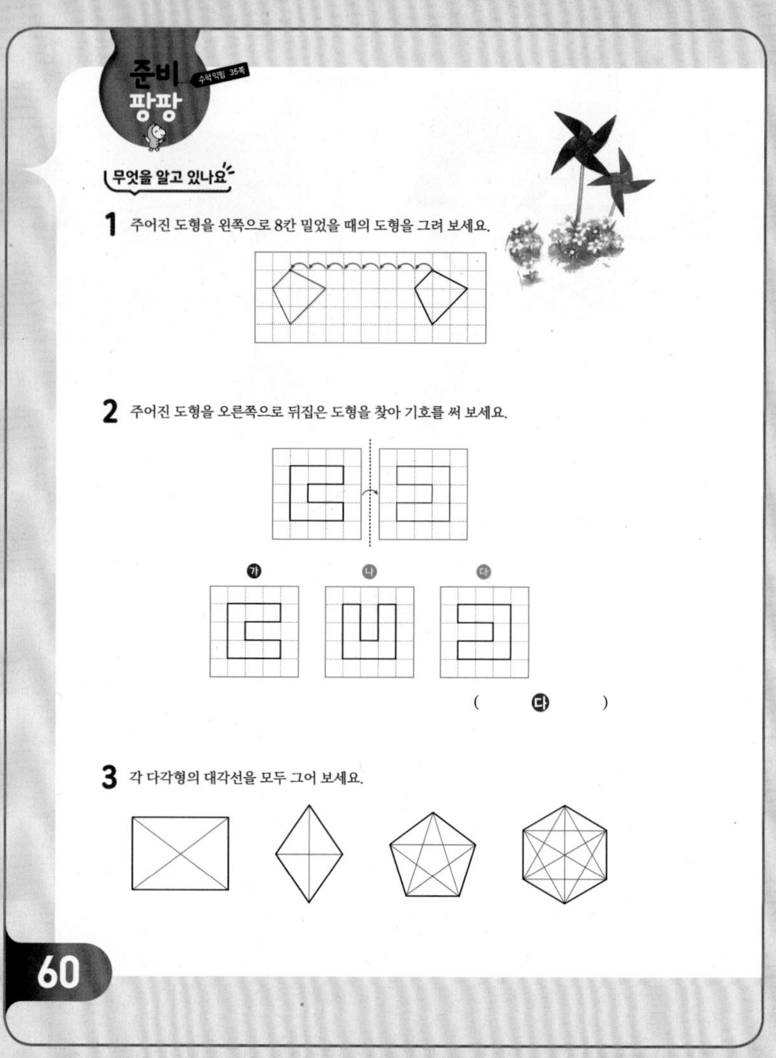

교과서 개념 완성 | 배운 것을 다시 생각하기

평면도형 밀기

도형을 밀면 도형의 모양은 변하지 않고 위치만 바뀝니다.

평면도형 뒤집기

도형을 뒤집으면 뒤집는 방향에 따라 도형의 위쪽과 아래쪽, 또는 왼쪽과 오른쪽이 서로 바뀝니다.

예 도형을 왼쪽으로 뒤집기

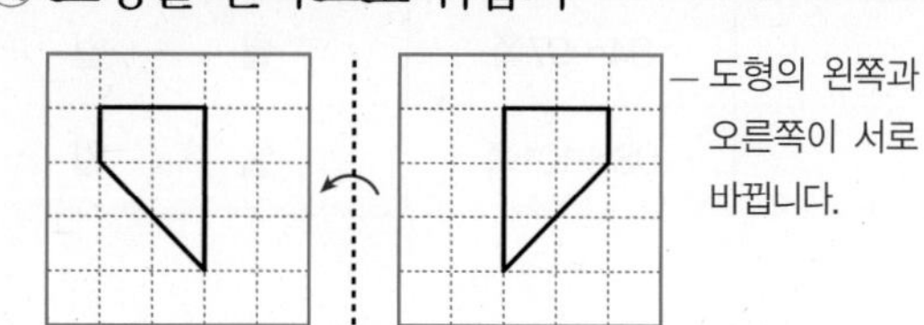

평면도형 돌리기

도형을 돌리면 도형의 모양은 변하지 않고 돌리는 각도에 따라 방향이 바뀝니다.

예 도형을 시계 방향으로 90° 돌리기

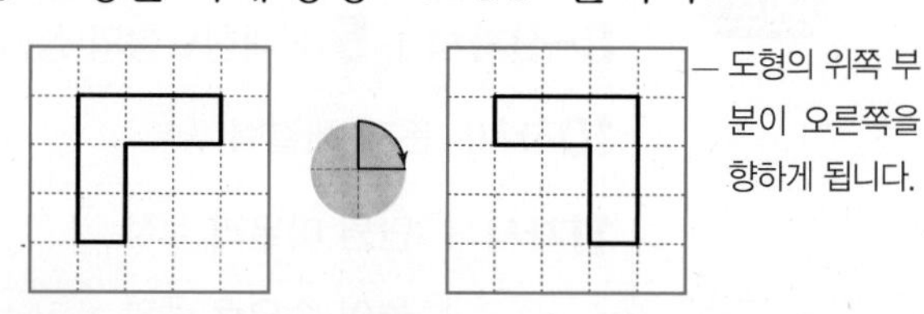

대각선

다각형에서 서로 이웃하지 않는 두 꼭짓점을 이은 선분을 대각선이라고 합니다.

예  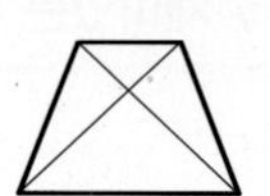

공부한 날 월 일

준비 팡팡

함께 생각해 볼까요

1 종이 두 장을 포개어 놓고 도형을 오렸습니다. 아래쪽 종이에서 나온 모양을 찾아 ○표 해 보세요.

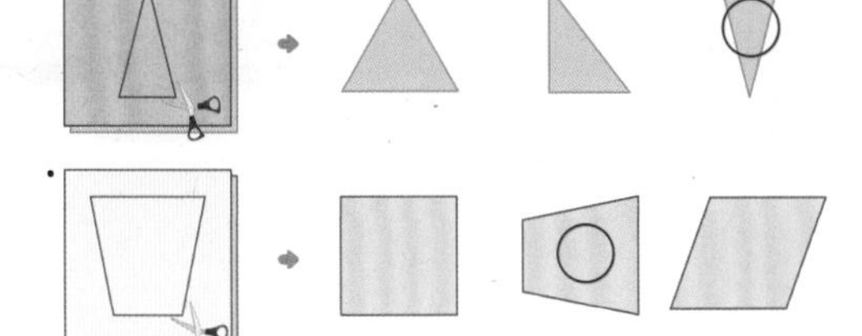

2 색종이를 반으로 접어 도형을 그린 후 잘라서 펼쳤습니다. 펼친 모양으로 알맞은 것을 찾아 ○표 해 보세요.

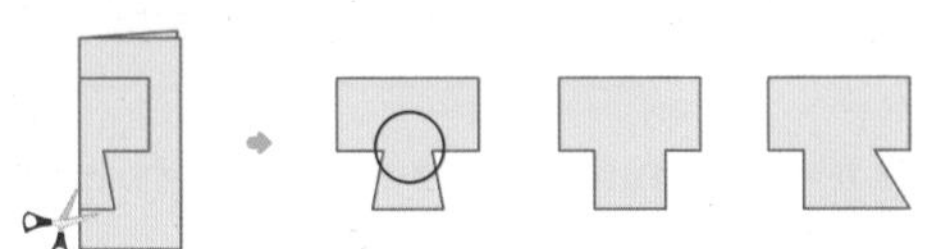

3 글자 카드를 시계 방향으로 180° 돌리면 어떤 글자가 되는지 빈 카드에 써 보세요.

61

종이를 포개어 놓고 도형을 오렸을 때 나온 모양 찾기

종이 두 장을 포개어 놓고 도형을 오리면 위쪽 종이의 도형의 모양, 크기와 아래쪽 종이의 도형의 모양, 크기가 같게 나옵니다.

학부모 코칭 Tip

도형의 합동의 의미를 미리 생각해 보게 하는 활동입니다. 종이 두 장을 포개어 놓고 도형을 오렸을 때 위쪽 종이와 아래쪽 종이의 도형의 모양, 크기가 같음을 확인하게 합니다.

색종이를 반으로 접어 도형을 그린 후 잘라서 펼친 모양 찾기

색종이를 반으로 접어 도형을 그린 후 잘라서 펼치면 가운데 접히는 선을 중심으로 양쪽의 모양과 크기가 같습니다.

글자 카드를 시계 방향으로 180° 돌렸을 때의 글자 써 보기

글자 카드를 시계 방향으로 180° 돌리면 글자의 위쪽 부분이 아래쪽을 향하게 됩니다.

개념 확인 문제

정답 및 풀이 212쪽

| 4-1 4. 평면도형의 이동 |

1 주어진 도형을 아래쪽으로 5칸 밀었을 때의 도형을 그려 보세요.

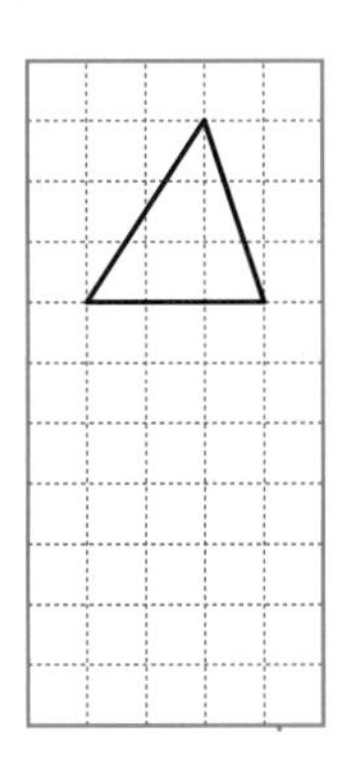

| 4-1 4. 평면도형의 이동 |

2 주어진 도형을 오른쪽으로 뒤집었을 때의 도형을 그려 보세요.

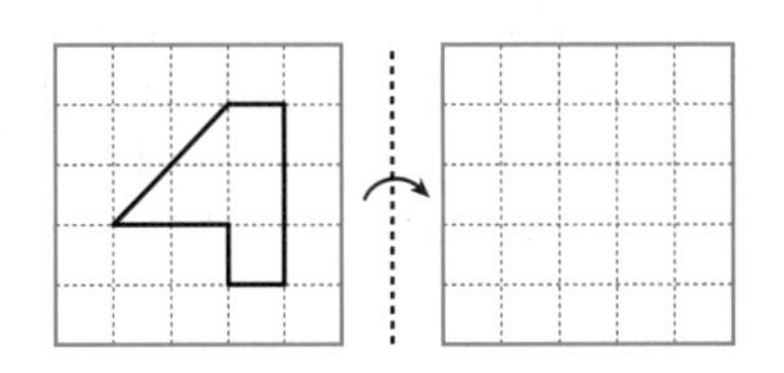

| 4-2 6. 다각형 |

3 도형에 대각선을 모두 그어 보세요.

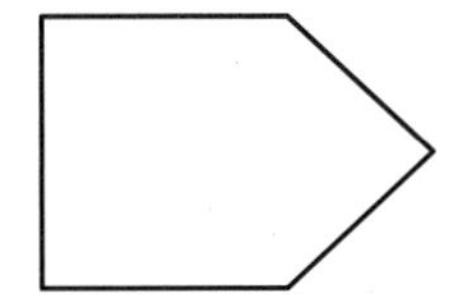

1 | 도형의 합동

학습 목표

- 도형의 합동의 의미를 알고, 합동인 도형을 찾을 수 있습니다.
- 합동인 도형의 성질을 이해합니다.

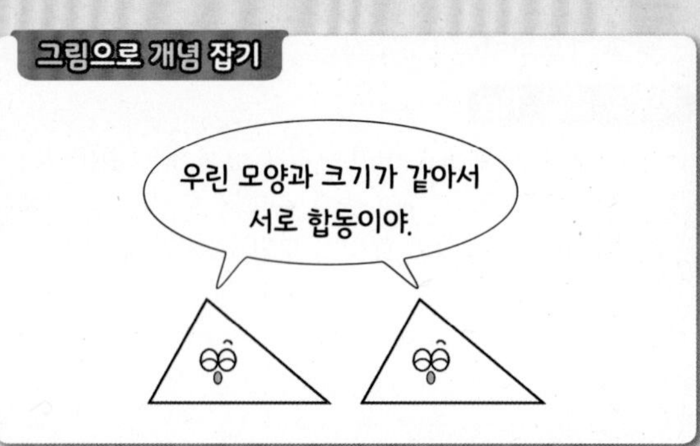

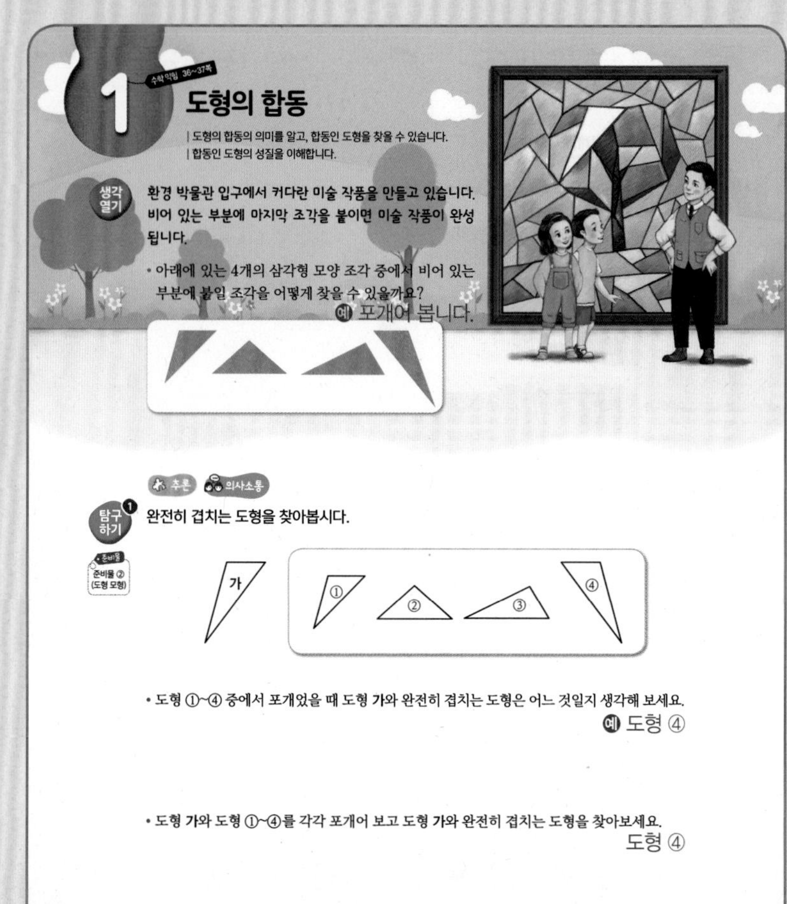

• 도형 ①~④ 중에서 포개었을 때 도형 가와 완전히 겹치는 도형은 어느 것일지 생각해 보세요.
예 도형 ④

• 도형 가와 도형 ①~④를 각각 포개어 보고 도형 가와 완전히 겹치는 도형을 찾아보세요.
도형 ④

• 포개었을 때 완전히 겹치는 두 도형은 어떤 점이 서로 같은지 이야기해 보세요.
예 포개었을 때 완전히 겹치는 두 도형은 모양과 크기가 같습니다.

62

어휘	
	합동
	congruence
	合 (합할 합) 同 (한 가지 동)

교과서 개념 완성

탐구하기 1 완전히 겹치는 도형 찾아보기

도형 가와 도형 ①~④를 각각 포개었을 때 도형 가와 완전히 겹치는 도형은 도형 ④입니다.

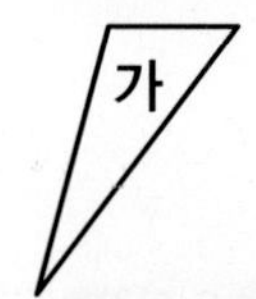

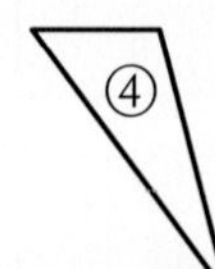

➜ 도형 가와 도형 ④는 모양과 크기가 같습니다.

확인하기 1 서로 합동인 두 도형을 찾고, 어떻게 찾았는지 이야기하기

서로 합동인 두 도형은 도형 가와 도형 다, 도형 나와 도형 차, 도형 라와 도형 카입니다.

학부모 코칭 Tip

서로 합동인 두 도형을 찾을 때 먼저 모양을 확인한 후 크기가 같은 것을 찾게 합니다. 서로 합동인 두 도형을 찾을 때 도형을 밀었을 때뿐만 아니라 뒤집고 돌렸을 때도 완전히 겹치면 합동이 될 수 있다는 것을 알게 합니다.

생각솔솔 서로 합동인 사각형을 만들고, 합동이 되는 이유 설명하기

먼저 서로 합동인 사각형을 2개 만든 후, 만든 각 사각형으로 다시 서로 합동인 사각형을 2개 만듭니다.

예

정리하기 ❶ • 도형의 합동의 의미를 알아봅시다.

모양과 크기가 같아서 포개었을 때 완전히 겹치는 두 도형을 서로 합동이라고 합니다.

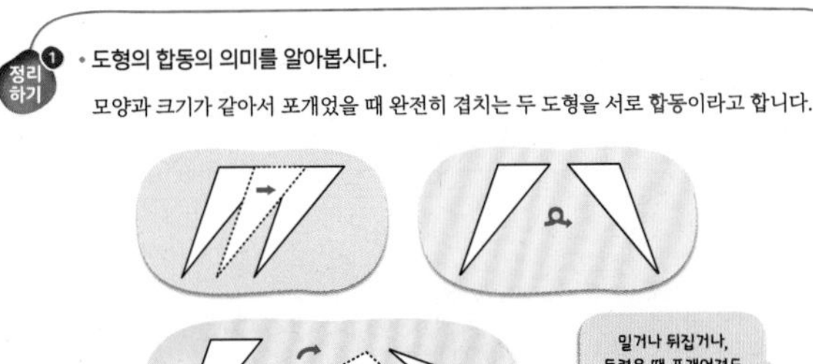

확인하기 ❶ 서로 합동인 두 도형을 찾아 □ 안에 기호를 쓰고, 서로 합동인 두 도형을 어떻게 찾았는지 이야기해 보세요.

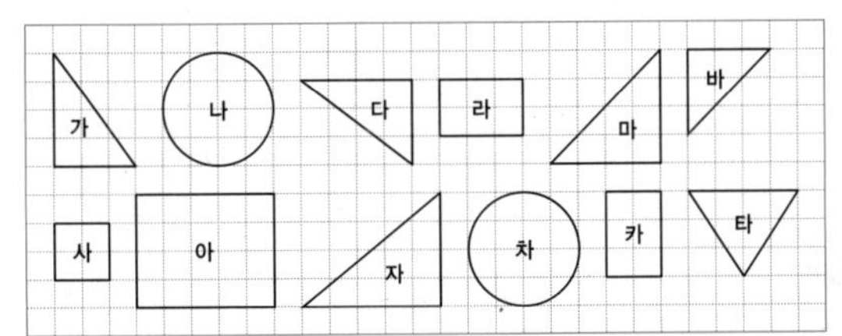

➡ 도형 가와 도형 다 도형 나와 도형 차 도형 라와 도형 카

예 삼각형, 원, 사각형끼리 모양을 확인한 후 칸의 수를 세어 크기가 같은 것을 찾았습니다.

생각술술 직사각형 모양의 종이를 잘라서 서로 합동인 사각형을 4개 만들고, 합동이 되는 이유를 설명해 보세요.

준비물 ③ (도형 종이), 가위

예 만든 사각형은 모양과 크기가 같아서 포개었을 때 완전히 겹치므로 4개의 사각형은 서로 합동입니다.

63

이런 문제가 서술형으로 나와요

나머지 셋과 합동이 아닌 도형을 찾아 기호를 쓰려고 합니다. 풀이 과정을 쓰고, 답을 구해 보세요.

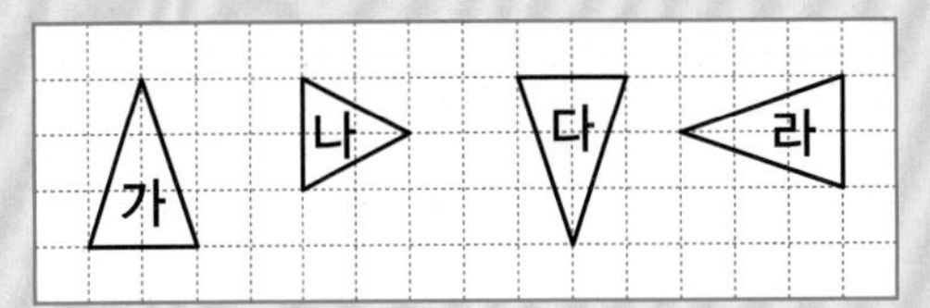

| 풀이 과정 |

❶ 서로 합동인 도형 찾기

모양과 크기가 같아서 포개었을 때 완전히 겹치는 도형은 가, 다, 라입니다.

❷ 나머지 셋과 합동이 아닌 도형의 기호 쓰기

나머지 셋과 합동이 아닌 도형은 나입니다.

답 나

수학 교과 역량 추론 의사소통

완전히 겹치는 도형 찾아보기

두 도형이 완전히 겹치기 위한 조건을 생각해 보고 포개었을 때 완전히 겹치는 두 도형의 같은 점을 설명하는 활동을 통하여 추론 능력과 의사소통 능력을 기를 수 있습니다.

개념 확인 문제

정답 및 풀이 212쪽

[1~2] 왼쪽 도형과 서로 합동인 도형을 찾아 ○표 하세요.

1

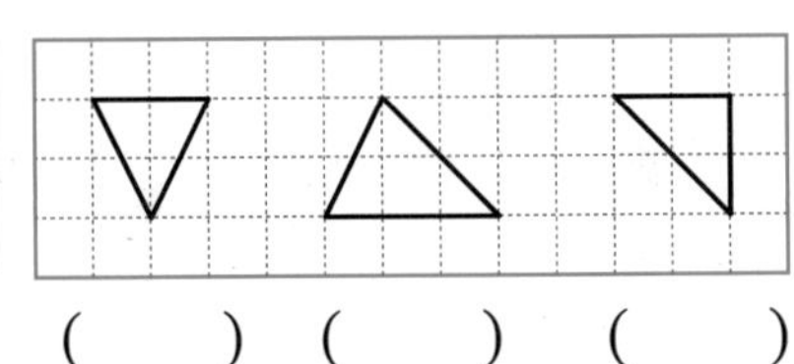

( ) ( ) ( )

2

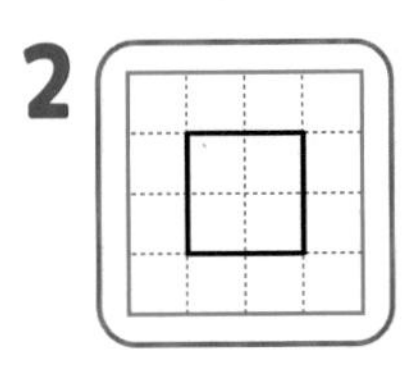
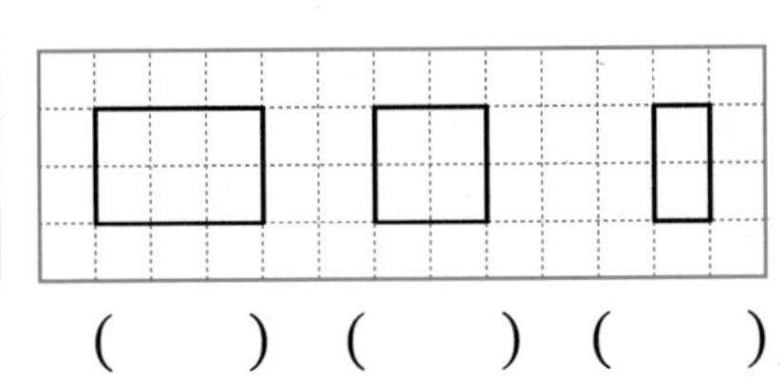

( ) ( ) ( )

3 점선을 따라 잘랐을 때 만들어지는 두 도형이 서로 합동인 것을 찾아 기호를 써 보세요.

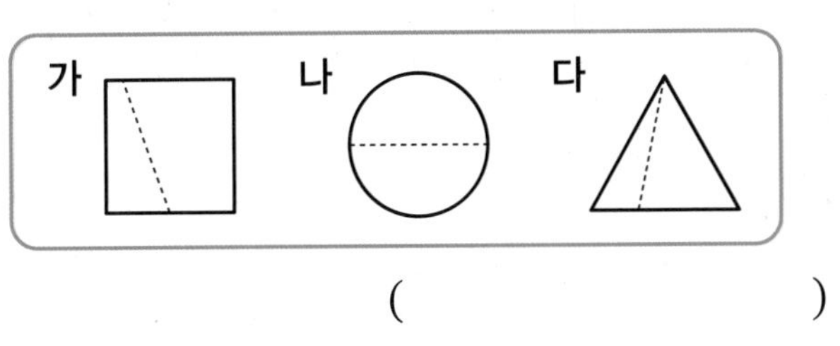

( )

4 주어진 도형과 서로 합동인 도형을 그려 보세요.

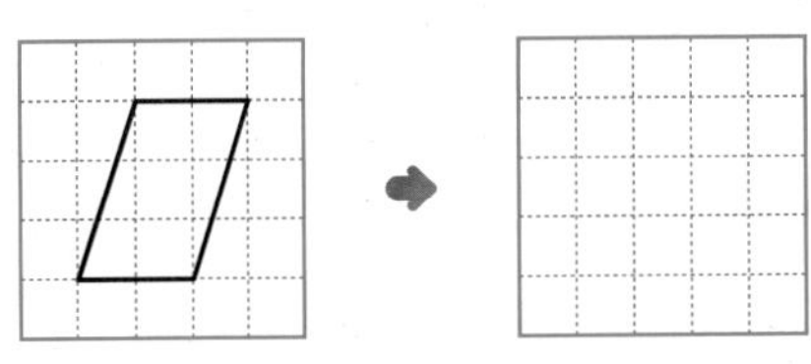

그림으로 개념 잡기

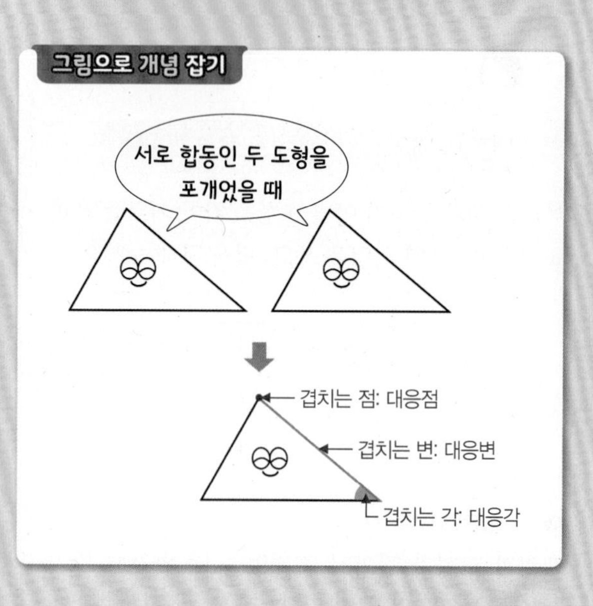

탐구하기 2 서로 합동인 두 도형을 포개어 보고 겹치는 부분을 찾아봅시다.

준비물 ② (도형 모형)

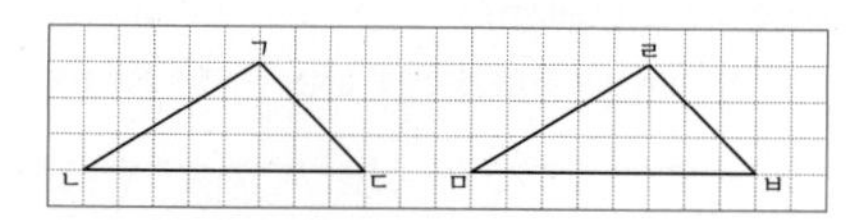

• 포개었을 때 서로 겹치는 꼭짓점을 모두 찾아보세요.
점 ㄱ과 점 ㄹ, 점 ㄴ과 점 ㅁ, 점 ㄷ과 점 ㅂ
• 포개었을 때 서로 겹치는 변을 모두 찾아보세요.
변 ㄱㄴ과 변 ㄹㅁ, 변 ㄴㄷ과 변 ㅁㅂ, 변 ㄱㄷ과 변 ㄹㅂ
• 포개었을 때 서로 겹치는 각을 모두 찾아보세요.
각 ㄱㄴㄷ과 각 ㄹㅁㅂ, 각 ㄴㄷㄱ과 각 ㅁㅂㄹ, 각 ㄷㄱㄴ과 각 ㅂㄹㅁ

정리하기 2 • 서로 합동인 두 도형에서 대응점, 대응변, 대응각을 알아봅시다.

서로 합동인 두 도형을 포개었을 때 완전히 겹치는 점을 대응점, 겹치는 변을 대응변, 겹치는 각을 대응각이라고 합니다.

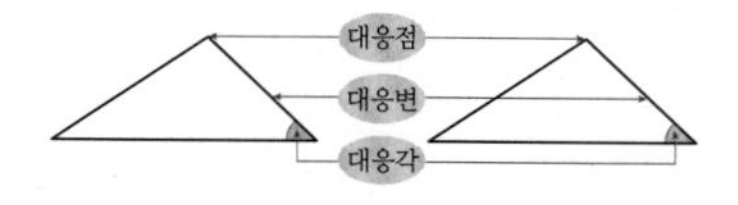

확인하기 2 두 도형은 서로 합동입니다. 물음에 답해 보세요.

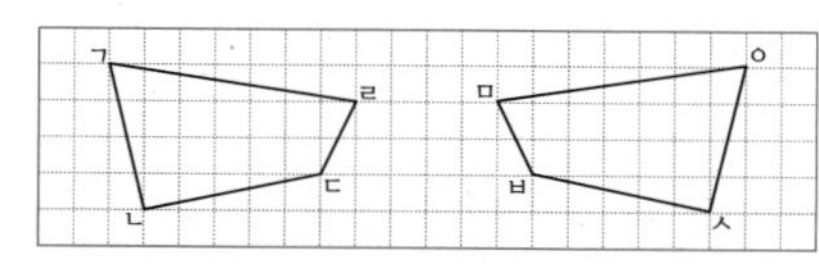

• 점 ㄱ, 점 ㄹ의 대응점을 각각 찾아보세요.
점 ㄱ의 대응점: 점 ㅇ, 점 ㄹ의 대응점: 점 ㅁ
• 변 ㄴㄷ, 변 ㄱㄹ의 대응변을 각각 찾아보세요.
변 ㄴㄷ의 대응변: 변 ㅅㅂ, 변 ㄱㄹ의 대응변: 변 ㅇㅁ
• 각 ㄱㄴㄷ, 각 ㄱㄹㄷ의 대응각을 각각 찾아보세요.
각 ㄱㄴㄷ의 대응각: 각 ㅇㅅㅂ, 각 ㄱㄹㄷ의 대응각: 각 ㅇㅁㅂ

64

학부모 코칭 Tip

이전 차시에서는 합동의 관점을 "모양과 크기가 같아서 포개었을 때 완전히 겹친다."라고 직관적으로 다루었습니다. 본 차시에서는 도형의 구성 요소와 연결 지어 생각해 볼 수 있게 합니다.

교과서 개념 완성

탐구하기 2 서로 합동인 두 도형에서 겹치는 부분 찾아보기

서로 합동인 두 도형에서 포개었을 때 서로 겹치는 꼭짓점, 겹치는 변, 겹치는 각을 각각 찾아봅니다.

탐구하기 3 합동인 도형의 성질 탐구하기

서로 합동인 두 도형에서

• 각각의 대응변의 길이는 서로 같습니다.
• 각각의 대응각의 크기는 서로 같습니다.

확인하기 3 합동인 도형의 성질을 이용하여 문제 해결하기

대응변과 대응각을 찾은 후 합동인 도형의 성질을 이용하여 문제를 해결합니다.

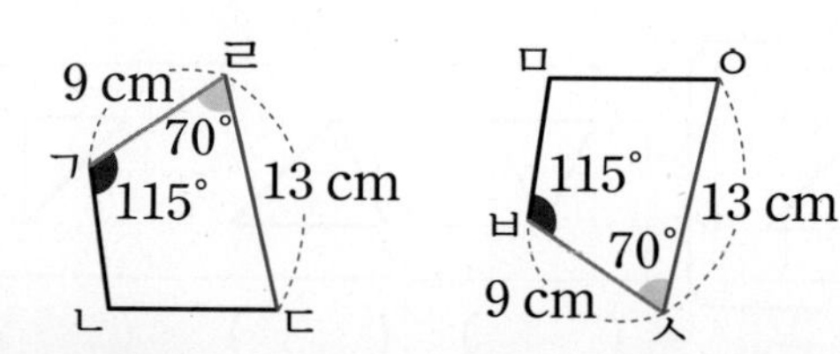

학부모 코칭 Tip

확인하기 3에서 변의 길이와 각의 크기를 직접 재어서 문제를 해결하지 않도록 합니다. 즉, 대응변과 대응각을 먼저 찾은 후 합동인 도형의 성질을 이용하여 문제를 해결하게 하고, 투명 종이를 이용하여 확인하게 합니다.

공부한 날 월 일

탐구하기 서로 합동인 두 도형에서 대응변의 길이와 대응각의 크기를 알아봅시다.

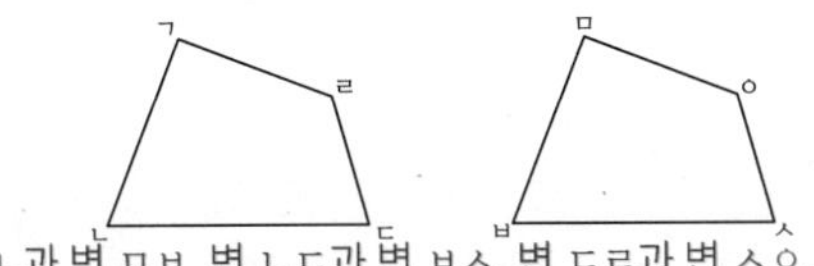

• 두 도형에서 대응변을 모두 찾아 각각의 길이를 비교해 보세요.
변 ㄱㄴ과 변 ㅁㅂ, 변 ㄴㄷ과 변 ㅂㅅ, 변 ㄷㄹ과 변 ㅅㅇ, 변 ㄹㄱ과 변 ㅇㅁ / 각각의 대응변의 길이는 서로 같습니다.

• 두 도형에서 대응각을 모두 찾아 각각의 크기를 비교해 보세요.
각 ㄱㄴㄷ과 각 ㅁㅂㅅ, 각 ㄴㄷㄹ과 각 ㅂㅅㅇ, 각 ㄷㄹㄱ과 각 ㅅㅇㅁ, 각 ㄹㄱㄴ과 각 ㅇㅁㅂ / 각각의 대응각의 크기는 서로 같습니다.

• 서로 합동인 두 도형의 성질을 이야기해 보세요.

정리하기 • 합동인 도형의 성질을 정리해 봅시다.
• 각각의 대응변의 길이는 서로 같습니다.
• 각각의 대응각의 크기는 서로 같습니다.

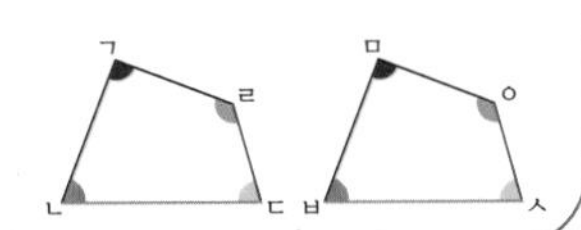

확인하기 두 도형은 서로 합동입니다. 물음에 답해 보세요.

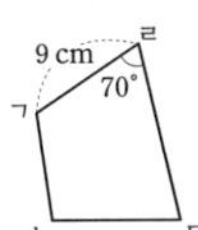
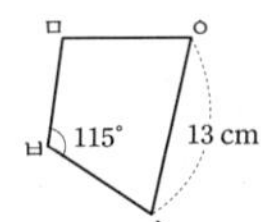

• 변 ㄷㄹ은 몇 cm인가요? 13 cm
• 변 ㅂㅅ은 몇 cm인가요? 9 cm
• 각 ㄴㄱㄹ은 몇 도인가요? 115°
• 각 ㅇㅅㅂ은 몇 도인가요? 70°

풀이 (변 ㄷㄹ)=(변 ㅇㅅ)=13 cm
(변 ㅂㅅ)=(변 ㄱㄹ)=9 cm
(각 ㄴㄱㄹ)=(각 ㅁㅂㅅ)=115°
(각 ㅇㅅㅂ)=(각 ㄷㄹㄱ)=70°

65

이런 문제가 서술형으로 나와요

두 삼각형은 서로 합동입니다. 각 ㄹㅁㅂ은 몇 도인지 풀이 과정을 쓰고, 답을 구해 보세요.

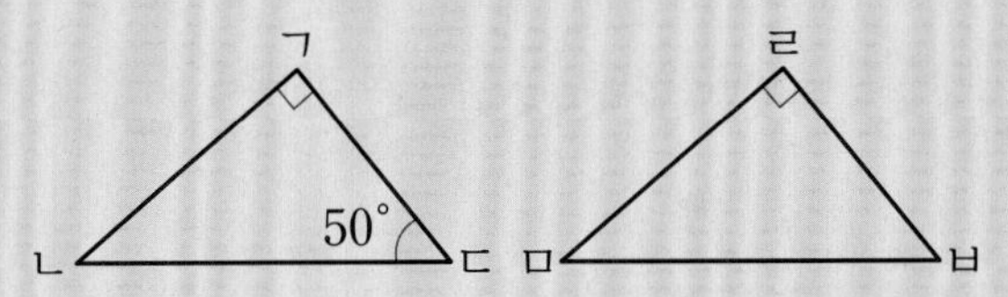

| 풀이 과정 |

❶ 각 ㄹㅁㅂ의 대응각 찾기

각 ㄹㅁㅂ의 대응각은 각 ㄱㄴㄷ입니다.

❷ 각 ㄹㅁㅂ의 크기 구하기

삼각형의 세 각의 크기의 합은 180°이므로

(각 ㄹㅁㅂ)=(각 ㄱㄴㄷ)

$=180°-(90°+50°)=40°$입니다.

답 40°

수학 교과 역량 문제 해결

합동인 도형의 성질을 이용하여 문제 해결하기

합동인 두 도형의 성질을 이용하여 대응변의 길이와 대응각의 크기를 구해 보는 활동을 통하여 문제 해결 능력을 기를 수 있습니다.

개념 확인 문제

정답 및 풀이 212쪽

1 두 도형은 서로 합동입니다. ☐ 안에 알맞은 기호를 써넣으세요.

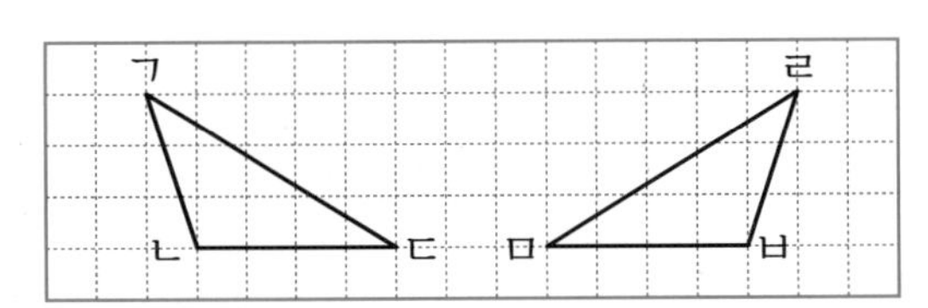

(1) 점 ㄱ의 대응점은 점 ☐입니다.

(2) 변 ㄴㄷ의 대응변은 변 ☐입니다.

(3) 각 ㄷㄱㄴ의 대응각은 각 ☐입니다.

[2~3] 두 도형은 서로 합동입니다. 물음에 답해 보세요.

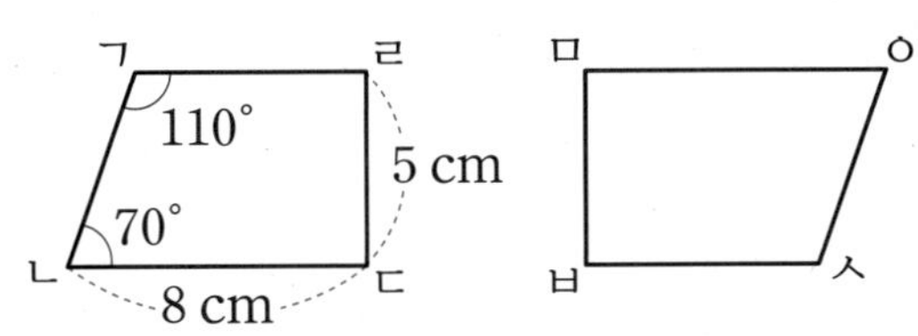

2 변 ㅁㅇ은 몇 cm인가요?

( )

3 각 ㅂㅅㅇ은 몇 도인가요?

( )

2 | 선대칭도형

학습 목표

선대칭도형의 의미를 알고, 선대칭도형에서 대칭축을 찾을 수 있습니다.

그림으로 개념 잡기

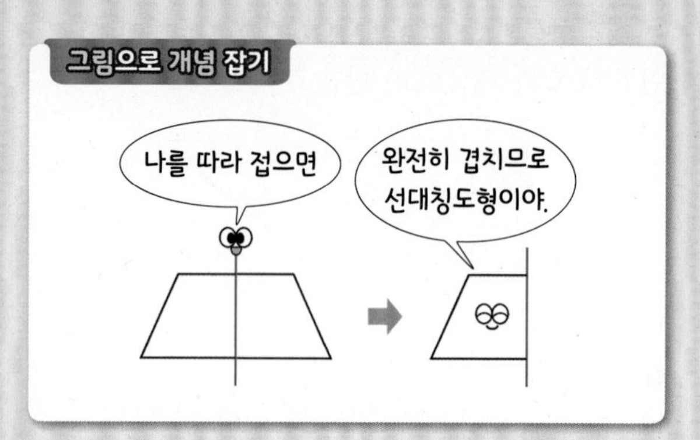

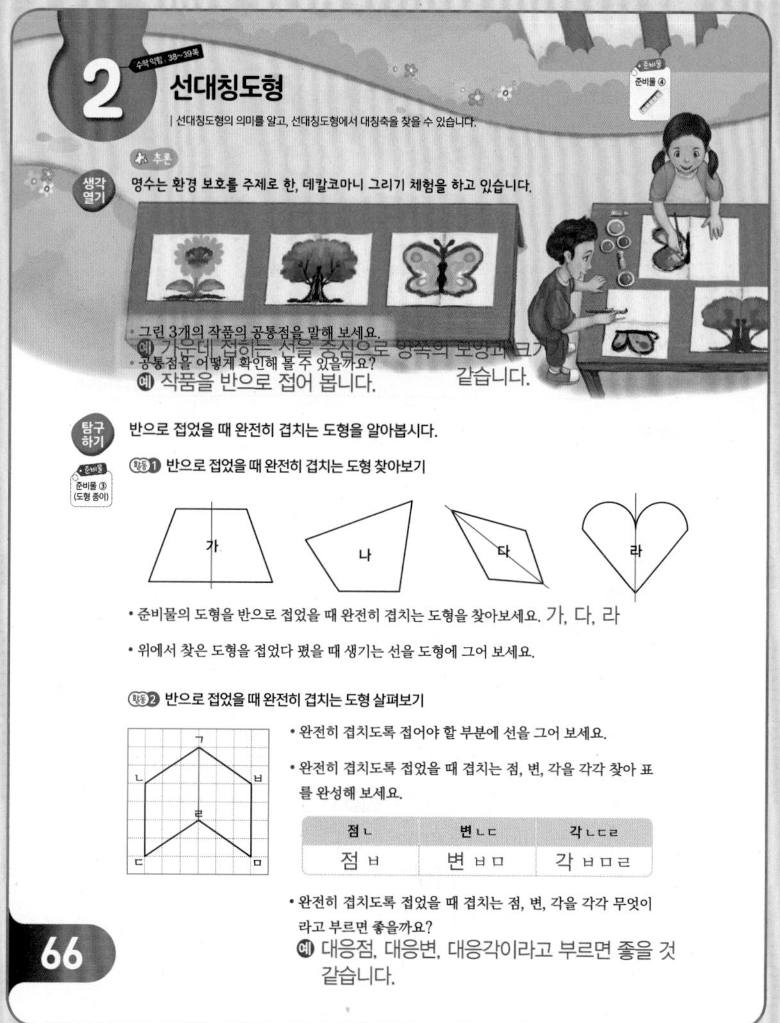

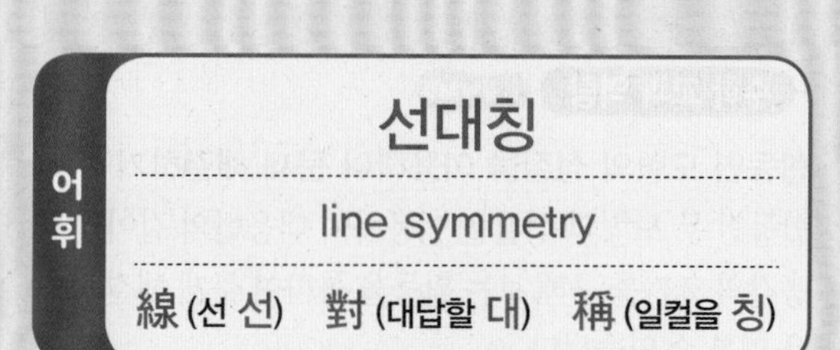

교과서 개념 완성

탐구하기 반으로 접었을 때 완전히 겹치는 도형 알아보기

반으로 접었을 때 완전히 겹치는 도형을 찾아보고, 반으로 접었을 때 겹치는 점, 변, 각을 살펴봅니다.

정리하기 선대칭도형 알아보기

한 직선을 따라 접었을 때 완전히 겹치는 도형을 선대칭도형이라고 합니다. 이때 그 직선을 대칭축이라고 합니다.

대칭축을 따라 접었을 때 겹치는 점을 **대응점**, 겹치는 변을 **대응변**, 겹치는 각을 **대응각**이라고 합니다.

확인하기 선대칭도형에서 대응점, 대응변, 대응각 찾아보기

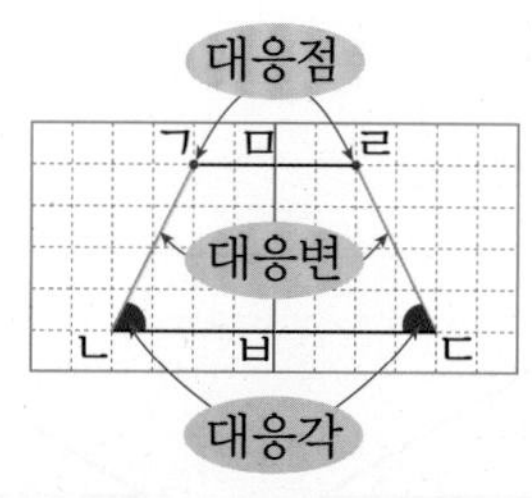

점 ㄹ의 대응점은 점 ㄱ, 변 ㄱㄴ의 대응변은 변 ㄹㄷ, 각 ㄱㄴㅂ의 대응각은 각 ㄹㄷㅂ입니다.

학부모 코칭 Tip

변 ㄱㄴ의 대응변을 변 ㄷㄹ로, 각 ㄱㄴㅂ의 대응각을 각 ㅂㄷㄹ로 쓰는 경우, 정답으로 인정하되 각각의 대응점을 알고 있는지 확인해 봅니다.

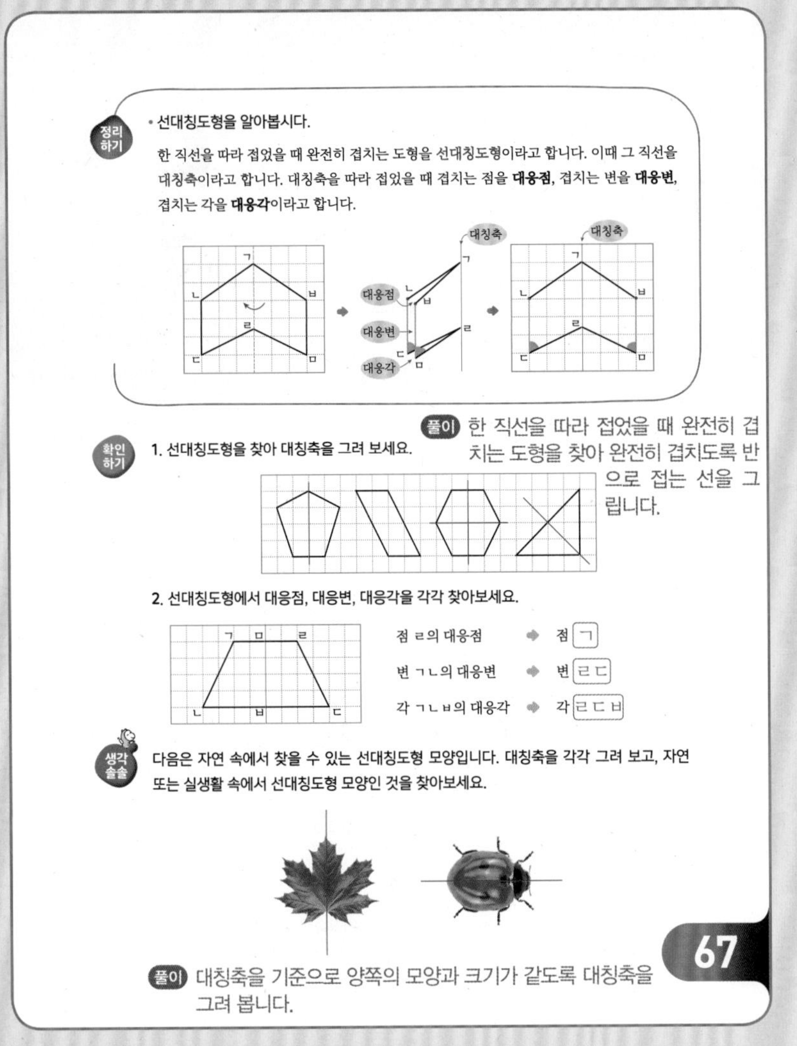

정리하기

• 선대칭도형을 알아봅시다.

한 직선을 따라 접었을 때 완전히 겹치는 도형을 선대칭도형이라고 합니다. 이때 그 직선을 대칭축이라고 합니다. 대칭축을 따라 접었을 때 겹치는 점을 **대응점**, 겹치는 변을 **대응변**, 겹치는 각을 **대응각**이라고 합니다.

확인하기

1. 선대칭도형을 찾아 대칭축을 그려 보세요.

풀이 한 직선을 따라 접었을 때 완전히 겹치는 도형을 찾아 완전히 겹치도록 반으로 접는 선을 그립니다.

2. 선대칭도형에서 대응점, 대응변, 대응각을 각각 찾아보세요.

점 ㄹ의 대응점 → 점 ㄱ

변 ㄱㄴ의 대응변 → 변 ㄹㄷ

각 ㄱㄴㅂ의 대응각 → 각 ㄹㄷㅂ

생각 솔솔

다음은 자연 속에서 찾을 수 있는 선대칭도형 모양입니다. 대칭축을 각각 그려 보고, 자연 또는 실생활 속에서 선대칭도형 모양인 것을 찾아보세요.

풀이 대칭축을 기준으로 양쪽의 모양과 크기가 같도록 대칭축을 그려 봅니다.

67

이런 문제가 서술형으로 나와요

오른쪽 도형은 선대칭도형입니다. 그릴 수 있는 대칭축은 모두 몇 개인지 풀이 과정을 쓰고, 답을 구해 보세요.

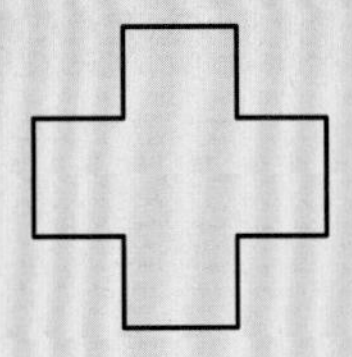

| 풀이 과정 |

❶ 대칭축 모두 그리기

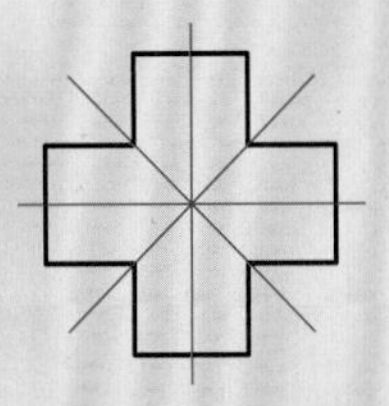

❷ 그릴 수 있는 대칭축은 모두 몇 개인지 구하기

그릴 수 있는 대칭축은 모두 4개입니다.

답 4개

수학 교과 역량 추론

3개의 작품의 공통점을 찾아보고, 확인하기

3개의 작품에서 공통점을 찾고, 공통점을 확인해 보면서 선대칭도형의 의미를 인식하는 과정을 통하여 추론 능력을 기를 수 있습니다.

개념 확인 문제

정답 및 풀이 212쪽

1 선대칭도형을 모두 찾아 ○표 하세요.

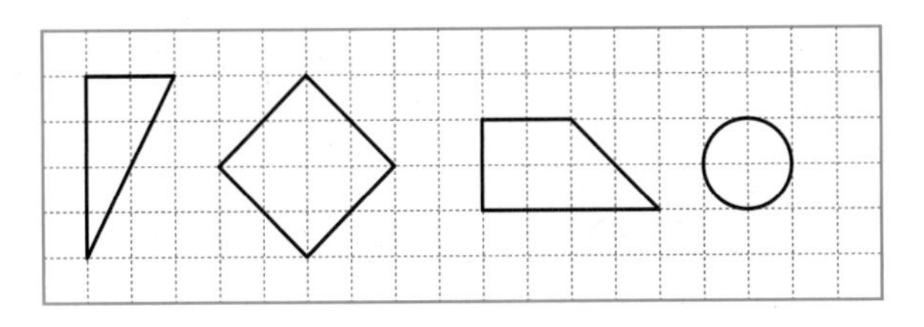

2 오른쪽 선대칭도형의 대칭축을 그려 보세요.

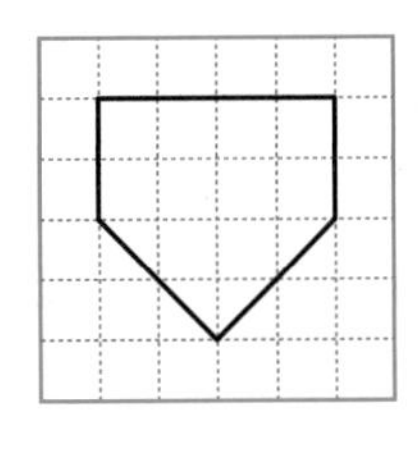

3 직선 ㅅㅇ을 대칭축으로 하는 선대칭도형입니다. 대응점, 대응변, 대응각을 각각 찾아보세요.

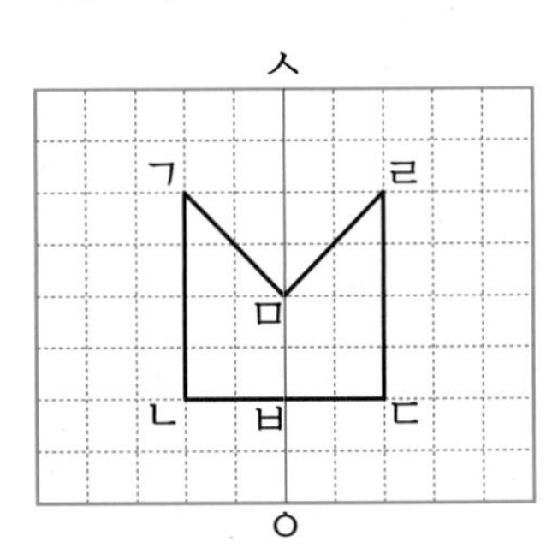

점 ㄴ의 대응점	
변 ㄱㄴ의 대응변	
각 ㄱㄴㅂ의 대응각	

5~6 차시 3 | 선대칭도형의 성질

학습 목표

선대칭도형의 성질을 알고, 선대칭도형을 그릴 수 있습니다.

그림으로 개념 잡기

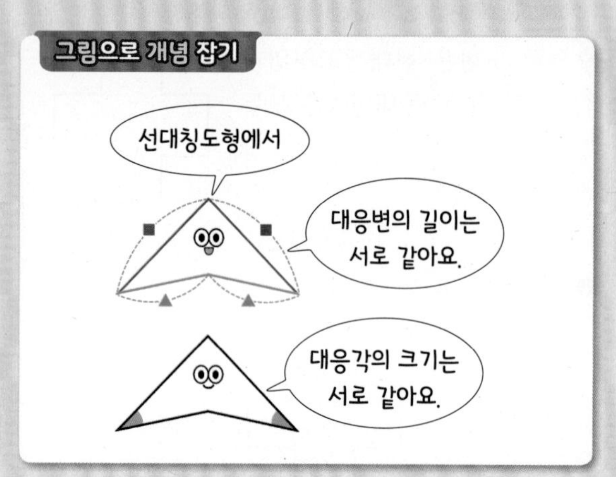

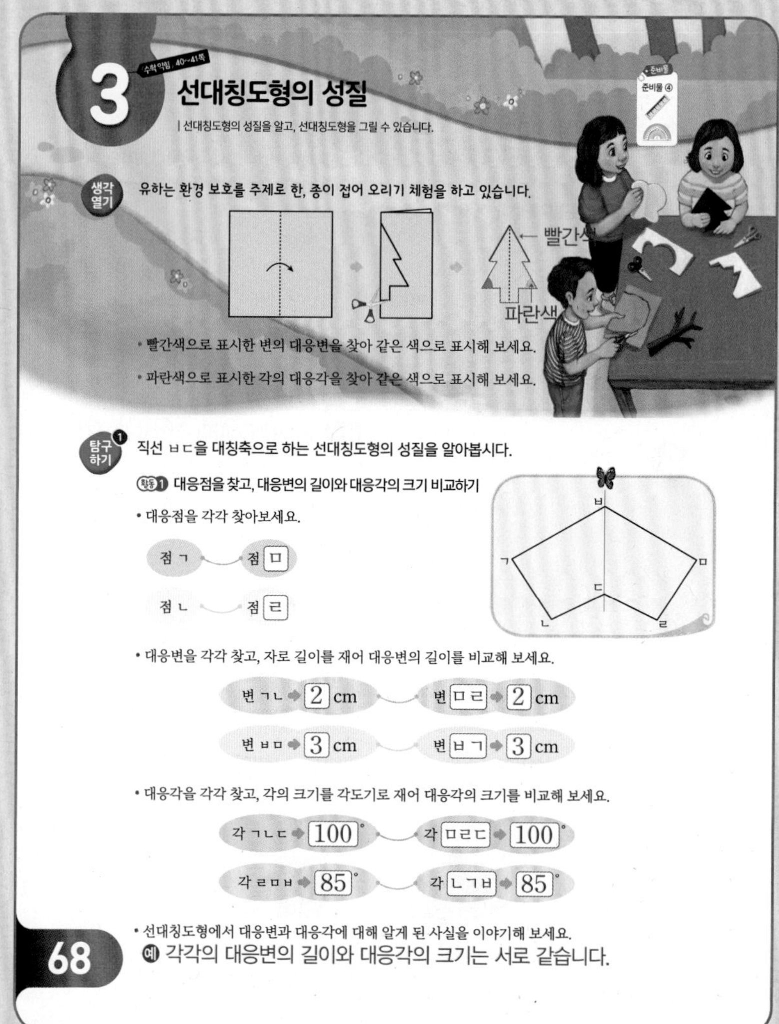

교과서 개념 완성

탐구하기 1 선대칭도형의 성질 알아보기

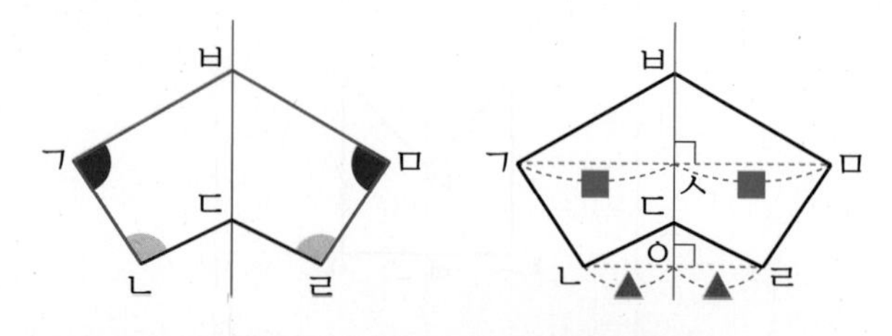

• 각각의 대응변의 길이는 서로 같습니다.
• 각각의 대응각의 크기는 서로 같습니다.
• 대응점에서 대칭축까지의 거리가 서로 같습니다.
• 대응점끼리 이은 선분은 대칭축과 수직으로 만납니다.

학부모 코칭 Tip

대응변이나 대응각을 말할 때 가급적 대응점의 순서와 같게 말할 수 있게 합니다.

확인하기 1 선대칭도형의 성질을 이용하여 문제 해결하기

• 변 ㅅㅂ의 대응변이 변 ㄱㄴ이고, 대응변의 길이는 서로 같으므로 (변 ㅅㅂ)$=5$ cm입니다.
• 각 ㄴㄱㅇ의 대응각이 각 ㅂㅅㅇ이고, 대응각의 크기는 서로 같으므로 각 ㄴㄱㅇ은 $75°$입니다.
• 대응점끼리 이은 선분은 대칭축과 수직으로 만나므로 직선 ㅈㅊ과 선분 ㄴㅂ이 만나서 이루는 각은 $90°$입니다.

활동2 대응점끼리 이은 선분과 대칭축의 관계 알아보기

• 선분 ㄱㅅ과 선분 ㅁㅅ의 길이를 자로 재어 비교해 보세요. 2.6 cm로 그 길이가 서로 같습니다.

• 선분 ㄴㅇ과 선분 ㄹㅇ의 길이를 자로 재어 비교해 보세요. 1.5 cm로 그 길이가 서로 같습니다.

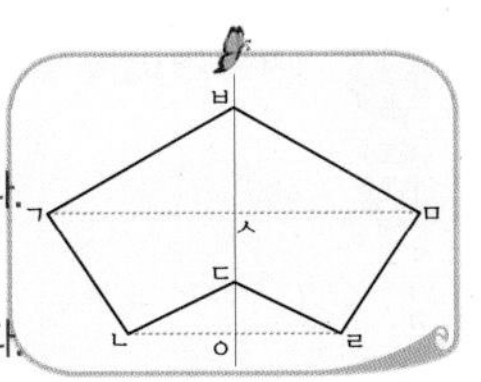

• 대응점끼리 이은 선분 ㄱㅁ, 선분 ㄴㄹ이 대칭축과 만나서 이루는 각은 각각 몇 도인지 각도기로 재어 보세요. 모두 90°입니다.

• 선대칭도형에서 대응점끼리 이은 선분과 대칭축의 관계에 대해 알게 된 사실을 이야기해 보세요. 예 대응점에서 대칭축까지의 거리가 서로 같습니다. 대응점끼리 이은 선분은 대칭축과 수직으로 만납니다.

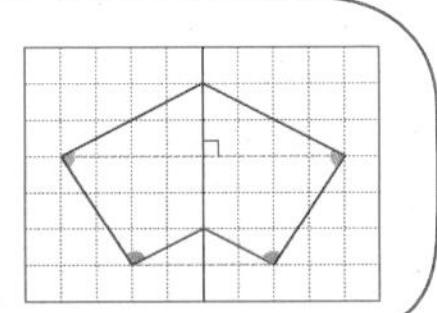

정리하기 1 • 선대칭도형의 성질을 정리해 봅시다.

- 각각의 대응변의 길이는 서로 같습니다.
- 각각의 대응각의 크기는 서로 같습니다.
- 대응점에서 대칭축까지의 거리가 서로 같습니다.
- 대응점끼리 이은 선분은 대칭축과 수직으로 만납니다.

문제 해결

확인하기 1 직선 ㅈㅊ을 대칭축으로 하는 선대칭도형입니다. 물음에 답해 보세요.

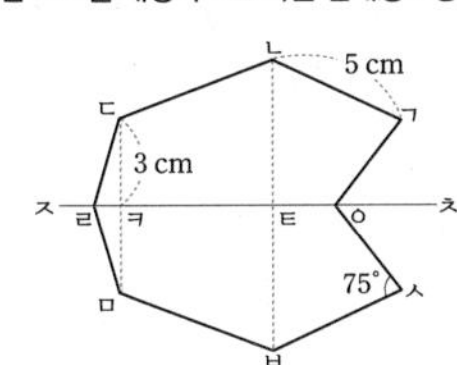

• 변 ㅅㅂ은 몇 cm인가요? 5 cm

• 각 ㄴㄱㅇ은 몇 도인가요? 75°

• 직선 ㅈㅊ과 선분 ㄴㅂ이 만나서 이루는 각은 몇 도인가요? 90°

풀이 (변 ㅅㅂ)=(변 ㄱㄴ)=5 cm, (각 ㄴㄱㅇ)=(각 ㅂㅅㅇ)=75°
대응점끼리 이은 선분은 대칭축과 수직으로 만나므로
직선 ㅈㅊ과 선분 ㄴㅂ이 만나서 이루는 각은 90°입니다.

69

이런 문제가 서술형으로 나와요

오른쪽 도형은 선분 ㄱㄹ을 대칭축으로 하는 선대칭도형입니다. ㉠은 몇 도인지 풀이 과정을 쓰고, 답을 구해 보세요.

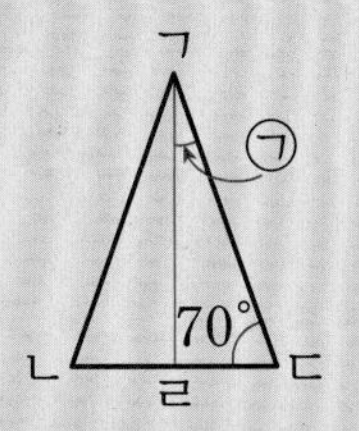

| 풀이 과정 |

❶ 각 ㄱㄹㄷ의 크기 구하기

대응점끼리 이은 선분은 대칭축과 수직으로 만나므로 각 ㄱㄹㄷ은 90°입니다.

❷ ㉠의 각도 구하기

삼각형의 세 각의 크기의 합은 180°이므로
㉠$=180°-(90°+70°)=20°$입니다.

답 20°

수학 교과 역량 문제 해결

선대칭도형의 성질을 이용하여 문제 해결하기

선대칭도형의 성질을 이용하여 변의 길이와 각의 크기를 구하는 활동을 통하여 문제 해결 능력을 기를 수 있습니다.

개념 확인 문제

정답 및 풀이 213쪽

1 직선 ㅁㅂ을 대칭축으로 하는 선대칭도형입니다. □ 안에 알맞은 수를 써넣으세요.

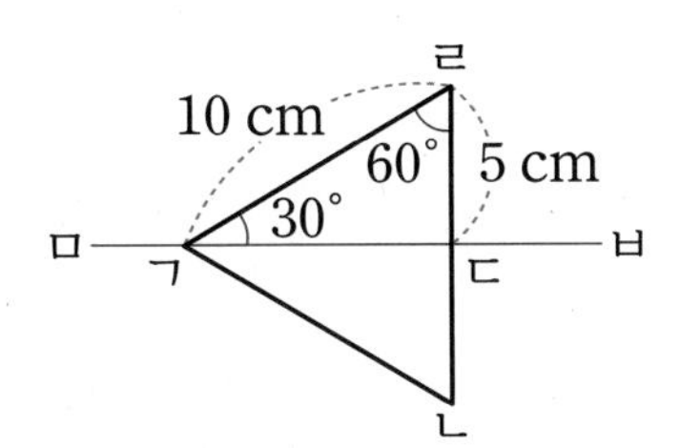

(1) 변 ㄱㄴ은 □ cm입니다.

(2) 각 ㄱㄴㄷ은 □°입니다.

[2~3] 오른쪽 도형은 직선 ㅊㅋ을 대칭축으로 하는 선대칭도형입니다. 물음에 답해 보세요.

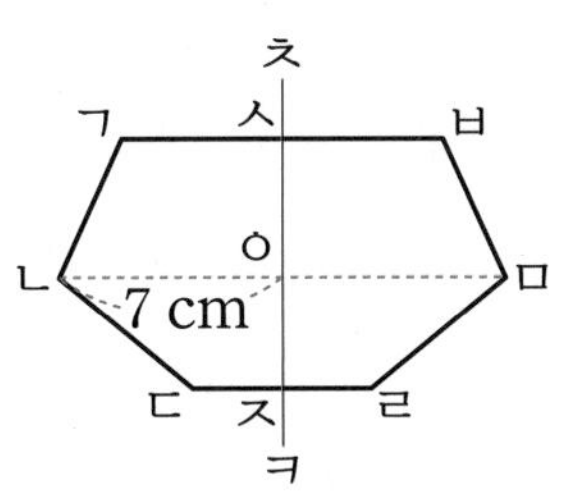

2 선분 ㅁㅇ은 몇 cm인가요?

( )

3 선분 ㄴㅁ과 대칭축이 만나서 이루는 각은 몇 도인가요?

( )

그림으로 개념 잡기

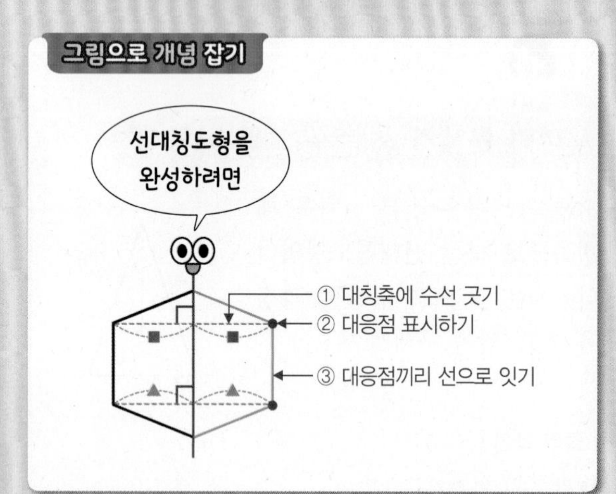

정보 처리

탐구하기 2 직선 ㅅㅇ을 대칭축으로 하는 선대칭도형을 그리는 방법을 알아봅시다.

준비물 ⑤ (종이 거울)

두 직선이 서로 수직으로 만났을 때, 한 직선을 다른 직선에 대한 수선이라고 해.

- 위의 그림은 선대칭도형의 일부입니다. 점 ㄴ에서 대칭축 ㅅㅇ에 수선을 긋고 대응점을 찾아 점 ㅂ으로 표시해 보세요.
- 점 ㄷ에서 대칭축 ㅅㅇ에 수선을 긋고 대응점을 찾아 점 ㅁ으로 표시해 보세요.
- 점 ㄹ, 점 ㅁ, 점 ㅂ, 점 ㄱ을 차례로 이어 도형을 완성하고, 선대칭도형인지 확인해 보세요.
- 선대칭도형을 그릴 때 사용한 선대칭도형의 성질은 무엇인지 이야기해 보세요.
  - 대응점에서 대칭축까지의 거리가 서로 같습니다.
  - 대응점끼리 이은 선분은 대칭축과 수직으로 만납니다.

준비물에 있는 종이 거울을 이용해서 선대칭도형임을 확인할 수도 있어요.

정리하기 2 • 선대칭도형을 그리는 방법을 정리해 봅시다.

각 점에서 대칭축에 수선을 긋습니다. → 각 점에서 대칭축까지의 거리가 같도록 대응점을 찾아 표시합니다. → 각 대응점을 차례로 이어 선대칭도형을 완성합니다.

70

학부모 코칭 Tip

선대칭도형을 그릴 때 대칭축 위에 있는 도형의 꼭짓점은 대응점이 그 점과 같습니다. 대칭축 위에 있지 않은 점은 대응점을 이은 선분이 대칭축과 수직으로 만나고 각각의 대응점에서 대칭축까지의 거리가 같다는 것을 이용하여 그릴 수 있게 합니다.

교과서 개념 완성

탐구하기 2 선대칭도형을 그리는 방법 알아보기

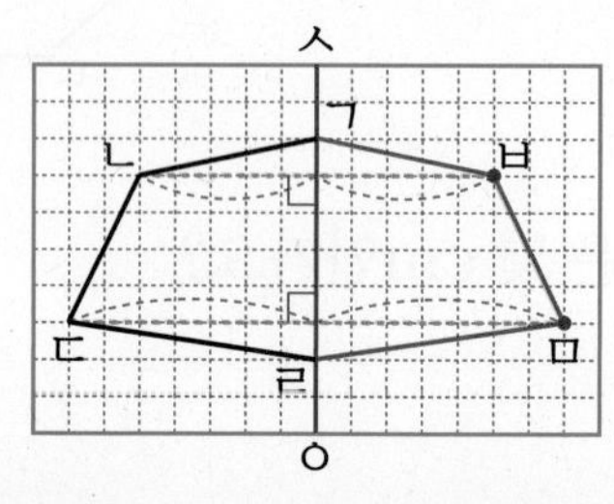

점 ㄴ의 대응점을 찾아 점 ㅂ으로 표시하기

➜ 점 ㄷ의 대응점을 찾아 점 ㅁ으로 표시하기

➜ 점 ㄹ, 점 ㅁ, 점 ㅂ, 점 ㄱ을 차례로 이어 도형을 완성하고, 선대칭도형인지 확인하기

확인하기 2 선대칭도형 그리기

주어진 점에 번호를 매기고 각 점에서 대칭축에 수선을 그어 대칭축까지의 거리가 같도록 대응점을 찾아 번호 순서에 따라 표시한 후 차례로 이어 선대칭도형을 완성합니다.

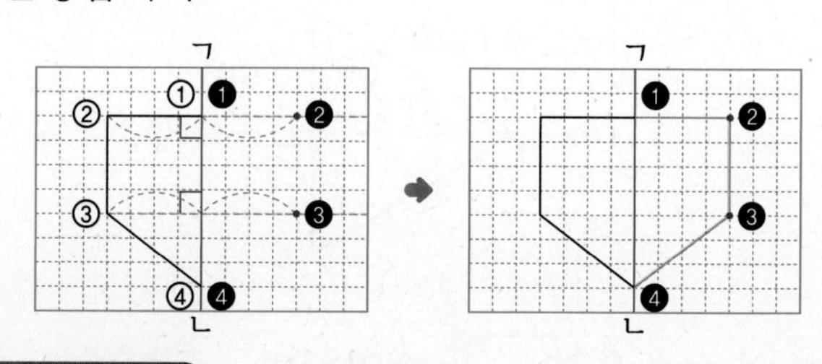

학부모 코칭 Tip

선대칭도형을 그릴 때 순서에 얽매이지 않고 자신이 생각한 방법으로 그릴 수 있게 합니다.

확인하기 2 직선 ㄱㄴ을 대칭축으로 하는 선대칭도형을 완성해 보세요.

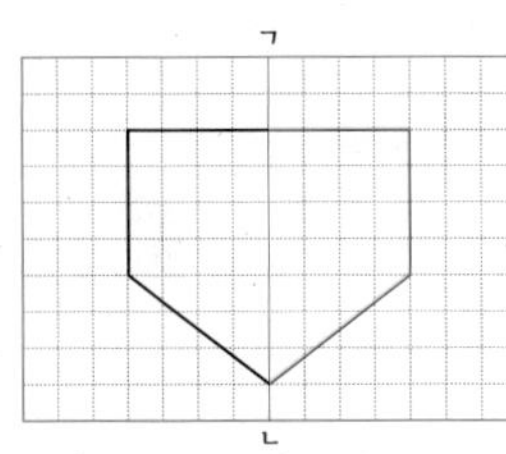

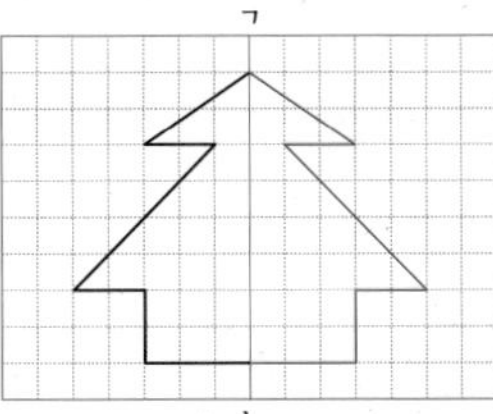

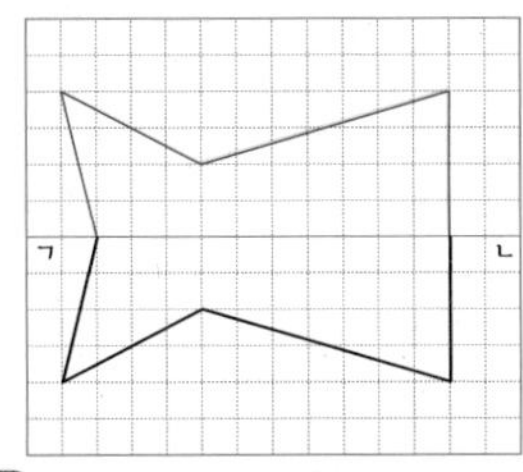

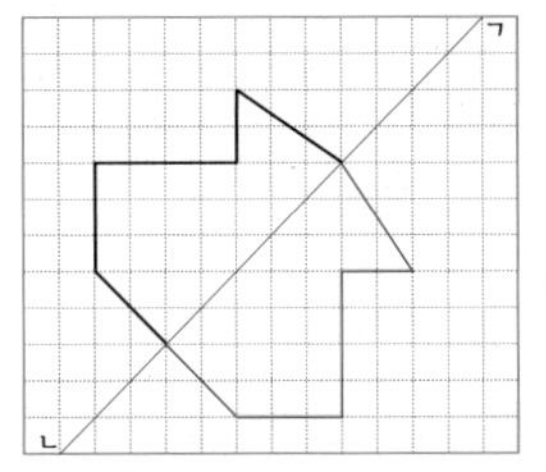

풀이 각 점에서 대칭축에 수선을 긋고 대칭축까지의 거리가 같도록 대응점을 찾아 표시한 후 각 대응점을 차례로 이어 선대칭도형을 완성합니다.

생각술술 다음은 국보인 숭례문입니다. 사진 속 숭례문이 왜 선대칭도형 모양이 되는지 선대칭도형의 성질을 이용하여 친구들에게 설명해 보세요.

예 사진 가운데에 세로로 대칭축을 그려 보면 대칭축 좌우의 각 지점의 위치가 대칭축으로부터 같은 거리만큼 떨어져 있고, 각 지점끼리 이은 선분이 대칭축과 수직으로 만나므로 숭례문은 선대칭도형 모양이 됩니다.

71

이런 문제가 서술형으로 나와요

직선 ㄱㄴ을 대칭축으로 하는 선대칭도형을 완성했을 때 완성한 선대칭도형의 넓이는 몇 cm^2인지 풀이 과정을 쓰고, 답을 구해 보세요.

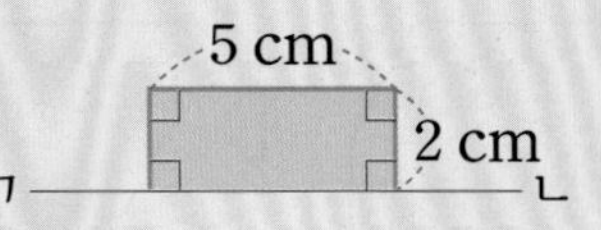

| 풀이 과정 |

❶ 완성한 선대칭도형 알아보기

완성한 선대칭도형은 가로가 5 cm, 세로가 4 cm인 직사각형이 됩니다.

❷ 완성한 선대칭도형의 넓이 구하기

(완성한 선대칭도형의 넓이)$=5\times4=20$ (cm^2)

답 20 cm^2

수학 교과 역량 정보 처리

선대칭도형을 그리는 방법 알아보기

종이 거울을 이용하여 그린 선대칭도형을 확인해 보는 활동을 통하여 정보 처리 능력을 기를 수 있습니다.

개념 확인 문제

정답 및 풀이 213쪽

1 직선 ㅅㅇ을 대칭축으로 하는 선대칭도형을 완성하려고 합니다. 물음에 답해 보세요.

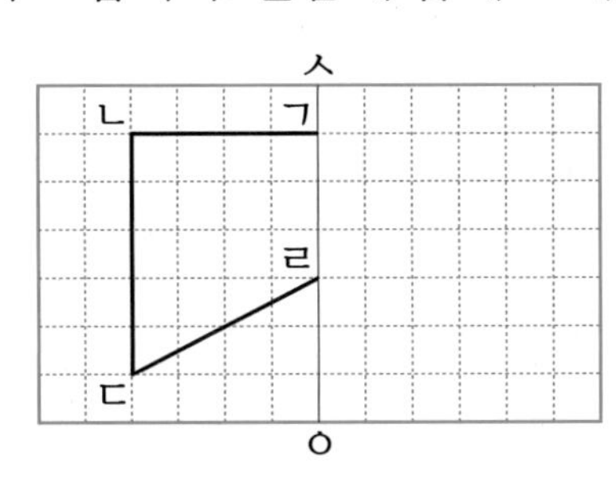

(1) 점 ㄴ, 점 ㄷ의 대응점을 찾아 점 ㅂ, 점 ㅁ으로 각각 표시해 보세요.

(2) 선대칭도형을 완성해 보세요.

2 직선 ㄱㄴ을 대칭축으로 하는 선대칭도형을 완성해 보세요.

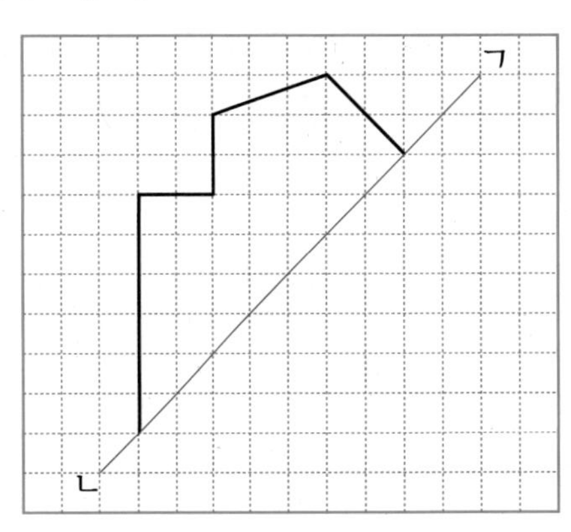

4 | 점대칭도형

학습 목표

점대칭도형의 의미를 알고, 점대칭도형을 찾을 수 있습니다.

그림으로 개념 잡기

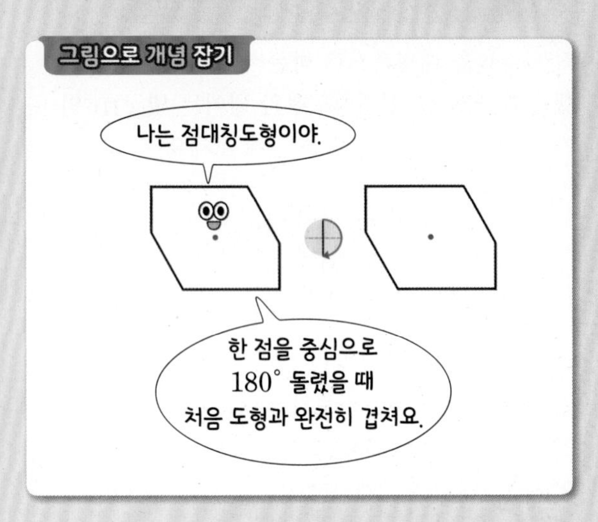

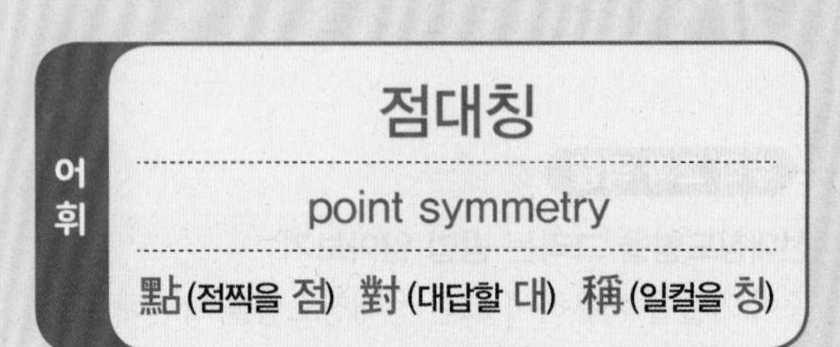

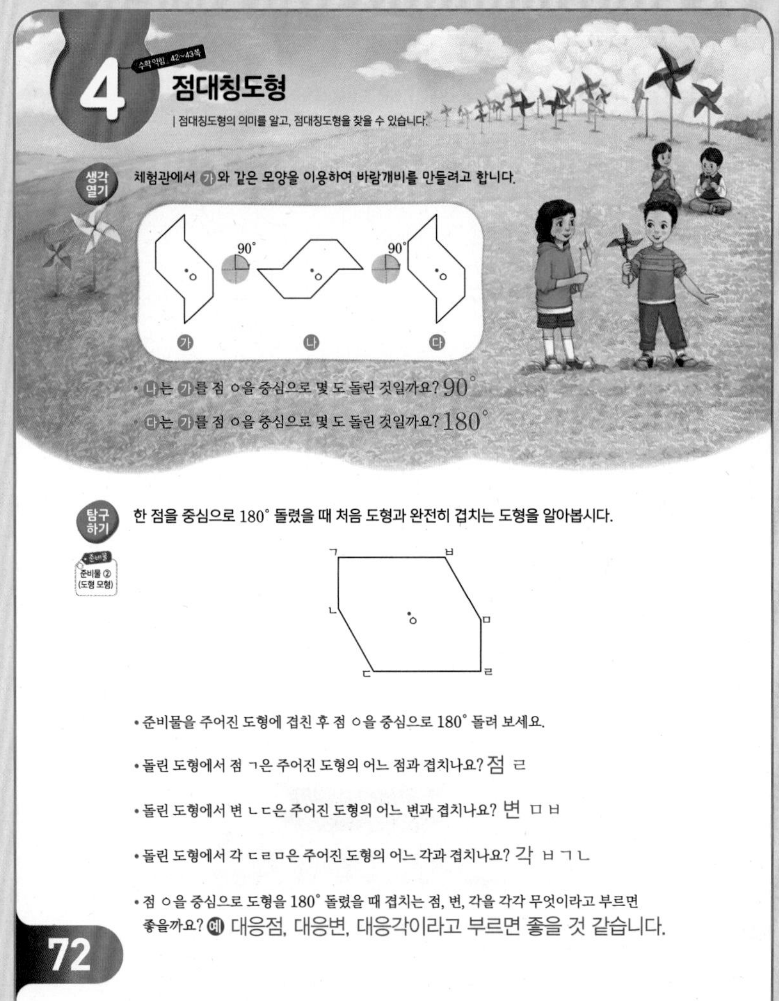

교과서 개념 완성

탐구하기 한 점을 중심으로 180° 돌렸을 때 처음 도형과 완전히 겹치는 도형 알아보기

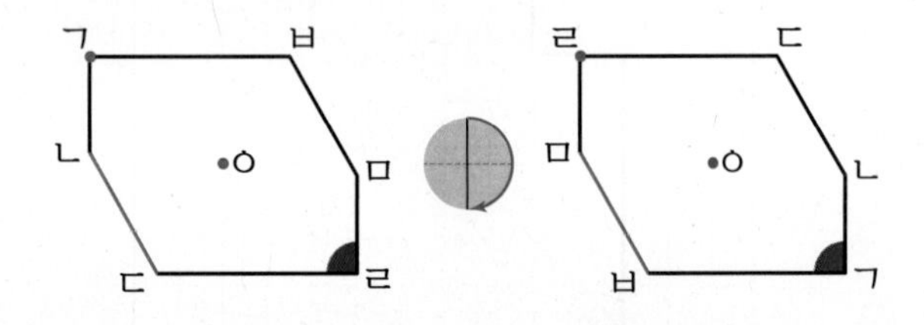

도형을 점 ㅇ을 중심으로 180° 돌렸을 때
- 점 ㄱ과 점 ㄹ이 겹칩니다.
- 변 ㄴㄷ과 변 ㅁㅂ이 겹칩니다.
- 각 ㄷㄹㅁ과 각 ㅂㄱㄴ이 겹칩니다.

정리하기 점대칭도형 알아보기

한 도형을 어떤 점을 중심으로 180° 돌렸을 때 처음 도형과 완전히 겹치는 도형을 점대칭도형이라고 합니다. 이때 그 점을 대칭의 중심이라고 합니다.

대칭의 중심을 중심으로 180° 돌렸을 때 겹치는 점을 **대응점**, 겹치는 변을 **대응변**, 겹치는 각을 **대응각**이라고 합니다.

확인하기 점대칭도형에서 대응점, 대응변, 대응각 찾아보기

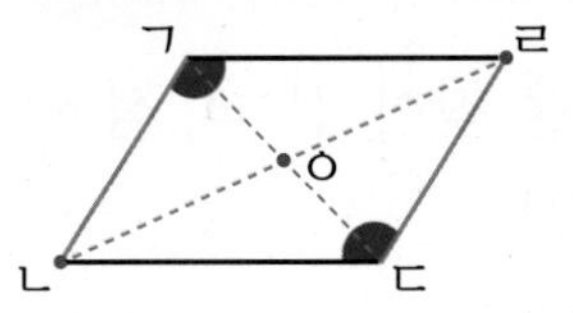

점 ㄹ의 대응점 ➔ 점 ㄴ
변 ㄱㄴ의 대응변 ➔ 변 ㄷㄹ
각 ㄴㄷㄹ의 대응각 ➔ 각 ㄹㄱㄴ

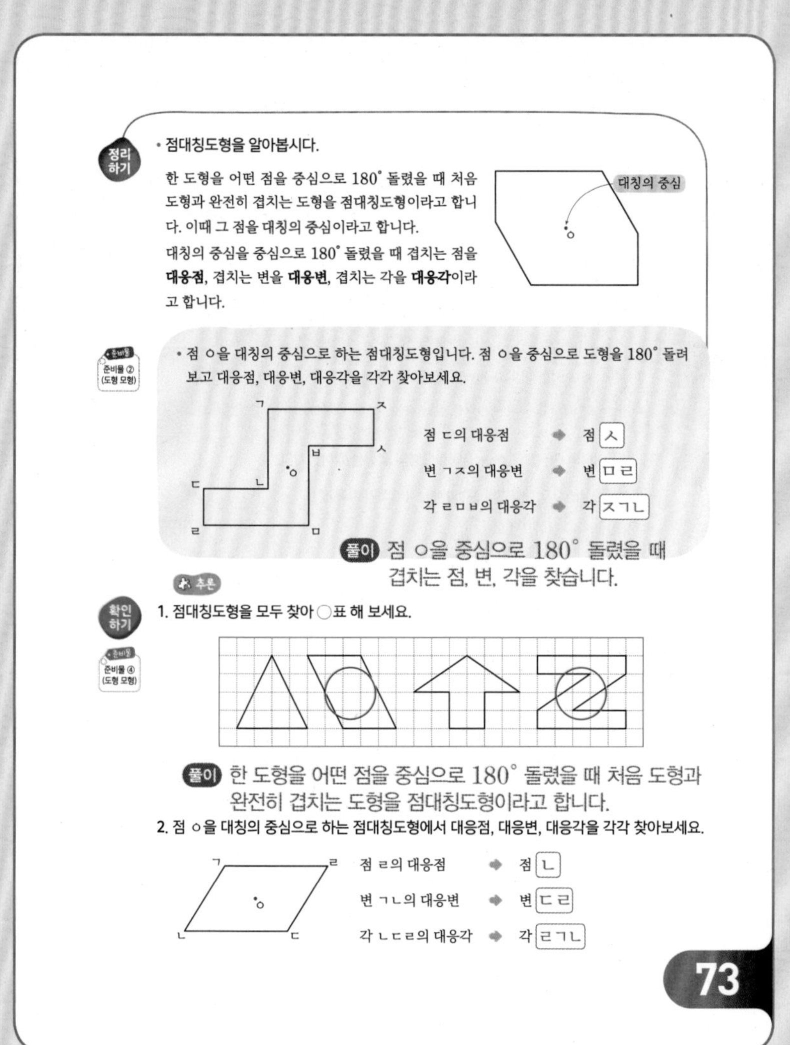
- 점대칭도형을 알아봅시다.

정리하기

한 도형을 어떤 점을 중심으로 180° 돌렸을 때 처음 도형과 완전히 겹치는 도형을 점대칭도형이라고 합니다. 이때 그 점을 대칭의 중심이라고 합니다.
대칭의 중심을 중심으로 180° 돌렸을 때 겹치는 점을 **대응점**, 겹치는 변을 **대응변**, 겹치는 각을 **대응각**이라고 합니다.

대칭의 중심

준비물 ② (도형 모형)

- 점 ㅇ을 대칭의 중심으로 하는 점대칭도형입니다. 점 ㅇ을 중심으로 도형을 180° 돌려 보고 대응점, 대응변, 대응각을 각각 찾아보세요.

점 ㄷ의 대응점 ➡ 점 ㅅ
변 ㄱㅈ의 대응변 ➡ 변 ㅁㄹ
각 ㄹㅁㅂ의 대응각 ➡ 각 ㅈㄱㄴ

풀이 점 ㅇ을 중심으로 180° 돌렸을 때 겹치는 점, 변, 각을 찾습니다.

추론

확인하기

준비물 ④ (도형 모형)

1. 점대칭도형을 모두 찾아 ○표 해 보세요.

풀이 한 도형을 어떤 점을 중심으로 180° 돌렸을 때 처음 도형과 완전히 겹치는 도형을 점대칭도형이라고 합니다.

2. 점 ㅇ을 대칭의 중심으로 하는 점대칭도형에서 대응점, 대응변, 대응각을 각각 찾아보세요.

점 ㄹ의 대응점 ➡ 점 ㄴ
변 ㄱㄴ의 대응변 ➡ 변 ㄷㄹ
각 ㄴㄷㄹ의 대응각 ➡ 각 ㄹㄱㄴ

73

이런 문제가 서술형으로 나와요

다음 글자 중 모양이 점대칭도형인 것은 모두 몇 개인지 풀이 과정을 쓰고, 답을 구해 보세요.

A S U M H E

| 풀이 과정 |

❶ 모양이 점대칭도형인 것 모두 찾기

어떤 점을 중심으로 180° 돌렸을 때 처음 글자와 완전히 겹치는 글자는 **S**, **H**입니다.

❷ 모양이 점대칭도형인 것의 개수 구하기

모양이 점대칭도형인 것은 모두 2개입니다.

답 2개

점대칭도형 찾아보기

주어진 도형을 한 점을 중심으로 180° 돌려 보면서 처음 도형과 모양이 같은지를 확인하는 과정을 통하여 추론 능력을 기를 수 있습니다.

개념 확인 문제

정답 및 풀이 213쪽

1 도형을 보고 물음에 답해 보세요.

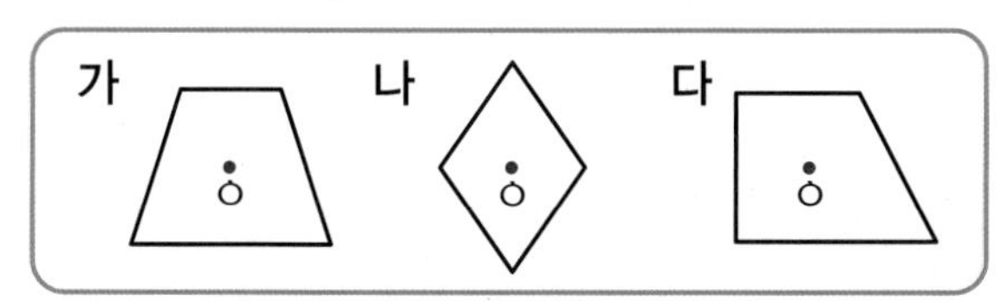

(1) 점 ㅇ을 중심으로 180° 돌렸을 때 처음 도형과 완전히 겹치는 도형의 기호를 써 보세요.

( )

(2) 위 (1)에서 찾은 도형을 무엇이라고 하나요?

( )

2 점 ㅇ을 대칭의 중심으로 하는 점대칭도형입니다. 대응점, 대응변, 대응각을 각각 찾아보세요.

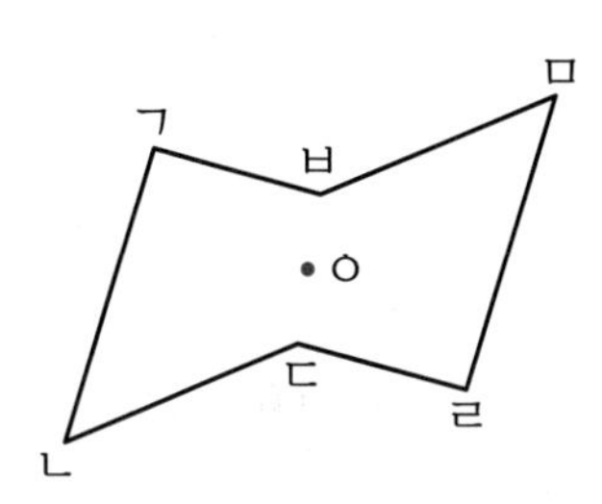

점 ㄷ의 대응점	
변 ㄱㅂ의 대응변	
각 ㄱㄴㄷ의 대응각	

5 | 점대칭도형의 성질

학습 목표

- 점대칭도형에서 대칭의 중심을 찾을 수 있습니다.
- 점대칭도형의 성질을 알고, 점대칭도형을 그릴 수 있습니다.

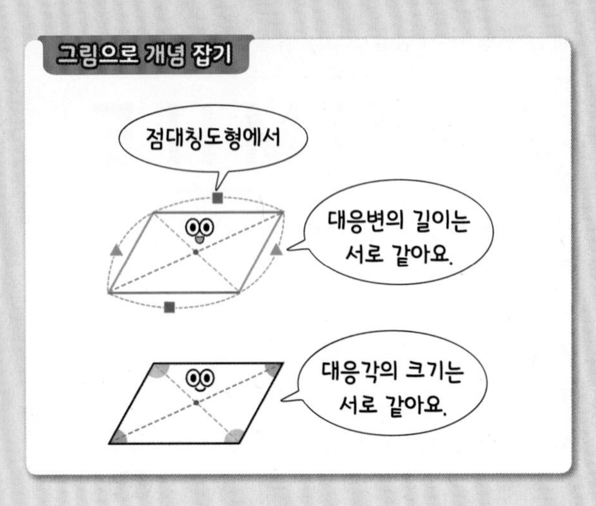

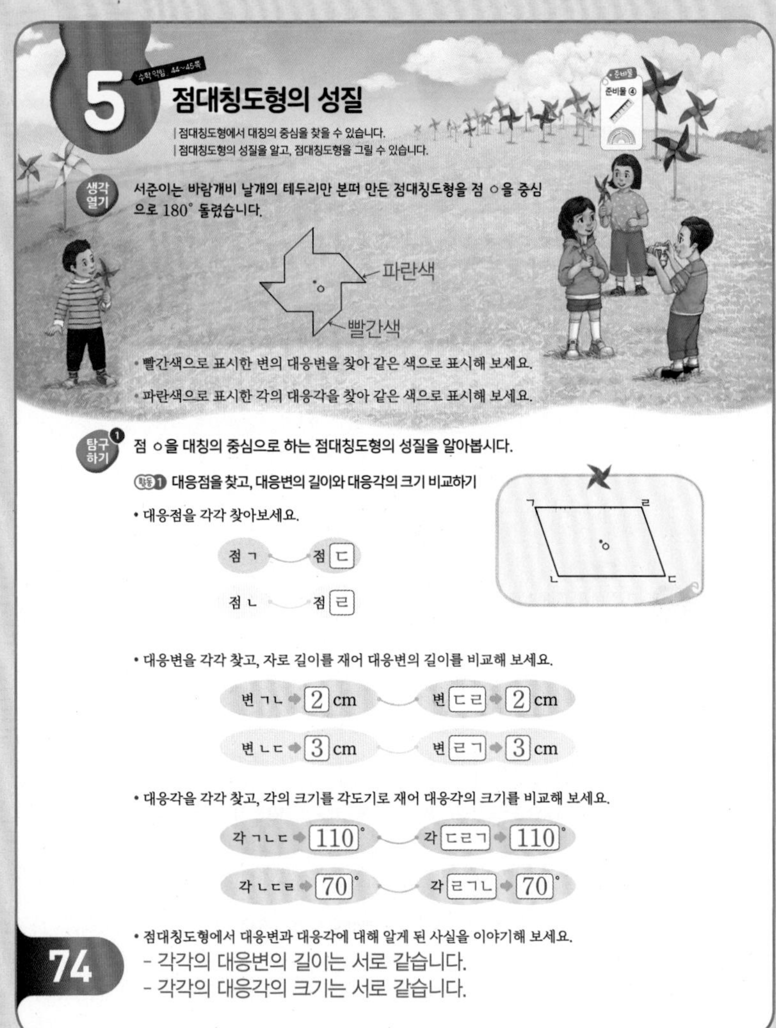

교과서 개념 완성

탐구하기 1 점대칭도형의 성질 알아보기

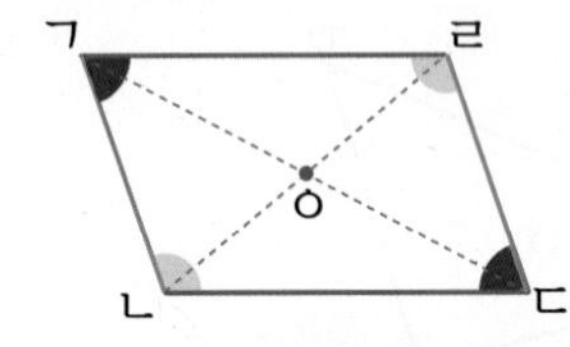

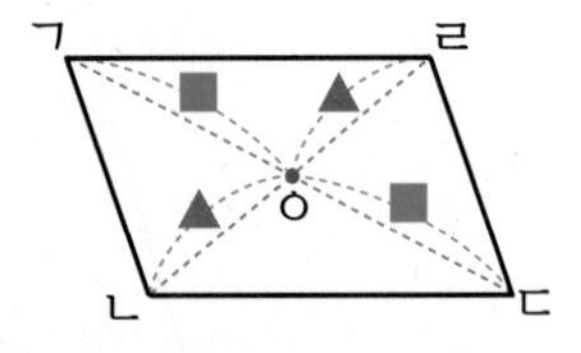

- 각각의 대응변의 길이는 서로 같습니다.
- 각각의 대응각의 크기는 서로 같습니다.
- 대응점끼리 이은 선분은 대칭의 중심을 지납니다.
- 대칭의 중심에서 두 대응점까지의 거리는 같습니다.

확인하기 1 점대칭도형의 성질을 이용하여 문제 해결하기

- 변 ㄴㄷ의 대응변이 변 ㄹㄱ이고, 대응변의 길이는 서로 같으므로 변 ㄴㄷ은 8 cm입니다.
- 각 ㄴㄱㄹ의 대응각이 각 ㄹㄷㄴ이고, 대응각의 크기는 서로 같으므로 각 ㄴㄱㄹ은 120°입니다.
- 대칭의 중심에서 두 대응점까지의 거리가 같으므로 (선분 ㄹㅇ)=(선분 ㄴㅇ)=6 cm입니다.

  ➜ (선분 ㄴㄹ)=(선분 ㄴㅇ)+(선분 ㄹㅇ)

  =6+6

  =12 (cm)

활동2 대응점끼리 이은 선분과 대칭의 중심의 관계 알아보기

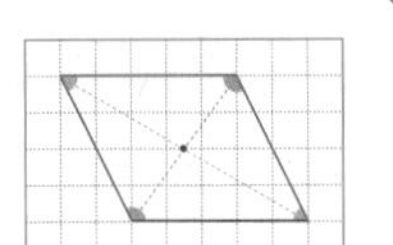

• 각각의 대응점끼리 자를 사용하여 이어 보세요.

• 대응점끼리 이은 선분은 어디에서 만나나요? 점 ㅇ

• 점 ㅇ에서 대응점까지 각각의 길이를 자로 재어 비교해 보세요. 선분 ㄱㅇ과 선분 ㄷㅇ은 2 cm로 같고, 선분 ㄴㅇ과 선분 ㄹㅇ은 1.5 cm로 같습니다.

• 점대칭도형에서 대응점끼리 이은 선분과 대칭의 중심의 관계에 대해 알게 된 사실을 이야기해 보세요.
- 대응점끼리 이은 선분은 대칭의 중심을 지납니다.
- 대칭의 중심에서 두 대응점까지의 거리는 같습니다.

정리하기 1 • 점대칭도형의 성질을 정리해 봅시다.
• 각각의 대응변의 길이는 서로 같습니다.
• 각각의 대응각의 크기는 서로 같습니다.
• 대응점끼리 이은 선분은 대칭의 중심을 지납니다.
• 대칭의 중심에서 두 대응점까지의 거리는 같습니다.

문제 해결

확인하기 1 점 ㅇ을 대칭의 중심으로 하는 점대칭도형입니다. 물음에 답해 보세요.

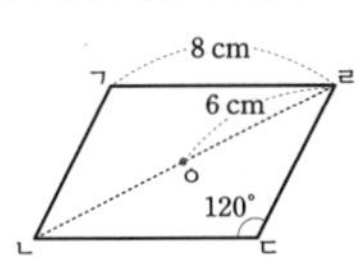

• 변 ㄴㄷ은 몇 cm인가요? 8 cm
• 각 ㄴㄱㄹ은 몇 도인가요? 120°
• 선분 ㄴㄹ은 몇 cm인가요? 12 cm

75

이런 문제가 서술형으로 나와요

점 ㅇ을 대칭의 중심으로 하는 점대칭도형입니다. 선분 ㄱㅁ은 몇 cm인지 풀이 과정을 쓰고, 답을 구해 보세요.

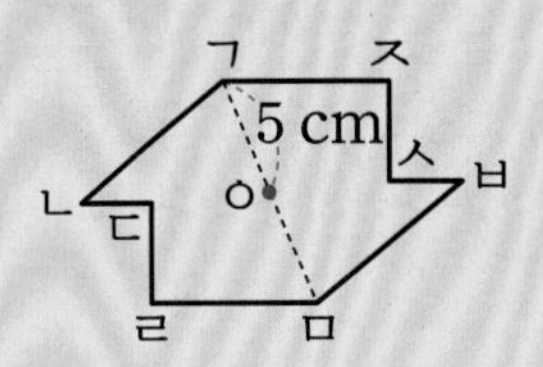

| 풀이 과정 |

❶ 선분 ㅁㅇ의 길이 구하기

대칭의 중심에서 두 대응점까지의 거리는 같으므로 (선분 ㅁㅇ)=(선분 ㄱㅇ)=5 cm입니다.

❷ 선분 ㄱㅁ의 길이 구하기

(선분 ㄱㅁ)=(선분 ㄱㅇ)+(선분 ㅁㅇ)
=5+5=10 (cm)

답 10 cm

수학 교과 역량 문제 해결

점대칭도형의 성질을 이용하여 문제 해결하기

점대칭도형의 성질을 이용하여 변의 길이와 각의 크기를 구하는 활동을 통하여 문제 해결 능력을 기를 수 있습니다.

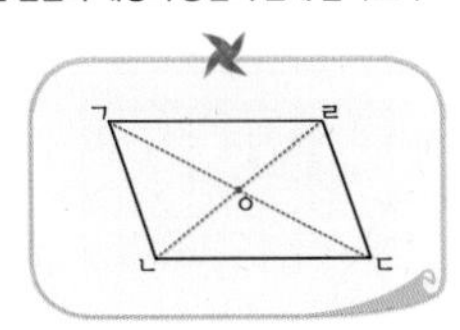

개념 확인 문제

정답 및 풀이 213쪽

1 점 ㅇ을 대칭의 중심으로 하는 점대칭도형입니다. □ 안에 알맞은 기호를 써넣으세요.

(1) 변 ㄱㄴ과 길이가 같은 변은 변 □입니다.

(2) 선분 ㄹㅇ과 길이가 같은 선분은 선분 □ 입니다.

[2~3] 점 ㅇ을 대칭의 중심으로 하는 점대칭도형입니다. 물음에 답해 보세요.

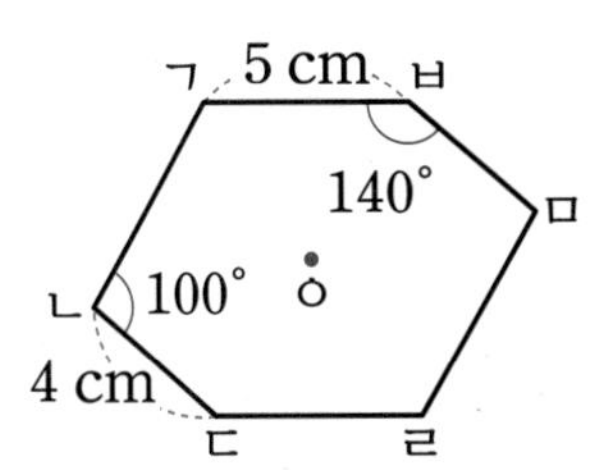

2 변 ㄷㄹ은 몇 cm인가요?

(   )

3 각 ㅂㅁㄹ은 몇 도인가요?

(   )

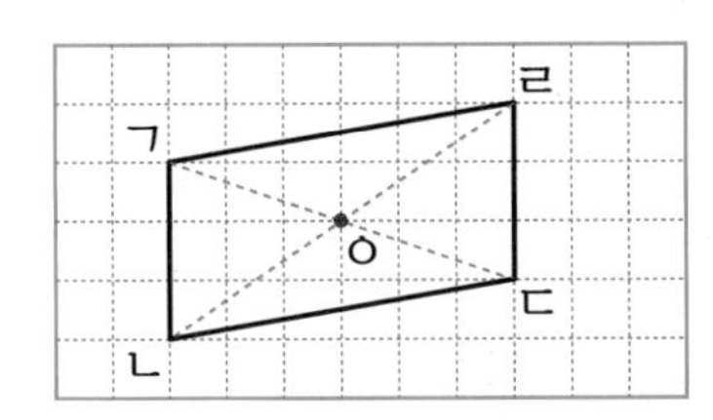

• 대칭의 중심

참고

(1) 점대칭도형에서 대응점끼리 이은 선분이 만나는 점이 대칭의 중심입니다.

(2) 대칭의 중심은 점대칭도형의 한가운데에 위치하고, 항상 1개입니다.

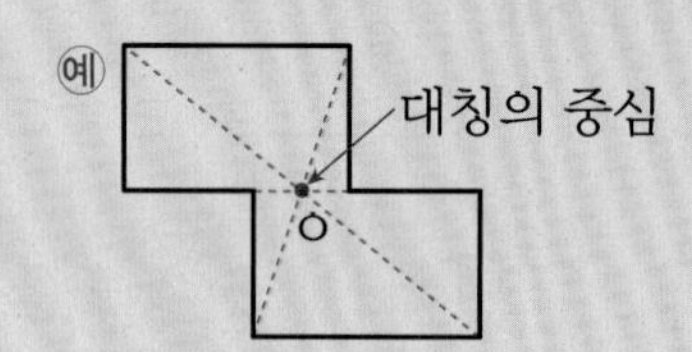

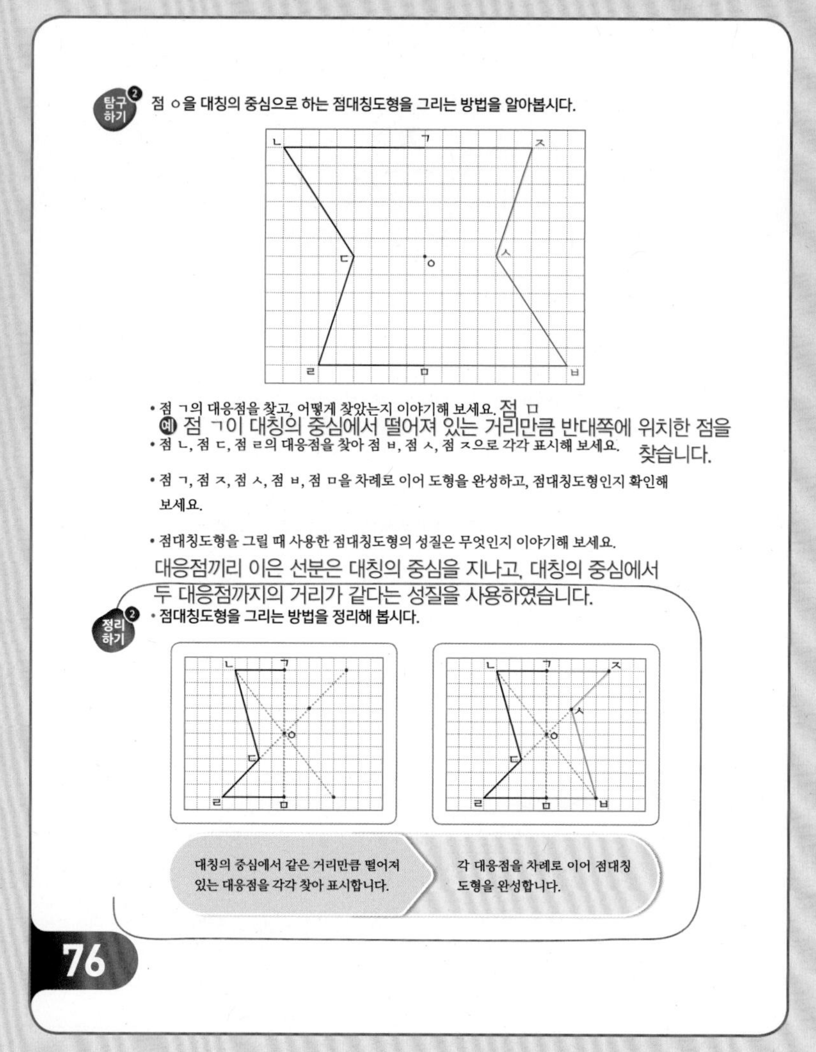

어휘	
중심	한자어 풀이
center	한가운데를 말합니다.
中 (가운데 중) 心 (마음 심)	

교과서 개념 완성

탐구하기 2 점대칭도형을 그리는 방법 알아보기

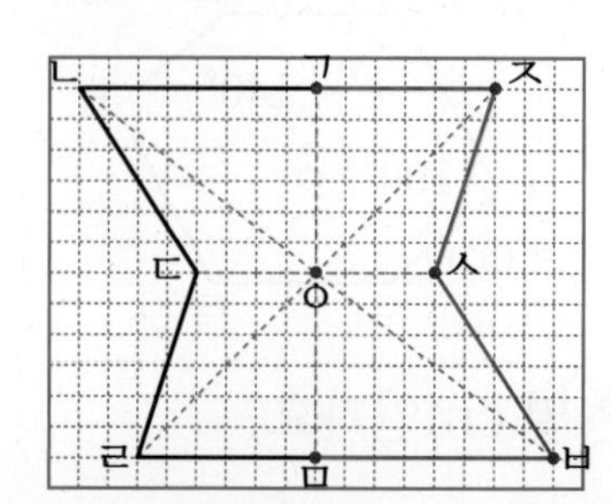

점 ㄱ의 대응점(점 ㅁ) 찾기 ➔ 점 ㄴ, 점 ㄷ, 점 ㄹ의 대응점을 찾아 점 ㅂ, 점 ㅅ, 점 ㅈ으로 표시하기 ➔ 점 ㄱ, 점 ㅈ, 점 ㅅ, 점 ㅂ, 점 ㅁ을 차례로 이어 도형을 완성하고, 점대칭도형인지 확인하기

확인하기 2 점대칭도형 그리기

① 주어진 점에 번호를 매기고, 각 점의 대응점을 찾아 표시합니다.

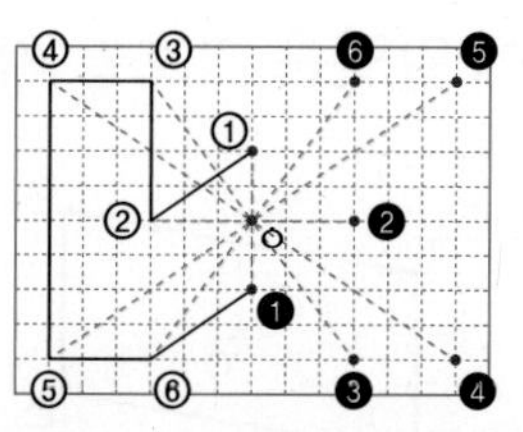

② 찾은 점들을 차례로 이어 점대칭도형을 완성합니다.

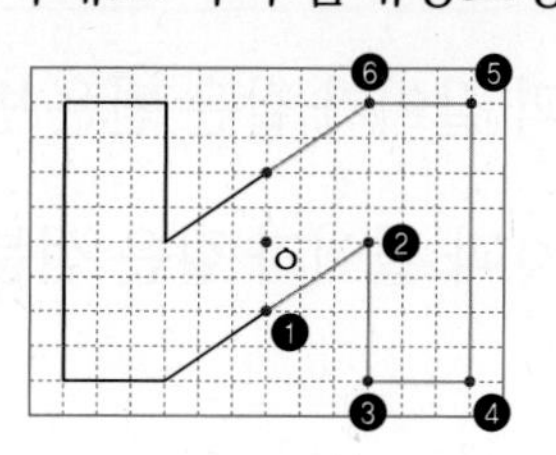

공부한 날 월 일

1. 점 ㅇ을 대칭의 중심으로 하는 점대칭도형을 완성하려고 합니다.

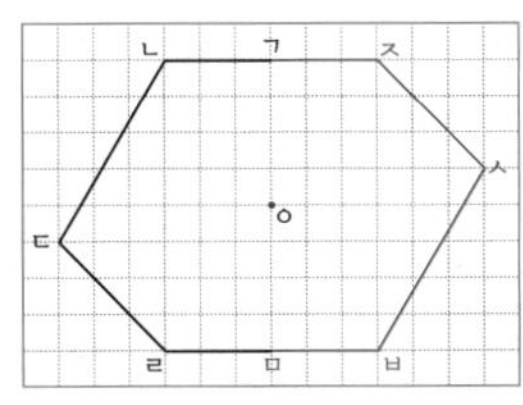

• 점 ㄱ, 점 ㄴ, 점 ㄷ, 점 ㄹ의 대응점을 찾아 점 ㅁ, 점 ㅂ, 점 ㅅ, 점 ㅈ으로 각각 표시해 보세요.

• 찾은 점들을 차례로 이어 점대칭도형을 완성해 보세요.

2. 점 ㅇ을 대칭의 중심으로 하는 점대칭도형을 완성해 보세요.

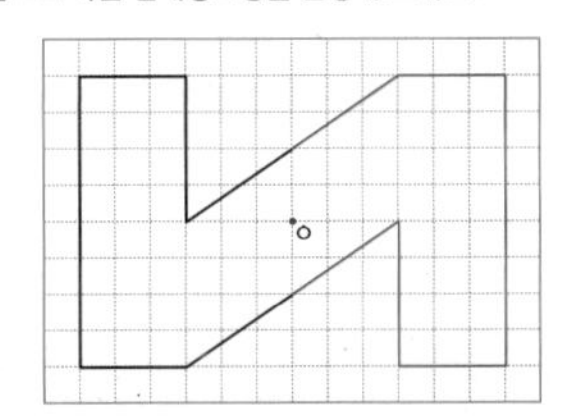

의사소통

서준이는 모양 조각으로 왼쪽 모양을 만든 후, 본을 떠 오른쪽 점대칭도형을 만들었습니다. 오른쪽 도형의 대칭의 중심을 찾아 점 ㅇ으로 표시하고, 어떻게 찾았는지 설명해 보세요.

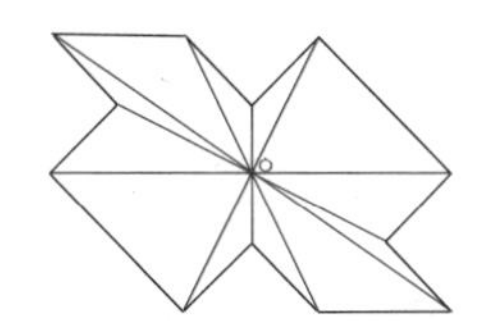

예 먼저, 점대칭도형의 모양을 보고 대응점을 모두 찾은 다음, 각각의 대응점끼리 자를 사용하여 이었습니다. 이때 이은 선들이 만나는 점을 찾아 점 ㅇ으로 표시하였습니다. 점 ㅇ을 중심으로 180° 돌리면 처음 도형과 완전히 겹치는 것을 알 수 있습니다.

77

이런 문제가 서술형으로 나와요

오른쪽 그림은 점 ㅇ을 대칭의 중심으로 하는 점대칭도형의 일부분입니다. 완성한 점대칭도형의 둘레에는 몇 cm인지 풀이 과정을 쓰고, 답을 구해 보세요.

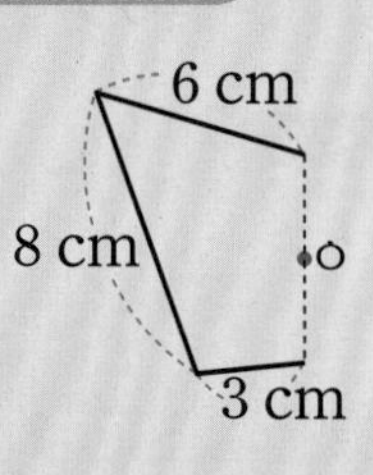

| 풀이 과정 |

❶ 완성한 점대칭도형의 둘레에는 6 cm, 8 cm, 3 cm인 변이 각각 몇 개인지 구하기

대응변의 길이는 같으므로 완성한 점대칭도형의 둘레에는 6 cm, 8 cm, 3 cm인 변이 2개씩 있습니다.

❷ 완성한 점대칭도형의 둘레 구하기

$(6+8+3)\times 2=34$ (cm)

답 34 cm

수학 교과 역량 의사소통

대칭의 중심을 찾아 표시하고, 어떻게 찾았는지 설명하기

본을 떠 만든 도형이 점대칭도형이 되는 이유를 설명하는 과정을 통하여 의사소통 능력을 기를 수 있습니다.

개념 확인 문제

정답 및 풀이 214쪽

[1~2] 다음은 점대칭도형입니다. 대칭의 중심을 찾아 점 ㅇ으로 표시해 보세요.

1

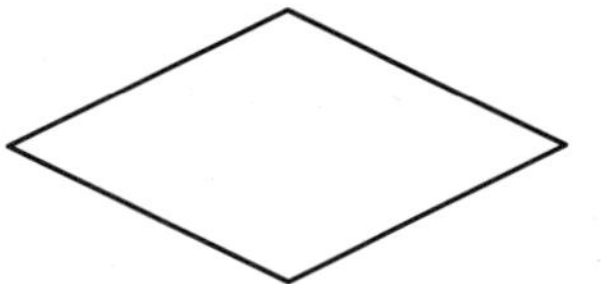

2

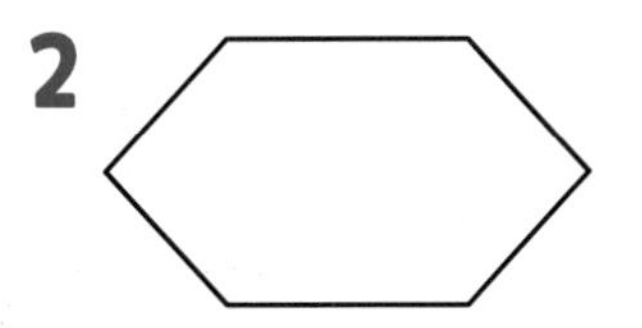

3 점 ㅇ을 대칭의 중심으로 하는 점대칭도형을 완성해 보세요.

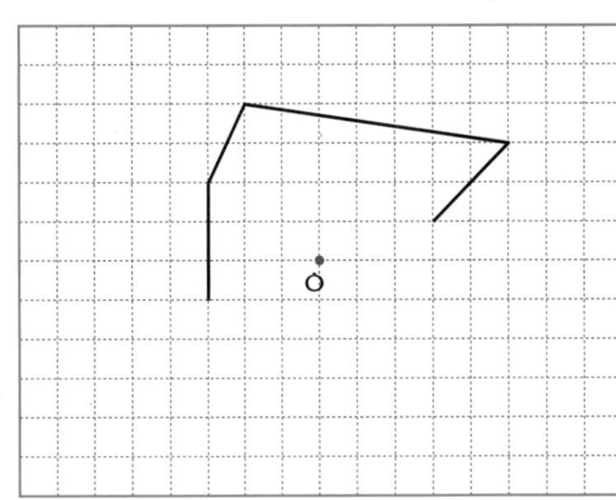

10 차시 문제 해결력 | 쑥쑥

● 의좋은 두 형제의 땅 나누기

학습 목표

- 단순화하기 전략을 이용하여 선대칭도형과 점대칭도형에 대한 문제를 해결할 수 있습니다.
- 도형을 바꾸어 새로운 문제를 만들고 해결할 수 있습니다.

준비물 자

문제 해결 전략 단순화하기 전략

수학 교과 역량 문제 해결 창의·융합

의좋은 두 형제의 땅 나누기

- 문제의 조건을 확인하고 문제 해결에 적절한 전략을 선택하여 문제를 해결하는 과정을 통하여 문제 해결 능력을 기를 수 있습니다.
- 점대칭도형의 성질을 실생활 문제와 융합하여 조건을 만족하는 여러 가지 답을 찾아보는 과정을 통하여 창의·융합 능력을 기를 수 있습니다.

문제 해결 Tip 점대칭도형은 대칭의 중심을 지나는 직선을 그으면 넓이가 똑같이 나누어집니다.

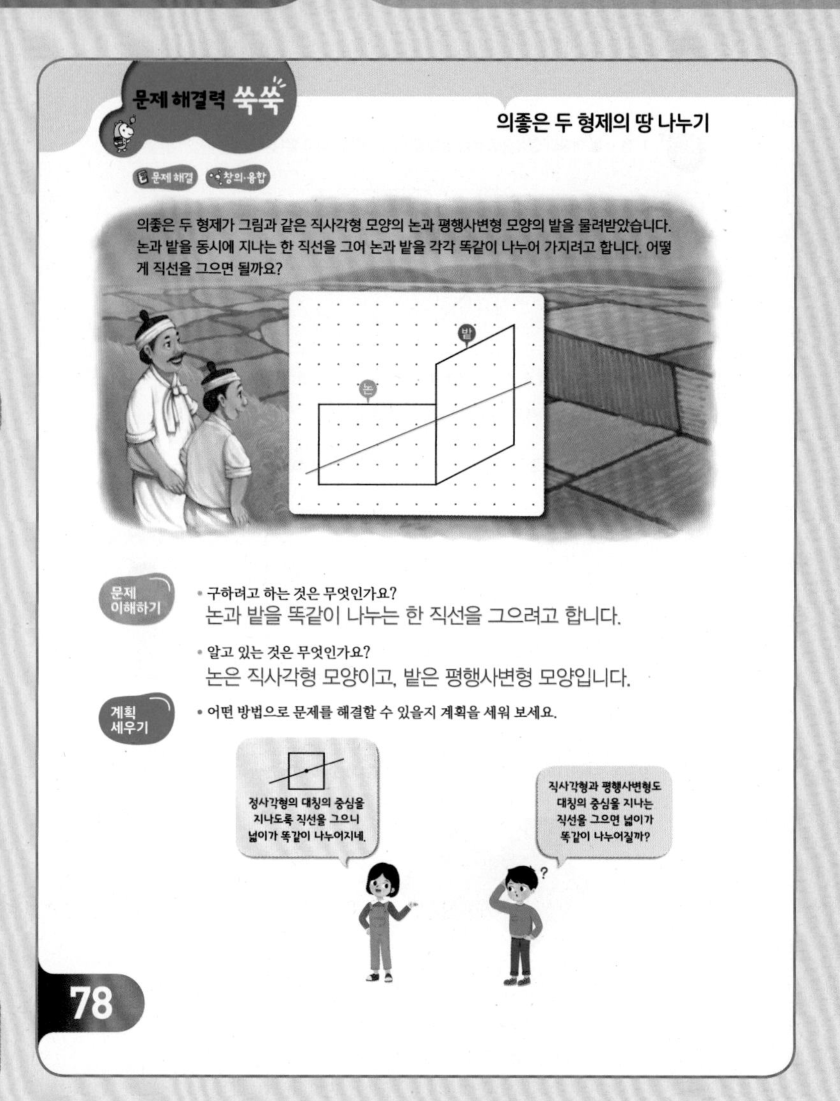

교과서 개념 완성

문제 이해하기

» 구하려고 하는 것

논과 밭을 똑같이 나누는 한 직선을 그으려고 합니다.

» 알고 있는 것

논은 직사각형 모양이고, 밭은 평행사변형 모양입니다.

계획 세우기

직사각형과 평행사변형에서 대각선 말고, 넓이가 이등분되도록 직선을 그을 수 있는 방법을 알면 도움이 될 것 같습니다.

계획대로 풀기

- 직사각형과 평행사변형은 점대칭도형이므로 대칭의 중심을 지나는 직선을 그으면 각 도형의 넓이를 이등분합니다.
- 직사각형과 평행사변형의 넓이가 동시에 이등분되도록 한 직선을 그으려면 직사각형과 평행사변형의 대칭의 중심을 동시에 지나는 직선을 그으면 됩니다.

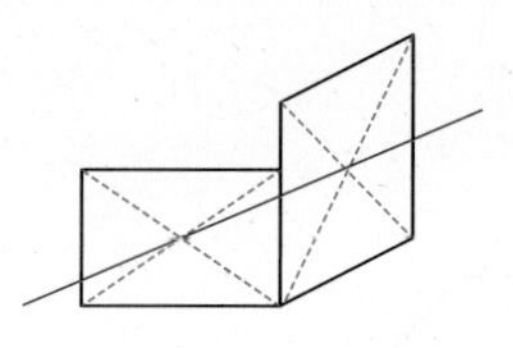

되돌아보기

구한 답이 맞았는지 확인해 봅니다.

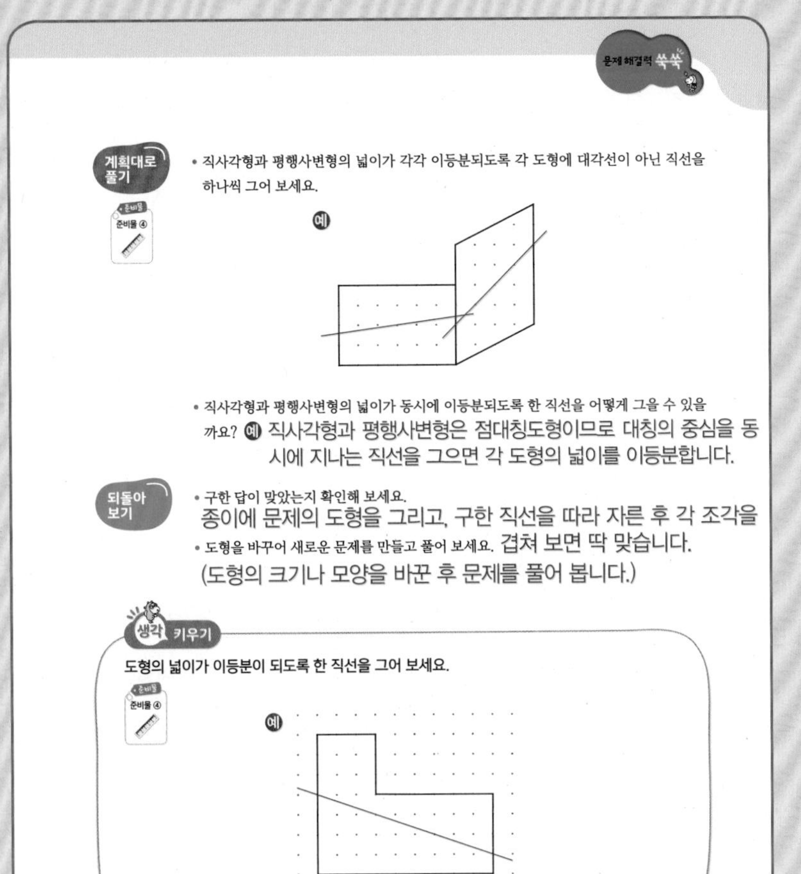

생각 키우기

문제 해결 창의·융합

문제 이해하기

>> 구하려고 하는 것

도형의 넓이가 이등분되도록 한 직선을 그으려고 합니다.

>> 알고 있는 것

직사각형 두 개로 나눌 수 있습니다.

계획 세우기

직사각형에서 넓이가 이등분되도록 직선을 그을 수 있으므로 주어진 도형을 두 직사각형으로 나누어 대칭의 중심을 찾으면 될 것 같습니다.

계획대로 풀기

주어진 도형을 직사각형 2개로 나눈 다음, 넓이가 이등분되도록 대칭의 중심을 동시에 지나는 직선을 긋습니다.

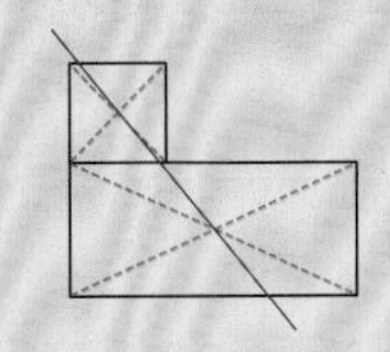

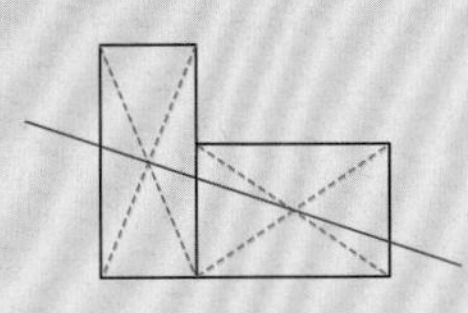

되돌아보기

구한 답이 맞았는지 확인해 봅니다.

문제 해결력 문제

정답 및 풀이 214쪽

1 정사각형과 평행사변형의 넓이가 동시에 이등분되도록 한 직선을 그어 보세요.

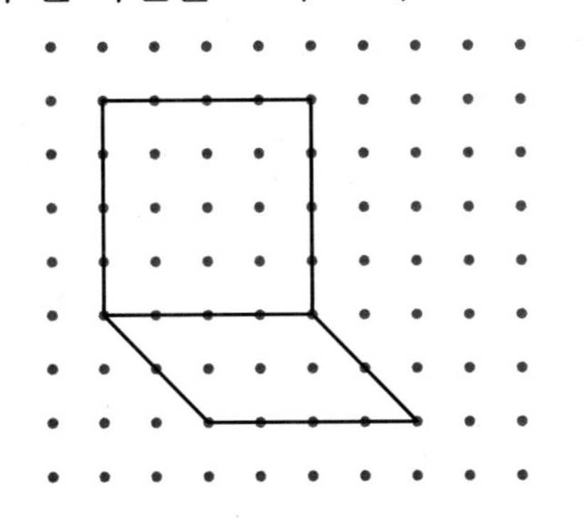

[2~3] 도형의 넓이가 이등분이 되도록 한 직선을 그으려고 합니다. 물음에 답해 보세요.

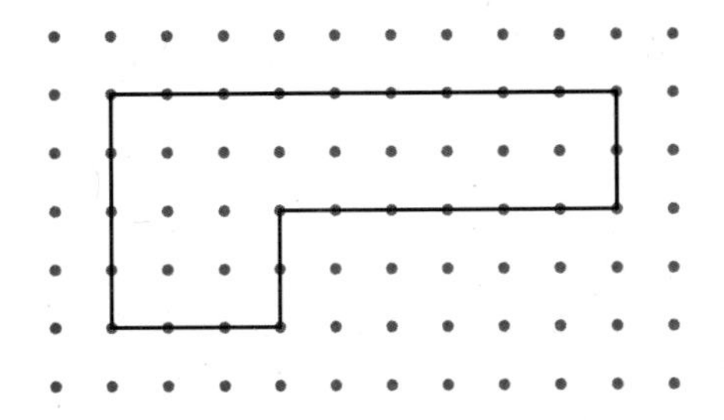

2 위 도형에 점선을 그어 직사각형 2개로 나누어 보세요.

3 위 도형의 넓이가 이등분이 되도록 한 직선을 그어 보세요.

단원 마무리 | 척척

추론 · 문제 해결

합동인 도형을 찾고, 합동인 도형의 성질을 이용하여 대응변의 길이와 대응각의 크기 구하기

▶자습서 72~75쪽

학부모 코칭 Tip

합동인 도형을 먼저 찾은 후 합동인 도형의 성질을 이용하여 문제를 해결하게 합니다.

1 보기의 도형과 서로 합동인 도형을 찾아 ○표 해 보고, □ 안에 알맞은 수를 써넣으세요.

63쪽, 64쪽, 65쪽

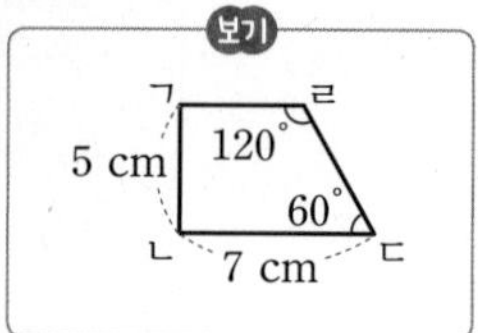

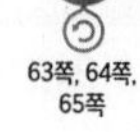
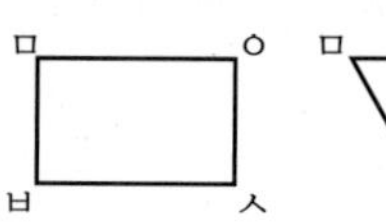

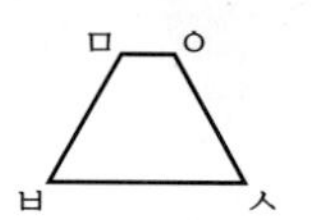

• 보기와 합동인 도형에서 변 ㅅㅇ은 5 cm입니다.

• 보기와 합동인 도형에서 각 ㅇㅁㅂ은 60°입니다.

풀이 모양과 크기가 서로 같은 도형을 찾습니다. 이때 합동인 도형은 각각의 대응변의 길이와 대응각의 크기가 서로 같습니다.

추론 · 문제 해결

선대칭도형의 성질을 이용하여 대응변의 길이와 대응각의 크기 구하기

▶자습서 76~79쪽

선대칭도형에서 각각의 대응변의 길이와 대응각의 크기는 서로 같습니다.

2 직선 ㅈㅊ을 대칭축으로 하는 선대칭도형입니다. □ 안에 알맞은 수나 기호를 써넣으세요.

67쪽, 69쪽

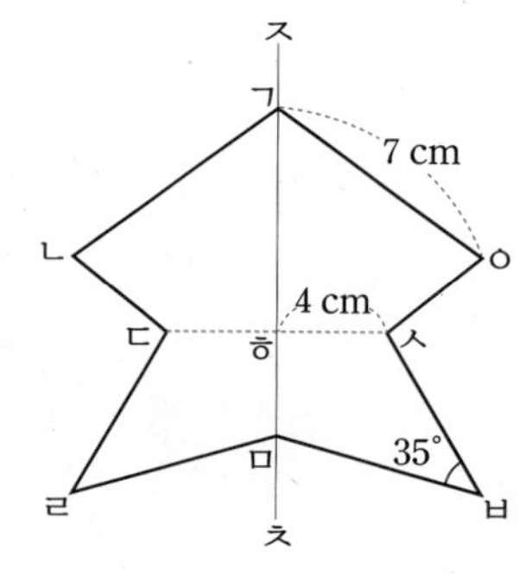

• 변 ㄱㄴ의 대응변은 변 ㄱㅇ이므로 변 ㄱㄴ은 7 cm입니다.

• 선분 ㄷㅎ은 4 cm입니다.

• 각 ㄷㄹㅁ의 대응각은 각 ㅅㅂㅁ이므로 각 ㄷㄹㅁ은 35°입니다.

• 각 ㄱㅎㄷ은 90°입니다.

풀이
• 각각의 대응변의 길이는 서로 같습니다.
• 각각의 대응각의 크기는 서로 같습니다.
• 대응점에서 대칭축까지의 거리가 서로 같습니다.
• 대응점끼리 이은 선분은 대칭축과 수직으로 만납니다.

추론 · 정보 처리

선대칭도형 완성하기

▶자습서 80~81쪽

학부모 코칭 Tip

선대칭도형을 그리지 못하는 경우 선대칭도형의 개념과 성질을 한 번 더 확인하게 한 후, 선대칭도형을 단계적으로 그리는 과정을 알게 합니다.

3 직선 ㅅㅇ을 대칭축으로 하는 선대칭도형을 완성해 보세요.

70쪽

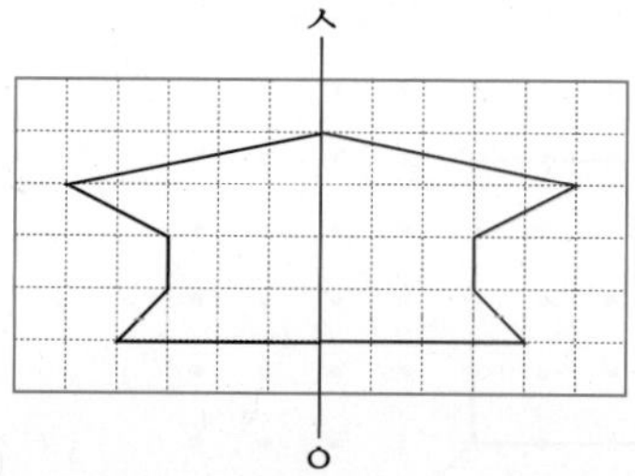

풀이 각 점에서 대칭축에 수선을 긋고 대칭축까지의 거리가 같도록 대응점을 찾아 표시한 후 각 대응점을 차례로 이어 선대칭도형을 완성합니다.

80

4 점 ㅇ을 대칭의 중심으로 하는 점대칭도형입니다. □ 안에 알맞은 수를 써넣으세요.

75쪽

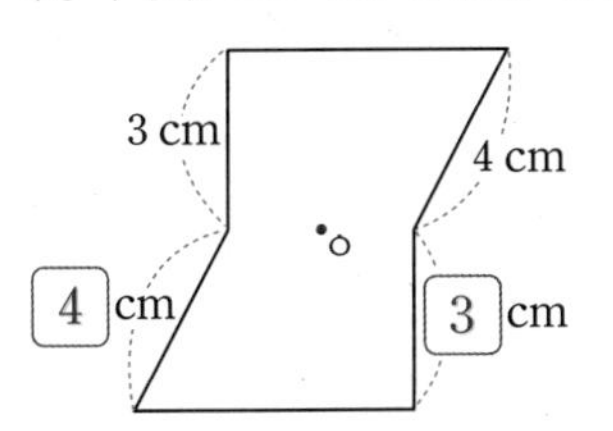

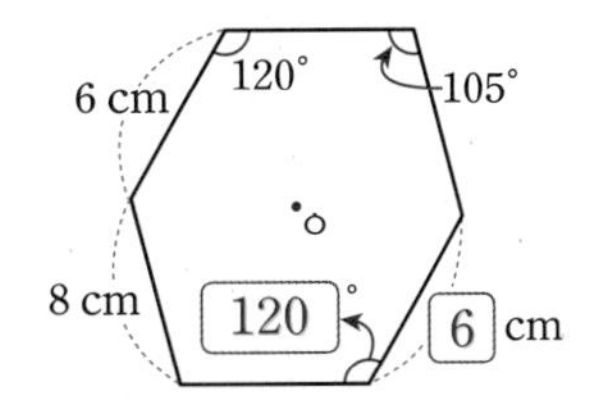

풀이 점대칭도형에서 각각의 대응변의 길이와 대응각의 크기는 서로 같습니다.

5 점 ㅇ을 대칭의 중심으로 하는 점대칭도형을 완성해 보세요.

76쪽

준비물 준비물 ④

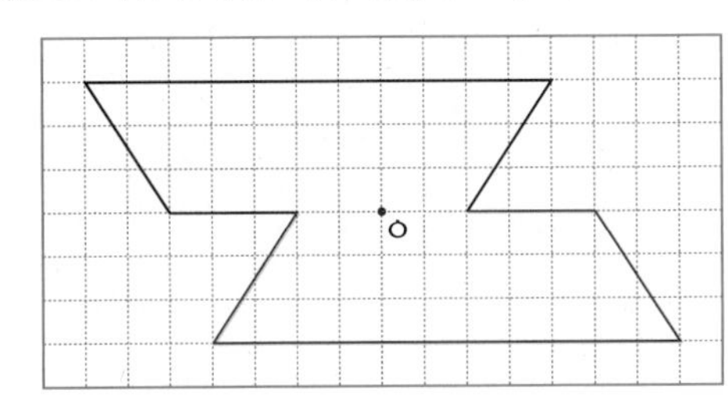

풀이 대칭의 중심에서 같은 거리만큼 떨어져 있는 대응점을 찾아 각각 표시한 후 각 대응점을 차례로 이어 점대칭도형을 완성합니다.

추론 의사소통

6 잘못 말한 친구의 이름을 쓰고, 잘못된 부분을 바르게 고쳐 보세요.

64쪽, 67쪽, 73쪽

수진: 정삼각형은 선대칭도형이고, 대칭축이 3개 있어.

민영: 원은 점대칭도형이고, 대칭의 중심이 되는 서로 다른 점이 여러 개 있어.

민희: 서로 합동인 두 사각형은 대응변이 4쌍 있어.

잘못 말한 친구 민영

바르게 고치기 예 원은 점대칭도형이고, 대칭의 중심이 되는 점이 1개만 있어. / 원은 선대칭도형이고, 대칭축이 무수히 많이 있어.

풀이

선대칭도형으로 볼 때		점대칭도형으로 볼 때	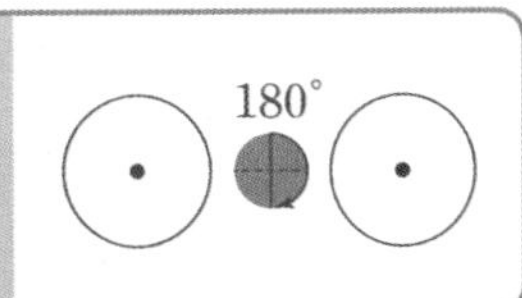

81

추론 문제 해결

점대칭도형의 성질을 알고 대응변의 길이와 대응각의 크기 구하기

▶자습서 84~85쪽

점대칭도형에서 각각의 대응변의 길이와 대응각의 크기는 서로 같습니다.

추론 정보 처리

점대칭도형 완성하기

▶자습서 86~87쪽

학부모 코칭 Tip

점대칭도형을 그리지 못하는 경우 점대칭도형의 개념과 성질을 한 번 더 확인하게 한 후, 점대칭도형을 단계적으로 그리는 과정을 알게 합니다.

추론 의사소통

합동, 선대칭도형, 점대칭도형 이해하기

▶자습서 72~77쪽, 82~83쪽

학부모 코칭 Tip

합동의 의미, 선대칭도형, 점대칭도형을 바르게 이해하는지 확인합니다.

• 놀이 속으로 | 풍덩 • 이야기로 키우는 | 생각

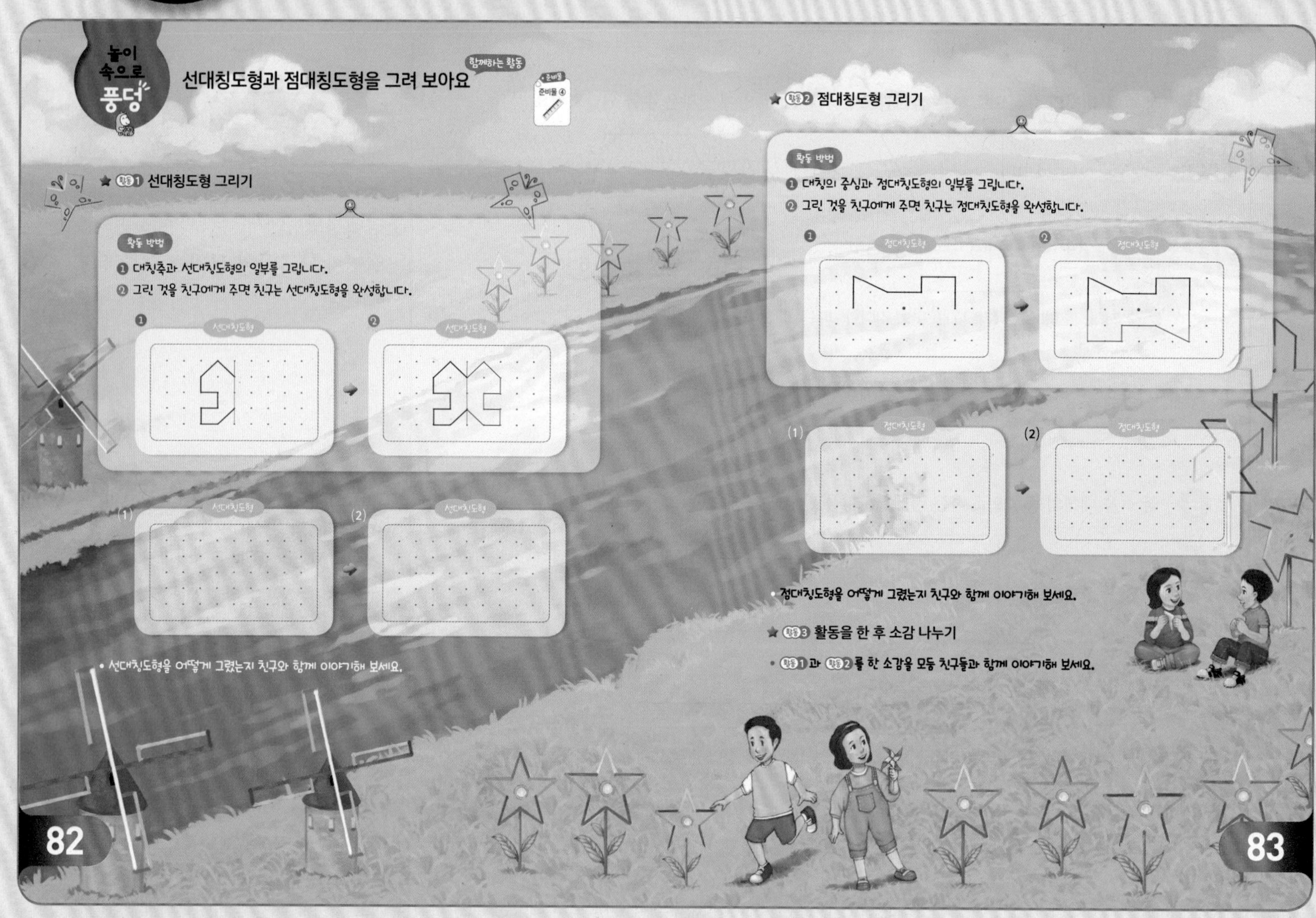

교과서 개념 완성

1 준비물 확인 및 놀이 방법 살펴보기

- 자가 준비되었는지 확인합니다.
- 활동 방법을 읽어 보게 합니다.
- 예시를 보고 대칭축(대칭의 중심)이 어떻게 제시되어 있는지 확인합니다.
- 활동 방법에 따라 학생들과 함께 상호 작용하면서 선대칭도형(점대칭도형)을 그려 봅니다.

학부모 코칭 Tip

놀이를 하기 전에 선대칭도형과 점대칭도형의 의미, 대칭축, 대칭의 중심, 대응점, 대응변, 대응각 등의 용어, 선대칭도형과 점대칭도형의 성질을 알고 있는지 확인해 보고, 놀이를 시작하게 합니다.

2 실제 친구와 놀이하기

- 대칭축(대칭의 중심)과 선대칭도형(점대칭도형)의 일부를 그려 보게 합니다.
- 친구에게 일부를 그린 선대칭도형(점대칭도형)을 주면 친구가 선대칭도형(점대칭도형)을 완성합니다.

학부모 코칭 Tip

선대칭도형과 점대칭도형을 그리는 것뿐만 아니라 완성한 도형이 왜 선대칭도형과 점대칭도형인지를 서로 설명해 보게 합니다.

이야기로 키우는 | 생각

경복궁

'경복궁(景福宮)'은 '큰 복을 누리며 번성하라.'는 뜻으로, 조선을 건국한 태조 이성계가 1395년에 세운 궁궐입니다. 으뜸 궁궐답게 짓는 기간도 길었습니다. 태종 때는 경회루를 지었고, 세종 때는 아름다운 문과 다리가 완성되었는데 이렇듯 세종이 궁성의 4문 체재를 완성하면서 경복궁은 30여 년 만에 궁성과 궐문까지 갖추게 되었습니다.

건물의 배치도 엄격한 규율에 따라 앞쪽은 임금이 나랏일을 보는 곳으로, 뒤쪽은 왕실 사람들이 일상생활을 하는 곳으로 구분하였습니다. 중요한 전각과 문은 남북 직선 축에 맞추어 배치하였고, 좌우 대칭의 안정적인 구성으로 이루어졌습니다.

주요 건물로는 임금의 즉위식과 같이 큰 행사가 열렸던 근정전, 임금이 나랏일을 보던 곳인 사정전, 임금과 왕비가 생활하던 곳인 강녕전과 교태전이 남북으로 늘어서 있고, 대왕대비가 생활하는 전각인 자경전, 나라에 경사가 있거나 사신이 왔을 때 연회를 베풀던 누각인 경회루 등이 동서로 배치되어 있습니다. 또한 사방에는 문이 하나씩 있는데 남쪽에는 광화문, 북쪽에는 신무문, 동쪽에는 건춘문, 서쪽에는 영추문이 있습니다.

[출처] 김한종 외, 2015.

개념+확인

교과서 개념을 익히고 확인 문제를 풀면서 단원을 마무리해 보아요.

개념

도형의 합동

모양과 크기가 같아서 포개었을 때 완전히 겹치는 두 도형을 서로 합동이라고 합니다.

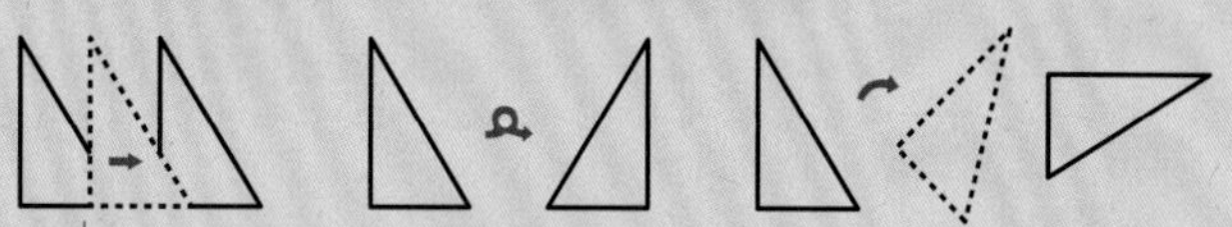

└ 밀거나 뒤집거나, 돌렸을 때 포개어져도 합동입니다.

서로 합동인 두 도형을 포개었을 때 완전히 겹치는 점을 대응점, 겹치는 변을 대응변, 겹치는 각을 대응각이라고 합니다.

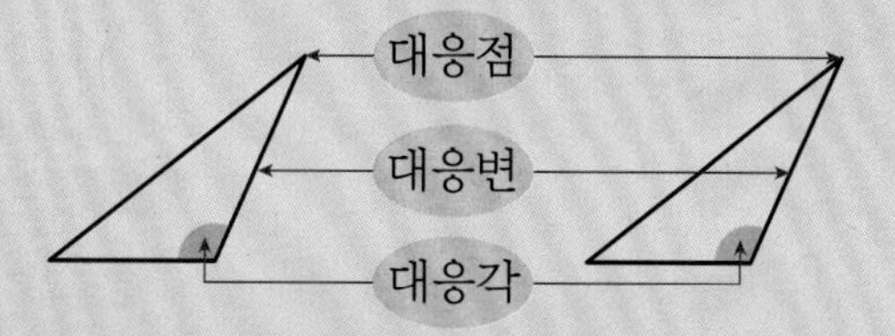

합동인 도형의 성질

- 각각의 대응변의 길이는 서로 같습니다.
- 각각의 대응각의 크기는 서로 같습니다.

선대칭도형

한 직선을 따라 접었을 때 완전히 겹치는 도형을 선대칭도형이라고 합니다. 이때 그 직선을 대칭축이라고 합니다. 대칭축을 따라 접었을 때 겹치는 점을 **대응점**, 겹치는 변을 **대응변**, 겹치는 각을 **대응각**이라고 합니다.

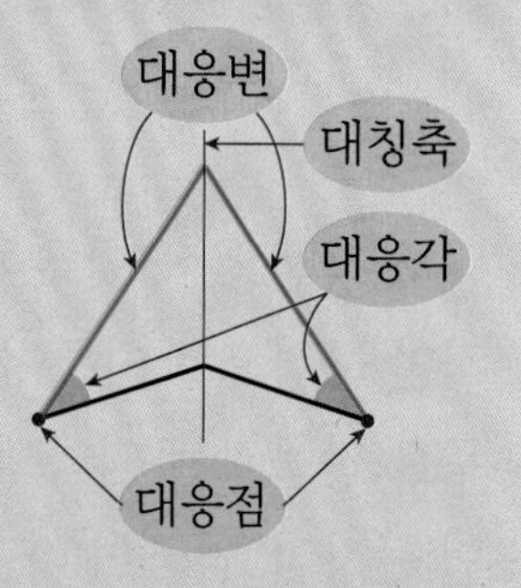

선대칭도형의 성질

- 각각의 대응변의 길이는 서로 같습니다.
- 각각의 대응각의 크기는 서로 같습니다.
- 대응점에서 대칭축까지의 거리가 서로 같습니다.
- 대응점끼리 이은 선분은 대칭축과 수직으로 만납니다.

확인 문제

1 서로 합동인 도형을 찾아 기호를 써 보세요.

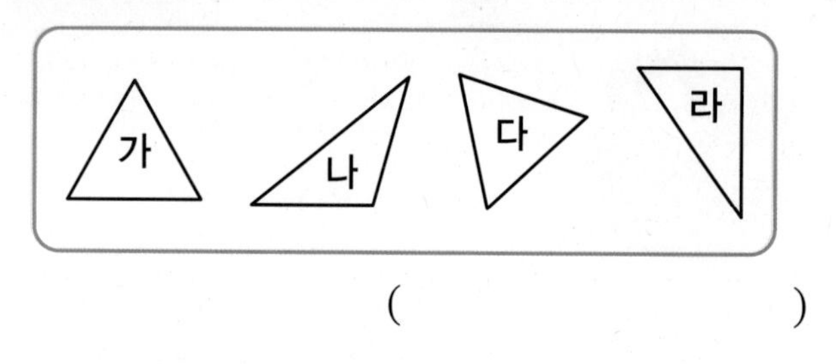

(　　　　　　　　)

2 두 삼각형은 서로 합동입니다. □ 안에 알맞은 수를 써넣으세요.

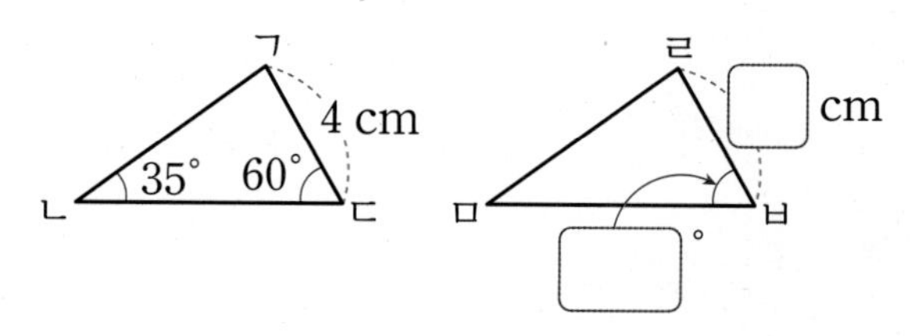

3 선대칭도형이 아닌 것을 찾아 ○표 하세요.

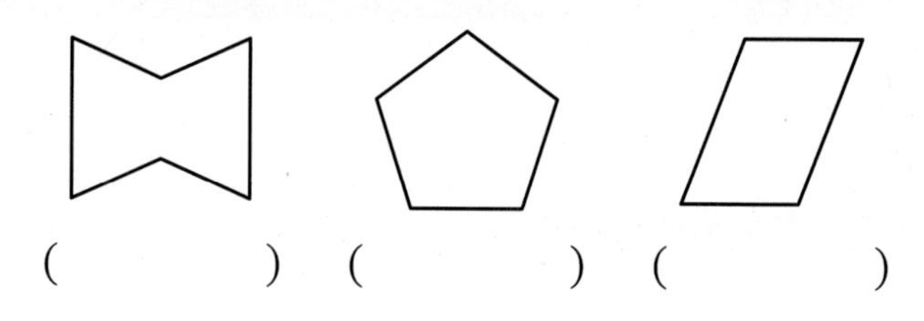

(　　　) (　　　) (　　　)

4 직선 ㄱㄴ을 대칭축으로 하는 선대칭도형입니다. □ 안에 알맞은 수를 써넣으세요.

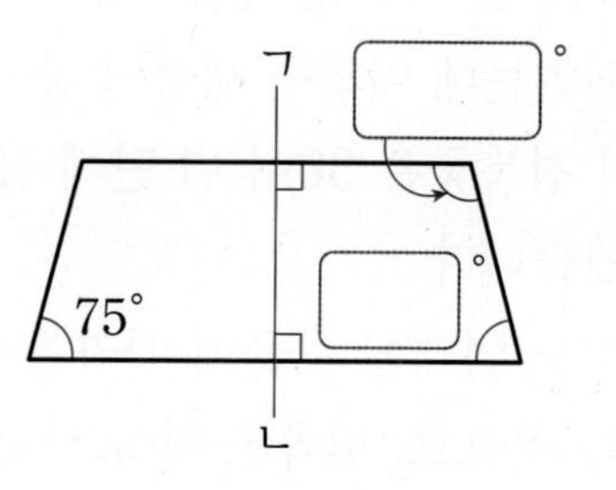

➔ 정답 및 풀이 214쪽

개념

선대칭도형을 그리는 방법

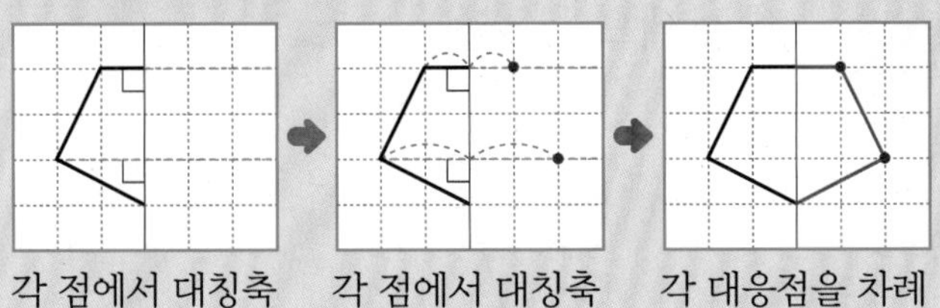

각 점에서 대칭축에 수선 긋기 → 각 점에서 대칭축까지의 거리가 같도록 대응점을 찾아 표시하기 → 각 대응점을 차례로 이어 선대칭도형 완성하기

점대칭도형

한 도형을 어떤 점을 중심으로 180° 돌렸을 때 처음 도형과 완전히 겹치는 도형을 점대칭도형이라고 합니다. 이때 그 점을 대칭의 중심이라고 합니다.

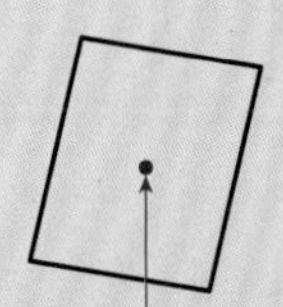

대칭의 중심을 중심으로 180° 돌렸을 때 겹치는 점을 **대응점**, 겹치는 변을 **대응변**, 겹치는 각을 **대응각**이라고 합니다.

점대칭도형의 성질

- 각각의 대응변의 길이는 서로 같습니다.
- 각각의 대응각의 크기는 서로 같습니다.
- 대응점끼리 이은 선분은 대칭의 중심을 지납니다.
- 대칭의 중심에서 두 대응점까지의 거리는 같습니다.

점대칭도형을 그리는 방법

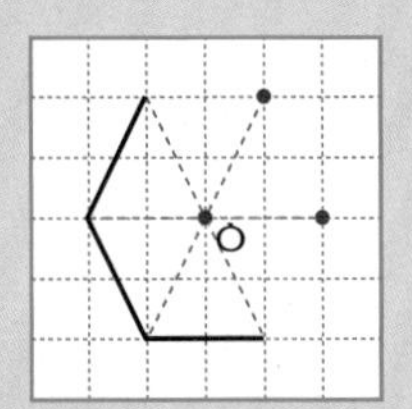

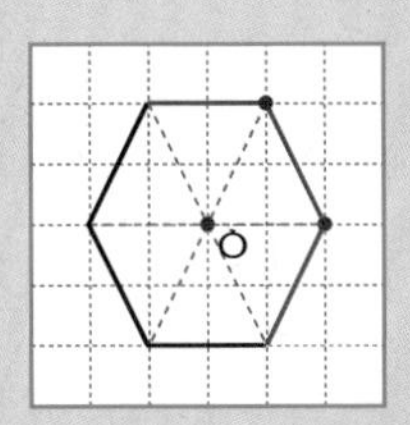

대칭의 중심에서 같은 거리만큼 떨어져 있는 대응점을 각각 찾아 표시하기 → 각 대응점을 차례로 이어 점대칭도형 완성하기

확인 문제

5 직선 ㄱㄴ을 대칭축으로 하는 선대칭도형을 완성해 보세요.

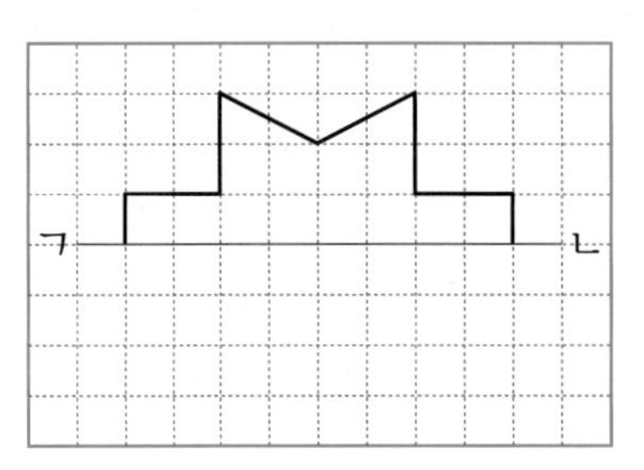

[6~7] 점 ㅇ을 대칭의 중심으로 하는 점대칭도형입니다. 물음에 답해 보세요.

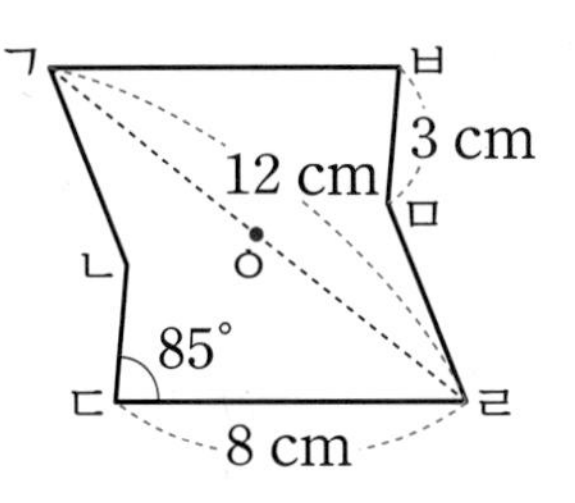

6 변 ㄴㄷ은 몇 cm인가요?

( )

7 선분 ㄹㅇ은 몇 cm인가요?

( )

8 점 ㅇ을 대칭의 중심으로 하는 점대칭도형을 완성해 보세요.

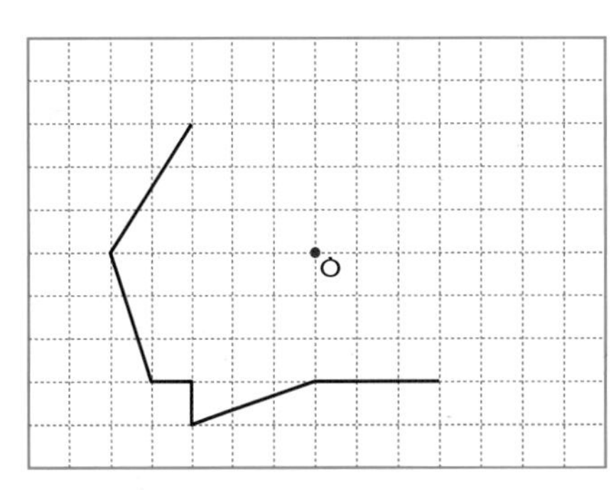

서술형 문제 해결하기

과정 중심 평가 내용: 합동인 두 도형에서 각의 크기를 구할 수 있는가?

1-1 두 삼각형은 서로 합동입니다. 각 ㄱㄷㄴ은 몇 도인지 풀이 과정을 쓰고, 답을 구해 보세요. [8점]

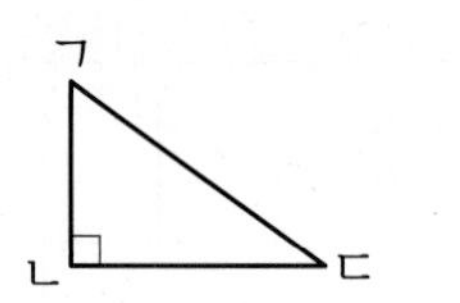

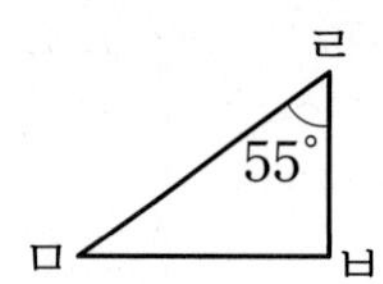

풀이

❶ 각 ㄴㄱㄷ의 대응각은 각 [   ]이므로

(각 ㄴㄱㄷ)=(각 [   ])=[   ]°입니다.

❷ 삼각형의 세 각의 크기의 합은 [   ]°이므로

(각 ㄱㄷㄴ)$=180°-($[   ]$°+90°)$

$=$[   ]°입니다.

답 ....

1-2 쌍둥이 두 삼각형은 서로 합동입니다. 각 ㄱㄷㄴ은 몇 도인지 풀이 과정을 쓰고, 답을 구해 보세요. [12점]

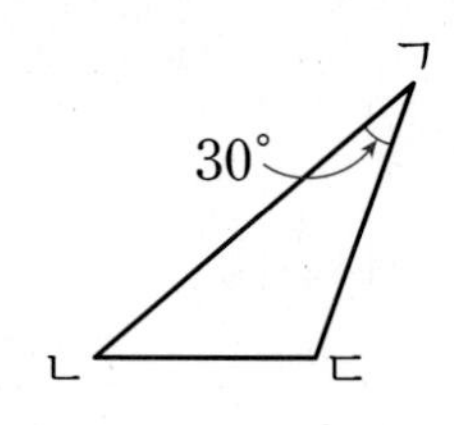

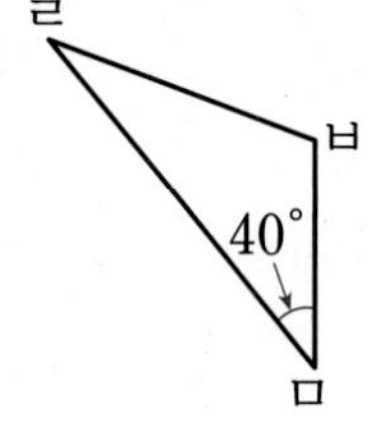

풀이

답 ....

1-3 유사 삼각형 ㄱㄴㄷ과 삼각형 ㄹㄷㄴ은 서로 합동입니다. 각 ㄱㄷㄴ은 몇 도인지 풀이 과정을 쓰고, 답을 구해 보세요. [15점]

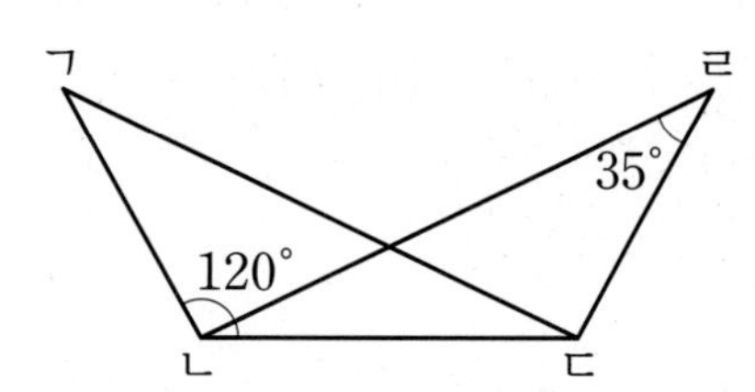

풀이

답 ....

1-4 실전 한 직선 위에 놓인 두 삼각형은 서로 합동입니다. 각 ㄱㄷㅁ은 몇 도인지 풀이 과정을 쓰고, 답을 구해 보세요. [15점]

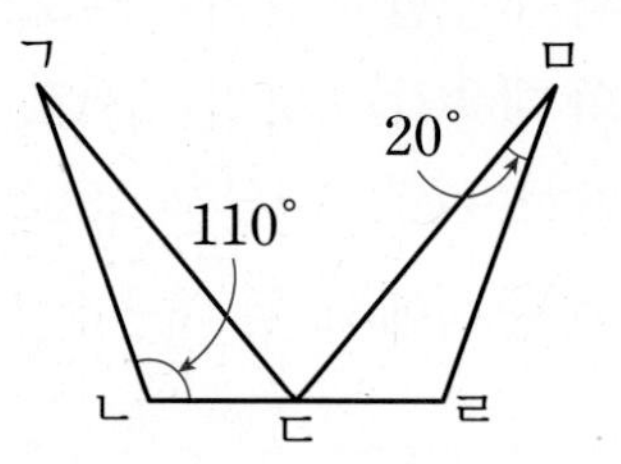

풀이

답 ....

과정 중심 평가 내용 | 선대칭도형과 점대칭도형에서 길이를 구할 수 있는가?

공부한 날 월 일

➔ 정답 및 풀이 215쪽

2-1 오른쪽은 직선 ㅅㅇ을 대칭축으로 하는 선대칭도형입니다. 이 선대칭도형의 둘레는 몇 cm인지 풀이 과정을 쓰고, 답을 구해 보세요. [8점]

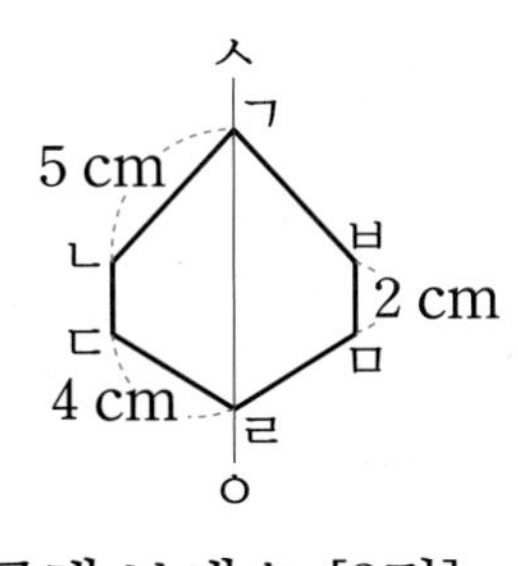

풀이

❶ (변 ㄴㄷ)=(변 ㅂㅁ)=☐cm,

(변 ㄹㅁ)=(변 ☐)=4 cm,

(변 ㄱㅂ)=(변 ☐)=5 cm

❷ (선대칭도형의 둘레)

=(5+☐+4)×2=☐(cm)

답

2-2 쌍둥이 점 ㅇ을 대칭의 중심으로 하는 점대칭도형입니다. 이 점대칭도형의 둘레는 몇 cm인지 풀이 과정을 쓰고, 답을 구해 보세요. [12점]

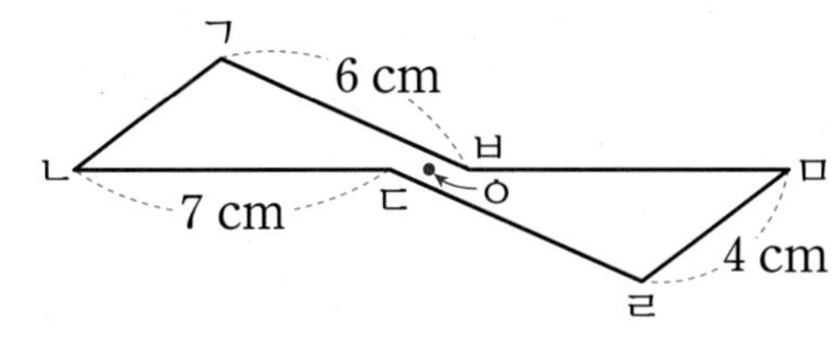

풀이

답

2-3 유사 선분 ㄱㄷ을 대칭축으로 하는 선대칭도형의 둘레가 50 cm입니다. 변 ㄱㄴ은 몇 cm인지 풀이 과정을 쓰고, 답을 구해 보세요. [15점]

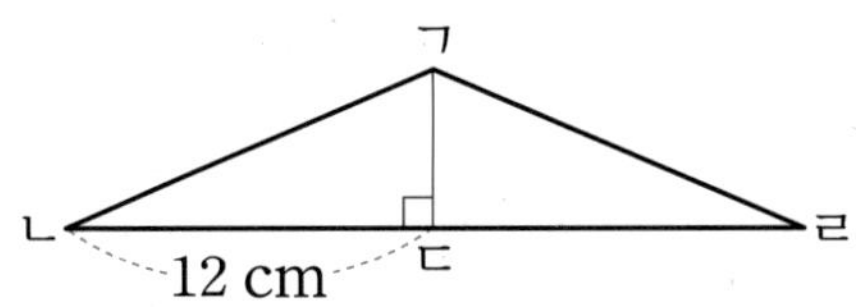

풀이

답

2-4 실전 점 ㅇ을 대칭의 중심으로 하는 점대칭도형의 둘레가 40 cm입니다. 변 ㄱㄴ은 몇 cm인지 풀이 과정을 쓰고, 답을 구해 보세요. [15점]

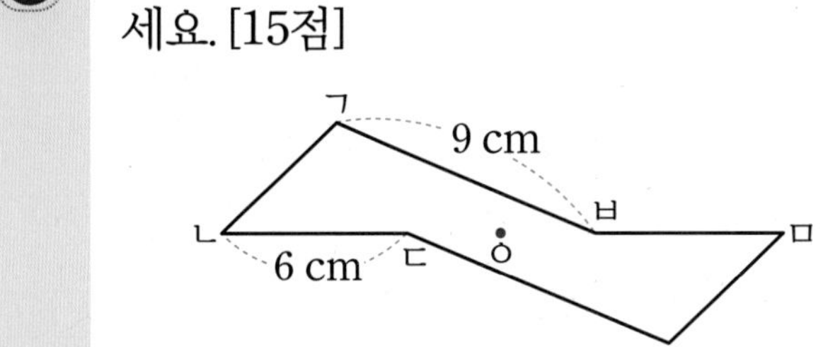

풀이

답

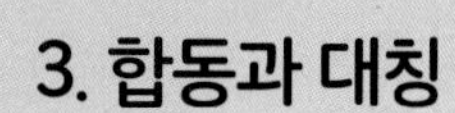

| 도형의 합동 |

01 그림을 보고 ☐ 안에 알맞은 말을 써넣으세요.

하

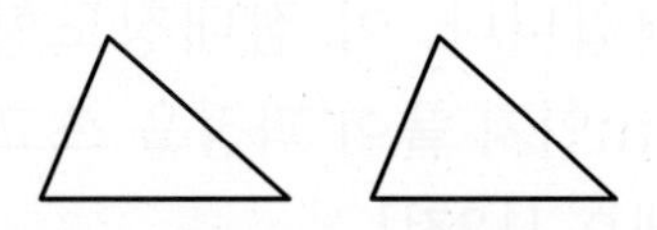

모양과 크기가 같아서 포개었을 때 완전히 겹치는 두 도형을 서로 ☐ 이라고 합니다.

| 선대칭도형 |

02 선대칭도형을 찾아 ○표 하세요.

하

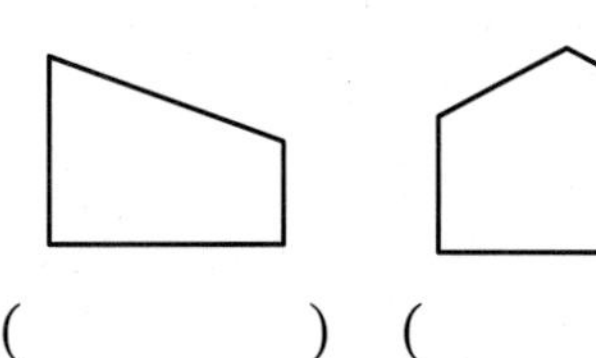

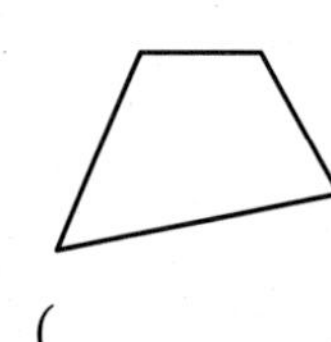

( ) ( ) ( )

[03~04] 점 ㅇ을 대칭의 중심으로 하는 점대칭도형입니다. 물음에 답해 보세요.

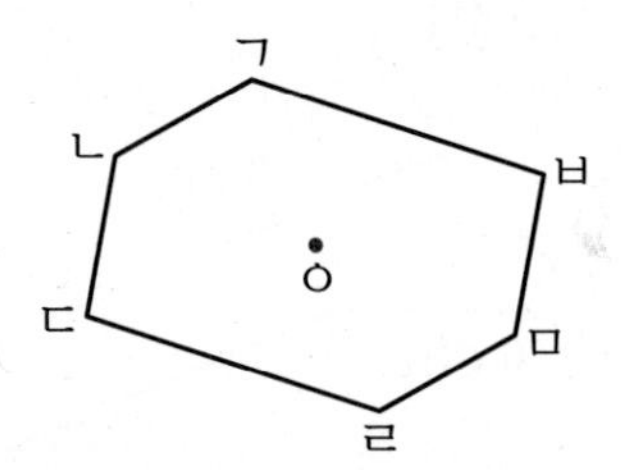

| 점대칭도형 |

03 변 ㄷㄹ의 대응변을 찾아 써 보세요.

하

( )

| 점대칭도형 |

04 각 ㄹㅁㅂ의 대응각을 찾아 써 보세요.

하

( )

[05~06] 두 사각형은 서로 합동입니다. 물음에 답해 보세요.

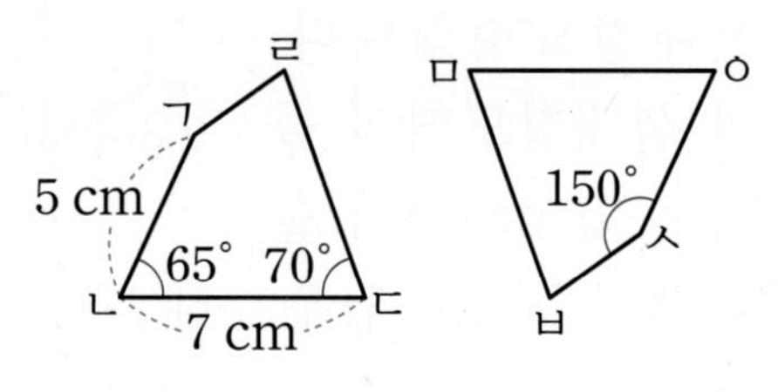

| 도형의 합동 |

05 변 ㅇㅅ은 몇 cm인가요?

중

( )

| 도형의 합동 |

06 각 ㅇㅁㅂ은 몇 도인가요?

중

( )

| 선대칭도형의 성질 |

07 직선 ㅅㅇ을 대칭축으로 하는 선대칭도형입니다. ☐ 안에 알맞은 수를 써넣으세요.

중

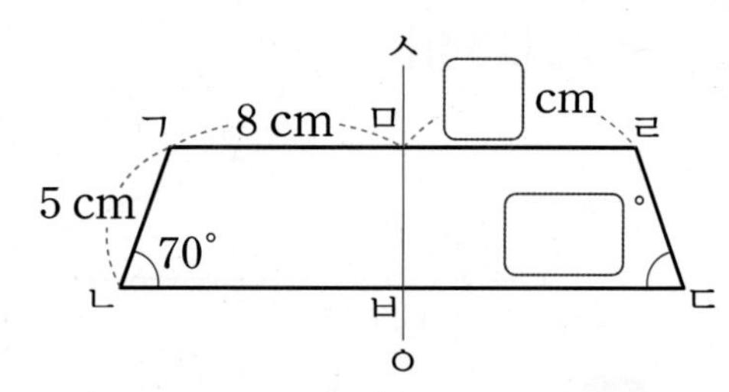

| 점대칭도형의 성질 |

08 다음 점대칭도형에서 대칭의 중심을 찾아 점 ㅇ으로 표시해 보세요.

중

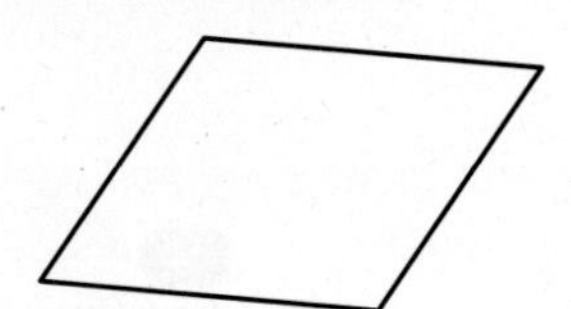

➜ 정답 및 풀이 216쪽

| 점대칭도형의 성질 |

09 점 ㅇ을 대칭의 중심으로 하는 점대칭도형입니다. □ 안에 알맞은 수를 써넣으세요.

중

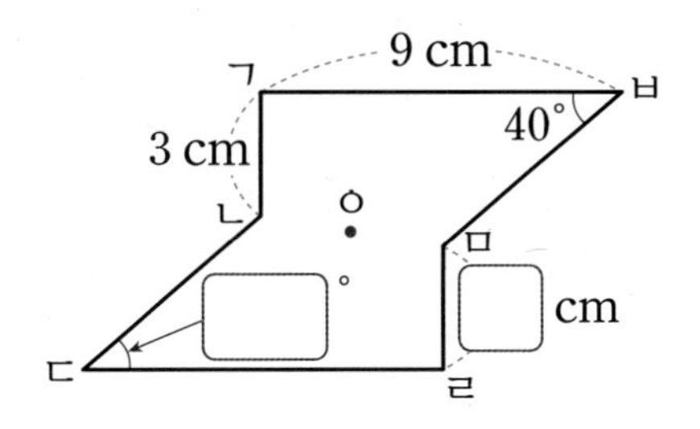

| 선대칭도형 |

10 선대칭도형에서 대응점 또는 대응변에 알맞게 대칭축을 각각 그려 보세요.

중

점 ㄱ의 대응점 ➜ 점 ㄷ

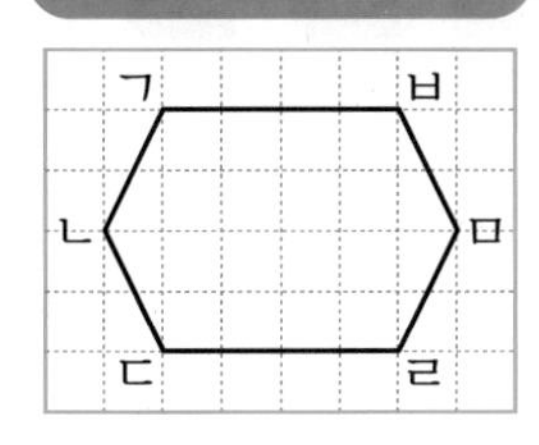

변 ㄴㄷ의 대응변 ➜ 변 ㅁㄹ

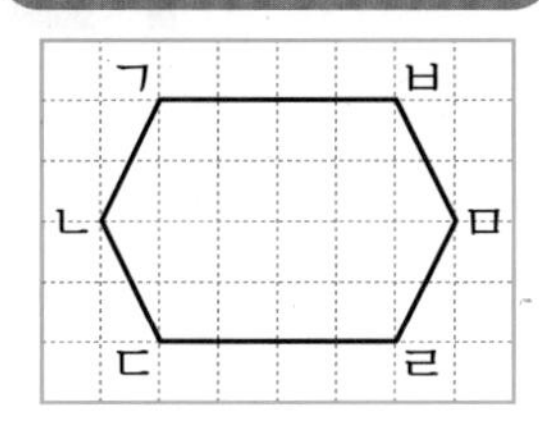

| 선대칭도형의 성질 |

11 직선 ㄱㄴ을 대칭축으로 하는 선대칭도형을 완성해 보세요.

중

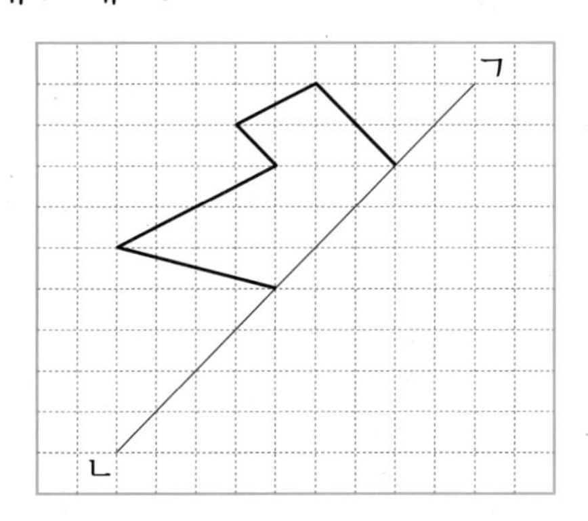

| 선대칭도형의 성질 |

12 직선 ㅅㅇ을 대칭축으로 하는 선대칭도형입니다. ㉠은 몇 도인가요?

중

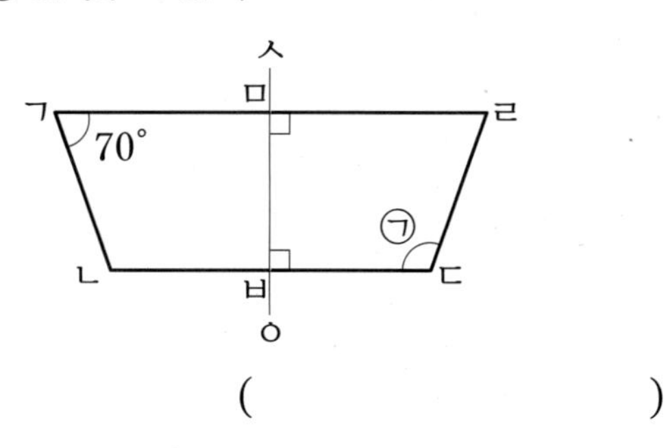

(   )

| 점대칭도형의 성질 |

13 점 ㅇ을 대칭의 중심으로 하는 점대칭도형을 완성해 보세요.

중

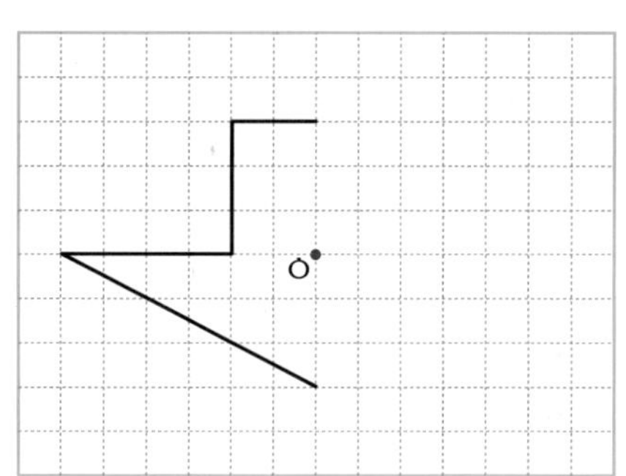

| 도형의 합동 | 서술형

14 4개의 도형 중에서 나머지 셋과 합동이 아닌 도형을 찾아 기호를 쓰고, 합동이 아닌 이유를 써 보세요.

중

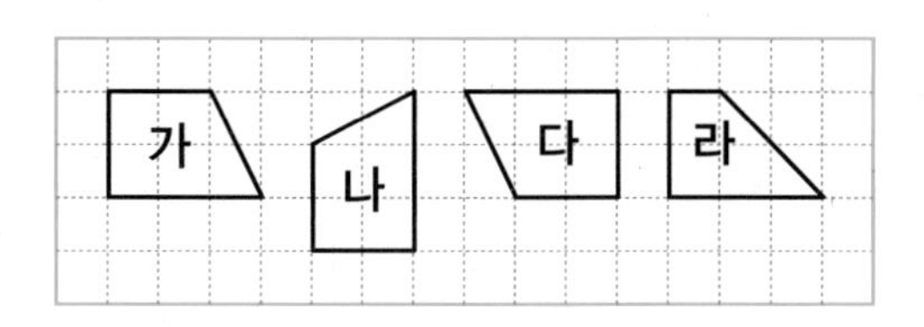

답

이유

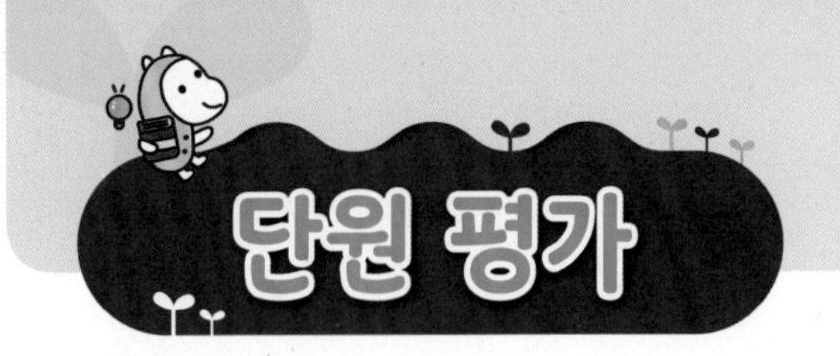

➜ 정답 및 풀이 216쪽

| 도형의 합동 |

15 삼각형 ㄱㄴㄷ과 삼각형 ㄹㄷㄴ은 서로 합동입니다. 각 ㄱㄷㄴ은 몇 도인가요?

중

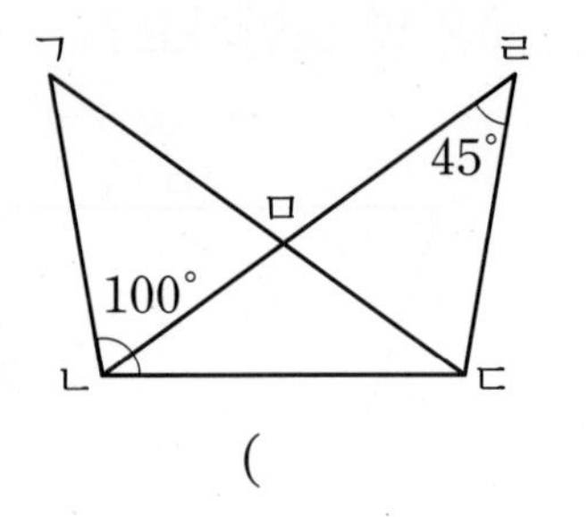

( )

| 점대칭도형의 성질 |

16 점 ㅇ을 대칭의 중심으로 하는 점대칭도형입니다. 삼각형 ㄹㅇㄷ의 둘레는 몇 cm인가요?

중

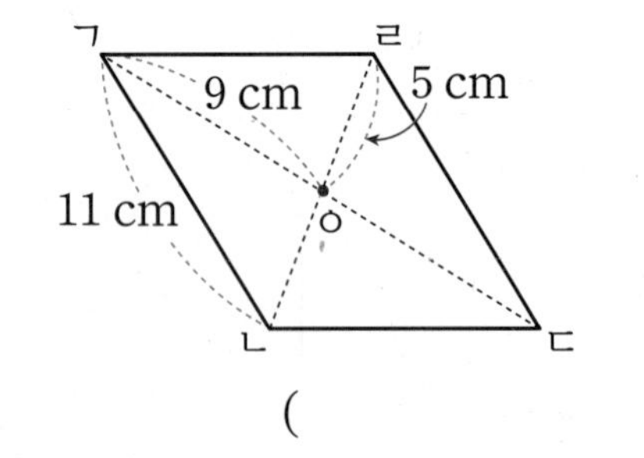

( )

| 선대칭도형 | 서술형

17 두 선대칭도형의 대칭축의 수의 차는 몇 개인지 풀이 과정을 쓰고, 답을 구해 보세요.

중

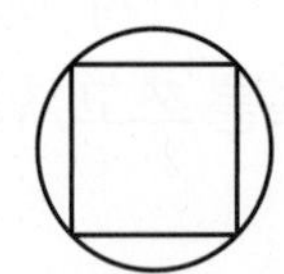 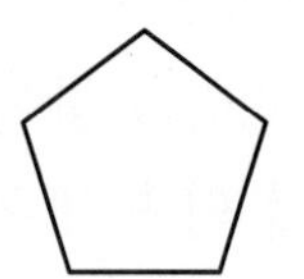

풀이

답

| 선대칭도형의 성질 |

18 선분 ㄴㄹ을 대칭축으로 하는 선대칭도형입니다. 사각형 ㄱㄴㄷㄹ의 넓이는 몇 cm^2인가요?

상

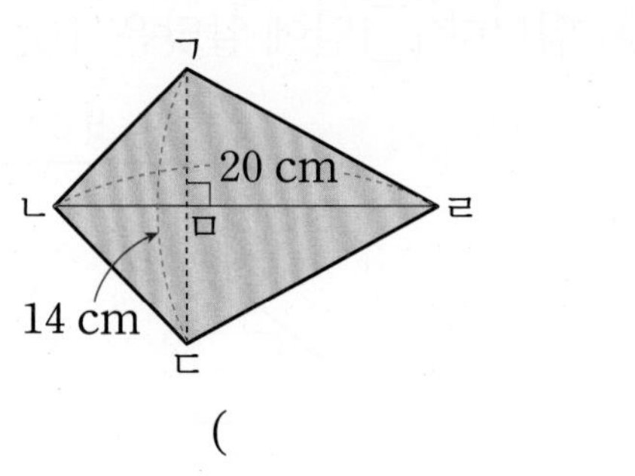

( )

| 점대칭도형 |

19 다음 숫자 중 모양이 점대칭도형인 것을 모두 찾아 그 숫자들을 한 번씩만 사용하여 만들 수 있는 가장 큰 수를 구해 보세요.

상

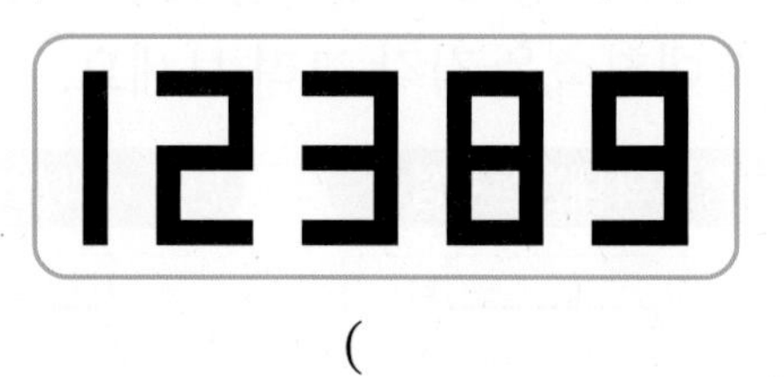

( )

| 점대칭도형의 성질 | 서술형

20 점 ㅇ을 대칭의 중심으로 하는 오른쪽 점대칭도형의 둘레가 30 cm입니다. 변 ㄷㄹ은 몇 cm인지 풀이 과정을 쓰고, 답을 구해 보세요.

상

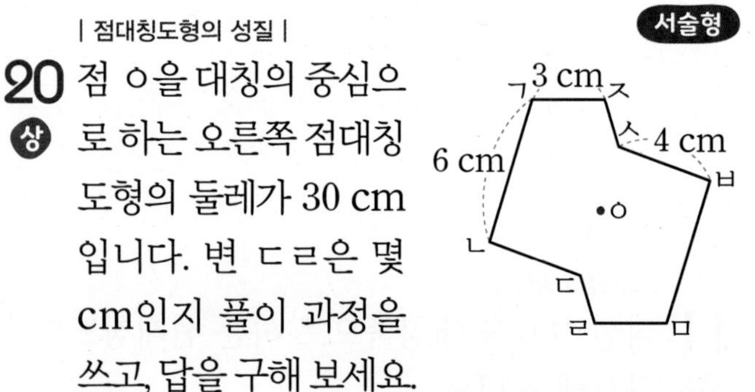

풀이

답

전통무늬에서 선대칭도형, 점대칭도형을 알아볼까요?

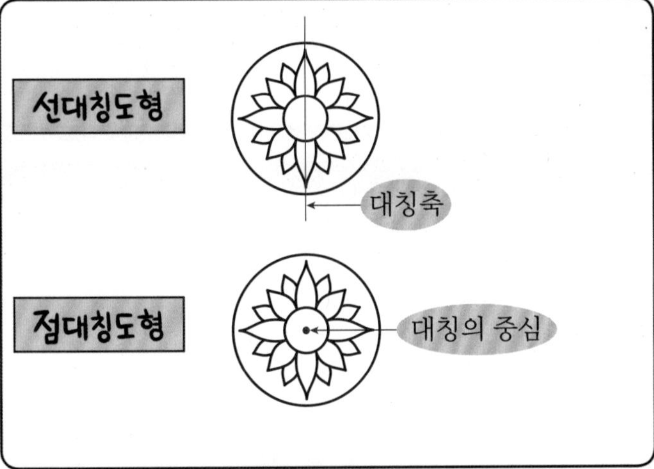

4 소수의 곱셈

이전에 배운 내용	이번에 배울 내용	다음에 배울 내용
3-1 6. 분수와 소수 • 분수와 소수의 관계 4-2 3. 소수의 덧셈과 뺄셈 • 소수의 덧셈과 뺄셈 5-2 2. 분수의 곱셈 • (분수) × (자연수), (자연수) × (분수), (분수) × (분수)	• (소수) × (자연수), (자연수) × (소수), (소수) × (소수)의 계산 원리를 이해하고 계산하기 • 소수의 곱셈에서 곱의 소수점 위치 변화의 원리를 이해하고 계산하기	6-1 3. 소수의 나눗셈 • (소수) ÷ (자연수), (자연수) ÷ (자연수) 계산하기 6-2 3. 소수의 나눗셈 • (자연수) ÷ (소수), (소수) ÷ (소수) 계산하기

• 추석에 사람들이 모여서 윷놀이를 하고, 송편을 빚고 있습니다.

• 학생들이 송편을 만드는 데 사용한 쌀가루의 양이 모두 몇 kg인지 궁금해하고 있습니다.

그림 속 상황

공부할 준비가 되었나요?

자/기/주/도/학/습

	학습 내용	계획 및 확인(공부한 날)	
예습	**1차시** | 단원 도입 / 준비 **팡팡**	102~105쪽	월 일
진도	**2차시** | **1** (소수)×(자연수) (1)	106~107쪽	월 일
	3차시 | **2** (소수)×(자연수) (2)	108~109쪽	월 일
	4차시 | **3** (자연수)×(소수) (1)	110~111쪽	월 일
	5차시 | **4** (자연수)×(소수) (2)	112~113쪽	월 일
	6차시 | **5** (소수)×(소수) (1)	114~115쪽	월 일
	7차시 | **6** (소수)×(소수) (2)	116~117쪽	월 일
	8차시 | **7** 곱의 소수점 위치 변화	118~119쪽	월 일
	9~10차시 | 문제 해결력 **쑥쑥**	120~121쪽	월 일
	11차시 | 단원 마무리 **척척**	122~123쪽	월 일
	12차시 | 놀이 속으로 **풍덩** / 이야기로 키우는 **생각**	124~125쪽	월 일
평가	**개념+확인 / 서술형 문제 해결하기**	126~129쪽	월 일
	단원 평가 / 재미있는 수학 이야기	130~133쪽	월 일

1 차시 준비 팡팡

학습 목표

'무엇을 알고 있나요'와 '함께 생각해 볼까요'를 통하여 단원을 준비할 수 있습니다.

소수를 분수로 나타내어 보기

· $0.4=\frac{4}{10}$ · $3.8=\frac{38}{10}$ · $5.12=\frac{512}{100}$

분수를 소수로 나타내어 보기

· $\frac{6}{10}=0.6$ · $\frac{17}{10}=1.7$ · $\frac{209}{100}=2.09$

빈칸에 알맞은 수를 써넣기

· 어떤 수를 10배씩 하면 소수점을 기준으로 수가 왼쪽으로 한 자리씩 이동하고, 어떤 수를 $\frac{1}{10}$배씩 하면 소수점을 기준으로 수가 오른쪽으로 한 자리씩 이동합니다. 따라서 0.014를 계속 10배 하면 차례로 0.14, 1.4, 14가 되고, 3을 계속 $\frac{1}{10}$배 하면 차례로 0.3, 0.03, 0.003이 됩니다.

□ 안에 알맞은 수를 써넣기

· $\frac{5}{10}\times 7=\frac{5\times 7}{10}=\frac{35}{10}$

· $13\times\frac{4}{10}=\frac{13\times 4}{10}=\frac{52}{10}$

· $\frac{9}{10}\times\frac{11}{10}=\frac{9\times 11}{10\times 10}=\frac{99}{100}$

준비 팡팡 수학익힘 47쪽

무엇을 알고 있나요

1 소수를 분수로 나타내어 보세요.

$0.4=\frac{\boxed{4}}{10}$ $3.8=\frac{\boxed{38}}{10}$ $5.12=\frac{\boxed{512}}{100}$

2 분수를 소수로 나타내어 보세요.

$\frac{6}{10}=\boxed{0.6}$ $\frac{17}{10}=\boxed{1.7}$ $\frac{209}{100}=\boxed{2.09}$

3 빈칸에 알맞은 수를 써넣으세요.

10배	1	4		
10배		1.4		
10배		0.1	4	
		0.0	1	4

3				
0.3				$\frac{1}{10}$배
0.0	3			$\frac{1}{10}$배
0.0	0	3		$\frac{1}{10}$배

소수점을 기준으로 수를 옮겨요.

4 □ 안에 알맞은 수를 써넣으세요.

$\frac{5}{10}\times 7=\frac{\boxed{35}}{10}$ $13\times\frac{4}{10}=\frac{\boxed{52}}{10}$ $\frac{9}{10}\times\frac{11}{10}=\frac{\boxed{99}}{\boxed{100}}$

88

교과서 개념 완성 | 배운 것을 다시 생각하기

1보다 작은 소수

· $\frac{1}{10}, \frac{2}{10}, \frac{3}{10}, ..., \frac{9}{10}$를 **0.1, 0.2, 0.3, ..., 0.9**라 쓰고, **영 점 일, 영 점 이, 영 점 삼, ..., 영 점 구**라고 읽습니다.

· 0.1, 0.2, 0.3과 같은 수를 소수라 하고, '.'을 소수점이라고 합니다.

1보다 큰 소수

· 3보다 0.5만큼 더 큰 수를 **3.5**라 쓰고, **삼 점 오**라고 읽습니다.

(분수) × (자연수), (자연수) × (분수)

· 분수의 분모는 그대로 두고, 분수의 분자와 자연수 또는 자연수와 분수의 분자를 곱하여 계산합니다.

$\frac{▲}{■}\times ●=\frac{▲\times ●}{■}$, $●\times\frac{▲}{■}=\frac{●\times ▲}{■}$

(분수) × (분수)

· 분모는 분모끼리, 분자는 분자끼리 곱하여 계산합니다.

$\frac{▲}{●}\times\frac{★}{■}=\frac{▲\times ★}{●\times ■}$

· 분수가 대분수일 때는 대분수를 자연수 부분과 진분수 부분으로 나누어 계산하거나 대분수를 가분수로 바꾸어 계산합니다.

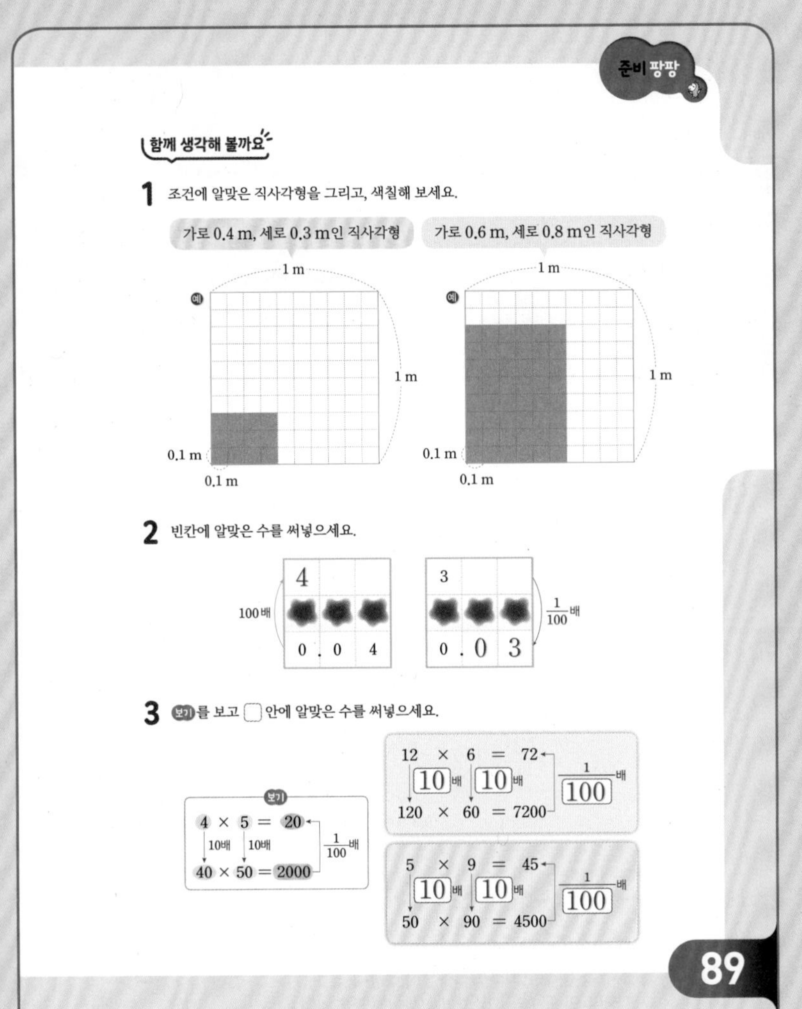

조건에 알맞은 직사각형을 그리고, 색칠하기

- 모눈 한 칸이 0.1 m이므로 가로 4칸, 세로 3칸인 직사각형을 그립니다.
- 가로 6칸, 세로 8칸인 직사각형을 그립니다.

빈칸에 알맞은 수를 써넣기

10배씩 2번 하면 100배, $\frac{1}{10}$배씩 2번 하면 $\frac{1}{100}$배가 됩니다.

보기를 보고 □ 안에 알맞은 수를 써넣기

- 12를 10배 하면 120, 6을 10배 하면 60이 됩니다. 이때 곱해지는 수와 곱하는 수를 각각 10배씩 해서 나온 결과인 7200을 $\frac{1}{100}$배 하면 72가 됩니다.
- 5를 10배 하면 50, 9를 10배 하면 90이 됩니다. 이때 곱해지는 수와 곱하는 수를 각각 10배씩 해서 나온 결과인 4500을 $\frac{1}{100}$배 하면 45가 됩니다.

개념 확인 문제

정답 및 풀이 217쪽

| 3-1 6. 분수와 소수 |

1 소수를 분수로, 분수를 소수로 나타내어 보세요.

(1) 0.3　　(2) $\frac{127}{100}$

| 4-2 3. 소수의 덧셈과 뺄셈 |

2 빈칸에 알맞은 수를 써넣으세요.

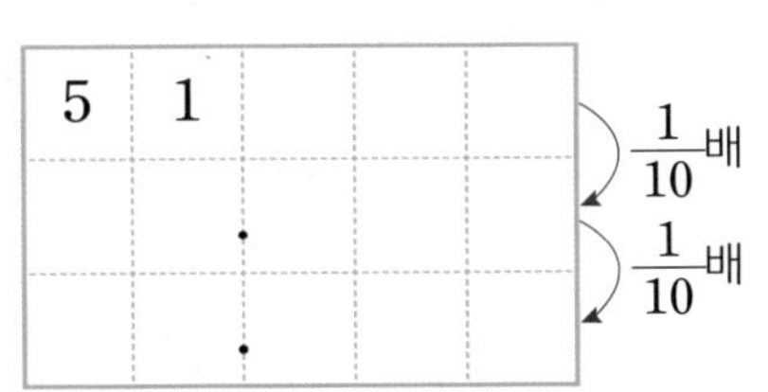

| 4-2 3. 소수의 덧셈과 뺄셈 |

3 계산해 보세요.

(1) 0.4＋0.8　　(2) 1.3＋2.47

| 5-2 2. 분수의 곱셈 |

4 한 장에 $\frac{7}{10}$ g인 색종이가 9장 있습니다. 색종이는 모두 몇 g인지 구해 보세요.

(　　　　　)

2 차시 1 | (소수)×(자연수) (1)

학습 목표

(1보다 작은 소수)×(자연수)의 계산 결과를 어림하고, 계산 원리를 이해하여 계산할 수 있습니다.

그림으로 개념 잡기

0.3×4

3×4

내가 10배가 되면 계산 결과도 10배가 돼!

어휘	
소수 / decimal / 小 (작을 소) 數 (셀 수)	한자어 풀이: 0보다 크고 1보다 작은 수

1 (소수)×(자연수) (1)

수학 익힘 48~49쪽

| (1보다 작은 소수)×(자연수)의 계산 결과를 어림하고, 계산 원리를 이해하여 계산할 수 있습니다.

생각열기 추석을 맞이하여 친구들과 함께 송편을 빚었습니다. 송편을 빚는 데 한 봉지에 0.3 kg씩 든 쌀가루를 4봉지 사용하였습니다.

- 사용한 쌀가루가 모두 몇 kg인지 구하는 곱셈식을 쓰고, 어림해 보세요. 0.3×4, 1 kg보다 많을 것 같습니다.
- 위에서 구한 곱셈식을 어떻게 계산할 수 있을까요? 0.3을 4번 더해서 계산할 수 있을 것 같습니다.

탐구하기 0.3×4를 계산하는 방법을 알아봅시다.

- 0.3×4를 덧셈식으로 고쳐서 계산해 보세요. $0.3\times4=0.3+0.3+0.3+0.3=1.2$
- 새롬이와 바름이의 생각대로 0.3×4를 각각 계산해 보세요.

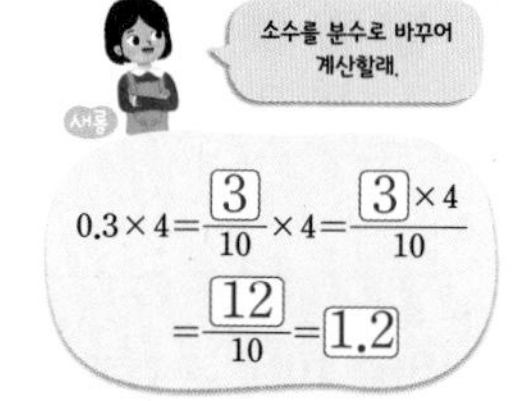

$0.3\times4=\frac{3}{10}\times4=\frac{3\times4}{10}=\frac{12}{10}=1.2$

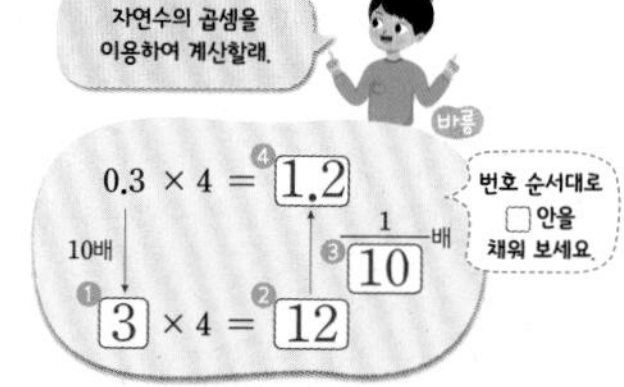

자연수의 곱셈을 이용하여 계산할래.

$0.3\times4=1.2$ (10배 ↓ ①, ② $3\times4=12$, ③ $\frac{1}{10}$배, ④)

번호 순서대로 □안을 채워 보세요.

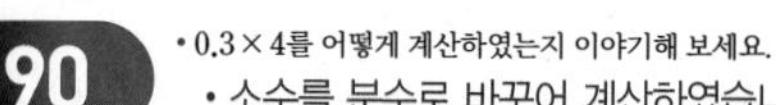

$0.3\times4=1.2$

생각열기에서 어림한 값과 탐구하기의 계산 결과를 비교해 볼까요?

- 새롬이와 바름이 모두 0.3×4를 계산하기 위해 이용한 자연수의 곱셈은 무엇인가요? 3×4
- 0.3×4를 어떻게 계산하였는지 이야기해 보세요.
  - 소수를 분수로 바꾸어 계산하였습니다.
  - 자연수의 곱셈을 이용하여 계산하였습니다.

90

교과서 개념 완성

탐구하기 정리하기 0.3×4를 계산하는 방법

- 분수의 곱셈으로 계산하기

$$0.3\times4=\frac{3}{10}\times4=\frac{3\times4}{10}=\frac{12}{10}=1.2$$

분모가 10인 분수로 나타내기

- 자연수의 곱셈을 이용하여 계산하기

$0.3\times4=1.2$

0.3을 자연수가 되도록 10배 하기 — 10배 ↓, ↑ $\frac{1}{10}$배

$3\times4=12$

학부모 코칭 Tip

자연수의 곱셈을 이용하여 계산할 때는 번호 순서대로, 즉 ①부터 ④까지 계산하게 하여 계산 원리를 단계적으로 이해할 수 있도록 합니다.

확인하기 (1보다 작은 소수)×(자연수)의 계산 익히기

- $0.4\times2=\frac{4}{10}\times2=\frac{8}{10}=0.8$
- $0.5\times7=\frac{5}{10}\times7=\frac{35}{10}=3.5$
- $0.67\times5=\frac{67}{100}\times5=\frac{335}{100}=3.35$
- $0.23\times3=\frac{23}{100}\times3=\frac{69}{100}=0.69$

정리하기
• 0.3×4를 계산하는 방법을 정리해 봅시다.
• 분수의 곱셈으로 계산하기

$0.3\times4=\frac{3}{10}\times4=\frac{3\times4}{10}=\frac{12}{10}=1.2$

• 자연수의 곱셈을 이용하여 계산하기

$0.3\times4=\boxed{1.2}$ (10배 ↓, $\frac{1}{10}$배 ↑) $3\times4=12$

• 0.32×4를 계산하려고 합니다. □ 안에 알맞은 수를 써넣으세요.

$0.32\times4=\frac{\boxed{32}}{100}\times4=\frac{\boxed{32}\times4}{100}=\frac{\boxed{128}}{100}=\boxed{1.28}$

$0.32\times4=\boxed{1.28}$ (100배 ↓, $\frac{1}{\boxed{100}}$배 ↑) $\boxed{32}\times4=\boxed{128}$

확인하기 계산해 보세요.

0.4×2=0.8　　0.5×7=3.5

0.67×5=3.35　　0.23×3=0.69

생각 솜솜 문제 해결
1부터 9까지의 자연수 중에서 □ 안에 들어갈 수 있는 수를 모두 구해 보세요. 1, 2, 3

0.25×□<1

풀이 0.25×3=0.75<1, 0.25×4=1, 0.25×5=1.25>1이므로 1부터 9까지의 자연수 중에서 □ 안에 들어갈 수 있는 수는 4보다 작은 수인 1, 2, 3입니다.

91

이런 문제가 서술형으로 나와요

유진이는 매일 우유를 0.35 L씩 마십니다. 유진이가 일주일 동안 마신 우유의 양은 몇 L인지 풀이 과정을 쓰고, 답을 구해 보세요.

| 풀이 과정 |

❶ 일주일의 날수 구하기

일주일은 7일입니다.

❷ 일주일 동안 마신 우유의 양 구하기

(일주일 동안 마신 우유의 양)
=(하루 동안 마신 우유의 양)×(날수)
=0.35×7=2.45 (L)
따라서 유진이가 일주일 동안 마신 우유의 양은 2.45 L입니다.

답 2.45 L

수학 교과 역량 문제 해결

□ 안에 들어갈 수 있는 자연수 구하기

□ 안에 들어갈 수 있는 자연수를 구하는 과정을 통하여 문제 해결 능력을 기를 수 있습니다.

개념 확인 문제 정답 및 풀이 217쪽

1 0.8×3을 두 가지 방법으로 계산해 보세요.

(1) 분수의 곱셈으로 계산해 보세요.

(2) 자연수의 곱셈을 이용하여 계산해 보세요.

2 계산해 보세요.

(1) 0.6×7　　(2) 0.27×4

3 빈 곳에 알맞은 수를 써넣으세요.

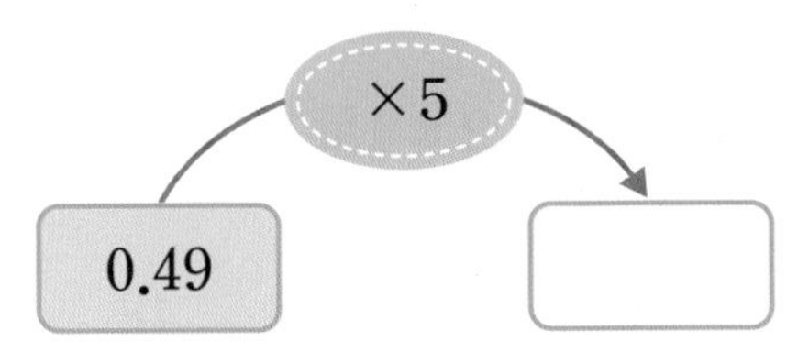

4 한 변의 길이가 0.4 m인 정육각형의 여섯 변의 길이의 합은 몇 m인지 구해 보세요.

(　　　　　)

3 차시 2 | (소수)×(자연수) (2)

학습 목표

(1보다 큰 소수) × (자연수)의 계산 결과를 어림하고, 계산 원리를 이해하여 계산할 수 있습니다.

그림으로 개념 잡기

$1.2 = \frac{12}{10}$

우리는 같으니까 분수의 곱셈으로 바꾸어 계산할 수 있어.

$\rightarrow 1.2 \times 4 = \frac{12}{10} \times 4$

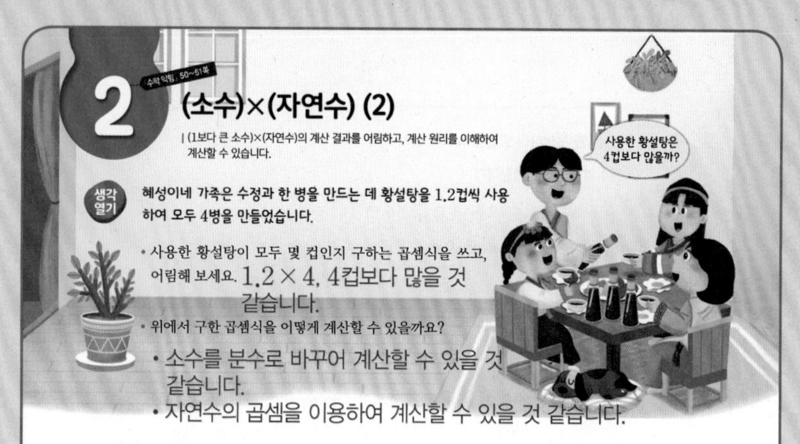
2 (소수)×(자연수) (2)

수학 익힘 50~51쪽

| (1보다 큰 소수)×(자연수)의 계산 결과를 어림하고, 계산 원리를 이해하여 계산할 수 있습니다.

생각 열기 혜성이네 가족은 수정과 한 병을 만드는 데 황설탕을 1.2컵씩 사용하여 모두 4병을 만들었습니다.

• 사용한 황설탕이 모두 몇 컵인지 구하는 곱셈식을 쓰고, 어림해 보세요. 1.2×4, 4컵보다 많을 것 같습니다.

• 위에서 구한 곱셈식을 어떻게 계산할 수 있을까요?
 • 소수를 분수로 바꾸어 계산할 수 있을 것 같습니다.
 • 자연수의 곱셈을 이용하여 계산할 수 있을 것 같습니다.

탐구하기 1.2 × 4를 계산하는 방법을 알아봅시다.

• 새롬이와 바름이의 생각대로 1.2 × 4를 각각 계산해 보세요.

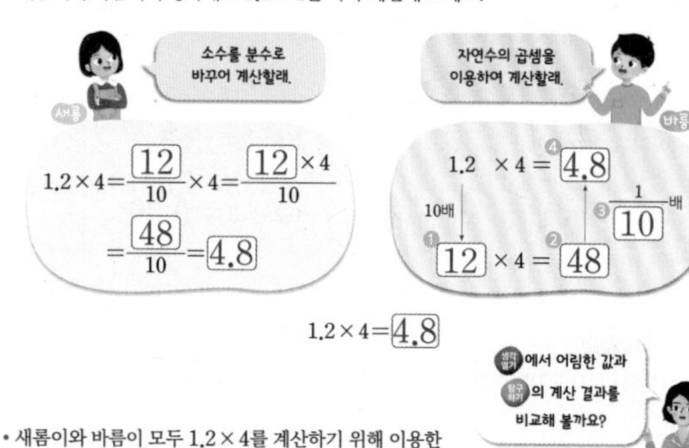

$1.2 \times 4 = 4.8$

생각 열기에서 어림한 값과 탐구하기의 계산 결과를 비교해 볼까요?

• 새롬이와 바름이 모두 1.2 × 4를 계산하기 위해 이용한 자연수의 곱셈은 무엇인가요? 12×4

• 1.2 × 4를 어떻게 계산하였는지 이야기해 보세요.
 • 소수를 분수로 바꾸어 계산하였습니다.
 • 자연수의 곱셈을 이용하여 계산하였습니다.

92

어휘	곱셈 / multiplication	여러 개의 수를 곱하여 셈하는 것

교과서 개념 완성

탐구하기 정리하기 1.2 × 4를 계산하는 방법

• 분수의 곱셈으로 계산하기

$$1.2 \times 4 = \frac{12}{10} \times 4 = \frac{12 \times 4}{10} = \frac{48}{10} = 4.8$$

분모가 10인 분수로 나타내기

• 자연수의 곱셈을 이용하여 계산하기

$1.2 \times 4 = \boxed{4.8}$

1.2를 자연수가 되도록 10배 하기 — 10배 ↓, ↑ $\frac{1}{10}$배

$12 \times 4 = 48$

학부모 코칭 Tip

자연수의 곱셈을 이용하여 계산할 때 곱해지는 수 1.2를 10배 하여 $12 \times 4 = 48$로 계산하고, 다시 그 결과인 48을 $\frac{1}{10}$배 하여 1.2×4의 계산 결과인 4.8을 구한 과정을 단계적으로 이해할 수 있도록 합니다.

확인하기 (1보다 큰 소수) × (자연수)의 계산 익히기

1. 계산해 보기

$$4.3 \times 4 = \frac{43}{10} \times 4 = \frac{172}{10} = 17.2$$

$1.8 \times 25 = 45$

10배 ↓, ↑ $\frac{1}{10}$배

$18 \times 25 = 450$

정리하기

• 1.2×4를 계산하는 방법을 정리해 봅시다.

• 분수의 곱셈으로 계산하기

$1.2\times4=\frac{12}{10}\times4=\frac{12\times4}{10}=\frac{48}{10}=4.8$

• 자연수의 곱셈을 이용하여 계산하기

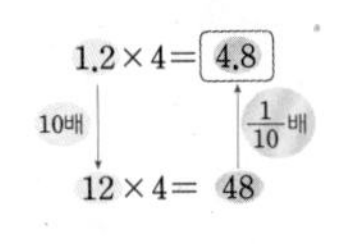

자연수의 곱셈으로 바꾸어 계산해요.

1.2 —10배→ 12, ×4, 4.8 ←1/10배— 48

소수의 크기를 생각하여 소수점을 찍어요.

• 1.23×5를 계산하려고 합니다. ▢ 안에 알맞은 수를 써넣으세요.

$1.23\times5=\frac{\boxed{123}}{100}\times5=\frac{\boxed{123}\times5}{100}=\frac{\boxed{615}}{100}=\boxed{6.15}$

1.23×5=[6.15], [100]배, $\frac{1}{[100]}$배, [123]×5=[615]

1. 계산해 보세요.

$4.3\times4=17.2$ $1.8\times25=45$

풀이

$1.53\times9=13.77$ $2.07\times20=41.4$

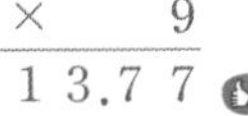

$$\begin{array}{r}1.53\\ \times\ \ 9\\ \hline 13.77\end{array}\qquad\begin{array}{r}2.07\\ \times\ 20\\ \hline 41.40\end{array}$$

태도 및 실천

2. 주희는 매일 저녁마다 둘레가 1.3 km인 공원을 한 바퀴씩 걷습니다. 주희가 2주 동안 공원을 걸은 거리는 몇 km인가요? 18.2 km

풀이 일주일은 7일이므로 2주는 14일입니다.
따라서 주희가 2주 동안 공원을 걸은 거리는

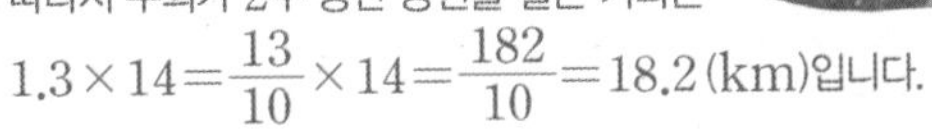

$1.3\times14=\frac{13}{10}\times14=\frac{182}{10}=18.2$ (km)입니다.

93

이런 문제가 서술형으로 나와요

▢ 안에 들어갈 수 있는 자연수 중 가장 작은 수는 얼마인지 풀이 과정을 쓰고, 답을 구해 보세요.

$5.23\times4<\square$

| 풀이 과정 |

❶ 곱셈식 계산하기

$5.23\times4=20.92$입니다.

❷ ▢ 안에 들어갈 수 있는 가장 작은 자연수 구하기

$20.92<\square$이므로 ▢ 안에 들어갈 수 있는 자연수는 21, 22, 23, ...입니다.
이 중에서 가장 작은 자연수는 21입니다.

답 21

수학 교과 역량 태도 및 실천

(1보다 큰 소수)×(자연수)의 문장제 해결하기

소수의 곱셈을 활용하여 실생활 문제를 해결하는 과정을 통하여 수학의 필요성과 유용성 및 가치를 알 수 있습니다.

개념 확인 문제

정답 및 풀이 217쪽

1 ▢ 안에 알맞은 수를 써넣으세요.

$2.67\times4=\frac{\square}{100}\times4=\frac{\square\times4}{100}$

$=\frac{\square}{100}=\square$

2 계산해 보세요.

(1) $\begin{array}{r}4.7\\ \times\ \ 6\\ \hline\end{array}$ (2) $\begin{array}{r}1.59\\ \times\ \ \ 7\\ \hline\end{array}$

3 관계있는 것끼리 선으로 이어 보세요.

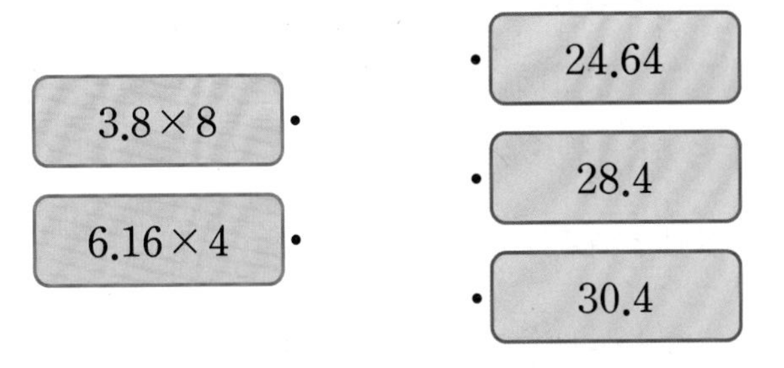

4 주스가 한 병에 1.8 L씩 들어 있습니다. 3병에 들어 있는 주스는 몇 L인지 구해 보세요.

( )

3 | (자연수)×(소수) (1)

학습 목표

(자연수)×(1보다 작은 소수)의 계산 결과를 어림하고, 계산 원리를 이해하여 계산할 수 있습니다.

그림으로 개념 잡기

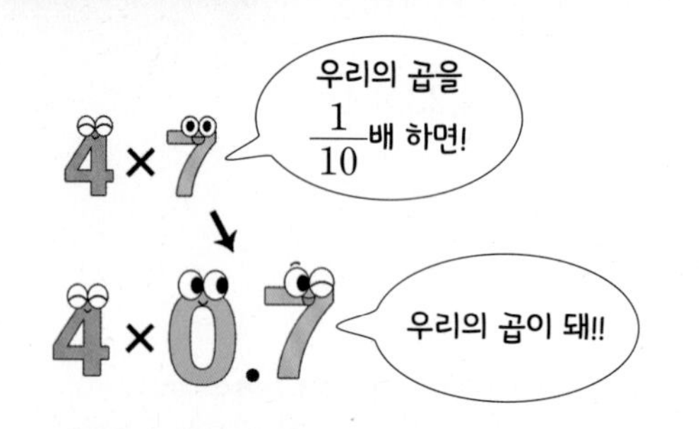

어휘	자연수	한자어 풀이
	natural number	1부터 시작하여 하나씩 더하여 얻은 모든 수
	自 (스스로 자) 然 (그럴 연) 數 (셈 수)	

3 (자연수)×(소수) (1)

수학 익힘 52~53쪽

| (자연수)×(1보다 작은 소수)의 계산 결과를 어림하고, 계산 원리를 이해하여 계산할 수 있습니다.

생각 열기 동그랑땡을 만드는 데 다진 고기 4 kg의 0.7만큼을 사용하였습니다.

- 사용한 다진 고기가 모두 몇 kg인지 구하는 곱셈식을 쓰고, 말풍선에 있는 그림에 나타내어 어림해 보세요. 4×0.7
- 위에서 구한 곱셈식을 어떻게 계산할 수 있을까요?
  - 소수를 분수로 바꾸어 계산할 수 있을 것 같습니다.
  - 자연수의 곱셈을 이용하여 계산할 수 있을 것 같습니다.

탐구하기 4×0.7을 계산하는 방법을 알아봅시다.

- 새롬이와 바름이의 생각대로 4×0.7을 각각 계산해 보세요.

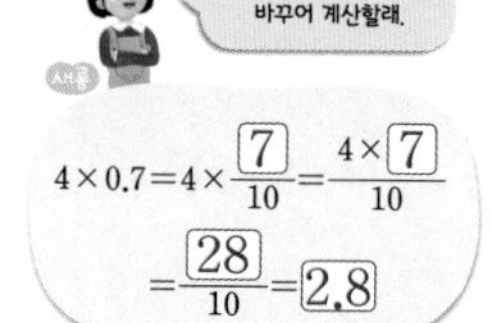

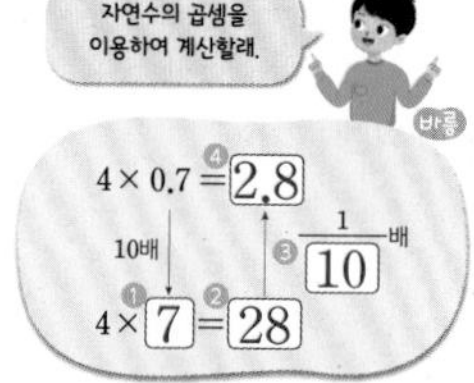

$4\times0.7=4\times\frac{7}{10}=\frac{4\times7}{10}=\frac{28}{10}=2.8$

$4\times0.7=2.8$ (① 10배: $4\times7=28$, ② $\frac{1}{10}$배)

$4\times0.7=2.8$

- 새롬이와 바름이 모두 4×0.7을 계산하기 위해 이용한 자연수의 곱셈은 무엇인가요? 4×7
- 4×0.7을 어떻게 계산하였는지 이야기해 보세요.
  - 소수를 분수로 바꾸어 계산하였습니다.
  - 자연수의 곱셈을 이용하여 계산하였습니다.

94

교과서 개념 완성

탐구하기 정리하기 4×0.7을 계산하는 방법

- 분수의 곱셈으로 계산하기

$$4\times0.7=4\times\frac{7}{10}=\frac{4\times7}{10}=\frac{28}{10}=2.8$$

분모가 10인 분수로 나타내기

- 자연수의 곱셈을 이용하여 계산하기

$4\times0.7=2.8$

0.7이 7이 되도록 10배 하기 — 10배 ↓ $4\times7=28$ ↑ $\frac{1}{10}$배

학부모 코칭 Tip

자연수의 곱셈을 이용하여 계산할 때 곱하는 수 0.7을 10배 하여 4×7=28로 계산하고, 다시 그 결과인 28을 $\frac{1}{10}$배 하여 4×0.7의 계산 결과인 2.8을 구한 과정을 단계적으로 이해할 수 있도록 합니다.

확인하기 (자연수)×(1보다 작은 소수)의 계산 익히기

$$9\times0.3=9\times\frac{3}{10}=\frac{27}{10}=2.7$$

$$14\times0.5=14\times\frac{5}{10}=\frac{70}{10}=7$$

$$5\times0.02=5\times\frac{2}{100}=\frac{10}{100}=0.1$$

$$7\times0.47=7\times\frac{47}{100}=\frac{329}{100}=3.29$$

공부한 날 월 일

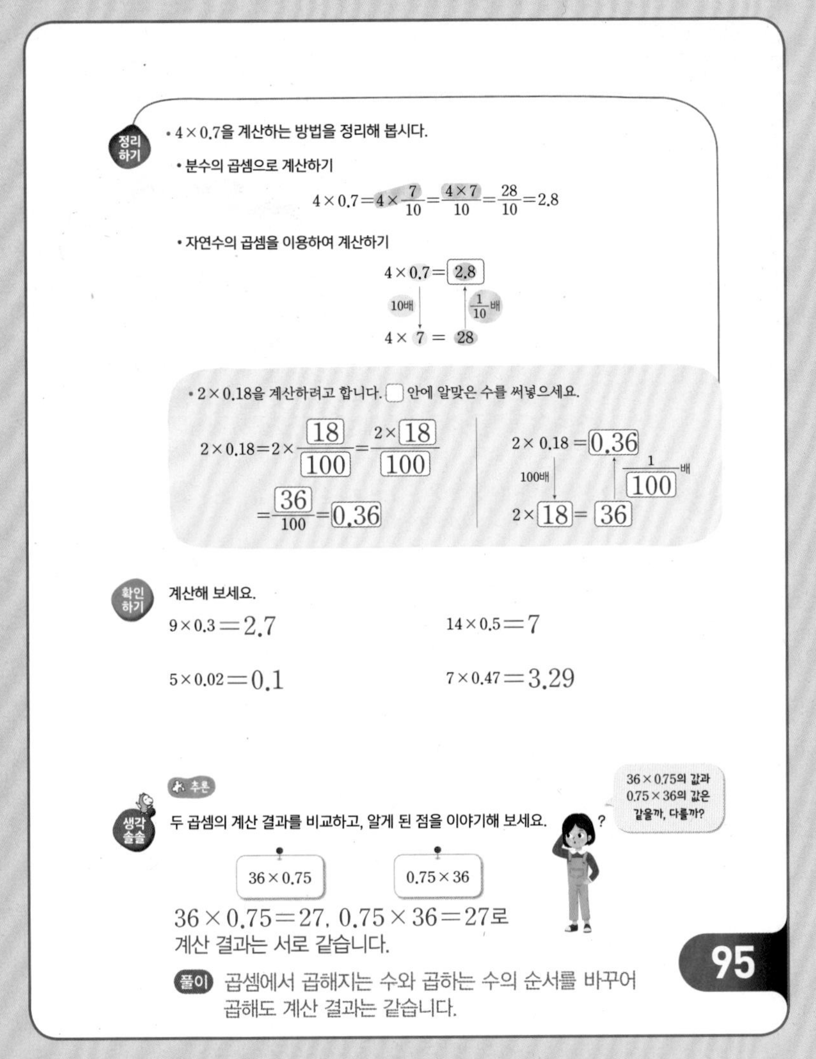

이런 문제가 서술형으로 나와요

지호네 가족은 고구마를 5 kg 캐서 그중 0.74만큼을 먹었습니다. 남은 고구마는 몇 kg인지 풀이 과정을 쓰고, 답을 구해 보세요.

| 풀이 과정 |

❶ 먹은 고구마의 양 구하기

(먹은 고구마의 양)

=(캔 고구마의 양)$\times$0.74

$=5\times0.74=3.7$ (kg)

❷ 남은 고구마의 양 구하기

(남은 고구마의 양)

=(캔 고구마의 양)−(먹은 고구마의 양)

$=5-3.7=1.3$ (kg)

답 1.3 kg

수학 교과 역량 추론

두 곱셈의 계산 결과를 비교하고, 알게 된 점 말하기

(자연수)$\times$(1보다 작은 소수)의 계산 원리를 탐구하는 과정을 통하여 추론 능력을 기를 수 있습니다.

개념 확인 문제

정답 및 풀이 217쪽

1 보기 와 같은 방법으로 계산해 보세요.

보기

$$8\times0.4=8\times\frac{4}{10}=\frac{8\times4}{10}=\frac{32}{10}=3.2$$

(1) 5×0.3

(2) 4×0.39

2 계산해 보세요.

(1) 6×0.9 (2) 3×0.78

3 그림을 보고 색칠한 부분의 길이는 몇 cm인지 소수로 나타내어 구해 보세요.

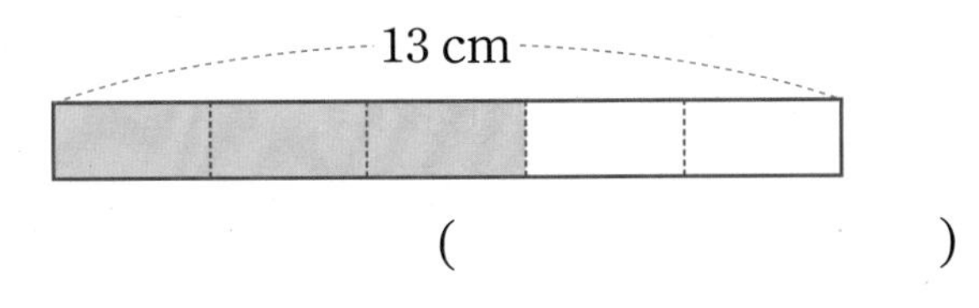

(   )

4 은성이는 딸기 12 kg을 따서 0.35만큼을 할머니 댁에 드렸습니다. 할머니 댁에 드린 딸기는 몇 kg인지 구해 보세요.

(   )

4 | (자연수)×(소수) (2)

학습 목표

(자연수)×(1보다 큰 소수)의 계산 결과를 어림하고, 계산 원리를 이해하여 계산할 수 있습니다.

그림으로 개념 잡기

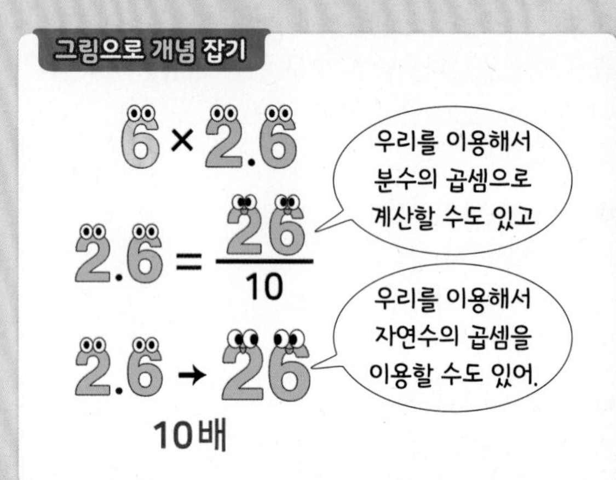

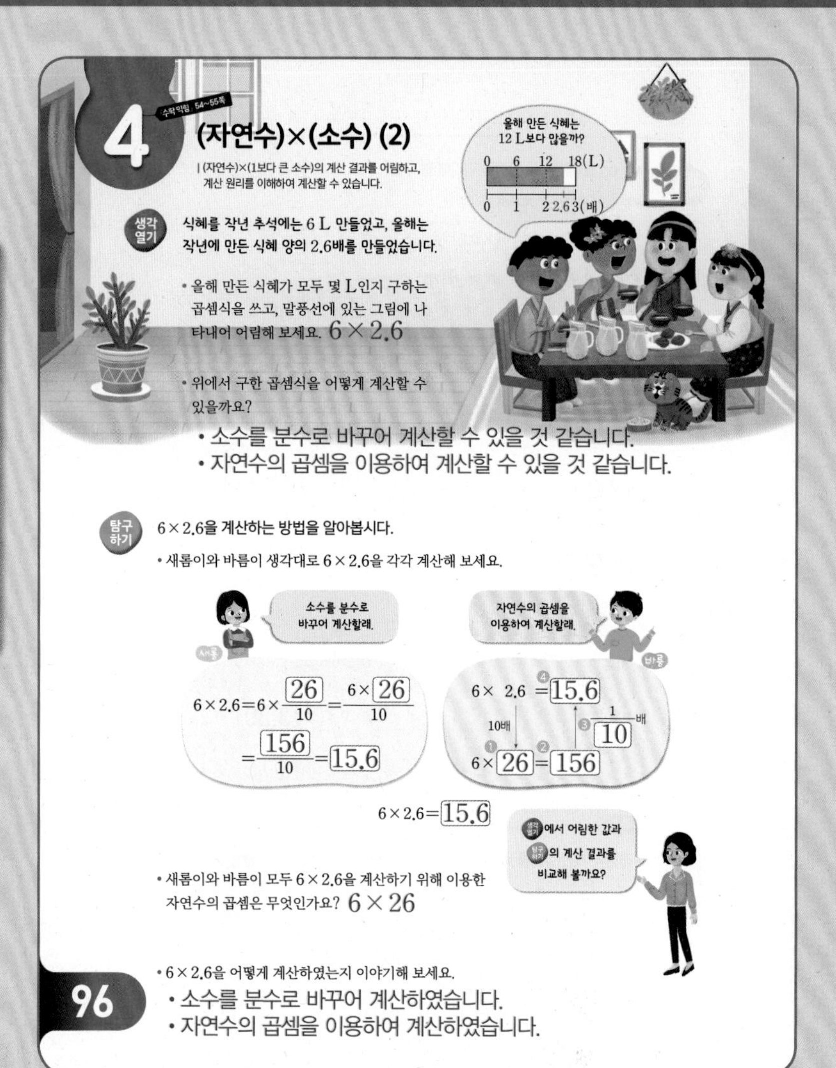

교과서 개념 완성

탐구하기 정리하기 6×2.6을 계산하는 방법

• 분수의 곱셈으로 계산하기

$$6\times2.6=6\times\frac{26}{10}=\frac{6\times26}{10}=\frac{156}{10}=15.6$$

자연수와 분수의 분자를 곱합니다.

• 자연수의 곱셈을 이용하여 계산하기

$6\times2.6=$ 15.6

2.6이 26이 되도록 10배 하기 — 10배 ↓ ↑ $\frac{1}{10}$배

$6\times26=156$

학부모 코칭 Tip

자연수의 곱셈을 이용하여 계산할 때 곱하는 수 2.6을 10배 하여 $6\times26=156$으로 계산하고, 다시 그 결과인 156을 $\frac{1}{10}$배 하여 6×2.6의 계산 결과인 15.6을 구한 과정을 단계적으로 이해할 수 있도록 합니다.

확인하기 (자연수)×(1보다 큰 소수)의 계산 익히기

4와 21을 곱하기.

$$4\times2.1=4\times\frac{21}{10}=\frac{84}{10}=8.4$$

$9\times8.7=78.3$

10배 ↓ ↑ $\frac{1}{10}$배

$9\times87=783$

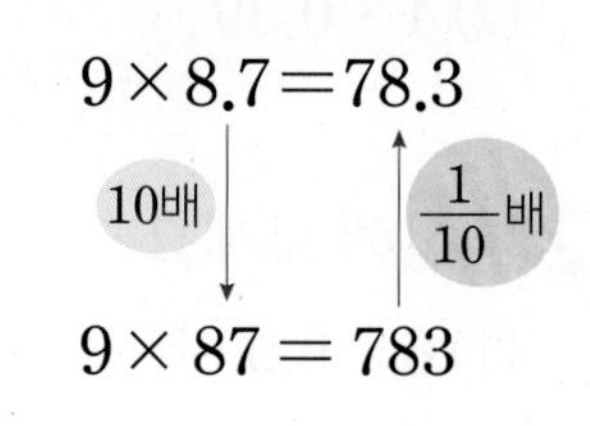

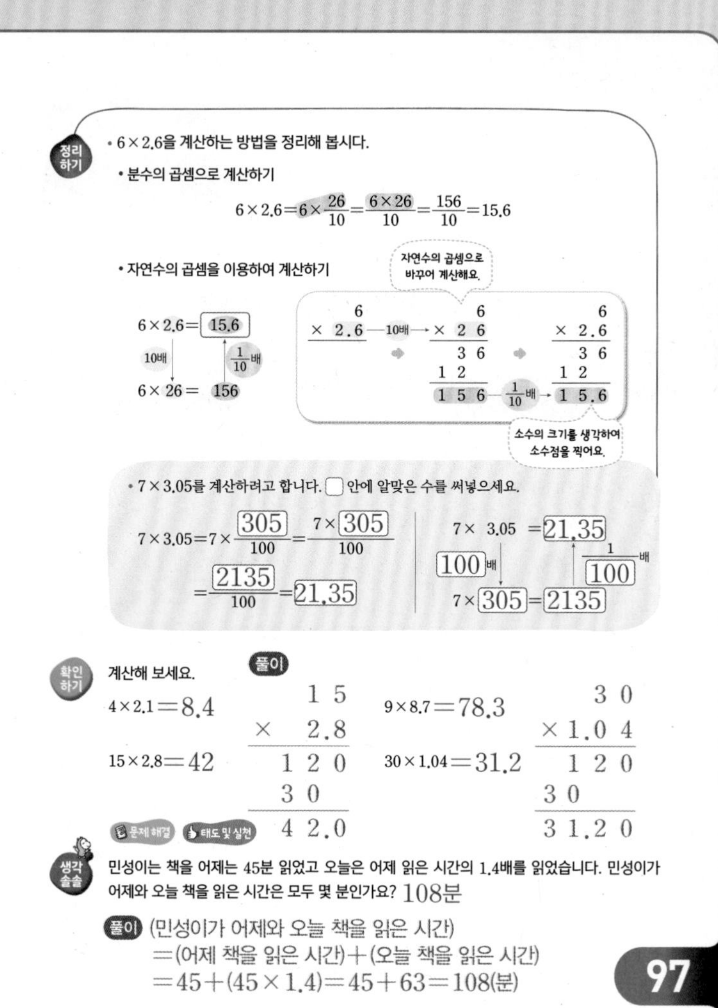

정리하기
- 6×2.6을 계산하는 방법을 정리해 봅시다.
  - 분수의 곱셈으로 계산하기

$6\times2.6=6\times\frac{26}{10}=\frac{6\times26}{10}=\frac{156}{10}=15.6$

  - 자연수의 곱셈을 이용하여 계산하기

6×2.6= 15.6 (10배 ↓, $\frac{1}{10}$배 ↑) 6×26= 156

자연수의 곱셈으로 바꾸어 계산해요.

6 × 2.6 —10배→ 6 × 26 = 36, 12 → 156 —$\frac{1}{10}$배→ 6 × 2.6 = 36, 12 → 15.6

소수의 크기를 생각하여 소수점을 찍어요.

- 7×3.05를 계산하려고 합니다. □ 안에 알맞은 수를 써넣으세요.

$7\times3.05=7\times\frac{305}{100}=\frac{7\times305}{100}=\frac{2135}{100}=21.35$

7× 3.05 = 21.35 (100배 ↓, $\frac{1}{100}$배 ↑) 7× 305 = 2135

확인하기 계산해 보세요.

4×2.1=8.4 9×8.7=78.3
15×2.8=42 30×1.04=31.2

풀이
15 × 2.8 = 120, 30 → 42.0
30 × 1.04 = 120, 30 → 31.20

문제해결 태도 및 실천
생각솔솔 민성이는 책을 어제는 45분 읽었고 오늘은 어제 읽은 시간의 1.4배를 읽었습니다. 민성이가 어제와 오늘 책을 읽은 시간은 모두 몇 분인가요? 108분

풀이 (민성이가 어제와 오늘 책을 읽은 시간)
=(어제 책을 읽은 시간)+(오늘 책을 읽은 시간)
=45+(45×1.4)=45+63=108(분)

97

이런 문제가 서술형으로 나와요

높이가 25 cm인 나무를 심었습니다. 한 달 뒤 이 나무가 1.3배만큼 자랐습니다. 더 자란 나무의 높이는 몇 cm인지 풀이 과정을 쓰고, 답을 구해 보세요.

| 풀이 과정 |

❶ 한 달 뒤 나무의 높이 구하기

(한 달 뒤 나무의 높이)
=(처음 나무의 높이)×1.3
=25×1.3=32.5 (cm)

❷ 더 자란 나무의 높이 구하기

(더 자란 나무의 높이)
=(한 달 뒤 나무의 높이)−(처음 나무의 높이)
=32.5−25=7.5 (cm)

답 7.5 cm

수학 교과 역량 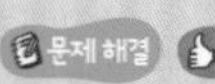

소수의 곱셈을 이용하여 책을 읽은 시간 구하기

소수의 곱셈을 활용하여 실생활 문제를 해결하는 과정을 통하여 문제 해결 능력을 기를 수 있고, 수학의 필요성과 유용성 및 가치를 알 수 있습니다.

개념 확인 문제

정답 및 풀이 218쪽

1 어림하여 계산 결과가 12보다 작은 곱셈을 찾아 기호를 써 보세요.

㉠ 4×3.2 ㉡ 6×1.8 ㉢ 5×2.6

(   )

2 계산해 보세요.

(1)
```
    9
× 1.4
```

(2)
```
    1 2
× 2.0 9
```

3 빈칸에 알맞은 수를 써넣으세요.

×	0.7	1.5	2.73
8			

4 승윤이네 집에서는 고양이와 강아지를 한 마리씩 기르고 있습니다. 고양이의 무게는 4 kg이고, 강아지의 무게는 고양이 무게의 1.7배라고 할 때, 강아지의 무게는 몇 kg인가요?

(   )

6 차시 5 | (소수)×(소수) (1)

학습 목표

1보다 작은 소수끼리의 곱셈 계산 결과를 어림하고, 계산 원리를 이해하여 계산할 수 있습니다.

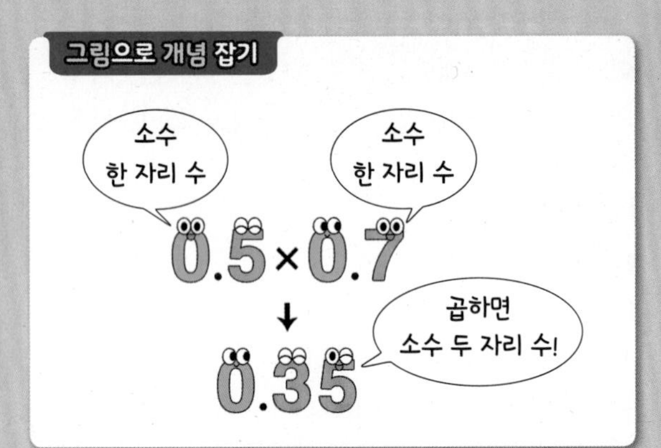

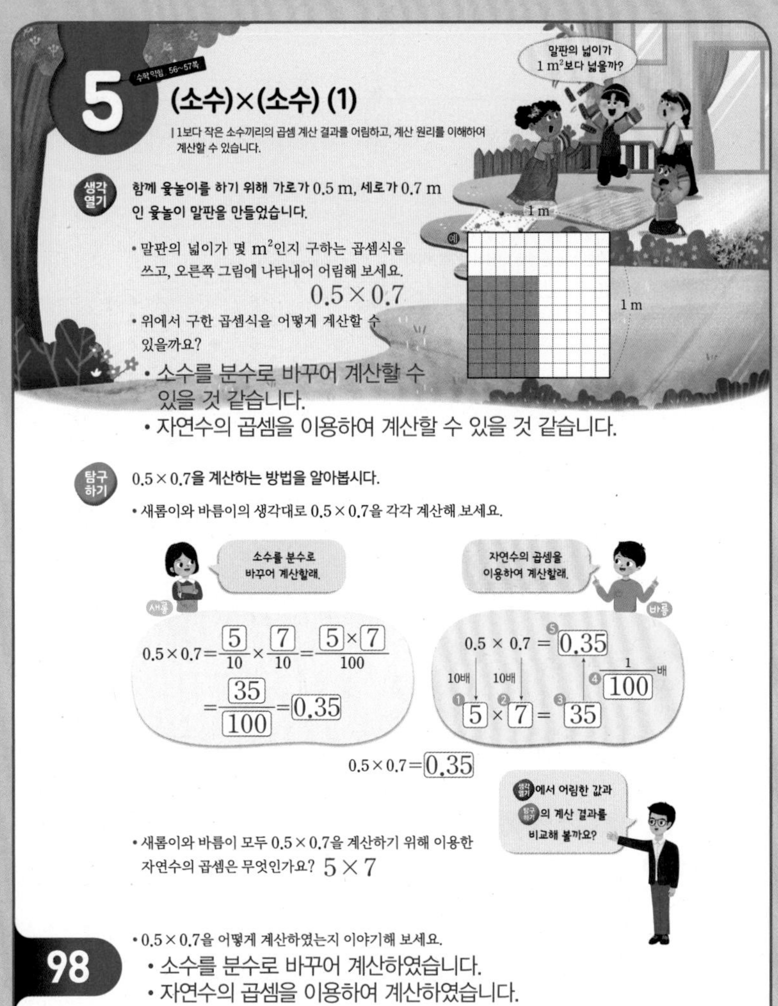

학부모 코칭 Tip

곱해지는 수와 곱하는 수를 모두 10배 하였으므로 0.5×0.7의 계산 결과는 5×7의 계산 결과인 35를 $\frac{1}{100}$배 하여 구한다는 것을 이해할 수 있도록 합니다.

교과서 개념 완성

생각열기 말판의 넓이가 몇 m^2인지 구하는 곱셈식을 쓰고, 그림에 나타내어 어림해 보기

- 0.5×0.7로 쓸 수 있습니다.
- 그림의 전체 넓이가 $1\ m^2$인데 나타낸 말판의 넓이가 그보다 작으므로 말판의 넓이는 $1\ m^2$보다 작을 것 같습니다.

탐구하기 정리하기 0.5×0.7을 계산하는 방법

- 분수의 곱셈으로 계산하기

$$0.5\times0.7=\frac{5}{10}\times\frac{7}{10}=\frac{5\times7}{100}=\frac{35}{100}=0.35$$

- 자연수의 곱셈을 이용하여 계산하기

$$0.5\times0.7=\boxed{0.35}$$

10배를 2번 하면 100배입니다. — 10배, 10배 / $\frac{1}{100}$배

$$5\times7=35$$

확인하기 1보다 작은 소수끼리의 계산 익히기

$$0.2\times0.4=\frac{2}{10}\times\frac{4}{10}=\frac{8}{100}=0.08$$

$$0.8\times0.3=0.24$$

10배, 10배 / $\frac{1}{100}$배

$$8\times3=24$$

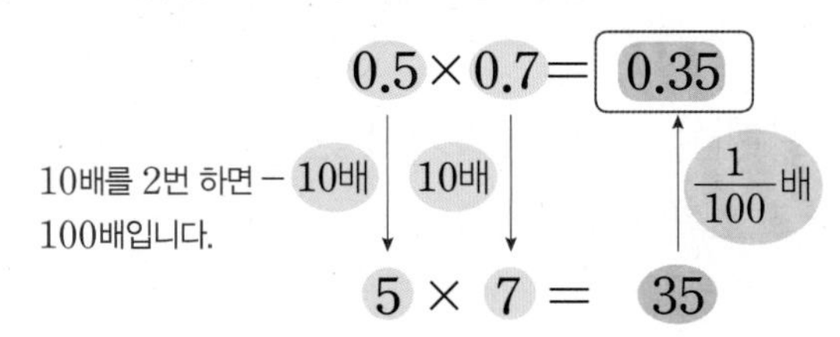

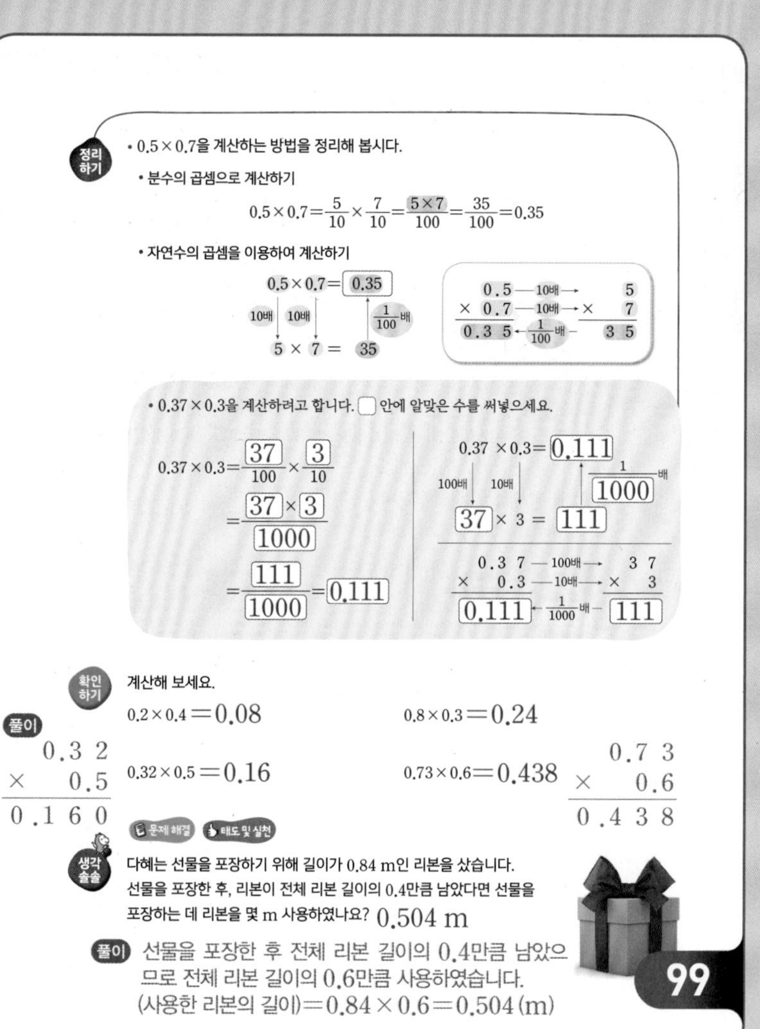

이런 문제가 서술형으로 나와요

파란색 테이프의 길이는 0.9 m이고 노란색 테이프의 길이는 파란색 테이프 길이의 0.68배입니다. 노란색 테이프의 길이는 몇 m인지 풀이 과정을 쓰고, 답을 구해 보세요.

| 풀이 과정 |

❶ 노란색 테이프의 길이를 식으로 나타내기

노란색 테이프의 길이는 파란색 테이프의 길이인 0.9 m의 0.68배이므로 식으로 나타내면 0.9×0.68입니다.

❷ 노란색 테이프의 길이 구하기

(노란색 테이프의 길이)
$= 0.9 \times 0.68 = 0.612$ (m)

답 0.612 m

수학 교과 역량 문제 해결 태도 및 실천

소수의 곱셈을 이용하여 선물을 포장하는 데 사용한 리본의 길이 구하기

소수의 곱셈을 활용하여 실생활 문제를 해결하는 과정을 통하여 문제 해결 능력을 기를 수 있고, 수학의 필요성과 유용성 및 가치를 알 수 있습니다.

개념 확인 문제

정답 및 풀이 218쪽

1 0.5×0.9를 두 가지 방법으로 계산해 보세요.

(1) 분수의 곱셈으로 계산해 보세요.

(2) 자연수의 곱셈을 이용하여 계산해 보세요.

2 계산해 보세요.

(1)
$$\begin{array}{r} 0.7 \\ \times\ 0.3 \\ \hline \end{array}$$

(2)
$$\begin{array}{r} 0.28 \\ \times\ \ 0.6 \\ \hline \end{array}$$

3 가장 큰 수와 가장 작은 수의 곱을 구해 보세요.

0.46	0.7	0.72	0.4

( )

4 냉장고에 들어 있는 우유는 0.45 L이고, 주스는 우유의 0.8만큼 있습니다. 냉장고에 들어 있는 주스는 몇 L인지 구해 보세요.

( )

7 차시 6 | (소수)×(소수) (2)

학습 목표

1보다 큰 수끼리의 곱셈 계산 결과를 어림하고, 계산 원리를 이해하여 계산할 수 있습니다.

그림으로 개념 잡기

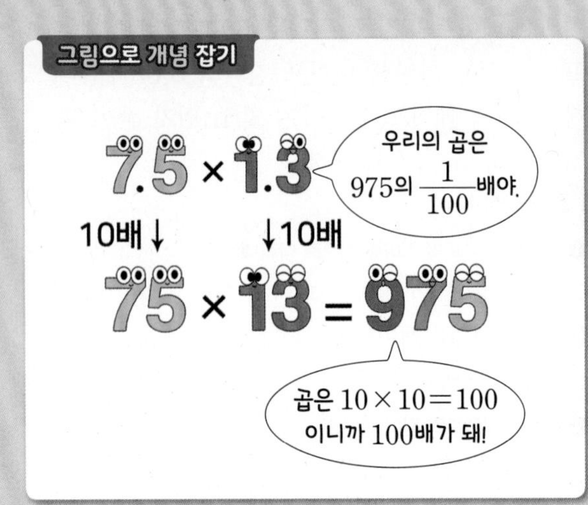

6 (소수)×(소수) (2)

1보다 큰 소수끼리의 곱셈 계산 결과를 어림하고, 계산 원리를 이해하여 계산할 수 있습니다.

생각열기 혜성이네 가족은 한과 한 상자를 샀습니다. 작년에 산 한과 한 개의 무게는 7.5 g이었는데, 올해 산 한과 한 개의 무게는 작년에 비해 1.3배가 늘었습니다.

7.5 g의 1.3배는 7.5 g보다 무거울까?

- 올해 산 한과 한 개의 무게를 구하는 곱셈식을 쓰고, 어림해 보세요. 7.5×1.3, 7.5 g보다 무거울 것 같습니다.
- 위에서 구한 곱셈식을 어떻게 계산할 수 있을까요?
  - 소수를 분수로 바꾸어 계산할 수 있을 것 같습니다.
  - 자연수의 곱셈을 이용하여 계산할 수 있을 것 같습니다.

탐구하기 7.5×1.3을 계산하는 방법을 알아봅시다.

- 새롬이와 바름이의 생각대로 7.5×1.3을 각각 계산해 보세요.

소수를 분수로 바꾸어 계산할래.

$7.5\times1.3=\frac{75}{10}\times\frac{13}{10}=\frac{75\times13}{100}=\frac{975}{100}=9.75$

자연수의 곱셈을 이용하여 계산할래.

7.5 × 1.3 = 9.75 (10배, 10배 ↓) 75 × 13 = 975 ($\frac{1}{100}$배 ↑)

7.5×1.3=9.75

어림한 값과 계산 결과를 비교해 볼까요?

- 새롬이와 바름이 모두 7.5×1.3을 계산하기 위해 이용한 자연수의 곱셈은 무엇인가요? 75×13
- 7.5×1.3을 어떻게 계산하였는지 이야기해 보세요.
  - 소수를 분수로 바꾸어 계산하였습니다.
  - 자연수의 곱셈을 이용하여 계산하였습니다.

100

학부모 코칭 Tip

7.5×1.3에서 곱하는 두 수의 소수점 아래 자리 수를 더한 것과 계산 결과의 소수점 아래 자리 수가 서로 같다는 것을 생각해 보게 합니다.

교과서 개념 완성

탐구하기 정리하기 7.5×1.3을 계산하는 방법

- 분수의 곱셈으로 계산하기

$$7.5\times1.3=\frac{75}{10}\times\frac{13}{10}=\frac{75\times13}{100}=\frac{975}{100}=9.75$$

10×10=100

- 자연수의 곱셈을 이용하여 계산하기

7.5×1.3= 9.75

10배 10배 ↓ / $\frac{1}{100}$배 ↑

75 × 13 = 975

10배를 2번 하면 100배입니다.

확인하기 1보다 큰 소수끼리의 곱셈 익히기

- $1.8\times2.5=\frac{18}{10}\times\frac{25}{10}=\frac{450}{100}=4.5$
- 5.6×3.2=17.92

10배 10배 ↓ / $\frac{1}{100}$배 ↑

56 × 32 = 1792

생각 솟솟 소수의 곱셈을 이용하여 준호의 50 m 달리기 기록 구하기

- (준호의 기록)=(은지의 기록)×1.2
  =9.5×1.2=11.4(초)

공부한 날 월 일

• 7.5×1.3을 계산하는 방법을 정리해 봅시다.

• 분수의 곱셈으로 계산하기

$$7.5\times1.3=\frac{75}{10}\times\frac{13}{10}=\frac{75\times13}{100}=\frac{975}{100}=9.75$$

• 자연수의 곱셈을 이용하여 계산하기

7.5×1.3= 9.75 (10배, 10배 → 75×13= 975 → $\frac{1}{100}$배)

• 2.7×2.4를 계산하려고 합니다. □ 안에 알맞은 수를 써넣으세요.

2.7 —10배→ 27, ×2.4 —10배→ ×24 = 108, 54, 648 → $\frac{1}{100}$배 → 6.48

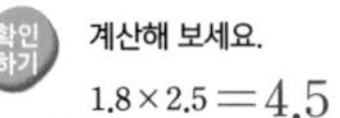

계산해 보세요.

1.8×2.5 = 4.5　　5.6×3.2 = 17.92

4.2×1.39 = 5.838　　1.04×6.3 = 6.552

풀이: 4.2×1.39 → 378, 126, 42 → 5.838; 1.04×6.3 → 312, 624 → 6.552

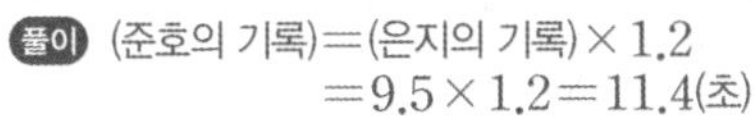
은지네 반 학생들은 체육 시간에 50 m 달리기 시합을 하였습니다. 은지의 기록이 9.5초이고, 준호의 기록은 은지의 기록의 1.2배라면 준호의 기록은 몇 초인가요?

11.4초

풀이 (준호의 기록)=(은지의 기록)×1.2
=9.5×1.2=11.4(초)

101

이런 문제가 서술형으로 나와요

민우는 2.7×1.4를 다음과 같이 잘못 계산하였습니다. 잘못된 이유를 쓰고, 바르게 계산해 보세요.

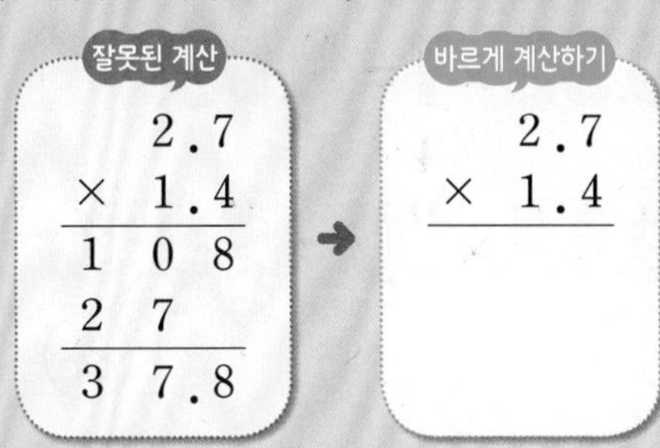

| 풀이 과정 |

❶ 잘못된 이유 쓰기

소수 한 자리 수와 소수 한 자리 수를 곱하면 곱은 소수 두 자리 수인데 소수 한 자리 수로 썼기 때문입니다.

❷ 바르게 계산하기

2.7 × 1.4 → 108, 27 → 3.78

답 3.78

개념 확인 문제

정답 및 풀이 218쪽

1 □ 안에 알맞은 수를 써넣으세요.

$$3.4\times2.3=\frac{\square}{10}\times\frac{\square}{10}=\frac{\square\times\square}{100}=\frac{\square}{100}=\square$$

2 계산해 보세요.

(1) 4.6 × 2.7

(2) 3.18 × 5.2

3 계산 결과를 비교하여 ○ 안에 >, =, <를 알맞게 써넣으세요.

6.3×2.9 ○ 4.8×3.7

4 직사각형의 넓이는 몇 cm^2인가요?

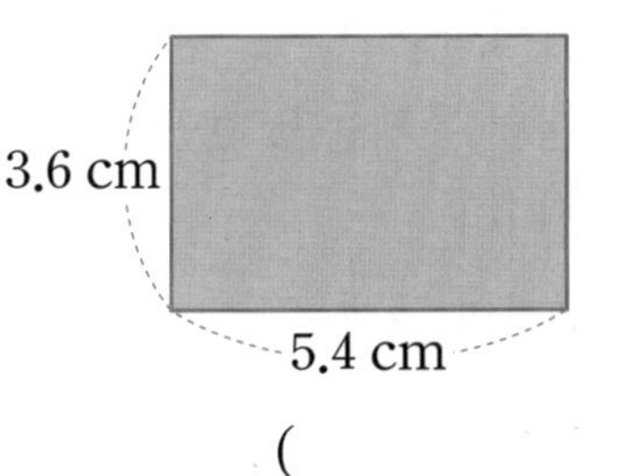

(　　　　)

7 | 곱의 소수점 위치 변화

학습 목표

소수의 곱셈 상황에서 곱의 소수점 위치 변화의 원리를 이해하여 계산할 수 있습니다.

그림으로 개념 잡기

$9.53 \times 1 = 9.53$

↓

$9.53 \times 10 = 95.3$

10을 곱하면 소수점이 오른쪽으로 한 자리 옮겨져.

학부모 코칭 Tip

묶음으로 된 3개의 계산식에서 각각 변하는 것과 변하지 않는 것은 무엇일지 생각해 보며 곱의 소수점 위치 변화의 원리를 탐구할 수 있도록 합니다.

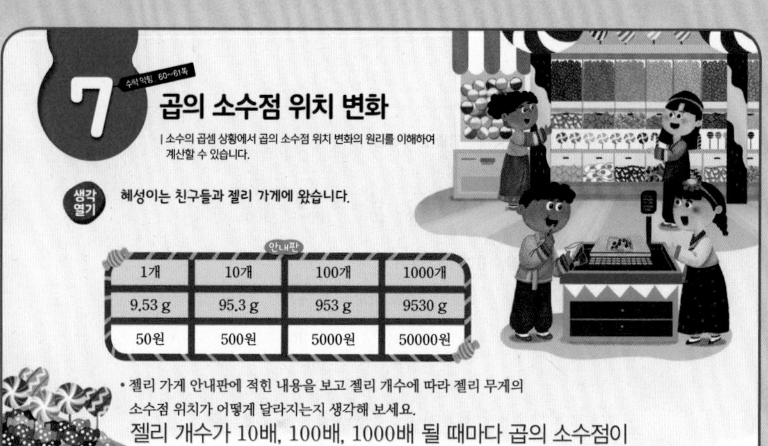

7 곱의 소수점 위치 변화

수학 익힘 60~61쪽

| 소수의 곱셈 상황에서 곱의 소수점 위치 변화의 원리를 이해하여 계산할 수 있습니다.

생각열기 혜성이는 친구들과 젤리 가게에 왔습니다.

안내판

1개	10개	100개	1000개
9.53 g	95.3 g	953 g	9530 g
50원	500원	5000원	50000원

• 젤리 가게 안내판에 적힌 내용을 보고 젤리 개수에 따라 젤리 무게의 소수점 위치가 어떻게 달라지는지 생각해 보세요.

젤리 개수가 10배, 100배, 1000배 될 때마다 곱의 소수점이 오른쪽으로 한 자리씩 이동하는 것 같습니다.

탐구하기 곱의 소수점 위치 변화의 원리를 알아봅시다.

$9.53 \times 1 = 9.53$
$9.53 \times 10 = 95.3$
$9.53 \times 100 = 953.$
$9.53 \times 1000 = 9530.$

• 곱하는 수를 10배, 100배, 1000배, ... 하면 곱의 소수점의 위치가 어떻게 달라지나요?

곱하는 수를 10배, 100배, 1000배, ... 할 때마다 곱의 소수점이 오른쪽으로 한 자리씩 옮겨집니다.

$9530 \times 1 = 9530.$
$9530 \times 0.1 = 953.$
$9530 \times 0.01 = 95.3$
$9530 \times 0.001 = 9.53$

• 곱하는 수를 0.1배, 0.01배, 0.001배, ... 하면 곱의 소수점의 위치가 어떻게 달라지나요?

곱하는 수를 0.1배, 0.01배, 0.001배, ... 할 때마다 곱의 소수점이 왼쪽으로 한 자리씩 옮겨집니다.

$9 \times 7 = 63$
$0.9 \times 0.7 = 0.63$ (한 자리, 한 자리, 두 자리)
$0.9 \times 0.07 = 0.063$ (한 자리, 두 자리, 세 자리)
$0.09 \times 0.07 = 0.0063$ (두 자리, 두 자리, 네 자리)

• 곱하는 두 수의 소수점 아래 자리 수와 계산 결과의 소수점 아래 자리 수는 어떤 관계가 있나요?

곱하는 두 수의 소수점 아래 자리 수를 더한 것과 계산 결과의 소수점 아래 자리 수가 같습니다.

계산식에서 변하는 것과 변하지 않는 것은 무엇인가요?

102

교과서 개념 완성

생각열기 **문제 상황을 보고 곱의 소수점 위치 변화 생각하기**

• 젤리 1개의 무게는 몇 g인가요?
 – 9.53 g입니다.
• 젤리 10개의 무게는 몇 g인가요?
 – 95.3 g입니다.
• 젤리 100개의 무게는 몇 g인가요?
 – 953 g입니다.
• 젤리 1000개의 무게는 몇 g인가요?
 – 9530 g입니다.

정리하기 **곱의 소수점 위치 변화의 원리**

• 곱하는 수를 10배, 100배, 1000배, ... 할 때마다 곱의 소수점이 오른쪽으로 한 자리씩 옮겨집니다.
• 곱하는 수를 0.1배, 0.01배, 0.001배, ... 할 때마다 곱의 소수점이 왼쪽으로 한 자리씩 옮겨집니다.
• 곱하는 두 수의 소수점 아래 자리 수를 더한 것과 계산 결과의 소수점 아래 자리 수가 같습니다.

확인하기 **곱의 소수점 위치 변화를 이용하여 계산하기**

1. 계산해 보기

$4.281 \times 10 = 42.81$ $390 \times 0.1 = 39.0$

$4.281 \times 100 = 428.1$ $390 \times 0.01 = 3.90$

$4.281 \times 1000 = 4281$ $390 \times 0.001 = 0.390$

• 곱의 소수점 위치 변화의 원리를 정리해 봅시다.
• 곱하는 수를 10배, 100배, 1000배, ... 할 때마다 곱의 소수점이 오른쪽으로 한 자리씩 옮겨집니다.
• 곱하는 수를 0.1배, 0.01배, 0.001배, ... 할 때마다 곱의 소수점이 왼쪽으로 한 자리씩 옮겨집니다.
• 곱하는 두 수의 소수점 아래 자리 수를 더한 것과 계산 결과의 소수점 아래 자리 수가 같습니다.

1. 계산해 보세요.

$4.281\times1=4.281$	$390\times1=390$	$17\times32=544$
$4.281\times10=42.81$	$390\times0.1=39$	$1.7\times3.2=5.44$
$4.281\times100=428.1$	$390\times0.01=3.9$	$0.17\times3.2=0.544$
$4.281\times1000=4281$	$390\times0.001=0.39$	$0.17\times0.32=0.0544$

2. 곱하는 두 수의 소수점 아래 자리 수를 보고 계산 결과에 소수점을 찍어 보세요.

$3.7\times2.3=8.5\,1$ $1.24\times1.6=1.9\,8\,4$

풀이 • 소수 한 자리 수와 소수 한 자리 수의 곱은 소수 두 자리 수이므로 $3.7\times2.3=8.51$입니다.
• 소수 두 자리 수와 소수 한 자리 수의 곱은 소수 세 자리 수이므로 $1.24\times1.6=1.984$입니다.

문제 해결 창의·융합

지혜가 계산기로 0.5×4.9를 계산하려고 두 수를 눌렀는데 수 하나의 소수점 위치를 잘못 눌렀습니다. 오른쪽 계산기에 나타난 계산 결과를 보고 지혜가 누른 두 수는 무엇인지 구해 보세요. 5, 4.9 또는 0.5, 49

□×□

풀이 지혜가 계산하려는 값은 $0.5\times4.9=2.45$인데, 2.45는 계산기에 찍힌 24.5의 $\frac{1}{10}$배입니다. 따라서 0.5 또는 4.9를 10배 해야 하므로 지혜가 계산기에 누른 두 수는 5, 4.9 또는 0.5, 49입니다.

103

이런 문제가 서술형으로 나와요

$62\times27=1674$일 때, □ 안에 들어갈 수 있는 수는 얼마인지 풀이 과정을 쓰고, 답을 구해 보세요.

$6.2\times\square=1.674$

| 풀이 과정 |

❶ 곱의 소수점 위치 변화의 원리 설명하기

곱하는 두 수의 소수점 아래 자리 수를 더한 것과 계산 결과의 소수점 아래 자리 수가 같습니다.

❷ □ 안에 들어갈 수 있는 수 구하기

곱이 1.674로 소수 세 자리 수이므로 □는 소수 두 자리 수입니다.
따라서 □ 안에 들어갈 수 있는 수는 0.27입니다.

답 0.27

수학 교과 역량 문제 해결 창의·융합

계산기에서 잘못 누른 두 수 찾아내기

계산기에서 잘못 누른 두 수를 찾아 문제를 해결하는 과정을 통하여 문제 해결 능력 및 창의·융합 능력을 기를 수 있습니다.

개념 확인 문제

정답 및 풀이 218쪽

1 □ 안에 알맞은 수를 써넣으세요.

$2.306\times10=\square$

$2.306\times100=\square$

$2.306\times1000=\square$

2 $716\times13=9308$을 이용하여 □ 안에 알맞은 수를 써넣으세요.

(1) $\square\times0.13=9.308$

(2) $71.6\times\square=93.08$

3 나무 막대 1 m의 무게는 25 kg입니다. 이 나무 막대 0.1 m, 0.01 m, 0.001 m의 무게는 각각 몇 kg인지 표의 빈칸에 써넣으세요. (단, 나무 막대의 굵기는 일정합니다.)

나무 막대의 길이(m)	나무 막대의 무게(kg)
0.1	
0.01	
0.001	

9~10 차시

문제 해결력 | 쑥쑥

• 알맞은 숫자 카드는 무엇일까요?

학습 목표

• 예상과 확인 전략을 이용하여 소수의 곱셈에 대한 문제를 해결할 수 있습니다.
• 문제 해결 과정이 타당한지 검토할 수 있습니다.

문제 해결 전략 예상과 확인 전략

수학 교과 역량 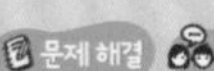 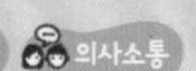 정보 처리

알맞은 숫자 카드는 무엇일까요?

• 문제의 조건을 확인하고 문제 해결에 적절한 전략을 선택하는 과정과 문제의 조건에 따라 수의 범위를 예상하고 답을 구하는 과정을 통하여 문제 해결 능력과 정보 처리 능력을 기를 수 있습니다.
• 수학 용어나 수식 등의 수학적 표현을 사용하여 문제를 해결한 방법을 친구들에게 설명하는 과정을 통하여 의사소통 능력을 기를 수 있습니다.

문제 해결 Tip 두 수를 곱한 결과가 소수 한 자리 수가 되기 위해서는 가~라 중 어떤 것을 먼저 예상하는 것이 좋을지 생각해 보면 쉽게 알 수 있습니다.

교과서 개념 완성

문제 이해하기

≫ 구하려고 하는 것

1부터 9까지의 숫자 카드 중 가~라에 알맞은 것입니다.

≫ 알고 있는 것

• 23.가×나.6=8다.라라는 소수의 곱셈식입니다.
• 가~라에는 1부터 9까지의 숫자 카드만 들어갑니다.

계획 세우기

23.가×나.6=8다.라를 세로셈으로 바꾸어서 가~라에 들어가는 수를 차례대로 예상해 보고 확인하는 방법으로 구합니다.

계획대로 풀기

• 계산 결과가 소수 한 자리 수이므로 가×6의 일의 자리 수는 0이어야 합니다. 이때 가는 1부터 9까지의 수이므로 가=5입니다.

나=2이면 23.5×2=47이므로 계산 결과가 61.1, 나=4이면 23.5×4=94이므로 계산 결과가 108.1이 됩니다.

따라서 나=3입니다.

이때 23.5×3.6=84.6이므로 다=4, 라=6입니다.

```
     2 3.5
×      나.6
-----------
   1 4 1 0
 □ □ □
-----------
   8 다.라
```

되돌아보기

• 구한 답이 맞았는지 확인해 봅니다.

문제 해결력 쑥쑥

가=5, 나=3, 다=4, 라=6

계획대로 풀기 • 계획한 방법에 맞게 문제를 풀어 보세요.

풀이 가×6의 일의 자리 수는 0이어야 하고, 가는 1부터 9까지의 수이므로 가=5입니다. 나=2이면 23.5×2=47이므로 계산 결과가 61.1, 나=4이면 23.5×4=94이므로 계산 결과가 108.1이 됩니다. 따라서 나=3입니다. 23.5×3.6=84.6이므로 다=4, 라=6입니다.

가~라에 구한 답을 넣고 계산이 맞는지 확인해 보자.

되돌아보기 • 구한 답이 맞았는지 확인해 보세요.

가~라에 구한 답을 넣어서 계산해 보니 맞게 나왔습니다.

• 친구들과 문제 해결 과정을 비교해 보고, 어떻게 구하였는지 이야기해 보세요.

생각 키우기

1부터 9까지의 숫자 카드 중 다음 가, 나, 다에 알맞은 것을 찾아보세요. 가=5, 나=4, 다=8

3.7가×나.8=1다

풀이 가×8의 일의 자리 수는 0이어야 하고, 가는 1부터 9까지의 수이므로 가=5입니다. 나=2이면 3.75×2=7.5이므로 계산 결과가 10.5, 나=3이면 3.75×3=11.25이므로 계산 결과가 14.25, 나=4이면 3.75×4=15이므로 계산 결과가 18, 나=5이면 3.75×5=18.75이므로 계산 결과가 21.75가 됩니다. 따라서 나=4, 다=8입니다.

105

생각 키우기

문제 해결 · 의사소통 · 정보 처리

문제 이해하기

» 구하려고 하는 것

1부터 9까지의 숫자 카드 중 가~다에 알맞은 것입니다.

» 알고 있는 것

- 3.7가×나.8=1다라는 소수의 곱셈식입니다.
- 가~다에 1부터 9까지의 숫자 카드만 들어갑니다.

계획 세우기

3.7가×나.8=1다를 세로셈으로 바꾸어서 가~다에 들어가는 수를 차례대로 예상해 보고 확인하는 방법으로 구합니다.

계획대로 풀기

계산 결과가 자연수이므로 가×8의 일의 자리 수는 0이어야 합니다.

이때 가는 1부터 9까지의 수이므로 가=5입니다.

나=4이면 3.75×4=15이므로 계산 결과가 18이 됩니다.

따라서 나=4, 다=8입니다.

```
      3.7 5
  ×     나.8
  ----------
    3 0 0 0
  □ □ □
  ----------
    1 다
```

되돌아보기

구한 답이 맞았는지 확인합니다.

문제 해결력 문제

정답 및 풀이 219쪽

1 1부터 9까지의 숫자 카드 중 다음 가, 나, 다에 알맞은 수를 구해 보세요.

42.가×나.6=32다

(1) 가에 알맞은 수를 구해 보세요.

( )

(2) 나, 다에 알맞은 수를 구해 보세요.

나 ( )

다 ( )

2 1부터 9까지의 숫자 카드 중 다음 가, 나, 다, 라에 알맞은 수를 구해 보세요.

36.가×나.4=8다.라

가 ( )

나 ( )

다 ( )

라 ( )

단원 마무리 | 척척

추론 · 문제 해결

어림하여 조건에 맞는 곱셈 찾기

▶자습서 108~117쪽

학부모 코칭 Tip

직접 계산하여 문제를 해결하는 경우에도 정답으로 인정하되 소수의 곱셈의 어림 방법에 익숙해지도록 합니다.

1 어림하여 계산 결과가 9보다 큰 것을 모두 찾아 기호를 써 보세요.

93쪽, 95쪽, 101쪽

㉠ 5.1×2.3　㉡ 9×0.87　㉢ 1.3×9　㉣ 18×0.45

(㉠, ㉢)

풀이 ㉠ 5와 2를 곱하면 10이므로 계산 결과는 9보다 큽니다.
㉡ 곱하는 수가 1보다 작으므로 계산 결과는 9보다 작습니다.
㉢ 1과 9를 곱하면 9이므로 계산 결과는 9보다 큽니다.
㉣ $18\times0.5=9$이고 18×0.45에서 곱하는 수가 0.5보다 작기 때문에 계산 결과는 9보다 작습니다.

정보 처리 · 추론

소수의 곱셈의 계산 원리 이해하기

▶자습서 116~117쪽

학부모 코칭 Tip

소수의 곱셈의 계산 원리를 이해하고 있는지 확인합니다.

2 2.8×1.5를 계산하려고 합니다. □ 안에 알맞은 수를 써넣으세요.

101쪽

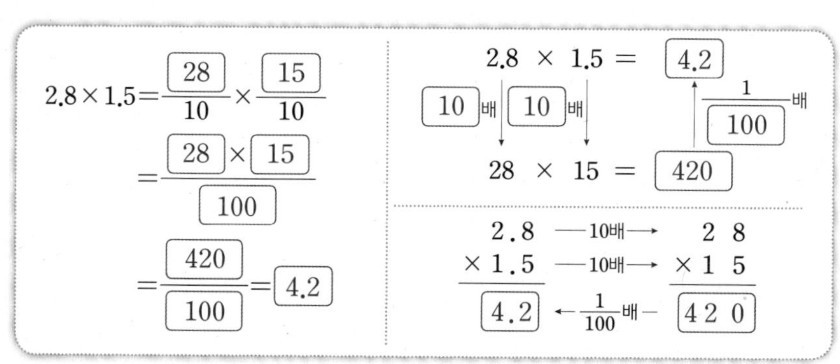

$$2.8\times1.5=\frac{28}{10}\times\frac{15}{10}=\frac{28\times15}{100}=\frac{420}{100}=4.2$$

$2.8 \times 1.5 = 4.2$ (10배, 10배 / $\frac{1}{100}$배)
$28 \times 15 = 420$

2.8 —10배→ 28, ×1.5 —10배→ ×15, 4.2 ←$\frac{1}{100}$배— 420

풀이 방법1-분수의 곱셈으로 나타내어 계산합니다.
방법2-자연수의 곱셈을 이용하여 계산합니다.

문제 해결

소수의 곱셈 계산하기

▶자습서 106~117쪽

학부모 코칭 Tip

자연수처럼 생각하고 계산한 다음, 소수의 크기를 생각하여 소수점을 찍도록 지도합니다.

3 계산해 보세요.

91쪽, 97쪽, 99쪽, 101쪽

$0.8\times6=4.8$　　$7\times3.4=23.8$

$0.4\times0.26=0.104$　　$3.26\times1.5=4.89$

풀이 $0.8\times6=4.8$; 7×3.4: 28, 21 → 23.8; 0.4×0.26: 24, 8 → 0.104; 3.26×1.5: 1630, 326 → 4.890

추론 · 문제 해결

곱의 소수점의 위치 변화를 이해하여 계산 결과 비교하기

▶자습서 118~119쪽

4 계산 결과를 비교하여 ○ 안에 >, =, <를 알맞게 써넣으세요.

103쪽

0.257×100 (=) 2570×0.01

풀이 $0.257\times100=25.7$이고, $2570\times0.01=25.7$입니다.
따라서 $0.257\times100=2570\times0.01$입니다.

106

5 어떤 수에 7을 곱해야 할 것을 잘못하여 더하였더니 9.35가 되었습니다. 바르게 계산하면 얼마인지 구해 보세요.
93쪽

(16.45)

풀이 어떤 수를 □라고 하면 □$+7=9.35$이므로 □$=2.35$입니다.
따라서 바르게 계산하면 $2.35\times7=16.45$입니다.

추론 문제 해결

어떤 수를 찾아 바르게 계산하기
▶자습서 108~109쪽

학부모 코칭 Tip
어떤 수를 찾아 바르게 계산할 수 있는지 확인합니다.

6 숫자 카드 5장 중 2장을 한 번씩만 사용하여 소수 한 자리 수를 만들려고 합니다. 만들 수 있는 소수 한 자리 수 중에서 가장 큰 수와 가장 작은 수의 곱을 구해 보세요.
101쪽

1 2 4 7 9

(11.64)

풀이 숫자 카드로 만들 수 있는 가장 큰 소수 한 자리 수는 9.7이고, 가장 작은 소수 한 자리 수는 1.2입니다. 따라서 두 수의 곱은 $9.7\times1.2=11.64$입니다.

추론 문제 해결

숫자 카드로 만들 수 있는 소수 한 자리 수 중 가장 큰 수와 가장 작은 수의 곱 구하기
▶자습서 116~117쪽

소수의 크기를 비교할 때는 높은 자리의 수부터 비교하므로 일의 자리에 가장 큰 수인 9를, 소수 첫째 자리에 두 번째로 큰 수인 7을 써야 한다는 것을 알고 해결하도록 합니다.

7 수진이가 기르는 방울토마토는 3월에 줄기의 길이가 4 cm였습니다. 4월에는 3월보다 줄기의 길이가 0.84배만큼 더 길어졌습니다. 4월의 방울토마토 줄기의 길이는 몇 cm인지 풀이 과정을 쓰고, 답을 구해 보세요.
95쪽

풀이 3월에 비해 4월에 더 길어진 방울토마토의 줄기의 길이는 $4\times0.84=3.36$ (cm)입니다. 따라서 4월의 방울토마토의 줄기의 길이는 $4+3.36=7.36$ (cm)입니다.

답 7.36 cm

풀이 3월보다 더 길어진 방울토마토의 줄기의 길이는 $4\times0.84=3.36$ (cm)입니다.
따라서 4월의 방울토마토의 줄기의 길이는 $4+3.36=7.36$ (cm)입니다.

문제 해결 창의·융합

4월의 방울토마토의 줄기의 길이 구하기
▶자습서 110~111쪽

4월에 더 길어진 방울토마토의 줄기의 길이를 구한 다음 4월의 방울토마토의 줄기의 길이를 구하도록 합니다.

107

• 놀이 속으로 | 풍덩 • 이야기로 키우는 | 생각

놀이 속으로 풍덩

양궁 놀이로 소수의 곱셈을 알아보아요 (함께하는 활동)

준비물 ⑥에 있는 소수 붙임딱지를 주사위에 붙여서 소수 주사위를 만들어요!

준비물: 준비물 ⑥(양궁판, 소수 붙임딱지), 주사위, 바둑돌, 계산기

인원: 2~4명

방법:
① 가위바위보를 해서 순서를 정해요.
② 이긴 사람부터 차례대로 소수 주사위를 던져요. 그리고 자기 앞에 바둑돌을 1개 놓은 다음, 양궁판을 향해 손가락으로 바둑돌을 튕겨요. 이때 다른 친구의 바둑돌을 맞혀 밀어내어도 돼요.
③ 소수 주사위를 던져 나온 소수와 양궁판에 위치한 소수로 곱셈식을 만들고 계산 결과를 어림한 다음 계산해요.
④ 계산이 끝나면 계산 결과가 맞는지 친구가 계산기로 확인해요. 이때 계산 결과가 틀리면 다시 계산할 수 있는 기회를 주어요.
⑤ 계산 결과가 가장 큰 사람부터 차례대로 높은 점수를 받아요. 예를 들어 놀이하는 사람이 4명일 경우 4, 3, 2, 1점을 받아요.
⑥ 같은 방법으로 2번 경기를 해서 합산 점수가 가장 높은 사람이 이겨요.

예시

이름	주사위를 던져 나온 눈의 수	바둑돌이 양궁판에 위치한 소수
진우	1.2	3.9
소연	0.8	1.7

회	이름	곱셈식	계산하기	계산기로 확인하기	점수
1	진우	1.2×3.9	4.68	4.68	2
	소연	0.8×1.7	1.36	1.36	1

회	이름	곱셈식	계산하기	계산기로 확인하기	점수
예	가영	3.5×2.6	9.1	9.1	3
1	민수	3.3×4.1	13.53	13.53	4
	소현	3.5×1.8	6.3	6.3	2
	연우	1.2×2.6	3.12	3.12	1
2					

108 109

교과서 개념 완성

1 놀이 방법 알아보기

1. 준비물 확인 및 놀이 방법 살펴보기
   - 준비물이 준비되었는지 확인합니다.
   - 놀이 방법을 읽어 봅니다.
2. 놀이해 보기
   - 놀이 방법을 단계별로 해 봅니다.

학부모 코칭 Tip

놀이를 더 재미있고 창의적으로 할 수 있도록 새로운 놀이 규칙을 생각해 보게 합니다.

2 친구들과 놀이해 보기

- 주사위를 던져 나온 소수는 얼마인가요?
  ➜ 예 2.5입니다.
- 바둑돌이 양궁판에 위치한 소수는 얼마인가요?
  ➜ 예 2.3입니다.
- 두 소수로 곱셈식을 만들고 계산해 보세요.
  ➜ $2.5 \times 2.3 = 5.75$입니다.
- 계산이 맞는지 계산기로 확인해 보세요.
  ➜ 계산기로 확인해 봅니다.
- 같은 방법으로 2번 경기를 하여 계산 결과의 합을 구합니다.

이야기로 키우는 생각 창의력 키우기

소수는 어떻게 생겨났을까요?

복잡한 이자 계산을 간단하게 할 수 있는 방법이 없을까?

이렇게 소수는 한 수학자의 질문으로부터 발견되었습니다.

» 스테빈(Stevin, S., 1548~1620)

그가 이자 계산 때문에 유독 힘들어 했던 이유는 당시에는 소수가 없어서 분수를 이용하여 이자를 계산했기 때문이었습니다. 이자가 원금의 $\frac{1}{10}$, $\frac{1}{100}$, $\frac{1}{1000}$, ...일 때는 계산이 간단하였지만 $\frac{1}{11}$, $\frac{1}{12}$일 때는 계산이 매우 복잡하였습니다.

1582년, 네덜란드의 수학자이자 기술자였던 스테빈은 군대에서 돈을 관리하였습니다. 그의 업무 중 하나는 은행에서 빌린 돈을 이자와 함께 갚는 일이었는데, 그는 이자 계산에 늘 어려움을 겪었습니다.

"이자를 간단히 계산할 수 있는 방법이 없을까?" 하고 밤낮으로 궁리하던 스테빈은 어느 날 좋은 생각이 떠올랐습니다. 바로 이자를 계산할 때 분모가 10, 100, 1000인 분수를 이용하는 것이었습니다. 예를 들어 $\frac{1}{11}$은 그 값이 거의 비슷한 $\frac{9}{100}$로, $\frac{1}{12}$은 그 값이 거의 비슷한 $\frac{8}{100}$로 대신하여 계산하는 것이었습니다.

분수를 분모가 10, 100, 1000인 분수로 바꾼 뒤로는 이전보다 계산이 더 간단해졌습니다. 하지만 또 하나의 어려움이 생겼습니다. 바로 $\frac{3328}{10000}$이나 $\frac{259712}{1000000}$는 분수꼴로 되어 있으나 둘 중에서 어느 쪽이 더 큰 수인지 쉽게 분간할 수 없었던 것이었습니다.

하지만 스테빈의 소수 표기법은 쓰기에 불편하다는 단점이 있었습니다. 그러다가 스위스의 수학자인 뷔르기(Bürgi, J., 1552~1632)가 최초로 점을 사용하여 수의 자리를 표기하였습니다. 현재 사용하는 '12.345'를 12.3.4.5와 같이 여러 개의 점을 사용하여 나타낸 것입니다.

이를 해결하기 위해 스테빈은 분모에 0이 몇 개 있는지, 분자가 몇 자리 수인지 동시에 알아볼 수 있는 방법을 생각해 냈습니다. 바로 소수의 각 자릿수를 ⓪, ①, ②, ③, ...과 같은 문자를 이용하여 나타낸 것입니다. 예를 들어 12.345 → 12⓪3①4②5③과 같이 나타내었습니다.

현재와 같은 소수점을 최초로 쓴 사람은 독일의 수학자 클라비우스(Clavius, C., 1538~1612)이지만 당시 그의 표기는 널리 쓰이지 못하다가 1617년이 되어서야 영국의 수학자 네이피어(Napier, J., 1550~1617) 덕분에 본격적으로 사용되기 시작하였습니다. 드디어 소수가 탄생한 것이었습니다. 스테빈의 지혜, 정말 대단하지 않나요?

[출처] 사이웅스와 함께하는 사이언스올(https://www.scienceall.com) [칼럼/에세이], 2016. 11. 11.
수학 기호 이야기 ⑦ — 간단하고 다

이야기로 키우는 생각

금융 기관은 어떤 일을 할까?

금융(金融)이란 '돈의 융통'이라는 뜻으로, 돈을 빌리고 빌려 주는 것을 말합니다. 사람들이 은행에 저금을 하면 돈을 필요로 하는 사람들이 이자를 내고 이 돈을 빌려서 사용하는데, 이러한 활동들을 금융이라고 합니다.

우리 주위에는 여러 가지 금융 기관이 있는데, 그중에서 은행은 대표적인 금융 회사이며 보험 회사, 증권 회사, 상호 저축 은행, 신용 카드 회사, 협동조합 등도 있습니다.

이러한 금융 기관은 돈이 필요한 사람과 돈을 빌려줄 수 있는 사람을 연결해 주는데, 정부나 기업, 개인 등을 위해 돈이 부족한 곳과 남는 곳을 연결시켜 돈이 잘 흐르도록 도와줍니다.

금융 기관을 통하여 돈을 빌릴 때는 이자를 내야 하는데, 이자는 돈을 빌려 쓴 대가로 지불해야 하는 돈입니다.

기원전 17세기의 바빌로니아에도 금융 기관이 있었을 만큼 금융 기관의 역사는 아주 오래되었습니다. 그때는 곡물인 보리가 지금의 돈을 대신하였습니다.

[출처] 고민순 외, 2008. / 금융감독원

개념+확인

교과서 개념을 익히고 확인 문제를 풀면서 단원을 마무리해 보아요.

개념

(소수)×(자연수) (1), (2)

• 0.6×3의 계산

방법 1 분수의 곱셈으로 계산하기

$0.6\times3=\frac{6}{10}\times3=\frac{6\times3}{10}=\frac{18}{10}=1.8$

방법 2 자연수의 곱셈을 이용하여 계산하기

$0.6\times3=1.8$

10배 ↓ ↑ $\frac{1}{10}$배

$6\times3=18$

• 2.7×5의 계산

방법 1 분수의 곱셈으로 계산하기

$2.7\times5=\frac{27}{10}\times5=\frac{27\times5}{10}=\frac{135}{10}=13.5$

방법 2 자연수의 곱셈을 이용하여 계산하기

$2.7\times5=13.5$

10배 ↓ ↑ $\frac{1}{10}$배

$27\times5=135$

(자연수)×(소수) (1), (2)

• 8×0.4의 계산

방법 1 분수의 곱셈으로 계산하기

$8\times0.4=8\times\frac{4}{10}=\frac{8\times4}{10}=\frac{32}{10}=3.2$

방법 2 자연수의 곱셈을 이용하여 계산하기

$8\times0.4=3.2$

10배 ↓ ↑ $\frac{1}{10}$배

$8\times4=32$

• 5×3.7의 계산

방법 1 분수의 곱셈으로 계산하기

$5\times3.7=5\times\frac{37}{10}=\frac{5\times37}{10}=\frac{185}{10}=18.5$

방법 2 자연수의 곱셈을 이용하여 계산하기

$5\times3.7=18.5$

10배 ↓ ↑ $\frac{1}{10}$배

$5\times37=185$

확인 문제

1 0.86×7을 계산하려고 합니다. □ 안에 알맞은 수를 써넣으세요.

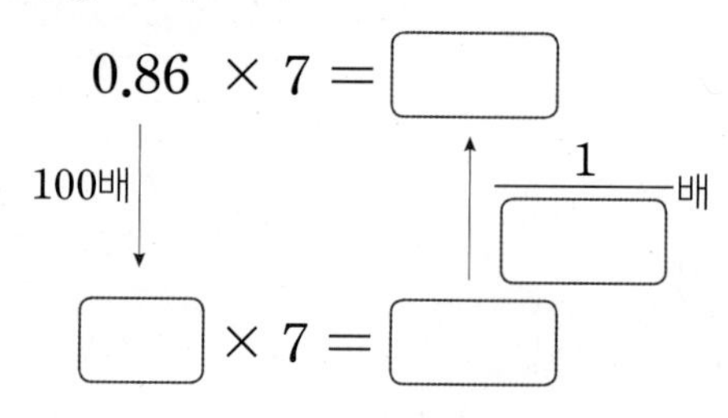

2 두 수의 곱을 빈 곳에 써넣으세요.

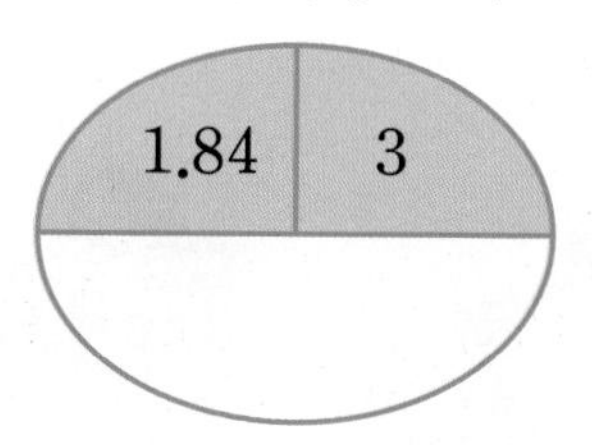

3 계산해 보세요.

(1) 4×0.29

(2) 7×1.9

4 가장 큰 수와 가장 작은 수의 곱을 구해 보세요.

8	2.8	4.5	1.68

( )

개념

(소수)×(소수) (1), (2)

• 0.9×0.3의 계산

방법1 분수의 곱셈으로 계산하기

$$0.9\times0.3=\frac{9}{10}\times\frac{3}{10}=\frac{9\times3}{100}=\frac{27}{100}=0.27$$

방법2 자연수의 곱셈을 이용하여 계산하기

$0.9\times0.3=0.27$

10배, 10배 ↓ ↑ $\frac{1}{100}$배

$9\times3=27$

• 3.8×1.6의 계산

방법1 분수의 곱셈으로 계산하기

$$3.8\times1.6=\frac{38}{10}\times\frac{16}{10}=\frac{38\times16}{100}=\frac{608}{100}=6.08$$

방법2 자연수의 곱셈을 이용하여 계산하기

$3.8\times1.6=6.08$

10배, 10배 ↓ ↑ $\frac{1}{100}$배

$38\times16=608$

```
    3.8 ─10배→     3 8
  × 1.6 ─10배→  ×  1 6
  ─────          ─────
  2 2 8          2 2 8
  3 8            3 8
  ─────          ─────
  6.0 8 ←1/100배─ 6 0 8
```

곱의 소수점 위치 변화

• 곱하는 수를 10배, 100배, 1000배, ... 할 때마다 곱의 소수점이 오른쪽으로 한 자리씩 옮겨집니다.

• 곱하는 수를 0.1배, 0.01배, 0.001배, ... 할 때마다 곱의 소수점이 왼쪽으로 한 자리씩 옮겨집니다.

• 곱하는 두 수의 소수점 아래 자리 수를 더한 것과 계산 결과의 소수점 아래 자리 수가 같습니다.

확인 문제

5 빈 곳에 알맞은 수를 써넣으세요.

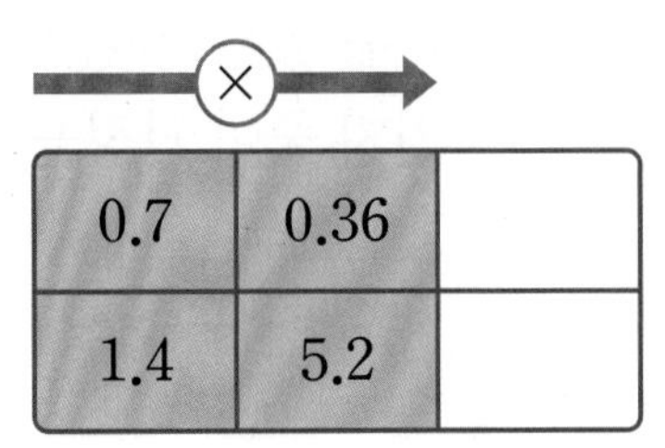

0.7	0.36	
1.4	5.2	

6 설명하는 두 수의 곱을 구해 보세요.

• 0.01이 308개인 수
• 0.1이 65개인 수

( )

7 □ 안에 들어갈 수 있는 한 자리 수 중에서 가장 작은 수는 얼마인지 구해 보세요.

4.3×2.□>12

( )

8 주스 한 병의 무게는 0.37 kg입니다. 같은 주스 100병의 무게는 몇 kg인지 구해 보세요.

( )

단계별로

서술형 문제 해결하기

과정 중심 평가 내용: 숫자 카드를 이용하여 곱셈식을 만들 수 있는가?

1-1 숫자 카드 4장 중에서 2장을 한 번씩만 사용하여 소수 한 자리 수를 만들려고 합니다. 만들 수 있는 가장 큰 소수와 9의 곱은 얼마인지 풀이 과정을 쓰고, 답을 구해 보세요. [8점]

3 5 7 8

풀이

❶ $8>7>5>3$이므로 만들 수 있는 가장 큰 소수 한 자리 수는 □입니다.

❷ 만들 수 있는 가장 큰 소수 한 자리 수와 9의 곱은 □$\times 9=$□입니다.

답

1-2 쌍둥이

숫자 카드 4장 중에서 2장을 한 번씩만 사용하여 소수 한 자리 수를 만들려고 합니다. 만들 수 있는 가장 큰 소수와 5의 곱은 얼마인지 풀이 과정을 쓰고, 답을 구해 보세요. [12점]

2 4 6 9

풀이

답

1-3 유사

숫자 카드 5장 중에서 2장을 한 번씩만 사용하여 소수 한 자리 수를 만들려고 합니다. 만들 수 있는 소수 한 자리 수 중에서 가장 큰 수와 가장 작은 수의 곱은 얼마인지 풀이 과정을 쓰고, 답을 구해 보세요. [15점]

0 3 4 6 7

풀이

답

1-4 실전

숫자 카드 4장 중에서 3장을 한 번씩만 사용하여 소수 두 자리 수를 만들려고 합니다. 만들 수 있는 소수 두 자리 수 중에서 가장 큰 수와 가장 작은 수의 곱은 얼마인지 풀이 과정을 쓰고, 답을 구해 보세요. [15점]

2 5 8 9

풀이

답

➜ 정답 및 풀이 219쪽

2-1 어떤 수에 8을 곱해야 할 것을 잘못하여 더하였더니 8.6이 되었습니다. 바르게 계산하면 얼마인지 풀이 과정을 쓰고, 답을 구해 보세요. [8점]

풀이

❶ 어떤 수를 ■라고 하면 잘못 계산한 식은 ■+8=8.6입니다.

■+8=[ ]

➜ [ ]−8=■, ■=[ ]

따라서 어떤 수는 [ ]입니다.

❷ 바르게 계산하면

[ ]×8=[ ]입니다.

답

2-2 쌍둥이

어떤 수에 1.7을 곱해야 할 것을 잘못하여 더하였더니 5.7이 되었습니다. 바르게 계산하면 얼마인지 풀이 과정을 쓰고, 답을 구해 보세요. [12점]

풀이

답

2-3 유사

0.9에 어떤 수를 곱해야 할 것을 잘못하여 더하였더니 1.45가 되었습니다. 바르게 계산하면 얼마인지 풀이 과정을 쓰고, 답을 구해 보세요. [15점]

풀이

답

2-4 실전

어떤 수에 2.75를 곱해야 할 것을 잘못하여 빼었더니 0.85가 되었습니다. 바르게 계산하면 얼마인지 풀이 과정을 쓰고, 답을 구해 보세요. [15점]

풀이

답

| (소수) × (자연수) (1) |

01 그림을 보고 □ 안에 알맞은 수를 써넣으세요.

하

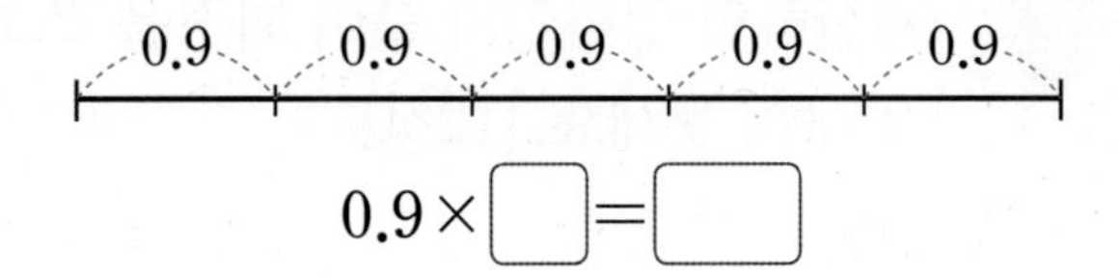

$0.9 \times \square = \square$

| (자연수) × (소수) (2) |

02 □ 안에 알맞은 수를 써넣으세요.

하

$6 \times 3.48 = 6 \times \frac{\square}{100} = \frac{6 \times \square}{100}$

$= \frac{\square}{100} = \square$

| (소수) × (소수) (1) |

03 보기 와 같은 방법으로 계산해 보세요.

보기

$0.3 \times 0.7 = \frac{3}{10} \times \frac{7}{10} = \frac{21}{100} = 0.21$

0.8×0.45

| (소수) × (소수) (1), (소수) × (소수) (2) |

04 계산해 보세요.

하

(1) 0.38×0.6

(2) 1.7×4.9

| (소수) × (소수) (2) |

05 빈 곳에 알맞은 수를 써넣으세요.

중

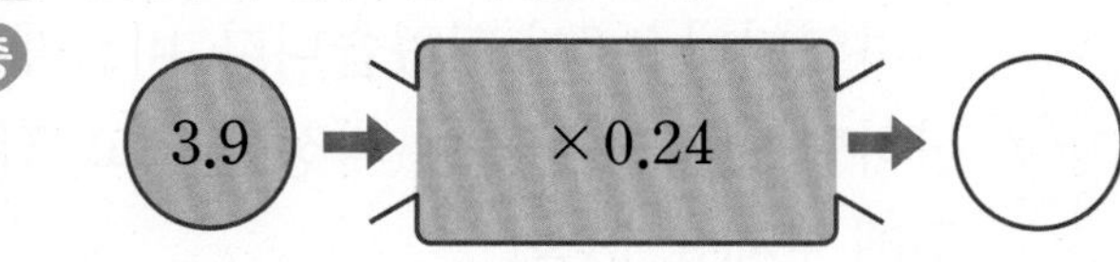

| (자연수) × (소수) (1), (소수) × (소수) (2) |

06 관계있는 것끼리 선으로 이어 보세요.

중

6×0.62 •	• 3.12
1.3×2.4 •	• 3.52
2.2×1.6 •	• 3.72

| (소수) × (자연수) (1), (자연수) × (소수) (1) |

07 계산 결과를 비교하여 ○ 안에 >, =, <를 알맞게 써넣으세요.

중

12×0.8 ○ 0.3×46

| 곱의 소수점 위치 변화 |

08 계산해 보세요.

중

$802 \times 1 = 802$

$802 \times 0.1 = \square$

$802 \times 0.01 = \square$

$802 \times 0.001 = \square$

| (소수)×(소수) (2) |

09 지영이는 0.87×1.4를 다음과 같이 잘못 계산하였습니다. 잘못된 곳을 찾아 바르게 계산해 보세요.
중

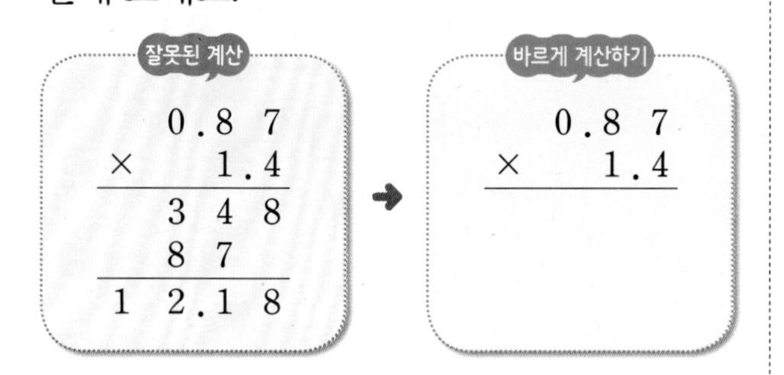

| (자연수)×(소수) (1), (자연수)×(소수) (2) |

10 빈 곳에 알맞은 수를 써넣으세요.
중

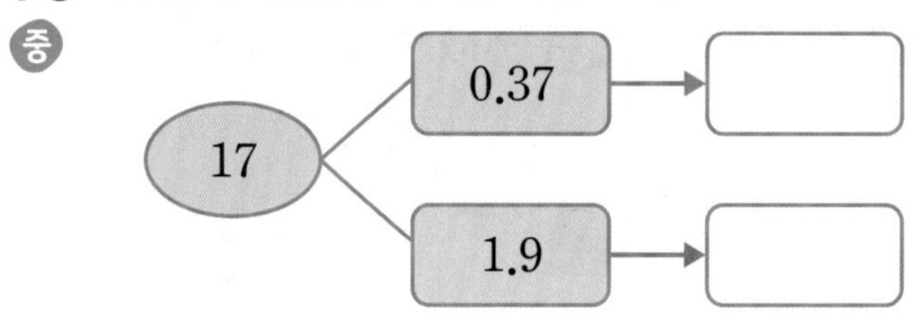

| (소수)×(소수) (1), (소수)×(소수) (2) |

11 설명하는 두 수의 곱을 구해 보세요.
중

- 1.6의 0.25배인 수
- 0.01이 45개인 수

( )

| (자연수)×(소수) (1), (소수)×(자연수) (1), (소수)×(소수) (2) |

12 계산 결과가 가장 큰 것을 찾아 기호를 써 보세요.
중

㉠ 12×0.7　㉡ 0.58×16　㉢ 1.8×3.6

( )

| (자연수)×(소수) (2) |

13 평행사변형의 넓이는 몇 cm^2인지 구해 보세요.
중

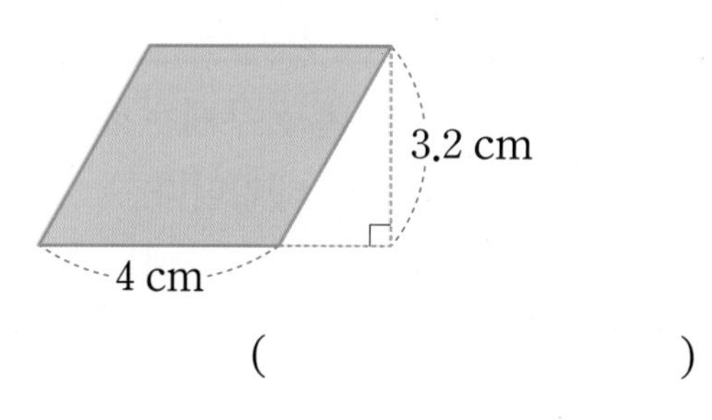

( )

| (소수)×(소수) (1) | 서술형

14 지후네 집에서 공원까지의 거리는 0.74 km이고, 공원에서 박물관까지의 거리는 지후네 집에서 공원까지 거리의 0.6배입니다. 지후네 집에서 공원을 거쳐 박물관까지 가는 거리는 몇 km인지 풀이 과정을 쓰고, 답을 구해 보세요.
중

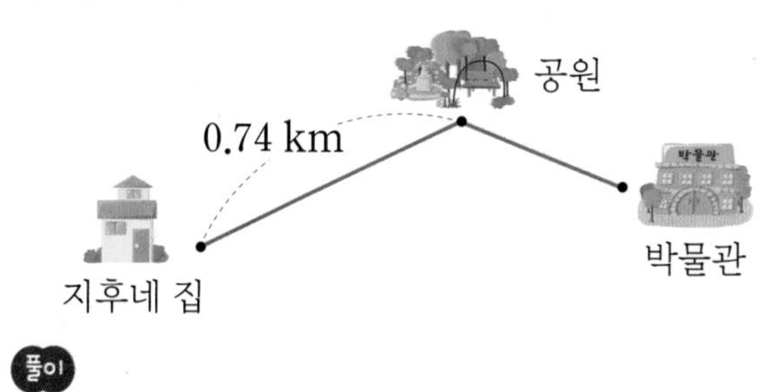

풀이

답

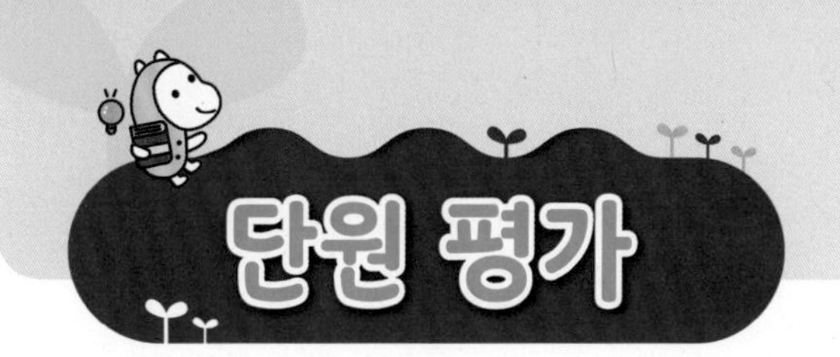

➔ 정답 및 풀이 221쪽

| (자연수)×(소수) (1), (자연수)×(소수) (2) |

15 수진이의 몸무게는 36 kg입니다. 다음의 두 행성에서 잰 수진이의 몸무게의 차는 몇 kg인지 구해 보세요.
중

- 금성에서 잰 몸무게는 지구에서 잰 몸무게의 약 0.91배입니다.
- 해왕성에서 잰 몸무게는 지구에서 잰 몸무게의 약 1.14배입니다.

( )

| (소수)×(자연수) (2) |

16 성진이는 둘레가 1.3 km인 공원을 4바퀴 걸었고, 민선이는 둘레가 1.08 km인 산책로를 5바퀴 걸었습니다. 누가 몇 km 더 많이 걸었는지 구해 보세요.
중

( )

| 곱의 소수점 위치 변화 | 서술형

17 우진이가 계산기로 5.45×0.8을 계산하려고 두 수를 눌렀는데 수 하나의 소수점 위치를 잘못 눌러서 계산 결과가 43.6이 나왔습니다. 우진이가 누른 두 수는 무엇인지 풀이 과정을 쓰고, 답을 구해 보세요.
중

풀이

답

| (자연수)×(소수) (2) |

18 숫자 카드를 □ 안에 한 번씩만 넣어 곱이 가장 크게 되도록 만들고, 이때의 곱을 구해 보세요.
상

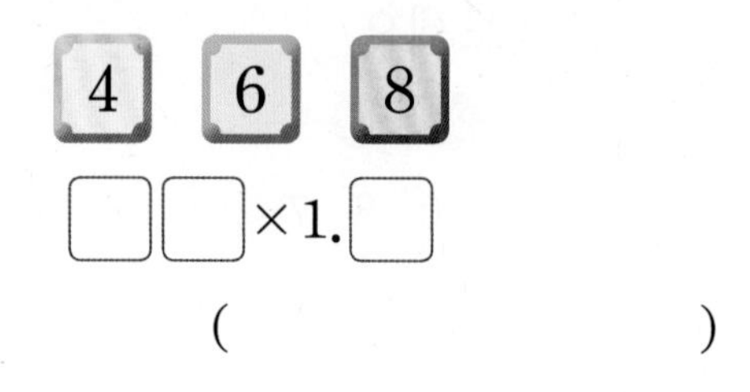

( )

| (소수)×(소수) (2) |

19 가로가 15 cm, 세로가 9 cm인 직사각형 모양의 사진이 있습니다. 이 사진의 가로와 세로를 각각 1.5배씩 늘였을 때, 커진 사진의 넓이는 몇 cm^2인지 구해 보세요.
상

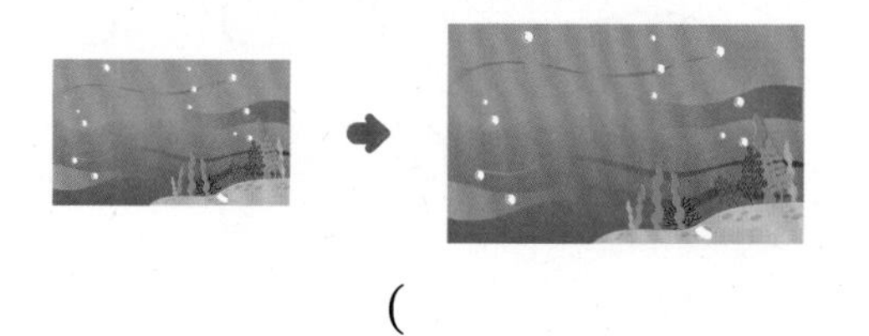

( )

| (소수)×(자연수) (2) | 서술형

20 1부터 9까지의 자연수 중에서 □ 안에 들어갈 수 있는 수는 모두 몇 개인지 풀이 과정을 쓰고, 답을 구해 보세요.
상

$5<2.3\times\square<13$

풀이

답

소수의 곱셈은 어떻게 계산할까요?

5 직육면체와 정육면체

이전에 배운 내용	이번에 배울 내용	다음에 배울 내용
3-1 2. 평면도형 • 직사각형 • 정사각형 4-2 4. 사각형 • 수직과 평행	• 직육면체, 정육면체의 의미와 구성 요소 알아보기 • 직육면체의 성질 알아보기 • 직육면체의 겨냥도를 이해하고 그리기 • 정육면체의 전개도를 이해하고 그리기 • 직육면체의 전개도를 이해하고 그리기	6-1 2. 각기둥과 각뿔 • 각기둥, 각뿔과 그 성질 • 각기둥의 전개도 6-1 6. 직육면체의 부피와 겉넓이 • 직육면체의 부피와 겉넓이 구하기

• 학생들이 상자를 꾸미기 위해 색지를 잘라서 상자에 붙이고 있습니다.
• 직사각형과 정사각형으로 이루어져 있는 상자 모양의 도형을 무엇이라고 부를지 궁금해하고 있습니다.

공부할 준비가 되었나요?

자/기/주/도/학/습

	학습 내용	계획 및 확인(공부한 날)	
예습	1차시 | 단원 도입 / 준비 팡팡	134~137쪽	월 일
진도	2차시 | 1 직육면체	138~139쪽	월 일
	3차시 | 2 정육면체	140~141쪽	월 일
	4차시 | 3 직육면체의 성질	142~143쪽	월 일
	5차시 | 4 직육면체의 겨냥도	144~145쪽	월 일
	6~7차시 | 5 정육면체의 전개도	146~149쪽	월 일
	8~9차시 | 6 직육면체의 전개도	150~153쪽	월 일
	10차시 | 문제 해결력 쑥쑥	154~155쪽	월 일
	11차시 | 단원 마무리 척척	156~157쪽	월 일
	12차시 | 만들기 속으로 뚝딱 / 이야기로 키우는 생각	158~159쪽	월 일
평가	개념+확인 / 서술형 문제 해결하기	160~163쪽	월 일
	단원 평가 / 재미있는 수학 이야기	164~167쪽	월 일

학습 목표

'무엇을 알고 있나요'와 '함께 생각해 볼까요'를 통하여 단원을 준비할 수 있습니다.

도형을 보고 직사각형과 정사각형 찾아보기

- 직사각형은 네 각이 모두 직각인 사각형이므로 네 각이 모두 직각인 사각형을 찾습니다.
- 정사각형은 네 각이 모두 직각이고 네 변의 길이가 모두 같은 사각형이므로 네 각이 모두 직각이고 네 변의 길이가 모두 같은 사각형을 찾습니다.

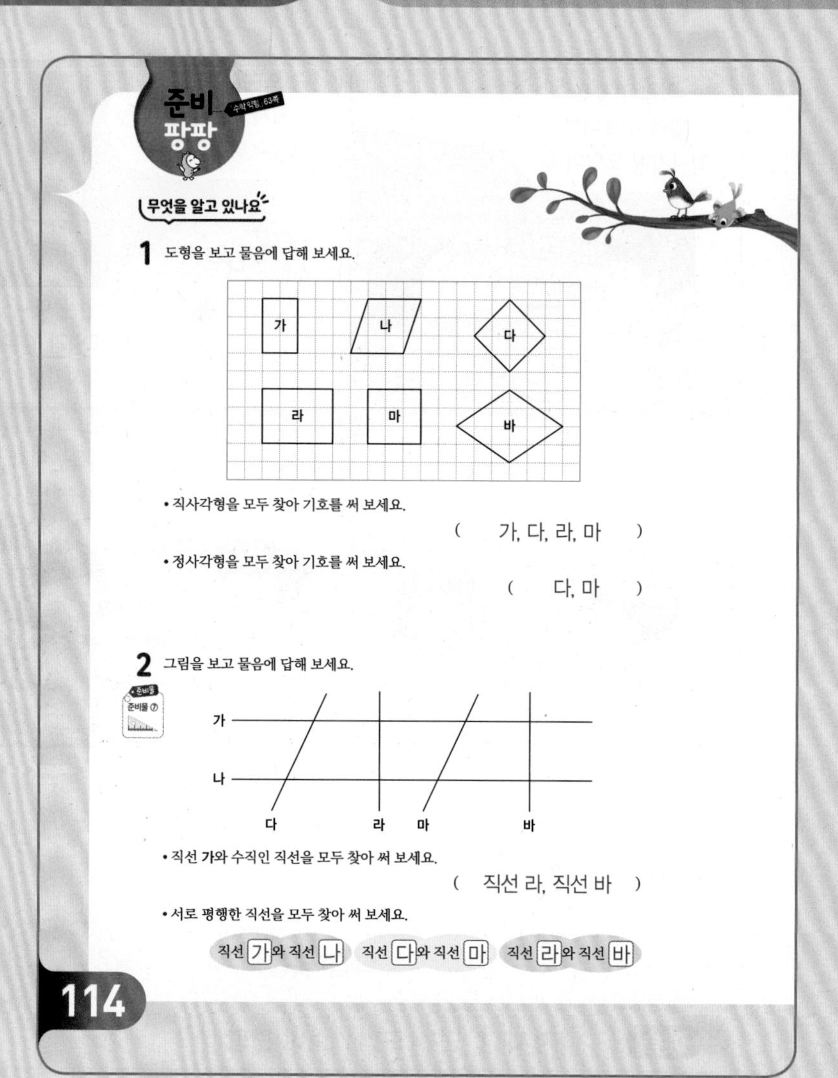

그림을 보고 수직인 직선과 평행한 직선 찾아보기

- 두 직선이 만나서 이루는 각이 직각일 때, 두 직선은 서로 수직이라고 합니다.
  두 직선이 서로 수직일 때, 한 직선을 다른 직선에 대한 수선이라고 합니다.
  따라서 직선 가와 직각을 이루는 직선을 찾습니다.
- 서로 만나지 않는 두 직선은 평행하다고 하며, 평행한 두 직선을 평행선이라고 합니다.
  한 직선에 수직으로 그은 두 직선은 서로 평행함을 알고 평행한 직선을 찾습니다.

교과서 개념 완성 | 배운 것을 다시 생각하기

평면도형

- 직사각형

  네 각이 모두 직각인 사각형을 직사각형이라고 합니다.

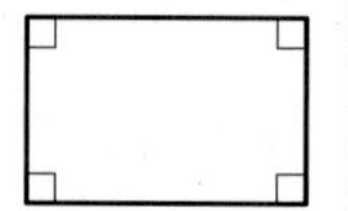

- 정사각형

  네 각이 모두 직각이고 네 변의 길이가 모두 같은 사각형을 정사각형이라고 합니다.

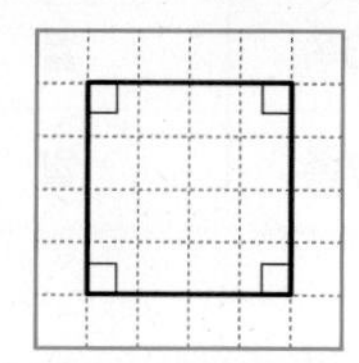
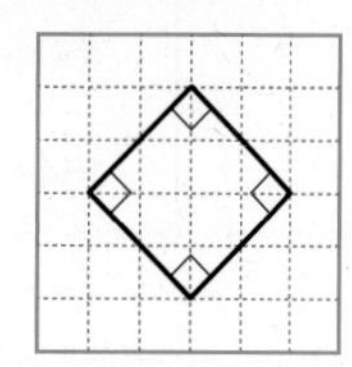

수직과 평행

- 수직
  - 두 직선이 만나서 이루는 각이 직각일 때, 두 직선은 서로 수직이라고 합니다.
  - 두 직선이 서로 수직일 때, 한 직선을 다른 직선에 대한 수선이라고 합니다.
- 평행
  - 서로 만나지 않는 두 직선은 평행하다고 하며, 평행한 두 직선을 평행선이라고 합니다.
  - 한 직선에 수직으로 그은 두 직선은 서로 평행합니다.

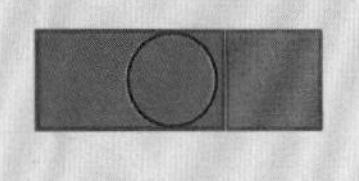

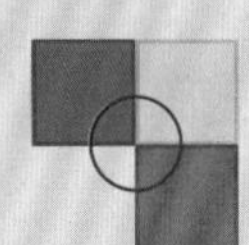

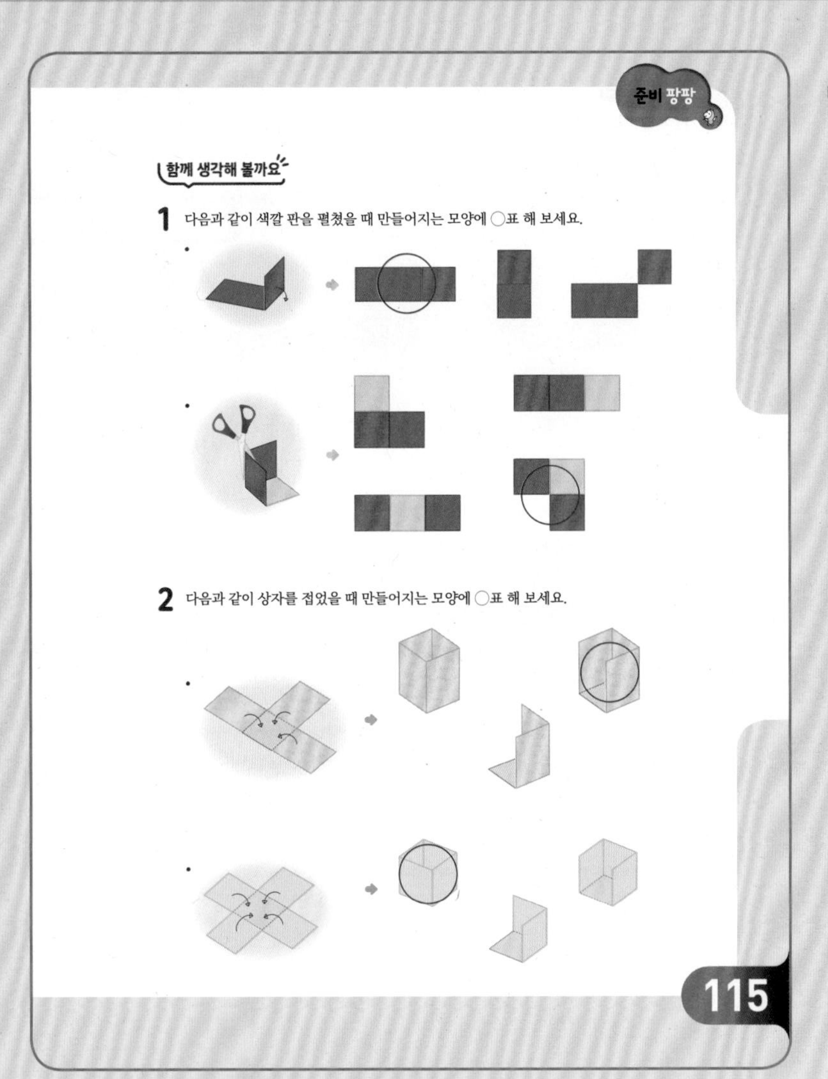

색깔 판을 펼쳤을 때 만들어지는 모양 찾기

- 색깔 판을 펼치거나 자른 후 펼쳤을 때 어떤 모양이 되는지 생각해 보고 찾아보도록 합니다.

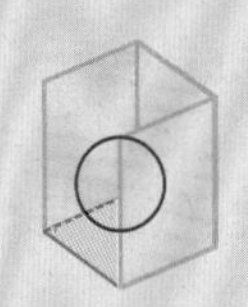

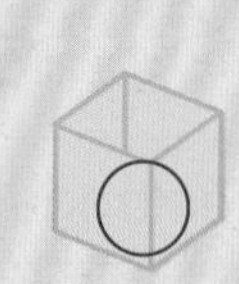

학부모 코칭 Tip

직육면체와 정육면체 모양의 상자에서 펼치기 전의 모양과 펼친 모양을 비교할 때 도움을 주기 위한 것이므로 모양을 잘 이해하도록 합니다.

상자를 접었을 때 만들어지는 모양 찾기

- 제시된 상자를 화살표 방향에 따라 접었을 때 어떤 모양이 만들어지는지 생각해 보고 찾아보도록 합니다.

학부모 코칭 Tip

직육면체와 정육면체의 전개도를 접었을 때 올바른 전개도가 되는지 판단하는 데 도움을 주기 위한 것이므로 모양을 잘 이해하도록 합니다.

개념 확인 문제

정답 및 풀이 222쪽

| 3-1 2. 평면도형 |

1 주어진 선분을 이용하여 직사각형을 완성해 보세요.

| 3-1 2. 평면도형 |

2 오른쪽 도형은 정사각형입니다. 네 변의 길이의 합은 몇 cm인가요?

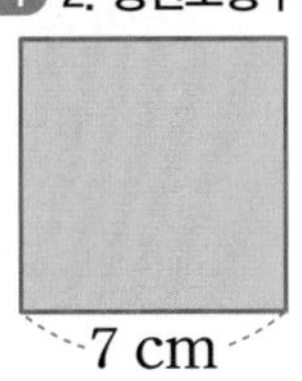

( )

| 4-2 4. 사각형 |

3 서로 수직인 변이 있는 도형을 모두 찾아 기호를 써 보세요.

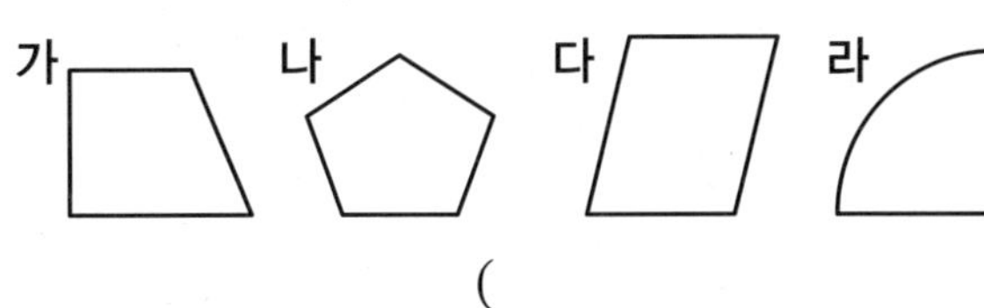

( )

| 4-2 4. 사각형 |

4 오른쪽 도형에서 서로 평행한 변은 모두 몇 쌍인가요?

( )

1 | 직육면체

학습 목표

- 직육면체의 의미와 구성 요소를 이해합니다.
- 직육면체의 특징을 이해합니다.

그림으로 개념 잡기

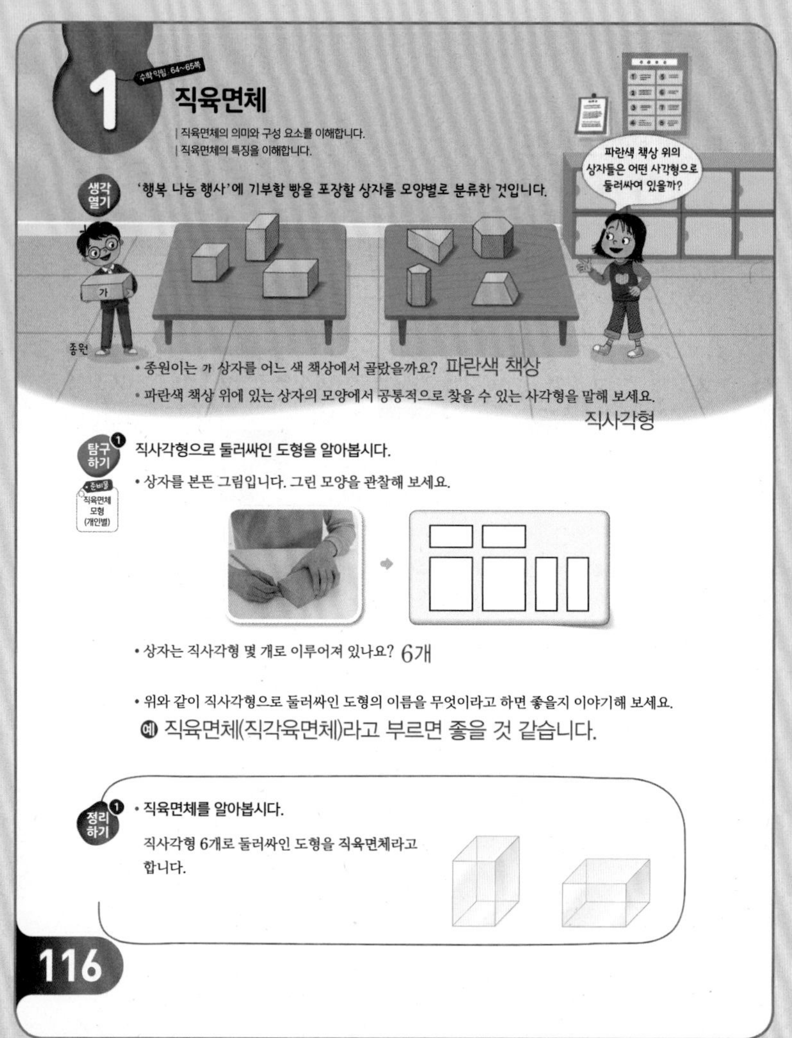

1 직육면체

수학익힘 64~65쪽

| 직육면체의 의미와 구성 요소를 이해합니다.
| 직육면체의 특징을 이해합니다.

생각열기 '행복 나눔 행사'에 기부할 빵을 포장할 상자를 모양별로 분류한 것입니다.

파란색 책상 위의 상자들은 어떤 사각형으로 둘러싸여 있을까?

가

종원

- 종원이는 가 상자를 어느 색 책상에서 골랐을까요? 파란색 책상
- 파란색 책상 위에 있는 상자의 모양에서 공통적으로 찾을 수 있는 사각형을 말해 보세요. 직사각형

탐구하기 1 직사각형으로 둘러싸인 도형을 알아봅시다.

준비물 직육면체 모형 (개인별)

- 상자를 본뜬 그림입니다. 그린 모양을 관찰해 보세요.
- 상자는 직사각형 몇 개로 이루어져 있나요? 6개
- 위와 같이 직사각형으로 둘러싸인 도형의 이름을 무엇이라고 하면 좋을지 이야기해 보세요.
  예 직육면체(직각육면체)라고 부르면 좋을 것 같습니다.

정리하기 1
- 직육면체를 알아봅시다.
  직사각형 6개로 둘러싸인 도형을 직육면체라고 합니다.

116

어휘

직육면체

rectangular parallelepiped

여섯 개의 면이 모두 직사각형이고 마주 보는 세 쌍의 면이 각각 평행한 육면체

直 (곧을 직) 六 (여섯 육)
面 (낯 면) 體 (몸 체)

교과서 개념 완성

정리하기 1 직육면체 알아보기

직사각형 6개로 둘러싸인 도형을 직육면체라고 합니다.

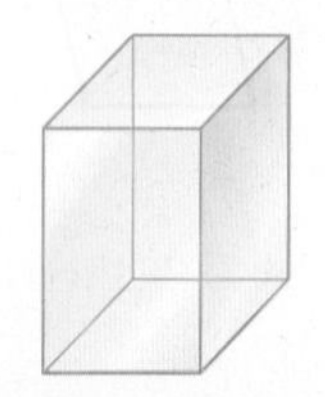
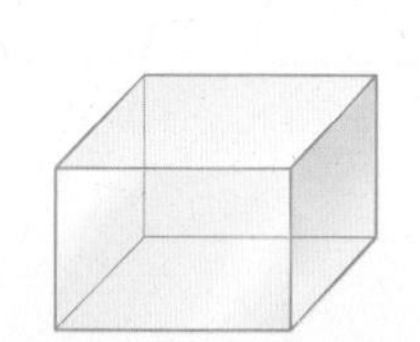

학부모 코칭 Tip

직육면체의 겨냥도를 5차시에서 배우기 때문에 그전까지 직육면체를 입체 모양처럼 보이도록 하기 위해 투명하게 나타낸 것임을 알고 각 구성 요소를 알아보도록 합니다.

정리하기 2 직육면체의 구성 요소

직육면체에서

면: 선분으로 둘러싸인 부분
└ 직육면체를 둘러싼 직사각형입니다.

모서리: 면과 면이 만나는 선분

꼭짓점: 모서리와 모서리가 만나는 점

(그림: 꼭짓점, 면, 모서리)

- 직육면체의 면, 모서리, 꼭짓점의 개수

면의 수(개)	모서리의 수(개)	꼭짓점의 수(개)
6	12	8

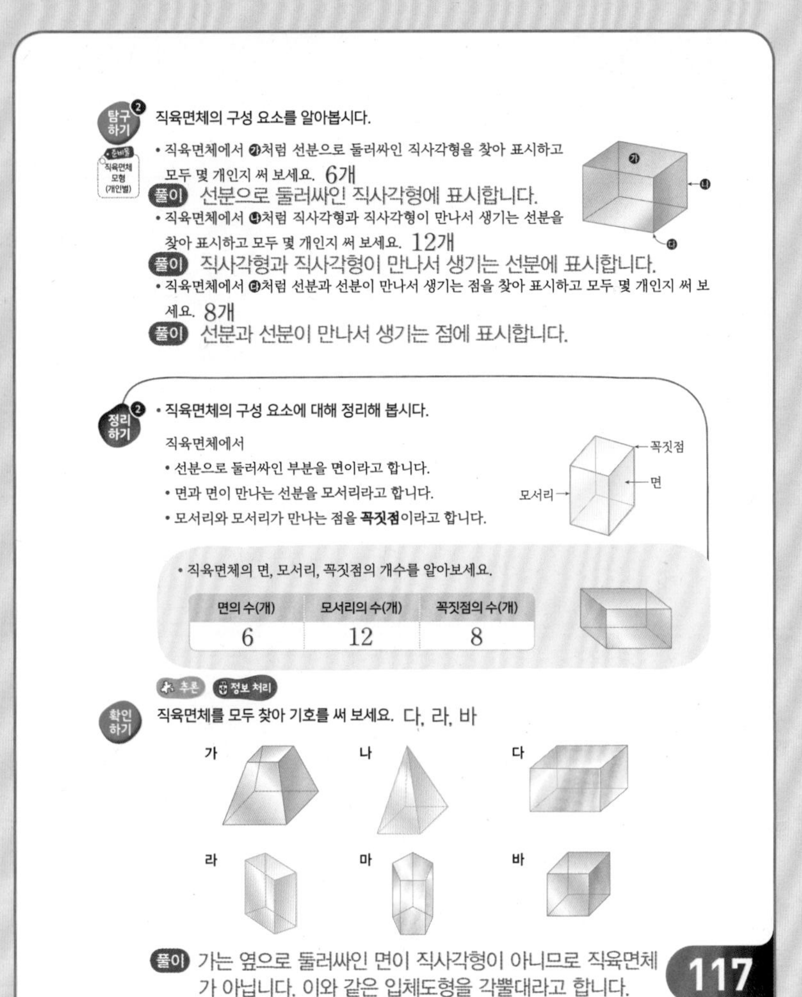
탐구하기 ② 직육면체의 구성 요소를 알아봅시다.

- 직육면체에서 ㉮처럼 선분으로 둘러싸인 직사각형을 찾아 표시하고 모두 몇 개인지 써 보세요. 6개

풀이 선분으로 둘러싸인 직사각형에 표시합니다.

- 직육면체에서 ㉯처럼 직사각형과 직사각형이 만나서 생기는 선분을 찾아 표시하고 모두 몇 개인지 써 보세요. 12개

풀이 직사각형과 직사각형이 만나서 생기는 선분에 표시합니다.

- 직육면체에서 ㉰처럼 선분과 선분이 만나서 생기는 점을 찾아 표시하고 모두 몇 개인지 써 보세요. 8개

풀이 선분과 선분이 만나서 생기는 점에 표시합니다.

정리하기 ② • 직육면체의 구성 요소에 대해 정리해 봅시다.

직육면체에서

- 선분으로 둘러싸인 부분을 면이라고 합니다.
- 면과 면이 만나는 선분을 모서리라고 합니다.
- 모서리와 모서리가 만나는 점을 **꼭짓점**이라고 합니다.

- 직육면체의 면, 모서리, 꼭짓점의 개수를 알아보세요.

면의 수(개)	모서리의 수(개)	꼭짓점의 수(개)
6	12	8

추론 정보 처리

확인하기 직육면체를 모두 찾아 기호를 써 보세요. 다, 라, 바

풀이 가는 옆으로 둘러싸인 면이 직사각형이 아니므로 직육면체가 아닙니다. 이와 같은 입체도형을 각뿔대라고 합니다.

117

이런 문제가 서술형으로 나와요

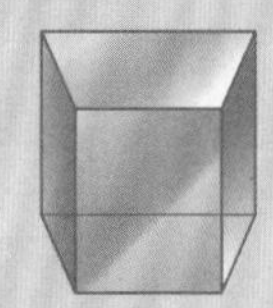

오른쪽 도형은 직육면체인가요? 답과 그렇게 생각한 이유를 써 보세요.

| 풀이 과정 |

❶ 직육면체인지 쓰기

직육면체가 아닙니다.

❷ 이유 설명하기

위와 아래에 있는 면이 직사각형이 아니므로 직육면체가 아닙니다.

수학 교과 역량 추론 정보 처리

직육면체 찾기

직육면체의 구성 요소를 직육면체 모형에 표시하고 몇 개인지 알아보는 과정을 통하여 추론 능력과 정보 처리 능력을 기르고, 직육면체의 의미를 알고 주어진 입체도형 중에서 직육면체를 찾는 활동을 통하여 추론 능력과 정보 처리 능력을 기를 수 있습니다.

개념 확인 문제

정답 및 풀이 222쪽

1 직육면체를 모두 찾아 기호를 써 보세요.

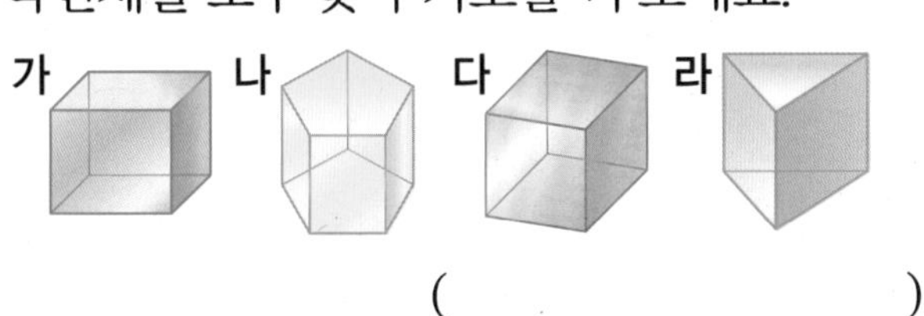

( )

2 ☐ 안에 직육면체의 구성 요소의 이름을 알맞게 써넣으세요.

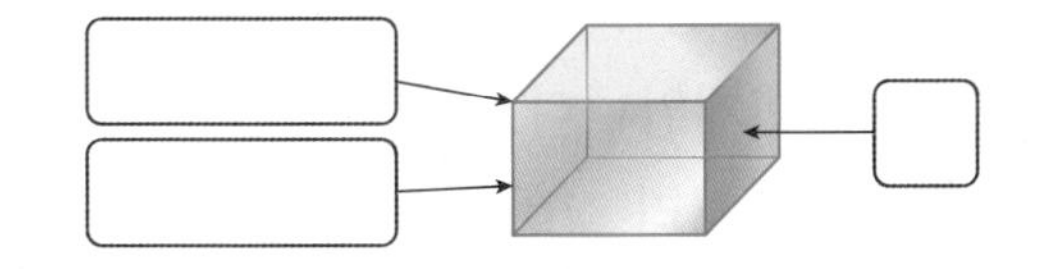

3 오른쪽 직육면체에서 면, 모서리, 꼭짓점의 수를 각각 써 보세요.

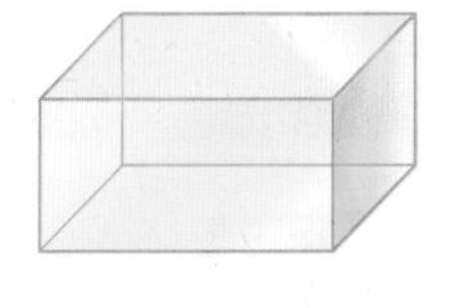

면의 수(개)	모서리의 수(개)	꼭짓점의 수(개)

4 오른쪽 직육면체에서 색칠한 면을 본떠 그렸을 때 그려지는 모양은 어떤 도형인가요?

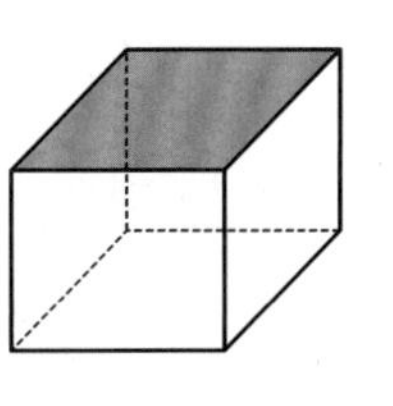

( )

2 | 정육면체

학습 목표

- 정육면체의 의미와 구성 요소를 이해합니다.
- 정육면체의 특징을 이해합니다.

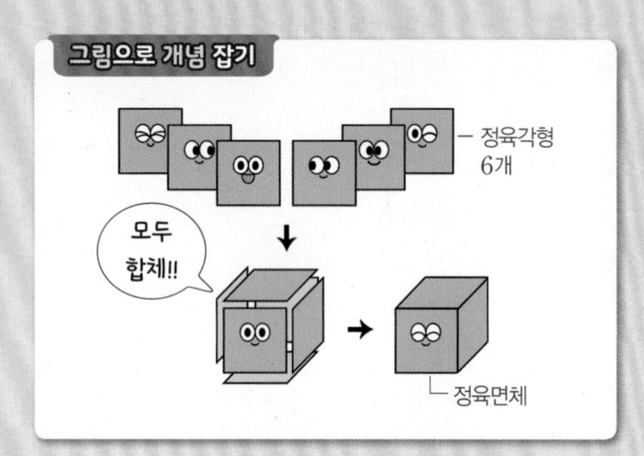

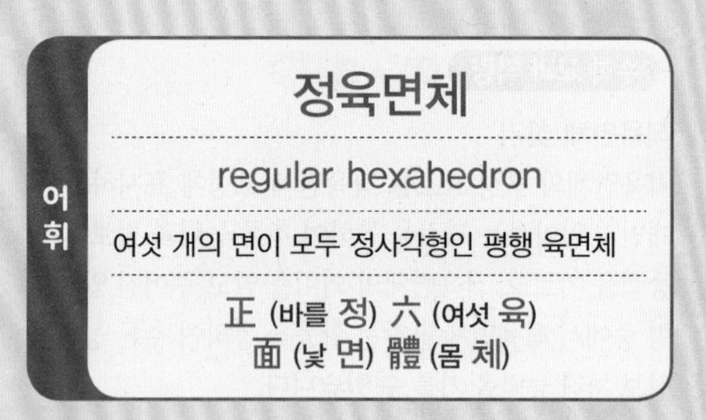

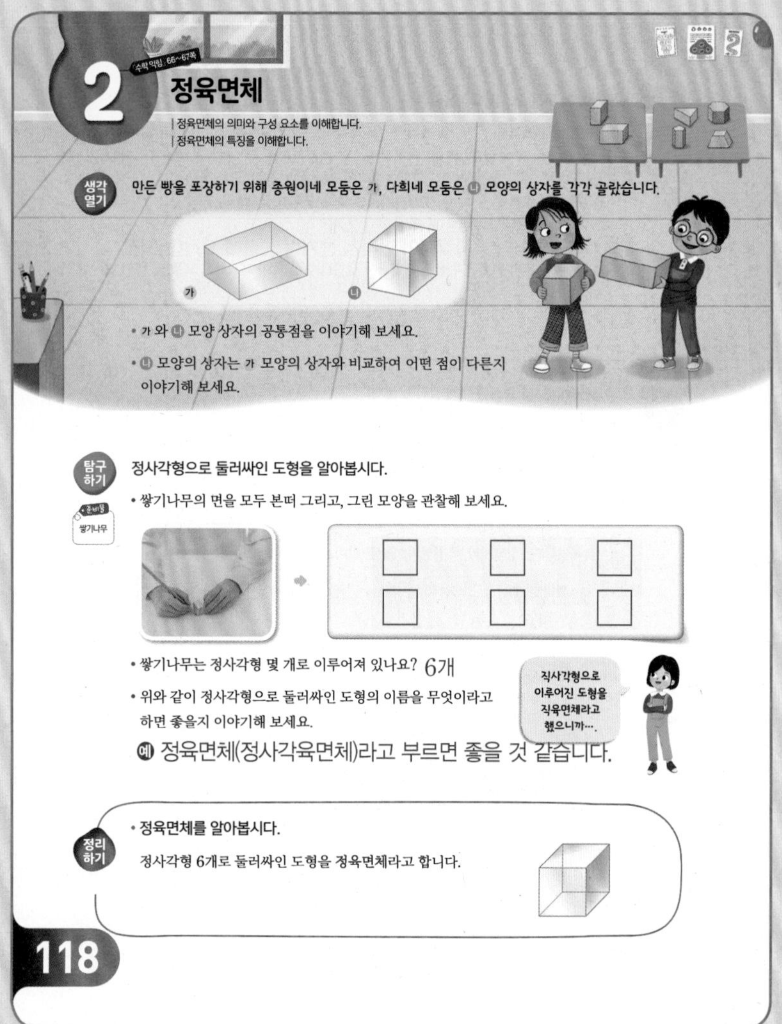

교과서 개념 완성

생각열기

가 모양 상자와 나 모양 상자의 공통점

- 각각 면이 모두 6개 있습니다.
- 각각 모서리가 모두 12개 있습니다.
- 각각 꼭짓점이 모두 8개 있습니다.

가 모양 상자와 나 모양 상자의 차이점

- 가 상자는 면의 모양이 모두 직사각형이지만, 나 상자는 면의 모양이 모두 정사각형입니다.
- 가 상자는 면의 크기가 모두 같지 않지만, 나 상자는 면의 크기가 모두 같습니다.
- 가 상자는 모서리의 길이가 모두 같지 않지만, 나 상자는 모서리의 길이가 모두 같습니다.

정리하기 정육면체

정사각형 6개로 둘러싸인 도형을 정육면체라고 합니다.

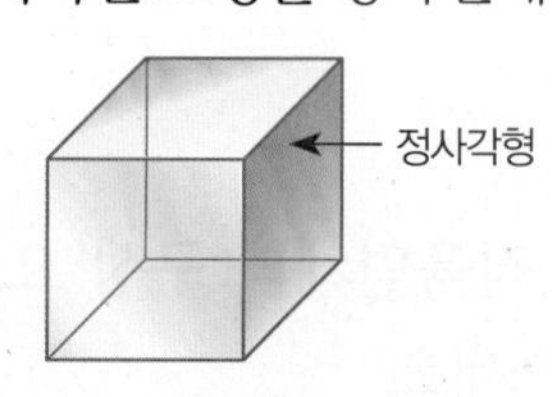

- 정육면체의 면의 수는 6개, 모서리의 수는 12개, 꼭짓점의 수는 8개입니다.
- 정육면체의 모서리 길이는 모두 같습니다.

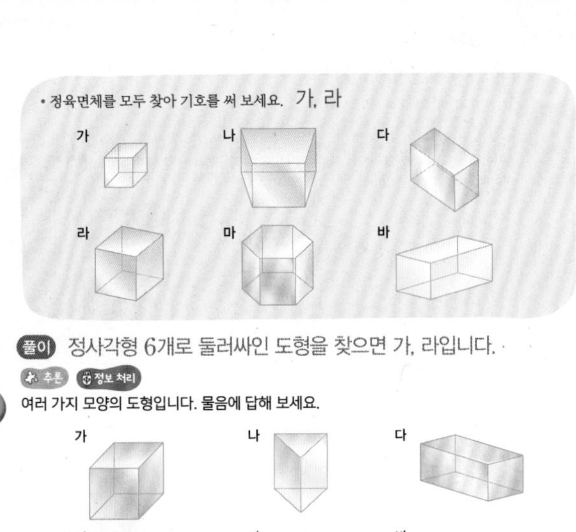

• 정육면체를 모두 찾아 기호를 써 보세요. 가, 라

가 나 다 라 마 바

풀이 정사각형 6개로 둘러싸인 도형을 찾으면 가, 라입니다.

추론 정보 처리

확인하기 여러 가지 모양의 도형입니다. 물음에 답해 보세요.

가 나 다 라 마 바

• 직육면체를 모두 찾아 기호를 써 보세요. 가, 다, 라, 마

풀이 직사각형 6개로 둘러싸인 도형을 찾습니다.

• 정육면체를 모두 찾아 기호를 써 보세요. 가, 마

풀이 정사각형 6개로 둘러싸인 도형을 찾습니다.

• 찾은 정육면체의 면, 모서리, 꼭짓점의 개수를 알아보세요.

도형(기호)	면의 수(개)	모서리의 수(개)	꼭짓점의 수(개)
가	6	12	8
마	6	12	8

119

이런 문제가 서술형으로 나와요

바르게 말한 친구는 누구인지 쓰고, 그 이유를 써 보세요.

지호: 직육면체는 정육면체라고 할 수 있어.
민수: 정육면체는 직육면체라고 할 수 있어.

| 풀이 과정 |

❶ 바르게 말한 친구 쓰기

민수

❷ 이유 설명하기

• 직사각형은 정사각형이라고 할 수 없으므로 직육면체는 정육면체라고 할 수 없습니다.
• 정사각형은 직사각형이라고 할 수 있으므로 정육면체는 직육면체라고 할 수 있습니다.

수학 교과 역량

직육면체와 정육면체를 찾아보고, 정육면체의 면, 모서리, 꼭짓점의 개수 알아보기

정육면체의 의미를 알고 정육면체를 찾는 활동을 통하여 추론 능력과 정보 처리 능력을 기르고, 정육면체의 구성 요소인 면, 모서리, 꼭짓점의 개수를 구하는 활동을 통하여 추론 능력과 정보 처리 능력을 기를 수 있습니다.

개념 확인 문제

정답 및 풀이 222쪽

1 정육면체를 모두 찾아 기호를 써 보세요.

가 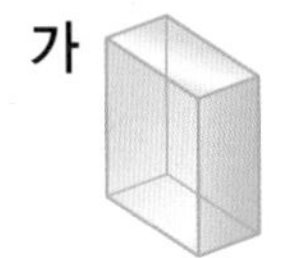 나  다  라 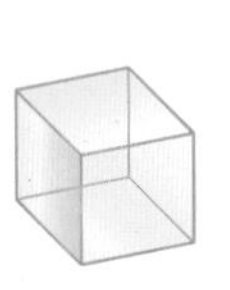

( )

2 정육면체에서 면, 모서리, 꼭짓점의 수를 각각 써 보세요.

면의 수(개)	모서리의 수(개)	꼭짓점의 수(개)

3 정육면체를 보고 □ 안에 알맞은 수를 써넣으세요.

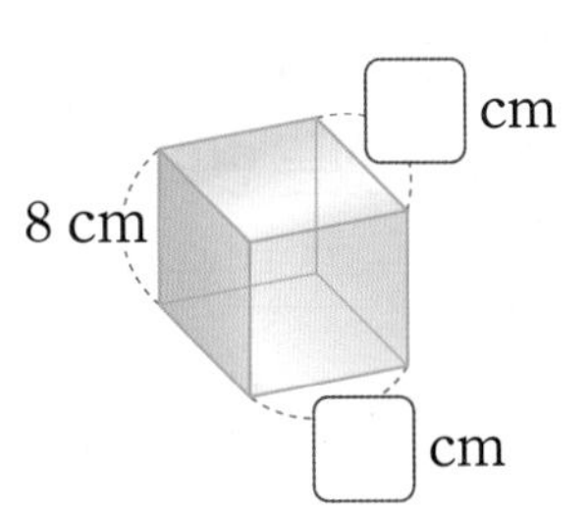

4 정육면체를 옆에서 본 모양은 어떤 도형인가요?

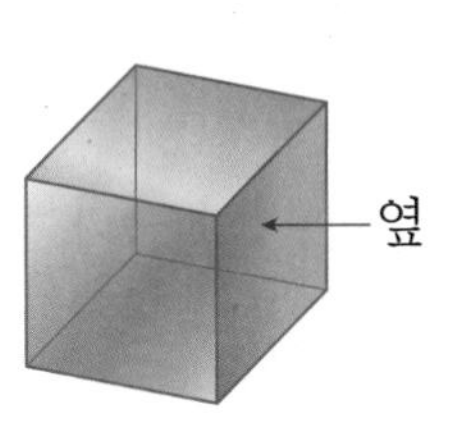

( )

3 | 직육면체의 성질

학습 목표

- 직육면체의 면 사이의 관계를 이해합니다.
- 직육면체의 성질을 통하여 서로 평행한 면과 수직인 면을 찾을 수 있습니다.

그림으로 개념 잡기

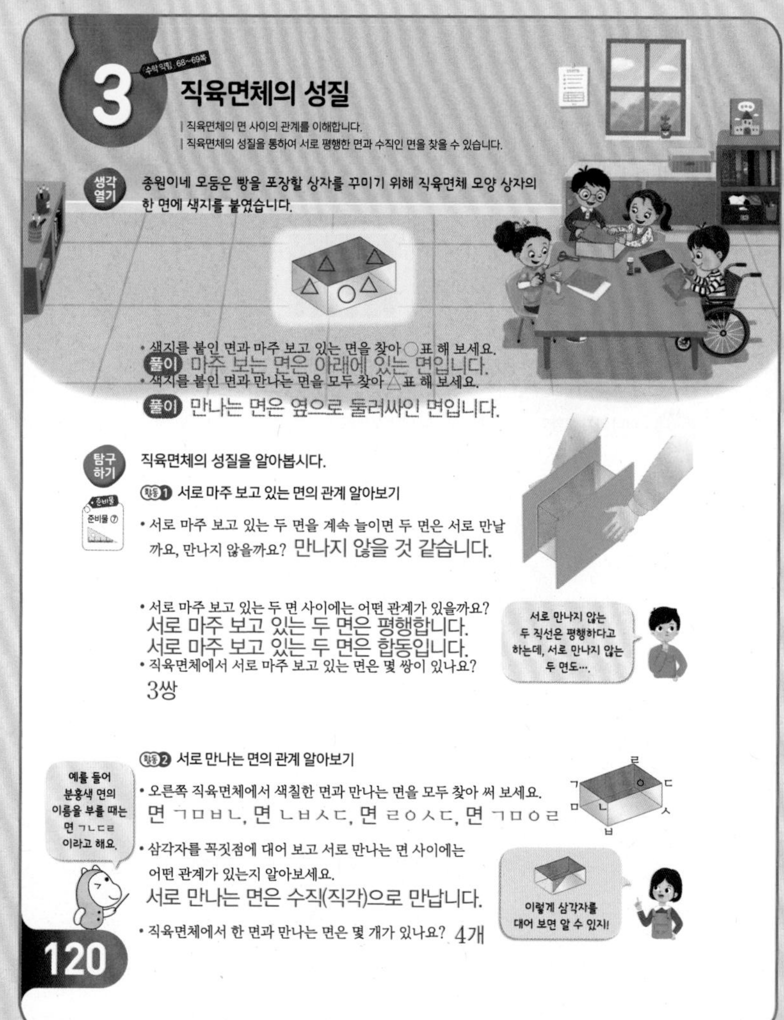

3 직육면체의 성질

수학 익힘 68~69쪽

| 직육면체의 면 사이의 관계를 이해합니다.
| 직육면체의 성질을 통하여 서로 평행한 면과 수직인 면을 찾을 수 있습니다.

생각 열기 종원이네 모둠은 빵을 포장할 상자를 꾸미기 위해 직육면체 모양 상자의 한 면에 색지를 붙였습니다.

- 색지를 붙인 면과 마주 보고 있는 면을 찾아 ○표 해 보세요.
  풀이 마주 보는 면은 아래에 있는 면입니다.
- 색지를 붙인 면과 만나는 면을 모두 찾아 △표 해 보세요.
  풀이 만나는 면은 옆으로 둘러싸인 면입니다.

탐구 하기 직육면체의 성질을 알아봅시다.

준비물 ⑦

활동 1 서로 마주 보고 있는 면의 관계 알아보기

- 서로 마주 보고 있는 두 면을 계속 늘이면 두 면은 서로 만날까요, 만나지 않을까요? 만나지 않을 것 같습니다.
- 서로 마주 보고 있는 두 면 사이에는 어떤 관계가 있을까요?
  서로 마주 보고 있는 두 면은 평행합니다.
  서로 마주 보고 있는 두 면은 합동입니다.
- 직육면체에서 서로 마주 보고 있는 면은 몇 쌍이 있나요?
  3쌍

서로 만나지 않는 두 직선은 평행하다고 하는데, 서로 만나지 않는 두 면도….

활동 2 서로 만나는 면의 관계 알아보기

- 오른쪽 직육면체에서 색칠한 면과 만나는 면을 모두 찾아 써 보세요.
  면 ㄱㅁㅂㄴ, 면 ㄴㅂㅅㄷ, 면 ㄹㅇㅅㄷ, 면 ㄱㅁㅇㄹ
- 삼각자를 꼭짓점에 대어 보고 서로 만나는 면 사이에는 어떤 관계가 있는지 알아보세요.
  서로 만나는 면은 수직(직각)으로 만납니다.
- 직육면체에서 한 면과 만나는 면은 몇 개가 있나요? 4개

예를 들어 분홍색 면의 이름을 부를 때는 면 ㄱㄴㄷㄹ 이라고 해요.

이렇게 삼각자를 대어 보면 알 수 있지!

120

어휘	성질 性 (성품 성) 質 (바탕 질)	사물이나 현상이 본디부터 가지고 있는 고유한 특성

교과서 개념 완성

탐구하기 직육면체의 성질 알아보기

활동 1 서로 마주 보고 있는 면의 관계 알아보기

- 서로 마주 보고 있는 두 면을 계속 늘이면 만나지 않습니다.
  3쌍 있습니다.
- 서로 마주 보고 있는 두 면은 평행합니다.
- 서로 마주 보고 있는 두 면은 합동입니다.

활동 2 서로 만나는 면의 관계 알아보기

- 서로 만나는 면은 수직(직각)으로 만납니다.
- 한 면과 만나는 면은 4개 있습니다.
  한 면에 수직인 면

정리하기 직육면체의 성질

- 직육면체에서 계속 늘여도 만나지 않는 두 면은 서로 평행하다고 합니다. 이때 이 두 면을 직육면체의 밑면이라고 합니다.
  직육면체에는 평행한 면이 3쌍 있고, 이 평행한 면은 각각 밑면이 될 수 있습니다.
- 직육면체에서 밑면과 수직인 면을 직육면체의 옆면이라고 합니다.
  직육면체에서 옆면은 4개 있습니다.

확인하기 직육면체에서 밑면과 옆면 색칠하기

예

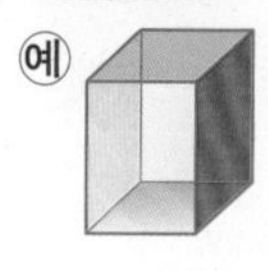
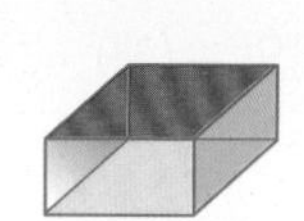

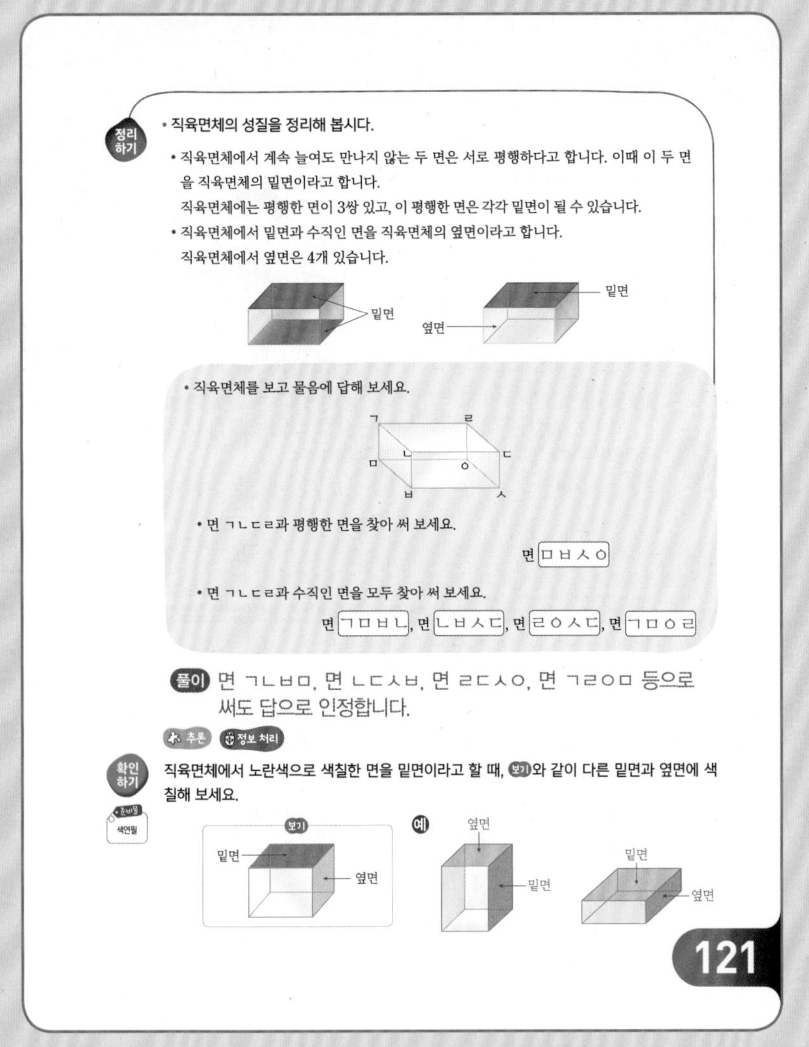
정리하기
• 직육면체의 성질을 정리해 봅시다.
• 직육면체에서 계속 늘여도 만나지 않는 두 면은 서로 평행하다고 합니다. 이때 이 두 면을 직육면체의 밑면이라고 합니다.
직육면체에는 평행한 면이 3쌍 있고, 이 평행한 면은 각각 밑면이 될 수 있습니다.
• 직육면체에서 밑면과 수직인 면을 직육면체의 옆면이라고 합니다.
직육면체에서 옆면은 4개 있습니다.

• 직육면체를 보고 물음에 답해 보세요.

• 면 ㄱㄴㄷㄹ과 평행한 면을 찾아 써 보세요.
면 ㅁㅂㅅㅇ

• 면 ㄱㄴㄷㄹ과 수직인 면을 모두 찾아 써 보세요.
면 ㄱㅁㅂㄴ, 면 ㄴㅂㅅㄷ, 면 ㄹㅇㅅㄷ, 면 ㄱㅁㅇㄹ

풀이 면 ㄱㄴㅂㅁ, 면 ㄴㄷㅅㅂ, 면 ㄹㄷㅅㅇ, 면 ㄱㄹㅇㅁ 등으로 써도 답으로 인정합니다.

추론 정보 처리

확인하기 직육면체에서 노란색으로 색칠한 면을 밑면이라고 할 때, 보기와 같이 다른 밑면과 옆면에 색칠해 보세요.

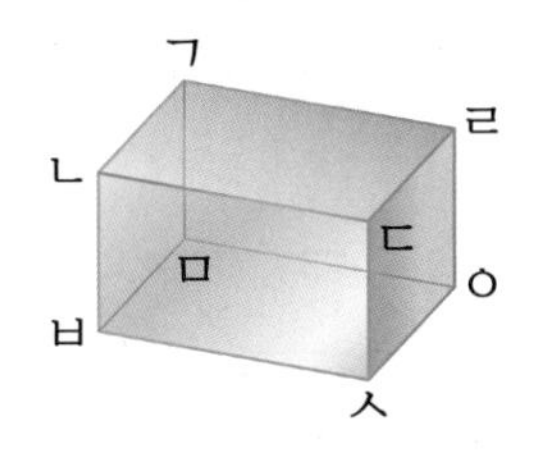

예

121

이런 문제가 서술형으로 나와요

직육면체에 대해 잘못 설명한 것의 기호를 쓰고, 바르게 고쳐 보세요.

> ㉠ 한 모서리에서 만나는 두 면은 서로 수직입니다.
> ㉡ 한 면과 수직으로 만나는 면은 모두 2개입니다.

| 풀이 과정 |

❶ 잘못 설명한 것의 기호 쓰기

㉡

❷ 바르게 고치기

한 면과 수직으로 만나는 면은 모두 4개입니다.

수학 교과 역량 추론 정보 처리

직육면체에서 밑면과 옆면 색칠하기

직육면체에서 한 밑면이 주어졌을 때 다른 밑면과 옆면을 찾는 활동을 통하여 추론 능력과 정보 처리 능력을 기를 수 있습니다.

개념 확인 문제

정답 및 풀이 222쪽

[1~2] 오른쪽 직육면체를 보고 물음에 답해 보세요.

ㄱ ㄹ ㄴ ㄷ ㅁ ㅇ ㅂ ㅅ

1 면 ㄴㅂㅅㄷ과 평행한 면을 찾아 써 보세요.

( )

2 면 ㄴㅂㅁㄱ과 수직인 면을 모두 찾아 써 보세요.

( )

3 직육면체에서 서로 평행한 면은 몇 쌍인가요?

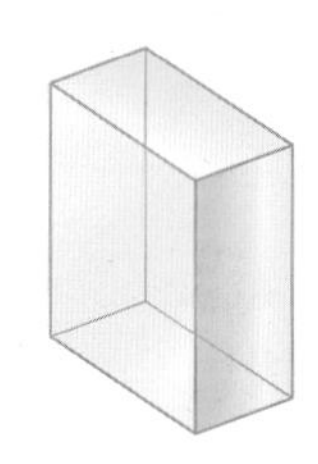

( )

4 직육면체에서 꼭짓점 ㄴ과 만나는 면은 모두 몇 개인가요?

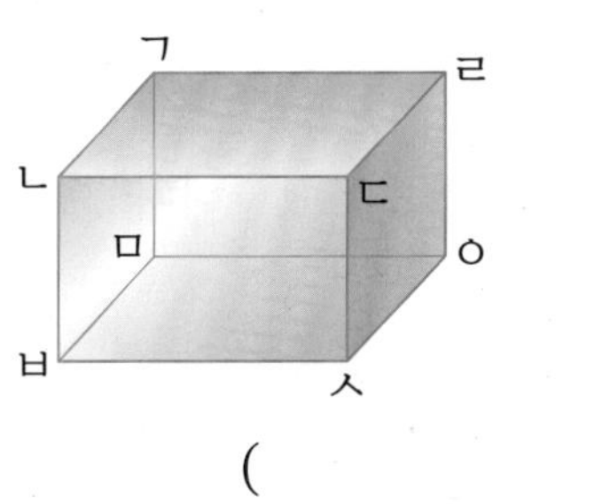

( )

4 | 직육면체의 겨냥도

학습 목표

직육면체의 겨냥도를 이해하고, 직육면체의 겨냥도를 그릴 수 있습니다.

그림으로 개념 잡기

어휘

겨냥도 sketch map	건물 따위의 모양·배치를 알기 쉽게 그린 그림

4 수학 익힘 70~71쪽

직육면체의 겨냥도

| 직육면체의 겨냥도를 이해하고, 직육면체의 겨냥도를 그릴 수 있습니다.

생각 열기 다음은 종원이가 색지를 붙인 상자를 여러 방향에서 본 모습입니다.

㉮ ㉯ ㉰

- ㉮, ㉯, ㉰ 중 직육면체의 모양을 가장 잘 나타낸 것은 어느 것인가요? ㉰
- 직육면체의 모양을 잘 알 수 있도록 그리는 방법을 생각해 보세요.

예 보이는 면의 수와 모서리의 수가 가장 많이 보이는 방향을 찾은 후에 보이는 대로 그림을 그립니다.

탐구 하기 직육면체의 모양을 잘 알 수 있도록 그리는 방법을 알아봅시다.

바름	새롬	지혜
보이는 모서리만 실선으로 그리기	보이는 모서리와 보이지 않는 모서리를 모두 실선으로 그리기	보이는 모서리는 실선으로, 보이지 않는 모서리는 점선으로 그리기

- 보이지 않는 면과 모서리가 나타난 것은 누가 그린 방법인가요? 새롬, 지혜
- 보이는 모서리와 보이지 않는 모서리를 구별하기 쉬운 것은 누가 그린 방법인가요? 지혜
- 직육면체의 모양을 잘 알 수 있도록 그리는 방법에 대해 이야기해 보세요.

보이는 모서리와 보이지 않는 모서리는 어떻게 그려야 할까?

서로 평행하고 길이가 같은 모서리는 어떻게 그려야 할까?

122

예 • 보이는 모서리는 실선으로, 보이지 않는 모서리는 점선으로 그립니다.
• 직육면체에서 서로 평행하고 길이가 같은 모서리는 겨냥도에서도 서로 평행하고 길이가 같도록 그립니다.

교과서 개념 완성

탐구하기 직육면체의 모양을 잘 알 수 있도록 그리는 방법 알아보기

바름, 새롬, 지혜가 그린 방법 살펴보기

- 바름이는 보이는 모서리만 실선으로 그렸습니다.
- 새롬이는 보이는 모서리와 보이지 않는 모서리를 모두 실선으로 그렸습니다.
- 지혜는 보이는 모서리는 실선으로, 보이지 않는 모서리는 점선으로 그렸습니다.

학부모 코칭 Tip

보이지 않는 꼭짓점과 면을 찾아보도록 하고, 겨냥도에서 면이 평행사변형으로 보이지만, 실제로는 직사각형임을 확인하도록 합니다.

정리하기 직육면체의 겨냥도

겨냥도: 직육면체와 같은 도형의 모양을 잘 알 수 있도록 나타낸 그림

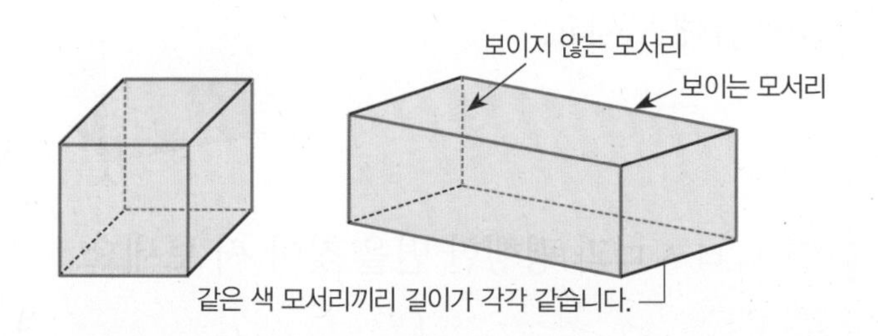

- 겨냥도에서는 보이는 모서리는 실선으로, 보이지 않는 모서리는 점선으로 그립니다.
- 직육면체에서 서로 평행하고 길이가 같은 모서리는 겨냥도에서도 서로 평행하고 길이가 같게 그립니다.

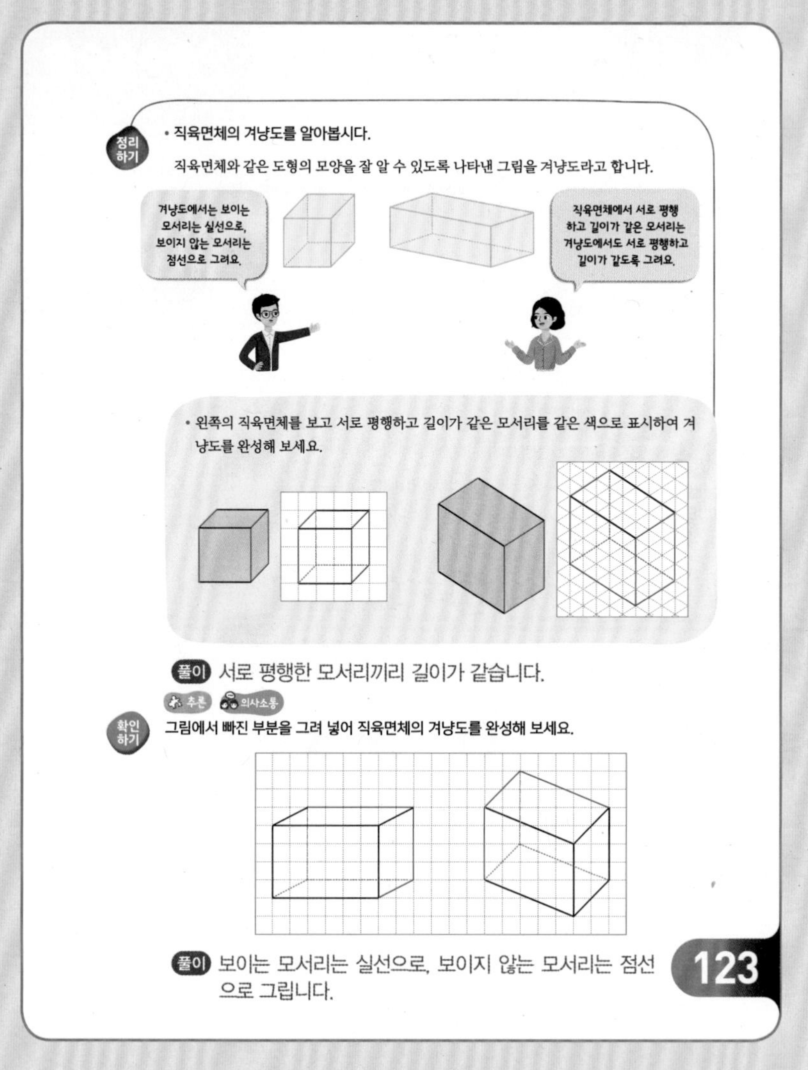
정리하기 • 직육면체의 겨냥도를 알아봅시다.

직육면체와 같은 도형의 모양을 잘 알 수 있도록 나타낸 그림을 겨냥도라고 합니다.

겨냥도에서는 보이는 모서리는 실선으로, 보이지 않는 모서리는 점선으로 그려요.

직육면체에서 서로 평행하고 길이가 같은 모서리는 겨냥도에서도 서로 평행하고 길이가 같도록 그려요.

• 왼쪽의 직육면체를 보고 서로 평행하고 길이가 같은 모서리를 같은 색으로 표시하여 겨냥도를 완성해 보세요.

풀이 서로 평행한 모서리끼리 길이가 같습니다.

추론 의사소통

확인하기 그림에서 빠진 부분을 그려 넣어 직육면체의 겨냥도를 완성해 보세요.

풀이 보이는 모서리는 실선으로, 보이지 않는 모서리는 점선으로 그립니다.

123

이런 문제가 서술형으로 나와요

오른쪽 직육면체의 겨냥도에서 보이는 꼭짓점과 보이지 않는 꼭짓점은 각각 몇 개인지 풀이 과정을 쓰고, 답을 구해 보세요.

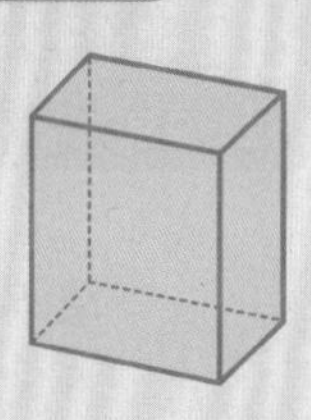

| 풀이 과정 |

❶ 보이는 꼭짓점의 개수 구하기

보이는 꼭짓점은 실선과 실선, 실선과 점선이 만나는 꼭짓점으로 7개입니다.

❷ 보이지 않는 꼭짓점의 개수 구하기

보이지 않는 꼭짓점은 점선과 점선이 만나는 꼭짓점으로 1개입니다.

답 보이는 꼭짓점: 7개,
보이지 않는 꼭짓점: 1개

수학 교과 역량 추론 의사소통

직육면체의 겨냥도 그리기

보이는 모서리는 실선으로, 보이지 않는 모서리는 점선으로 그리면서 직육면체의 겨냥도를 완성하는 과정을 통하여 추론 능력과 의사소통 능력을 기를 수 있습니다.

개념 확인 문제

정답 및 풀이 222쪽

1 오른쪽 직육면체의 겨냥도를 보고 보기 에서 알맞은 말을 찾아 □ 안에 써넣으세요.

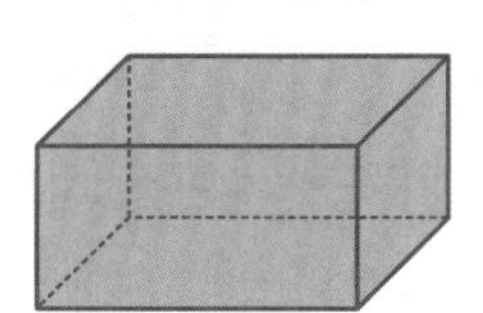

보기: 실선 점선

직육면체의 겨냥도에서 보이는 모서리는 □으로, 보이지 않는 모서리는 □으로 그립니다.

2 직육면체의 겨냥도에서 보이지 않는 모서리를 모두 찾아 ○표 해 보세요.

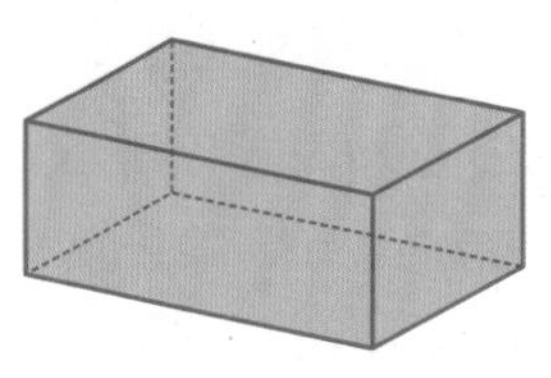

3 직육면체의 겨냥도를 완성해 보세요.

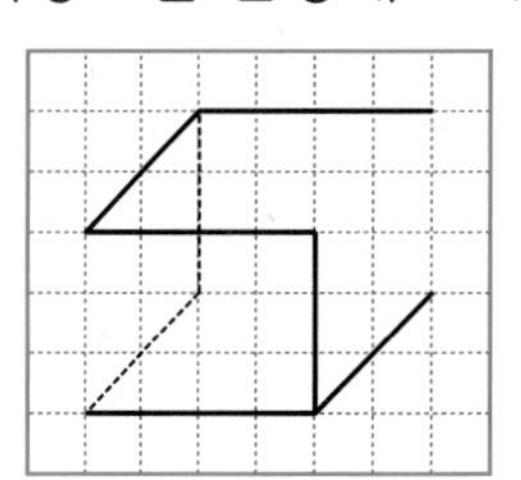

5 | 정육면체의 전개도

학습 목표

정육면체의 전개도를 이해하고, 정육면체의 전개도를 그릴 수 있습니다.

그림으로 개념 잡기

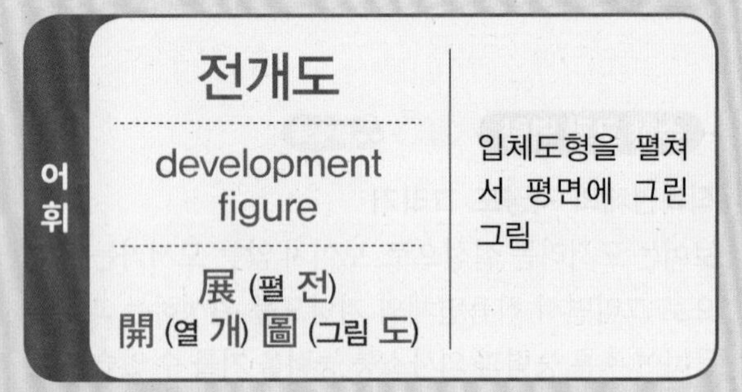

어휘	전개도	입체도형을 펼쳐서 평면에 그린 그림
	development figure	
	展 (펼 전) 開 (열 개) 圖 (그림 도)	

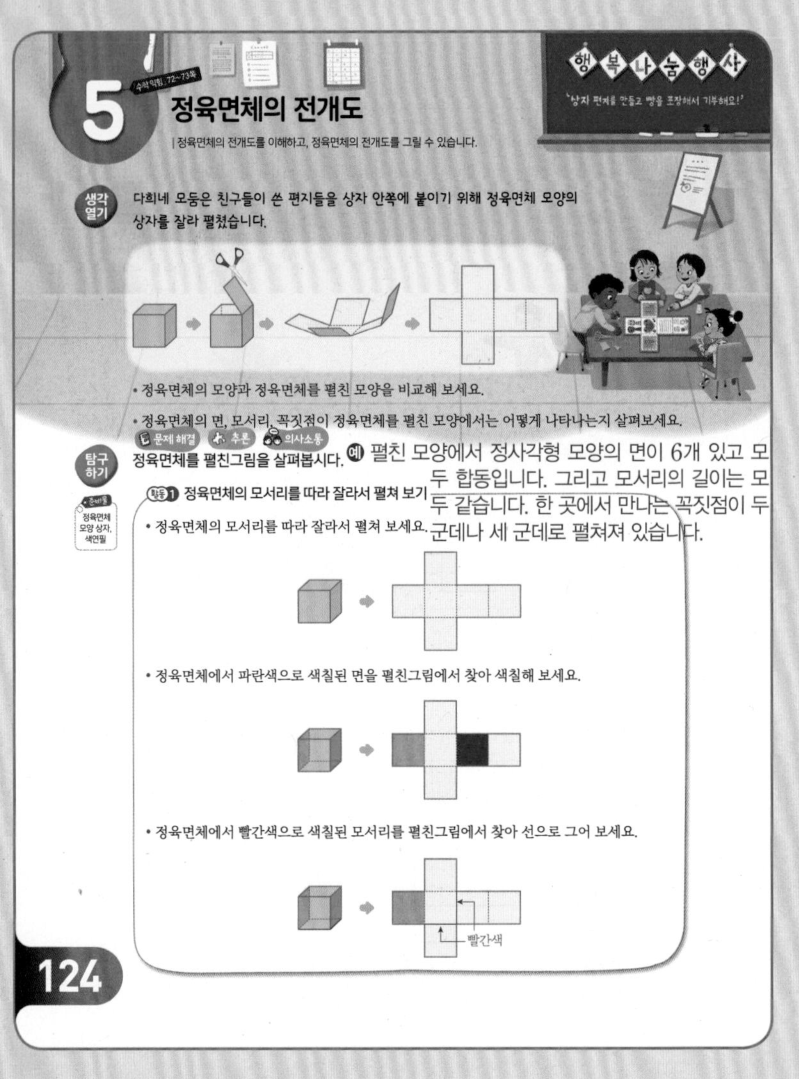

예 펼친 모양에서 정사각형 모양의 면이 6개 있고 모두 합동입니다. 그리고 모서리의 길이는 모두 같습니다. 한 곳에서 만나는 꼭짓점이 두 군데나 세 군데로 펼쳐져 있습니다.

교과서 개념 완성

탐구하기 정육면체를 펼친그림 살펴보기

활동 1 정육면체의 모서리를 따라 잘라서 펼쳐 보기

- 파란색으로 색칠된 면은 주황색으로 색칠된 면과 평행한 면으로 서로 만나지 않습니다.

활동 2 정육면체를 펼친그림 알아보기

- 면 다와 평행한 면은 면 다와 만나지 않는 면으로 면 마입니다.
- 면 다와 수직인 면은 면 다와 만나는 면으로 면 가, 면 나, 면 라, 면 바입니다.

정리하기 정육면체의 전개도

전개도: 정육면체와 같은 도형의 모서리를 잘라서 평면 위에 펼쳐 나타낸 그림

정육면체의 전개도는

- 정사각형 6개로 이루어져 있습니다.
- 모든 모서리의 길이가 같습니다.
  12개
- 접었을 때 서로 겹치는 면이 없습니다.

정육면체의 전개도 그리기

- 정육면체의 전개도에서 자른 모서리는 실선으로, 자르지 않은 모서리는 점선으로 그립니다.

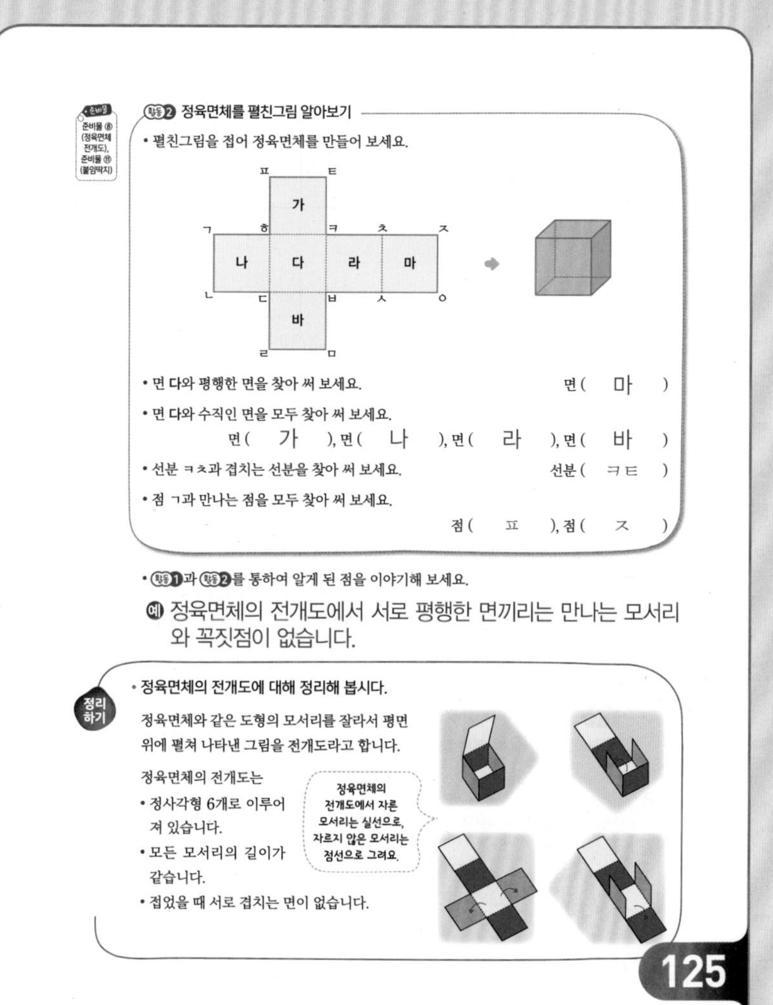

이런 문제가 서술형으로 나와요

오른쪽 전개도를 접어서 정육면체를 만들었을 때 면 가와 수직인 면은 모두 몇 개인지 풀이 과정을 쓰고, 답을 구해 보세요.

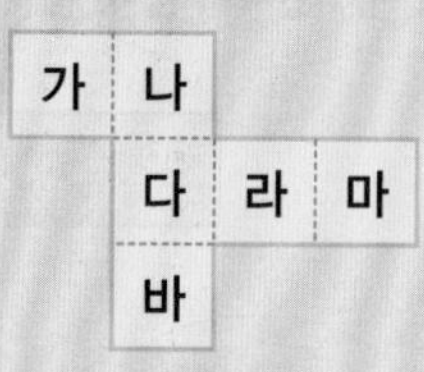

| 풀이 과정 |

❶ 면 가와 수직인 면 찾기

면 가와 수직인 면은 접었을 때 만나는 면이므로 면 나, 면 다, 면 마, 면 바입니다.

❷ 면 가와 수직인 면의 개수 구하기

따라서 면 가와 수직인 면은 모두 4개입니다.

답 4개

수학 교과 역량

문제해결 추론 의사소통

정육면체를 펼친그림 살펴보기

정육면체에 색칠된 면과 모서리를 전개도에서 찾아 표시하고, 전개도를 보고 평행한 면과 수직인 면, 겹치는 선분, 만나는 점을 찾아보는 활동을 하면서 문제 해결 능력과 추론 능력을 기르고, 활동을 통하여 알게 된 점을 이야기하는 과정을 통하여 의사소통 능력을 기를 수 있습니다.

개념 확인 문제

정답 및 풀이 223쪽

[1~2] 전개도를 접어서 정육면체를 각각 만들었습니다. 물음에 답해 보세요.

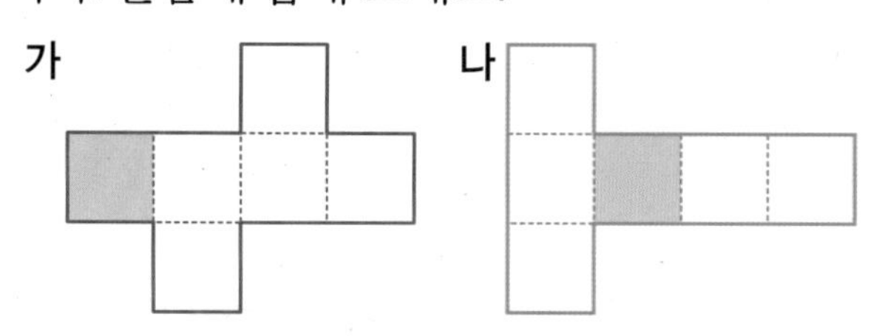

1 가에서 색칠한 면과 평행한 면에 색칠해 보세요.

2 나에서 색칠한 면과 수직인 면에 모두 색칠해 보세요.

3 오른쪽 전개도를 접어서 정육면체를 만들었을 때 물음에 답해 보세요.

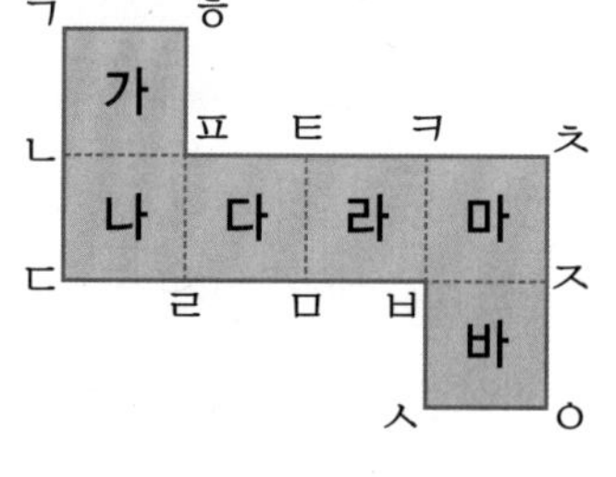

(1) 면 라와 마주 보는 면을 찾아 써 보세요.

(   )

(2) 선분 ㄴㄷ과 겹치는 선분을 찾아 써 보세요.

(   )

(3) 점 ㄱ과 만나는 점을 찾아 써 보세요.

(   )

그림으로 개념 잡기

나는 노란색 면과 만나지 않아!

우린 노란색 면과 만나.

노란색 면과 평행해.

노란색 면에 수직이야.

- 전개도를 접어서 정육면체를 만들었을 때 물음에 답해 보세요.

빨간색 파란색 파란색

- 노란색으로 색칠된 면과 평행한 면에 빨간색으로 색칠해 보세요.
- 노란색으로 색칠된 면과 수직인 면을 모두 찾아 파란색으로 색칠해 보세요.

확인하기 1. 정육면체의 겨냥도를 보고 전개도를 완성해 보세요.

예 3 cm 1 cm 1 cm

풀이 전개도는 여러 가지 방법으로 그릴 수 있습니다.

2. 전개도를 접어서 정육면체를 만들었을 때 물음에 답해 보세요.

- 면 다와 평행한 면과 수직인 면을 각각 찾아 써 보세요.
  평행한 면: 면 바
  수직인 면: 면 가, 면 나, 면 라, 면 마
- 선분 ㅈㅊ과 겹치는 선분을 찾아 써 보세요. 선분 ㄱㅎ
- 점 ㅎ과 만나는 점을 모두 찾아 써 보세요. 점 ㅌ, 점 ㅊ

126

학부모 코칭 Tip

머릿속으로 생각하여 문제를 해결하기 어려워하는 학생들은 정육면체의 전개도를 활용하여 직접 펼치고 접는 조작 활동을 반복하면서 평행한 면, 수직인 면, 겹치는 선분, 만나는 점을 찾도록 합니다.

교과서 개념 완성

- 전개도를 접어서 정육면체를 만들었을 때 노란색으로 색칠된 면과 평행한 면에 빨간색으로 색칠해 보세요.

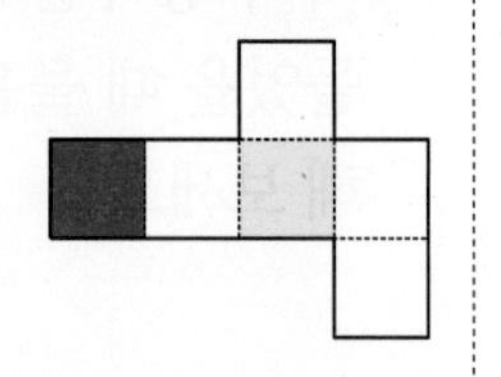

- 전개도를 접어서 정육면체를 만들었을 때 노란색으로 색칠된 면과 수직인 면을 모두 찾아 파란색으로 색칠해 보세요.

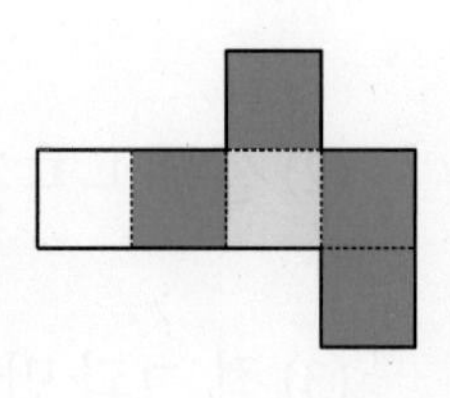

확인하기 정육면체의 겨냥도를 보고 전개도 완성하기

예

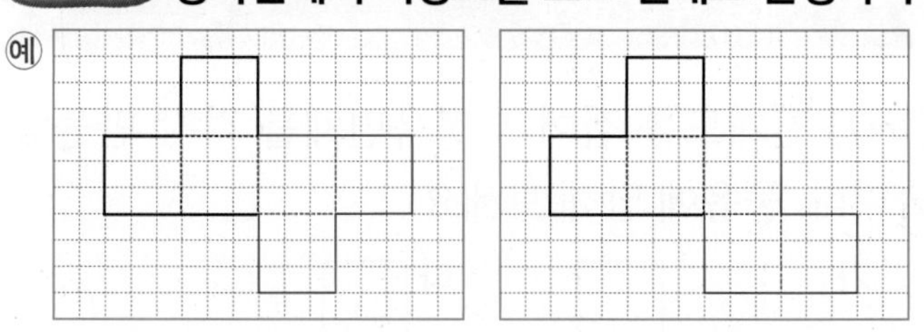

생각솔솔 올바른 전개도가 되도록 색칠된 면을 이동하여 그리기

예

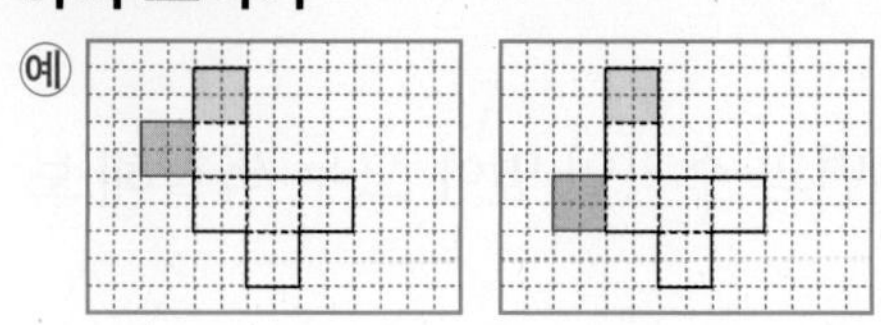

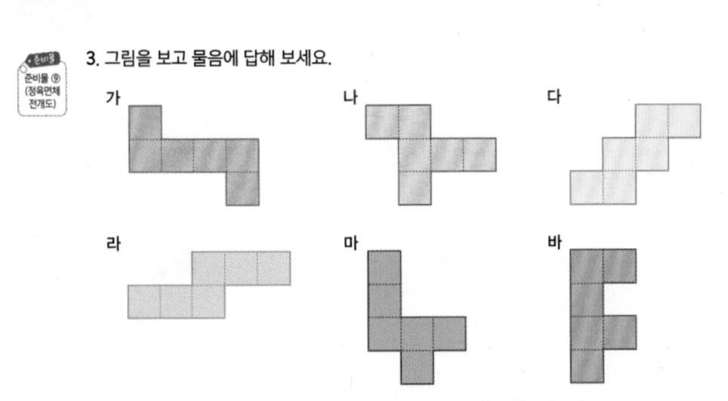

• 정육면체의 전개도를 모두 찾아 기호를 써 보세요. 가, 나, 다, 라

• 정육면체의 전개도가 될 수 없는 것을 찾고, 전개도가 될 수 없는 이유를 각각 이야기해 보세요. 마, 바 / 마, 바는 전개도를 접었을 때 서로 겹치는 면이 있기 때문에 정육면체의 전개도가 아닙니다.

추론 창의·융합

생각 술술 다음은 잘못된 전개도입니다. 올바른 정육면체의 전개도가 되도록 색칠된 면을 이동하여 그려 보세요.

예

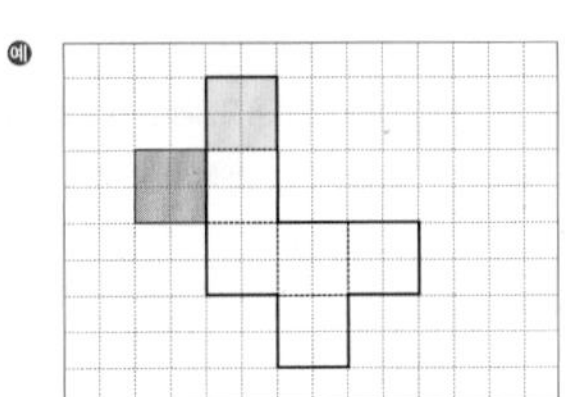

풀이 노란색 면을 옮기면서 여러 가지 모양으로 전개도를 만들 수 있습니다. 이때 올바른 정육면체의 전개도를 모두 4가지 모양으로 그릴 수 있습니다.

127

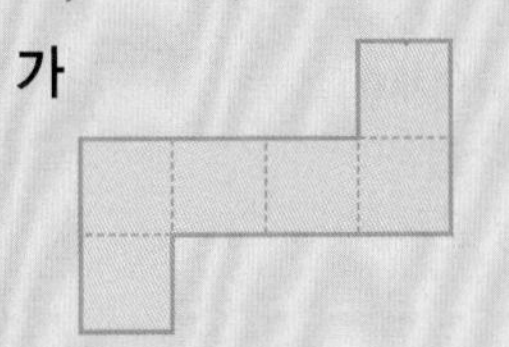

이런 문제가 서술형으로 나와요

정육면체의 전개도가 아닌 것을 찾아 기호를 쓰고, 그 이유를 써 보세요.

가 나

| 풀이 과정 |

❶ 정육면체의 전개도가 아닌 것의 기호 쓰기

나

❷ 이유 설명하기

정육면체는 정사각형 6개로 둘러싸인 도형인데 면이 5개이므로 정육면체의 전개도가 아닙니다.

수학 교과 역량 추론 창의·융합

올바른 전개도가 되도록 색칠된 면을 이동하여 그리기

잘못된 전개도를 보고 올바른 정육면체의 전개도가 되도록 색칠된 면을 이동하여 그리는 활동을 통하여 추론 능력과 창의·융합 능력을 기를 수 있습니다.

개념 확인 문제

정답 및 풀이 223쪽

[1~2] 정육면체의 전개도를 완성해 보세요.

1

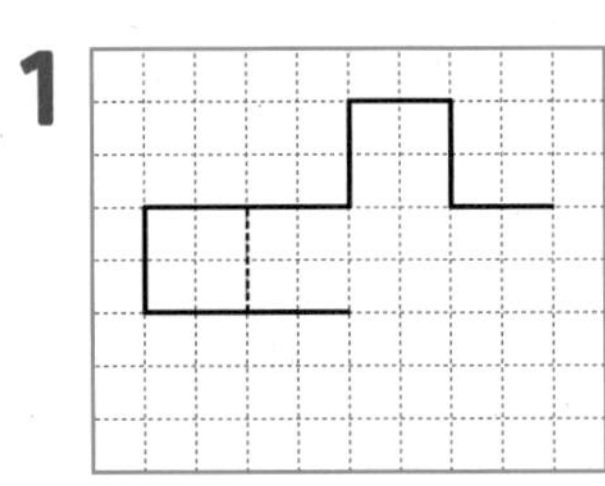

2

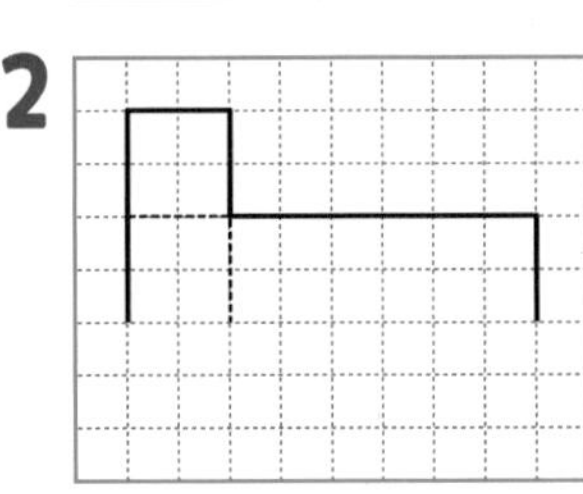

3 정육면체의 전개도가 될 수 있는 것을 모두 찾아 기호를 써 보세요.

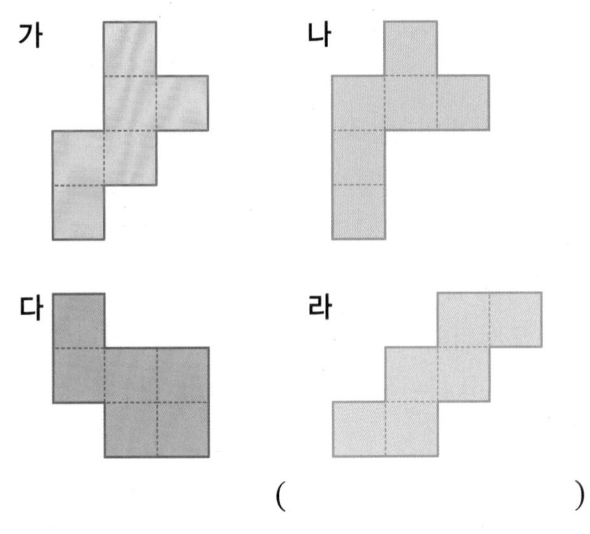

(　　　　　　　　)

6 | 직육면체의 전개도

학습 목표

직육면체의 전개도를 이해하고, 직육면체의 전개도를 그릴 수 있습니다.

그림으로 개념 잡기

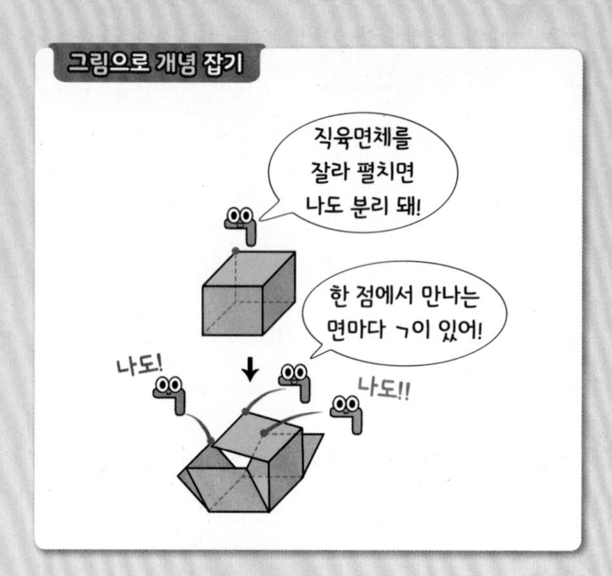

학부모 코칭 Tip

직육면체 모양의 상자를 펼치기 위해 모서리를 자르는 방법이 여러 가지가 있습니다.

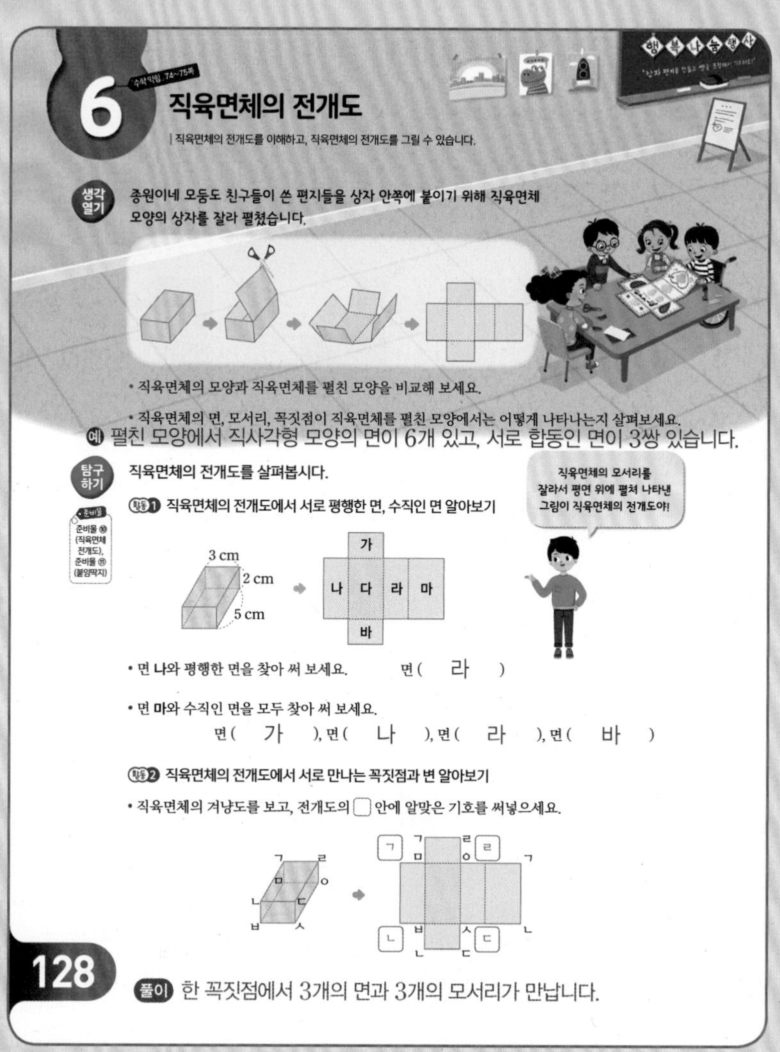

6 수학익힘 74~75쪽 직육면체의 전개도

| 직육면체의 전개도를 이해하고, 직육면체의 전개도를 그릴 수 있습니다.

생각열기 종원이네 모둠도 친구들이 쓴 편지들을 상자 안쪽에 붙이기 위해 직육면체 모양의 상자를 잘라 펼쳤습니다.

• 직육면체의 모양과 직육면체를 펼친 모양을 비교해 보세요.

• 직육면체의 면, 모서리, 꼭짓점이 직육면체를 펼친 모양에서는 어떻게 나타나는지 살펴보세요.

예 펼친 모양에서 직사각형 모양의 면이 6개 있고, 서로 합동인 면이 3쌍 있습니다.

탐구하기 직육면체의 전개도를 살펴봅시다.

활동1 직육면체의 전개도에서 서로 평행한 면, 수직인 면 알아보기

3 cm 2 cm 5 cm → 가 나 다 라 마 바

직육면체의 모서리를 잘라서 평면 위에 펼쳐 나타낸 그림이 직육면체의 전개도야!

• 면 나와 평행한 면을 찾아 써 보세요. 면(라)

• 면 마와 수직인 면을 모두 찾아 써 보세요. 면(가), 면(나), 면(라), 면(바)

활동2 직육면체의 전개도에서 서로 만나는 꼭짓점과 변 알아보기

• 직육면체의 겨냥도를 보고, 전개도의 □ 안에 알맞은 기호를 써넣으세요.

128

풀이 한 꼭짓점에서 3개의 면과 3개의 모서리가 만납니다.

교과서 개념 완성

생각열기 직육면체 모양과 직육면체를 펼친 모양 비교하기

• 직육면체의 면, 모서리, 꼭짓점이 직육면체를 펼친 모양에서는 어떻게 나타나는지 살펴보세요.
- 펼친 모양에서 직사각형 모양의 면이 6개 있고, 서로 합동인 면이 3쌍 있습니다.
- 모서리의 길이가 모두 같은 것은 아니고, 한 곳에서 만나는 꼭짓점이 두 군데나 세 군데로 펼쳐져 있습니다.

탐구하기 직육면체의 전개도 살펴보기

활동3 직육면체의 전개도 그리기

• 다른 예를 그리면 다음과 같습니다.

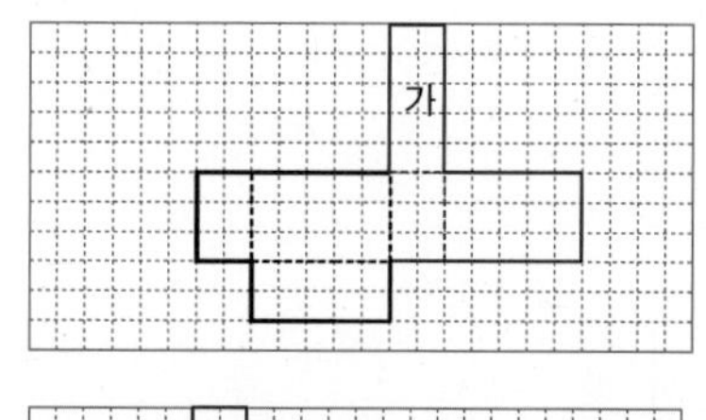

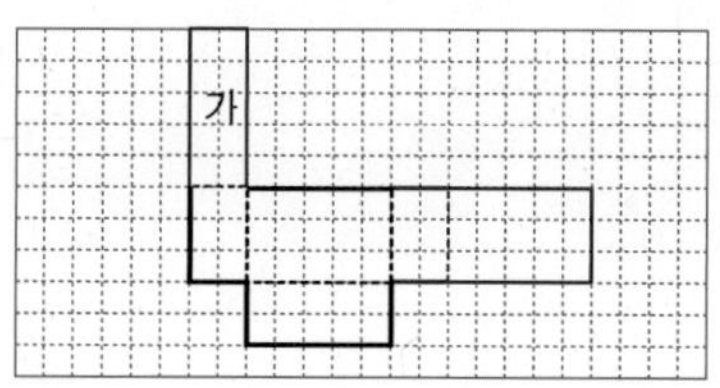

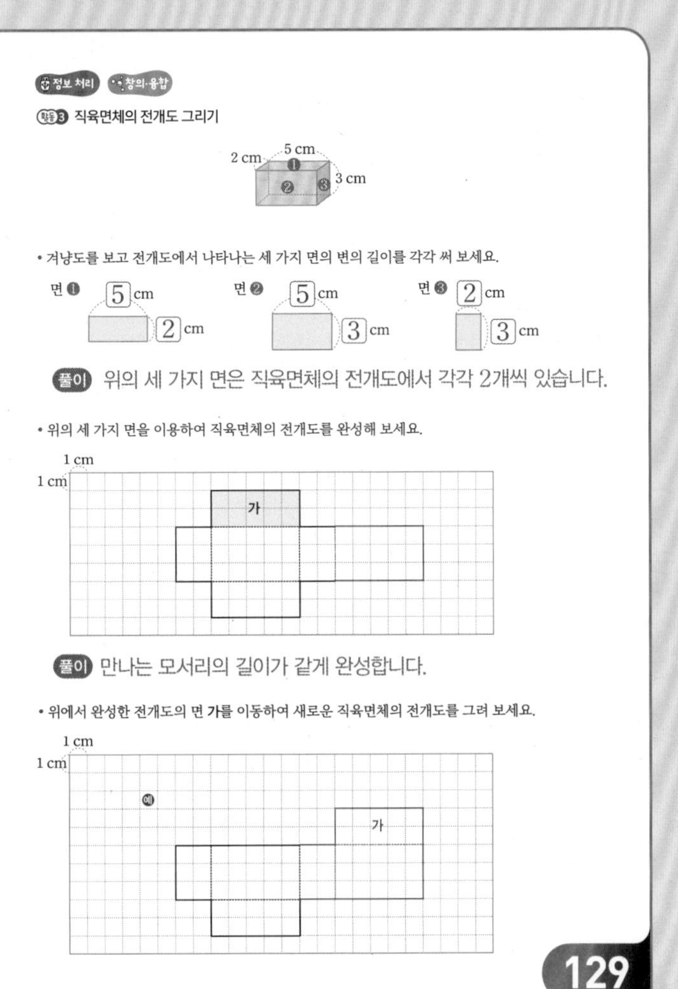

이런 문제가 서술형으로 나와요

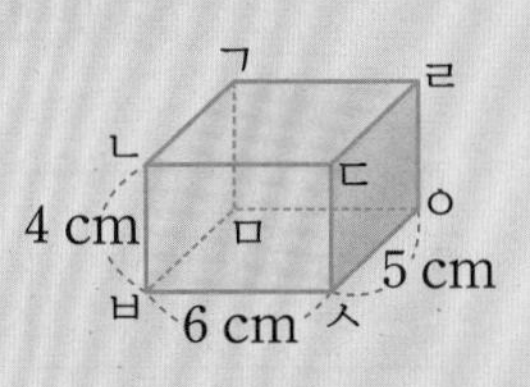

오른쪽 직육면체에서 면 ㄷㅅㅇㄹ의 네 변의 길이의 합은 몇 cm인지 풀이 과정을 쓰고, 답을 구해 보세요.

| 풀이 과정 |

❶ 변 ㄷㅅ의 길이 구하기

모서리 ㄷㅅ과 모서리 ㄴㅂ의 길이가 같으므로 면 ㄷㅅㅇㄹ에서 (변 ㄷㅅ)=4 cm입니다.

❷ 면 ㄷㅅㅇㄹ의 네 변의 길이의 합 구하기

면 ㄷㅅㅇㄹ은 직사각형이므로 네 변의 길이의 합은 $5+4+5+4=18$ (cm)입니다.

답 18 cm

수학 교과 역량 정보 처리 창의·융합

직육면체의 전개도 그리기

직육면체의 겨냥도를 보고 전개도를 완성하고, 완성한 전개도의 하나의 면을 이동하여 새로운 전개도를 그리기 위해 여러 가지 경우를 생각해 보는 활동을 통하여 정보 처리 능력과 창의·융합 능력을 기를 수 있습니다.

개념 확인 문제

정답 및 풀이 223쪽

1 오른쪽 전개도를 접어서 직육면체를 만들었을 때, □ 안에 알맞은 기호를 써넣으세요.

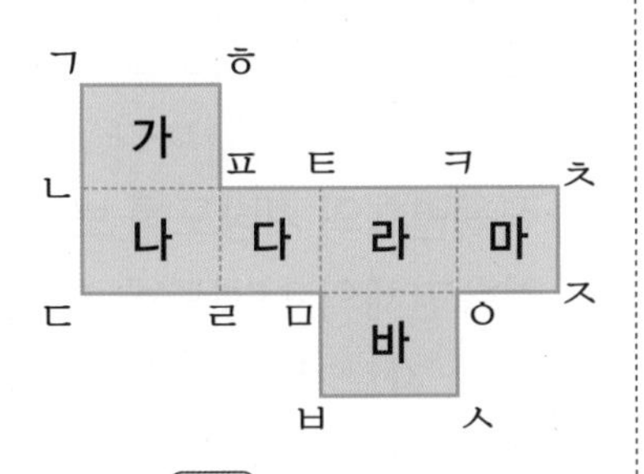

(1) 면 마와 평행한 면은 면 □입니다.

(2) 면 나와 수직인 면은 모두 □개입니다.

(3) 선분 ㄷㄹ과 겹치는 선분은 선분 □입니다.

2 직육면체의 모서리를 잘라 전개도를 만들었습니다. □ 안에 알맞은 기호를 써넣으세요.

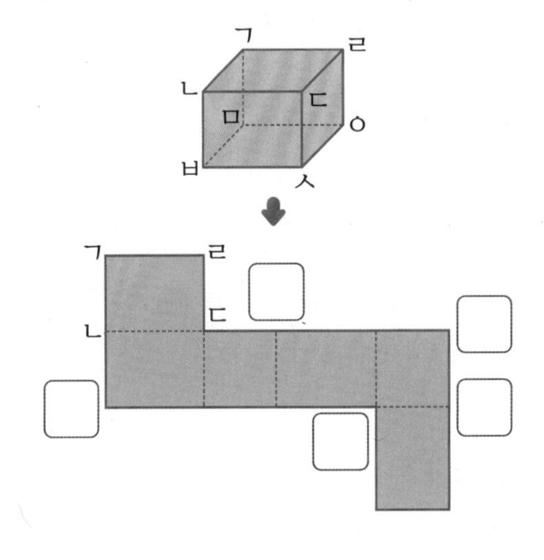

그림으로 개념 잡기

전개도를 접으면 같은 색 면끼리 평행해!

전개도를 접을 때 겹치는 모서리끼리 길이가 같아.

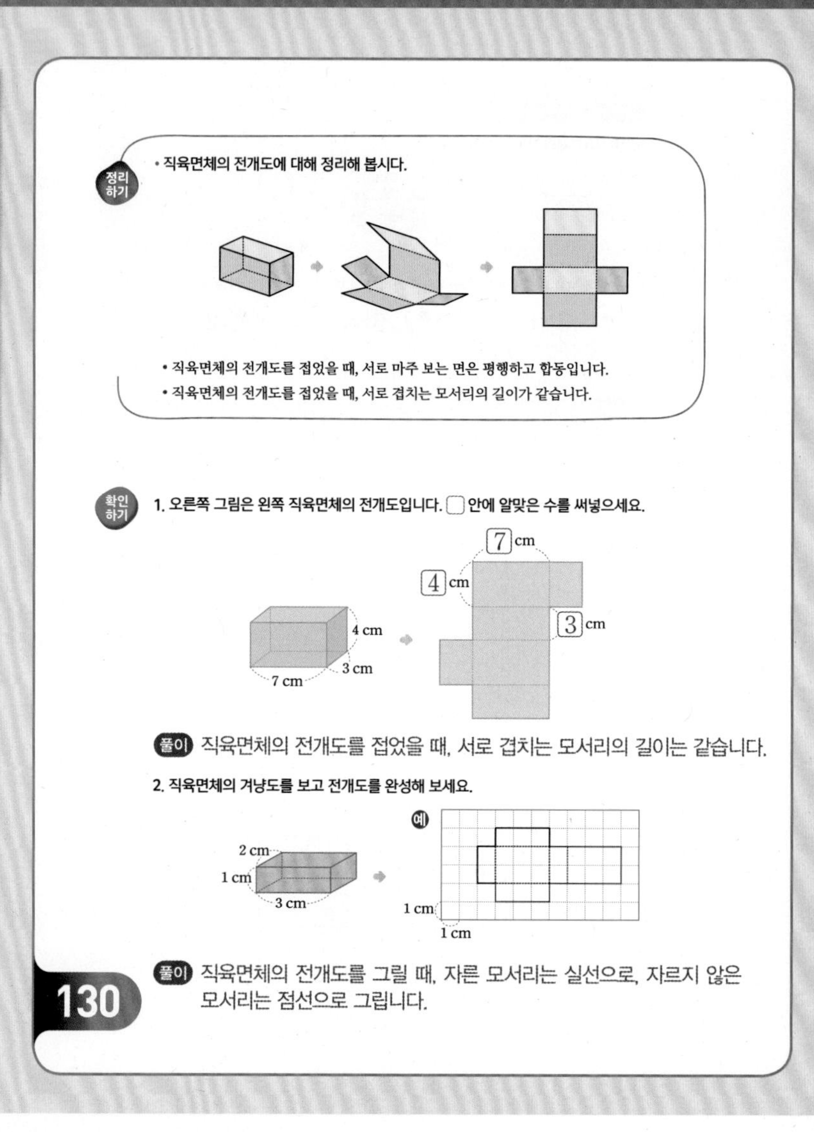
정리하기

• 직육면체의 전개도에 대해 정리해 봅시다.

• 직육면체의 전개도를 접었을 때, 서로 마주 보는 면은 평행하고 합동입니다.
• 직육면체의 전개도를 접었을 때, 서로 겹치는 모서리의 길이가 같습니다.

확인하기

1. 오른쪽 그림은 왼쪽 직육면체의 전개도입니다. □ 안에 알맞은 수를 써넣으세요.

풀이 직육면체의 전개도를 접었을 때, 서로 겹치는 모서리의 길이는 같습니다.

2. 직육면체의 겨냥도를 보고 전개도를 완성해 보세요.

풀이 직육면체의 전개도를 그릴 때, 자른 모서리는 실선으로, 자르지 않은 모서리는 점선으로 그립니다.

130

교과서 개념 완성

정리하기 직육면체의 전개도

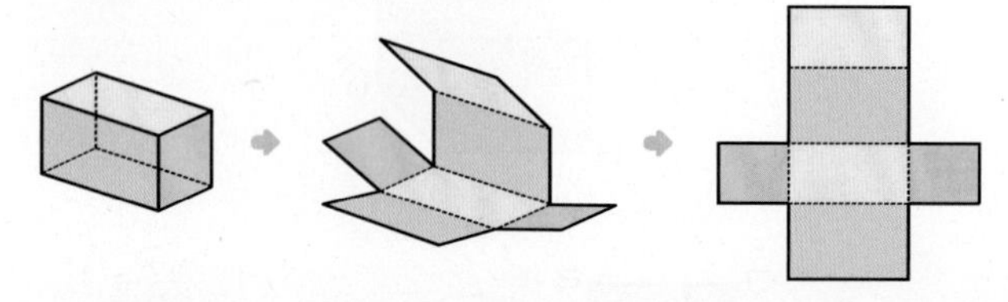

• 직육면체의 전개도를 접었을 때, 서로 마주 보는 면은 평행하고 합동입니다.
  같은 색 면끼리 마주 보는 면입니다.

• 직육면체의 전개도를 접었을 때, 서로 겹치는 모서리의 길이가 같습니다.
  서로 만나는 면에서 겹치는 모서리가 있습니다.

확인하기

1. **겨냥도를 보고 전개도에서 변의 길이 구하기**
   직육면체의 전개도를 접었을 때, 서로 겹치는 모서리의 길이는 같습니다.
2. **직육면체의 겨냥도를 보고 전개도 완성하기**
   직육면체의 전개도를 그릴 때, 자른 모서리는 실선으로, 자르지 않은 모서리는 점선으로 그립니다.
3. **직육면체의 전개도 찾기**
   이유 나: 마주 보고 있는 면 중에 합동이 아닌 면들이 있고, 전개도를 접었을 때 서로 겹치는 면이 있기 때문에 직육면체의 전개도가 아닙니다.
   마, 바: 전개도를 접었을 때 서로 겹치는 모서리의 길이가 다르므로 직육면체의 전개도가 아닙니다.

공부한 날 월 일

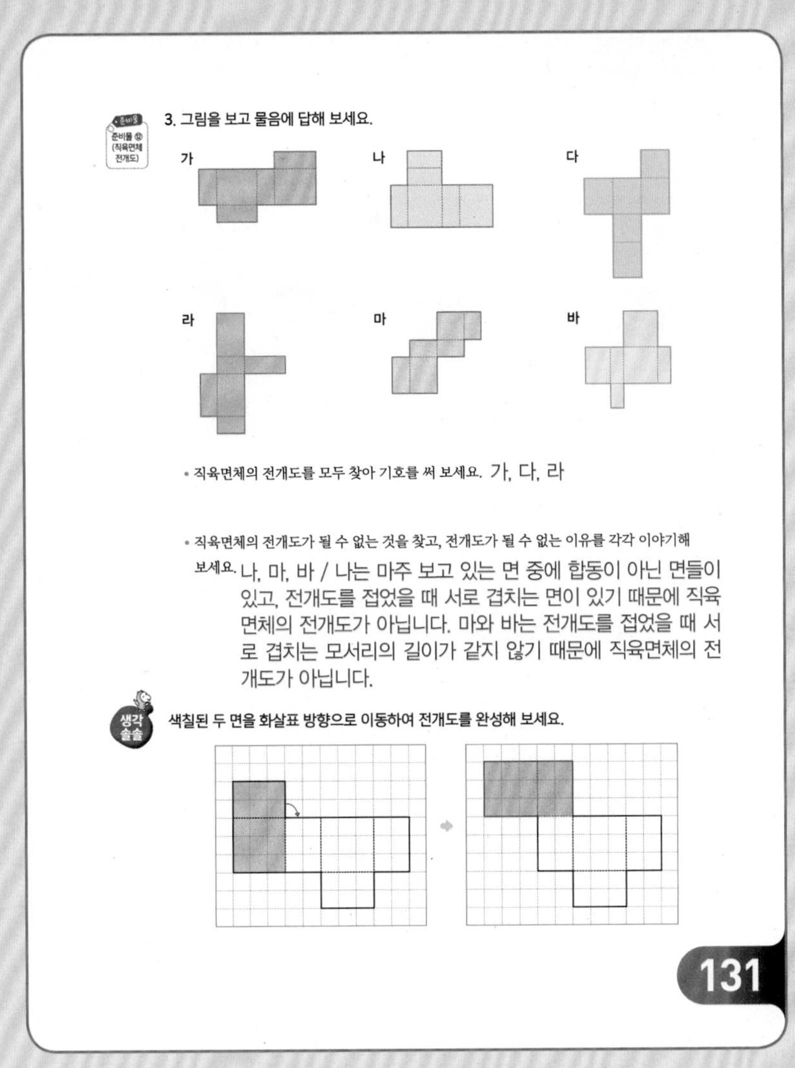

이런 문제가 서술형으로 나와요

직육면체의 전개도가 잘못 그려진 이유를 쓰고, 올바른 전개도를 그려 보세요.

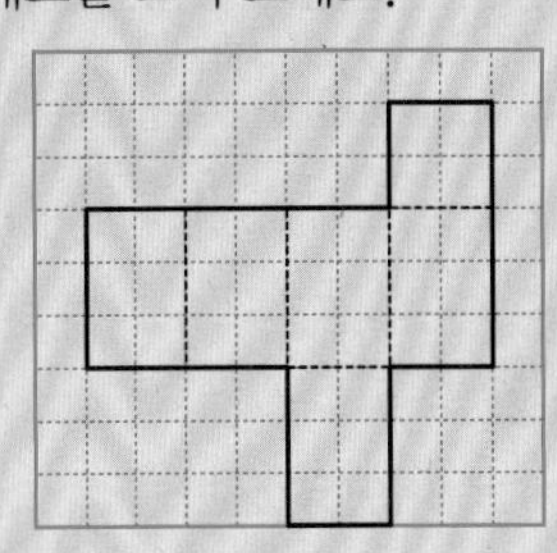

| 풀이 과정 |

❶ 직육면체의 전개도가 잘못 그려진 이유 쓰기

겹치는 모서리의 길이가 다른 곳이 있습니다.

❷ 올바른 전개도 그리기

예

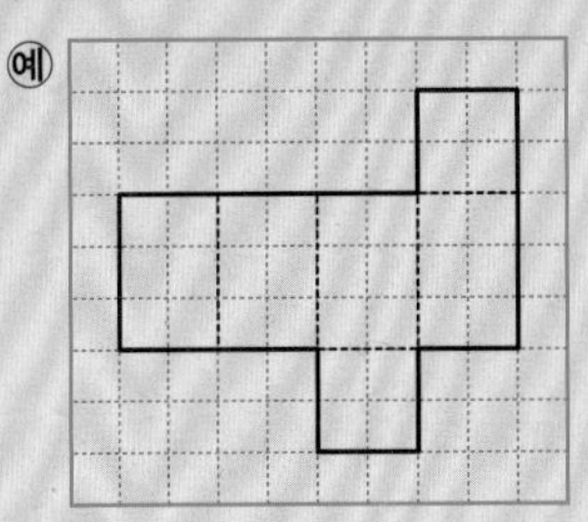

개념 확인 문제

정답 및 풀이 223쪽

1 직육면체의 전개도를 완성해 보세요.

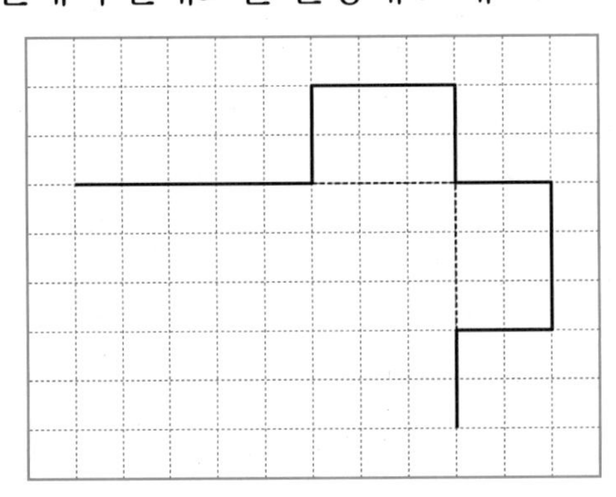

2 직육면체의 전개도가 될 수 없는 것을 모두 찾아 기호를 써 보세요.

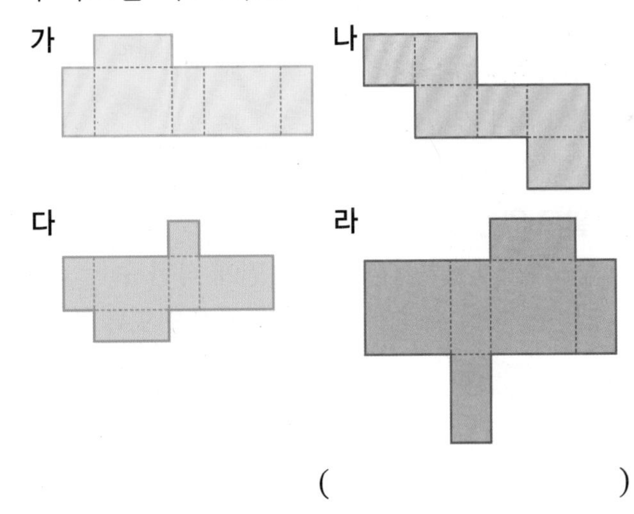

( )

문제 해결력 | 쑥쑥

10 차시

● 주사위가 어떻게 놓여 있을까요?

학습 목표

- 규칙 찾기 전략을 이용하여 직육면체와 정육면체에 대한 문제를 해결할 수 있습니다.
- 조건을 바꾸어 새로운 문제를 만들고 해결할 수 있습니다.

문제 해결 전략 규칙 찾기 전략

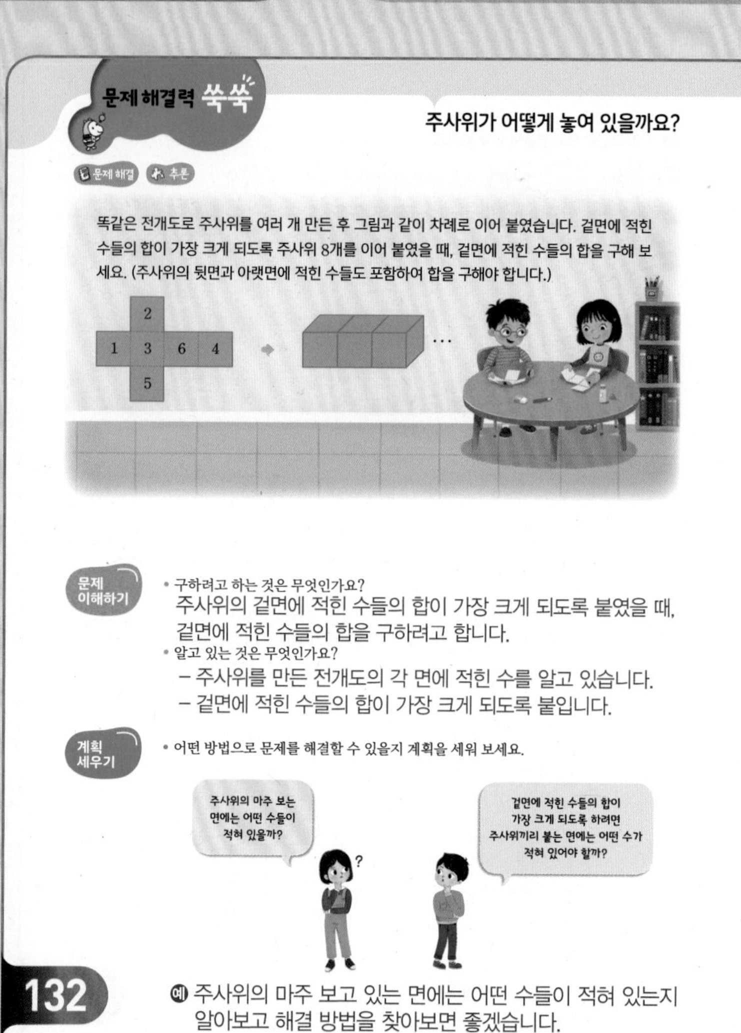

수학 교과 역량 문제 해결 추론

주사위가 어떻게 놓여 있을까요?

- 문제의 조건을 확인하고 문제 해결에 적절한 전략을 선택하여 문제를 해결하는 과정을 통하여 문제 해결 능력을 기를 수 있습니다.
- 문제를 해결하기 위해 조건을 검토하고 추측과 정당화하는 과정을 통하여 추론 능력을 기를 수 있습니다.

문제 해결 Tip 문제에 제시된 조건을 이해할 수 있는 시간을 충분히 가지고 생각해 봅니다. 문제 이해에 어려움이 있을 경우, 전개도를 직접 만들어서 문제를 해결해 보도록 합니다.

교과서 개념 완성

문제 이해하기

» 구하려고 하는 것

- 주사위의 겉면에 적힌 수들의 합이 가장 크게 되도록 붙였을 때, 겉면에 적힌 수들의 합

» 알고 있는 것

- 주사위를 만들 전개도의 각 면에 적힌 수
- 겉면에 적힌 수들의 합이 가장 크게 되도록 붙입니다.

계획 세우기

- 겉면에 적힌 수들의 합을 가장 크게 하기 위해 주사위끼리 붙는 면에는 어떤 수가 적혀 있어야 할지 생각해 보고 해결 방법을 찾아봅니다.

계획대로 풀기

주사위의 마주 보고 있는 면의 수의 합은 7이므로 가운데 놓이는 주사위의 서로 맞닿는 면을 제외한 4개의 겉면에 적힌 수들의 합은 14입니다.
따라서 8개의 주사위를 붙였을 때 겉면에 적힌 수들의 합이 가장 크게 되려면 첫 번째와 여덟 번째 주사위의 겉면에 큰 수가 나오도록 면과 면이 맞닿는 곳에 1이 들어가게 붙입니다. 이때 각 주사위의 겉면에 적혀 있는 수의 합은 다음과 같습니다.

첫 번째	두 번째	…	일곱 번째	여덟 번째
$14+6$	14	…	14	$14+6$

➜ $20+14+14+14+14+14+14+20=124$

문제 해결력 쑥쑥

• 계획한 방법에 맞게 문제를 풀어 보세요.

예 8개의 주사위를 붙였을 때 겉면에 적힌 수들의 합이 가장 크게 되려면 첫 번째와 여덟 번째 주사위의 겉면에 큰 수가 나오도록 하면 됩니다. 첫 번째 주사위와 여덟 번째 주사위에서 면과 면이 맞닿는 곳에 1이 들어가도록 붙입니다. 따라서 구하는 답은 $20+14+14+14+14+14+14+20=124$입니다.

• 구한 답이 맞았는지 확인해 보세요.

• 문제의 조건을 바꾸어 새로운 문제를 만들고 풀어 보세요.

생각 키우기

똑같은 전개도로 주사위를 여러 개 만든 후 그림과 같이 차례로 이어 붙였습니다. 겉면에 적힌 수들의 합이 가장 작게 되도록 주사위 10개를 이어 붙였을 때, 겉면에 적힌 수들의 합을 구해 보세요. (주사위의 뒷면과 아랫면에 적힌 수들도 포함하여 합을 구해야 합니다.) 142

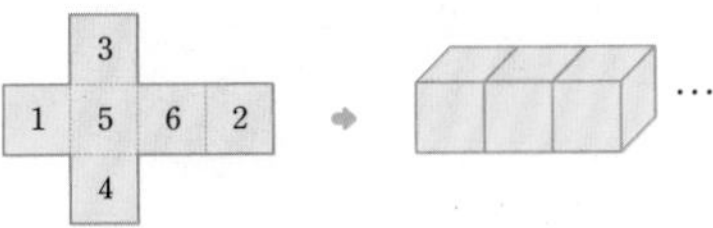

풀이 10개의 주사위를 붙였을 때 겉면에 적힌 수들의 합이 가장 작게 되려면 첫 번째와 열 번째 주사위의 겉면에 작은 수가 나오도록 하면 됩니다. 첫 번째 주사위와 열 번째 주사위에서 면과 면이 맞닿는 곳에 6이 들어가도록 붙입니다. 따라서 구하는 답은 $15+14+14+14+14+14+14+14+14+15=142$입니다.

133

생각 키우기

문제 해결 추론

문제 이해하기

구하려고 하는 것

• 주사위의 겉면에 적힌 수들의 합이 가장 작게 되도록 붙였을 때, 겉면에 적힌 수들의 합

알고 있는 것

• 주사위를 만들 전개도의 각 면에 적힌 수

• 겉면에 적힌 수들의 합이 가장 작게 되도록 붙이기

계획 세우기

겉면에 적힌 수들의 합을 가장 작게 하기 위해 주사위끼리 붙는 면에는 어떤 수가 적혀 있어야 할지 생각해 보고 해결 방법을 찾아봅니다.

계획대로 풀기

10개의 주사위를 붙였을 때 첫 번째와 열 번째 주사위의 겉면에 작은 수가 나오도록 면과 면이 맞닿는 곳에 가장 큰 수인 6이 들어가도록 붙입니다.

이때 각 주사위의 겉면에 적혀 있는 수의 합은 다음과 같습니다.

첫 번째	두 번째	…	아홉 번째	열 번째
$14+1$	14	…	14	$14+1$

$15+14+14+14+14+14+14+14+14+15=142$

문제 해결력 문제

정답 및 풀이 224쪽

[1~2] 똑같은 전개도로 주사위를 여러 개 만든 후 그림과 같이 차례로 이어 붙였습니다. 주사위 9개를 이어 붙였을 때, 겉면에 적힌 수들의 합을 구하려고 합니다. 물음에 답해 보세요. (주사위의 뒷면과 아랫면에 적힌 수들도 포함하여 합을 구해야 합니다.)

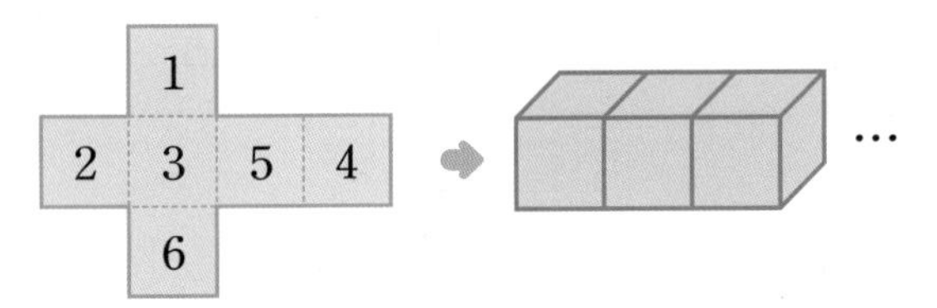

1 겉면에 적힌 수들의 합이 가장 크게 되도록 이어 붙였을 때의 합을 구해 보세요.

(1) 각 주사위의 겉면에 적힌 수들의 합을 빈칸에 써넣으세요.

첫 번째	두 번째	…	여덟 번째	아홉 번째
		…		

(2) 겉면에 적힌 수들의 합을 구해 보세요.

( )

2 겉면에 적힌 수들의 합이 가장 작게 되도록 이어 붙였을 때의 합을 구해 보세요.

( )

문제 해결 · 추론

직육면체의 의미와 직육면체의 구성 요소 알아보기

▶자습서 138~139쪽

학부모 코칭 Tip

직육면체의 이름과 구성 요소에 대해 정확한 용어를 쓸 수 있도록 합니다.

1 다음 도형의 이름을 쓰고, □ 안에 각 부분의 이름을 알맞게 써넣으세요.

117쪽

도형의 이름 직육면체

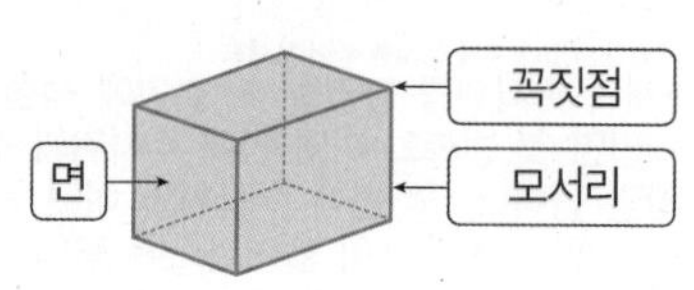

풀이 직사각형 6개로 둘러싸인 도형을 직육면체라고 합니다.
선분으로 둘러싸인 부분을 면이라고 합니다.
면과 면이 만나는 선분을 모서리라고 합니다.
모서리와 모서리가 만나는 점을 꼭짓점이라고 합니다.

문제 해결 · 추론

정육면체와 직육면체의 특징 이해하기

▶자습서 138~143쪽

학부모 코칭 Tip

정육면체와 직육면체의 모형을 보고 면, 모서리, 꼭짓점의 개수와 면의 모양, 면 사이의 관계 등을 확인하도록 합니다.

2 정육면체 ㉮와 직육면체 ㉯에 대해 바르게 설명한 것에 ○표, 그렇지 않은 것에 ×표 해 보세요.

117쪽, 118쪽, 121쪽

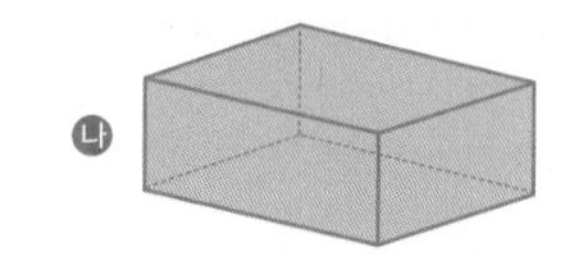

- ㉮의 꼭짓점은 8개입니다. (○)
- ㉯는 면이 모두 합동입니다. (×)
- ㉮와 ㉯의 모서리는 각각 12개입니다. (○)
- ㉮와 ㉯에서 평행한 면은 각각 3쌍씩 있습니다. (○)

풀이 직육면체와 정육면체는 면이 6개, 모서리가 12개, 꼭짓점이 8개입니다.

문제 해결 · 추론

직육면체의 겨냥도 완성하기

▶자습서 144~145쪽

보이는 모서리와 보이지 않는 모서리를 구분하고 보이는 모서리는 실선으로, 보이지 않는 모서리는 점선으로 그리도록 합니다.

3 그림에서 빠진 부분을 그려 넣어 직육면체의 겨냥도를 완성해 보세요.

123쪽

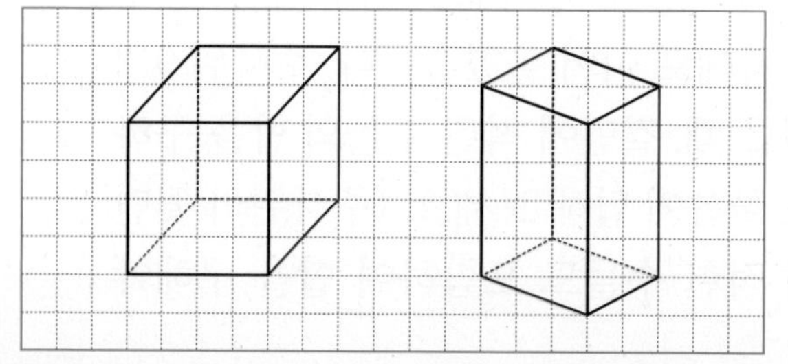

풀이 직육면체와 같은 도형의 모양을 잘 알 수 있도록 나타낸 그림을 겨냥도라고 합니다.
겨냥도에서는 보이는 모서리는 실선으로, 보이지 않는 모서리는 점선으로 그립니다.

4 정육면체의 전개도를 모두 찾아 기호를 써 보세요. (가, 다, 마, 바)

125쪽

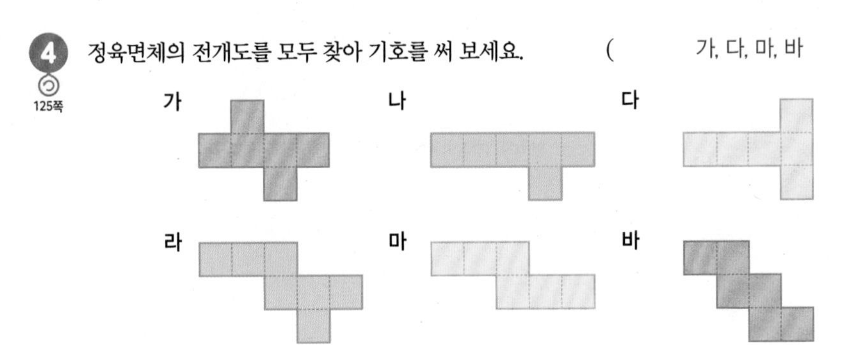

풀이 정육면체의 전개도는 정사각형 6개로 이루어져 있고, 모든 모서리의 길이가 같으며, 접었을 때 서로 겹치는 면이 없습니다. 따라서 정육면체의 전개도는 가, 다, 마, 바입니다.

5 전개도를 접어서 직육면체를 만들었습니다. 물음에 답해 보세요.

130쪽

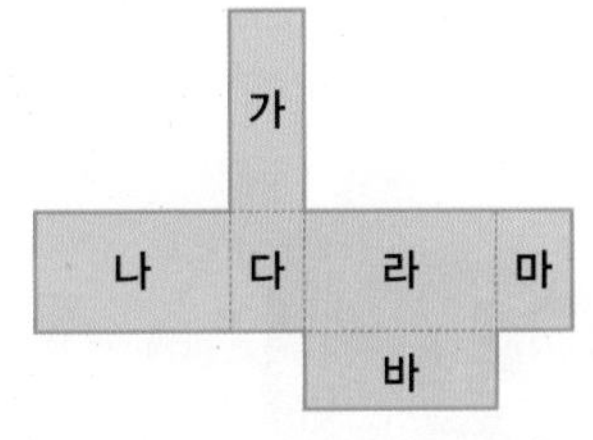

- 면 마와 평행한 면을 찾아 써 보세요. (면 다)
- 면 가와 수직인 면을 모두 찾아 써 보세요.

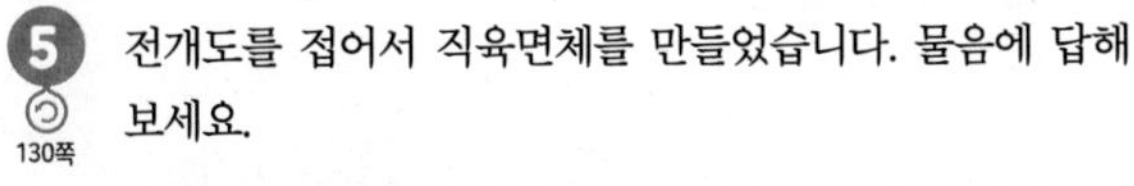

(면 나, 면 다, 면 라, 면 마)

풀이
- 면 마와 모양과 크기가 같고, 모서리와 꼭짓점이 만나지 않는 면을 찾습니다. 따라서 면 마와 평행한 면은 면 다입니다.
- 면 가를 밑면이라고 했을 때 면 가와 평행한 면인 면 바를 제외한 나머지 면이 면 가와 수직인 면입니다. 따라서 면 가와 수직인 면은 면 나, 면 다, 면 라, 면 마입니다.

생각 넓히기 추론 정보 처리

6 직육면체의 겨냥도를 보고 전개도를 완성해 보세요.

130쪽

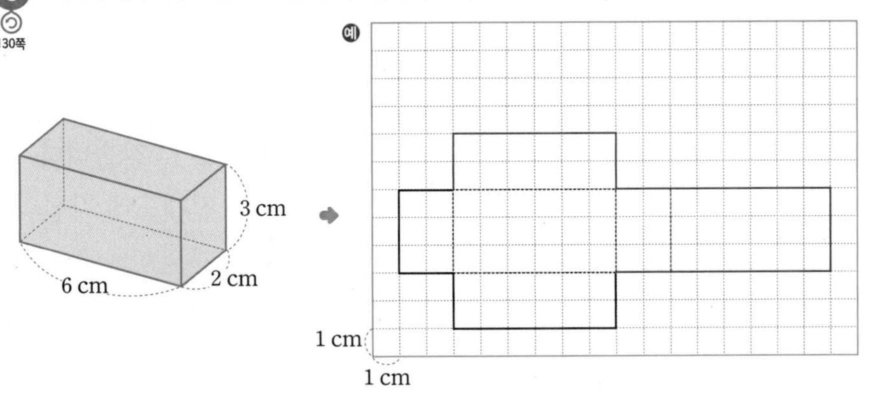

풀이 자른 모서리는 실선으로, 자르지 않은 모서리는 점선으로 그립니다.

문제 해결 추론

올바른 정육면체의 전개도 찾기

▶자습서 146~149쪽

정육면체의 전개도는
- 정사각형 6개로 이루어져 있습니다.
- 모든 모서리의 길이가 같습니다.
- 접었을 때 서로 겹치는 면이 없습니다.

문제 해결 추론

직육면체의 전개도를 살펴보고 서로 평행한 면과 수직인 면 찾기

▶자습서 150~153쪽

직육면체의 전개도를 접었을 때 마주 보는 면끼리 평행하고, 한 면과 만나는 면들은 수직으로 만납니다.

추론 정보 처리

직육면체의 겨냥도를 보고 전개도 완성하기

▶자습서 150~153쪽

학부모 코칭 Tip

모양과 크기가 같은 면이 3쌍인지, 접었을 때 겹치는 모서리의 길이가 같은지, 겹치는 면은 없는지 확인하도록 합니다.

• 만들기 속으로 | 뚝딱 • 이야기로 키우는 | 생각

교과서 개념 완성

1 활동 방법 알아보기

1. 준비물 확인 및 활동 방법 살펴보기
   - 준비물이 준비되었는지 확인합니다.
   - 활동 방법을 읽어 봅니다.
2. 활동해 보기
   - 활동 방법을 단계별로 하여 만들어 봅니다.

학부모 코칭 Tip

교과서의 준비물을 활용하고, 활동 방법을 읽어 보게 하여 꿈의 기차를 만들 수 있도록 합니다.

2 친구들과 활동해 보기

- 20년 뒤에 나는 무엇을 하고 있을지 상상해 보세요.
  - 예 천문학을 공부하고 있을 것 같습니다.
  - 예 멋진 운동선수가 되어 있을 것 같습니다.
- 준비물로 주어진 직육면체의 전개도에 자신의 미래 모습을 간단하게 그려 보세요.
- 전개도를 접어서 직육면체 모양의 기차를 만들고, 반 친구들의 기차를 모두 연결하여 우린 반의 꿈의 기차를 만들어 보세요.
- 꿈의 기차를 타고 달려갈 나의 꿈에 대해 이야기 해 보세요.

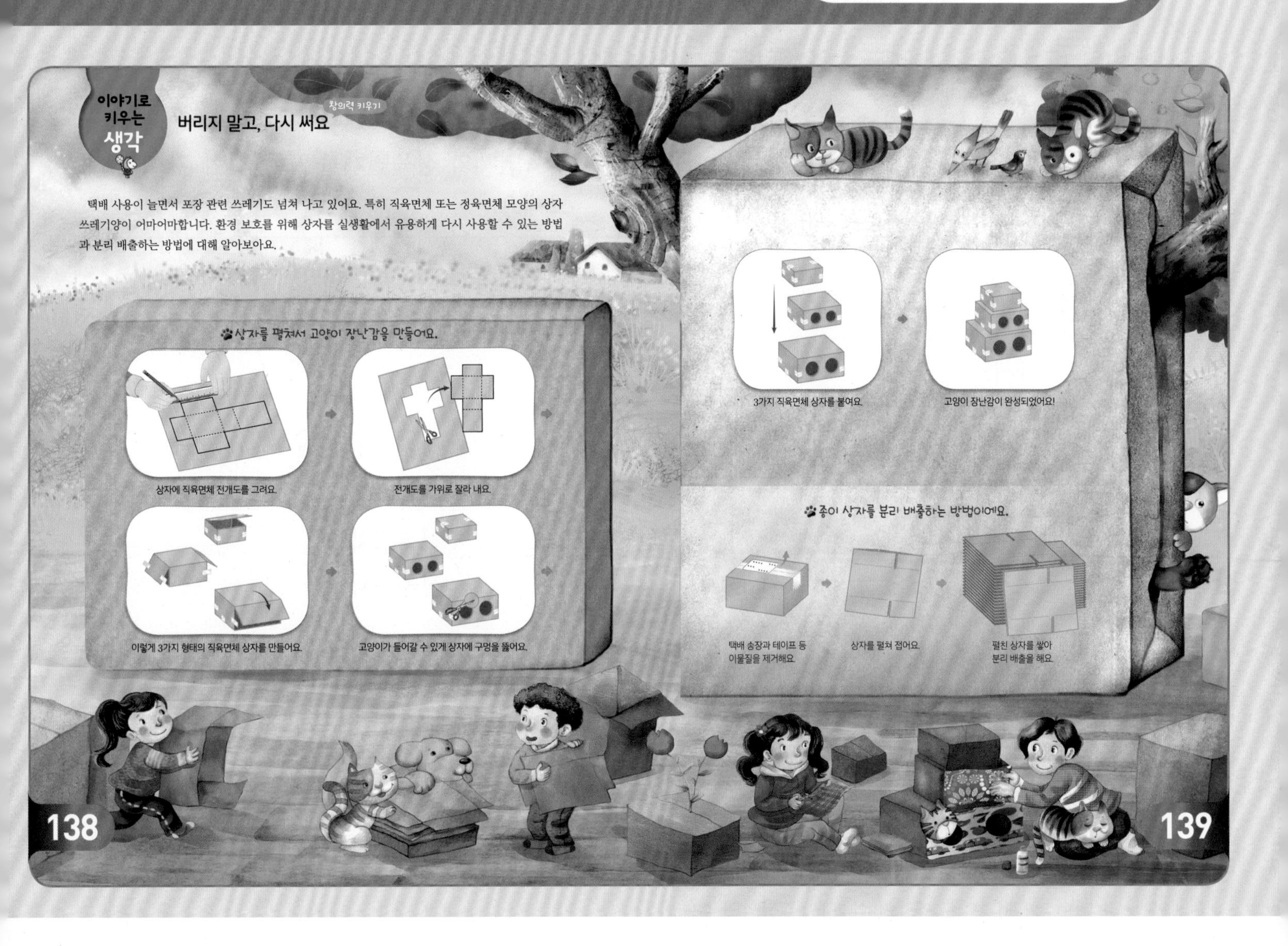

이야기로 키우는 | 생각

택배 쓰레기를 올바르게 분리배출하는 방법

1. 종이 택배 상자: 택배 상자에 붙은 송장과 테이프를 모두 제거한 뒤 상자만 종이류로 재활용합니다.
2. 완충재: 물건을 보호하고 있던 완충재도 재질별로 분류합니다. 에어 캡은 비닐류, 과일 포장재는 스티로폼류이며, 바람이 가득 들어 있는 완충재는 구멍을 내어 바람을 뺀 뒤 버리는 것이 좋습니다.
3. 아이스 팩: 식품 배송 시 넣어 주는 아이스 팩은 일반 종량제 봉투에 넣어서 버립니다. 아이스 팩 내용물은 수질 오염의 원인이 되기 때문에 싱크대나 하수구에 흘려보내서는 안 됩니다. 만일 내용물이 100 % 물인 아이스 팩이라면 개봉 후 물을 버리고 포장은 비닐 혹은 일반 쓰레기로 배출합니다.
4. 스티로폼 상자: 냉동이나 냉장 제품을 포장할 때 자주 쓰이는 스티로폼 상자 또한 테이프와 송장을 제거한 뒤 플라스틱 류로 분리합니다. 스티로폼은 이물질이 묻지 않은 흰색만 재활용이 가능하며 만일 이물질이 묻어 있다면 깨끗이 씻어 내 분리배출합니다. 색상과 무늬가 들어간 스티로폼은 일반 쓰레기로 취급하여 버립니다.

[출처] 내 손안에 서울, 2020. 7. 21. / 삼성자산운용 공식 블로그

개념 + 확인

교과서 개념을 익히고 확인 문제를 풀면서 단원을 마무리해 보아요.

개념

직육면체

• 직육면체 알아보기

직육면체: 직사각형 6개로 둘러싸인 도형

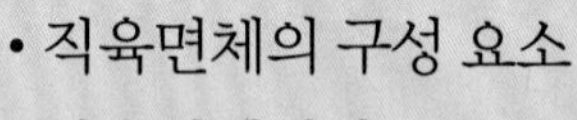

• 직육면체의 구성 요소

직육면체에서

면: 선분으로 둘러싸인 부분

모서리: 면과 면이 만나는 선분

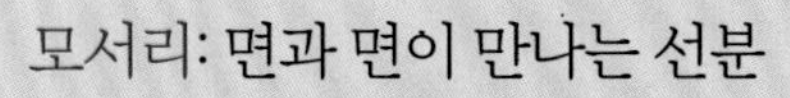

꼭짓점: 모서리와 모서리가 만나는 점

면의 수(개)	모서리의 수(개)	꼭짓점의 수(개)
6	12	8

정육면체

• 정육면체 알아보기

정육면체: 정사각형 6개로 둘러싸인 도형

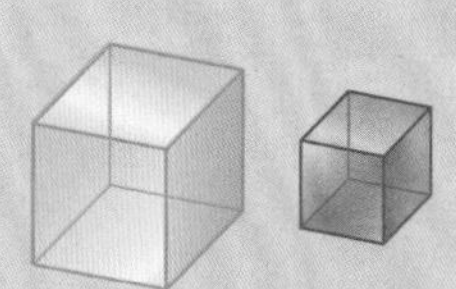

면의 수(개)	모서리의 수(개)	꼭짓점의 수(개)
6	12	8

• 정육면체의 모서리 길이는 모두 같습니다.

직육면체의 성질

• 밑면: 직육면체에서 계속 늘여도 만나지 않는 평행한 두 면

직육면체에는 평행한 면이 3쌍 있고, 이 평행한 면은 각각 밑면이 될 수 있습니다.

• 옆면: 직육면체에서 밑면과 수직인 면

직육면체에서 옆면은 4개 있습니다.

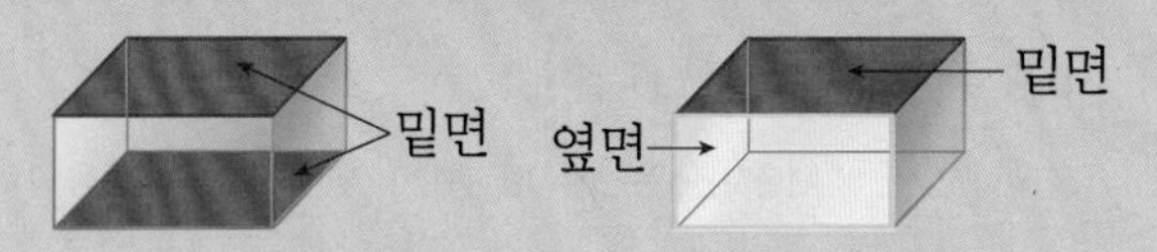

확인 문제

1 직육면체와 정육면체를 모두 찾아 기호를 써 보세요.

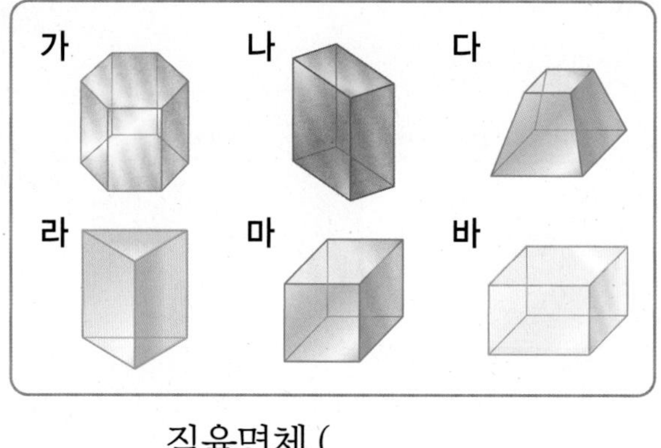

직육면체 (　　　　　　　　)

정육면체 (　　　　　　　　)

2 직육면체에서 면, 모서리, 꼭짓점의 수의 합을 구해 보세요.

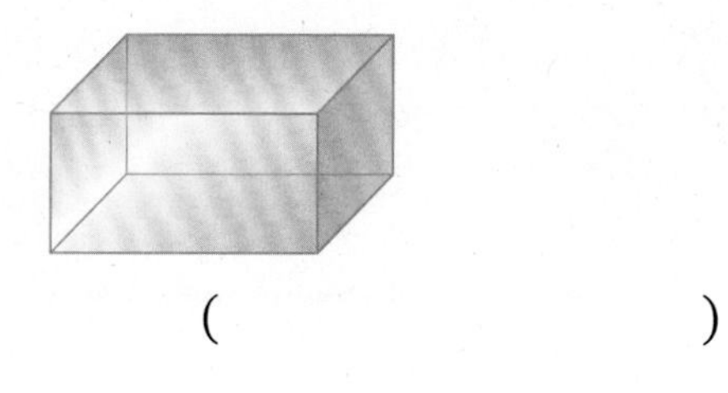

(　　　　　　　　)

[3~4] 오른쪽 직육면체를 보고 물음에 답해 보세요.

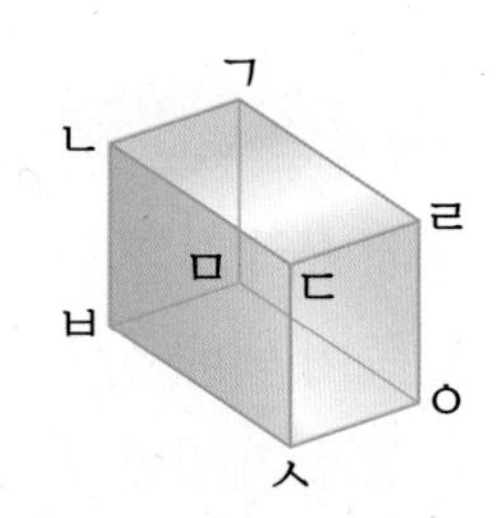

3 면 ㄷㅅㅇㄹ과 평행한 면을 찾아 써 보세요.

(　　　　　　　　)

4 면 ㄱㅁㅇㄹ과 수직인 면은 모두 몇 개인가요?

(　　　　　　　　)

개념

직육면체의 겨냥도

• 겨냥도: 직육면체와 같은 도형의 모양을 잘 알 수 있도록 나타낸 그림

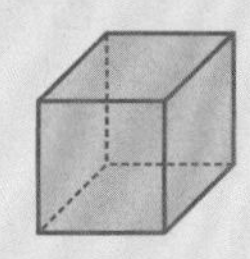
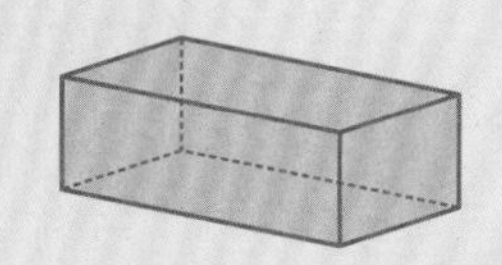

• 겨냥도에서는 보이는 모서리는 실선으로, 보이지 않는 모서리는 점선으로 그립니다.
• 직육면체에서 서로 평행하고 길이가 같은 모서리는 겨냥도에서도 서로 평행하고 길이가 같도록 그립니다.

정육면체의 전개도

전개도: 정육면체와 같은 도형의 모서리를 잘라서 평면 위에 펼쳐 나타낸 그림

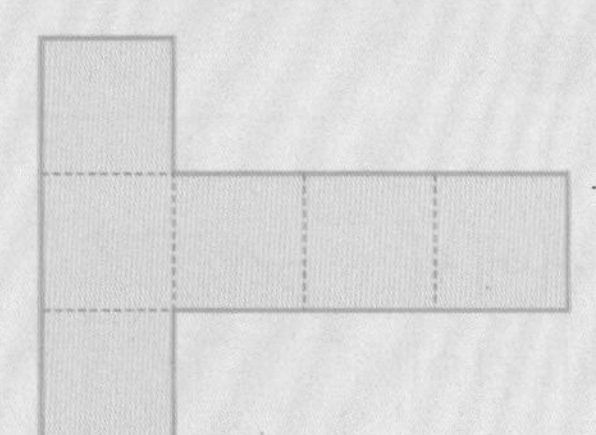

– 정육면체의 전개도에서 자른 모서리는 실선으로, 자르지 않은 모서리는 점선으로 그립니다.

정육면체의 전개도는
• 정사각형 6개로 이루어져 있습니다.
• 모든 모서리의 길이가 같습니다.
• 접었을 때 서로 겹치는 면이 없습니다.

직육면체의 전개도

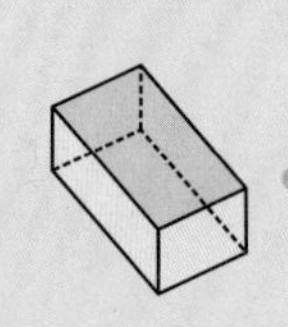
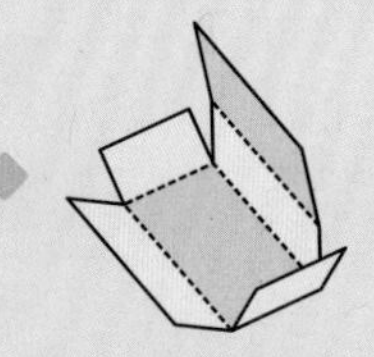
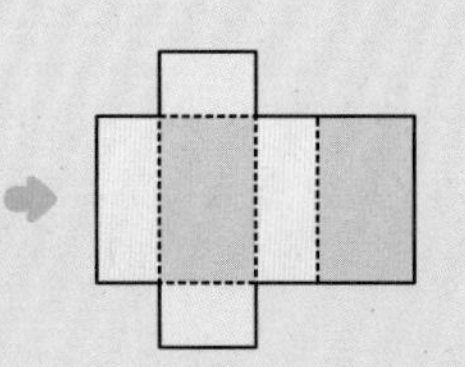

• 직육면체의 전개도를 접었을 때, 서로 마주 보는 면은 평행하고 합동입니다.
• 직육면체의 전개도를 접었을 때, 서로 겹치는 모서리의 길이가 같습니다.

확인 문제

5 오른쪽 직육면체의 겨냥도를 완성해 보세요.

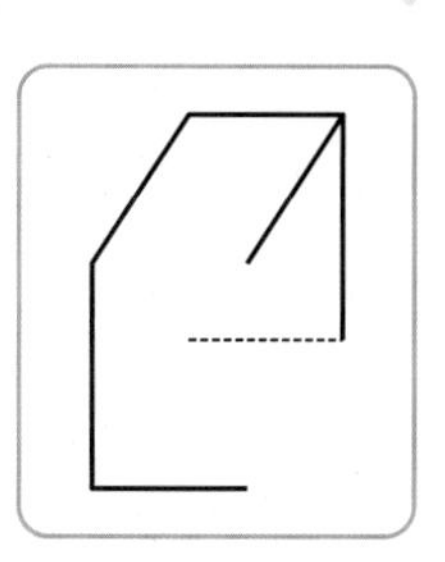

6 전개도를 접었을 때 만들어지는 정육면체를 찾아 기호를 써 보세요.

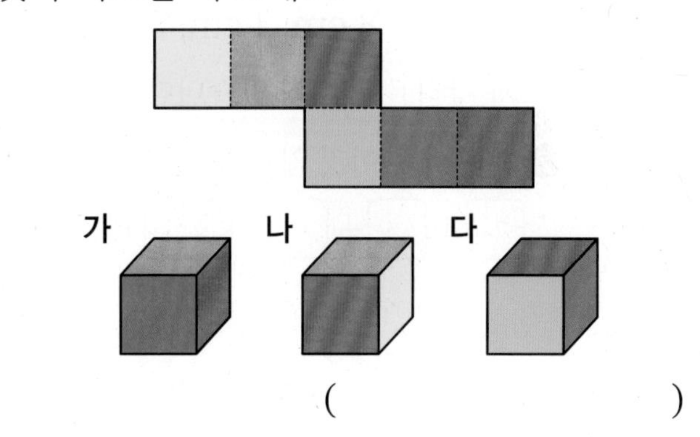

( )

7 직육면체의 모서리를 잘라 전개도를 만들었습니다. ☐ 안에 알맞은 수를 써넣으세요.

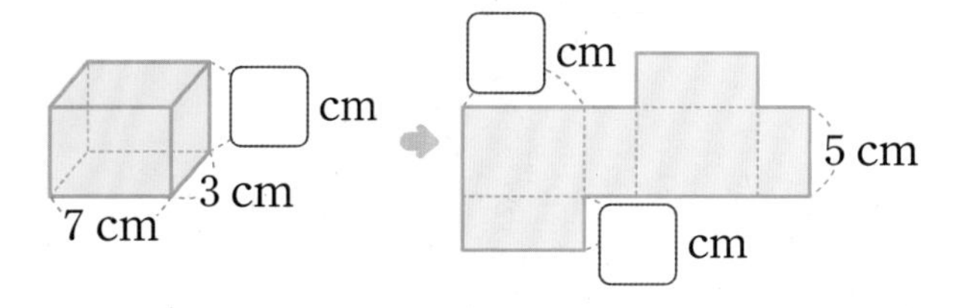

8 전개도를 접어서 직육면체를 만들었을 때 점 ㄱ과 만나는 점은 모두 몇 개인가요?

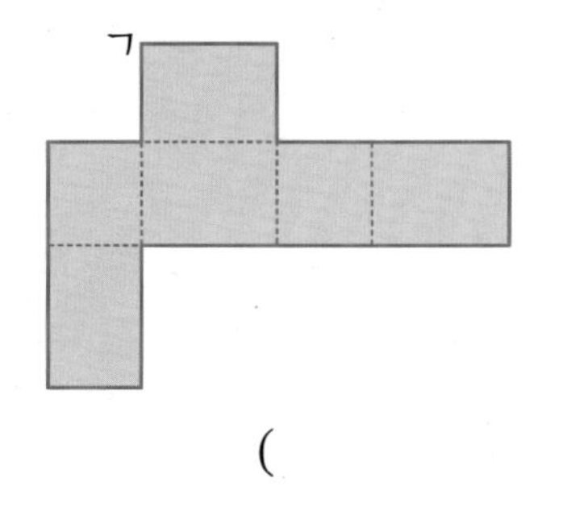

( )

과정 중심 평가 내용 | 직육면체, 정육면체에서 보이는 모서리와 보이지 않는 모서리의 길이의 합을 구할 수 있는가?

1-1 직육면체에서 보이지 않는 모서리의 길이의 합은 몇 cm인지 풀이 과정을 쓰고, 답을 구해 보세요. [8점]

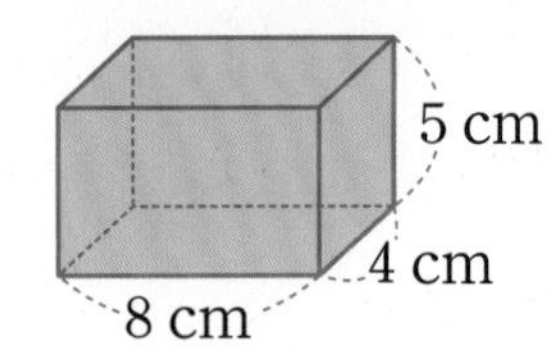

풀이

❶ 보이지 않는 모서리는 ☐으로 그린 부분으로 8 cm, 4 cm, 5 cm인 모서리가 각각 ☐개씩 있습니다.

❷ 따라서 보이지 않는 모서리 길이의 합은 ☐+☐+☐=☐ (cm)입니다.

답 ______

1-2 

정육면체에서 보이지 않는 모서리의 길이의 합은 몇 cm인지 풀이 과정을 쓰고, 답을 구해 보세요. [12점]

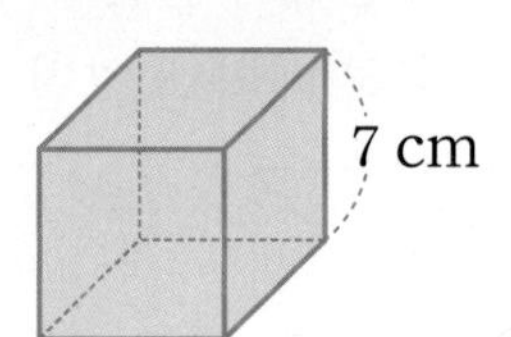

풀이

답 ______

1-3 유사

정육면체에서 보이는 모서리의 길이의 합은 몇 cm인지 풀이 과정을 쓰고, 답을 구해 보세요. [15점]

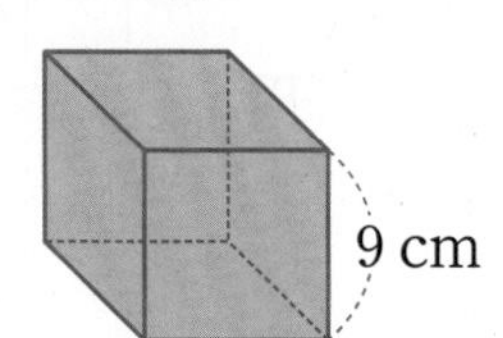

풀이

답 ______

1-4 실전

오른쪽 직육면체에서 보이는 모서리의 길이의 합은 몇 cm인지 풀이 과정을 쓰고, 답을 구해 보세요. [15점]

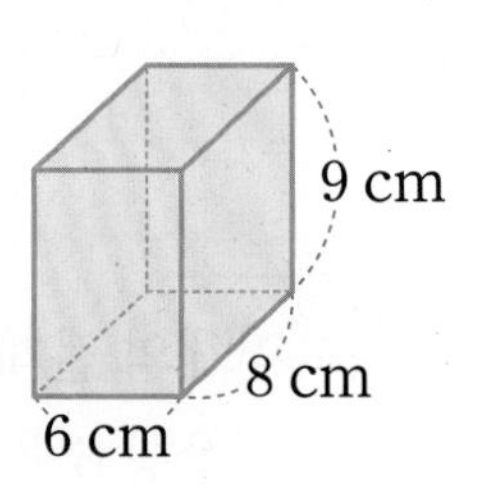

풀이

답 ______

과정 중심 평가 내용 | 직육면체, 정육면체의 전개도에서 선분의 길이를 구할 수 있는가?

➜ 정답 및 풀이 224쪽

2-1 직육면체의 전개도에서 선분 ㄱㄴ의 길이는 몇 cm인지 풀이 과정을 쓰고, 답을 구해 보세요. [8점]

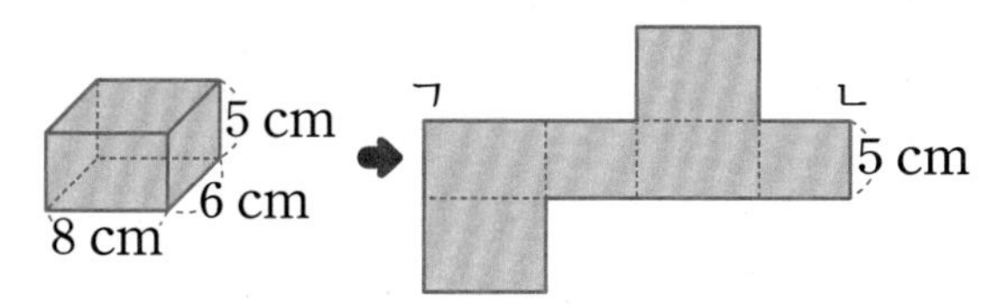

풀이

❶ 선분 ㄱㄴ은 가로 8 cm, 세로 □ cm인 밑면의 둘레와 같으므로 8 cm인 선분 2개, □ cm인 선분 2개로 이루어져 있습니다.

❷ 따라서 선분 ㄱㄴ의 길이는

□+□+□+□=□ (cm)

입니다.

답 ....

2-2 쌍둥이

직육면체의 전개도에서 선분 ㄱㄴ의 길이는 몇 cm인지 풀이 과정을 쓰고, 답을 구해 보세요. [12점]

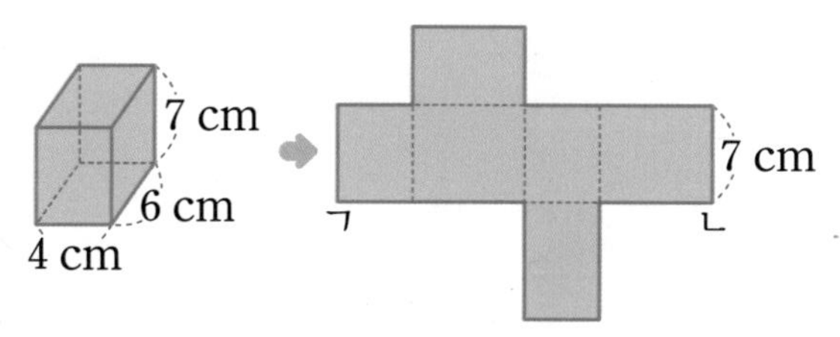

풀이

답 ....

2-3 유사

정육면체의 전개도에서 선분 ㄱㄴ의 길이는 몇 cm인지 풀이 과정을 쓰고, 답을 구해 보세요. [15점]

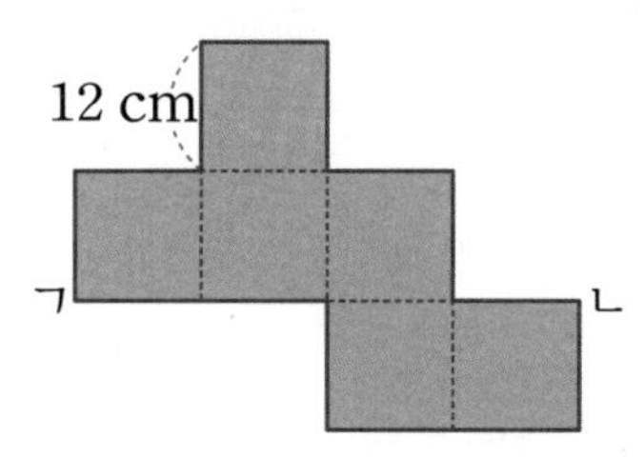

풀이

답 ....

2-4 실전

정육면체의 전개도입니다. 정육면체의 한 모서리의 길이는 몇 cm인지 풀이 과정을 쓰고, 답을 구해 보세요. [15점]

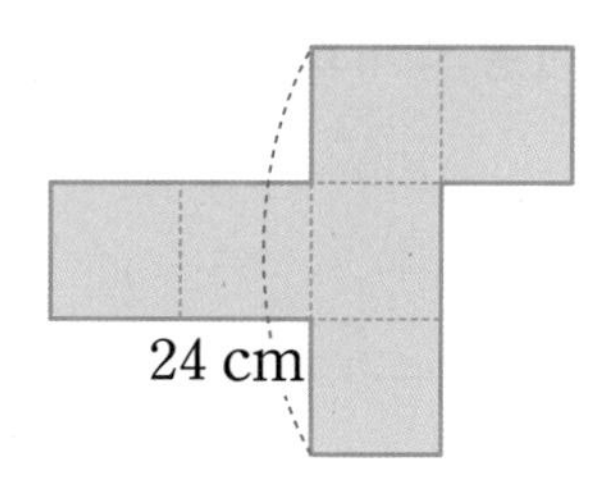

풀이

답 ....

[01~02] 입체도형을 보고 물음에 답해 보세요.

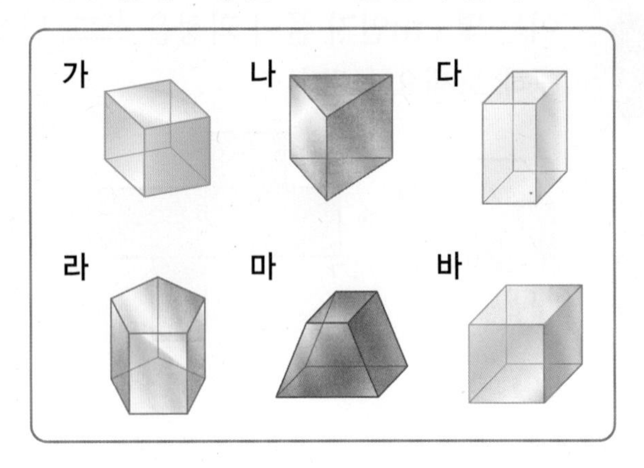

| 직육면체 |

01 직육면체를 모두 찾아 기호를 써 보세요.
하
( )

| 정육면체 |

02 정육면체를 모두 찾아 기호를 써 보세요.
하
( )

| 직육면체 |

03 □ 안에 직육면체의 구성 요소의 이름을 알맞게 써넣으세요.
하

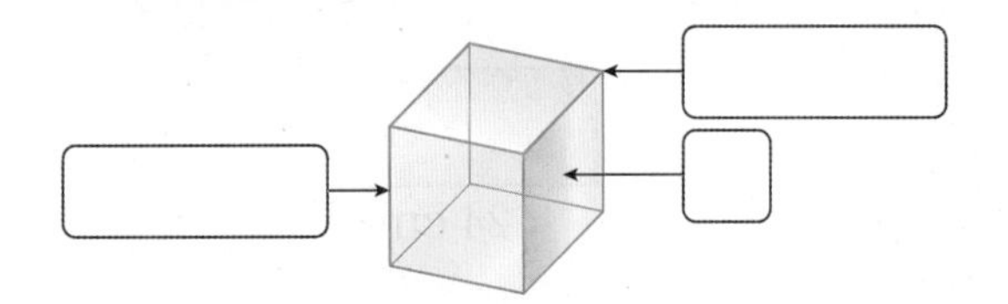

| 직육면체의 겨냥도 |

04 직육면체의 겨냥도를 바르게 그린 것을 찾아 기호를 써 보세요.
하

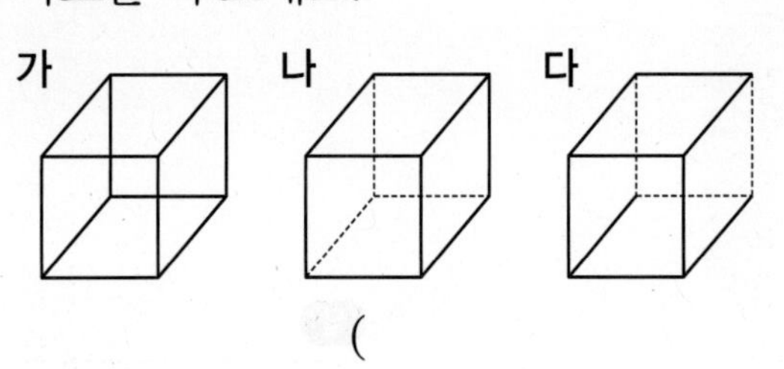

( )

| 직육면체의 성질 |

05 직육면체에서 면 ㄱㅁㅇㄹ이 밑면일 때, 옆면이 아닌 것은 어느 것인가요? ···· ( )
중

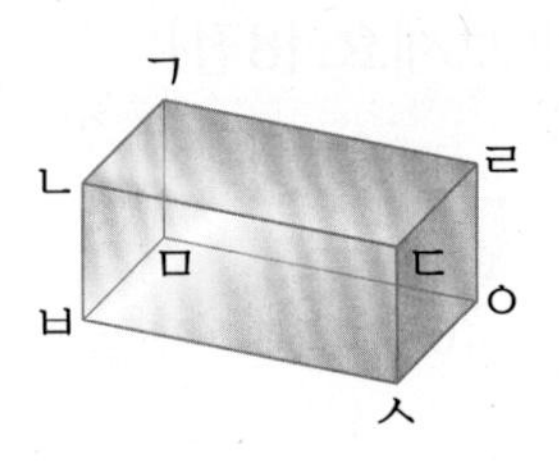

① 면 ㄱㄴㄷㄹ ② 면 ㄴㅂㅁㄱ
③ 면 ㅁㅂㅅㅇ ④ 면 ㄷㅅㅇㄹ
⑤ 면 ㄴㅂㅅㄷ

| 정육면체의 전개도 |

06 정육면체의 전개도가 아닌 것을 모두 찾아 기호를 써 보세요.
중

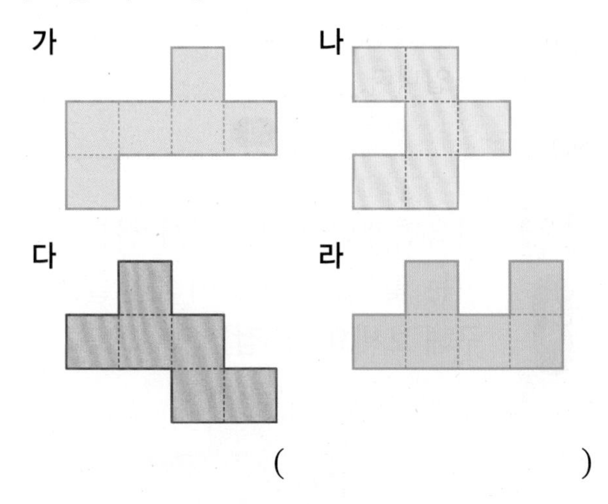

( )

| 직육면체 |

07 직육면체에 대하여 바르게 설명한 것을 모두 찾아 기호를 써 보세요.
중

㉠ 면과 면이 만나는 선분을 점이라고 합니다.
㉡ 모서리와 모서리가 만나는 점을 꼭짓점이라고 합니다.
㉢ 모서리의 길이는 모두 같습니다.
㉣ 한 점에서 만나는 면은 3개입니다.

( )

➜ 정답 및 풀이 225쪽

| 직육면체, 정육면체 |

08 표를 완성해 보세요.

중

	면의 수(개)	모서리의 수(개)	꼭짓점의 수(개)	면의 모양
직육면체				
정육면체				

| 직육면체의 겨냥도 | 서술형

09 직육면체의 겨냥도를 잘못 그린 것입니다. 잘못된 이유를 쓰고, 바르게 그려 보세요.

중

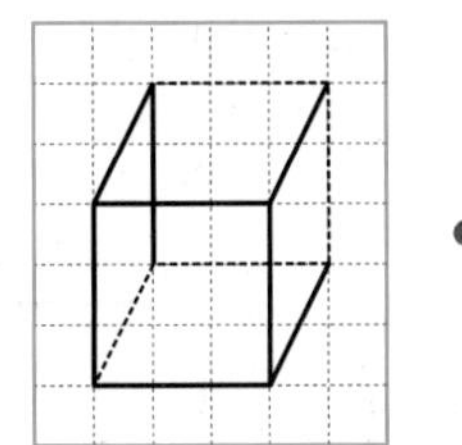

➜

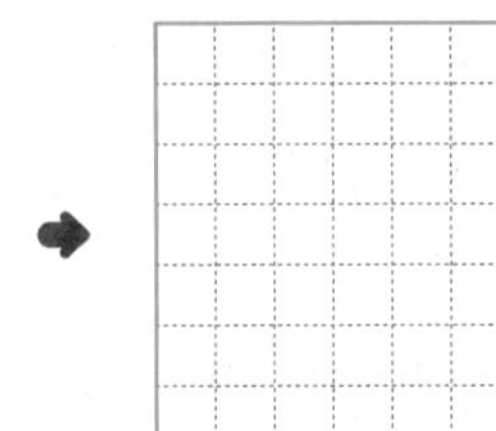

풀이

| 정육면체의 전개도 |

10 전개도를 접어 정육면체를 만들었습니다. 면 바와 평행한 면을 찾아 써 보세요.

중

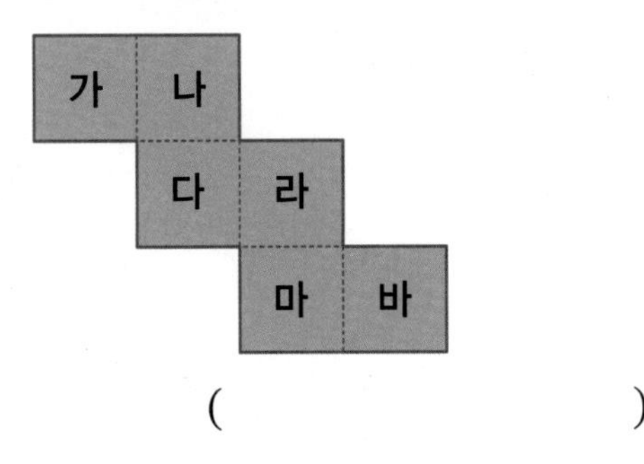

(　　　　　　　　)

[11~12] 전개도를 접어 직육면체를 만들었습니다. 물음에 답해 보세요.

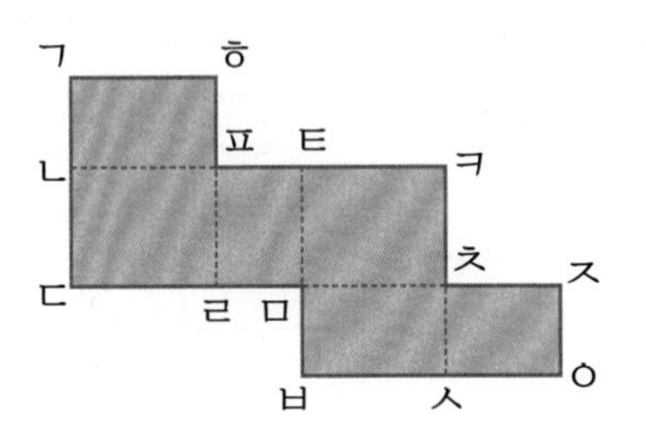

| 직육면체의 전개도 |

11 선분 ㄴㄷ과 겹치는 선분을 찾아 써 보세요.

중

(　　　　　　　　)

| 직육면체의 전개도 |

12 점 ㅈ과 만나는 점을 모두 찾아 써 보세요.

중

(　　　　　　　　)

| 직육면체의 겨냥도 |

13 오른쪽 직육면체를 보고 수가 많은 것부터 차례대로 기호를 써 보세요.

중

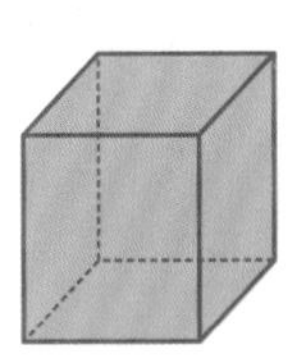

> ㉠ 보이는 면의 수
> ㉡ 보이는 모서리의 수
> ㉢ 보이지 않는 꼭짓점의 수

(　　　　　　　　)

| 직육면체의 전개도 |

14 직육면체의 전개도를 그려 보세요.

중

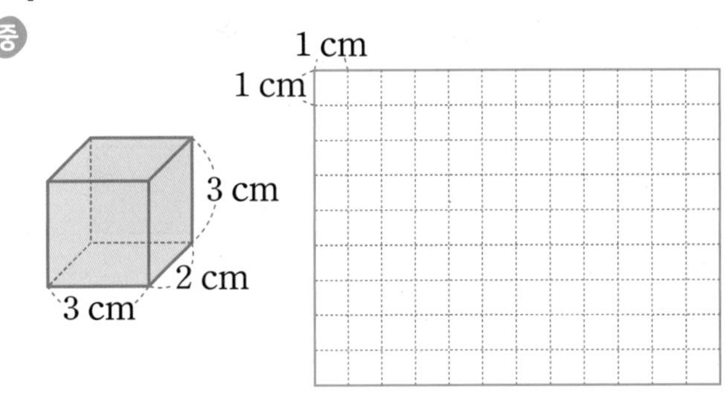

단원 평가

➔ 정답 및 풀이 225쪽

| 직육면체 |

15 직육면체에서 모서리 ㅅㅇ과 길이가 같은 모든 모서리의 길이의 합은 몇 cm인지 구해 보세요. (모서리 ㅅㅇ도 포함합니다.)

중

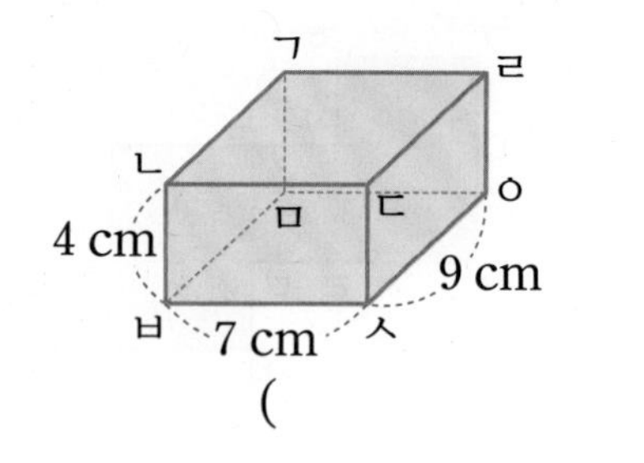

(　　　　　　　　　)

| 직육면체의 성질 | 서술형

16 오른쪽 직육면체에서 색칠한 면과 평행한 면의 둘레는 몇 cm인지 풀이 과정을 쓰고, 답을 구해 보세요.

중

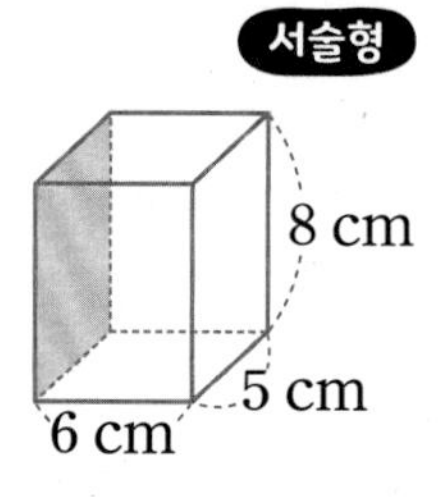

풀이

답

| 정육면체의 전개도 |

17 한 모서리의 길이가 5 cm인 정육면체의 전개도입니다. 전개도의 둘레는 몇 cm인지 구해 보세요.

중

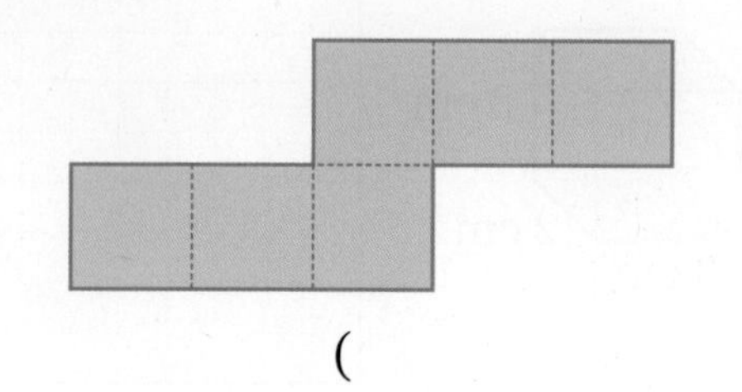

(　　　　　　　　　)

| 정육면체의 전개도 |

18 전개도를 접어 주사위를 만들려고 합니다. 주사위에서 마주 보는 두 면에 있는 눈의 수의 합이 7일 때, 전개도의 빈 곳에 눈을 알맞게 그려 보세요.

상

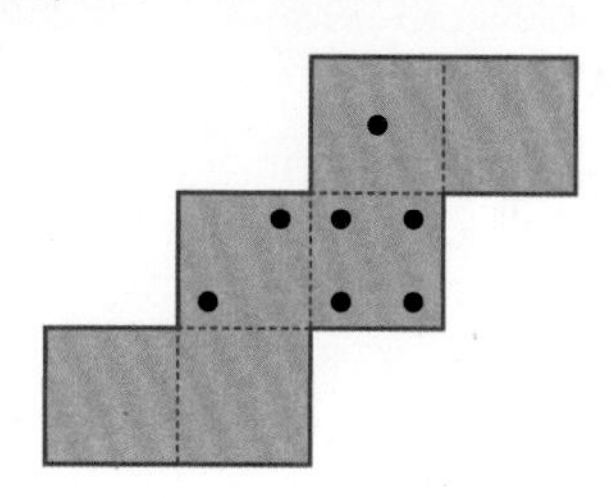

| 직육면체의 전개도 |

19 직육면체 모양의 선물 상자를 그림과 같이 끈으로 묶었습니다. 직육면체의 전개도가 오른쪽과 같을 때, 끈이 지나가는 자리를 그려 보세요.

상

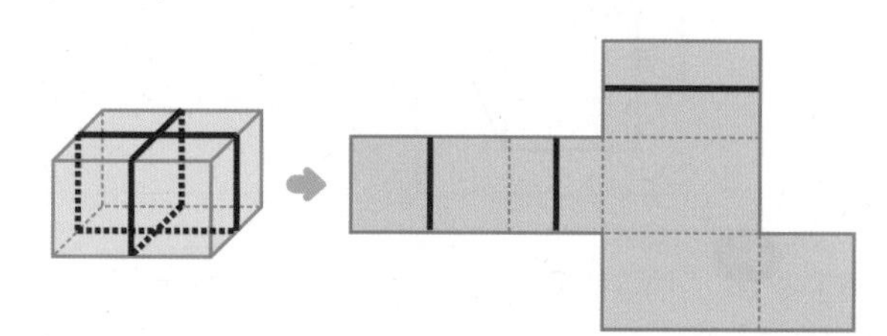

| 직육면체의 겨냥도 | 서술형

20 오른쪽 정육면체에서 보이지 않는 모서리의 길이의 합이 21 cm일 때, 모든 모서리의 길이의 합은 몇 cm인지 풀이 과정을 쓰고, 답을 구해 보세요.

상

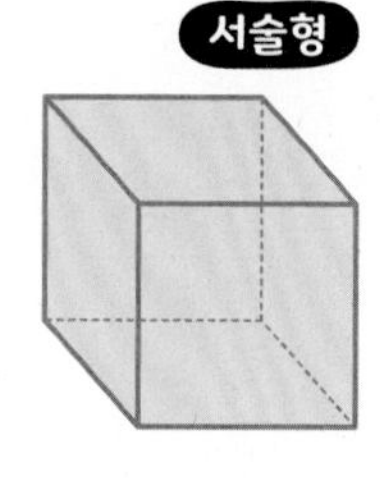

풀이

답

전개도로 직육면체를 만들어 볼까요?

6 평균과 가능성

이전에 배운 내용	이번에 배울 내용	다음에 배울 내용
3-1 3. 나눗셈 • 나눗셈의 의미 **3-1** 6. 분수와 소수 • 부분과 전체를 분수로 나타내기 **4-1** 5. 막대그래프 • 막대그래프 그리기	**평균** • 평균의 의미 • 평균의 활용 **가능성** • 가능성을 말로 표현하기 • 가능성 비교하기 • 가능성을 수로 나타내기	**6-1** 4. 비와 비율 • 비, 비율 알아보기 5. 여러 가지 그래프 • 띠그래프, 원그래프 **중학교** • 확률 • 대푯값

- 학생들이 '어린이 경제 교육 상영 시간' 안내판을 보고 있습니다.
- 한 학생이 회전판을 돌리고 있습니다.
- 경제 교육 영상 한 개당 상영 시간을 몇 분이라고 할 수 있을지 궁금해하고 있습니다.

공부할 준비가 되었나요?

자/기/주/도/학/습

	학습 내용	계획 및 확인(공부한 날)	
예습	1차시 | 단원 도입 / 준비 팡팡	168~171쪽	월 일
진도	2~3차시 | 1 평균	172~175쪽	월 일
	4~5차시 | 2 평균의 활용	176~179쪽	월 일
	6~7차시 | 3 가능성을 말로 표현하고 비교하기	180~183쪽	월 일
	8차시 | 4 가능성을 수로 나타내기	184~185쪽	월 일
	9차시 | 문제 해결력 쑥쑥	186~187쪽	월 일
	10차시 | 단원 마무리 척척	188~189쪽	월 일
	11차시 | 놀이 속으로 풍덩 / 이야기로 키우는 생각	190~191쪽	월 일
평가	개념+확인 / 서술형 문제 해결하기	192~195쪽	월 일
	단원 평가 / 재미있는 수학 이야기	196~199쪽	월 일

준비 팡팡

학습 목표

'무엇을 알고 있나요'와 '함께 생각해 볼까요'를 통하여 단원을 준비할 수 있습니다.

조사한 자료를 막대그래프로 나타내기

• 표를 막대그래프로 나타내기

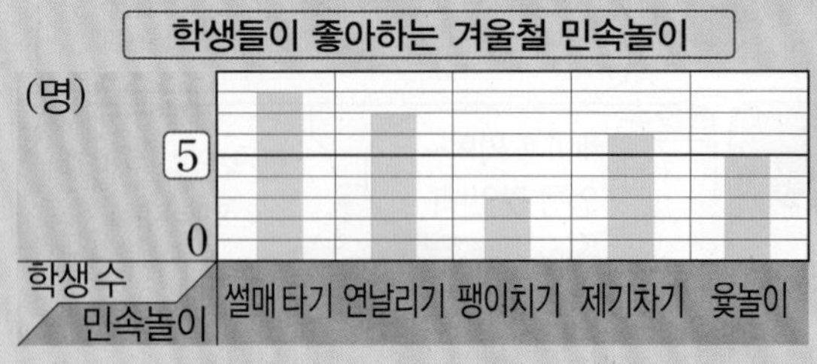

• 막대의 길이가 가장 긴 겨울철 민속놀이는 썰매 타기입니다.

➜ 가장 많은 학생들이 좋아하는 겨울철 민속놀이는 썰매 타기입니다.

보기 를 보고 색칠한 만큼 수로 나타내기

• 전체를 똑같이 2로 나눈 것 중 1만큼 색칠하였으므로 $\frac{1}{2}$입니다.

• 색칠된 부분이 없으므로 0입니다.

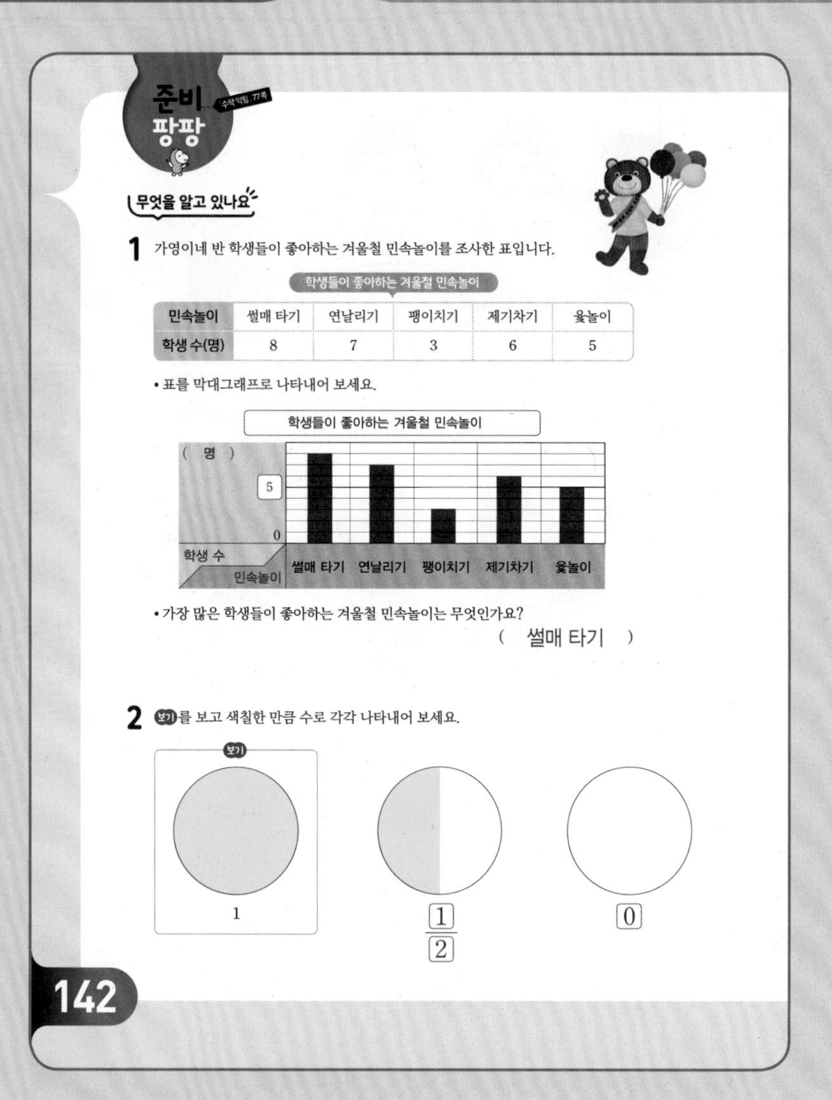
준비 팡팡 수학익힘 77쪽

무엇을 알고 있나요

1 가영이네 반 학생들이 좋아하는 겨울철 민속놀이를 조사한 표입니다.

학생들이 좋아하는 겨울철 민속놀이

민속놀이	썰매 타기	연날리기	팽이치기	제기차기	윷놀이
학생 수(명)	8	7	3	6	5

• 표를 막대그래프로 나타내어 보세요.

학생들이 좋아하는 겨울철 민속놀이

(명), 5, 0, 학생 수, 민속놀이, 썰매 타기, 연날리기, 팽이치기, 제기차기, 윷놀이

• 가장 많은 학생들이 좋아하는 겨울철 민속놀이는 무엇인가요?

(썰매 타기)

2 보기 를 보고 색칠한 만큼 수로 각각 나타내어 보세요.

보기 1

$\frac{1}{2}$

0

142

교과서 개념 완성 | 배운 것을 다시 생각하기

나눗셈 알아보기

15에서 3씩 5번 빼면 0이 됩니다.

이것을 $15 \div 3 = 5$라 쓰고 '15 나누기 3은 5와 같습니다.'라고 읽습니다.

이때 $15 \div 3$과 같은 계산을 나눗셈이라 하고 $15 \div 3 = 5$와 같은 식을 **나눗셈식**이라고 합니다.

분수

• 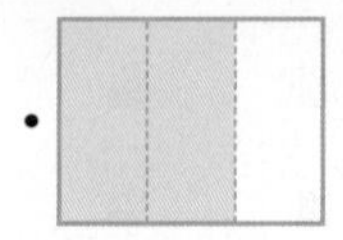 전체를 똑같이 3으로 나눈 것 중의 2를 $\frac{2}{3}$라 쓰고, 3분의 2라고 읽습니다.

• $\frac{1}{3}$, $\frac{2}{3}$, $\frac{3}{5}$과 같은 수를 분수라고 합니다.

막대그래프 알아보기

• 조사한 자료의 수량을 막대 모양으로 나타낸 그래프를 막대그래프라고 합니다.

• 막대그래프를 이용하면 항목별 수량의 많고 적음을 한눈에 알아볼 수 있습니다.

막대그래프 그리기

① 가로와 세로에 무엇을 나타낼지 정합니다.

② 조사한 수 중에서 가장 큰 수를 나타낼 수 있도록 눈금 한 칸의 크기를 정합니다.

③ 조사한 수에 맞도록 막대를 그립니다.

④ 조사한 내용을 잘 알 수 있게 알맞은 제목을 씁니다.

㉮와 ㉯ 중에서 고르게 되어 있는 상황 고르기

- ㉮는 흙의 높이가 일정하고 ㉯는 흙의 높이가 울퉁불퉁합니다.
  따라서 고르게 되어 있는 상황은 흙의 높이가 일정한 ㉮입니다.

학부모 코칭 Tip

평균에 대한 학습에 앞서 '고르다'의 의미를 직관적으로 이해하도록 합니다.

일상생활에서 일어날 수 없는 일을 모두 찾기

- ㉮ 해는 항상 동쪽에서 뜨므로 해가 서쪽에서 뜨는 일은 일어날 수 없습니다.
- ㉰ 횡단보도 앞에 서자 신호등이 초록색으로 바뀌는 일은 때때로 일어날 수 있습니다.
- ㉱ 고양이는 하늘을 날지 못하므로 고양이가 하늘을 날고 있는 일은 일어날 수 없습니다.

학부모 코칭 Tip

일상생활에서 일어날 수 있는 일과 일어날 수 없는 일을 구분해 봄으로써 '가능성'에 대한 개념을 직관적으로 이해할 수 있도록 합니다.

개념 확인 문제

정답 및 풀이 227쪽

| 4-1 5. 막대그래프 |

1 민준이의 과목별 단원평가 점수를 조사한 표를 막대그래프로 나타내어 보세요.

과목별 단원평가 점수

과목	국어	수학	과학	영어
점수(점)	7	8	9	6

과목별 단원평가 점수

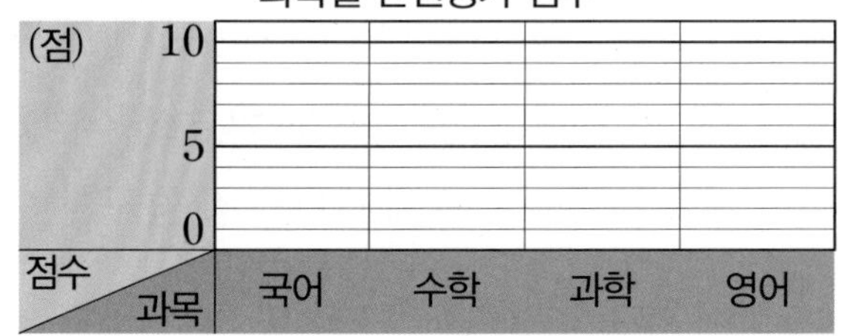

| 4-1 5. 막대그래프 |

2 1의 막대그래프를 보고 점수가 높은 과목부터 차례대로 써 보세요.

( )

| 3-1 6. 분수와 소수 |

3 색칠한 부분의 크기를 분수로 나타내어 보세요.

(1)

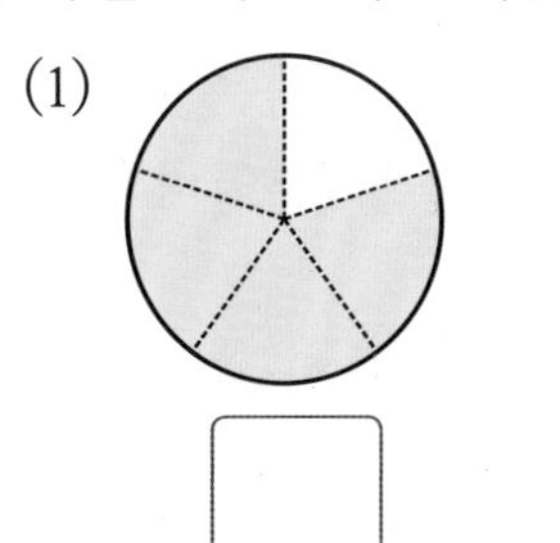

(2)

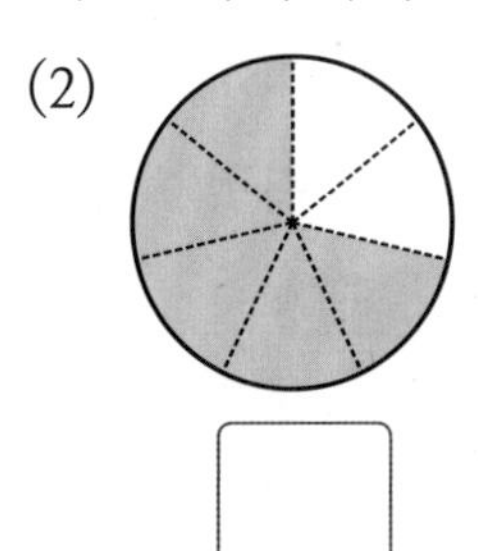

1 | 평균

학습 목표

평균의 의미를 알고, 주어진 자료의 평균을 구할 수 있습니다.

그림으로 개념 잡기

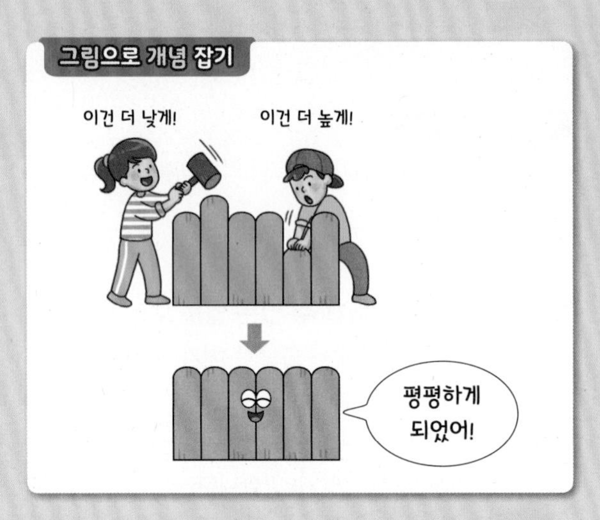

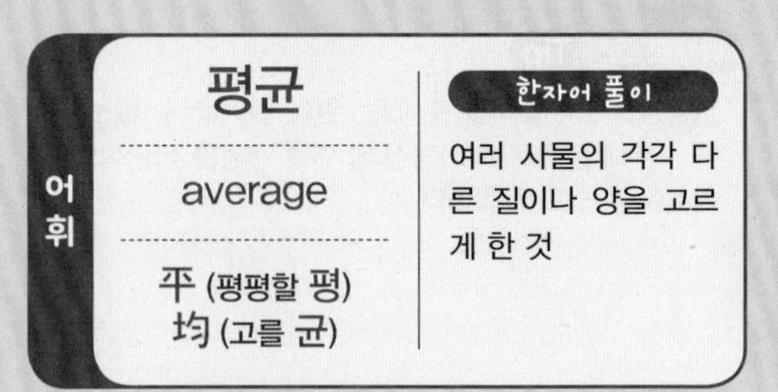

어휘	평균	한자어 풀이
	average	여러 사물의 각각 다른 질이나 양을 고르게 한 것
	平 (평평할 평) 均 (고를 균)	

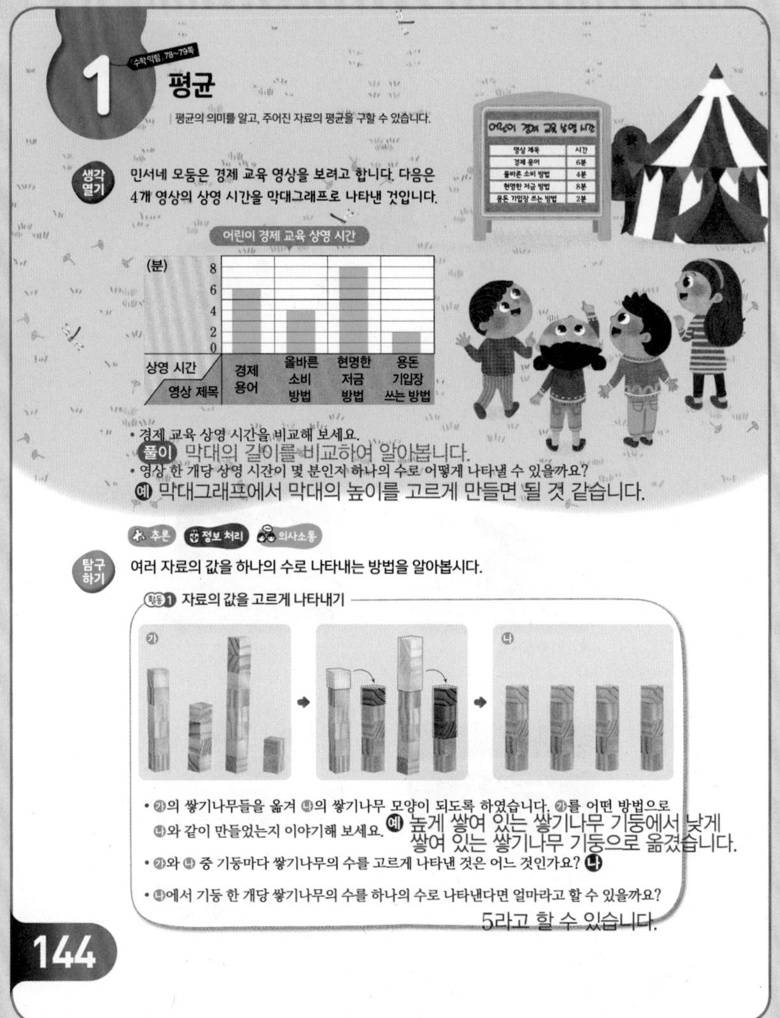

교과서 개념 완성

생각열기 평균의 의미 인식하기

• 경제 교육 상영 시간을 비교해 보기
  - 상영 시간이 모두 다릅니다.
  - 상영 시간이 가장 긴 영상의 제목은 '현명한 저금 방법'이고, 상영 시간은 8분입니다.
  - 상영 시간이 가장 짧은 영상의 제목은 '용돈 기입장 쓰는 방법'이고, 상영 시간은 2분입니다.

학부모 코칭 Tip

여러 자료의 값을 하나의 수로 나타내는 방법으로 합계를 사용할 수도 있으므로 평균을 학습하기 위한 소재는 평균이 대푯값으로 더 의미를 갖는 상황을 이용하도록 합니다.

탐구하기 여러 자료의 값을 하나의 수로 나타내는 방법 알아보기

활동1 자료의 값을 고르게 나타내기

• 높게 쌓여 있는 쌓기나무 기둥에서 낮게 쌓여 있는 쌓기나무 기둥으로 옮겼습니다.
• 쌓기나무 기둥의 높이가 같도록 만들었습니다. ㄱ 높이를 하나의 수로 나타낼 수 있습니다.

활동1과 활동2를 통하여 알게 된 점 알아보기

• 자료의 값을 큰 쪽에서 작은 쪽으로 옮겨 자료의 값을 고르게 만들었습니다. – 자료의 값을 하나의 수로 나타낼 수 있습니다.
• 여러 자료의 값을 모두 더한 뒤 자료의 수로 나누면 여러 자료의 값을 고르게 나타낸 값을 구할 수 있습니다.

활동2 고르게 나타낸 자료의 값을 식으로 구하는 방법 알아보기

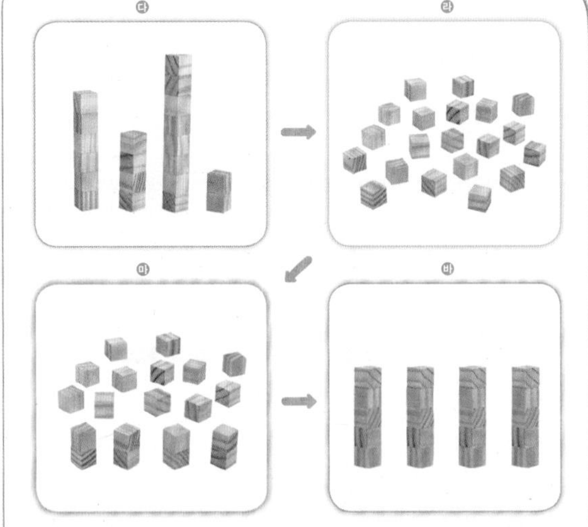

• 위와 같은 방법으로 쌓기나무의 수를 고르게 만들었습니다. 쌓기나무의 수를 어떻게 고르게 만들었는지 이야기해 보세요. 예 쌓기나무를 해체하고 모두 모은 후 높이가 같도록 다시 쌓았습니다.

• ㉯에서 쌓기나무의 수가 모두 몇 개인지 구하는 덧셈식을 써 보세요.
$6+4+8+2=20$(개)

• ㉱에서 쌓기나무를 몇 개의 기둥으로 나누어서 쌓고 있나요? 4개의 기둥

• ㉱에서 고르게 만든 쌓기나무 기둥 한 개에 쌓여 있는 쌓기나무의 수를 구하는 식을 써 보세요. $20 \div 4=5$(개)

• 활동1과 활동2를 통하여 여러 자료의 값을 고르게 나타내고 그 값을 식으로 구하는 방법에 대해 알게 된 점을 이야기해 보세요.
예 자료의 값을 큰 쪽에서 작은 쪽으로 옮겨 자료의 값을 고르게 만들었습니다.

145

이런 문제가 서술형으로 나와요

접시 3개에 놓인 딸기의 개수를 고르게 하여 놓을 때, 한 접시에 놓은 딸기 개수의 평균은 몇 개인지 풀이 과정을 쓰고, 답을 구해 보세요.

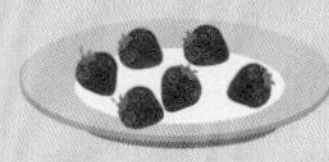
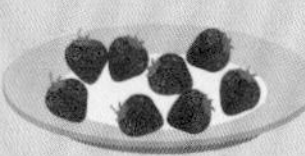

| 풀이 과정 |

❶ 딸기의 개수를 고르게 하여 알아보기

딸기의 개수를 고르게 하여 놓으면 한 접시에 6개씩 놓입니다.

❷ 딸기 개수의 평균 구하기

딸기를 고르게 놓을 때 한 접시에 6개이므로 딸기 개수의 평균은 6개입니다.

답 6개

수학 교과 역량

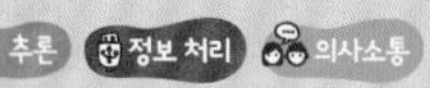

여러 자료의 값을 하나의 수로 나타내는 방법 알아보기

쌓기나무들을 옮겨 그 높이를 고르게 하는 활동과 쌓기나무를 다시 모아서 높이가 같도록 다시 쌓는 활동을 하면서 평균의 의미와 평균을 구하는 방법을 알아보는 과정을 통하여 추론 능력과 정보 처리 능력을 기르고 의사소통 능력을 기를 수 있습니다.

개념 확인 문제

정답 및 풀이 227쪽

[1~4] 직사각형 넓이의 평균을 알아보려고 합니다. 물음에 답해 보세요.

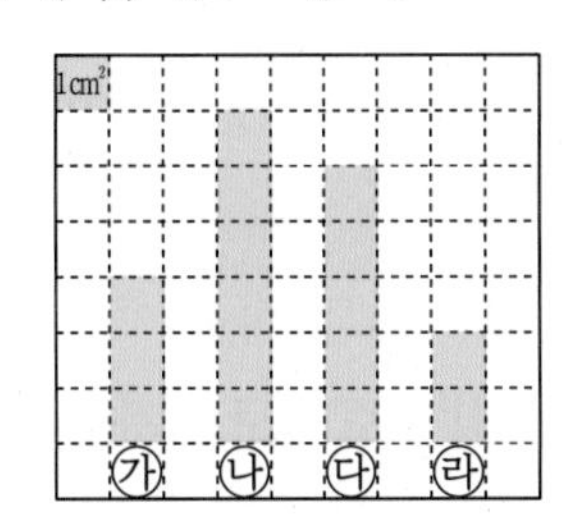

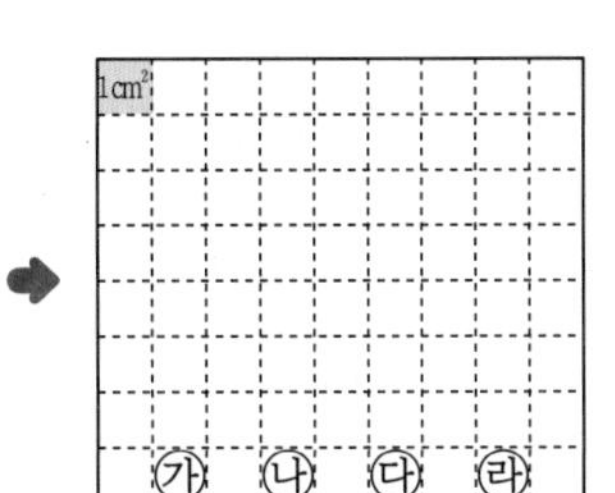

1 직사각형의 넓이를 고르게 하여 다시 그려 보세요.

2 직사각형 넓이의 합을 구해 보세요.

( )

3 고르게 다시 그린 직사각형 한 개의 넓이를 구해 보세요.

( )

4 직사각형 넓이의 평균을 구해 보세요.

( )

- **평균의 의미**

평균(平均)의 각 한자의 의미를 살펴보면 다음과 같습니다.

平	평평한 상태
均	높이를 고르게 하다.

또, 국립국어원 『표준국어대사전』에서는 평균을 '여러 사물의 질이나 양 따위를 통일적으로 고르게 한 것'이라고 정의합니다.

참고

이와 같이 평균의 한자의 의미와 사전적 의미를 생각해 보면 자료의 값을 더하고 자료의 수로 나누어 전체가 일정한 하나의 값으로 나타내는 평균의 수학적 의미와 관련지어 이해할 수 있습니다.

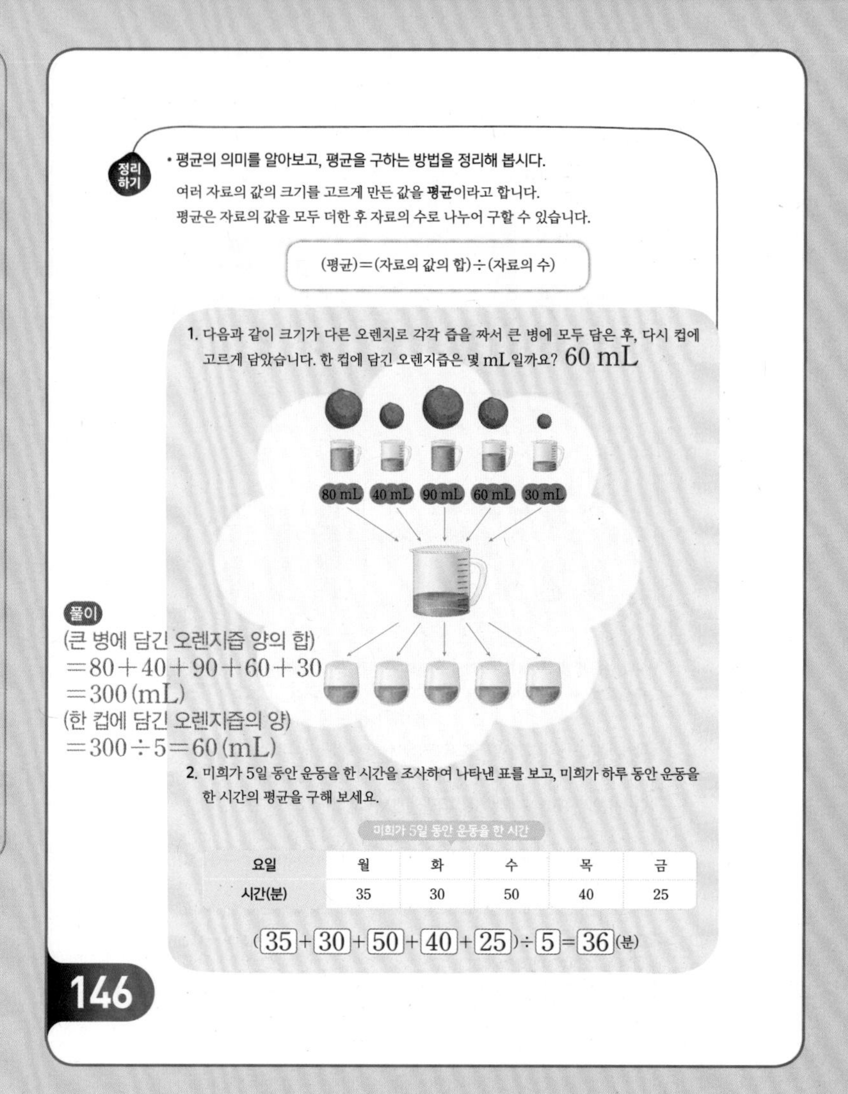

정리하기

- 평균의 의미를 알아보고, 평균을 구하는 방법을 정리해 봅시다.

여러 자료의 값의 크기를 고르게 만든 값을 **평균**이라고 합니다.
평균은 자료의 값을 모두 더한 후 자료의 수로 나누어 구할 수 있습니다.

(평균)=(자료의 값의 합)÷(자료의 수)

1. 다음과 같이 크기가 다른 오렌지로 각각 즙을 짜서 큰 병에 모두 담은 후, 다시 컵에 고르게 담았습니다. 한 컵에 담긴 오렌지즙은 몇 mL일까요? 60 mL

풀이
(큰 병에 담긴 오렌지즙 양의 합)
$=80+40+90+60+30$
$=300$ (mL)
(한 컵에 담긴 오렌지즙의 양)
$=300\div5=60$ (mL)

2. 미희가 5일 동안 운동을 한 시간을 조사하여 나타낸 표를 보고, 미희가 하루 동안 운동을 한 시간의 평균을 구해 보세요.

미희가 5일 동안 운동을 한 시간

요일	월	화	수	목	금
시간(분)	35	30	50	40	25

$(35+30+50+40+25)\div5=36$ (분)

146

교과서 개념 완성

정리하기 평균의 의미를 알아보고, 평균을 구하는 방법 정리하기

- 평균: 여러 자료의 값의 크기를 고르게 만든 값
- 평균은 자료의 값을 모두 더한 후 자료의 수로 나누어 구할 수 있습니다.

(평균)=(자료의 값의 합)÷(자료의 수)

오렌지즙 양의 합 300 mL ÷ 컵의 수 5 → 60 mL

확인하기 평균 구하기

자료의 값이 고르게 되도록 ○를 옮기면 민경이네 모둠 친구들이 한 달 동안 읽은 책의 수의 평균은 3권입니다.

생각솔솔 평균을 보고 자료의 값 구하기

(선우가 일주일 동안 먹은 방울토마토 개수의 합)
$=8\times7=56$(개)
(선우가 목요일에 먹은 방울토마토의 개수)
=(선우가 일주일 동안 먹은 방울토마토 개수의 합)
－(목요일을 제외한 나머지 요일에 먹은 방울토마토 개수의 합)
$=56-(6+9+5+8+7+10)$
$=56-45=11$(개)

공부한 날 월 일

1. 민경이네 모둠 친구들이 각각 한 달 동안 읽은 책의 수만큼 ○를 그려서 표로 나타내었습니다. 물음에 답해 보세요.

• 자료의 값이 고르게 되도록 ○를 옮긴 결과를 오른쪽 표에 그리고, 민경이네 모둠 친구들이 한 달 동안 읽은 책의 수의 평균을 구해 보세요. 3권

풀이 자료의 값이 고르게 되도록 ○를 옮기면 오른쪽 표와 같으므로 민경이네 모둠 친구들이 한 달 동안 읽은 책의 수의 평균은 3권입니다.

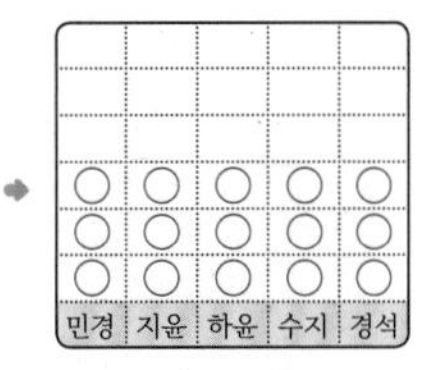

• 식을 이용하여 민경이네 모둠 친구들이 한 달 동안 읽은 책의 수의 평균을 구해 보세요. 3권

(민경이네 모둠 친구들이 한 달 동안 읽은 책의 수의 평균)
$=(4+3+1+5+2)\div5$
$=15\div5=3$(권)

2. 준수의 제자리멀리뛰기 기록을 나타낸 표입니다. 준수의 기록의 평균을 구해 보세요. 130 cm

준수의 제자리멀리뛰기 기록

횟수(회)	1	2	3	4
거리(cm)	118	135	125	142

풀이 (준수의 제자리멀리뛰기 기록의 평균)
문제 해결 $=(118+135+125+142)\div4=520\div4=130$(cm)

생각 솜솜 선우가 일주일 동안 먹은 방울토마토의 개수를 나타낸 표입니다. 하루에 평균 8개를 먹었다고 할 때 목요일에는 몇 개를 먹었는지 구해 보세요. 11개

선우가 일주일 동안 먹은 방울토마토의 개수

요일	월	화	수	목	금	토	일
방울토마토의 개수(개)	6	9	5		8	7	10

풀이 (선우가 일주일 동안 먹은 방울토마토 개수의 합)
$=8\times7=56$(개)
(선우가 목요일에 먹은 방울토마토의 개수)
$=56-(6+9+5+8+7+10)$
$=56-45=11$(개)

147

이런 문제가 서술형으로 나와요

진영이의 과목별 단원평가 점수의 평균이 8점일 때, 국어 점수는 몇 점인지 풀이 과정을 쓰고, 답을 구해 보세요.

진영이의 과목별 단원평가 점수

과목	국어	수학	과학	영어
점수(점)		9	7	6

| 풀이 과정 |

❶ 네 과목의 점수의 합 구하기
(전체 점수의 합)=(평균)$\times4=8\times4=32$(점)

❷ 국어 점수 구하기
(국어 점수)
=(전체 점수의 합)−(수학, 과학, 영어 점수의 합)
$=32-(9+7+6)=32-22=10$(점)

답 10점

수학 교과 역량 문제 해결

평균을 보고 자료의 값 구하기

평균이 주어지고 자료의 값을 구하기 위해 적절한 해결 전략을 선택하여 문제를 해결하는 과정을 통하여 문제 해결 능력을 기를 수 있습니다.

개념 확인 문제

정답 및 풀이 227쪽

[1~2] 유민이가 3월부터 6월까지 봉사활동을 한 횟수를 나타낸 표입니다. 물음에 답해 보세요.

유민이가 봉사활동을 한 횟수

월	3월	4월	5월	6월
횟수(번)	6	3	7	4

1 3월부터 6월까지 봉사활동을 한 횟수의 합을 구해 보세요. ( )

2 봉사활동을 한 횟수의 평균을 구해 보세요.
( )

3 윤서네 가족들의 나이를 나타낸 표입니다. 윤서네 가족들의 평균 나이는 몇 살인지 구해 보세요.

윤서네 가족들의 나이

가족	어머니	아버지	윤서	동생
나이(살)	42	45	12	9

( )

4 복숭아 9개의 무게의 평균은 250 g입니다. 복숭아 9개의 무게의 합은 몇 g인지 구해 보세요.
( )

2 | 평균의 활용

학습 목표

일상생활에서 주제에 맞는 자료를 수집, 정리하여 평균을 구하고, 이를 활용할 수 있습니다.

그림으로 개념 잡기

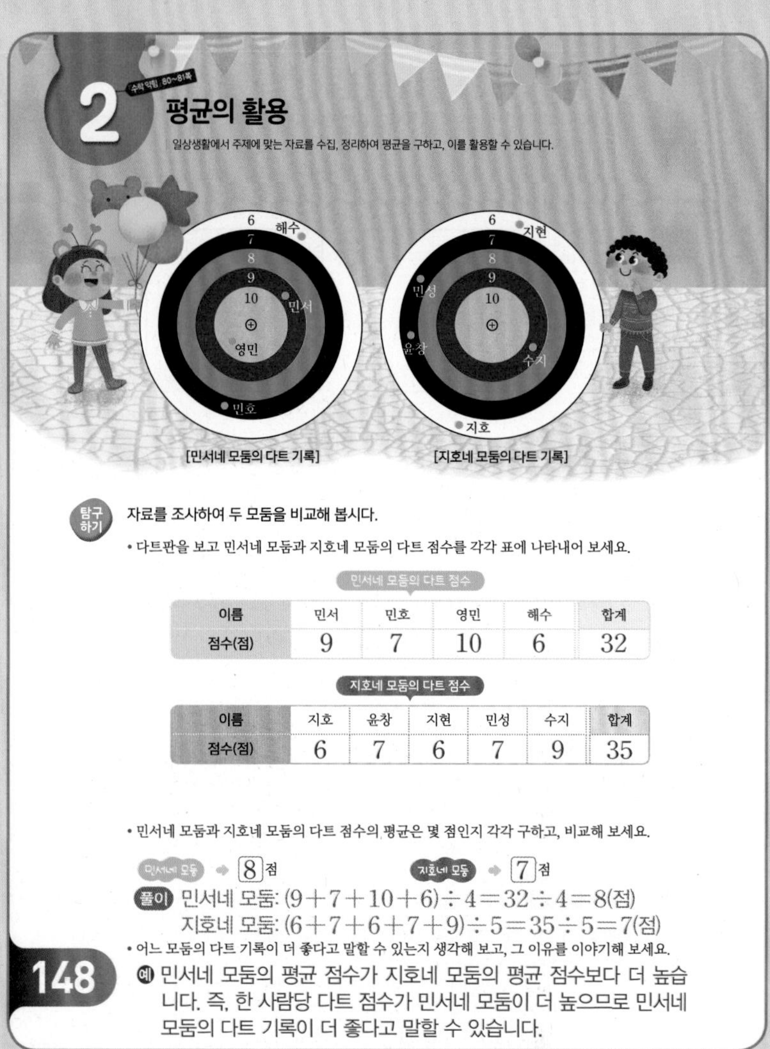

수학 익힘 80~81쪽

2 평균의 활용

일상생활에서 주제에 맞는 자료를 수집, 정리하여 평균을 구하고, 이를 활용할 수 있습니다.

[민서네 모둠의 다트 기록] [지호네 모둠의 다트 기록]

탐구하기 자료를 조사하여 두 모둠을 비교해 봅시다.

• 다트판을 보고 민서네 모둠과 지호네 모둠의 다트 점수를 각각 표에 나타내어 보세요.

민서네 모둠의 다트 점수

이름	민서	민호	영민	해수	합계
점수(점)	9	7	10	6	32

지호네 모둠의 다트 점수

이름	지호	윤창	지현	민성	수지	합계
점수(점)	6	7	6	7	9	35

• 민서네 모둠과 지호네 모둠의 다트 점수의 평균은 몇 점인지 각각 구하고, 비교해 보세요.

민서네 모둠 ➡ 8점 지호네 모둠 ➡ 7점

풀이 민서네 모둠: $(9+7+10+6)\div4=32\div4=8$(점)
지호네 모둠: $(6+7+6+7+9)\div5=35\div5=7$(점)

• 어느 모둠의 다트 기록이 더 좋다고 말할 수 있는지 생각해 보고, 그 이유를 이야기해 보세요.

예 민서네 모둠의 평균 점수가 지호네 모둠의 평균 점수보다 더 높습니다. 즉, 한 사람당 다트 점수가 민서네 모둠이 더 높으므로 민서네 모둠의 다트 기록이 더 좋다고 말할 수 있습니다.

148

교과서 개념 완성

생각 열기 모둠원 수가 다른 두 모둠의 다트 실력을 비교하는 방법 생각하기

• 민서네 모둠과 지호네 모둠은 각각 몇 명인가요?
  – 민서네 모둠은 4명, 지호네 모둠은 5명입니다.
• 모둠원 수가 다른데 어떻게 하면 두 모둠의 기록을 공평하게 비교할 수 있을까요?
  – 두 모둠의 사람 수가 달라서 합계 점수로 비교하면 모둠원 수가 많은 지호네 모둠이 유리하므로 공평하지 않고, 각 모둠의 한 사람당 점수가 몇 점 정도인지 알아보면 될 것 같습니다.

정리하기 평균을 활용하여 자료를 비교하는 방법

• 일상생활에서 평균을 이용하여 여러 자료를 비교할 수 있습니다.

민서네 모둠의 다트 점수

이름	점수(점)
민서	9
민호	7
영민	10
해수	6
합계	32
평균	8

지호네 모둠의 다트 점수

이름	점수(점)
지호	6
윤창	7
지현	6
민성	7
수지	9
합계	35
평균	7

민서네 모둠의 평균이 더 높습니다.
➡ 민서네 모둠의 기록이 더 좋습니다.

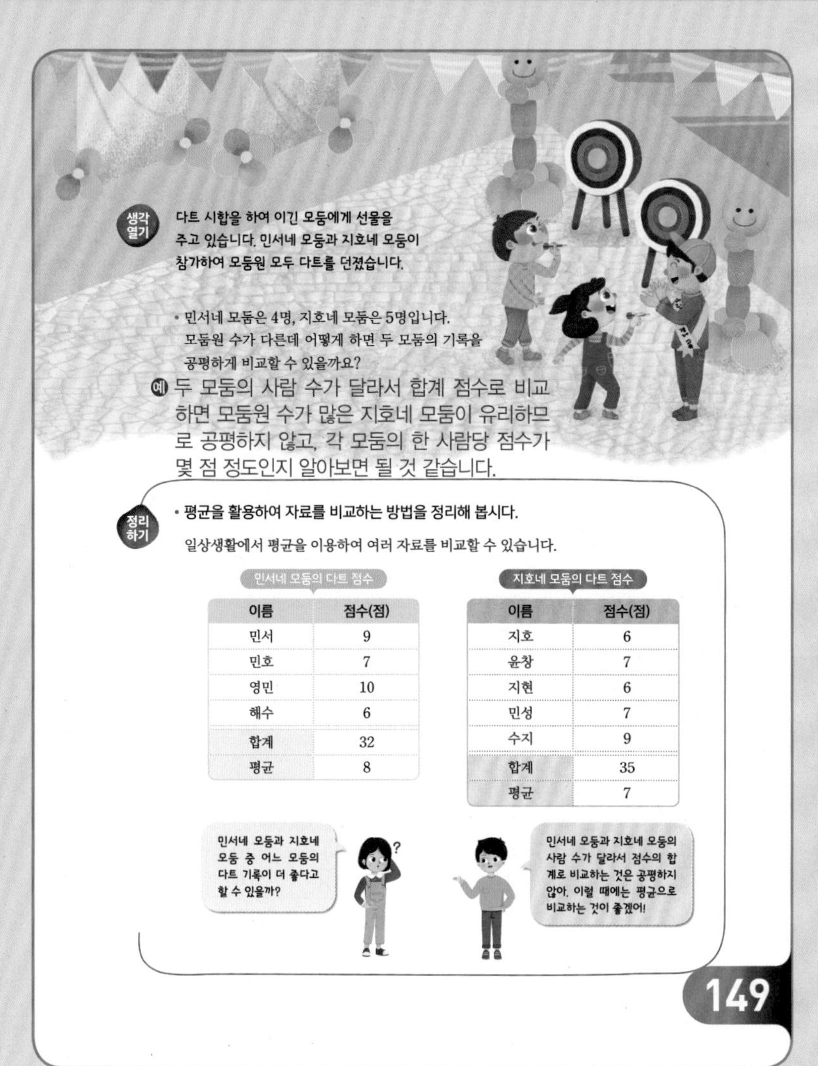

생각열기

다트 시합을 하여 이긴 모둠에게 선물을 주고 있습니다. 민서네 모둠과 지호네 모둠이 참가하여 모둠원 모두 다트를 던졌습니다.

• 민서네 모둠은 4명, 지호네 모둠은 5명입니다. 모둠원 수가 다른데 어떻게 하면 두 모둠의 기록을 공평하게 비교할 수 있을까요?

예 두 모둠의 사람 수가 달라서 합계 점수로 비교하면 모둠원 수가 많은 지호네 모둠이 유리하므로 공평하지 않고, 각 모둠의 한 사람당 점수가 몇 점 정도인지 알아보면 될 것 같습니다.

정리하기

• 평균을 활용하여 자료를 비교하는 방법을 정리해 봅시다.

일상생활에서 평균을 이용하여 여러 자료를 비교할 수 있습니다.

민서네 모둠의 다트 점수

이름	점수(점)
민서	9
민호	7
영민	10
해수	6
합계	32
평균	8

지호네 모둠의 다트 점수

이름	점수(점)
지호	6
윤창	7
지현	6
민성	7
수지	9
합계	35
평균	7

이런 문제가 서술형으로 나와요

고리던지기를 하는데 지수는 3회, 민호는 4회 하였습니다. 지수와 민호 중 고리던지기를 누가 더 잘했다고 말할 수 있는지 풀이 과정을 쓰고, 답을 구해 보세요.

지수와 민호의 고리던지기 기록

횟수(회)	1	2	3	4
지수 기록(점)	13	17	15	
민호 기록(점)	18	14	11	13

| 풀이 과정 |

❶ 기록의 평균 구하기

(지수의 평균)$=(13+17+15)\div 3$

$=45\div 3=15$(점)

(민호의 평균)$=(18+14+11+13)\div 4$

$=56\div 4=14$(점)

❷ 누가 더 잘했다고 말할 수 있는지 쓰기

평균을 비교하면 지수 기록의 평균이 더 높으므로 지수가 더 잘했다고 할 수 있습니다.

답 지수

개념 확인 문제

정답 및 풀이 227쪽

[1~3] 민수네 모둠과 은호네 모둠 친구들이 일주일 동안 읽은 책 수를 나타낸 표입니다. 물음에 답해 보세요.

민수네 모둠이 읽은 책 수

이름	민수	서윤	지훈
책 수(권)	5	9	7

은호네 모둠이 읽은 책 수

이름	은호	예준	서원	경민
책 수(권)	8	4	5	7

1 민수네 모둠이 읽은 책 수의 평균을 구해 보세요.

(　　　　　　　)

2 은호네 모둠이 읽은 책 수의 평균을 구해 보세요.

(　　　　　　　)

3 어느 모둠이 책을 더 많이 읽었다고 할 수 있는지 써 보세요.

(　　　　　　　)

• 평균을 이용한 체조 경기의 채점 방법

참고

체조 경기에서는 평균을 이용하여 채점을 하는데 더 공평하게 심사하기 위해 가장 낮은 점수와 가장 높은 점수를 빼고 나머지 점수의 평균을 구합니다.

㉮ 선수의 점수						
5	9	9	10	8	7	9

위와 같이 점수를 받은 선수의 경우 가장 낮은 점수와 가장 높은 점수를 빼고 평균을 구해 $(9+9+8+7+9)\div5=8.4$(점)으로 점수를 매깁니다.

학부모 코칭 Tip

'어느 농장의 수박 무게가 더 무겁다고 할 수 있을까요?'라는 질문에 대해 '가장 무거운 수박이 있는 농장 → 최댓값', '수박 전체의 무게가 더 무거운 농장 → 합계', '수박 1통당 무게가 더 무거운 농장 → 평균'으로 달리 생각할 수 있습니다.

'평균'이 의미하는 것은 수박 1통당 무게임을 이해하여, 합계를 이용하여 비교하는 것과 평균을 이용하여 비교하는 것의 차이에 대해 생각해 보게 합니다.

확인하기 1. 행복 농장과 사랑 농장에서 각각 수확한 수박의 무게입니다. 물음에 답해 보세요.

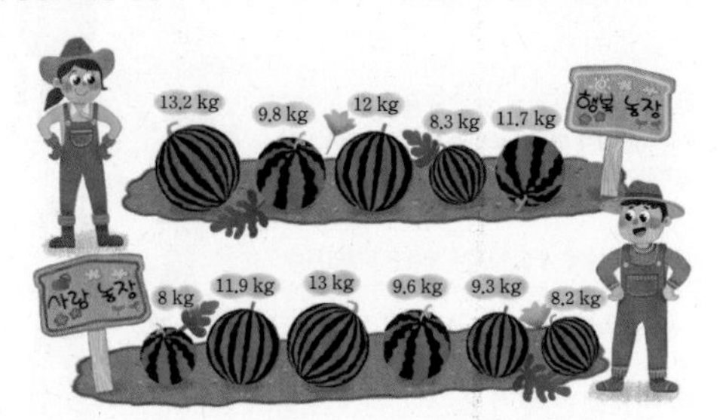

• 행복 농장에서 수확한 수박 무게의 평균은 몇 kg인가요? 11 kg

풀이 $(13.2+9.8+12+8.3+11.7)\div5=55\div5=11$(kg)

• 사랑 농장에서 수확한 수박 무게의 평균은 몇 kg인가요? 10 kg

풀이 $(8+11.9+13+9.6+9.3+8.2)\div6=60\div6=10$(kg)

• 두 농장 중 어느 농장의 수박 무게가 더 무겁다고 할 수 있을까요? 평균을 이용하여 비교해 보세요. 행복 농장

풀이 행복 농장의 평균은 11 kg, 사랑 농장의 평균은 10 kg이므로 행복 농장의 수박 무게가 더 무겁다고 할 수 있습니다.

2. 진호네 반의 모둠별 공 멀리 던지기 기록의 합계를 나타낸 표입니다. 물음에 답해 보세요.

진호네 반의 모둠별 공 멀리 던지기 기록의 합계

모둠	진호네 모둠	민서네 모둠	동준이네 모둠	윤지네 모둠	현정이네 모둠
학생 수(명)	4	5	3	5	4
합계(m)	76	90	54	95	80

• 각 모둠의 공 멀리 던지기 기록의 평균을 구하여 아래 표를 완성해 보세요.

진호네 반의 모둠별 공 멀리 던지기 기록의 평균

모둠	진호네 모둠	민서네 모둠	동준이네 모둠	윤지네 모둠	현정이네 모둠
평균(m)	19	18	18	19	20

• 어느 모둠의 공 멀리 던지기 기록이 가장 좋다고 할 수 있을까요? 평균을 이용하여 비교해 보세요. 현정이네 모둠

풀이 진호네 모둠: $76\div4=19$(m), 민서네 모둠: $90\div5=18$(m)
동준이네 모둠: $54\div3=18$(m), 윤지네 모둠: $95\div5=19$(m)
현정이네 모둠: $80\div4=20$(m)

150

교과서 개념 완성

확인하기 평균을 활용하여 문제 해결하기

1. 두 농장 중 어느 농장의 수박 무게가 더 무겁다고 할 수 있는지 평균을 이용하여 비교하기

• 수박 1통당 무게, 즉 평균을 구해 보면 행복 농장은 11 kg, 사랑 농장은 10 kg이므로 행복 농장의 수박 무게가 더 무겁다고 할 수 있습니다.
수확한 수박 무게의 합계가 행복 농장은 55 kg, 사랑 농장은 60 kg으로 사랑 농장이 더 무겁지만 수박 수가 다르므로 평균을 비교합니다.

2. 어느 모둠의 공 멀리 던지기 기록이 가장 좋다고 할 수 있는지 평균을 이용하여 비교하기

• (모둠의 공 멀리 던지기 기록의 평균)
=(모둠의 공 멀리 던지기 기록의 합)÷(모둠원 수)

• 한 명당 공 멀리 던지기 기록, 즉 평균을 구해 보면 현정이네 모둠이 20 m로 가장 좋으므로 현정이네 모둠의 공 멀리 던지기 기록이 가장 좋다고 할 수 있습니다.
기록의 합계는 윤지네 모둠이 95 m로 가장 좋지만 모둠원 수가 다르므로 평균을 비교합니다.

3. 주희네 모둠의 줄넘기 기록의 평균이 은수네 모둠보다 1회 이상 높으려면 민서는 줄넘기를 적어도 몇 회 이상 해야 하는지 구하기

• 주희네 모둠의 줄넘기 기록의 평균이 적어도 $56+1=57$(회)가 되어야 합니다.
이때 민서의 줄넘기 기록을 ☐회라고 하면
$(62+32+68+☐)=57\times4$에서
$162+☐=228$, $☐=66$이므로 민서는 줄넘기를 적어도 66회 이상 해야 합니다.

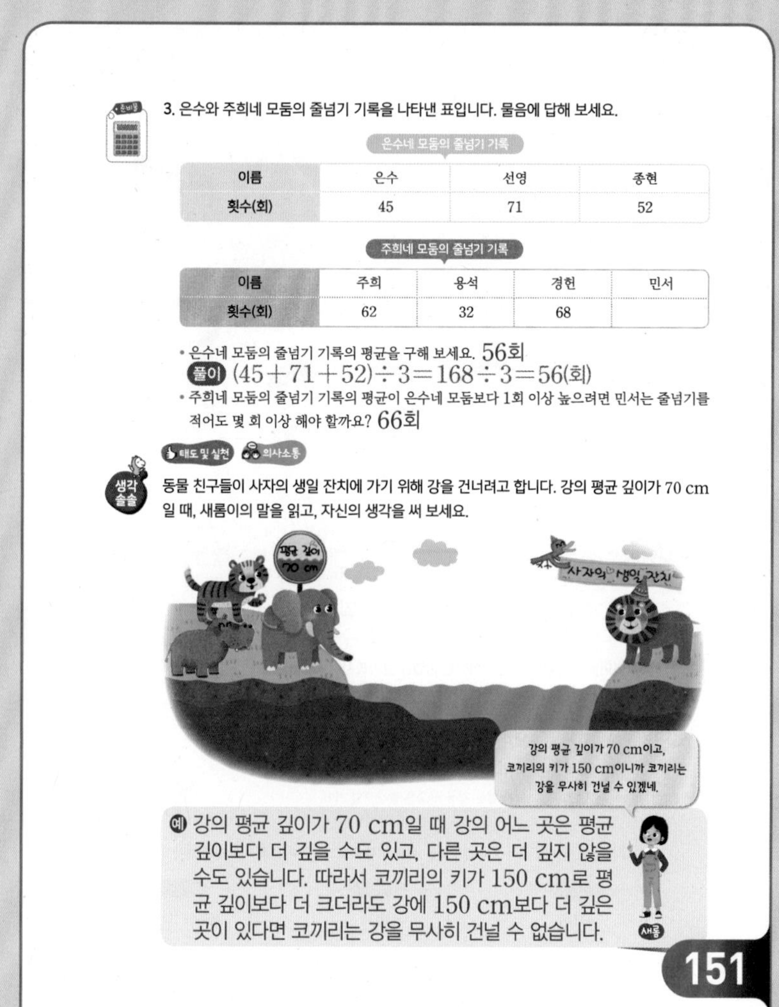

3. 은수와 주희네 모둠의 줄넘기 기록을 나타낸 표입니다. 물음에 답해 보세요.

은수네 모둠의 줄넘기 기록

이름	은수	선영	종현
횟수(회)	45	71	52

주희네 모둠의 줄넘기 기록

이름	주희	용석	경헌	민서
횟수(회)	62	32	68	

• 은수네 모둠의 줄넘기 기록의 평균을 구해 보세요. 56회

풀이 $(45+71+52)\div3=168\div3=56$(회)

• 주희네 모둠의 줄넘기 기록의 평균이 은수네 모둠보다 1회 이상 높으려면 민서는 줄넘기를 적어도 몇 회 이상 해야 할까요? 66회

태도 및 실천 의사소통

생각 솜솜 동물 친구들이 사자의 생일 잔치에 가기 위해 강을 건너려고 합니다. 강의 평균 깊이가 70 cm일 때, 새롬이의 말을 읽고, 자신의 생각을 써 보세요.

예 강의 평균 깊이가 70 cm일 때 강의 어느 곳은 평균 깊이보다 더 깊을 수도 있고, 다른 곳은 더 깊지 않을 수도 있습니다. 따라서 코끼리의 키가 150 cm로 평균 깊이보다 더 크더라도 강에 150 cm보다 더 깊은 곳이 있다면 코끼리는 강을 무사히 건널 수 없습니다.

새롬

151

이런 문제가 서술형으로 나와요

㉮와 ㉯의 수의 평균이 같을 때 ㉠에 알맞은 수는 얼마인지 풀이 과정을 쓰고, 답을 구해 보세요.

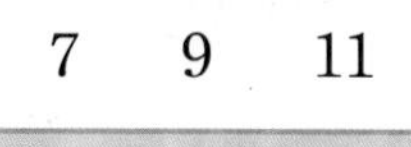

7 9 11	5 8 8 ㉠
㉮	㉯

| 풀이 과정 |

❶ ㉮의 수의 평균 구하기

$(\text{평균})=(7+9+11)\div3=27\div3=9$

❷ ㉠에 알맞은 수 구하기

㉯의 수의 평균도 9이므로

$(\text{㉯의 수의 합})=9\times4=36$

따라서 ㉠에 알맞은 수는

$36-(5+8+8)=15$입니다.

답 15

수학 교과 역량 태도 및 실천 의사소통

평균의 오류에 대한 자신의 생각 쓰기

평균을 바르게 활용하였는지 판단하여 합리적인 결정을 하고, 자신의 생각을 써 보는 활동을 통하여 태도 및 실천 능력과 의사소통 능력을 기를 수 있습니다.

개념 확인 문제

정답 및 풀이 228쪽

1 우유가 5병, 주스가 4병 있습니다. 우유와 주스 중 어떤 것이 한 병에 담긴 양이 더 많다고 할 수 있는지 평균을 이용하여 구해 보세요.

우유: 80 mL 200 mL 120 mL 160 mL 100 mL

주스: 110 mL 200 mL 180 mL 70 mL

( )

2 모둠별로 오래 매달리기 기록을 조사하여 나타낸 표입니다. 각 모둠의 오래 매달리기 기록의 평균을 구하여 표를 완성하고, 어느 모둠의 오래 매달리기 기록이 가장 좋다고 할 수 있는지 구해 보세요.

모둠별 오래 매달리기 기록의 합계

모둠	서준이네 모둠	하진이네 모둠	영진이네 모둠
학생 수(명)	4	3	5
기록의 합계(초)	48	39	55
기록의 평균(초)			

( )

3 | 가능성을 말로 표현하고 비교하기

학습 목표

어떤 일이 일어날 가능성을 말로 표현하고 비교할 수 있습니다.

그림으로 개념 잡기

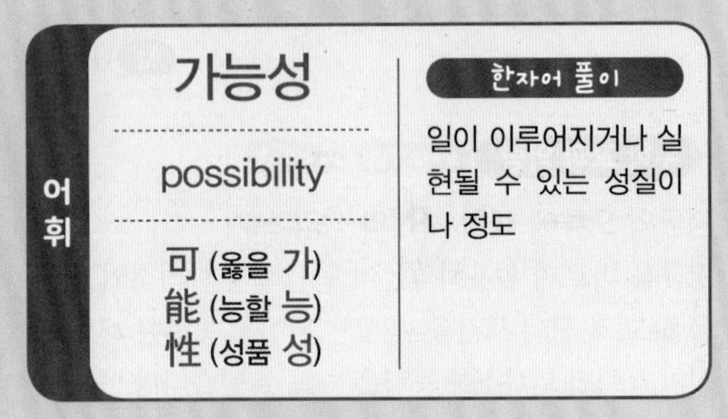

어휘		
	가능성 possibility 可 (옳을 가) 能 (능할 능) 性 (성품 성)	**한자어 풀이** 일이 이루어지거나 실현될 수 있는 성질이나 정도

3 가능성을 말로 표현하고 비교하기

어떤 일이 일어날 가능성을 말로 표현하고 비교할 수 있습니다.

생각열기 민서와 친구들이 경품 구슬을 뽑기 위해 번호표 받을 순서를 기다리며 여러 상황에 대해 이야기하고 있습니다.

• 민서와 친구들이 이야기한 여러 상황의 일들이 일어날 가능성을 각각 어떻게 말할 수 있을까요?

예 • 번호표에 적힌 수는 짝수이거나 홀수이므로 해수와 민서가 말한 일이 일어날 가능성을 말로 표현하면 '반반이다' 또는 '절반이다'일 것 같습니다.
• 경품 구슬은 파란색만 있으므로 말한 일이 일어날 가능성을 말로 표현하면 영민이는 '분명하다', '확실하다'이고, 민호는 '있을 수 없다', '불가능하다'일 것 같습니다.

탐구하기 1 일이 일어날 가능성을 말로 표현하는 방법을 알아봅시다.

해수	내 번호표에 적힌 수는 짝수일 거야.
영민	내가 뽑는 경품 구슬은 파란색일 거야.
민서	내 번호표에 적힌 수는 홀수일 거야.
민호	내가 뽑는 경품 구슬은 빨간색일 거야.

• 각각의 일이 일어날 가능성이 해당하는 곳에 이름을 쓰고, 그 이유를 이야기해 보세요.

불가능하다	확실하다	㉮
민호	영민	해수, 민서

이유 예 그림에서 모든 경품 구슬이 파란색이므로 경품 구슬이 빨간색일 가능성은 '불가능하다'이고, 경품 구슬이 파란색일 가능성은 '확실하다'입니다.

152

교과서 개념 완성

탐구하기 1 정리하기 1 일이 일어날 가능성을 말로 표현하는 방법 알아보기

가능성: 어떤 상황에서 특정한 일이 일어나길 기대할 수 있는 정도

가능성의 표현: **불가능하다, 반반이다, 확실하다** 등

학부모 코칭 Tip

일이 일어날 가능성이 반반인지 판단할 때는 어떻게 알 수 있을까요?
각각의 경우가 일어날 가능성이 비슷한지, 한쪽으로 치우쳐 있는지 생각해 보고 가능성이 비슷할 때 '반반이다'라고 합니다.

확인하기 1 일이 일어날 가능성을 말로 표현하기

①: 주사위의 눈은 1부터 6까지 있으므로 ①이 일어날 가능성은 '확실하다'입니다.

②: 흰색 공 1개만 들어 있는 주머니에서 검은색 공을 꺼낼 수 없으므로 ②가 일어날 가능성은 '불가능하다'입니다.

③: 0부터 9까지의 10개의 숫자 중 홀수는 1, 3, 5, 7, 9이므로 ③이 일어날 가능성은 '반반이다'입니다.

④: 현재 기술로는 우주선을 타고 화성을 갈 수 없으므로 ④가 일어날 가능성은 '불가능하다'입니다.

⑤: 노란색 면과 주황색 면이 나올 가능성이 서로 같으므로 ⑤가 일어날 가능성은 '반반이다'입니다.

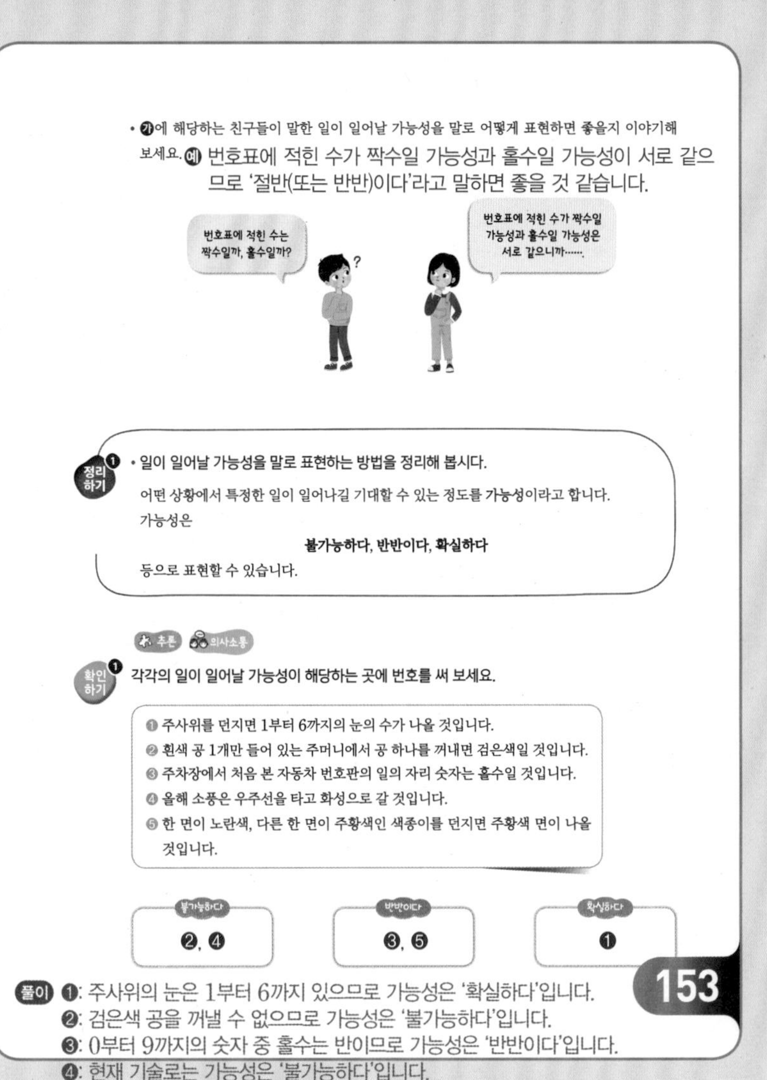
• ㉮에 해당하는 친구들이 말한 일이 일어날 가능성을 말로 어떻게 표현하면 좋을지 이야기해 보세요. 예 번호표에 적힌 수가 짝수일 가능성과 홀수일 가능성이 서로 같으므로 '절반(또는 반반)이다'라고 말하면 좋을 것 같습니다.

정리하기 ❶ • 일이 일어날 가능성을 말로 표현하는 방법을 정리해 봅시다.

어떤 상황에서 특정한 일이 일어나길 기대할 수 있는 정도를 **가능성**이라고 합니다.
가능성은
불가능하다, 반반이다, 확실하다
등으로 표현할 수 있습니다.

추론 의사소통

확인하기 ❶ 각각의 일이 일어날 가능성이 해당하는 곳에 번호를 써 보세요.

❶ 주사위를 던지면 1부터 6까지의 눈의 수가 나올 것입니다.
❷ 흰색 공 1개만 들어 있는 주머니에서 공 하나를 꺼내면 검은색일 것입니다.
❸ 주차장에서 처음 본 자동차 번호판의 일의 자리 숫자는 홀수일 것입니다.
❹ 올해 소풍은 우주선을 타고 화성으로 갈 것입니다.
❺ 한 면이 노란색, 다른 한 면이 주황색인 색종이를 던지면 주황색 면이 나올 것입니다.

불가능하다	반반이다	확실하다
❷, ❹	❸, ❺	❶

153

풀이 ❶: 주사위의 눈은 1부터 6까지 있으므로 가능성은 '확실하다'입니다.
❷: 검은색 공을 꺼낼 수 없으므로 가능성은 '불가능하다'입니다.
❸: 0부터 9까지의 숫자 중 홀수는 반이므로 가능성은 '반반이다'입니다.
❹: 현재 기술로는 가능성은 '불가능하다'입니다.
❺: 노란색 면과 주황색 면이 나올 가능성이 서로 같으므로 가능성은 '반반이다'입니다.

이런 문제가 서술형으로 나와요

주사위를 던지면 나오는 주사위 눈의 수가 짝수일 가능성을 말로 표현하면 무엇인지 풀이 과정을 쓰고, 답을 구해 보세요.

| 풀이 과정 |

❶ 주사위 눈에서 짝수인 경우 찾기

주사위를 던지면 1부터 6까지의 눈의 수가 나오고, 6개의 숫자 중에서 짝수는 2, 4, 6입니다.

❷ 주사위 눈의 수가 짝수일 가능성을 말로 표현하기

주사위 눈의 수가 짝수가 나올 가능성은 '반반이다'입니다.

답 반반이다

일이 일어날 가능성을 말로 표현하기

일이 일어날 가능성을 생각해 보고, 말로 표현해 보는 활동을 하면서 추론 능력과 의사소통 능력을 기를 수 있습니다.

개념 확인 문제

정답 및 풀이 228쪽

[1~3] 일이 일어날 가능성을 생각해 보고 '불가능하다, 반반이다, 확실하다' 중 알맞은 말을 써 보세요.

1 2월 달력에는 날짜가 30일까지 있을 것입니다.

( )

2 동전을 던지면 숫자 면이 나올 것입니다.

( )

3 주사위를 던지면 눈의 수가 0보다 큰 수가 나올 것입니다.

( )

4 회전판을 돌렸을 때 화살이 빨간색 부분을 가리킬 가능성이 '반반이다'인 것을 찾아 기호를 써 보세요. (화살은 움직이지 않습니다.)

가
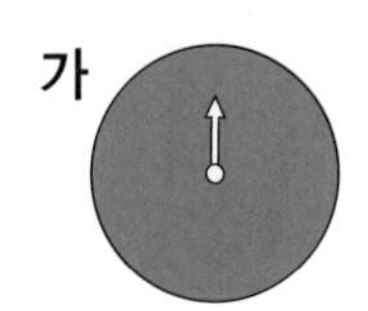
나
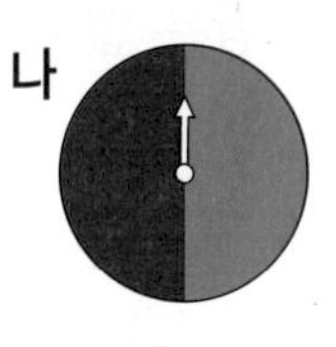
다
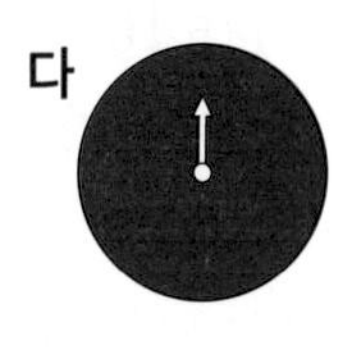

( )

그림으로 개념 잡기

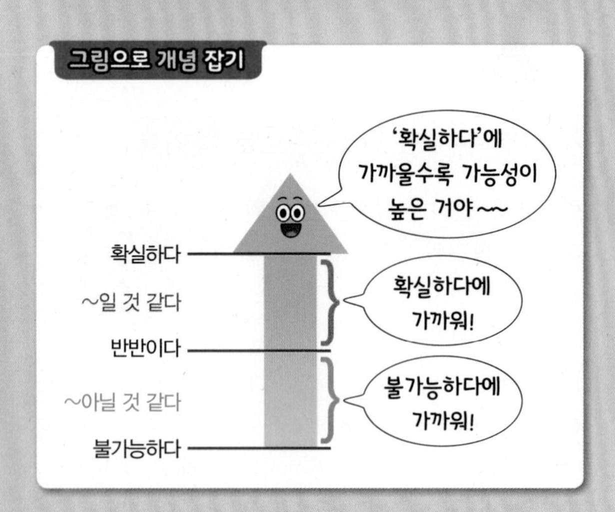

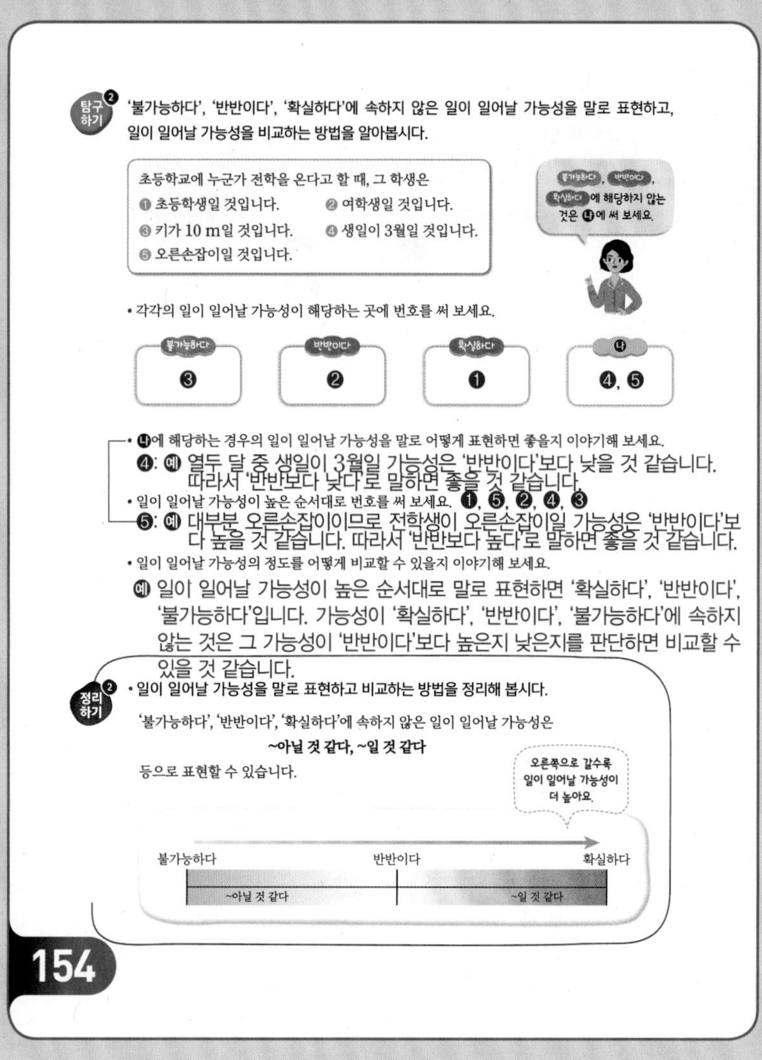

탐구하기 ② '불가능하다', '반반이다', '확실하다'에 속하지 않은 일이 일어날 가능성을 말로 표현하고, 일이 일어날 가능성을 비교하는 방법을 알아봅시다.

초등학교에 누군가 전학을 온다고 할 때, 그 학생은
❶ 초등학생일 것입니다. ❷ 여학생일 것입니다.
❸ 키가 10 m일 것입니다. ❹ 생일이 3월일 것입니다.
❺ 오른손잡이일 것입니다.

'불가능하다', '반반이다', '확실하다'에 해당하지 않는 것은 ㉯에 써 보세요.

• 각각의 일이 일어날 가능성이 해당하는 곳에 번호를 써 보세요.

불가능하다	반반이다	확실하다	㉯
❸	❷	❶	❹, ❺

• ㉯에 해당하는 경우의 일이 일어날 가능성을 말로 어떻게 표현하면 좋을지 이야기해 보세요.
❹: 예 열두 달 중 생일이 3월일 가능성은 '반반이다'보다 낮을 것 같습니다. 따라서 '반반보다 낮다'로 말하면 좋을 것 같습니다.
❺: 예 대부분 오른손잡이이므로 전학생이 오른손잡이일 가능성은 '반반이다'보다 높을 것 같습니다. 따라서 '반반보다 높다'로 말하면 좋을 것 같습니다.

• 일이 일어날 가능성이 높은 순서대로 번호를 써 보세요. ❶, ❺, ❷, ❹, ❸

• 일이 일어날 가능성의 정도를 어떻게 비교할 수 있을지 이야기해 보세요.
예 일이 일어날 가능성이 높은 순서대로 말로 표현하면 '확실하다', '반반이다', '불가능하다'입니다. 가능성이 '확실하다', '반반이다', '불가능하다'에 속하지 않는 것은 그 가능성이 '반반이다'보다 높은지 낮은지를 판단하면 비교할 수 있을 것 같습니다.

정리하기 ② • 일이 일어날 가능성을 말로 표현하고 비교하는 방법을 정리해 봅시다.

'불가능하다', '반반이다', '확실하다'에 속하지 않은 일이 일어날 가능성은
~아닐 것 같다, ~일 것 같다
등으로 표현할 수 있습니다.

오른쪽으로 갈수록 일이 일어날 가능성이 더 높아요.

불가능하다 / 반반이다 / 확실하다
~아닐 것 같다 / ~일 것 같다

154

교과서 개념 완성

탐구하기 ❷ 일이 일어날 가능성을 비교하는 방법

❶: 초등학교에 누군가 전학을 오면 그 학생은 초등학생이므로 ❶이 일어날 가능성은 '확실하다'입니다.

❷: 전학을 오는 학생은 남학생일 가능성과 여학생일 가능성이 같으므로 ❷가 일어날 가능성은 '반반이다'입니다.

❸: 키가 10 m인 사람은 없으므로 ❸이 일어날 가능성은 '불가능하다'입니다.

❹: '불가능하다'보다 높고 '반반이다'보다 낮습니다.

❺: '반반이다'보다 높고 '확실하다'보다 낮습니다.

정리하기 ❷ 일이 일어날 가능성을 비교하는 방법

• '불가능하다', '반반이다', '확실하다'에 속하지 않은 일이 일어날 가능성은

~아닐 것 같다, ~일 것 같다

등으로 표현할 수 있습니다.

• ~아닐 것 같다: 가능성이 '반반이다'를 기준으로 '불가능하다'에 가깝습니다.

• ~일 것 같다: 가능성이 '반반이다'를 기준으로 '확실하다'에 가깝습니다.

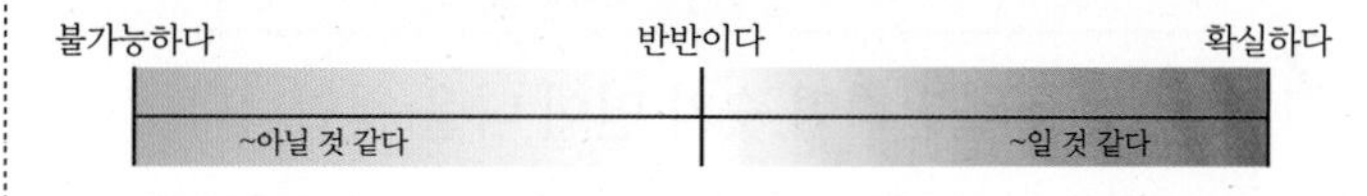

 [1~2] 우진이네 반 친구들이 학교 도서실에 갔을 때에 일이 일어날 가능성에 대해 이야기를 나누고 있습니다. 물음에 답해 보세요.

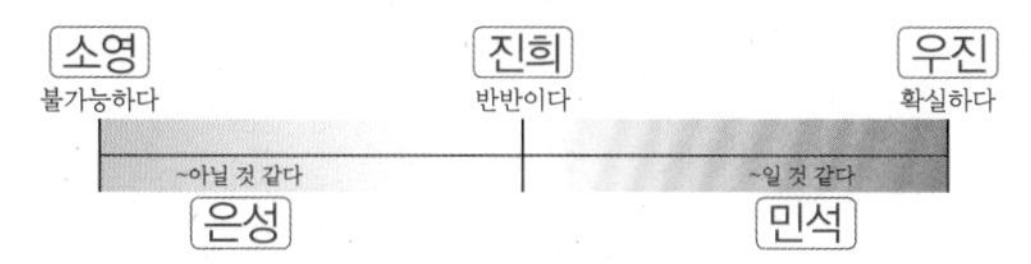

1. 우진이네 반 친구들이 말하는 일이 일어날 가능성을 생각해 보고, □ 안에 해당하는 친구들의 이름을 써넣으세요.

소영 / 진희 / 우진

불가능하다 / 반반이다 / 확실하다

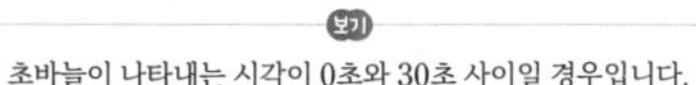
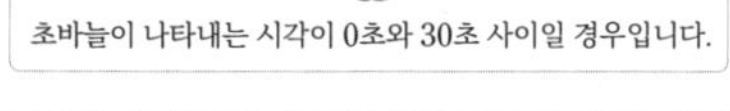

은성 / 민석

2. 일이 일어날 가능성이 낮은 순서대로 이름을 써 보세요.
소영, 은성, 진희, 민석, 우진

 의사소통 태도 및 실천

교실에 있는 시계를 살펴보고, 보기와 같이 일이 일어날 가능성이 '반반이다'일 상황을 써 보세요.

보기
초바늘이 나타내는 시각이 0초와 30초 사이일 경우입니다.

예 긴바늘(짧은바늘)이 홀수에 가까이 있을 것입니다.
긴바늘과 짧은바늘이 이루는 각의 크기는 90° 이하일 것입니다.

155

이런 문제가 서술형으로 나와요

숫자 카드 중에서 한 장을 뽑을 때 2의 배수일 가능성을 말로 표현하면 무엇인지 풀이 과정을 쓰고, 답을 구해 보세요.

1 2 4 8

| 풀이 과정 |

❶ 숫자 카드 중에서 2의 배수 찾기

1, 2, 4, 8 중에서 2의 배수는 2, 4, 8입니다.

❷ 2의 배수일 가능성을 말로 표현하기

숫자 카드 4장 중에서 2의 배수는 3장이므로 2의 배수일 가능성은 '반반이다'보다 높은 '~일 것 같다'입니다.

답 ~일 것 같다

수학 교과 역량 의사소통 태도 및 실천

일이 일어날 가능성이 '반반이다'인 상황 써 보기

일상생활과 관련된 일이 일어날 가능성을 예측해 보고, 말로 표현하고 비교해 보는 활동을 하면서 의사소통 능력을 기르고 수학의 필요성과 유용성을 알고, 수학의 역할과 가치를 인식할 수 있습니다.

개념 확인 문제

정답 및 풀이 228쪽

1 일이 일어날 가능성을 생각해 보고 알맞은 말을 보기에서 찾아 써 보세요.

보기
불가능하다, ~아닐 것 같다, 반반이다,
~일 것 같다, 확실하다

초록색 공 3개, 주황색 공 1개가 들어 있는 상자에서 공을 1개 꺼낼 때 주황색 공이 나올 것입니다.

( )

2 회전판을 돌렸을 때 화살이 노란색 부분을 가리킬 가능성이 낮은 회전판부터 순서대로 기호를 써 보세요. (화살은 움직이지 않습니다.)

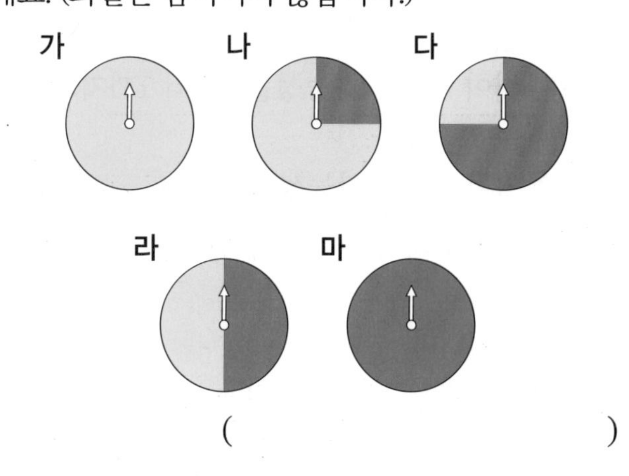

( )

4 | 가능성을 수로 나타내기

학습 목표

어떤 일이 일어날 가능성을 수로 나타낼 수 있습니다.

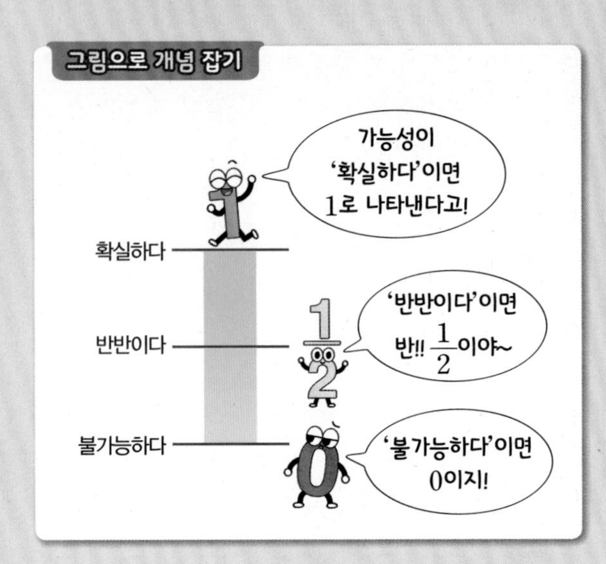

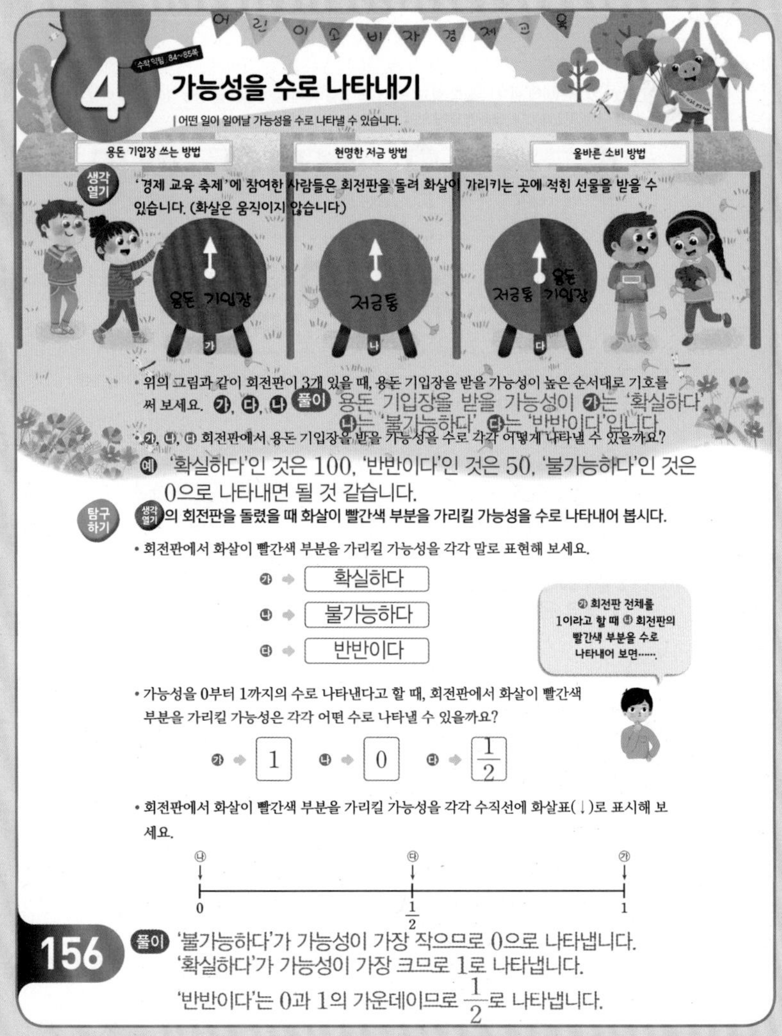

교과서 개념 완성

탐구하기 정리하기 일이 일어날 가능성을 수로 나타내는 방법

- 어떤 일이 일어날 가능성을 0부터 1까지의 수로 나타낼 수 있습니다.
- 어떤 일이 일어날 가능성이

  '불가능하다' → 0, '반반이다' → $\frac{1}{2}$, '확실하다' → 1

  (가능성이 가장 작습니다. / 0과 1의 가운데 / 가능성이 가장 큽니다.)

  로 나타냅니다.

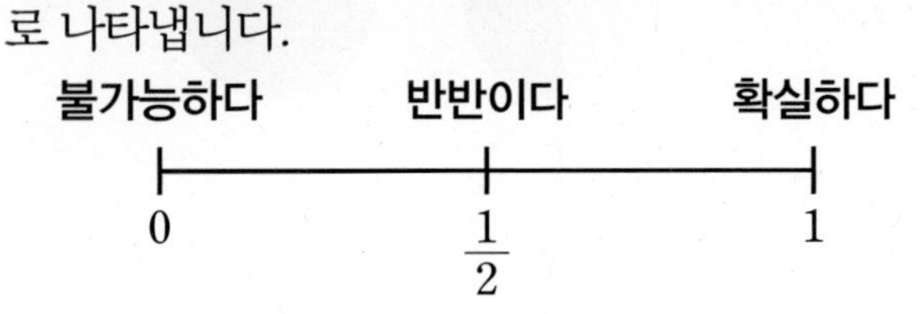

확인하기 일이 일어날 가능성을 수로 나타내기

- 지구는 태양 주위를 항상 돌고 있습니다. 따라서 지구가 태양 주위를 돌고 있을 가능성은 '확실하다'이고, 이를 수로 나타내면 1입니다.
- 주머니에 흰색 바둑돌 1개와 검은색 바둑돌 1개가 들어 있습니다. 따라서 주머니에서 흰색 바둑돌을 뽑을 가능성은 '반반이다'이고, 이를 수로 나타내면 $\frac{1}{2}$입니다.
- 사육사가 코끼리를 한 손으로 들 가능성은 '불가능하다'이고, 이를 수로 나타내면 0입니다.

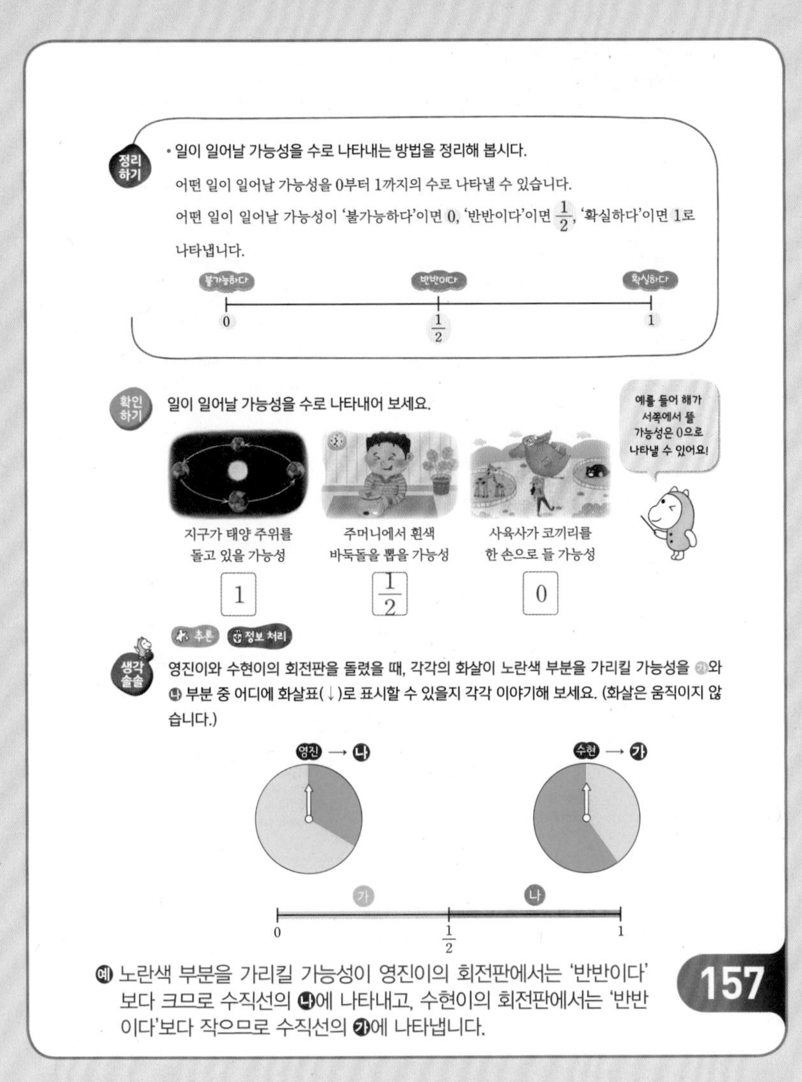

이런 문제가 서술형으로 나와요

동전을 한 번 던질 때 그림 면이 나올 가능성을 수로 나타내면 얼마인지 풀이 과정을 쓰고, 답을 구해 보세요.

| 풀이 과정 |

❶ 그림 면이 나올 가능성을 말로 표현하기

동전을 던질 때 숫자 면과 그림 면이 나올 가능성은 같으므로 그림 면이 나올 가능성은 '반반이다'입니다.

❷ 그림 면이 나올 가능성을 수로 나타내기

그림 면이 나올 가능성은 '반반이다'이므로 수로 나타내면 $\frac{1}{2}$입니다.

답 $\frac{1}{2}$

수학 교과 역량 추론 정보 처리

가능성이 0, $\frac{1}{2}$, 1이 아닌 경우에 그 가능성을 수직선에 나타내기

가능성의 정도가 0, $\frac{1}{2}$, 1이 아닌 경우에 그 가능성을 수직선에 화살표로 표시해 보는 활동을 통하여 추론 능력과 정보 처리 능력을 기를 수 있습니다.

개념 확인 문제

정답 및 풀이 228쪽

1 일이 일어날 가능성을 수로 나타내려고 합니다. 보기 에서 알맞은 가능성을 찾아 수직선의 □ 안에 기호를 써넣으세요.

보기

㉠ 불가능하다 ㉡ ~아닐 것 같다

㉢ 반반이다 ㉣ ~일 것 같다 ㉤ 확실하다

□ □ □

0 $\frac{1}{2}$ 1

2 주머니에 다음과 같이 빨간색 구슬과 초록색 구슬이 들어 있습니다. 주머니 가, 나, 다에서 구슬 1개를 각각 꺼낼 때, 초록색일 가능성을 말과 수로 나타내어 보세요.

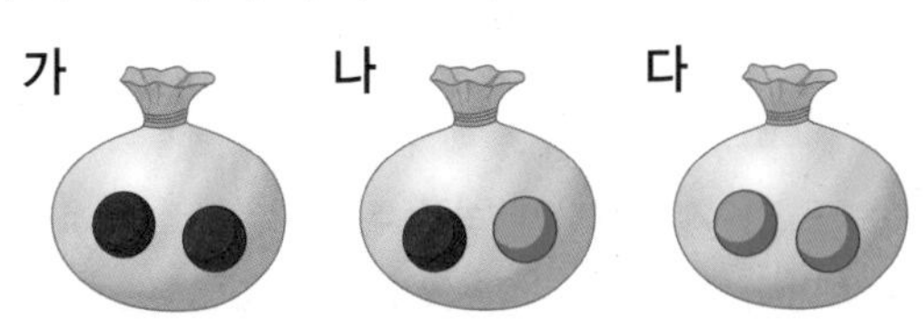

	말	수
가		
나		
다		

문제 해결력 | 쑥쑥

● 새롬이는 턱걸이를 몇 개 하였을까요?

학습 목표

- 논리적 추론 전략을 이용하여 평균에 대한 문제를 해결할 수 있습니다.
- 조건을 바꾸어 새로운 문제를 만들고 해결할 수 있습니다.

문제 해결 전략 논리적 추론 전략

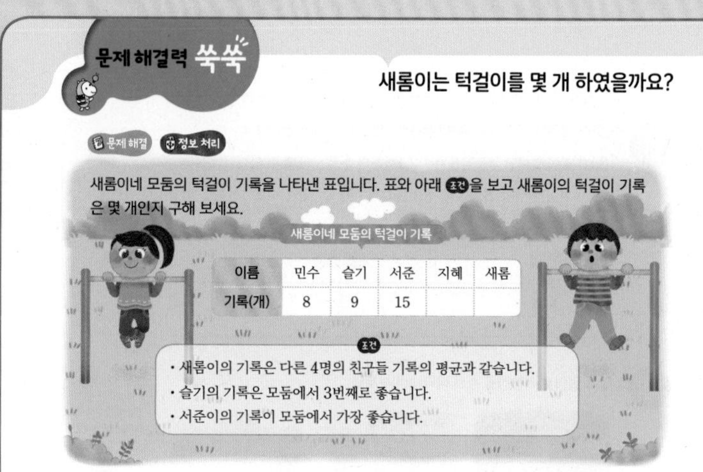

문제 해결력 쑥쑥

새롬이는 턱걸이를 몇 개 하였을까요?

문제 해결 정보 처리

새롬이네 모둠의 턱걸이 기록을 나타낸 표입니다. 표와 아래 조건을 보고 새롬이의 턱걸이 기록은 몇 개인지 구해 보세요.

새롬이네 모둠의 턱걸이 기록

이름	민수	슬기	서준	지혜	새롬
기록(개)	8	9	15		

조건
- 새롬이의 기록은 다른 4명의 친구들 기록의 평균과 같습니다.
- 슬기의 기록은 모둠에서 3번째로 좋습니다.
- 서준이의 기록이 모둠에서 가장 좋습니다.

- 구하려고 하는 것은 무엇인가요? 새롬이의 턱걸이 기록입니다.
- 알고 있는 것은 무엇인가요?
  - 민수, 슬기, 서준이의 턱걸이 기록입니다.
  - 새롬이의 기록은 다른 4명의 친구들 기록의 평균과 같습니다.
  - 슬기의 기록은 모둠에서 3번째로 좋습니다.
  - 서준이의 기록이 모둠에서 가장 좋습니다.

계획 세우기

- 어떤 방법으로 문제를 해결할 수 있을지 계획을 세워 보세요.

예 새롬이의 기록으로 가능한 경우를 표로 나타내고 주어진 조건에 맞는 경우를 찾으면 문제를 해결할 수 있을 것 같습니다.

158

수학 교과 역량 문제 해결 정보 처리

새롬이는 턱걸이를 몇 개 하였을까요?

- 문제의 조건을 확인하고 문제 해결에 적절한 전략을 선택하는 과정을 통하여 문제 해결 능력을 기를 수 있습니다.
- 문제 상황에서 여러 가지 정보를 찾아 평균을 이용하여 문제를 해결하는 과정을 통하여 정보 처리 능력을 기를 수 있습니다.

문제 해결 Tip 문제 상황에 맞게 문제 해결 전략을 수립하고 이 단원에서 배운 내용을 어떻게 적용할 수 있는지 생각해 보도록 합니다.

교과서 개념 완성

문제 이해하기

» 구하려고 하는 것

- 새롬이의 턱걸이 기록입니다.

» 알고 있는 것

- 민수, 슬기, 서준이의 턱걸이 기록입니다.
- 조건 3가지
  - 새롬이의 기록은 다른 4명의 친구들 기록의 평균과 같습니다.
  - 슬기의 기록은 모둠에서 3번째로 좋습니다.
  - 서준이의 기록이 모둠에서 가장 좋습니다.

계획 세우기

- 새롬이의 기록으로 가능한 경우를 표로 나타내고 주어진 조건에 맞는 경우를 찾습니다.

계획대로 풀기

서준이의 기록이 모둠에서 가장 좋으므로 새롬이의 기록은 14개 이하입니다.

새롬이의 기록은 다른 4명의 친구들 기록의 평균과 같으므로, 새롬이의 기록에 따른 지혜의 기록을 표로 나타냅니다.

새롬이의 기록(개)	14	13	12	11	10
지혜의 기록(개)	24	20	16	12	8

이때 슬기의 기록이 모둠에서 3번째로 좋으므로 새롬이의 기록은 10개, 지혜의 기록은 8개입니다.

따라서 새롬이의 턱걸이 기록은 10개입니다.

• 표를 완성해 보세요.

새롬이의 기록(개)	14	13	12	11	10
지혜의 기록(개)	24	20	16	12	8

• 새롬이의 턱걸이 기록은 몇 개인지 구해 보세요. 10개

풀이 슬기의 기록이 모둠에서 3번째로 좋으므로 새롬이의 기록은 10개, 지혜의 기록은 8개입니다.
따라서 새롬이의 턱걸이 기록은 10개입니다.

• 구한 답이 맞았는지 확인해 보세요.

• 문제의 조건을 바꾸어 새로운 문제를 만들고 풀어 보세요.

용준이네 모둠 친구들의 일요일 컴퓨터 사용 시간을 조사하여 나타낸 표입니다. 표와 아래 조건을 보고 용준이와 가희의 컴퓨터 사용 시간은 몇 분인지 각각 구해 보세요. 용준: 55분 가희: 45분

용준이네 모둠의 일요일 컴퓨터 사용 시간

이름	유진	석진	세은	용준	가희	경호
시간(분)	55	60	65			50

조건
• 용준이의 컴퓨터 사용 시간은 다른 5명의 사용 시간의 평균과 같습니다.
• 용준이와 컴퓨터 사용 시간이 같은 친구가 있습니다.
• 가희의 컴퓨터 사용 시간이 가장 짧습니다.
• 친구들은 모두 30분 이상 컴퓨터를 사용하였습니다.

159

풀이 용준이와 컴퓨터 사용 시간이 같은 친구가 있으므로 용준이의 사용 시간은 50분, 55분, 60분, 65분 중 하나이거나 가희의 사용 시간과 같습니다. 이때 용준이의 사용 시간은 다른 5명의 사용 시간의 평균과 같고, 가희의 사용 시간이 가장 짧으므로 용준이와 가희의 사용 시간은 같을 수 없습니다.

생각 키우기

문제 해결 정보 처리

문제 이해하기

>> 구하려고 하는 것

• 용준이와 가희의 일요일 컴퓨터 사용 시간

>> 알고 있는 것

• 유진, 석진, 세은, 경호의 컴퓨터 사용 시간입니다.
• 조건이 4개 있습니다.

계획 세우기

• 용준이의 기록으로 가능한 경우를 표로 나타내고 주어진 조건에 맞는 경우를 찾습니다.

계획대로 풀기

용준이의 사용 시간은 다른 5명의 사용 시간의 평균과 같고, 가희의 사용 시간이 가장 짧으므로 용준이와 가희의 사용 시간은 다릅니다. 용준이의 사용 시간은 50분, 55분, 60분, 65분 중 하나이므로 용준이의 사용 시간에 따른 가희의 사용 시간을 표로 나타냅니다.

용준이의 컴퓨터 사용 시간(분)	50	55	60	65
가희의 컴퓨터 사용 시간(분)	20	45	70	95

조건을 만족하는 경우는 용준이의 사용 시간이 55분, 가희의 사용 시간이 45분인 경우입니다.

되돌아보기

구한 답이 맞는지 확인합니다.

문제 해결력 문제

정답 및 풀이 229쪽

1 진우네 모둠이 읽은 책 수를 나타낸 표와 조건을 보고 진우가 읽은 책은 몇 권인지 구해 보세요.

진우네 모둠이 읽은 책 수

이름	진우	유나	지민	하영	수민
책 수(권)			5	8	9

조건
• 진우가 읽은 책 수는 다른 4명의 친구들이 읽은 책 수의 평균과 같습니다.
• 유나가 읽은 책 수가 2번째로 적습니다.
• 지민이가 읽은 책 수가 가장 적습니다.

(1) 표를 완성해 보세요.

진우가 읽은 책 수(권)	5	6		
유나가 읽은 책 수(권)	×			

(2) 유나가 읽은 책은 몇 권인지 구해 보세요.

( )

(3) 진우가 읽은 책은 몇 권인지 구해 보세요.

( )

단원 마무리 | 척척

추론

주어진 자료의 평균 구하기

▶자습서 172~175쪽

학부모 코칭 Tip

평균의 의미를 알고, 평균을 구하는 식을 나타내어 보게 합니다.

추론

평균을 이용하여 자료의 값 구하기

▶자습서 172~175쪽

학부모 코칭 Tip

평균을 구하는 식을 이용하여 평균을 활용하여 자료의 값을 구할 수 있게 합니다.

추론 · 정보 처리

평균 활용하기

▶자습서 176~179쪽

- 세 모둠의 사람 수가 다르므로 평균을 구하여 비교해야 합니다.
- 민선이네 모둠의 제기차기 기록의 평균이 가장 좋으므로 민선이네 모둠의 제기차기 기록이 가장 좋다고 할 수 있습니다.

학부모 코칭 Tip

평균을 바르게 구하고 평균을 이용하여 비교하였는지 확인합니다.

[❶~❷] 수학 체험관의 요일별 방문객 수를 나타낸 표입니다. 물음에 답해 보세요.

수학 체험관의 요일별 방문객 수

체험장 \ 요일	화	수	목	금	토
체험 마당	92명	85명	87명	98명	103명
도형 마당	83명	75명	82명		81명

1 화요일부터 토요일까지 '체험 마당'의 하루 방문객 수의 평균이 몇 명인가요?

146쪽

(93명)

풀이 $(92+85+87+98+103)\div5=465\div5=93$(명)

2 화요일부터 토요일까지 '도형 마당'의 하루 방문객 수의 평균이 80명입니다. 금요일에 '도형 마당'을 방문한 사람은 몇 명인가요?

149쪽

(79명)

풀이 (화요일부터 토요일까지 '도형 마당'의 방문객의 수)$=80\times5=400$(명)
(금요일에 '도형 마당'을 방문한 사람의 수)
=(화요일부터 토요일까지 '도형 마당'의 방문객의 수)
−(금요일을 제외한 나머지 요일에 방문한 사람의 수의 합)
$=400-(83+75+82+81)=79$(명)

3 세 모둠 중 어느 모둠의 제기차기 기록이 가장 좋다고 말할 수 있을지 판단하고, 평균을 이용하여 그 이유를 써 보세요.

149쪽

우리 모둠은 5명인데, 제기차기 기록을 모두 더했더니 70개가 나왔어.

우리 모둠은 7명인데, 제기차기 기록을 모두 더했더니 84개가 나왔어.

우리 모둠은 6명인데, 제기차기 기록을 모두 더했더니 78개가 나왔어.

기록이 가장 좋은 모둠 민선 (이)네 모둠

이유 세 모둠의 평균을 비교하면, 민선이네 모둠은 14개, 수종이네 모둠은 12개, 진희네 모둠은 13개이므로 민선이네 모둠의 기록이 가장 좋다고 할 수 있습니다.

풀이 (모둠의 제기차기 기록의 평균)=(모둠의 제기차기 기록의 합)÷(모둠원 수)
민선이네 모둠: $70\div5=14$(개), 수종이네 모둠: $84\div7=12$(개),
진희네 모둠: $78\div6=13$(개)

160

[4~6] 각각의 일이 일어날 가능성을 생각해 보고, 물음에 답해 보세요.

번호	일	가능성
①	내년 설날은 8월에 있을 것입니다.	불가능하다
②	고양이 한 마리가 태어날 때 그 고양이는 수컷일 것입니다.	반반이다
③	어린이날에 놀이공원에 가면 사람이 많을 것입니다.	~일 것 같다
④	동전 10개를 동시에 던졌을 때 모두 숫자 면이 나올 것입니다.	~아닐 것 같다
⑤	토요일 다음 날은 일요일이 될 것입니다.	확실하다

4 위 표에서 각각의 일이 일어날 가능성을 말로 표현한 것을 보기에서 찾아 표를 완성해 보세요.

154쪽

보기
불가능하다 ~아닐 것 같다 반반이다 ~일 것 같다 확실하다

풀이 가능성을 찾아 알맞게 써 봅니다.

5 일이 일어날 가능성이 높은 순서대로 번호를 써 보세요.

154쪽

(⑤, ③, ②, ④, ①)

풀이 일이 일어날 가능성이 높은 순서대로 쓰면 '확실하다', '~일 것 같다', '반반이다', '~아닐 것 같다', '불가능하다'이므로 일이 일어날 가능성이 높은 순서대로 번호를 쓰면 ⑤, ③, ②, ④, ①입니다.

생각 넓히기 추론 정보 처리

6 각각의 일이 일어날 가능성을 수직선의 어디쯤에 나타낼 수 있을지 생각해 보고, 화살표(↓)로 표시해 보세요.

157쪽

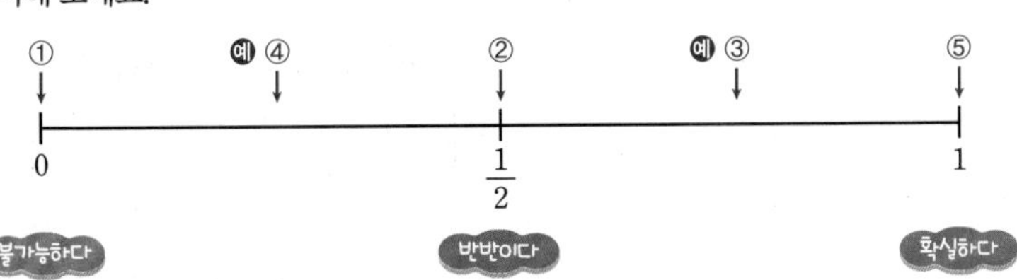

풀이 ①, ②, ⑤는 바른 위치에 정확하게 표시한 것을 정답으로 인정하고, ③, ④는 눈금 사이에 표시한 것을 각각 정답으로 인정합니다.

161

추론

가능성을 말로 표현하기

▶자습서 180~183쪽

- 반반이다: 일이 일어날 가능성과 일어나지 않을 가능성이 서로 같은 경우
- ~일 것 같다: 일이 일어날 가능성이 반보다 많은 경우
- ~아닐 것 같다: 일이 일어날 가능성이 반보다 적은 경우

추론

가능성을 비교하기

▶자습서 180~183쪽

학부모 코칭 Tip

'확실하다', '반반이다', '불가능하다'를 가능성이 높은 순서대로 쓰고 '~일 것 같다'와 '~아닐 것 같다'를 쓰는 위치를 생각해 보게 합니다.

추론 정보 처리

가능성을 수로 나타내고 비교하기

▶자습서 184~185쪽

③ 또는 ④를 0, $\frac{1}{2}$, 1의 위치에 쓰는 경우에는 가능성이 '확실하다', '반반이다', '불가능하다'에 해당하는지를 확인한 뒤 자신이 생각한 위치에 다시 옮겨 나타내어 봅니다.

• 놀이 속으로 | 풍덩 • 이야기로 키우는 | 생각

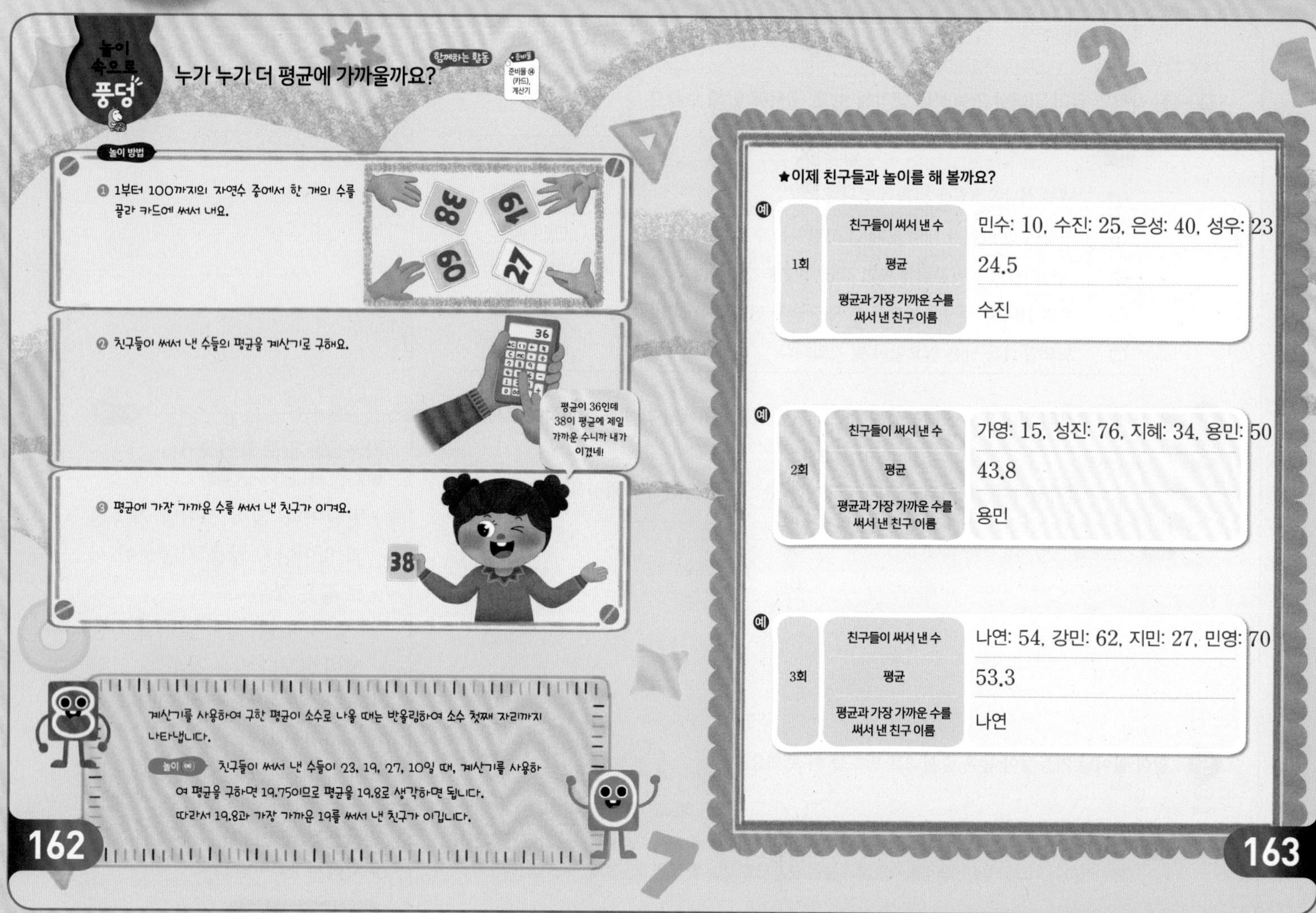

놀이 속으로 풍덩 누가 누가 더 평균에 가까울까요? 함께하는 활동 준비물 준비물 ⑭ (카드), 계산기

놀이 방법

① 1부터 100까지의 자연수 중에서 한 개의 수를 골라 카드에 써서 내요.

② 친구들이 써서 낸 수들의 평균을 계산기로 구해요.

평균이 36인데 38이 평균에 제일 가까운 수니까 내가 이겼네!

③ 평균에 가장 가까운 수를 써서 낸 친구가 이겨요.

계산기를 사용하여 구한 평균이 소수로 나올 때는 반올림하여 소수 첫째 자리까지 나타냅니다.

놀이 예 친구들이 써서 낸 수들이 23, 19, 27, 10일 때, 계산기를 사용하여 평균을 구하면 19.75이므로 평균을 19.8로 생각하면 됩니다.
따라서 19.8과 가장 가까운 19를 써서 낸 친구가 이깁니다.

★ 이제 친구들과 놀이를 해 볼까요?

예

1회	
친구들이 써서 낸 수	민수: 10, 수진: 25, 은성: 40, 성우: 23
평균	24.5
평균과 가장 가까운 수를 써서 낸 친구 이름	수진

예

2회	
친구들이 써서 낸 수	가영: 15, 성진: 76, 지혜: 34, 용민: 50
평균	43.8
평균과 가장 가까운 수를 써서 낸 친구 이름	용민

예

3회	
친구들이 써서 낸 수	나연: 54, 강민: 62, 지민: 27, 민영: 70
평균	53.3
평균과 가장 가까운 수를 써서 낸 친구 이름	나연

162 163

교과서 개념 완성

1 놀이 방법 알아보기

• 평균을 구하는 방법
친구들이 써서 낸 수를 모두 더한 뒤 친구의 수로 나누어 구합니다.

• 평균과 가장 가까운 수를 써서 낸 친구 알아보기
친구들이 써서 낸 수와 평균의 차가 가장 작은 친구를 찾습니다.

2 친구들과 놀이해 보기

• 1회: (평균)$=(10+25+40+23)\div4=24.5$
써서 낸 수와 평균의 차:
민수−14.5, 수진−0.5, 은성−15.5, 성우−1.5
➜ 평균과 가장 가까운 수를 써낸 친구: 수진

• 2회: (평균)$=(15+76+34+50)\div4=\underline{43.75}$ → 43.8
써서 낸 수와 평균의 차:
가영−28.8, 성진−32.2, 지혜−9.8, 용민−6.2
➜ 평균과 가장 가까운 수를 써낸 친구: 용민

• 3회: (평균)$=(54+62+27+70)\div4=\underline{53.25}$ → 53.3
써서 낸 수와 평균의 차:
나연−0.7, 강민−8.7, 지민−26.3, 민영−16.7
➜ 평균과 가장 가까운 수를 써낸 친구: 나연

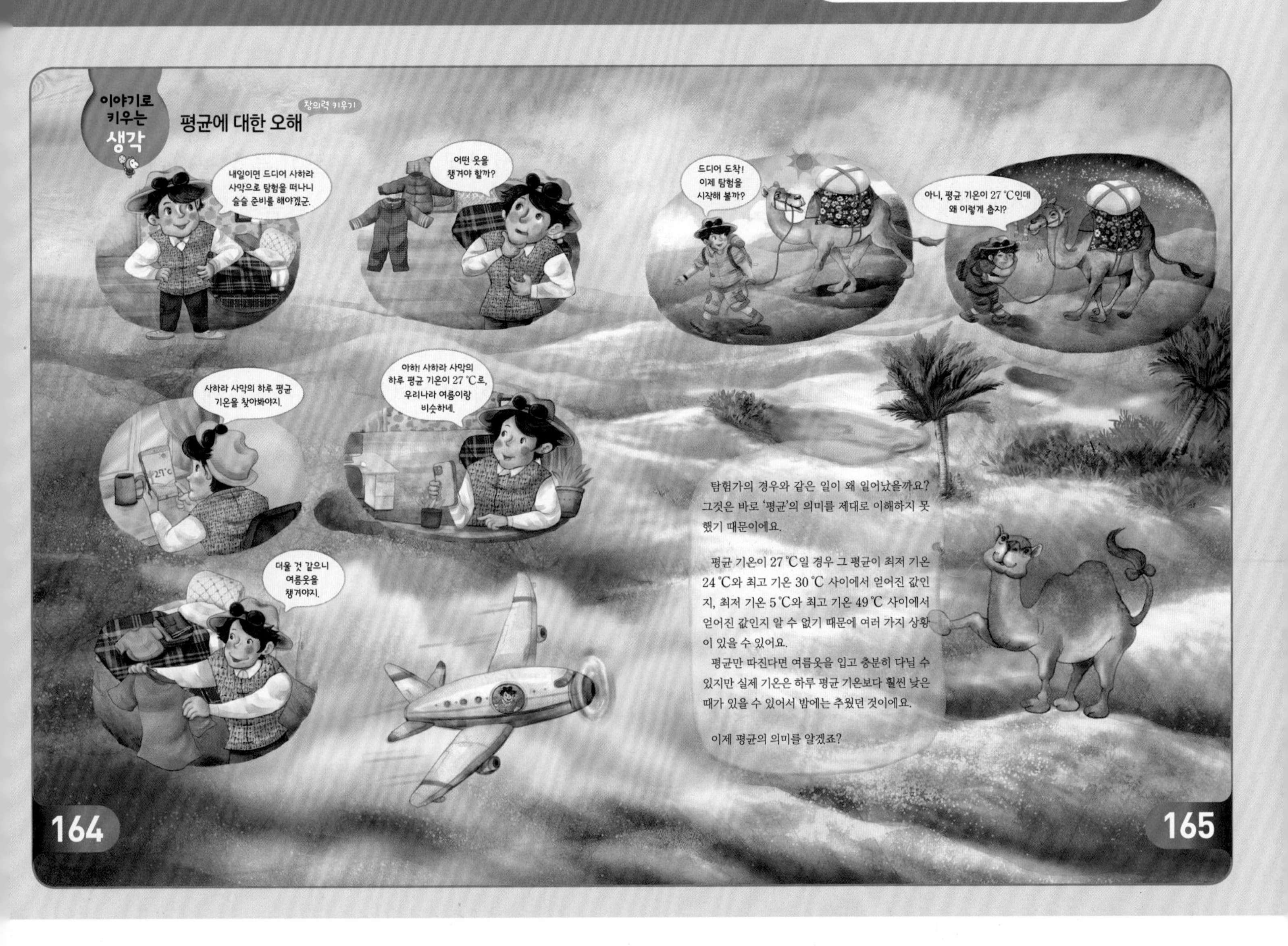

이야기로 키우는 생각

소비자 물가 지수와 평균의 함정

소비자 물가 지수란 물건의 가격들이 얼마나 오르고 내렸는지를 평균적으로 나타내 주는 기준입니다. 다시 말해서 소비자 물가 지수가 올라가면 물건의 값이 올라 더 많은 돈이 필요하게 되고, 반대로 소비자 물가 지수가 내려가면 소비자가 같은 물건을 살 때 더 적은 돈을 내기 때문에 소비는 늘어나게 되는 것입니다.

소비자 물가 지수는 통계청에서 국민들이 많이 사용하는 물건이나 서비스의 가격을 조사해서 얼마나 오르고 내렸는지 평균을 구해서 발표합니다. 그런데 물가 지수는 높지 않은데 국민들이 느끼는 물건 가격은 많이 올랐다고 생각하는 경우가 많이 있습니다. 바로 평균의 함정이 숨어 있기 때문입니다.

예를 들어서 사람들이 많이 사용하는 쌀, 밀가루, 고추장, 식용유, 설탕, 휘발유 등 대표적인 식품과 물건들은 실제로 가격이 많이 올랐지만 쇠고기, 파, 양파 등 일부 축산물과 채소의 값이 크게 떨어졌을 경우에 전체 물건 가격의 평균을 내므로 실제 소비자 물가 지수는 많이 오르지 않았지만 체감 물가는 높은 것입니다.

[출처] 서지원, 2020.

개념 + 확인

교과서 개념을 익히고 확인 문제를 풀면서 단원을 마무리해 보아요.

개념

평균

- 평균: 여러 자료의 값의 크기를 고르게 만든 값
- 평균은 자료의 값을 모두 더한 후 자료의 수로 나누어 구할 수 있습니다.

(평균)=(자료의 값의 합)÷(자료의 수)

예 평균 구하기

11	5	6	9	4

(평균)=(자료의 값의 합)÷(자료의 수)
$=(11+5+6+9+4)\div5$
$=35\div5=7$

평균의 활용

- 일상생활에서 평균을 이용하여 여러 자료를 비교할 수 있습니다.

예 진우네 모둠이 읽은 책 수

이름	진우	예서	은우	합계	평균
책 수(권)	5	9	7	21	7

지후네 모둠이 읽은 책 수

이름	지후	서진	유나	지원	합계	평균
책 수(권)	7	3	9	5	24	6

- 진우네 모둠의 평균 책 수가 지후네 모둠의 평균 책 수보다 많습니다.
  ➜ 진우네 모둠이 책을 더 많이 읽었다고 할 수 있습니다.
- 진우네 모둠과 지후네 모둠의 사람 수가 달라서 읽은 책 수의 합계로 비교하는 것은 공평하지 않으므로 평균으로 비교하는 것이 좋습니다.

확인 문제

[1~2] 은석이네 모둠 친구들이 투호 놀이에서 얻은 점수를 나타낸 표입니다. 물음에 답해 보세요.

은석이네 모둠 친구들의 투호 놀이 점수

이름	은석	연우	세영	지훈	희수
점수(점)	12	9	16	15	13

1 투호 놀이 점수의 평균을 구해 보세요.

( )

2 투호 놀이 점수가 평균 점수보다 높은 친구를 모두 찾아 써 보세요.

( )

3 형우네 학교 5학년, 6학년의 반별 학생 수를 나타낸 표입니다. 5학년과 6학년 중 어느 학년의 한 반의 학생 수가 더 많다고 할 수 있나요?

5학년 반별 학생 수

반	1반	2반	3반	4반
학생 수(명)	26	23	27	24

6학년 반별 학생 수

반	1반	2반	3반	4반	5반
학생 수(명)	25	23	24	26	22

( )

4 ㉯의 숫자 카드 수의 평균이 ㉮의 평균보다 1만큼 더 클 때 ㉠에 알맞은 수를 구해 보세요.

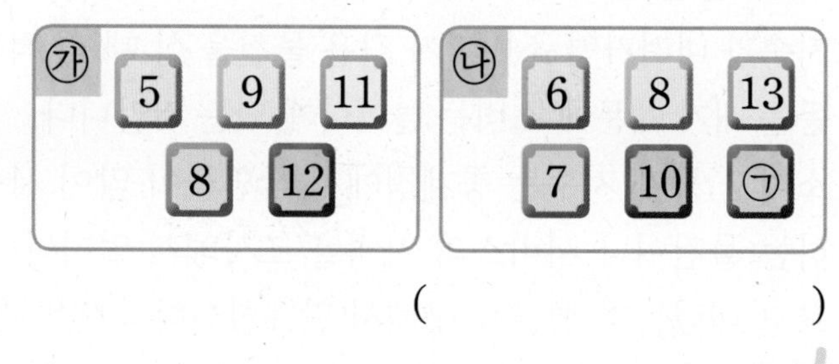

( )

➜ 정답 및 풀이 229쪽

개념

가능성을 말로 표현하고 비교하기

- 가능성: 어떤 상황에서 특정한 일이 일어나길 기대할 수 있는 정도
- 가능성은

불가능하다, ~아닐 것 같다, 반반이다, ~일 것 같다, 확실하다

등으로 표현할 수 있습니다.

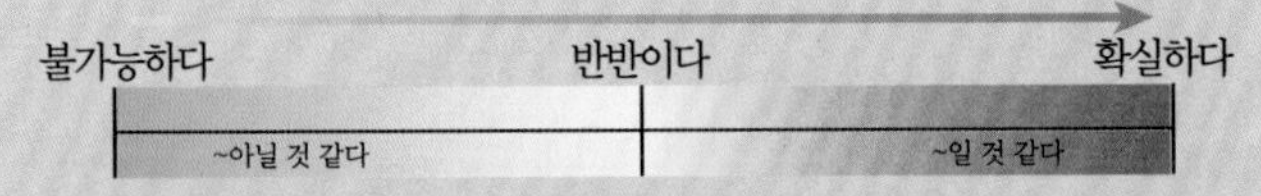

일이 일어날 가능성을 비교하는 방법

- 불가능하다: 일이 일어날 가능성이 없는 경우에 사용합니다.
- 확실하다: 일이 반드시 일어날 때 사용합니다.
- 반반이다: 일이 일어날 가능성과 일어나지 않을 가능성이 같을 때 사용합니다.
- ~아닐 것 같다: 가능성이 '반반이다'를 기준으로 '불가능하다'에 가깝습니다.
- ~일 것 같다: 가능성이 '반반이다'를 기준으로 '확실하다'에 가깝습니다.

가능성을 수로 나타내기

- 어떤 일이 일어날 가능성을 0부터 1까지의 수로 나타낼 수 있습니다.
- 어떤 일이 일어날 가능성이

'불가능하다' ➜ 0, '반반이다' ➜ $\frac{1}{2}$,
(가능성이 가장 작습니다.) (0과 1의 가운데)

'확실하다' ➜ 1로 나타냅니다.
(가능성이 가장 큽니다.)

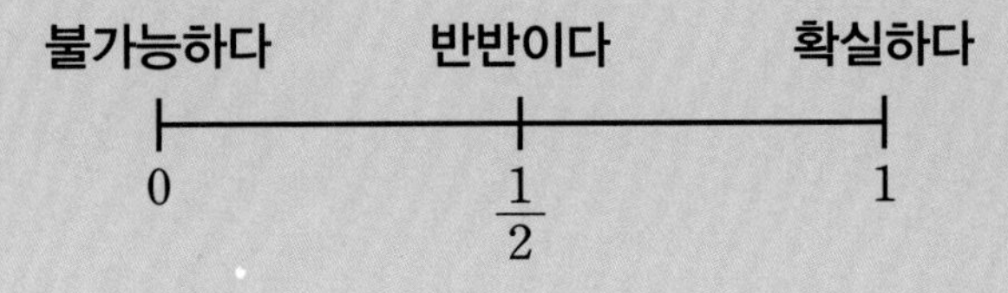

확인 문제

5 일이 일어날 가능성을 찾아 선으로 이어 보세요.

12월 다음에 1월이 될 것입니다. •	• 불가능하다
수컷 닭이 알을 낳을 것입니다. •	• 반반이다
신생아 한 명이 태어나면 남자일 것입니다. •	• 확실하다

6 일이 일어날 가능성이 높은 순서대로 기호를 써 보세요.

㉠ 해가 동쪽에서 뜰 것입니다.
㉡ 4월은 31일까지 있을 것입니다.
㉢ 1부터 5까지의 수 중에서 한 수를 뽑으면 홀수일 것입니다.
㉣ 12월 어느 날에 비가 올 것입니다.

( )

7 일이 일어날 가능성을 수로 나타내어 보세요.

계산기에서 5, ×, 0, =을 차례대로 누르면 2가 나올 것입니다. □

8 주사위를 한 번 굴릴 때 주사위 눈의 수가 4의 약수일 가능성을 수로 나타내어 보세요.

( )

과정 중심 평가 내용: 평균을 이용하여 자료의 값을 구할 수 있는가?

1-1 턱걸이 기록의 평균이 10번 이상일 때 20점을 받을 수 있습니다. 민수가 20점을 받으려면 3회 때 턱걸이를 몇 번 이상 해야 하는지 풀이 과정을 쓰고, 답을 구해 보세요. [8점]

민수의 턱걸이 기록

횟수(회)	1	2	3
기록(번)	7	11	

풀이

❶ 3회까지 평균이 10번 이상이 되려면 기록의 합은 $10 \times \square = \square$(번) 이상이 되어야 합니다.

❷ 2회까지 기록의 합은 $7 + 11 = \square$(번)이므로 3회 때 턱걸이를 $\square - \square = \square$(번) 이상 해야 합니다.

답

1-2 쌍둥이

30초 동안 윗몸 말아올리기 기록의 평균이 15번 이상일 때 10점을 받을 수 있습니다. 주호가 10점을 받으려면 5회 때 윗몸 말아올리기를 몇 번 이상 해야 하는지 풀이 과정을 쓰고, 답을 구해 보세요. [12점]

주호의 윗몸 말아올리기 기록

횟수(회)	1	2	3	4	5
기록(번)	12	14	17	13	

풀이

답

1-3 유사

한 상자에 4개씩 담은 멜론 무게의 평균이 3 kg 이상일 때 판매할 수 있습니다. 멜론 3개의 무게가 다음과 같을 때, 멜론을 판매하려면 마지막 멜론 1개의 무게는 몇 kg 이상이 되어야 하는지 풀이 과정을 쓰고, 답을 구해 보세요. [15점]

2.5 kg　　3.2 kg　　2.7 kg

풀이

답

1-4 실전

어느 공장에서 5일 동안 생산한 물건 중 불량품 발생량의 평균이 10개 미만이어야 마트에 판매할 수 있습니다. 4일 동안의 불량품 개수가 다음과 같을 때, 마트에 판매할 수 있으려면 5일째에는 불량품이 몇 개 미만이 되어야 하는지 풀이 과정을 쓰고, 답을 구해 보세요. [15점]

12개　　7개　　11개　　9개

풀이

답

과정 중심 평가 내용 어떤 일이 일어날 가능성을 구할 수 있는가?

공부한 날 월 일

➔ 정답 및 풀이 230쪽

2-1 회전판을 돌렸을 때 화살이 파란색 부분을 가리킬 가능성이 동전을 던지면 숫자 면이 나올 가능성과 같은 것의 기호를 쓰려고 합니다. 풀이 과정을 쓰고, 답을 구해 보세요. (화살은 움직이지 않습니다.) [8점]

가 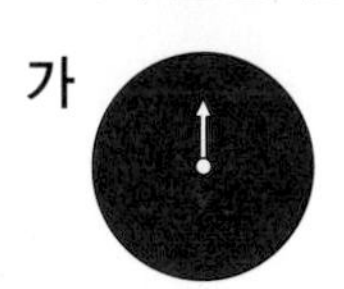 나 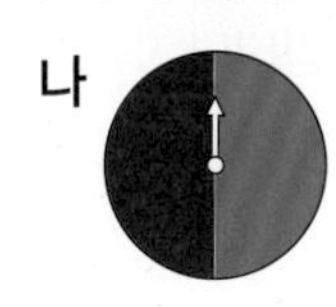 다 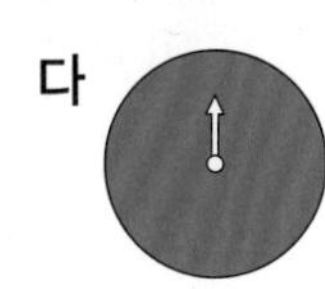

풀이

❶ 동전을 던지면 숫자 면이 나올 가능성은

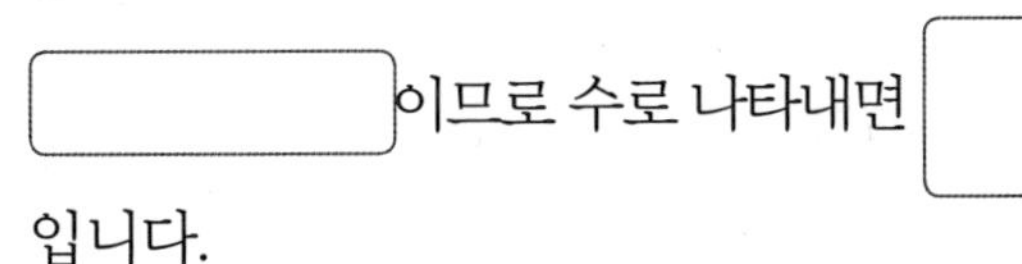

□이므로 수로 나타내면 □ 입니다.

❷ 따라서 화살이 파란색 부분을 가리킬 가능성이 □인 것을 찾으면 □입니다.

답

2-2 쌍둥이

회전판을 돌렸을 때 화살이 빨간색 부분을 가리킬 가능성이 주사위를 던지면 0의 눈이 나올 가능성과 같은 것의 기호를 쓰려고 합니다. 풀이 과정을 쓰고, 답을 구해 보세요. (화살은 움직이지 않습니다.) [12점]

가  나 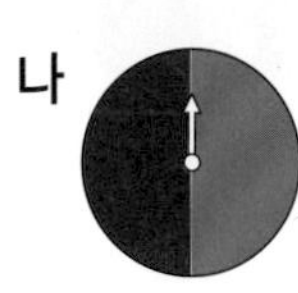 다 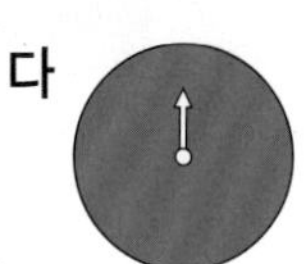

풀이

답

2-3 유사

회전판을 돌렸을 때 화살이 노란색 부분을 가리킬 가능성이 동전을 던지면 그림 면이 나올 가능성과 같게 되도록 색칠하려고 합니다. 풀이 과정을 쓰고, 색칠해 보세요. (화살은 움직이지 않습니다.) [15점]

풀이

답

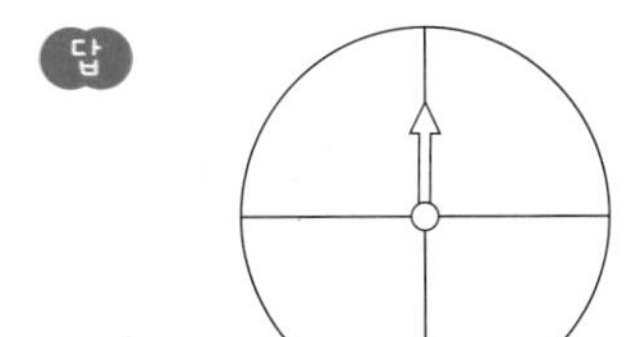

2-4 실전

회전판을 돌렸을 때 화살이 초록색 부분을 가리킬 가능성이 주사위를 던지면 1 이상의 눈이 나올 가능성과 같게 되도록 색칠하려고 합니다. 풀이 과정을 쓰고, 색칠해 보세요. (화살은 움직이지 않습니다.) [15점]

풀이

답

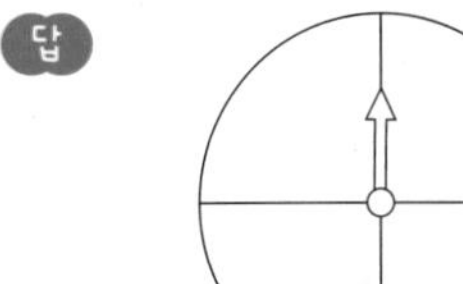

| 평균 |

01 컵 3개에 담긴 주스를 양을 고르게 하여 다시 담았습니다. 한 컵에 담긴 주스 양의 평균을 구해 보세요.

하

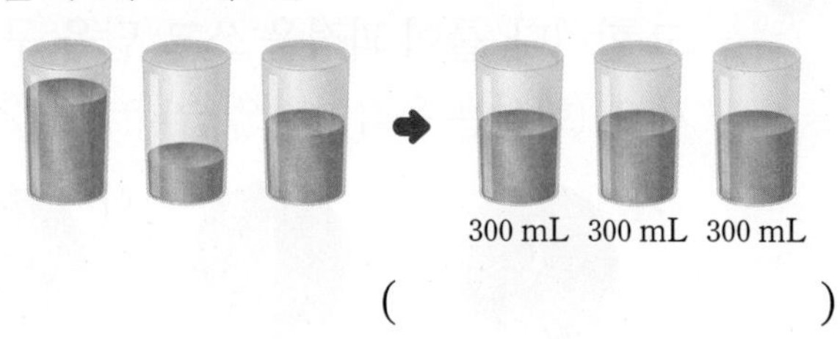

(　　　　　　　　)

[02~03] 서우네 모둠 학생들의 훌라후프 돌리기 기록을 조사하여 나타낸 표입니다. 물음에 답해 보세요.

서우네 모둠 학생들의 훌라후프 돌리기 기록

이름	서우	현수	지영	유준
기록(번)	12	26	28	14

| 평균 |

02 표를 막대그래프로 나타낸 것입니다. 막대그래프에 서우네 모둠 학생들의 훌라후프 돌리기 기록의 평균을 나타내어 보세요.

하

서우네 모둠 학생들의 훌라후프 돌리기 기록

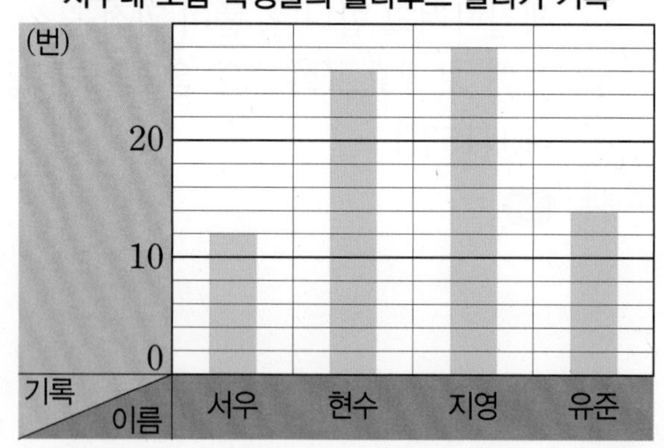

| 평균 |

03 서우네 모둠 학생들의 훌라후프 돌리기 기록의 평균을 구해 보세요.

하

(　　　　　　　　)

| 가능성을 말로 표현하고 비교하기 |

04 일이 일어날 가능성을 생각해 보고, 알맞게 표현한 곳에 ○표 해 보세요.

하

	불가능하다	반반이다	확실하다
동전을 던지면 그림 면이 나올 것입니다.			
추석은 가을일 것입니다.			
4월 다음에는 3월이 올 것입니다.			

[05~07] 친구들이 말한 일이 일어날 가능성을 비교하려고 합니다. 물음에 답해 보세요.

유진: 한 명의 아기가 태어나면 여자일 거야.
민준: 여름 다음의 계절은 가을이 될 거야.
희진: 주사위를 던지면 1의 눈이 나올 거야.
승민: 주사위를 던지면 눈의 수가 7 이상일 거야.
지호: 우리 반 친구 2명을 뽑으면 나이가 같을 거야.

| 가능성을 말로 표현하고 비교하기 |

05 지호가 말한 일이 일어날 가능성을 말로 표현해 보세요.

중

(　　　　　　　　)

| 가능성을 말로 표현하고 비교하기 |

06 일이 일어날 가능성이 높은 순서대로 이름을 써 보세요.

중

(　　　　　　　　)

| 가능성을 말로 표현하고 비교하기 |

07 일이 일어날 가능성이 '불가능하다'인 것을 말한 친구를 찾아 이름을 쓰고, 문장을 '확실하다'가 되도록 바꾸어 보세요.

중

이름

바꾼 문장

➜ 정답 및 풀이 231쪽

[08~09] 희준이네 모둠과 하영이네 모둠 친구들이 하루 동안 운동한 시간을 나타낸 표입니다. 물음에 답해 보세요.

희준이네 모둠이 운동한 시간

이름	희준	민정	경민	세영
시간(분)	30	35	50	45

하영이네 모둠이 운동한 시간

이름	하영	유나	승현	세준	수민
시간(분)	42	40	55	38	45

| 평균의 활용 |

08 두 모둠 친구들이 하루 동안 운동한 시간의 평균을 각각 구해 보세요.
중

희준이네 모둠 (　　　　　　　　)

하영이네 모둠 (　　　　　　　　)

| 평균의 활용 |

09 어느 모둠이 운동을 더 오래 했다고 할 수 있나요?
중

(　　　　　　　　)

[10~11] 노란색 구슬 5개가 들어 있는 상자에서 구슬 하나를 꺼낼 때, 물음에 답해 보세요.

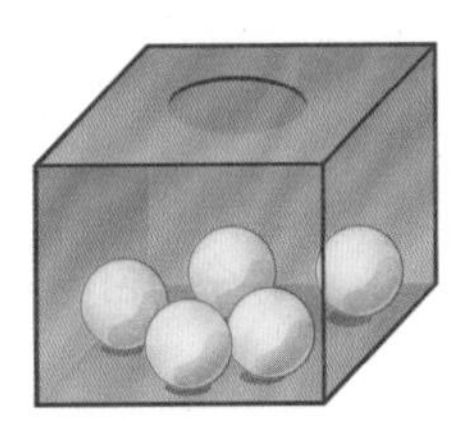

| 가능성을 수로 나타내기 |

10 노란색 구슬이 나올 가능성을 수로 나타내어 보세요.
중

(　　　　　　　　)

| 가능성을 수로 나타내기 |

11 빨간색 구슬이 나올 가능성을 수로 나타내어 보세요.
중

(　　　　　　　　)

[12~13] 다음 카드 중 한 장을 뽑을 때, 물음에 답해 보세요.

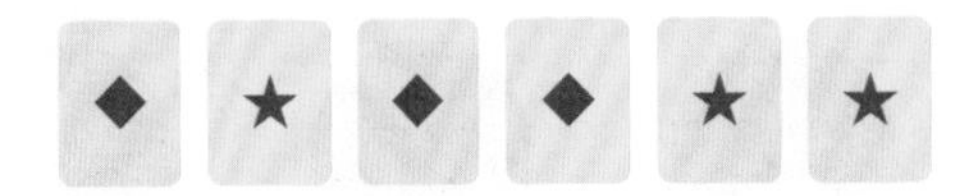

| 가능성을 말로 표현하고 비교하기 |

12 ◆ 카드를 뽑을 가능성을 말로 표현해 보세요.
중

(　　　　　　　　)

| 가능성을 수로 나타내기 |

13 ◆ 카드를 뽑을 가능성을 수로 나타내어 보세요.
중

(　　　　　　　　)

| 평균 | 서술형

14 세진이의 5일 동안 독서 시간의 평균은 43분입니다. 세진이가 화요일에 독서한 시간은 몇 분인지 풀이 과정을 쓰고, 답을 구해 보세요.
중

세진이의 독서 시간

요일	월	화	수	목	금
시간(분)	35		52	48	32

풀이

답

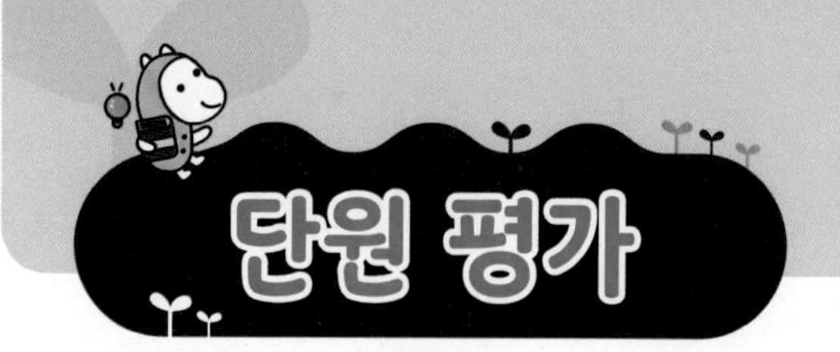

➜ 정답 및 풀이 231쪽

| 가능성을 수로 나타내기 |

15 회전판을 돌렸을 때 화살이 초록색 부분을 가리킬 가능성을 수직선에서 찾아 선으로 이어 보세요. (화살은 움직이지 않습니다.)

중

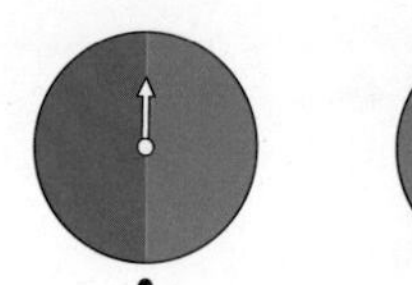
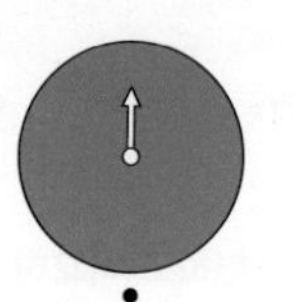
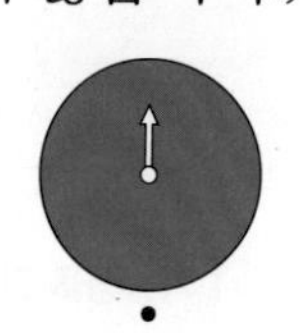

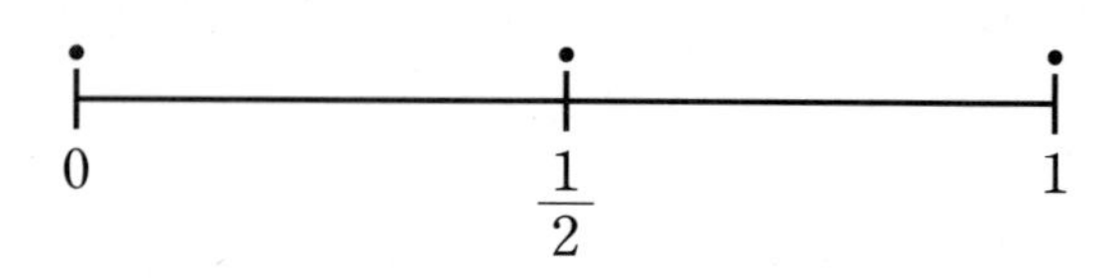

| 평균의 활용 |

16 알뜰 시장에서 판매할 책을 반별로 모았습니다. 한 명당 가지고 온 책 수가 가장 많은 반은 어느 반인지 구해 보세요.

중

반별 학생 수와 모은 책 수

반	1반	2반	3반
학생 수(명)	23	19	21
모은 책 수(권)	115	114	84

(　　　　　　　　)

| 가능성을 수로 나타내기 | 서술형

17 윤호네 반과 지수네 반 친구들은 제비 뽑기를 하기로 하였습니다. 주사위를 던져서 짝수 눈이 나오면 윤호네 반이, 홀수 눈이 나오면 지수네 반이 먼저 뽑기로 하였습니다. 순서를 정하는 방법이 공평한지 알아보려고 합니다. 풀이 과정을 쓰고, 답을 구해 보세요.

중

풀이

답

| 평균 |

18 가 모둠의 학생 6명의 수학 점수의 평균은 70점이고, 나 모둠의 학생 4명의 수학 점수의 평균은 75점입니다. 두 모둠 전체 학생의 수학 점수의 평균을 구해 보세요.

상

(　　　　　　　　)

| 평균의 활용 |

19 준영이가 100 m 달리기 기록을 재었더니 4회까지 기록의 평균은 15.1초입니다. 5회까지 기록의 평균이 15초 이하가 되려면 5회의 기록은 몇 초 이하가 되어야 하는지 구해 보세요.

상

(　　　　　　　　)

| 평균의 활용 | 서술형

20 가 과수원과 나 과수원에서 각각 수확한 사과 양을 나타낸 표입니다. 두 과수원의 수확량의 평균이 같다면 나 과수원의 4주차 사과 수확량은 몇 상자인지 풀이 과정을 쓰고, 답을 구해 보세요.

상

가 과수원의 사과 수확량

주	1주	2주	3주
수확량(상자)	9	17	13

나 과수원의 사과 수확량

주	1주	2주	3주	4주
수확량(상자)	10	8	18	

풀이

답

우리 생활에서 가능성은 언제 사용할까요?

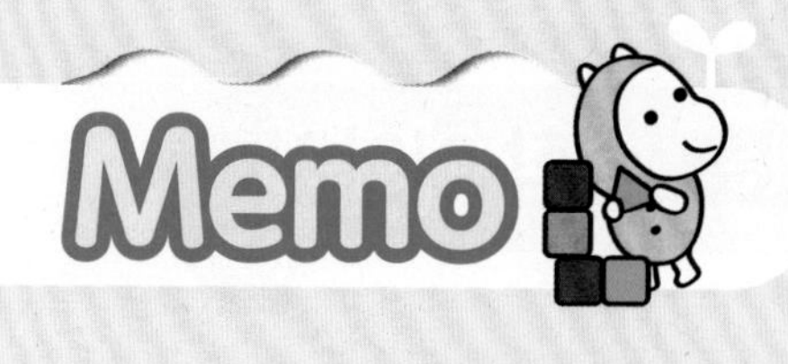
Memo

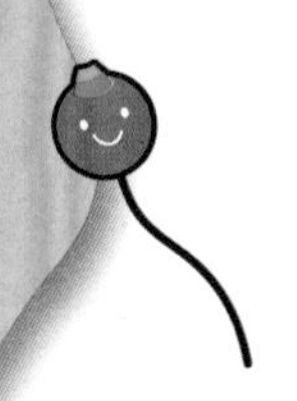

5~6학년군

수학 5-2

수학 다잡기

정답 및 풀이

1 수의 범위와 어림하기

개념 확인 문제 9쪽

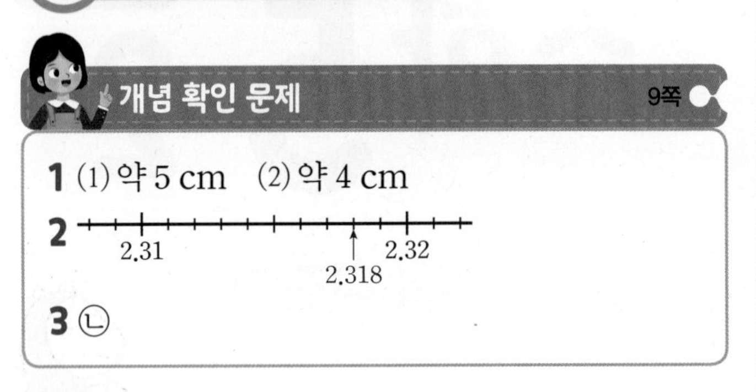

풀이

1 (1) 못의 오른쪽 끝이 5 cm에 가깝습니다.
➔ 약 5 cm
(2) 못의 오른쪽 끝이 4 cm에 가깝습니다.
➔ 약 4 cm

2 2.31에서 작은 눈금 8칸만큼 더 간 곳에 2.318을 나타냅니다.

3 ㉠ 9.14 ➔ 1 ㉡ 2.67 ➔ 6 ㉢ 8.59 ➔ 5
따라서 소수 첫째 자리 숫자가 가장 큰 수는 ㉡입니다.

개념 확인 문제 11쪽

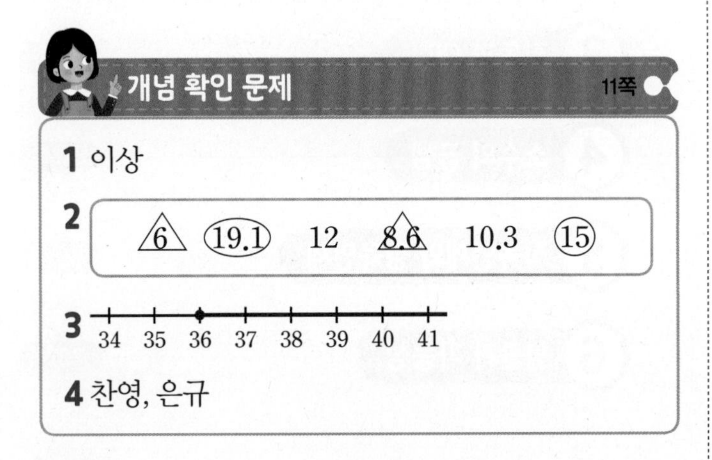

풀이

1 ■와 같거나 큰 수를 ■ 이상인 수라고 합니다.

2 15와 같거나 큰 수에 ○표, 9와 같거나 작은 수에 △표 합니다.

3 36 이상인 수는 36과 같거나 큰 수입니다.
36을 ●와 같이 나타내고 오른쪽으로 선을 긋습니다.

4 80 이하인 수는 80과 같거나 작은 수입니다. 따라서 수학 점수가 80점 이하인 사람은 찬영, 은규입니다.

개념 확인 문제 13쪽

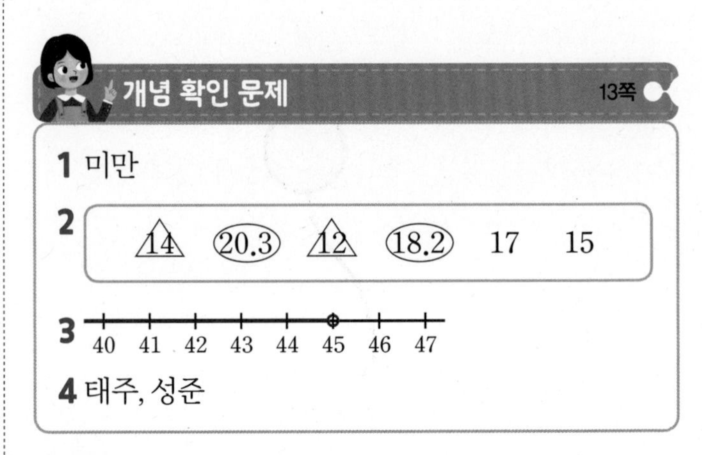

풀이

1 ▲보다 작은 수를 ▲ 미만인 수라고 합니다.

2 17보다 큰 수에 ○표, 15보다 작은 수에 △표 합니다.

3 45 미만인 수는 45보다 작은 수입니다.
45를 ○와 같이 나타내고 왼쪽으로 선을 긋습니다.

4 140 초과인 수는 140보다 큰 수입니다. 따라서 키가 140 cm 초과인 사람은 태주, 성준입니다.

개념 확인 문제 15쪽

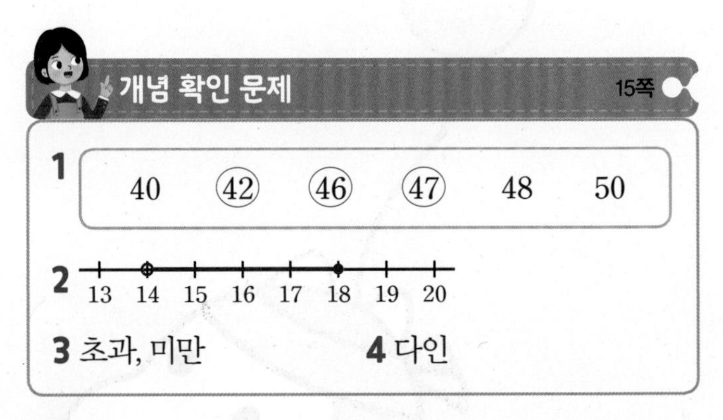

풀이

1 42 이상 48 미만인 수는 42와 같거나 크고 48보다 작은 수입니다.

2 14를 ○, 18을 ●와 같이 나타내고 두 수 사이를 선으로 연결합니다.

3 39와 42를 포함하지 않으므로 39 초과 42 미만인 수입니다.

4 45 이상 47 이하인 수는 45와 같거나 크고 47과 같거나 작은 수입니다. 따라서 몸무게가 45 kg 이상 47 kg 이하인 사람은 다인입니다.

개념 확인 문제 17쪽

1 5000에 ○표	**2** 50.2, 50.15
3 6054에 ○표	**4** 6장

풀이

1 천의 자리 아래의 수인 613을 1000으로 보고 올림하면 5000입니다.

2 • 소수 첫째 자리 아래의 수인 0.042를 0.1로 보고 올림하면 50.2입니다.
• 소수 둘째 자리 아래의 수인 0.002를 0.01로 보고 올림하면 50.15입니다.

3 각 수를 올림하여 백의 자리까지 나타내면
6054 ➔ 6100, 6000 ➔ 6000, 6101 ➔ 6200입니다.

4 천 원짜리 지폐 5장으로 5000원을 내고 남은 400원도 내야 하므로 최소 6000원을 내야 합니다. 따라서 천 원짜리 지폐를 최소 6장 내야 합니다.

개념 확인 문제 19쪽

1 7230에 ○표	**2** 3.2, 3.29
3 ㉡	**4** 14봉지

풀이

1 십의 자리 아래의 수를 버려서 0으로 나타내면 7230입니다.

2 • 소수 첫째 자리 아래의 수를 버려서 0으로 나타내면 3.2입니다.
• 소수 둘째 자리 아래의 수를 버려서 0으로 나타내면 3.29입니다.

3 각 수를 버림하여 백의 자리까지 나타내면
㉠ 2100, ㉡ 2000, ㉢ 2100입니다.

주의 버림하여 구하려는 자리 아래의 숫자가 모두 0인 경우에는 수의 변화가 없습니다.
㉢ 2100 → 2100

4 한 봉지에 10개씩 포장하면 14봉지에 포장하고 5개가 남습니다. 따라서 팔 수 있는 쿠키는 14봉지입니다.

개념 확인 문제 21쪽

1 410	**2** 9.5, 9.54
3 24 °C	**4** ㉠

풀이

1 십의 자리 바로 아래 자리의 숫자가 2이므로 버림하면 410입니다.

2 • 소수 첫째 자리 바로 아래 자리의 숫자가 3이므로 버림하면 9.5입니다.
• 소수 둘째 자리 바로 아래 자리의 숫자가 6이므로 올림하면 9.54입니다.

3 23.6에서 일의 자리 바로 아래 자리의 숫자가 6이므로 올림하면 24입니다. 따라서 지영이네 집 거실의 온도는 24 °C입니다.

4 ㉠ 백의 자리 바로 아래 자리의 숫자가 5이므로 올림하면 6100입니다.
㉡ 천의 자리 바로 아래 자리의 숫자가 0이므로 버림하면 6000입니다.
➔ 더 큰 수가 되는 것은 ㉠입니다.

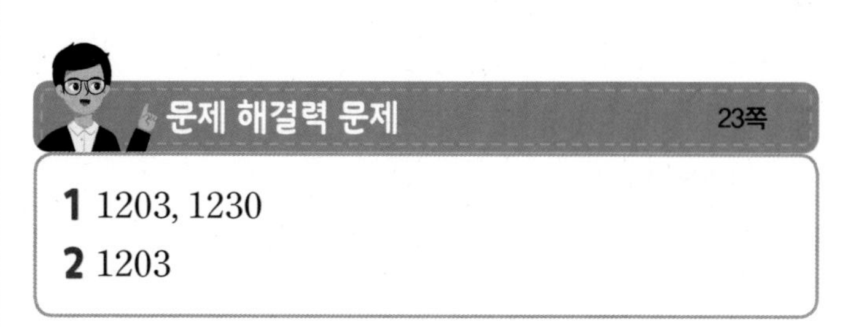

문제 해결력 문제 23쪽

1 1203, 1230
2 1203

풀이

1 1200 이상 1300 미만인 수이므로 천의 자리 숫자는 1, 백의 자리 숫자는 2입니다.
5 초과 7 미만인 수는 6이므로 각 자리의 숫자를 더한 값은 6입니다.
따라서 각 자리 숫자는 1, 2, 3, 0이 되어야 하므로 1203, 1230입니다.

2 1203, 1230 중에서 반올림하여 십의 자리까지 나타낸 값과 백의 자리까지 나타낸 값이 같은 수는 1203입니다.

6 각 수를 버림하여 백의 자리까지 나타내면 ㉠ 6100, ㉡ 6000, ㉢ 6100입니다.

7 16.53에서 일의 자리 바로 아래 자리의 숫자가 5이므로 올림하면 17이고, 16.04에서 일의 자리 바로 아래 자리의 숫자가 0이므로 버림하면 16입니다.
➜ 17 > 16

8 (1) 탁구공을 100개씩 5상자에 담고 남는 82개도 상자에 담아야 하므로 올림해야 합니다.
(2) 582를 올림하여 백의 자리까지 나타내면 600입니다. 따라서 상자는 적어도 6개 필요합니다.

개념+확인 28~29쪽

1 이하에 ○표
2 (1) 29, 35.4 (2) 12.5, 17
3 3개
4 수직선 (50, 60, 70, 80, 90, 100, 110, 120): 90에 ●, 110에 ○
5 430, 500 **6** ㉠, ㉢
7 (왼쪽에서부터) 17, >, 16
8 (1) 올림 (2) 6개

풀이

1 72를 ●와 같이 나타내고 왼쪽으로 선을 그었으므로 72 이하인 수입니다.

2 (1) 25 이상인 수는 25와 같거나 큰 수입니다.
(2) 17 이하인 수는 17과 같거나 작은 수입니다.

3 36보다 큰 수는 48, 36.2, 39로 모두 3개입니다.

4 90을 ●, 110을 ○와 같이 나타내고 두 수 사이를 선으로 연결합니다.

5 • 십의 자리 아래의 수인 9를 10으로 보고 올림하면 430입니다.
• 백의 자리 아래의 수인 29를 100으로 보고 올림하면 500입니다.

서술형 문제 해결하기 30~31쪽

1-1 ❶ 초과 ❷ 19, 20, 21, 19
/ 19

1-2 예 ❶ 수직선에 나타낸 수의 범위는 52 이하인 수입니다.
❷ 수의 범위에 속하는 자연수를 큰 수부터 차례로 쓰면 52, 51, 50, ...이므로 이 중에서 가장 큰 수는 52입니다.
/ 52

1-3 예 ❶ 수직선에 나타낸 수의 범위는 37 초과 42 미만인 수입니다.
❷ 수의 범위에 속하는 자연수는 38, 39, 40, 41이므로 모두 4개입니다.
/ 4개

1-4 예 ❶ 수직선에 나타낸 수의 범위는 25 이상 31 미만인 수입니다.
❷ 수의 범위에 속하는 자연수는 25, 26, 27, 28, 29, 30이므로 모두 6개입니다.
/ 6개

2-1 ❶ 버림에 ○표 ❷ 버림, 3000, 3
/ 3병

2-2 예 ❶ 10명씩 타서 7번 올라가고 남은 6명도 케이블카를 타야 하므로 올림해야 합니다.

❷ 76을 올림하여 십의 자리까지 나타내면 80이므로 케이블카는 최소 8번 올라가야 합니다.

/ 8번

2-3 예 ❶ 어제와 오늘의 입장객은 모두 $1852+2067=3919$(명)입니다.

❷ 3919를 반올림하여 백의 자리까지 나타내면 3900입니다.

따라서 2일 동안의 입장객 수는 모두 3900명입니다.

/ 3900명

2-4 예 ❶ 물건값을 천 원짜리 지폐로만 내야 하므로 올림해야 합니다.

❷ 장우가 내야 하는 금액은 모두 $3400+2800=6200$(원)입니다.

❸ 6200을 올림하여 천의 자리까지 나타내면 7000이므로 최소 7000원을 내야 합니다.

/ 7000원

풀이

1-1

채점 기준		
채점 기준	❶ 수직선에 나타낸 수의 범위 구하기	4점
	❷ 수직선에 나타낸 수의 범위에 속하는 자연수 중에서 가장 작은 수 구하기	4점

1-2

채점 기준		
채점 기준	❶ 수직선에 나타낸 수의 범위 구하기	6점
	❷ 수직선에 나타낸 수의 범위에 속하는 자연수 중에서 가장 큰 수 구하기	6점

1-3

채점 기준		
채점 기준	❶ 수직선에 나타낸 수의 범위 구하기	8점
	❷ 수직선에 나타낸 수의 범위에 속하는 자연수는 모두 몇 개인지 구하기	7점

1-4

채점 기준		
채점 기준	❶ 수직선에 나타낸 수의 범위 구하기	8점
	❷ 수직선에 나타낸 수의 범위에 속하는 자연수는 모두 몇 개인지 구하기	7점

2-1

채점 기준		
채점 기준	❶ 올림, 버림, 반올림 중에서 어떤 방법으로 어림해야 하는지 구하기	4점
	❷ 딸기잼을 최대 몇 병까지 팔 수 있는지 구하기	4점

2-2

채점 기준		
채점 기준	❶ 올림, 버림, 반올림 중에서 어떤 방법으로 어림해야 하는지 구하기	6점
	❷ 케이블카는 최소 몇 번 올라가야 하는지 구하기	6점

2-3

채점 기준		
채점 기준	❶ 어제와 오늘의 입장객 수의 합 구하기	7점
	❷ 어제와 오늘의 입장객 수의 합을 반올림하여 백의 자리까지 나타내기	8점

2-4

채점 기준		
채점 기준	❶ 올림, 버림, 반올림 중에서 어떤 방법으로 어림해야 하는지 구하기	5점
	❷ 내야 하는 금액 구하기	5점
	❸ 최소 얼마를 내야 하는지 구하기	5점

단원 평가

32~34쪽

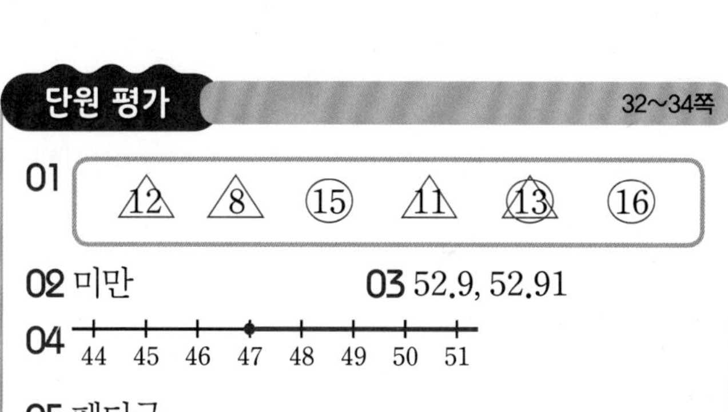

01 △12 △8 ○15 △11 ○△13 ○16

02 미만 03 52.9, 52.91

04 (수직선 44~51, 47에 점)

05 페더급

06 (수직선 31~40, 36과 39에 점)

07 (선 잇기)

08 ㉢

09 8500, 8400, 8500

10 지희, 다영

11 9.24, 올림에 ○표, 10

12 ㉠, ㉢

13 =

14 예 ❶ 7354를 버림하여 천의 자리까지 나타내면 7000, 버림하여 백의 자리까지 나타내면 7300입니다.

❷ 어림한 두 수의 차는 $7300-7000=300$입니다.

/ 300

15 민지

16 예 ❶ 2.7 초과인 수는 2.7보다 큰 수이므로 높이가 2.7 m 초과인 자동차는 나, 다, 라입니다.
❷ 따라서 도로를 통과할 수 없는 자동차는 모두 3대입니다.
/ 3대

17 [7][6]15

18 6개

19 9400원

20 예 ❶ 구슬을 100개씩 상자에 담으면 4상자에 100개씩 담고 58개가 남습니다. 따라서 팔 수 있는 구슬은 4상자입니다.
❷ 상자에 들어 있는 구슬을 팔아서 받을 수 있는 돈은 최대 $8000\times4=32000$(원)입니다.
/ 32000원

풀이

07 • 10개가 안 되는 참외는 팔 수 없으므로 버림해야 합니다.
• 10개가 안 되는 사탕도 모두 담아야 하므로 올림해야 합니다.

08 각 수를 올림하여 천의 자리까지 나타내면 ㉠ 6000, ㉡ 6000, ㉢ 7000입니다.

09 8471에서 백의 자리 아래의 수인 71을 100으로 보고 올림하면 8500, 백의 자리 아래의 수를 버려서 0으로 나타내면 8400, 백의 자리 바로 아래 자리의 숫자가 7이므로 올림하면 8500입니다.

11 철사를 부족하지 않게 사야 하므로 올림해야 합니다.

12 ㉠ 15와 같거나 크고 20과 같거나 작은 수의 범위이므로 15를 포함합니다.
㉡ 10과 같거나 크고 15보다 작은 수의 범위이므로 15를 포함하지 않습니다.
㉢ 11보다 크고 16보다 작은 수의 범위이므로 15를 포함합니다.

13 • 64095에서 백의 자리 바로 아래 자리의 숫자가 9이므로 올림하면 64100입니다.
• 64102에서 십의 자리 바로 아래 자리의 숫자가 2이므로 버림하면 64100입니다.
➜ $64100=64100$

14

채점 기준		
	❶ 버림하여 천의 자리까지 나타낸 수와 버림하여 백의 자리까지 나타낸 수 구하기	3점
	❷ ❶에서 어림한 두 수의 차 구하기	2점

15 1149를 버림하여 백의 자리까지 나타내면 1100, 반올림하여 십의 자리까지 나타내면 1150, 올림하여 백의 자리까지 나타내면 1200입니다. 따라서 어림한 방법을 바르게 설명한 사람은 민지입니다.

16

채점 기준		
	❶ 높이가 2.7 m 초과인 자동차 찾기	3점
	❷ 도로를 통과할 수 없는 자동차는 모두 몇 대인지 구하기	2점

17 올림하여 백의 자리까지 나타내었을 때 7700이 될 수 있는 수의 범위는 7600 초과 7700 이하인 수입니다. 따라서 희수의 사물함 비밀번호는 7615입니다.
참고 올림하여 백의 자리까지 나타내면 ★이 되는 수의 범위는 (★－100) 초과 ★ 이하인 수입니다.

18 96 초과인 자연수는 97, 98, 99, 100, 101, 102, 103, ...이고 103 미만인 자연수는 102, 101, 100, 99, 98, 97, 96, ...입니다. 따라서 두 조건을 동시에 만족하는 자연수는 97, 98, 99, 100, 101, 102로 모두 6개입니다.

19 5 kg짜리 물건을 상자에 넣으면 $5+1=6$ (kg)이고 6은 5 초과 7 이하인 수이므로 요금은 3700원입니다.
10 kg짜리 물건을 상자에 넣으면 $10+1=11$ (kg)이고 11은 10 초과 15 이하인 수이므로 요금은 5700원입니다.
따라서 요금은 모두 $3700+5700=9400$(원)입니다.

20

채점 기준		
	❶ 팔 수 있는 구슬은 몇 상자인지 구하기	3점
	❷ 상자에 들어 있는 구슬을 팔아서 받을 수 있는 돈은 최대 얼마인지 구하기	2점

2 분수의 곱셈

개념 확인 문제 39쪽

1 4, 16　**2** ㉢

3 $\frac{9}{10}$

풀이

1 · 20의 $\frac{1}{5}$은 20을 똑같이 5묶음으로 나눈 것 중의 1묶음이므로 4입니다.

· 20의 $\frac{4}{5}$는 20을 똑같이 5묶음으로 나눈 것 중의 4묶음이므로 16입니다.

2 $3\frac{5}{7}=\frac{21}{7}+\frac{5}{7}=\frac{26}{7}$

3 $\frac{81}{90}=\frac{81\div9}{90\div9}=\frac{9}{10}$

개념 확인 문제 41쪽

1 $\frac{5}{6}\times7=\frac{\boxed{5}\times\boxed{7}}{6}=\frac{\boxed{35}}{\boxed{6}}=\boxed{5\frac{5}{6}}$

2 (1) $\frac{20}{7}\left(=2\frac{6}{7}\right)$　(2) 6

3 $\frac{7}{2}\left(=3\frac{1}{2}\right)$　**4** $\frac{24}{5}\left(=4\frac{4}{5}\right)$ L

풀이

2 (1) $\frac{4}{7}\times5=\frac{4\times5}{7}=\frac{20}{7}=2\frac{6}{7}$

(2) $\frac{2}{\cancel{3}_1}\times\cancel{9}^3=2\times3=6$

3 $\frac{7}{8}\times4=\frac{7\times\cancel{4}^1}{\cancel{8}_2}=\frac{7}{2}=3\frac{1}{2}$

4 (전체 물의 양) $=\frac{4}{5}\times6=\frac{4\times6}{5}=\frac{24}{5}=4\frac{4}{5}$ (L)

개념 확인 문제 43쪽

1 $2\frac{2}{3}\times5=\frac{8}{3}\times5=\frac{40}{3}=13\frac{1}{3}$

2 (1) $\frac{27}{5}\left(=5\frac{2}{5}\right)$　(2) $\frac{52}{3}\left(=17\frac{1}{3}\right)$

3 $\frac{55}{2}\left(=27\frac{1}{2}\right)$　**4** 9 kg

풀이

2 (1) $1\frac{4}{5}\times3=\frac{9}{5}\times3=\frac{27}{5}=5\frac{2}{5}$

(2) $2\frac{1}{6}\times8=\frac{13}{\cancel{6}_3}\times\cancel{8}^4=\frac{52}{3}=17\frac{1}{3}$

3 $2\frac{3}{4}\times10=(2\times10)+\left(\frac{3}{\cancel{4}_2}\times\cancel{10}^5\right)=20+\frac{15}{2}=27\frac{1}{2}$

다른 풀이 $2\frac{3}{4}\times10=\frac{11}{\cancel{4}_2}\times\cancel{10}^5=\frac{55}{2}=27\frac{1}{2}$

4 일주일은 7일이므로 $1\frac{2}{7}\times7=\frac{9}{\cancel{7}_1}\times\cancel{7}^1=9$ (kg)입니다.

개념 확인 문제 45쪽

1 $8\times\frac{4}{9}=\frac{\boxed{8}\times\boxed{4}}{9}=\frac{\boxed{32}}{\boxed{9}}=\boxed{3\frac{5}{9}}$

2 (1) $\frac{10}{3}\left(=3\frac{1}{3}\right)$　(2) 10

3 ㉠　**4** $\frac{9}{2}\left(=4\frac{1}{2}\right)$ m^2

풀이

2 (1) $4\times\frac{5}{6}=\frac{\cancel{4}^2\times5}{\cancel{6}_3}=\frac{10}{3}=3\frac{1}{3}$

(2) $\cancel{15}^5\times\frac{2}{\cancel{3}_1}=5\times2=10$

3 ㉠ $\cancel{12}^3\times\frac{3}{\cancel{4}_1}=9$　㉡ $\cancel{3}^1\times\frac{5}{\cancel{21}_7}=\frac{5}{7}$

㉢ $\cancel{6}^3\times\frac{9}{\cancel{14}_7}=\frac{27}{7}=3\frac{6}{7}$

4 (직사각형의 넓이)=(가로)×(세로)

$=\overset{1}{\cancel{5}}\times\frac{9}{\underset{2}{\cancel{10}}}=\frac{9}{2}=4\frac{1}{2}$ (m^2)

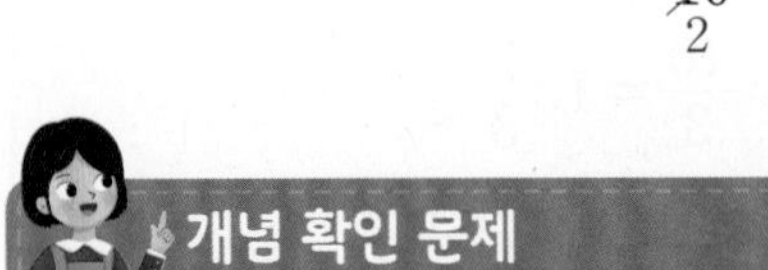

개념 확인 문제 47쪽

1 $13\frac{1}{2}$에 ○표 **2** $\frac{65}{2}\left(=32\frac{1}{2}\right)$

3 ( )(○)( ) **4** 36 kg

풀이

1 $9\times1\frac{1}{2}=9\times\frac{3}{2}=\frac{27}{2}=13\frac{1}{2}$

2 $20\times1\frac{5}{8}=\overset{5}{\cancel{20}}\times\frac{13}{\underset{2}{\cancel{8}}}=\frac{65}{2}=32\frac{1}{2}$

3 자연수에 대분수를 곱하면 곱한 값은 처음 수보다 커집니다.

4 (철근 $2\frac{1}{4}$ m의 무게)$=16\times2\frac{1}{4}$

$=\overset{4}{\cancel{16}}\times\frac{9}{\underset{1}{\cancel{4}}}=36$ (kg)

개념 확인 문제 49쪽

1 $\frac{\overset{\boxed{4}}{\cancel{8}}}{9}\times\frac{5}{\underset{\boxed{3}}{\cancel{6}}}=\frac{\boxed{4}\times\boxed{5}}{\boxed{9}\times\boxed{3}}=\frac{\boxed{20}}{\boxed{27}}$

2 (1) $\frac{12}{35}$ (2) $\frac{1}{12}$ **3** $\frac{5}{32}$ **4** $\frac{9}{25}$ kg

풀이

2 (1) $\frac{4}{5}\times\frac{3}{7}=\frac{4\times3}{5\times7}=\frac{12}{35}$

(2) $\frac{2}{3}\times\frac{1}{8}=\frac{\overset{1}{\cancel{2}}\times1}{3\times\underset{4}{\cancel{8}}}=\frac{1}{12}$

3 $\frac{7}{16}\times\frac{5}{14}=\frac{\overset{1}{\cancel{7}}\times5}{16\times\underset{2}{\cancel{14}}}=\frac{5}{32}$

4 (사용한 밀가루의 무게)$=\frac{9}{\underset{5}{\cancel{10}}}\times\frac{\overset{1}{\cancel{2}}}{5}=\frac{9}{25}$ (kg)

개념 확인 문제 51쪽

1 $\frac{\overset{1}{\cancel{4}}}{7}\times\frac{5}{\underset{\boxed{3}}{\cancel{9}}}\times\frac{\overset{1}{\cancel{3}}}{\underset{\boxed{2}}{\cancel{8}}}=\frac{1\times5\times1}{7\times\boxed{3}\times\boxed{2}}=\frac{\boxed{5}}{\boxed{42}}$

2 $\frac{2}{5}\times\frac{4}{7}=\frac{2\times4}{5\times7}=\frac{8}{35}$ **3** $\frac{11}{63}$ **4** >

풀이

2 분자끼리 약분하여 잘못되었습니다.

3 $\frac{11}{\underset{7}{\cancel{35}}}\times\frac{\overset{1}{\cancel{5}}}{\underset{3}{\cancel{6}}}\times\frac{\overset{1}{\cancel{2}}}{3}=\frac{11\times1\times1}{7\times3\times3}=\frac{11}{63}$

4 $\frac{\overset{1}{\cancel{3}}}{\underset{1}{\cancel{4}}}\times\frac{1}{\underset{1}{\cancel{2}}}\times\frac{\overset{1}{\cancel{\overset{2}{\cancel{8}}}}}{\underset{3}{\cancel{9}}}=\frac{1}{3}$, $\frac{1}{12}\times\frac{\overset{1}{\cancel{7}}}{\underset{3}{\cancel{15}}}\times\frac{\overset{1}{\cancel{5}}}{\underset{1}{\cancel{7}}}=\frac{1}{36}$ ➜ $\frac{1}{3}>\frac{1}{36}$

개념 확인 문제 53쪽

1 $8\times\frac{2}{5}=\frac{8}{\boxed{1}}\times\frac{2}{5}=\frac{\boxed{16}}{5}=\boxed{3\frac{1}{5}}$

2 (1) 5 (2) $\frac{14}{3}\left(=4\frac{2}{3}\right)$

3 $8\frac{1}{2}$에 색칠 **4** $\frac{39}{7}\left(=5\frac{4}{7}\right)$ cm^2

풀이

2 (1) $2\frac{2}{9}\times2\frac{1}{4}=\frac{\overset{5}{\cancel{20}}}{\underset{1}{\cancel{9}}}\times\frac{\overset{1}{\cancel{9}}}{\underset{1}{\cancel{4}}}=5$

(2) $3\times1\frac{5}{9}=\frac{\overset{1}{\cancel{3}}}{1}\times\frac{14}{\underset{3}{\cancel{9}}}=\frac{14}{3}=4\frac{2}{3}$

3 $6\frac{4}{5}\times1\frac{3}{4}=\frac{\overset{17}{\cancel{34}}}{5}\times\frac{7}{\underset{2}{\cancel{4}}}=\frac{119}{10}=11\frac{9}{10}$

➜ $11\frac{9}{10}>8\frac{1}{2}$

4 (평행사변형의 넓이)

$=3\frac{6}{7}\times1\frac{4}{9}=\frac{\overset{3}{\cancel{27}}}{7}\times\frac{13}{\underset{1}{\cancel{9}}}=\frac{39}{7}=5\frac{4}{7}$ (cm^2)

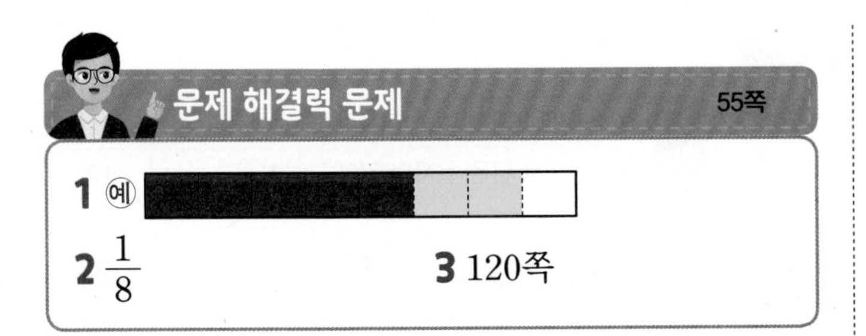

문제 해결력 문제 55쪽

1 예 (그림)

2 $\frac{1}{8}$ 3 120쪽

풀이

1 전체의 $\frac{5}{8}$만큼에 빨간색으로 색칠하고, 남은 부분의 $\frac{2}{3}$만큼에 노란색으로 색칠합니다.

2 아직 읽지 않은 15쪽은 동화책 전체 쪽수의 $\frac{1}{8}$만큼입니다.

3 동화책의 전체 쪽수의 $\frac{1}{8}$만큼이 15쪽이므로 동화책의 전체 쪽수는 $15\times8=120$(쪽)입니다.

개념+확인 60~61쪽

1 (1) $\frac{35}{6}\left(=5\frac{5}{6}\right)$ (2) 21

2 $4\frac{8}{9}\times2=(4\times2)+\left(\frac{8}{9}\times2\right)=8+\frac{16}{9}=9\frac{7}{9}$

3 $\frac{20}{3}\left(=6\frac{2}{3}\right)$ 4 $\frac{40}{3}\left(=13\frac{1}{3}\right)$ kg

5 (1) $\frac{26}{3}\left(=8\frac{2}{3}\right)$ (2) $\frac{52}{5}\left(=10\frac{2}{5}\right)$

6 $\frac{5}{28}$ 7 ㉡

8 $\frac{60}{7}\left(=8\frac{4}{7}\right)$ L

풀이

1 (1) $\frac{5}{6}\times7=\frac{5\times7}{6}=\frac{35}{6}=5\frac{5}{6}$

(2) $2\frac{1}{3}\times9=\frac{7}{\cancel{3}_{1}}\times\cancel{9}^{3}=21$

3 $14\times\frac{10}{21}=\frac{\cancel{14}^{2}\times10}{\cancel{21}_{3}}=\frac{20}{3}=6\frac{2}{3}$

4 (오늘 판 감자의 무게)

$=\cancel{15}^{5}\times\frac{8}{\cancel{9}_{3}}=\frac{40}{3}=13\frac{1}{3}$ (kg)

5 (1) $2\times4\frac{1}{3}=2\times\frac{13}{3}=\frac{26}{3}=8\frac{2}{3}$

(2) $8\times1\frac{3}{10}=\cancel{8}^{4}\times\frac{13}{\cancel{10}_{5}}=\frac{52}{5}=10\frac{2}{5}$

6 $\frac{5}{7}\times\frac{1}{4}=\frac{5\times1}{7\times4}=\frac{5}{28}$

7 ㉠ $\frac{\cancel{\cancel{4}^{2}}^{1}}{5}\times\frac{1}{\cancel{6}_{3}}\times\frac{1}{\cancel{2}_{1}}=\frac{1}{15}$ ㉡ $\frac{\cancel{3}^{1}}{7}\times\frac{\cancel{2}^{1}}{\cancel{3}_{1}}\times\frac{1}{\cancel{4}_{2}}=\frac{1}{14}$

➜ $\frac{1}{15}<\frac{1}{14}$

참고 단위분수는 분모가 작을수록 더 큽니다.

8 (빨간색 페인트의 양)

$=3\frac{4}{7}\times2\frac{2}{5}=\frac{\cancel{25}^{5}}{7}\times\frac{12}{\cancel{5}_{1}}=\frac{60}{7}=8\frac{4}{7}$ (L)

서술형 문제 해결하기 62~63쪽

1-1 ❶ 8, 3 ❷ 6, 2 / 2 m

1-2 예 ❶ (사용한 색 테이프의 길이)

$=\cancel{30}^{6}\times\frac{2}{\cancel{5}_{1}}=12$ (cm)

❷ (사용하고 남은 색 테이프의 길이)

$=30-12=18$ (cm)

/ 18 cm

1-3 예 ❶ (형이 사용하고 남은 끈의 길이)

$=\frac{4}{5}-\frac{1}{2}=\frac{8}{10}-\frac{5}{10}=\frac{3}{10}$ (m)

❷ (동생이 사용한 끈의 길이)

$=\frac{3}{\cancel{10}_{2}}\times\frac{\cancel{5}^{1}}{7}=\frac{3}{14}$ (m) / $\frac{3}{14}$ m

1-4 예 ❶ (물을 더 부은 후의 물의 양)

$=3\frac{1}{6}+1\frac{1}{3}=3\frac{1}{6}+1\frac{2}{6}$

$=4\frac{3}{6}=4\frac{1}{2}$ (L)

❷ (사용한 물의 양)

$=4\frac{1}{2}\times\frac{5}{6}=\frac{\overset{3}{\cancel{9}}}{2}\times\frac{5}{\underset{2}{\cancel{6}}}=\frac{15}{4}=3\frac{3}{4}$ (L)

❸ (사용하고 남은 물의 양)

$=4\frac{1}{2}-3\frac{3}{4}=\frac{9}{2}-\frac{15}{4}$

$=\frac{18}{4}-\frac{15}{4}=\frac{3}{4}$ (L)

/ $\frac{3}{4}$ L

2-1 ❶ $5\frac{1}{2}$, $1\frac{2}{5}$ ❷ $5\frac{1}{2}$, $1\frac{2}{5}$, $\frac{77}{10}\left(=7\frac{7}{10}\right)$

/ $\frac{77}{10}\left(=7\frac{7}{10}\right)$

2-2 예 ❶ 만들 수 있는 가장 큰 대분수는 $6\frac{1}{4}$이고, 가장 작은 대분수는 $1\frac{4}{6}$입니다.

❷ 두 수의 곱은

$6\frac{1}{4}\times1\frac{4}{6}=\frac{25}{\underset{2}{\cancel{4}}}\times\frac{\overset{5}{\cancel{10}}}{6}=\frac{125}{12}=10\frac{5}{12}$

입니다.

/ $\frac{125}{12}\left(=10\frac{5}{12}\right)$

2-3 예 ❶ 만들 수 있는 가장 큰 대분수는 $7\frac{2}{3}$이고, 가장 작은 대분수는 $2\frac{3}{7}$입니다.

❷ 두 수의 곱은

$7\frac{2}{3}\times2\frac{3}{7}=\frac{23}{3}\times\frac{17}{7}=\frac{391}{21}=18\frac{13}{21}$

입니다.

/ $\frac{391}{21}\left(=18\frac{13}{21}\right)$

2-4 예 ❶ 만들 수 있는 가장 큰 대분수는 $9\frac{1}{2}$이고, 가장 작은 대분수는 $1\frac{2}{9}$입니다.

❷ 두 수의 곱은

$9\frac{1}{2}\times1\frac{2}{9}=\frac{19}{2}\times\frac{11}{9}=\frac{209}{18}=11\frac{11}{18}$

입니다.

/ $\frac{209}{18}\left(=11\frac{11}{18}\right)$

풀이

1-1

채점 기준		
	❶ 사용한 철사의 길이 구하기	4점
	❷ 사용하고 남은 철사의 길이 구하기	4점

1-2

채점 기준		
	❶ 사용한 색 테이프의 길이 구하기	6점
	❷ 사용하고 남은 색 테이프의 길이 구하기	6점

1-3

채점 기준		
	❶ 형이 사용하고 남은 끈의 길이 구하기	7점
	❷ 동생이 사용한 끈의 길이 구하기	8점

1-4

채점 기준		
	❶ 물을 더 부은 후의 물의 양 구하기	5점
	❷ 사용한 물의 양 구하기	5점
	❸ 사용하고 남은 물의 양 구하기	5점

2-1

채점 기준		
	❶ 만들 수 있는 가장 큰 대분수와 가장 작은 대분수 구하기	4점
	❷ ❶에서 구한 두 수의 곱 구하기	4점

2-2

채점 기준		
	❶ 만들 수 있는 가장 큰 대분수와 가장 작은 대분수 구하기	6점
	❷ ❶에서 구한 두 수의 곱 구하기	6점

2-3

채점 기준		
	❶ 만들 수 있는 가장 큰 대분수와 가장 작은 대분수 구하기	7점
	❷ ❶에서 구한 두 수의 곱 구하기	8점

2-4

채점 기준		
	❶ 만들 수 있는 가장 큰 대분수와 가장 작은 대분수 구하기	7점
	❷ ❶에서 구한 두 수의 곱 구하기	8점

단원 평가

64~66쪽

01 $\frac{3}{4}\times3=\frac{\boxed{3}}{4}+\frac{\boxed{3}}{4}+\frac{\boxed{3}}{4}$

$=\frac{\boxed{3}\times\boxed{3}}{4}=\frac{\boxed{9}}{4}=\boxed{2}\frac{\boxed{1}}{4}$

02 $2\frac{1}{4}\times1\frac{4}{5}=\frac{\boxed{9}}{4}\times\frac{\boxed{9}}{5}=\frac{\boxed{81}}{\boxed{20}}=\boxed{4\frac{1}{20}}$

03 $3\times2\frac{4}{5}=3\times\frac{14}{5}=\frac{42}{5}=8\frac{2}{5}$

04 (1) $\frac{20}{63}$ (2) $\frac{1}{4}$

05 32

06 ㉡

07 <

08 $\frac{8}{11}$

09 $\frac{35}{2}\left(=17\frac{1}{2}\right)$

10 126

11 5판

12 9×1 　 ◯$9\times1\frac{2}{3}$ 　 △$9\times\frac{11}{12}$ 　 ◯$9\times2\frac{1}{9}$

13 ❶ 예 대분수를 가분수로 바꾸지 않고 약분하였습니다.

❷ $1\frac{5}{6}\times2\frac{3}{10}=\frac{11}{6}\times\frac{23}{10}=\frac{253}{60}=4\frac{13}{60}$

14 $\frac{92}{3}\left(=30\frac{2}{3}\right)$ cm

15 16 L

16 예 ❶ 어떤 수는 $\frac{\overset{1}{\cancel{3}}}{\underset{4}{\cancel{8}}}\times\frac{\overset{1}{\cancel{2}}}{\underset{1}{\cancel{3}}}=\frac{1}{4}$입니다.

❷ $\frac{5}{7}\times$(어떤 수)$=\frac{5}{7}\times\frac{1}{4}=\frac{5\times1}{7\times4}=\frac{5}{28}$

/ $\frac{5}{28}$

17 196 cm^2

18 4개

19 예 ❶ 3시간 15분$=3\frac{15}{60}$시간$=3\frac{1}{4}$시간입니다.

❷ 따라서 3시간 15분 동안 달릴 수 있는 거리는 $64\times3\frac{1}{4}=\overset{16}{\cancel{64}}\times\frac{13}{\underset{1}{\cancel{4}}}=208$ (km)입니다.

/ 208 km

20 20 m^2

07 $\overset{5}{\cancel{70}}\times\frac{3}{\underset{1}{\cancel{14}}}=15$, $\overset{8}{\cancel{24}}\times\frac{2}{\underset{1}{\cancel{3}}}=16$ ➜ $15<16$

08 $\frac{\overset{2}{\cancel{6}}}{\underset{1}{\cancel{7}}}\times\frac{\overset{2}{\cancel{10}}}{11}\times\frac{\overset{2}{\cancel{14}}}{\underset{1}{\cancel{15}}}=\frac{2\times2\times2}{1\times11\times1}=\frac{8}{11}$

09 $\frac{7}{\underset{2}{\cancel{8}}}\times\overset{5}{\cancel{20}}=\frac{35}{2}=17\frac{1}{2}$

10 $15\times8\frac{2}{5}=\overset{3}{\cancel{15}}\times\frac{42}{\underset{1}{\cancel{5}}}=126$

11 (필요한 피자 수)$=\frac{1}{\underset{1}{\cancel{6}}}\times\overset{5}{\cancel{30}}=5$(판)

12 9에 진분수를 곱하면 곱한 결과는 9보다 작고, 9에 대분수를 곱하면 곱한 결과는 9보다 큽니다.

13

채점 기준		
	❶ 계산에서 잘못된 부분을 찾아 이유 쓰기	3점
	❷ 바르게 계산하기	2점

14 정육각형은 6개의 변의 길이가 모두 같으므로 둘레는 $5\frac{1}{9}\times6=\frac{46}{\underset{3}{\cancel{9}}}\times\overset{2}{\cancel{6}}=\frac{92}{3}=30\frac{2}{3}$ (cm)입니다.

15 (사용한 페인트의 양)$=\overset{4}{\cancel{28}}\times\frac{3}{\underset{1}{\cancel{7}}}=12$ (L)

(사용하고 남은 페인트의 양)$=28-12=16$ (L)

16

채점 기준		
	❶ 어떤 수 구하기	3점
	❷ $\frac{5}{7}$와 어떤 수의 곱 구하기	2점

17 (색종이를 붙인 부분의 넓이)

$=3\frac{1}{2}\times3\frac{1}{2}\times16=\frac{7}{\underset{1}{\cancel{2}}}\times\frac{7}{\underset{1}{\cancel{2}}}\times\overset{\overset{4}{\cancel{8}}}{\cancel{16}}=196$ (cm^2)

18 $16\times\frac{5}{9}=\frac{80}{9}=8\frac{8}{9}$, $19\times\frac{2}{3}=\frac{38}{3}=12\frac{2}{3}$

➜ $8\frac{8}{9}<\square<12\frac{2}{3}$이므로 □ 안에 들어갈 수 있는 자연수는 9, 10, 11, 12로 4개입니다.

19

채점 기준		
	❶ 3시간 15분은 몇 시간인지 분수로 나타내기	2점
	❷ 3시간 15분 동안 달릴 수 있는 거리 구하기	3점

20 고구마를 심은 밭은 현수네 밭 전체의

$\left(1-\frac{1}{2}\right)\times\left(1-\frac{4}{5}\right)\times\frac{4}{9}=\frac{1}{\underset{1}{\cancel{2}}}\times\frac{1}{5}\times\frac{\overset{2}{\cancel{4}}}{9}=\frac{2}{45}$입니다. 따라서 고구마를 심은 밭의 넓이는

$\overset{10}{\cancel{450}}\times\frac{2}{\underset{1}{\cancel{45}}}=20$ (m^2)입니다.

참고 전체의 $\frac{▲}{■}$만큼 심고 남은 부분은 전체의 $\left(1-\frac{▲}{■}\right)$입니다.

3 합동과 대칭

개념 확인 문제 71쪽

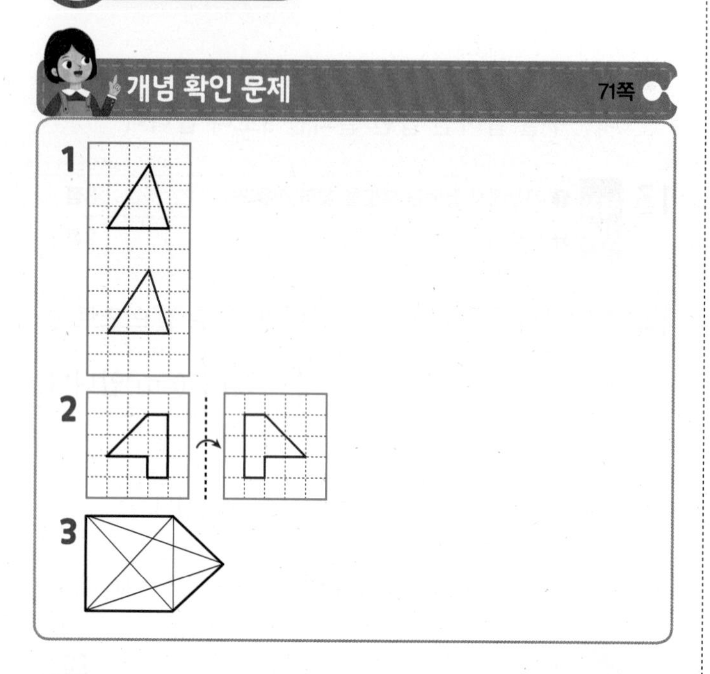

풀이

1 도형을 아래쪽으로 5칸 밀면 도형의 모양은 변하지 않고 위치가 바뀝니다.

2 도형을 오른쪽으로 뒤집으면 도형의 왼쪽과 오른쪽이 서로 바뀝니다.

3 이웃하지 않는 꼭짓점끼리 선분으로 잇습니다.

개념 확인 문제 73쪽

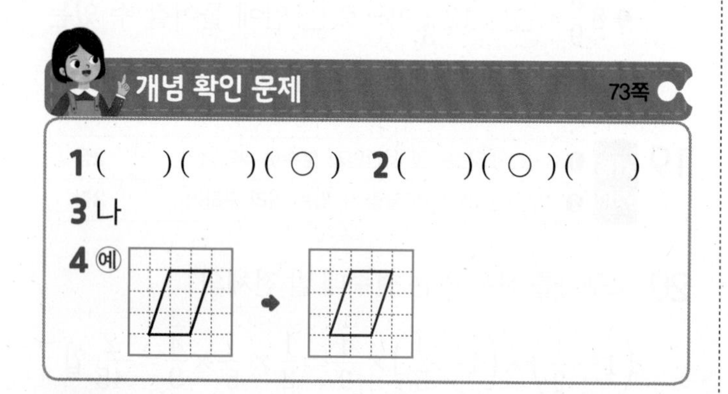

1 (　)(　)(○) **2** (　)(○)(　)
3 나
4 예

풀이

1~2 왼쪽 도형과 모양과 크기가 같아서 포개었을 때 완전히 겹치는 도형을 찾습니다.

3 점선을 따라 자른 두 도형을 포개었을 때 완전히 겹치는 것은 나입니다.

4 주어진 도형의 꼭짓점과 똑같은 위치에 점을 찍고, 찍은 점을 연결하여 합동인 도형을 그립니다.

개념 확인 문제 75쪽

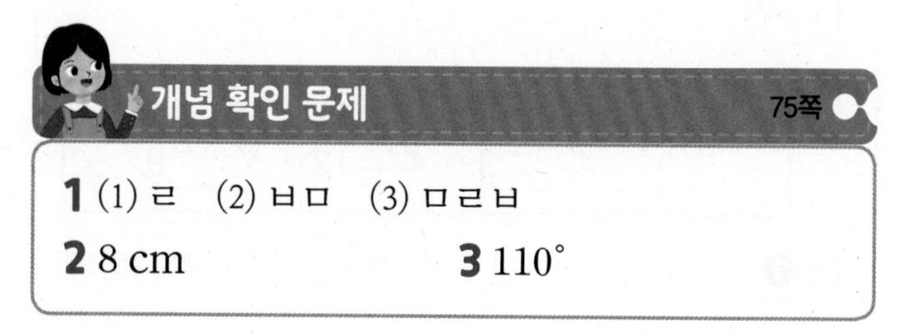

1 (1) ㄹ (2) ㅂㅁ (3) ㅁㄹㅂ
2 8 cm **3** 110°

풀이

1 두 도형을 포개었을 때 완전히 겹치는 점, 변, 각을 찾습니다.

2 변 ㅁㅇ의 대응변은 변 ㄷㄴ이므로
(변 ㅁㅇ)=(변 ㄷㄴ)=8 cm입니다.

3 각 ㅂㅅㅇ의 대응각은 각 ㄹㄱㄴ이므로
(각 ㅂㅅㅇ)=(각 ㄹㄱㄴ)=110°입니다.

개념 확인 문제 77쪽

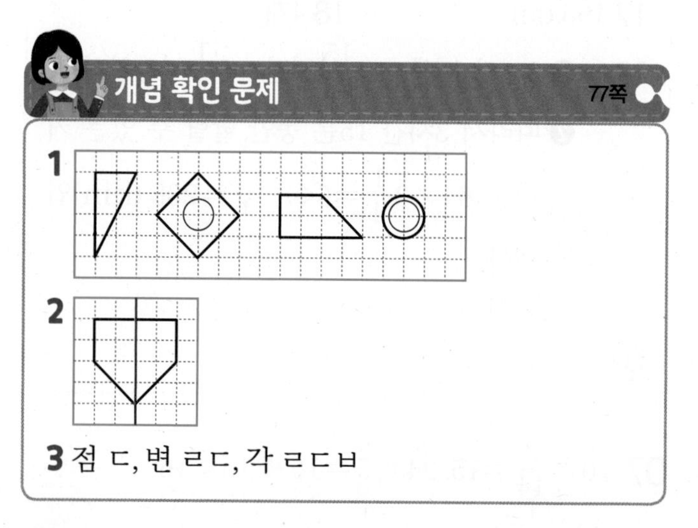

3 점 ㄷ, 변 ㄹㄷ, 각 ㄹㄷㅂ

풀이

1 한 직선을 따라 접었을 때 완전히 겹치는 도형을 선대칭도형이라고 합니다.

2 도형을 완전히 겹치도록 반으로 접는 선을 그립니다.
참고 대칭축은 가로, 세로, 대각선 등 여러 방향일 수 있습니다.

3 대칭축을 따라 접었을 때 겹치는 점을 대응점, 겹치는 변을 대응변, 겹치는 각을 대응각이라고 합니다.

개념 확인 문제 79쪽

1 (1) 10 (2) 60 2 7 cm

3 90°

풀이

1 (1) 변 ㄱㄴ의 대응변이 변 ㄱㄹ이고, 대응변의 길이는 서로 같으므로 변 ㄱㄴ은 10 cm입니다.

(2) 각 ㄱㄴㄷ의 대응각이 각 ㄱㄹㄷ이고, 대응각의 크기는 서로 같으므로 각 ㄱㄴㄷ은 60°입니다.

2 대응점에서 대칭축까지의 거리가 서로 같으므로 선분 ㅁㅇ은 선분 ㄴㅇ과 길이가 같은 7 cm입니다.

3 대응점끼리 이은 선분은 대칭축과 수직으로 만나므로 선분 ㄴㅁ과 대칭축이 만나서 이루는 각은 90°입니다.

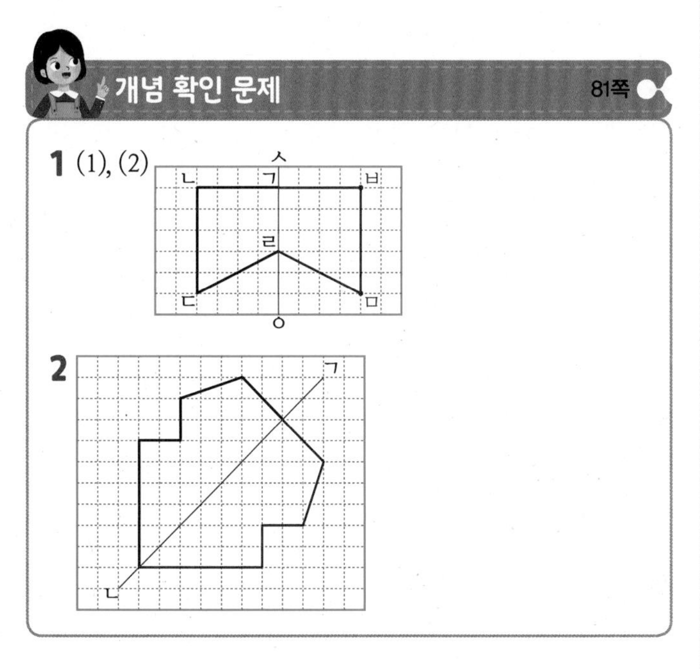

풀이

1 (1) 대칭축에 수선을 긋고 대응점을 찾아 각각 표시합니다.

(2) 점 ㄹ, 점 ㅁ, 점 ㅂ, 점 ㄱ을 차례로 이어 선대칭도형을 완성합니다.

2 각 점에서 대칭축에 수선을 긋고 대칭축까지의 거리가 같도록 대응점을 찾아 표시한 후 각 대응점을 차례로 이어 선대칭도형을 완성합니다.

개념 확인 문제 83쪽

1 (1) 나 (2) 점대칭도형

2 점 ㅂ, 변 ㄹㄷ, 각 ㄹㅁㅂ

풀이

1 (2) 한 도형을 어떤 점을 중심으로 180° 돌렸을 때 처음 도형과 완전히 겹치는 도형을 점대칭도형이라고 합니다.

2 대칭의 중심을 중심으로 180° 돌렸을 때 겹치는 점을 대응점, 겹치는 변을 대응변, 겹치는 각을 대응각이라고 합니다.

개념 확인 문제 85쪽

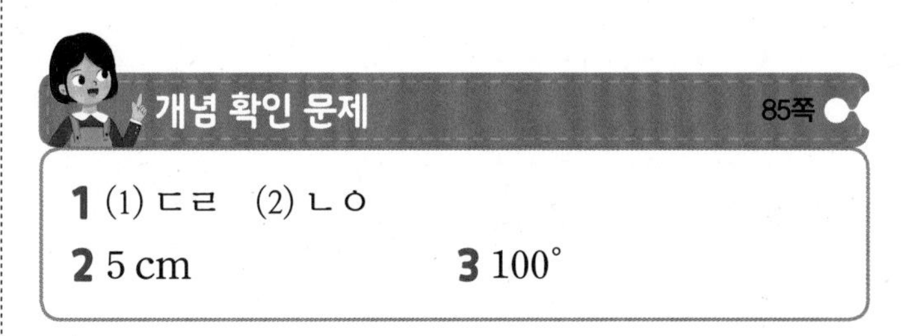

1 (1) ㄷㄹ (2) ㄴㅇ

2 5 cm 3 100°

풀이

1 (1) 변 ㄱㄴ의 대응변은 변 ㄷㄹ이고, 대응변의 길이는 서로 같습니다.

(2) 대칭의 중심에서 두 대응점까지의 거리는 같습니다.

2 변 ㄷㄹ의 대응변이 변 ㅂㄱ이고, 대응변의 길이는 서로 같으므로 변 ㄷㄹ은 5 cm입니다.

3 각 ㅂㅁㄹ의 대응각이 각 ㄷㄴㄱ이고, 대응각의 크기는 서로 같으므로 각 ㅂㅁㄹ은 100°입니다.

개념 확인 문제 87쪽

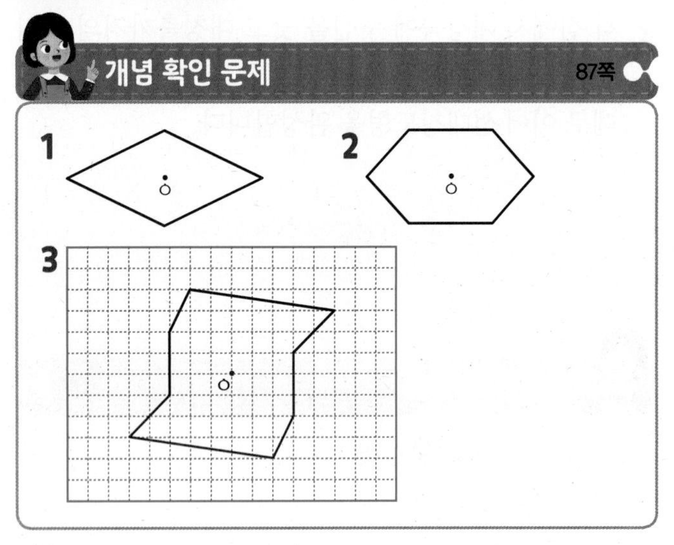

풀이

1~2 대응점끼리 이은 선분이 만나는 점이 대칭의 중심입니다.

3 대칭의 중심에서 같은 거리만큼 떨어져 있는 대응점을 찾아 각각 표시한 후 각 대응점을 차례로 이어 점대칭도형을 완성합니다.

문제 해결력 문제 89쪽

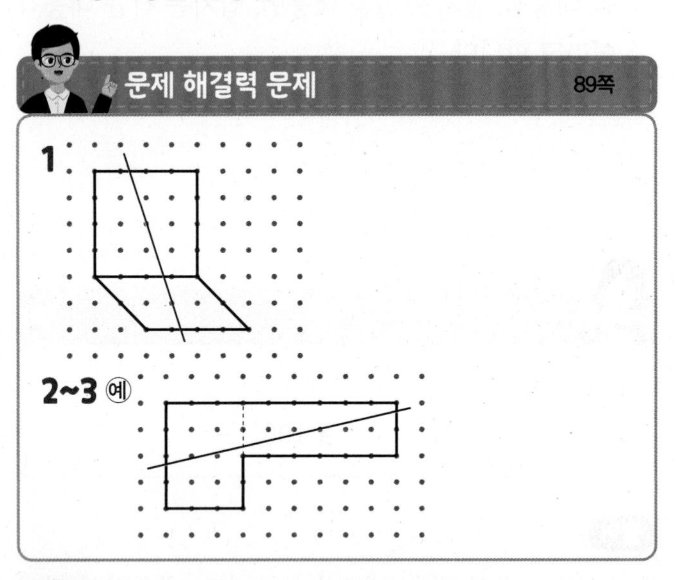

풀이

1 정사각형과 평행사변형은 점대칭도형이므로 대칭의 중심을 동시에 지나는 직선을 긋습니다.

3 나눈 두 직사각형의 대칭의 중심을 동시에 지나는 직선을 긋습니다.

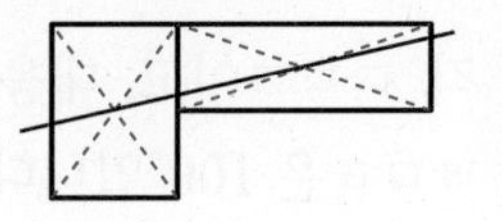

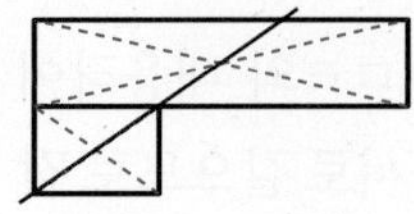

개념+확인 94~95쪽

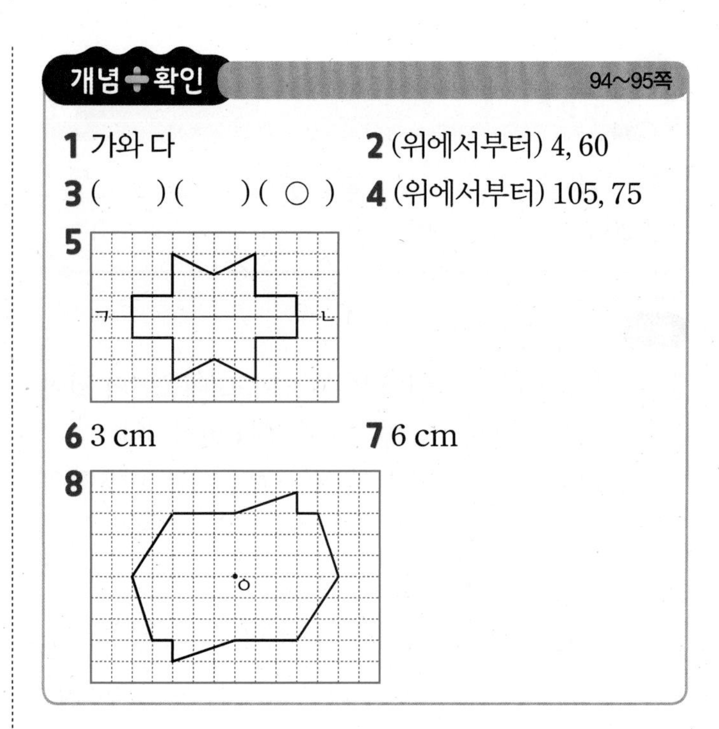

1 가와 다 **2** (위에서부터) 4, 60

3 ( )( )(○) **4** (위에서부터) 105, 75

5

6 3 cm **7** 6 cm

8

풀이

2 합동인 두 도형에서 각각의 대응변의 길이와 대응각의 크기는 서로 같습니다.

3 한 직선을 따라 접었을 때 완전히 겹치는 도형을 선대칭도형이라고 합니다.

4

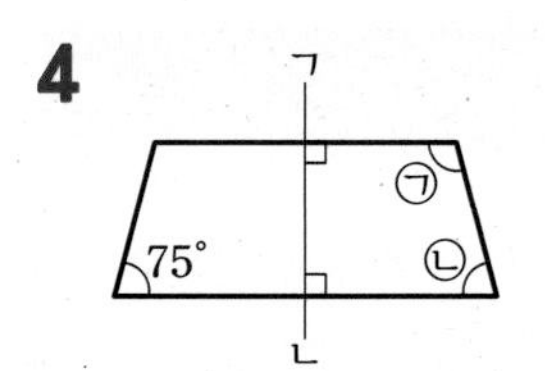

대응각의 크기는 같으므로 ㉡$=75°$입니다.
사각형의 네 각의 크기의 합은 $360°$이므로
㉠$=360°-(90°+90°+75°)=105°$입니다.

5 각 점에서 대칭축에 수선을 긋고 대칭축까지의 거리가 같도록 대응점을 찾아 표시한 후 각 대응점을 차례로 이어 선대칭도형을 완성합니다.

6 변 ㄴㄷ의 대응변은 변 ㅁㅂ이므로
(변 ㄴㄷ)$=$(변 ㅁㅂ)$=3$ cm입니다.

7 대칭의 중심에서 두 대응점까지의 거리가 같으므로
(선분 ㄹㅇ)$=12\div2=6$ (cm)입니다.

8 대칭의 중심에서 같은 거리만큼 떨어져 있는 대응점을 찾아 각각 표시한 후 각 대응점을 차례로 이어 점대칭도형을 완성합니다.

서술형 문제 해결하기 96~97쪽

1-1 ❶ ㅂㄹㅁ, ㅂㄹㅁ, 55 ❷ 180, 55, 35
/ 35°

1-2 예 ❶ 각 ㄱㄴㄷ의 대응각은 각 ㄹㅁㅂ이므로 (각 ㄱㄴㄷ)=(각 ㄹㅁㅂ)=40°입니다.
❷ 삼각형의 세 각의 크기의 합은 180°이므로
(각 ㄱㄷㄴ)=180°−(30°+40°)=110°입니다.
/ 110°

1-3 예 ❶ 각 ㄴㄱㄷ의 대응각은 각 ㄷㄹㄴ이므로 (각 ㄴㄱㄷ)=(각 ㄷㄹㄴ)=35°입니다.
❷ 삼각형의 세 각의 크기의 합은 180°이므로
(각 ㄱㄷㄴ)=180°−(35°+120°)=25°입니다.
/ 25°

1-4 예 ❶ 각 ㄴㄱㄷ의 대응각은 각 ㄹㅁㄷ이므로
(각 ㄴㄱㄷ)=(각 ㄹㅁㄷ)=20°입니다.
❷ 삼각형의 세 각의 크기의 합은 180°이므로
(각 ㄱㄷㄴ)=(각 ㅁㄷㄹ)
=180°−(20°+110°)
=50°입니다.
❸ 직선이 이루는 각도는 180°이므로
(각 ㄱㄷㅁ)=180°−(50°+50°)=80°입니다.
/ 80°

2-1 ❶ 2, ㄹㄷ, ㄱㄴ ❷ 2, 22
/ 22 cm

2-2 예 ❶ (변 ㄱㄴ)=(변 ㄹㅁ)=4 cm,
(변 ㄷㄹ)=(변 ㅂㄱ)=6 cm,
(변 ㅁㅂ)=(변 ㄴㄷ)=7 cm
❷ (점대칭도형의 둘레)
=(4+6+7)×2=34 (cm)
/ 34 cm

2-3 예 ❶ (선분 ㄹㄷ)=(선분 ㄴㄷ)=12 cm
❷ (변 ㄱㄴ)=(변 ㄱㄹ)=□cm라 하면
선대칭도형의 둘레가 50 cm이므로
□+12+12+□=50, □+□=26,
□=13입니다.
따라서 변 ㄱㄴ은 13 cm입니다.
/ 13 cm

2-4 예 ❶ (변 ㄷㄹ)=(변 ㅂㄱ)=9 cm,
(변 ㅁㅂ)=(변 ㄴㄷ)=6 cm
❷ (변 ㄱㄴ)=(변 ㄹㅁ)=□cm라 하면
점대칭도형의 둘레가 40 cm이므로
□+6+9+□+6+9=40,
□+□=10, □=5입니다.
따라서 변 ㄱㄴ은 5 cm입니다.
/ 5 cm

풀이

1-1

채점 기준		
	❶ 각 ㄴㄱㄷ의 크기 구하기	4점
	❷ 각 ㄱㄷㄴ의 크기 구하기	4점

1-2

채점 기준		
	❶ 각 ㄱㄴㄷ의 크기 구하기	6점
	❷ 각 ㄱㄷㄴ의 크기 구하기	6점

1-3

채점 기준		
	❶ 각 ㄴㄱㄷ의 크기 구하기	7점
	❷ 각 ㄱㄷㄴ의 크기 구하기	8점

1-4

채점 기준		
	❶ 각 ㄴㄱㄷ의 크기 구하기	5점
	❷ 각 ㄱㄷㄴ, 각 ㅁㄷㄹ의 크기 구하기	5점
	❸ 각 ㄱㄷㅁ의 크기 구하기	5점

2-1

채점 기준		
	❶ 변 ㄴㄷ, 변 ㄹㅁ, 변 ㄱㅂ의 길이 구하기	4점
	❷ 선대칭도형의 둘레 구하기	4점

2-2

채점 기준		
	❶ 변 ㄱㄴ, 변 ㄷㄹ, 변 ㅁㅂ의 길이 구하기	6점
	❷ 점대칭도형의 둘레 구하기	6점

2-3

채점 기준		
	❶ 선분 ㄹㄷ의 길이 구하기	7점
	❷ 변 ㄱㄴ의 길이 구하기	8점

2-4

채점 기준		
	❶ 변 ㄷㄹ, 변 ㅁㅂ의 길이 구하기	7점
	❷ 변 ㄱㄴ의 길이 구하기	8점

단원 평가 98~100쪽

01 합동
02 (　)(○)(　)
03 변 ㅂㄱ
04 각 ㄱㄴㄷ
05 5 cm
06 70°
07 (위에서부터) 8, 70
08
09 (왼쪽에서부터) 40, 3
10 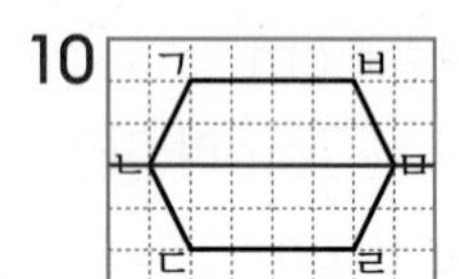

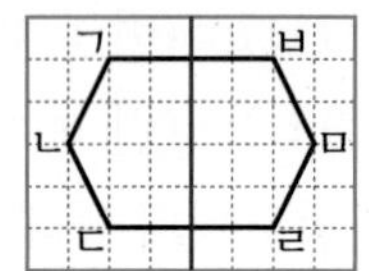

11 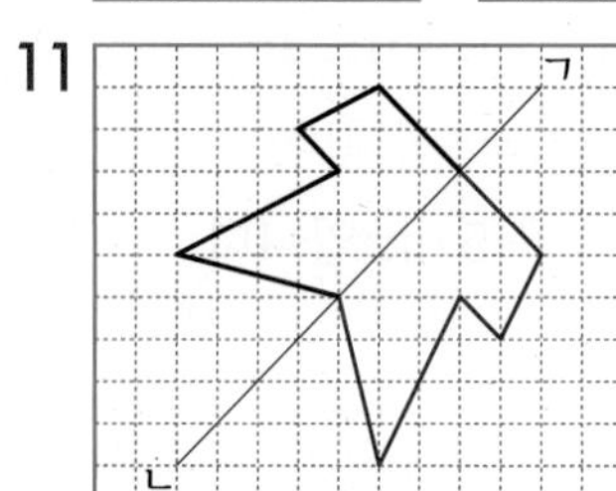

12 110°
13 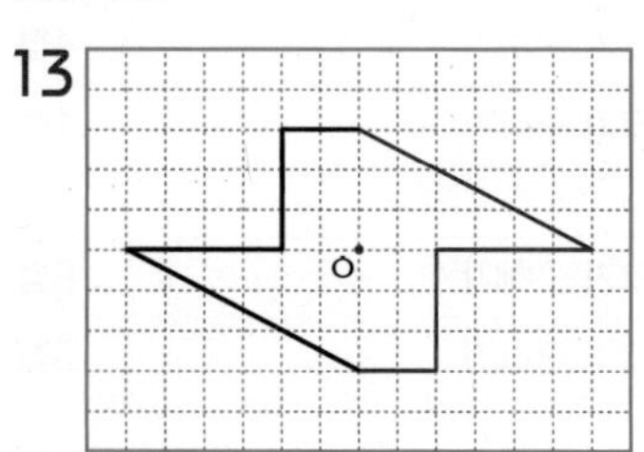

14 ❶ 라
❷ 예 가, 나, 다는 모양과 크기가 같은 도형이고, 라는 가, 나, 다와 모양과 크기가 다른 도형입니다.
15 35°
16 25 cm
17 예 ❶ 대칭축을 그려 보면 왼쪽 도형은 4개, 오른쪽 도형은 5개입니다.
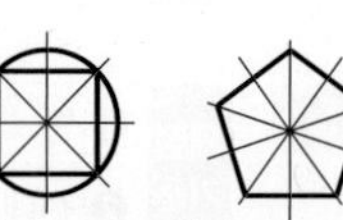
❷ 따라서 대칭축의 수의 차는 $5-4=1$(개)입니다.
/ 1개
18 140 cm^2
19 821
20 예 ❶ 대응변의 길이는 같으므로
(변 ㄴㄷ)$=4$ cm, (변 ㄹㅁ)$=3$ cm,
(변 ㅁㅂ)$=6$ cm입니다.
❷ (변 ㄷㄹ)=(변 ㅅㅈ)=□cm라 하면
점대칭도형의 둘레가 30 cm이므로
$3+6+4+\square+3+6+4+\square=30$,
$\square+\square=4$, $\square=2$입니다.
따라서 변 ㄷㄹ은 2 cm입니다.
/ 2 cm

풀이

10 • 대칭축을 따라 접었을 때 점 ㄱ과 점 ㄷ이 겹칩니다.
• 대칭축을 따라 접었을 때 변 ㄴㄷ과 변 ㅁㄹ이 겹칩니다.

12 각 ㅁㄹㄷ의 대응각은 각 ㅁㄱㄴ이므로
(각 ㅁㄹㄷ)=(각 ㅁㄱㄴ)$=70°$입니다.
사각형의 네 각의 크기의 합은 360°이므로
㉠$=360°-(90°+90°+70°)=110°$입니다.

14

채점 기준		
	❶ 합동이 아닌 도형을 찾아 기호 쓰기	2점
	❷ 합동이 아닌 이유 쓰기	3점

15 각 ㄴㄱㄷ의 대응각은 각 ㄷㄹㄴ이므로
(각 ㄴㄱㄷ)=(각 ㄷㄹㄴ)$=45°$입니다.
삼각형의 세 각의 크기의 합은 180°이므로
(각 ㄱㄷㄴ)$=180°-(45°+100°)=35°$입니다.

16 (선분 ㄷㅇ)=(선분 ㄱㅇ)$=9$ cm,
(변 ㄹㄷ)=(변 ㄴㄱ)$=11$ cm입니다.
➜ (삼각형 ㄹㅇㄷ의 둘레)$=5+9+11=25$ (cm)

17

채점 기준		
	❶ 두 선대칭도형의 대칭축의 수 구하기	3점
	❷ 대칭축의 수의 차 구하기	2점

18 (선분 ㄱㅁ)$=14\div2=7$ (cm)
(삼각형 ㄱㄴㄹ의 넓이)$=20\times7\div2=70$ (cm^2)
➜ (사각형 ㄱㄴㄷㄹ의 넓이)$=70\times2=140$ (cm^2)

19 모양이 점대칭도형인 것은 1, 2, 8이고, 한 번씩만 사용하여 만들 수 있는 가장 큰 수는 821입니다.

20

채점 기준		
	❶ 변 ㄴㄷ, 변 ㄹㅁ, 변 ㅁㅂ의 길이 구하기	3점
	❷ 변 ㄷㄹ의 길이 구하기	2점

4 소수의 곱셈

개념 확인 문제 105쪽

1 (1) $\frac{3}{10}$ (2) 1.27

2

5	1			
	5.	1		
	0.	5	1	

($\frac{1}{10}$배, $\frac{1}{10}$배)

3 (1) 1.2 (2) 3.77 **4** $6\frac{3}{10}\left(=\frac{63}{10}\right)$g

풀이

1 (1) 소수 한 자리 수는 분모가 10인 분수로 나타낼 수 있습니다.
(2) 분모가 100인 분수는 소수 두 자리 수로 나타낼 수 있습니다.

2 자연수 또는 소수를 $\frac{1}{10}$배 하면 소수점을 기준으로 수가 오른쪽으로 한 자리씩 옮겨집니다.

3 (1) $0.4+0.8=1.2$
(2) $1.3+2.47=3.77$

4 (색종이 9장의 무게)$=\frac{7}{10}\times9=\frac{63}{10}=6\frac{3}{10}$ (g)

개념 확인 문제 107쪽

1 (1) 예 $0.8\times3=\frac{8}{10}\times3=\frac{8\times3}{10}=\frac{24}{10}=2.4$
(2) 예 $8\times3=24 \rightarrow 0.8\times3=2.4$

2 (1) 4.2 (2) 1.08

3 2.45 **4** 2.4 m

풀이

3 $0.49\times5=2.45$

4 (정육각형의 여섯 변의 길이의 합)
$=$(한 변의 길이)$\times$(변의 수)$=0.4\times6=2.4$ (m)

개념 확인 문제 109쪽

1 267, 267, 1068, 10.68

2 (1) 28.2 (2) 11.13

3

4 5.4 L

풀이

1 소수를 분모가 100인 분수로 바꾸어 계산합니다.

2 자연수의 곱셈과 같은 방법으로 계산한 다음 소수점을 찍습니다.

3 $3.8\times8=30.4$, $6.16\times4=24.64$

4 (3병에 들어 있는 주스의 양)
$=$(1병에 들어 있는 주스의 양)$\times$(주스 병 수)
$=1.8\times3=5.4$ (L)

개념 확인 문제 111쪽

1 (1) $5\times0.3=5\times\frac{3}{10}=\frac{5\times3}{10}=\frac{15}{10}=1.5$
(2) $4\times0.39=4\times\frac{39}{100}=\frac{4\times39}{100}=\frac{156}{100}=1.56$

2 (1) 5.4 (2) 2.34

3 7.8 cm **4** 4.2 kg

풀이

1 소수를 분수로 바꾸어 계산하는 방법입니다.

2 (1) $6\times9=54 \rightarrow 6\times0.9=5.4$
(2) $3\times78=234 \rightarrow 3\times0.78=2.34$

3 색칠한 부분은 전체의 0.6입니다.
(색칠한 부분의 길이)$=13\times0.6=7.8$ (cm)

4 (할머니 댁에 드린 딸기의 양)
$=$(딴 딸기의 양)$\times0.35$
$=12\times0.35=4.2$ (kg)

개념 확인 문제 113쪽

1 ㉡ **2** (1) 12.6 (2) 25.08

3

×	0.7	1.5	2.73
8	5.6	12	21.84

4 6.8 kg

풀이

1 ㉠ 3.2를 3으로 어림하여 계산하면 $4\times3=12$이므로 4×3.2는 12보다 큽니다.
㉡ 1.8을 2로 어림하여 계산하면 $6\times2=12$이므로 6×1.8은 12보다 작습니다.
㉢ $5\times2.6=13$이므로 12보다 큽니다.

2 (1) $\begin{array}{r} 9 \\ \times\ 1.4 \\ \hline 36 \\ 9\ \ \\ \hline 12.6 \end{array}$ (2) $\begin{array}{r} 12 \\ \times\ 2.09 \\ \hline 108 \\ 24\ \ \ \\ \hline 25.08 \end{array}$

3 $8\times0.7=5.6$, $8\times1.5=12$, $8\times2.73=21.84$

4 (강아지의 무게)=(고양이의 무게)×1.7
$=4\times1.7=6.8$ (kg)

개념 확인 문제 115쪽

1 (1) 예 $0.5\times0.9=\frac{5}{10}\times\frac{9}{10}=\frac{5\times9}{100}=\frac{45}{100}$
$=0.45$
(2) 예 $5\times9=45$ ➔ $0.5\times0.9=0.45$

2 (1) 0.21 (2) 0.168

3 0.288 **4** 0.36 L

풀이

2 (1) $\begin{array}{r} 0.7 \\ \times\ 0.3 \\ \hline 0.21 \end{array}$ (2) $\begin{array}{r} 0.28 \\ \times\ 0.6 \\ \hline 0.168 \end{array}$

3 $0.72>0.7>0.46>0.4$이므로 가장 큰 수는 0.72, 가장 작은 수는 0.4입니다.
➔ $0.72\times0.4=0.288$

4 (냉장고에 들어 있는 주스의 양)
=(우유의 양)×0.8=$0.45\times0.8=0.36$ (L)

개념 확인 문제 117쪽

1 34, 23, 34, 23, 782, 7.82

2 (1) 12.42 (2) 16.536

3 > **4** 19.44 cm^2

풀이

1 소수를 분모가 10인 분수로 각각 나타내어 계산합니다.

2 (1) $\begin{array}{r} 4.6 \\ \times\ 2.7 \\ \hline 322 \\ 92\ \ \\ \hline 12.42 \end{array}$ (2) $\begin{array}{r} 3.18 \\ \times\ 5.2 \\ \hline 636 \\ 1590\ \ \\ \hline 16.536 \end{array}$

3 $6.3\times2.9=18.27$, $4.8\times3.7=17.76$
➔ $18.27>17.76$

4 (직사각형의 넓이)=(가로)×(세로)
$=5.4\times3.6=19.44$ (cm^2)

개념 확인 문제 119쪽

1 23.06, 230.6, 2306 **2** (1) 71.6 (2) 1.3

3 (위에서부터) 2.5, 0.25, 0.025

풀이

1 곱하는 수를 10배, 100배, 1000배, ... 할 때마다 곱의 소수점이 오른쪽으로 한 자리씩 옮겨집니다.

2 (1) 곱이 소수 세 자리 수이므로 □는 소수 한 자리 수입니다.
(2) 곱이 소수 두 자리 수이므로 □는 소수 한 자리 수입니다.

3 곱하는 수를 0.1배, 0.01배, 0.001배, ... 할 때마다 곱의 소수점이 왼쪽으로 한 자리씩 옮겨집니다.

문제 해결력 문제 121쪽

1 (1) 5 (2) 7, 3 **2** 5, 2, 7, 6

풀이

1 (1) 계산 결과가 자연수이므로 가 $\times 6$의 일의 자리 수는 0이어야 합니다. 이때 가 $=5$입니다.

(2) $42.5\times$ 나 $.6=32$ 다 에서

나 $=6$이면 $42.5\times 6.6=280.5$,

나 $=7$이면 $42.5\times 7.6=323$이므로

나 $=7$이고 다 $=3$입니다.

2 계산 결과가 소수 한 자리 수이므로 가 $\times 4$의 일의 자리 수는 0이어야 합니다. 이때 가 $=5$입니다.

$36.5\times$ 나 $.4=8$ 다 . 라 에서

나 $=2$이면 $36.5\times 2.4=87.6$,

나 $=3$이면 $36.5\times 3.4=124.1$이므로

나 $=2$이고 다 $=7$, 라 $=6$입니다.

개념+확인 126~127쪽

1 (위에서부터) 6.02, 100, 86, 602
2 5.52 **3** (1) 1.16 (2) 13.3
4 13.44
5 (위에서부터) 0.252, 7.28
6 20.02 **7** 8 **8** 37 kg

풀이

1 자연수의 곱셈을 이용하여 계산합니다.

2 $184\times 3=552$ ➔ $1.84\times 3=5.52$

3 (1) $4\times 29=116$ ➔ $4\times 0.29=1.16$
(2) $7\times 19=133$ ➔ $7\times 1.9=13.3$

4 $8>4.5>2.8>1.68$이므로 가장 큰 수는 8, 가장 작은 수는 1.68입니다.
➔ $8\times 1.68=13.44$

5 $0.7\times 0.36=0.252$, $1.4\times 5.2=7.28$

6 • 0.01이 308개인 수는 3.08입니다.
• 0.1이 65개인 수는 6.5입니다.
➔ $3.08\times 6.5=20.02$

7 2.□를 2로 어림하면 $4.3\times 2=8.6$이고,
2.□를 3으로 어림하면 $4.3\times 3=12.9$입니다.
□$=9$일 때, $4.3\times 2.9=12.47$,
□$=8$일 때, $4.3\times 2.8=12.04$,
□$=7$일 때, $4.3\times 2.7=11.61$입니다.
따라서 □ 안에 들어갈 수 있는 한 자리 수는 8, 9이므로 가장 작은 수는 8입니다.

8 (주스 100병의 무게)$=$(주스 1병의 무게)$\times 100$
$=0.37\times 100=37$ (kg)

서술형 문제 해결하기 128~129쪽

1-1 ❶ 8.7
❷ 8.7, 78.3 / 78.3

1-2 예 ❶ $9>6>4>2$이므로 만들 수 있는 가장 큰 소수 한 자리 수는 9.6입니다.
❷ 만들 수 있는 가장 큰 소수 한 자리 수와 5의 곱은 $9.6\times 5=48$입니다.
/ 48

1-3 예 ❶ $7>6>4>3>0$이므로 만들 수 있는 소수 한 자리 수 중에서 가장 큰 수는 7.6, 가장 작은 수는 0.3입니다.
❷ 따라서 만들 수 있는 소수 중에서 가장 큰 수와 가장 작은 수의 곱은 $7.6\times 0.3=2.28$입니다.
/ 2.28

1-4 예 ❶ $9>8>5>2$이므로 만들 수 있는 소수 두 자리 수 중에서 가장 큰 수는 9.85, 가장 작은 수는 2.58입니다.
❷ 따라서 만들 수 있는 소수 중에서 가장 큰 수와 가장 작은 수의 곱은 $9.85\times 2.58=25.413$입니다.
/ 25.413

2-1 ❶ 8.6, 8.6, 0.6, 0.6 ❷ 0.6, 4.8 / 4.8

2-2 예 ❶ 어떤 수를 □라고 하면 잘못 계산한 식은 □+1.7=5.7입니다.
□+1.7=5.7
➔ 5.7−1.7=□, □=4
따라서 어떤 수는 4입니다.
❷ 바르게 계산하면 4×1.7=6.8입니다.
/ 6.8

2-3 예 ❶ 어떤 수를 □라고 하면 잘못 계산한 식은 0.9+□=1.45입니다.
0.9+□=1.45
➔ 1.45−0.9=□, □=0.55
따라서 어떤 수는 0.55입니다.
❷ 바르게 계산하면 0.9×0.55=0.495입니다. / 0.495

2-4 예 ❶ 어떤 수를 □라고 하면 잘못 계산한 식은 □−2.75=0.85입니다.
□−2.75=0.85
➔ 0.85+2.75=□, □=3.6
따라서 어떤 수는 3.6입니다.
❷ 바르게 계산하면 3.6×2.75=9.9입니다. / 9.9

풀이

1-1

채점 기준		
채점 기준	❶ 만들 수 있는 가장 큰 소수 한 자리 수 구하기	3점
	❷ 만들 수 있는 가장 큰 소수 한 자리 수와 9의 곱 구하기	5점

1-2

채점 기준		
채점 기준	❶ 만들 수 있는 가장 큰 소수 한 자리 수 구하기	5점
	❷ 만들 수 있는 가장 큰 소수 한 자리 수와 5의 곱 구하기	7점

1-3

채점 기준		
채점 기준	❶ 만들 수 있는 소수 한 자리 수 중에서 가장 큰 수와 가장 작은 수 구하기	7점
	❷ 만들 수 있는 소수 중에서 가장 큰 수와 가장 작은 수의 곱 구하기	8점

1-4

채점 기준		
채점 기준	❶ 만들 수 있는 소수 두 자리 수 중에서 가장 큰 수와 가장 작은 수 구하기	7점
	❷ 만들 수 있는 소수 중에서 가장 큰 수와 가장 작은 수의 곱 구하기	8점

2-1

채점 기준		
채점 기준	❶ 어떤 수 구하기	4점
	❷ 바르게 계산한 값 구하기	4점

2-2

채점 기준		
채점 기준	❶ 어떤 수 구하기	6점
	❷ 바르게 계산한 값 구하기	6점

2-3

채점 기준		
채점 기준	❶ 어떤 수 구하기	8점
	❷ 바르게 계산한 값 구하기	7점

2-4

채점 기준		
채점 기준	❶ 어떤 수 구하기	8점
	❷ 바르게 계산한 값 구하기	7점

단원 평가

130~132쪽

01 5, 4.5

02 348, 348, 2088, 20.88

03 $0.8\times0.45=\frac{8}{10}\times\frac{45}{100}=\frac{360}{1000}=0.36$

04 (1) 0.228 (2) 8.33

05 0.936

06 (선 잇기)

07 <

08 80.2, 8.02, 0.802

09

```
      0.8 7
  ×     1.4
  ---------
      3 4 8
      8 7
  ---------
    1.2 1 8
```

10 (위에서부터) 6.29, 32.3

11 0.18

12 ㉡

13 12.8 cm^2

14 예 ❶ (공원에서 박물관까지의 거리)
=(지후네 집에서 공원까지의 거리)×0.6
=0.74×0.6=0.444 (km)
❷ 따라서 지후네 집에서 공원을 거쳐 박물관까지 가는 거리는
0.74+0.444=1.184 (km)입니다.
/ 1.184 km

15 8.28 kg　　**16** 민선, 0.2 km

17 예 ❶ 소수 두 자리 수와 소수 한 자리 수를 곱하였으므로 곱은 $5.45\times0.8=4.360$으로 $5.45\times0.8=4.36$인데 4.36은 43.6의 $\frac{1}{10}$배입니다.

❷ 따라서 5.45 또는 0.8을 10배 해야 하므로 우진이가 누른 수는 54.5, 0.8 또는 5.45, 8입니다.

/ 54.5, 0.8 또는 5.45, 8

18 8, 4, 6 / 134.4　　**19** 303.75 cm^2

20 예 ❶ $2.3\times2=4.6$, $2.3\times3=6.9$, $2.3\times4=9.2$, $2.3\times5=11.5$, $2.3\times6=13.8$입니다.

❷ 따라서 □ 안에 들어갈 수 있는 자연수는 2보다 크고 6보다 작은 수이므로 3, 4, 5이고 모두 3개입니다. / 3개

01 곱셈식으로 나타내면 $0.9\times5=4.5$입니다.

02 3.48은 소수 두 자리 수이므로 분모가 100인 분수로 나타내어 계산합니다.

03 소수를 분수로 고쳐서 계산합니다.

04 (1) $38\times6=228$ ➔ $0.38\times0.6=0.228$
(2) $17\times49=833$ ➔ $1.7\times4.9=8.33$

05 $39\times24=936$ ➔ $3.9\times0.24=0.936$

06 $6\times0.62=3.72$, $1.3\times2.4=3.12$, $2.2\times1.6=3.52$

07 • $12\times8=96$ ➔ $12\times0.8=9.6$
• $3\times46=138$ ➔ $0.3\times46=13.8$
➔ $9.6<13.8$

08 802를 0.1배, 0.01배, 0.001배 할 때마다 곱의 소수점이 왼쪽으로 한 자리씩 옮겨집니다.

09 소수 두 자리 수와 소수 한 자리 수를 곱하면 곱은 소수 세 자리 수인데 소수 두 자리 수로 썼기 때문입니다.

10 $17\times0.37=6.29$, $17\times1.9=32.3$

11 1.6의 0.25배인 수는 $1.6\times0.25=0.4$입니다.
0.01이 45개인 수는 0.45입니다.
➔ $0.4\times0.45=0.18$

12 ㉠ $12\times0.7=8.4$, ㉡ $0.58\times16=9.28$,
㉢ $1.8\times3.6=6.48$
➔ $9.28>8.4>6.48$

13 (평행사변형의 넓이)
=(밑변의 길이)×(높이)
$=4\times3.2=12.8\ (cm^2)$

14

채점 기준		
	❶ 공원에서 박물관까지의 거리 구하기	3점
	❷ 지후네 집에서 공원을 거쳐 박물관까지 가는 거리 구하기	2점

15 (금성에서 잰 수진이의 몸무게)
$=36\times0.91=32.76$ (kg)
(해왕성에서 잰 수진이의 몸무게)
$=36\times1.14=41.04$ (kg)
➔ $41.04-32.76=8.28$ (kg)

16 (성진이가 걸은 거리)$=1.3\times4=5.2$ (km)
(민선이가 걸은 거리)$=1.08\times5=5.4$ (km)
$5.2<5.4$이므로 민선이가
$5.4-5.2=0.2$ (km) 더 많이 걸었습니다.

17

채점 기준		
	❶ 잘못 계산한 부분 설명하기	2점
	❷ 우진이가 누른 두 수 찾기	3점

18 가장 큰 수 8을 십의 자리에 쓰고, 두 번째로 큰 수 6을 곱하는 소수의 소수 첫째 자리에 씁니다.
➔ $84\times1.6=134.4$

19 (커진 사진의 가로)$=15\times1.5=22.5$ (cm)
(커진 사진의 세로)$=9\times1.5=13.5$ (cm)
➔ (커진 사진의 넓이)$=22.5\times13.5$
$=303.75\ (cm^2)$

20

채점 기준		
	❶ □ 안에 들어갈 수 있는 수를 어림하여 계산하기	3점
	❷ □ 안에 들어갈 수 있는 자연수의 개수 구하기	2점

5 직육면체와 정육면체

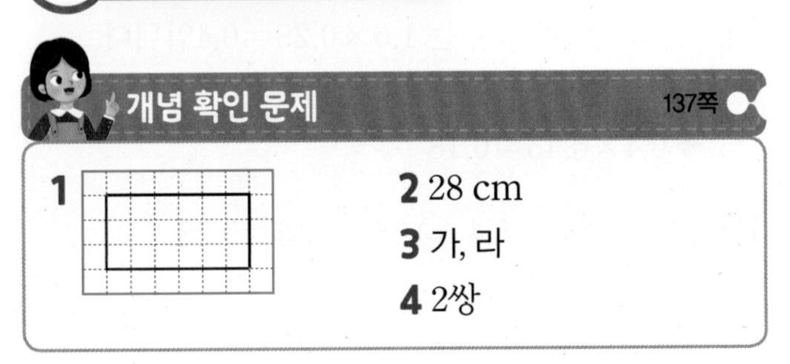

개념 확인 문제 137쪽

1 (그림)
2 28 cm
3 가, 라
4 2쌍

풀이

1 네 각이 모두 직각이 되고, 마주 보는 변과 길이가 같은 선분을 각각 그어 직사각형을 완성합니다.

2 정사각형은 네 변의 길이가 모두 같으므로 네 변의 길이의 합은 $7+7+7+7=28$ (cm)입니다.

3 두 변이 만나서 이루는 각이 직각인 변이 있는 도형을 찾으면 가, 라입니다.

4 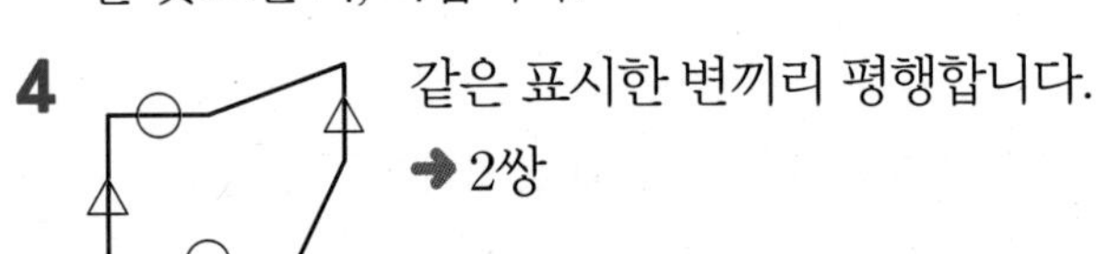 같은 표시한 변끼리 평행합니다.
➜ 2쌍

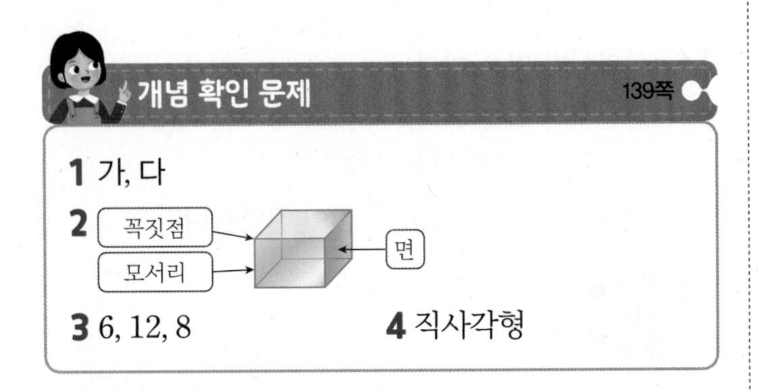

개념 확인 문제 139쪽

1 가, 다
2 (그림)

3 6, 12, 8
4 직사각형

풀이

1 직사각형 6개로 둘러싸인 도형을 찾으면 가, 다입니다.

2 선분으로 둘러싸인 부분 ➜ 면
면과 면이 만나는 선분 ➜ 모서리
모서리와 모서리가 만나는 점 ➜ 꼭짓점

3 선분으로 둘러싸인 부분이 6개, 면과 면이 만나는 선분이 12개, 모서리와 모서리가 만나는 점이 8개입니다.

4 직육면체는 직사각형으로 둘러싸인 도형이므로 색칠한 면을 본떠 그리면 직사각형이 됩니다.

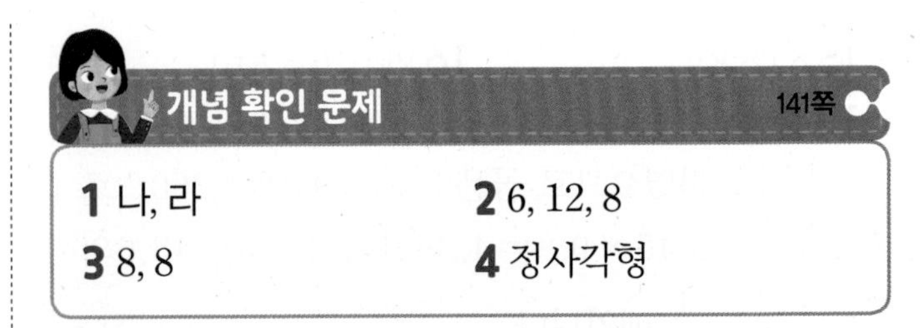

개념 확인 문제 141쪽

1 나, 라
2 6, 12, 8
3 8, 8
4 정사각형

풀이

1 정사각형 6개로 둘러싸인 도형을 찾으면 나, 라입니다.

2 선분으로 둘러싸인 부분이 6개, 면과 면이 만나는 선분이 12개, 모서리와 모서리가 만나는 점이 8개입니다.

3 정육면체는 모든 모서리의 길이가 같습니다.

4 정육면체는 정사각형으로 둘러싸인 도형이므로 옆에서 본 모양은 정사각형입니다.

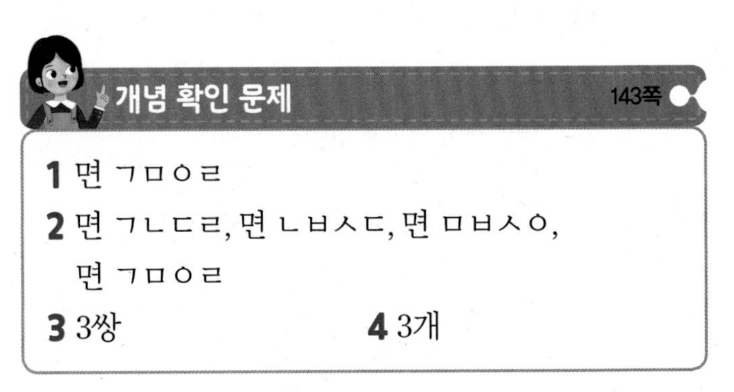

개념 확인 문제 143쪽

1 면 ㄱㅁㅇㄹ
2 면 ㄱㄴㄷㄹ, 면 ㄴㅂㅅㄷ, 면 ㅁㅂㅅㅇ, 면 ㄱㅁㅇㄹ
3 3쌍
4 3개

풀이

1 직육면체에서 마주 보는 두 면은 서로 평행합니다.

2 면 ㄴㅂㅁㄱ과 만나는 면은 모두 수직으로 만납니다.

3 직육면체에서 서로 마주 보는 면끼리 평행합니다. 따라서 서로 평행한 면은 3쌍입니다.

4 꼭짓점 ㄴ과 만나는 면은 면 ㄱㄴㄷㄹ, 면 ㄴㅂㅅㄷ, 면 ㄴㅂㅁㄱ으로 모두 3개입니다.

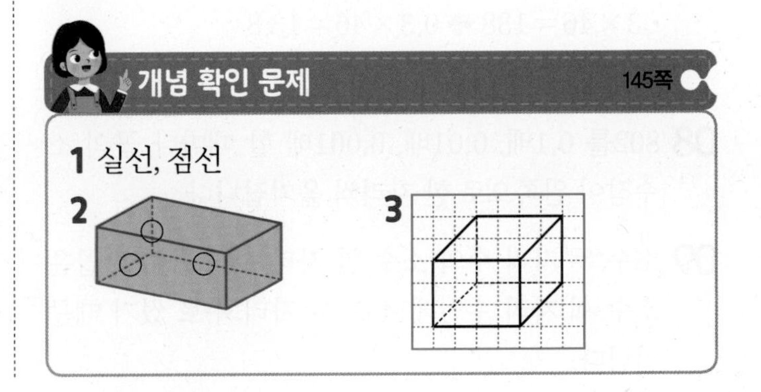

개념 확인 문제 145쪽

1 실선, 점선
2 (그림)
3 (그림)

풀이

1 직육면체의 겨냥도에서 보이는 모서리는 실선으로, 보이지 않는 모서리는 점선으로 그립니다.

2 점선으로 나타낸 모서리를 찾아 표시합니다.

3 보이는 모서리는 실선으로, 보이지 않는 모서리는 점선으로 그립니다.

개념 확인 문제 147쪽

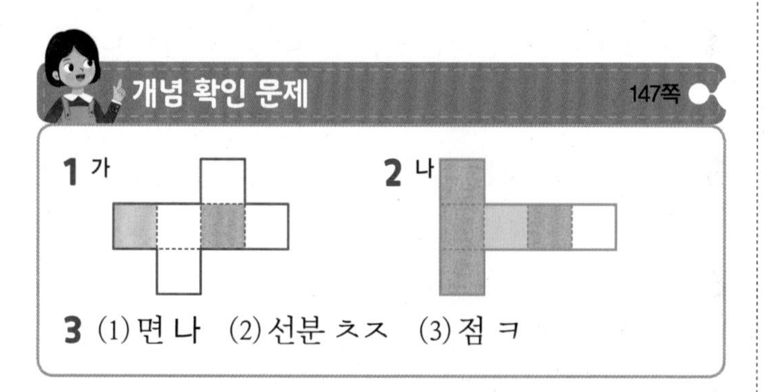

3 (1) 면 나 (2) 선분 ㅊㅈ (3) 점 ㅋ

풀이

1 전개도를 접었을 때 평행한 면은 만나지 않는 면입니다.

2 전개도를 접었을 때 수직인 면은 만나는 면입니다.

3 (1) 면 라와 평행한 면으로 면 나입니다.
(2) 선분 ㄴㄷ과 선분 ㅊㅈ이 겹칩니다.
(3) 점 ㅎ과 점 ㅌ이 만나고, 점 ㄱ과 점 ㅋ이 만납니다.

개념 확인 문제 149쪽

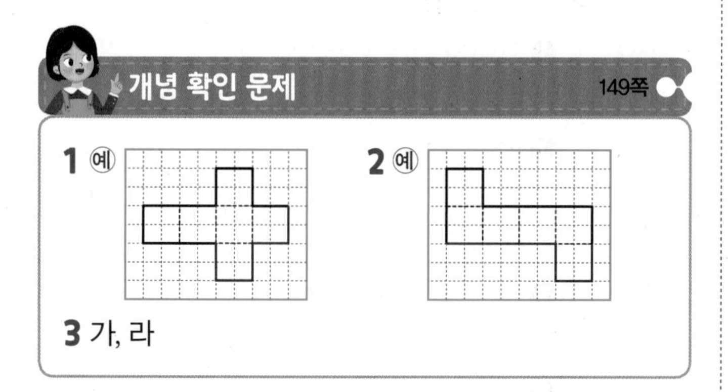

3 가, 라

풀이

1~2 자른 모서리는 실선으로, 자르지 않은 모서리는 점선으로 나타냅니다.

3 나: 전개도를 접으면 겹치는 면이 있으므로 정육면체의 전개도가 아닙니다.
다: 전개도를 접어서 정육면체를 만들 수 없으므로 정육면체의 전개도가 아닙니다.

개념 확인 문제 151쪽

1 (1) 다 (2) 4 (3) ㅅㅂ

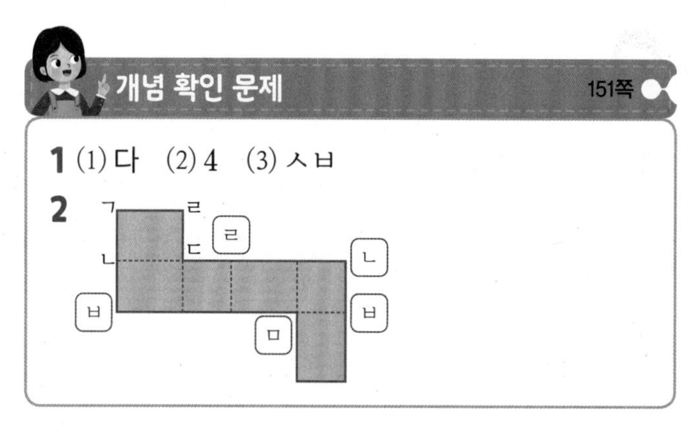

풀이

1 (1) 전개도를 접었을 때 면 마와 만나지 않는 면은 면 다입니다.
(2) 전개도를 접었을 때 면 나와 만나는 면은 면 가, 면 다, 면 마, 면 바로 모두 4개입니다.
(3) 점 ㄹ과 점 ㅂ, 점 ㄷ과 점 ㅅ이 만나므로 선분 ㄷㄹ과 겹치는 선분은 선분 ㅅㅂ입니다.

2 모서리를 잘라 펼쳤을 때 각 꼭짓점의 위치를 찾아 표시해 봅니다.

개념 확인 문제 153쪽

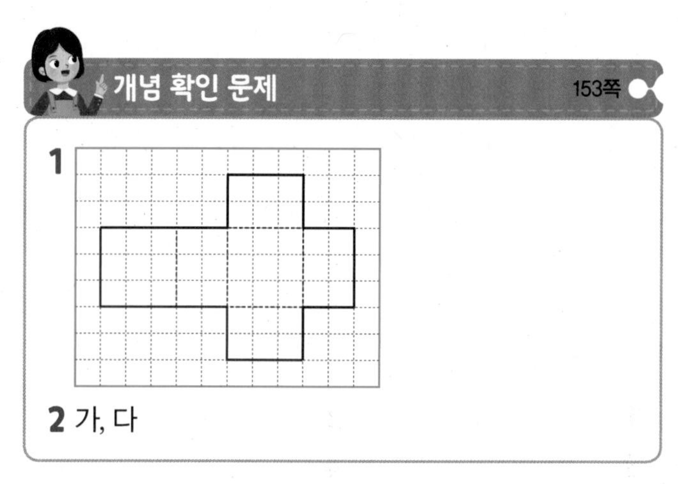

2 가, 다

풀이

1 자른 모서리는 실선으로, 자르지 않은 모서리는 점선으로 나타냅니다.

2 가: 전개도를 접으면 겹치는 면이 있으므로 직육면체의 전개도가 아닙니다.
다: 전개도를 접었을 때 겹치는 모서리의 길이가 다른 부분이 있으므로 직육면체의 전개도가 아닙니다.

문제 해결력 문제 155쪽

1 (1)

첫 번째	두 번째	…	여덟 번째	아홉 번째
$14+6$	14	…	14	$14+6$

(2) 138

2 128

풀이

1 (1) 주사위의 마주 보고 있는 면의 수의 합은 7이므로 두 번째 주사위부터 서로 맞닿는 면을 제외한 4개의 겉면에 적힌 수들의 합은 14입니다. 9개의 주사위를 붙였을 때 겉면에 적힌 수들의 합이 가장 크게 되려면 첫 번째와 아홉 번째 주사위의 겉면에 큰 수가 나오도록 면과 면이 맞닿는 곳에 1이 들어가게 붙입니다.

(2) $20+14+14+14+14+14+14+14+20=138$

2 9개의 주사위를 붙였을 때 겉면에 적힌 수들의 합이 가장 작게 되려면 첫 번째와 아홉 번째 주사위의 겉면에 작은 수가 나오도록 면과 면이 맞닿는 곳에 6이 들어가게 붙입니다.

첫 번째	두 번째	…	여덟 번째	아홉 번째
$14+1$	14	…	14	$14+1$

➜ $15+14+14+14+14+14+14+14+15=128$

개념+확인 160~161쪽

1 나, 마, 바 / 마
2 26개
3 면 ㄴㅂㅁㄱ
4 4개
5
6 다
7
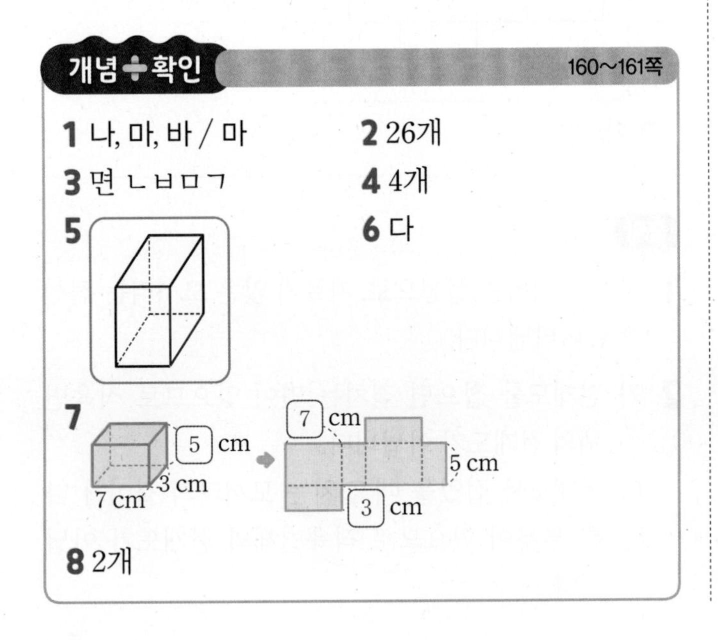

8 2개

풀이

1 직육면체: 직사각형 6개로 둘러싸인 도형
정육면체: 정사각형 6개로 둘러싸인 도형

2 면 6개, 모서리 12개, 꼭짓점 8개
➜ $6+12+8=26$(개)

3 면 ㄷㅅㅇㄹ과 만나지 않는 면은 면 ㄴㅂㅁㄱ입니다.

4 면 ㄱㅁㅇㄹ과 만나는 면은 면 ㄴㅂㅁㄱ, 면 ㄱㄴㄷㄹ, 면 ㄷㅅㅇㄹ, 면 ㅁㅂㅅㅇ으로 4개입니다.

5 보이는 모서리는 실선으로, 보이지 않는 모서리는 점선으로 그립니다.

6 서로 평행한 면은 만나지 않습니다.
가: 주황색 면과 파란색 면은 평행합니다.
나: 노란색 면과 빨간색 면은 평행합니다.

7 길이가 같은 모서리를 찾아봅니다.

8 전개도를 접었을 때 점 ㄱ과 만나는 점을 표시해 보면 2개입니다.

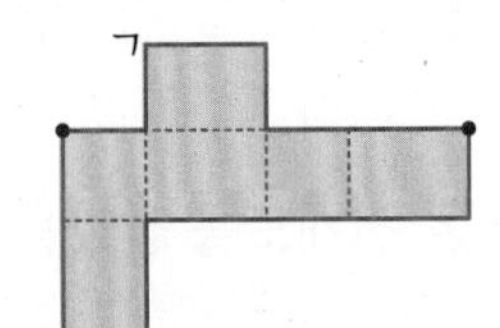

서술형 문제 해결하기 162~163쪽

1-1 ❶ 점선, 1 ❷ 8, 4, 5, 17 / 17 cm

1-2 예 ❶ 보이지 않는 모서리는 점선으로 그린 부분으로 7 cm인 모서리가 3개 있습니다.
❷ 따라서 보이지 않는 모서리 길이의 합은 $7+7+7=7\times3=21$ (cm)입니다.
/ 21 cm

1-3 예 ❶ 보이는 모서리는 실선으로 그린 부분으로 9 cm인 모서리가 9개 있습니다.
❷ 따라서 보이는 모서리 길이의 합은 $9\times9=81$ (cm)입니다. / 81 cm

1-4 예 ❶ 보이는 모서리는 실선으로 그린 부분으로 6 cm, 8 cm, 9 cm인 모서리가 3개씩 있습니다.
❷ 따라서 보이는 모서리 길이의 합은 $6\times3+8\times3+9\times3=18+24+27$ $=69$ (cm)입니다. / 69 cm

2-1 ❶ 6, 6 ❷ 8, 6, 8, 6, 28 / 28 cm

2-2 예 ❶ 선분 ㄱㄴ은 가로 4 cm, 세로 6 cm인 밑면의 둘레와 같으므로 4 cm인 선분 2개, 6 cm인 선분 2개로 이루어져 있습니다.
❷ 따라서 선분 ㄱㄴ의 길이는
$4+6+4+6=20$ (cm)입니다.
/ 20 cm

2-3 예 ❶ 정육면체는 모든 모서리의 길이가 같습니다.
선분 ㄱㄴ은 한 모서리 4개와 같습니다.
❷ 선분 ㄱㄴ의 길이는 12 cm의 4배와 같으므로 $12\times4=48$ (cm)입니다.
/ 48 cm

2-4 예 ❶ 정육면체는 모든 모서리의 길이가 같습니다. 길이가 24 cm인 선분은 한 모서리 3개와 같습니다.
❷ 한 모서리의 길이의 3배가 24 cm이므로 한 모서리의 길이는
$24\div3=8$ (cm)입니다. / 8 cm

풀이

1-1

채점 기준		
	❶ 직육면체에서 보이지 않는 모서리 찾기	4점
	❷ 보이지 않는 모서리의 길이의 합 구하기	4점

1-2

채점 기준		
	❶ 정육면체에서 보이지 않는 모서리 찾기	6점
	❷ 보이지 않는 모서리의 길이의 합 구하기	6점

1-3

채점 기준		
	❶ 정육면체에서 보이는 모서리 찾기	7점
	❷ 보이는 모서리의 길이의 합 구하기	8점

1-4

채점 기준		
	❶ 직육면체에서 보이는 모서리 찾기	7점
	❷ 보이는 모서리의 길이의 합 구하기	8점

2-1

채점 기준		
	❶ 선분 ㄱㄴ을 이루는 선분의 길이 알아보기	4점
	❷ 선분 ㄱㄴ의 길이 구하기	4점

2-2

채점 기준		
	❶ 선분 ㄱㄴ을 이루는 선분의 길이 알아보기	6점
	❷ 선분 ㄱㄴ의 길이 구하기	6점

2-3

채점 기준		
	❶ 선분 ㄱㄴ과 한 모서리의 관계 알아보기	7점
	❷ 선분 ㄱㄴ의 길이 구하기	8점

2-4

채점 기준		
	❶ 길이가 24 cm인 선분과 한 모서리의 관계 알아보기	7점
	❷ 한 모서리의 길이 구하기	8점

단원 평가

164~166쪽

01 가, 다, 바
02 가, 바
03

모서리 / 꼭짓점 / 면

04 나
05 ⑤
06 나, 라
07 ㉡, ㉣
08

	면의 수(개)	모서리의 수(개)	꼭짓점의 수(개)	면의 모양
직육면체	6	12	8	직사각형
정육면체	6	12	8	정사각형

09 예 ❶ 직육면체의 겨냥도는 보이는 모서리는 실선으로, 보이지 않는 모서리는 점선으로 그려야 하는데 보이는 모서리를 점선으로, 보이지 않는 모서리를 실선으로 그린 부분이 있습니다.
❷ 직육면체의 겨냥도는 보이는 모서리는 실선으로, 보이지 않는 모서리는 점선으로 그립니다.

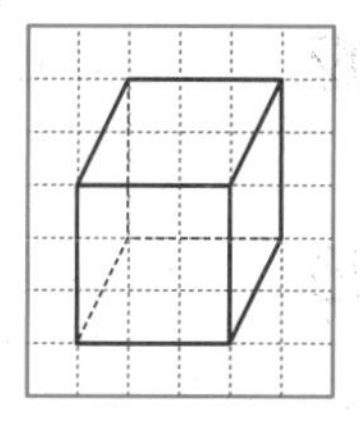

10 면 다
11 선분 ㅇㅅ
12 점 ㄱ, 점 ㅋ
13 ㉡, ㉠, ㉢
14 예

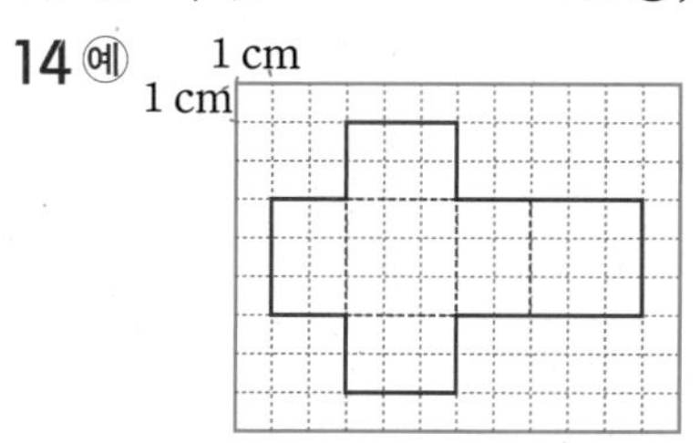

15 36 cm

16 예 ❶ 색칠한 면과 평행한 면은 가로 5 cm, 세로 8 cm인 면입니다.
❷ 따라서 색칠한 면과 평행한 면의 둘레는 $5+8+5+8=26$ (cm)입니다.
/ 26 cm

17 70 cm

18

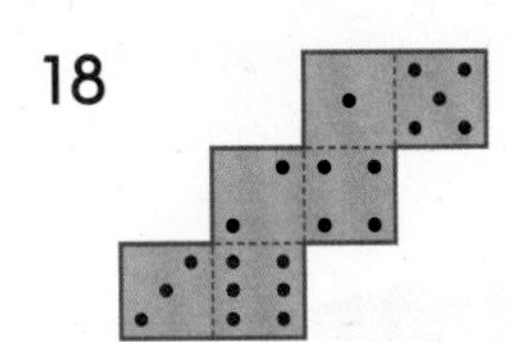

19

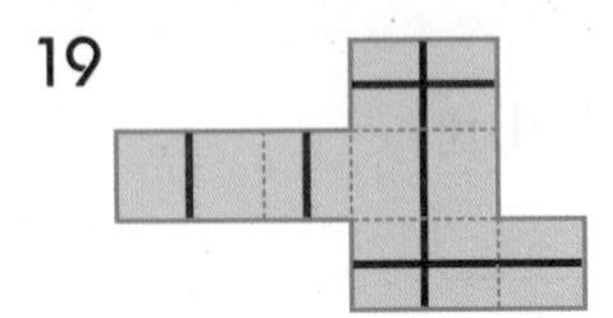

20 예 ❶ 정육면체에서 보이지 않는 모서리는 3개입니다.
정육면체는 모든 모서리의 길이가 같으므로 한 모서리의 길이는 $21\div3=7$ (cm)입니다.
❷ 정육면체의 모서리는 12개이므로 모든 모서리의 길이의 합은 $7\times12=84$ (cm)입니다.
/ 84 cm

풀이

01 직사각형 6개로 둘러싸인 도형을 찾으면 가, 다, 바입니다.

02 정사각형 6개로 둘러싸인 도형을 찾으면 가, 바입니다.

03 선분으로 둘러싸인 부분 ➔ 면
면과 면이 만나는 선분 ➔ 모서리
모서리와 모서리가 만나는 점 ➔ 꼭짓점

04 직육면체의 겨냥도는 보이는 모서리는 실선으로, 보이지 않는 모서리는 점선으로 그려야 합니다.

05 면 ㄱㅁㅇㄹ과 면 ㄴㅂㅅㄷ은 늘여도 만나지 않으므로 평행합니다. 이때 면 ㄱㅁㅇㄹ이 밑면이면 면 ㄴㅂㅅㄷ도 밑면입니다.

06 나, 라: 접었을 때 겹치는 면이 있으므로 정육면체의 전개도가 아닙니다.

07 ㉠ 면과 면이 만나는 선분을 모서리라고 합니다.
㉢ 모서리의 길이가 모두 같은 것은 아닙니다.

08 직육면체와 정육면체는 면의 수, 모서리의 수, 꼭짓점의 수가 같습니다.
면의 모양은 직육면체는 직사각형, 정육면체는 정사각형으로 다릅니다.

09

채점 기준		
	❶ 잘못 그린 이유 쓰기	3점
	❷ 바르게 그리기	2점

10 전개도를 접었을 때 면 바와 만나지 않는 면은 면 다입니다.

11 점 ㄷ과 점 ㅅ, 점 ㄴ과 점 ㅇ이 만나므로 선분 ㄴㄷ과 겹치는 선분은 선분 ㅇㅅ입니다.

12 점 ㅈ과 점 ㅋ이 만나고 점 ㅋ과 점 ㄱ이 만나므로 점 ㅈ, 점 ㅋ, 점 ㄱ이 만납니다.

13 보이는 면: 3개,
보이는 모서리: 9개,
보이지 않는 꼭짓점: 1개

14 자른 모서리는 실선으로, 자르지 않은 모서리는 점선으로 그립니다.

15 모서리 ㅅㅇ의 길이는 9 cm이고, 9 cm인 모서리는 모두 4개입니다.
따라서 모서리 ㅅㅇ과 길이가 같은 모서리 길이의 합은 $9\times4=36$ (cm)입니다.

16

채점 기준		
	❶ 색칠한 면과 평행한 면 찾기	2점
	❷ 색칠한 면과 평행한 면의 둘레 구하기	3점

17 전개도의 둘레는 한 모서리 14개와 같으므로 5 cm의 14배입니다.
➔ $5\times14=70$ (cm)

18 1의 눈과 마주 보는 면에는 6의 눈, 2의 눈과 마주 보는 면에는 5의 눈, 4의 눈과 마주 보는 면에는 3의 눈을 그립니다.

19 겹치는 선분을 찾아서 선이 이어지도록 그립니다.

20

채점 기준		
	❶ 정육면체의 한 모서리의 길이 구하기	2점
	❷ 정육면체의 모서리의 길이의 합 구하기	3점

6 평균과 가능성

개념 확인 문제 171쪽

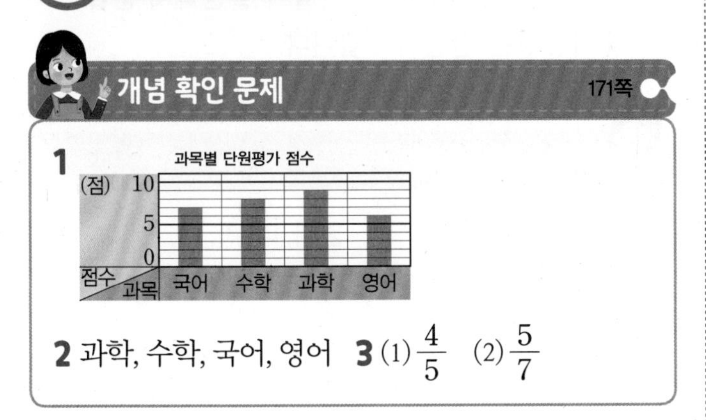

1

2 과학, 수학, 국어, 영어 3 (1) $\frac{4}{5}$ (2) $\frac{5}{7}$

풀이

1 세로 눈금 한 칸이 1점을 나타내므로 국어는 7칸, 수학은 8칸, 과학은 9칸, 영어는 6칸으로 나타내면 됩니다.

2 막대의 길이를 비교하면 과학, 수학, 국어, 영어의 순서대로 깁니다. 따라서 점수가 높은 과목부터 쓰면 과학, 수학, 국어, 영어입니다.

3 (1) 색칠한 부분은 전체를 똑같이 5로 나눈 것 중의 4이므로 $\frac{4}{5}$입니다.
(2) 색칠한 부분은 전체를 똑같이 7로 나눈 것 중의 5이므로 $\frac{5}{7}$입니다.

개념 확인 문제 173쪽

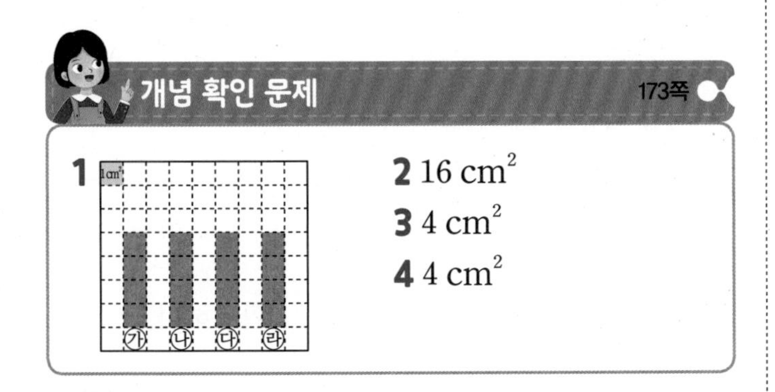

1

2 16 cm^2
3 4 cm^2
4 4 cm^2

풀이

1 ㉯의 직사각형에서 2칸만큼 ㉱로 옮기고, ㉰의 직사각형에서 1칸만큼 ㉮로 옮겨서 고르게 합니다.

2 직사각형의 넓이는 ㉮ 3 cm^2, ㉯ 6 cm^2, ㉰ 5 cm^2, ㉱ 2 cm^2이므로 넓이의 합은 $3+6+5+2=16$ (cm^2)입니다.

3 직사각형의 넓이의 합은 16 cm^2이므로 직사각형 1개의 넓이는 $16\div4=4$ (cm^2)입니다.

4 넓이의 평균은 고르게 다시 그린 한 개의 직사각형 넓이로 4 cm^2입니다.

개념 확인 문제 175쪽

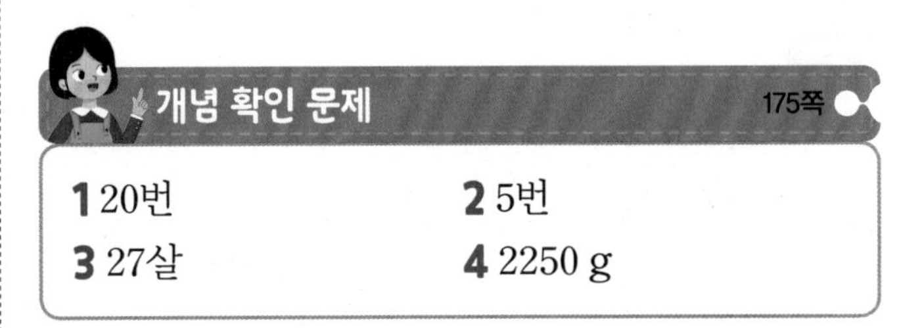

1 20번 2 5번
3 27살 4 2250 g

풀이

1 (봉사활동을 한 횟수의 합)
$=6+3+7+4=20$(번)

2 (평균)=(봉사활동을 한 횟수의 합)$\div4$
$=20\div4=5$(번)

3 (나이의 평균)
=(가족들의 나이의 합)÷(가족 수)
$=(42+45+12+9)\div4=108\div4=27$(살)

4 (평균)=(복숭아 9개의 무게의 합)÷9
➜ (복숭아 9개의 무게의 합)
=(평균)$\times9=250\times9=2250$ (g)

개념 확인 문제 177쪽

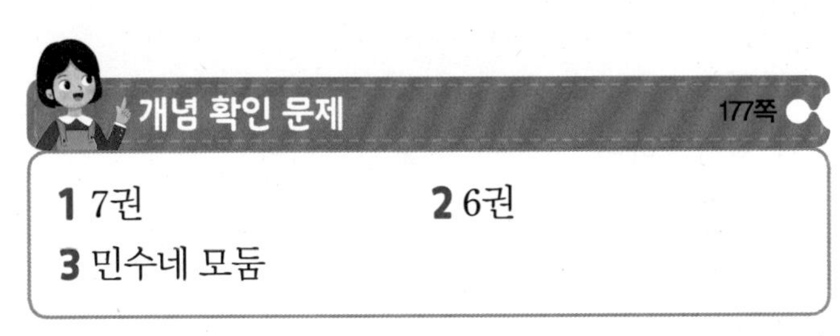

1 7권 2 6권
3 민수네 모둠

풀이

1 (민수네 모둠 평균)
$=(5+9+7)\div3=21\div3=7$(권)

2 (은호네 모둠 평균)
$=(8+4+5+7)\div4=24\div4=6$(권)

3 민수네 모둠의 평균 책 수가 은호네 모둠의 평균 책 수보다 더 많으므로 민수네 모둠이 더 많이 읽었다고 할 수 있습니다.

개념 확인 문제 179쪽

1 주스
2 (왼쪽에서부터) 12, 13, 11 / 하진이네 모둠

풀이

1 (우유 양의 평균)
$=(80+200+120+160+100)\div5$
$=660\div5=132$ (mL)
(주스 양의 평균)
$=(110+200+180+70)\div4$
$=560\div4=140$ (mL)
평균을 비교하면 주스 양의 평균이 우유 양의 평균보다 더 많으므로 한 병에 담긴 양은 주스가 더 많다고 할 수 있습니다.

2 (서준이네 모둠 평균)$=48\div4=12$(초)
(하진이네 모둠 평균)$=39\div3=13$(초)
(영진이네 모둠 평균)$=55\div5=11$(초)
$13>12>11$이므로 오래 매달리기 기록의 평균이 가장 높은 하진이네 모둠의 기록이 가장 좋다고 할 수 있습니다.

개념 확인 문제 181쪽

1 불가능하다 **2** 반반이다
3 확실하다 **4** 나

풀이

1 2월의 날짜는 28일 또는 29일까지 있으므로 30일까지 있을 가능성은 '불가능하다'입니다.

2 동전을 던졌을 때 숫자 면과 그림 면이 나올 가능성은 같으므로 숫자 면이 나올 가능성은 '반반이다'입니다.

3 주사위의 눈의 수는 1, 2, 3, 4, 5, 6이므로 모두 0보다 큰 수입니다. 따라서 0보다 큰 수가 나올 가능성은 '확실하다'입니다.

4 빨간색 부분과 파란색 부분의 크기가 같은 회전판은 나이고, 나를 돌렸을 때 화살이 빨간색 부분을 가리킬 가능성은 '반반이다'입니다.

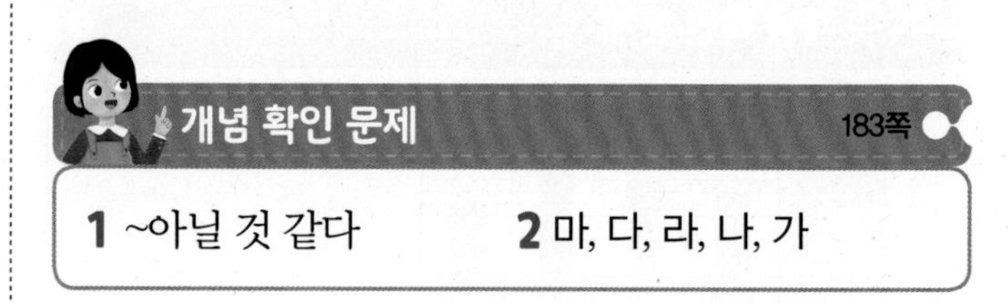

개념 확인 문제 183쪽

1 ~아닐 것 같다 **2** 마, 다, 라, 나, 가

풀이

1 공 4개 중에서 주황색 공은 1개이므로 주황색 공이 나올 가능성은 '~ 아닐 것 같다'입니다.

2 노란색 부분이 좁을수록 노란색 부분을 가리킬 가능성이 낮습니다.
따라서 노란색 부분을 가리킬 가능성이 낮은 회전판부터 순서대로 쓰면 마, 다, 라, 나, 가입니다.

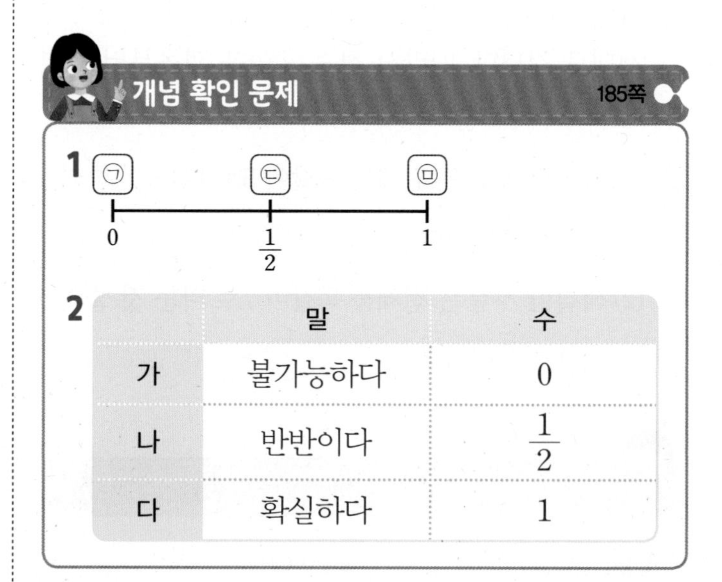

개념 확인 문제 185쪽

1

2

	말	수
가	불가능하다	0
나	반반이다	$\frac{1}{2}$
다	확실하다	1

풀이

1 불가능하다 → 0, 반반이다 → $\frac{1}{2}$, 확실하다 → 1

2 • 가에는 초록색 구슬이 없으므로 나오는 구슬이 초록색일 가능성은 '불가능하다'입니다.
• 나에는 빨간색 구슬과 초록색 구슬이 1개씩 있으므로 나오는 구슬이 초록색일 가능성은 '반반이다'입니다.
• 다에는 초록색 구슬만 2개 있으므로 나오는 구슬이 초록색일 가능성은 '확실하다'입니다.

문제 해결력 문제 187쪽

1 (1)

진우가 읽은 책 수(권)	5	6	7	8
유나가 읽은 책 수(권)	×	2	6	10

(2) 6권 (3) 7권

풀이

1 (1) 지민이가 읽은 책 수가 가장 적으므로 진우와 유나가 읽은 책 수는 각각 5권 이상입니다.
진우가 읽은 책 수에 따라서 유나가 읽은 책 수를 구합니다.
- 진우: 5권
➜ 유나: $5 \times 4-(5+8+9)$ (×)
- 진우: 6권
➜ 유나: $6 \times 4-(5+8+9)=2$(권) (×)
- 진우: 7권
➜ 유나: $7 \times 4-(5+8+9)=6$(권) (○)
- 진우: 8권
➜ 유나: $8 \times 4-(5+8+9)=10$(권) (×)

(2) 유나가 읽은 책 수가 2번째로 적은 경우는 유나가 6권을 읽었을 때입니다.
(3) 유나가 6권을 읽었을 때 진우는 7권을 읽었습니다.

개념+확인 192~193쪽

1 13점 **2** 세영, 지훈
3 5학년 **4** 16
5 (선 잇기) **6** ㉠, ㉢, ㉣, ㉡
7 0 **8** $\frac{1}{2}$

풀이

1 (평균)$=(12+9+16+15+13) \div 5$
$=65 \div 5=13$(점)

2 투호 놀이 점수의 평균이 13점이므로 점수가 13점보다 높은 친구를 찾으면 세영(16점), 지훈(15점)입니다.

3 (5학년 평균)
$=(26+23+27+24) \div 4$
$=100 \div 4=25$(명)
(6학년 평균)
$=(25+23+24+26+22) \div 5$
$=120 \div 5=24$(명)

4 (㉮의 평균)$=(5+9+11+8+12) \div 5$
$=45 \div 5=9$
(㉯의 평균)$=10$
(㉯의 수의 합)$=10 \times 6=60$
㉠$=60-(6+8+13+7+10)=60-44=16$

5
- 12월 다음 달은 그다음 해 1월이므로 가능성은 '확실하다'입니다.
- 수컷 닭이 알을 낳을 가능성은 '불가능하다'입니다.
- 남자, 여자가 태어날 가능성은 같으므로 신생아 한 명이 태어나면 남자일 가능성은 '반반이다'입니다.

6 ㉠ 확실하다 ㉡ 불가능하다 ㉢ ~일 것 같다
㉣ ~아닐 것 같다
➜ 가능성이 높은 순서대로 쓰면 ㉠, ㉢, ㉣, ㉡입니다.

참고 확실하다, ~일 것 같다, 반반이다, ~아닐 것 같다, 불가능하다의 순서대로 가능성이 높습니다.

7 계산기에서 5, ×, 0, =을 차례대로 누르면 0이 나오므로 2가 나올 가능성은 '불가능하다'이고, 수로 나타내면 0입니다.

8 주사위 눈의 수는 1, 2, 3, 4, 5, 6이고, 4의 약수는 1, 2, 4입니다.
따라서 주사위를 굴릴 때 나온 눈의 수가 4의 약수일 가능성은 '반반이다'이므로 수로 나타내면 $\frac{1}{2}$입니다.

정답 및 풀이

서술형 문제 해결하기 194~195쪽

1-1 ❶ 3, 30
❷ 18, 30, 18, 12 / 12번 이상

1-2 예 ❶ 5회까지 평균이 15번 이상이 되려면 기록의 합은 $15 \times 5 = 75$(번) 이상이 되어야 합니다.
❷ 4회까지 기록의 합은 $12 + 14 + 17 + 13 = 56$(번)이므로 5회 때 윗몸 말아올리기를 $75 - 56 = 19$(번) 이상 해야 합니다.
/ 19번 이상

1-3 예 ❶ 멜론 무게의 평균이 3 kg 이상일 때 멜론 4개의 무게의 합은 $3 \times 4 = 12$ (kg) 이상이 되어야 합니다.
❷ 멜론 3개의 무게의 합은 $2.5 + 3.2 + 2.7 = 8.4$ (kg)이므로 마지막 멜론 1개의 무게는 $12 - 8.4 = 3.6$ (kg) 이상이 되어야 합니다.
/ 3.6 kg 이상

1-4 예 ❶ 5일 동안 불량품 발생량의 평균이 10개 미만일 때 불량품의 전체 양은 $10 \times 5 = 50$(개) 미만이 되어야 합니다.
❷ 4일 동안 불량품 개수의 합은 $12 + 7 + 11 + 9 = 39$(개)이므로 5일째에는 불량품이 $50 - 39 = 11$(개) 미만이어야 합니다.
/ 11개 미만

2-1 ❶ 반반이다, $\frac{1}{2}$ ❷ $\frac{1}{2}$, 나
/ 나

2-2 예 ❶ 주사위를 던지면 0의 눈이 나올 가능성은 '불가능하다'이므로 수로 나타내면 0입니다.
❷ 따라서 화살이 빨간색 부분을 가리킬 가능성이 0인 것을 찾으면 다입니다.
/ 다

2-3 예 ❶ 동전을 던지면 그림 면이 나올 가능성은 '반반이다'이므로 수로 나타내면 $\frac{1}{2}$입니다.
❷ 따라서 화살이 노란색 부분을 가리킬 가능성이 $\frac{1}{2}$이 되도록 색칠하려면 4칸 중 2칸에 색칠하면 됩니다.
/ 예

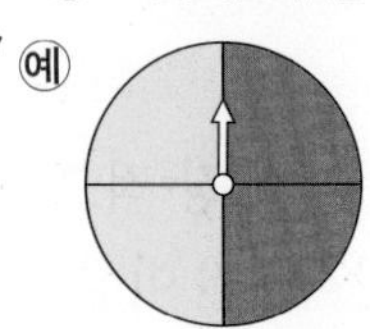

2-4 예 ❶ 주사위를 던지면 1 이상의 눈이 나올 가능성은 '확실하다'이므로 수로 나타내면 1입니다.
❷ 따라서 화살이 초록색 부분을 가리킬 가능성이 1이 되도록 색칠하려면 4칸 모두 색칠하면 됩니다.
/

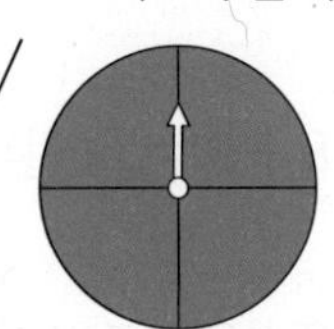

풀이

1-1

채점 기준		
채점 기준	❶ 3회까지 기록의 합은 몇 번 이상이 되어야 하는지 구하기	4점
	❷ 3회 때 턱걸이를 몇 번 이상 해야 하는지 구하기	4점

1-2

채점 기준		
채점 기준	❶ 5회까지 기록의 합은 몇 번 이상이 되어야 하는지 구하기	6점
	❷ 5회 때 윗몸 말아올리기를 몇 번 이상 해야 하는지 구하기	6점

1-3

채점 기준		
채점 기준	❶ 멜론 4개의 무게의 합은 몇 kg 이상이 되어야 하는지 구하기	8점
	❷ 마지막 멜론 1개의 무게는 몇 kg 이상이 되어야 하는지 구하기	7점

1-4

채점 기준		
채점 기준	❶ 5일 동안 불량품이 몇 개 미만이 되어야 하는지 구하기	8점
	❷ 5일째에는 불량품이 몇 개 미만이 되어야 하는지 구하기	7점

2-1

채점 기준		
	❶ 동전을 던지면 숫자 면이 나올 가능성을 수로 나타내기	4점
	❷ 화살이 파란색 부분을 가리킬 가능성이 $\frac{1}{2}$ 인 것 찾기	4점

2-2

채점 기준		
	❶ 주사위를 던지면 0의 눈이 나올 가능성을 수로 나타내기	6점
	❷ 화살이 빨간색 부분을 가리킬 가능성이 0인 것 찾기	6점

2-3

채점 기준		
	❶ 동전을 던지면 그림 면이 나올 가능성을 수로 나타내기	7점
	❷ 화살이 노란색 부분을 가리킬 가능성이 $\frac{1}{2}$ 이 되도록 색칠하기	8점

2-4

채점 기준		
	❶ 주사위를 던지면 1 이상의 눈이 나올 가능성을 수로 나타내기	7점
	❷ 화살이 초록색 부분을 가리킬 가능성이 1이 되도록 색칠하기	8점

단원 평가 196~198쪽

01 300 mL

02 예

서우네 모둠 학생들의 훌라후프 돌리기 기록

(번) 20 10 0

기록 / 이름 서우 현수 지영 유준

03 20번

04

	불가능하다	반반이다	확실하다
동전을 던지면 그림 면이 나올 것입니다.		○	
추석은 가을일 것입니다.			○
4월 다음에는 3월이 올 것입니다.	○		

05 ~일 것 같다

06 민준, 지호, 유진, 희진, 승민

07 승민

/ 예 주사위를 던지면 눈의 수가 7 미만일 거야.

08 40분, 44분 **09** 하영이네 모둠

10 1 **11** 0

12 반반이다 **13** $\frac{1}{2}$

14 예 ❶ (5일 동안 독서 시간의 합)

$=43\times5=215$(분)

(월, 수, 목, 금요일의 독서 시간의 합)

$=35+52+48+32=167$(분)

❷ (화요일에 독서한 시간)

$=215-167=48$(분)

/ 48분

15

16 2반

17 예 ❶ 주사위를 던지면 나오는 눈의 수는 1, 2, 3, 4, 5, 6입니다.

이 중에서 짝수는 2, 4, 6, 홀수는 1, 3, 5로 짝수 눈과 홀수 눈이 나올 가능성은 각각 '반반이다'이고 수로 나타내면 $\frac{1}{2}$입니다.

❷ 짝수 눈과 홀수 눈이 나올 가능성이 같으므로 순서를 정하는 방법은 공평하다고 할 수 있습니다.

/ 공평합니다.

18 72점 **19** 14.6초 이하

20 예 ❶ (가 과수원의 평균)

$=(9+17+13)\div3$

$=39\div3=13$(상자)

나 과수원의 평균도 13상자입니다.

❷ (나 과수원의 4주 동안 수확량의 합)

$=13\times4=52$(상자)

나 과수원의 4주차 사과 수확량은

$52-(10+8+18)=52-36=16$(상자)

입니다.

/ 16상자

풀이

01 주스 양의 평균은 고르게 하여 나타낸 양이므로 300 mL입니다.

02 막대의 길이를 고르게 하여 그립니다.

03 (평균)=(기록의 합)÷(학생 수)
=$(12+26+28+14)\div4=80\div4$
=20(번)

04 • 동전을 던지면 그림 면 또는 숫자 면이 나오므로 그림 면이 나올 가능성은 '반반이다'입니다.
• 추석은 음력으로 8월 15일로 항상 가을이므로 가능성은 '확실하다'입니다.
• 3월은 4월 전 달이므로 4월 다음에 3월이 올 가능성은 '불가능하다'입니다.

05 같은 학년 학생들의 나이가 같을 가능성은 '반반이다'보다 높으므로 '~일 것 같다'입니다.

06 유진: 반반이다
민준: 확실하다
희진: ~아닐 것 같다
승민: 불가능하다
지호: ~일 것 같다

07 주사위 눈의 수는 1, 2, 3, 4, 5, 6이므로 7 미만의 수입니다.

08 (희준이네 모둠 평균)
=$(30+35+50+45)\div4$
=$160\div4=40$(분)
(하영이네 모둠 평균)
=$(42+40+55+38+45)\div5$
=$220\div5=44$(분)

09 하영이네 모둠의 평균 시간이 더 많으므로 하영이네 모둠이 운동을 더 오래 했다고 할 수 있습니다.

10 노란색 구슬만 있으므로 노란색 구슬이 나올 가능성은 '확실하다'입니다.
따라서 가능성을 수로 나타내면 1입니다.

11 상자에 빨간색 구슬은 없으므로 빨간색 구슬이 나올 가능성은 '불가능하다'입니다.
따라서 가능성을 수로 나타내면 0입니다.

12 6장의 카드 중 ◆ 카드는 3장이므로 ◆ 카드를 뽑을 가능성은 '반반이다'입니다.

13 ◆ 카드를 뽑을 가능성은 '반반이다'이므로 수로 나타내면 $\frac{1}{2}$입니다.

14

채점 기준		
채점 기준	❶ 5일 동안 독서 시간의 합과 월, 수, 목, 금요일의 독서 시간의 합 구하기	3점
	❷ 화요일에 독서한 시간 구하기	2점

15 ㉠ ㉡ ㉢

화살이 초록색 부분을 가리킬 가능성은
㉠ 반반이다 → $\frac{1}{2}$,
㉡ 확실하다 → 1,
㉢ 불가능하다 → 0

16 (1반 평균)=$115\div23=5$(권)
(2반 평균)=$114\div19=6$(권)
(3반 평균)=$84\div21=4$(권)

17

채점 기준		
채점 기준	❶ 짝수 눈, 홀수 눈이 나올 가능성을 수로 나타내기	3점
	❷ 가능성을 비교하여 공평한지 알아보기	2점

18 (가 모둠 학생 6명의 수학 점수 합)
=$70\times6=420$(점)
(나 모둠 학생 4명의 수학 점수 합)
=$75\times4=300$(점)
(두 모둠 전체 학생의 수학 점수 합)
=$420+300=720$(점)
➜ (평균)=$720\div10=72$(점)

19 4회까지 기록의 합은 $15.1\times4=60.4$(초)이고, 5회까지 기록의 평균이 15초일 때 기록의 합은 $15\times5=75$(초)가 되어야 합니다.
따라서 5회의 기록은 $75-60.4=14.6$(초) 이하여야 합니다.

20

채점 기준		
채점 기준	❶ 가, 나 과수원의 수확량의 평균 구하기	2점
	❷ 나 과수원의 4주차 사과 수확량 구하기	3점

초등 수학
자습서&평가문제집

평가문제 다잡기

금성출판사

평가문제 다잡기

금성출판사

[교과서 핵심 개념], [쪽지시험], [단원 평가], [서술형 평가]로 자신의 실력을 점검하고 다양해지는 학교 시험에 대비할 수 있습니다.

1 교과서 핵심 개념

교과서에 나온 핵심 개념을 모아서 정리했습니다.

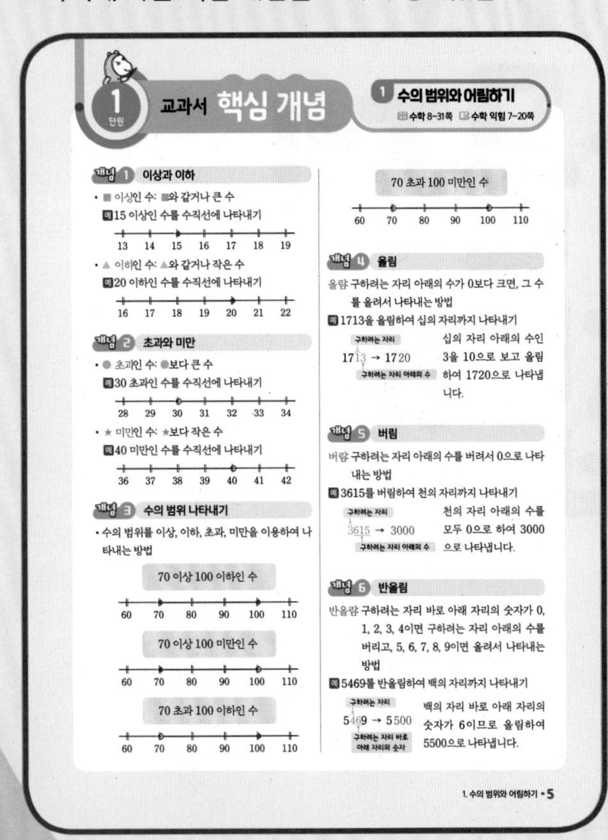
1 단원 교과서 핵심 개념

1 수의 범위와 어림하기
수학 8~31쪽 수학 익힘 7~20쪽

개념 1 이상과 이하
• ■ 이상인 수: ■와 같거나 큰 수
예 15 이상인 수를 수직선에 나타내기
13 14 15 16 17 18 19
• ▲ 이하인 수: ▲와 같거나 작은 수
예 20 이하인 수를 수직선에 나타내기
16 17 18 19 20 21 22

개념 2 초과와 미만
• ● 초과인 수: ●보다 큰 수
예 30 초과인 수를 수직선에 나타내기
28 29 30 31 32 33 34
• ★ 미만인 수: ★보다 작은 수
예 40 미만인 수를 수직선에 나타내기
36 37 38 39 40 41 42

개념 3 수의 범위 나타내기
• 수의 범위를 이상, 이하, 초과, 미만을 이용하여 나타내는 방법
70 이상 100 이하인 수
60 70 80 90 100 110
70 이상 100 미만인 수
60 70 80 90 100 110
70 초과 100 이하인 수
60 70 80 90 100 110
70 초과 100 미만인 수
60 70 80 90 100 110

개념 4 올림
올림 구하려는 자리 아래의 수가 0보다 크면, 그 수를 올려서 나타내는 방법
예 1713을 올림하여 십의 자리까지 나타내기
1713 → 1720
십의 자리 아래의 수인 3을 10으로 보고 올림하여 1720으로 나타냅니다.

개념 5 버림
버림 구하려는 자리 아래의 수를 버려서 0으로 나타내는 방법
예 3615를 버림하여 천의 자리까지 나타내기
3615 → 3000
천의 자리 아래의 수를 모두 0으로 하여 3000으로 나타냅니다.

개념 6 반올림
반올림 구하려는 자리 바로 아래 자리의 숫자가 0, 1, 2, 3, 4이면 구하려는 자리 아래의 수를 버리고, 5, 6, 7, 8, 9이면 올려서 나타내는 방법
예 5469를 반올림하여 백의 자리까지 나타내기
5469 → 5500
백의 자리 바로 아래 자리의 숫자가 6이므로 올림하여 5500으로 나타냅니다.

1. 수의 범위와 어림하기 • 5

2 쪽지시험

한 회에 10문제씩 총 4회로 구성되어 있습니다.

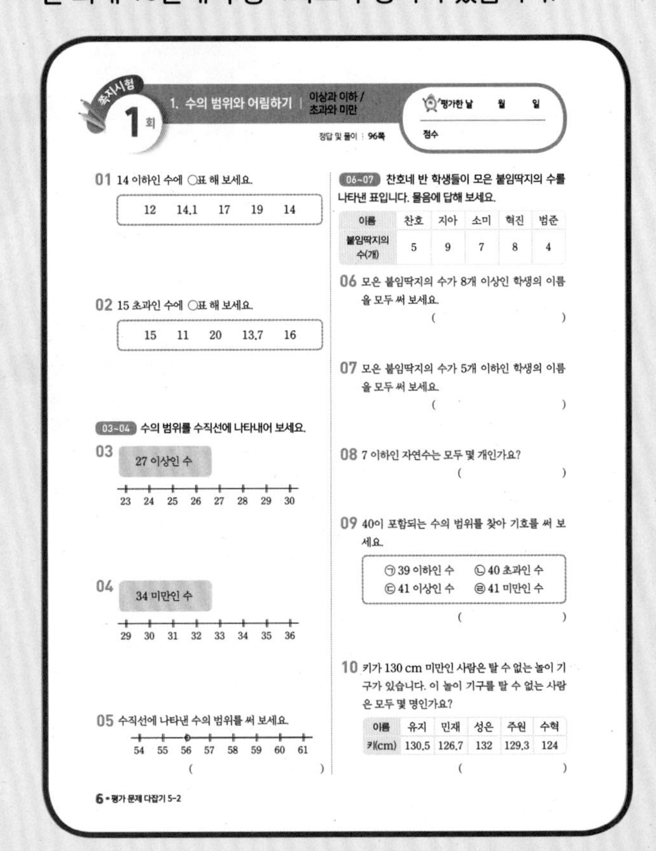
쪽지시험 1회 1. 수의 범위와 어림하기 | 이상과 이하 / 초과와 미만
평가한 날 월 일
점수
정답 및 풀이 | 96쪽

01 14 이하인 수에 ○표 해 보세요.
12 14.1 17 19 14

02 15 초과인 수에 ○표 해 보세요.
15 11 20 13.7 16

03~04 수의 범위를 수직선에 나타내어 보세요.
03 27 이상인 수
23 24 25 26 27 28 29 30
04 34 미만인 수
29 30 31 32 33 34 35 36

05 수직선에 나타낸 수의 범위를 써 보세요.
54 55 56 57 58 59 60 61
( )

06~07 찬호네 반 학생들이 모은 붙임딱지의 수를 나타낸 표입니다. 물음에 답해 보세요.

이름	찬호	지아	소미	혁진	범준
붙임딱지의 수(개)	5	9	7	8	4

06 모은 붙임딱지의 수가 8개 이상인 학생의 이름을 모두 써 보세요.
( )

07 모은 붙임딱지의 수가 5개 이하인 학생의 이름을 모두 써 보세요.
( )

08 7 이하인 자연수는 모두 몇 개인가요?
( )

09 40이 포함되는 수의 범위를 찾아 기호를 써 보세요.
㉠ 39 이하인 수 ㉡ 40 초과인 수
㉢ 41 이상인 수 ㉣ 41 미만인 수
( )

10 키가 130 cm 미만인 사람은 탈 수 없는 놀이 기구가 있습니다. 이 놀이 기구를 탈 수 없는 사람은 모두 몇 명인가요?

이름	유지	민재	성은	주원	수혁
키(cm)	130.5	126.7	132	129.3	124

( )

6 • 평가 문제 다잡기 5-2

3 단원 평가 기본 실력

난이도별로 기본 단원 평가, 실력 단원 평가 2회가 제공됩니다.

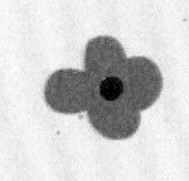

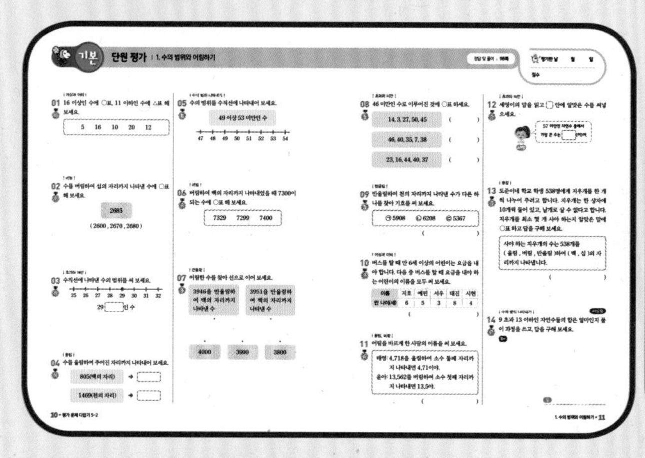

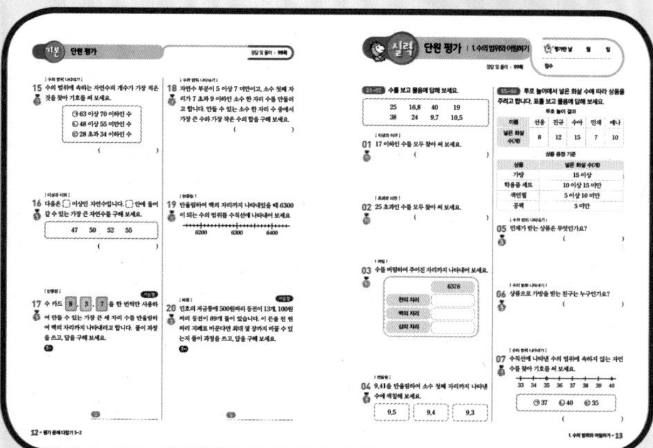

4 서술형 평가 연습 실전

난이도별로 연습 서술형 평가, 실전 서술형 평가 2회가 제공됩니다.

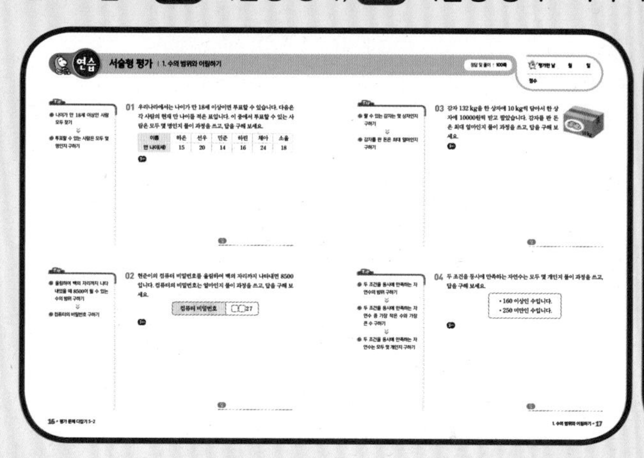

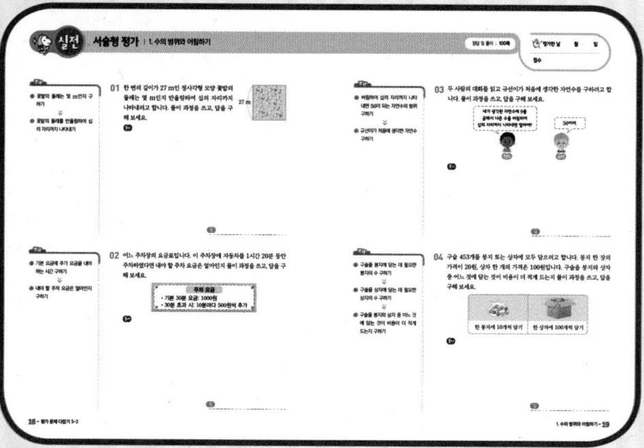

5 정답 및 풀이

자세한 풀이와 참고, 주의, 다른 풀이 등을 실어 학습 가이드로 활용할 수 있습니다.

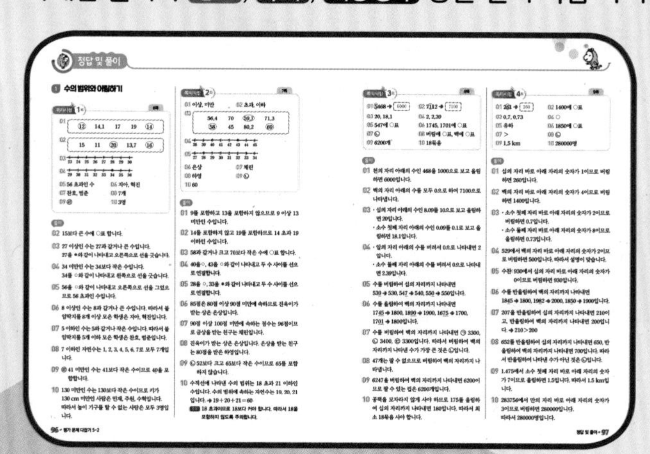

차례

1 단원 교과서 핵심 개념

1 수의 범위와 어림하기

수학 8~31쪽 수학 익힘 7~20쪽

개념 1 이상과 이하

- ■ 이상인 수: ■와 같거나 큰 수

예 15 이상인 수를 수직선에 나타내기

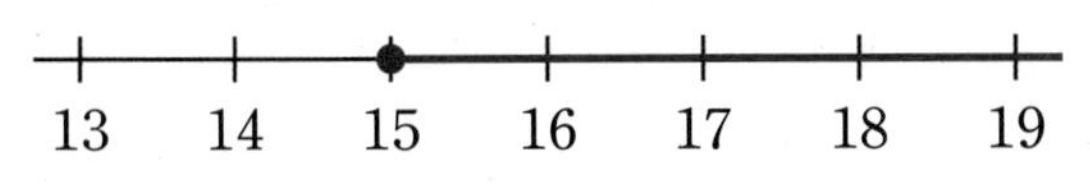

- ▲ 이하인 수: ▲와 같거나 작은 수

예 20 이하인 수를 수직선에 나타내기

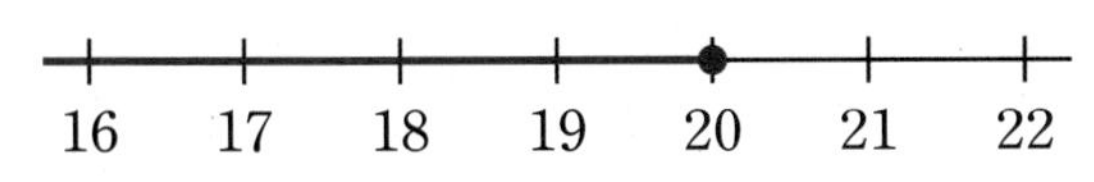

개념 2 초과와 미만

- ● 초과인 수: ●보다 큰 수

예 30 초과인 수를 수직선에 나타내기

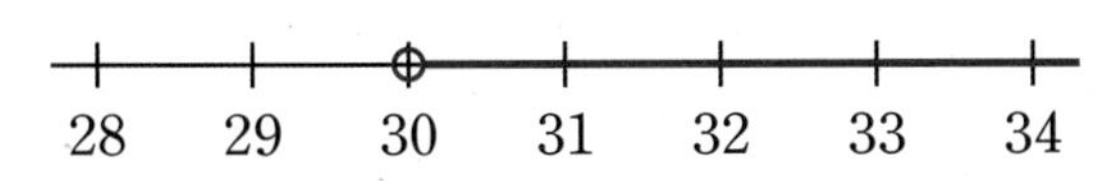

- ★ 미만인 수: ★보다 작은 수

예 40 미만인 수를 수직선에 나타내기

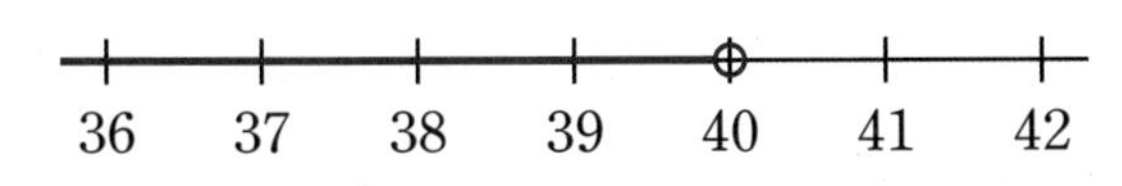

개념 3 수의 범위 나타내기

- 수의 범위를 이상, 이하, 초과, 미만을 이용하여 나타내는 방법

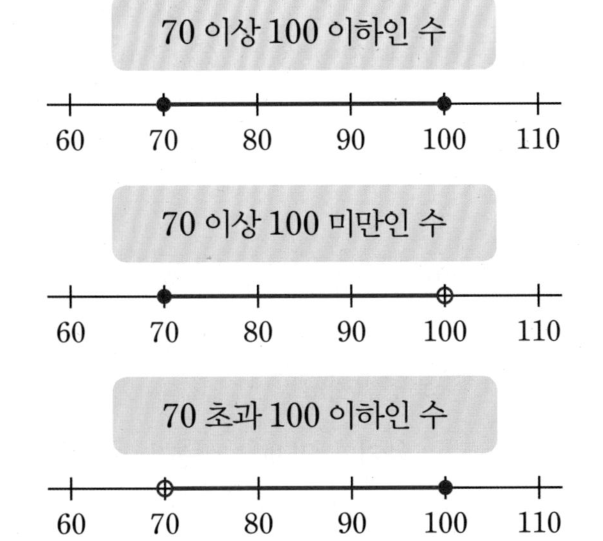

70 초과 100 미만인 수

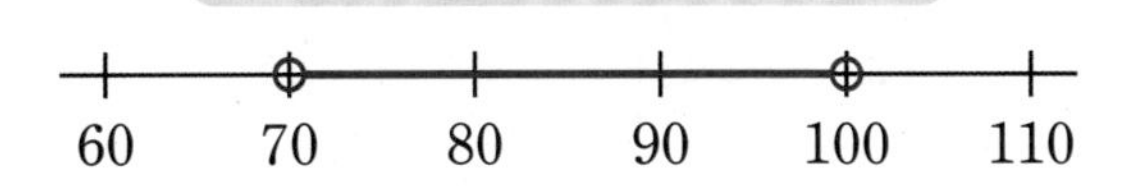

개념 4 올림

올림: 구하려는 자리 아래의 수가 0보다 크면, 그 수를 올려서 나타내는 방법

예 1713을 올림하여 십의 자리까지 나타내기

구하려는 자리
1713 → 1720
구하려는 자리 아래의 수

십의 자리 아래의 수인 3을 10으로 보고 올림하여 1720으로 나타냅니다.

개념 5 버림

버림: 구하려는 자리 아래의 수를 버려서 0으로 나타내는 방법

예 3615를 버림하여 천의 자리까지 나타내기

구하려는 자리
3615 → 3000
구하려는 자리 아래의 수

천의 자리 아래의 수를 모두 0으로 하여 3000으로 나타냅니다.

개념 6 반올림

반올림: 구하려는 자리 바로 아래 자리의 숫자가 0, 1, 2, 3, 4이면 구하려는 자리 아래의 수를 버리고, 5, 6, 7, 8, 9이면 올려서 나타내는 방법

예 5469를 반올림하여 백의 자리까지 나타내기

구하려는 자리
5469 → 5500
구하려는 자리 바로 아래 자리의 숫자

백의 자리 바로 아래 자리의 숫자가 6이므로 올림하여 5500으로 나타냅니다.

정답 및 풀이 | 96쪽

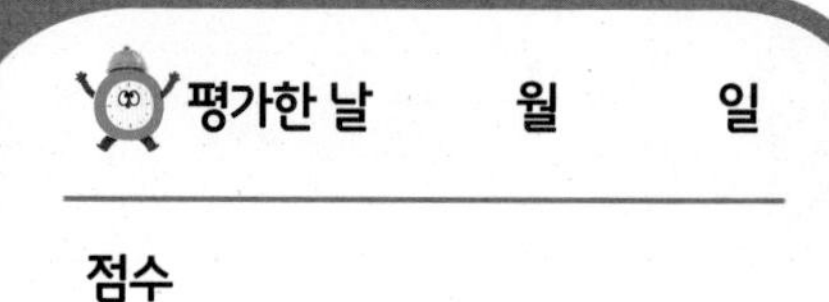

01 14 이하인 수에 ○표 해 보세요.

12　14.1　17　19　14

02 15 초과인 수에 ○표 해 보세요.

15　11　20　13.7　16

03~04 수의 범위를 수직선에 나타내어 보세요.

03

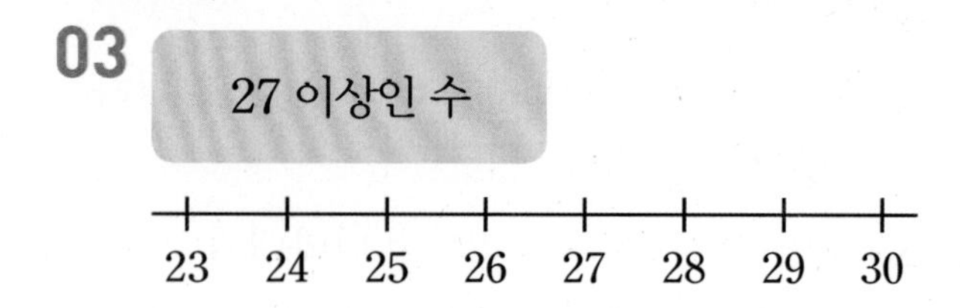

04

34 미만인 수

29　30　31　32　33　34　35　36

05 수직선에 나타낸 수의 범위를 써 보세요.

54　55　56　57　58　59　60　61

(　　　　　　　　　　)

06~07 찬호네 반 학생들이 모은 붙임딱지의 수를 나타낸 표입니다. 물음에 답해 보세요.

이름	찬호	지아	소미	혁진	범준
붙임딱지의 수(개)	5	9	7	8	4

06 모은 붙임딱지의 수가 8개 이상인 학생의 이름을 모두 써 보세요.

(　　　　　　　　　　)

07 모은 붙임딱지의 수가 5개 이하인 학생의 이름을 모두 써 보세요.

(　　　　　　　　　　)

08 7 이하인 자연수는 모두 몇 개인가요?

(　　　　　　　　　　)

09 40이 포함되는 수의 범위를 찾아 기호를 써 보세요.

㉠ 39 이하인 수　㉡ 40 초과인 수
㉢ 41 이상인 수　㉣ 41 미만인 수

(　　　　　　　　　　)

10 키가 130 cm 미만인 사람은 탈 수 없는 놀이 기구가 있습니다. 이 놀이 기구를 탈 수 없는 사람은 모두 몇 명인가요?

이름	유지	민재	성은	주원	수혁
키(cm)	130.5	126.7	132	129.3	124

(　　　　　　　　　　)

1. 수의 범위와 어림하기 | 수의 범위 나타내기

평가한 날 월 일

점수

정답 및 풀이 | 96쪽

01~02 수의 범위를 수직선에 나타낸 것입니다. ☐ 안에 알맞은 말을 써넣으세요.

01

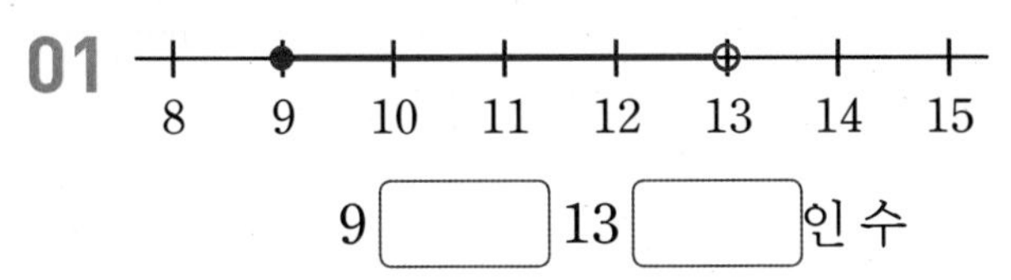

9 ☐ 13 ☐인 수

02

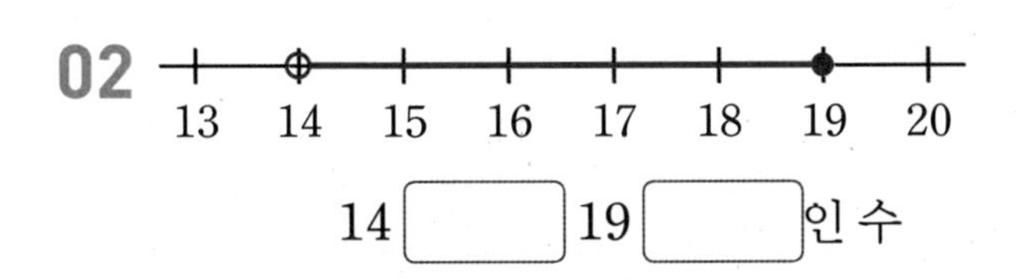

14 ☐ 19 ☐인 수

03 58 이상 70 미만인 수에 ○표 해 보세요.

56.4	70	59.7	71.3
58	45	80.2	69

04~05 수의 범위를 수직선에 나타내어 보세요.

04

40 초과 43 미만인 수

38 39 40 41 42 43 44 45

05

28 초과 33 이하인 수

27 28 29 30 31 32 33 34

06~08 수학 경시대회에서 진욱이는 85점, 윤서는 79점, 하영이는 80점, 채린이는 96점을 받았습니다. 시상 기준을 나타낸 표를 보고 물음에 답해 보세요.

시상 기준

상장	점수(점)
대상	100
금상	90 이상 100 미만
은상	80 이상 90 미만
동상	60 이상 80 미만

06 진욱이가 받는 상은 어느 상인가요?

( )

07 금상을 받는 친구는 누구인가요?

( )

08 진욱이와 같은 상을 받는 친구의 이름을 써 보세요.

( )

09 65를 포함하지 않는 수의 범위를 찾아 기호를 써 보세요.

㉠ 64 이상 70 이하인 수
㉡ 52 초과 65 미만인 수

( )

10 수직선에 나타낸 수의 범위에 속하는 자연수들의 합을 구해 보세요.

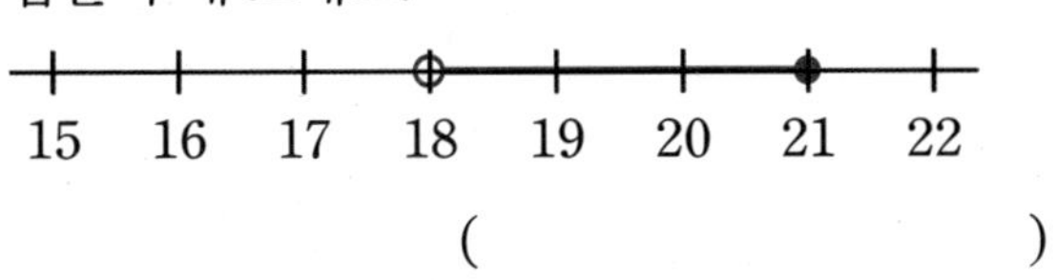

( )

1. 수의 범위와 어림하기 | 올림 / 버림

정답 및 풀이 | 97쪽

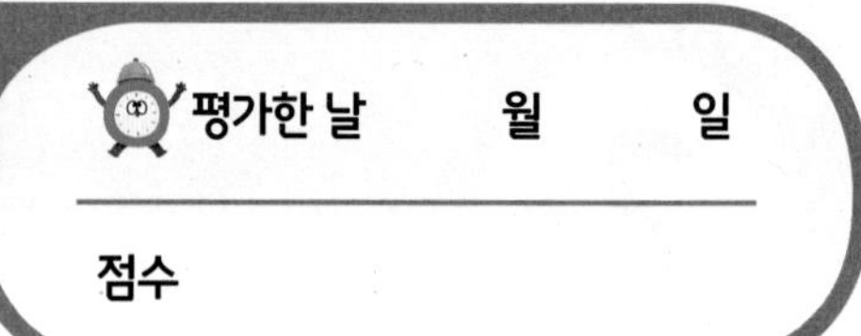

01 천의 자리에 ○표 한 후 올림하여 천의 자리까지 나타내어 보세요.

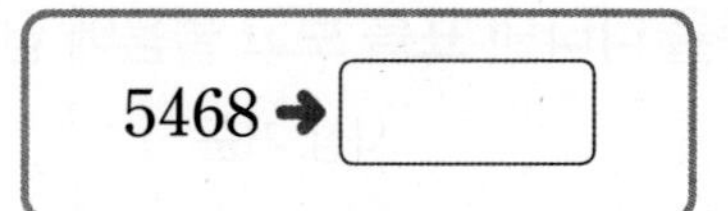

02 백의 자리에 ○표 한 후 버림하여 백의 자리까지 나타내어 보세요.

03 수를 올림하여 주어진 자리까지 나타내어 보세요.

수	십의 자리	소수 첫째 자리
18.09		

04 수를 버림하여 주어진 자리까지 나타내어 보세요.

수	일의 자리	소수 둘째 자리
2.397		

05 버림하여 십의 자리까지 나타내면 540이 되는 수에 ○표 해 보세요.

539 547 550

06 올림하여 백의 자리까지 나타낸 수가 서로 같은 두 수를 찾아 ○표 해 보세요.

1745 1890 1675 1701

07 버림하여 백의 자리까지 나타내었을 때 가장 큰 수가 되는 것을 찾아 기호를 써 보세요.

㉠ 3399 ㉡ 3408 ㉢ 3300

( )

08~09 컵 6247개를 한 상자에 100개씩 담아서 팔려고 합니다. 물음에 답해 보세요.

08 알맞은 말에 ○표 해 보세요.

상자에 담아 팔 수 있는 컵의 수는 6247개를 (올림 , 버림)하여 (천 , 백 , 십)의 자리까지 나타냅니다.

09 팔 수 있는 컵은 몇 개인가요?

( )

10 공책 175권이 필요합니다. 공책을 10권씩 묶음으로만 판다면 최소 몇 묶음 사야 할까요?

( )

1. 수의 범위와 어림하기 | 반올림

정답 및 풀이 | 97쪽

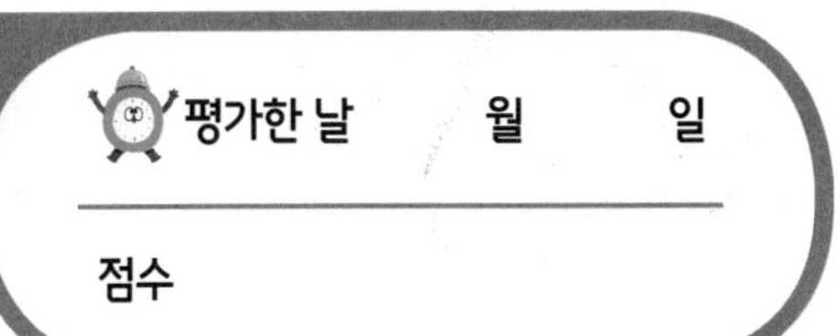

01 십의 자리에 ○표 한 후 반올림하여 십의 자리까지 나타내어 보세요.

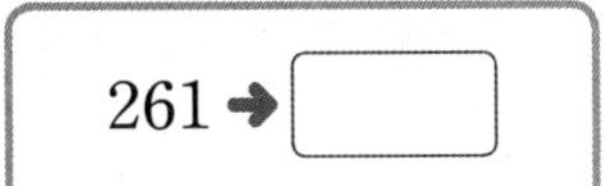

02 수를 반올림하여 백의 자리까지 나타낸 수에 ○표 하세요.

1449 ➜ (1400 , 1450 , 1500)

03 수를 반올림하여 주어진 자리까지 나타내어 보세요.

수	소수 첫째 자리	소수 둘째 자리
0.728		

04 설명이 맞으면 ○표, 틀리면 ×표 해 보세요.

529를 반올림하여 백의 자리까지 나타내면 500입니다.

( )

05 주어진 수를 반올림하여 십의 자리까지 나타내려고 합니다. 바르게 나타낸 사람은 누구인가요?

726 ➜ 730 (유하) 930 ➜ 940 (수찬)

( )

06 반올림하여 백의 자리까지 나타내었을 때 1900이 되는 수에 ○표 해 보세요.

1845 1982 1850

07 어림한 수의 크기를 비교하여 ○ 안에 >, =, <를 알맞게 써넣으세요.

207을 반올림하여 십의 자리까지 나타낸 수 ○ 207을 반올림하여 백의 자리까지 나타낸 수

08 652를 반올림하여 나타낸 수가 아닌 것을 찾아 기호를 써 보세요.

㉠ 650 ㉡ 600 ㉢ 700

( )

09 다인이네 집에서 학교까지의 거리는 1.475 km입니다. 이 거리는 몇 km인지 반올림하여 소수 첫째 자리까지 나타내어 보세요.

( )

10 어느 도시의 인구는 283756명입니다. 이 도시의 인구는 몇 명인지 반올림하여 만의 자리까지 나타내어 보세요.

( )

기본 단원 평가 | 1. 수의 범위와 어림하기

| 이상과 이하 |

01 16 이상인 수에 ○표, 11 이하인 수에 △표 해 보세요.

하

5 16 10 20 12

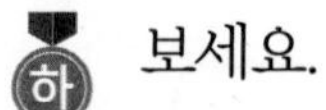

| 버림 |

02 수를 버림하여 십의 자리까지 나타낸 수에 ○표 해 보세요.

하

2685

(2600 , 2670 , 2680)

| 초과와 미만 |

03 수직선에 나타낸 수의 범위를 써 보세요.

하

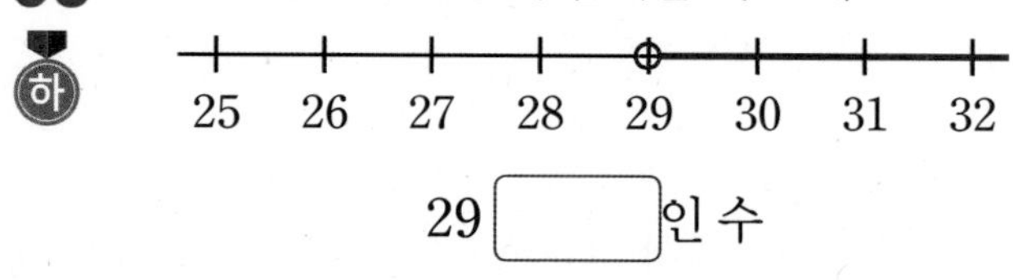

29 ☐인 수

| 올림 |

04 수를 올림하여 주어진 자리까지 나타내어 보세요.

하

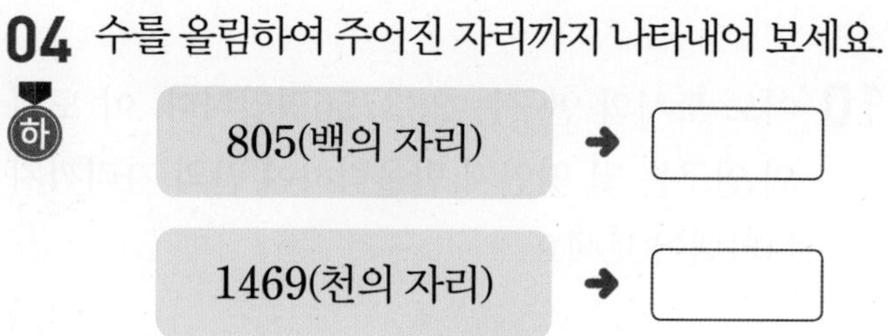

805(백의 자리) ➔ ☐

1469(천의 자리) ➔ ☐

| 수의 범위 나타내기 |

05 수의 범위를 수직선에 나타내어 보세요.

중

49 이상 53 미만인 수

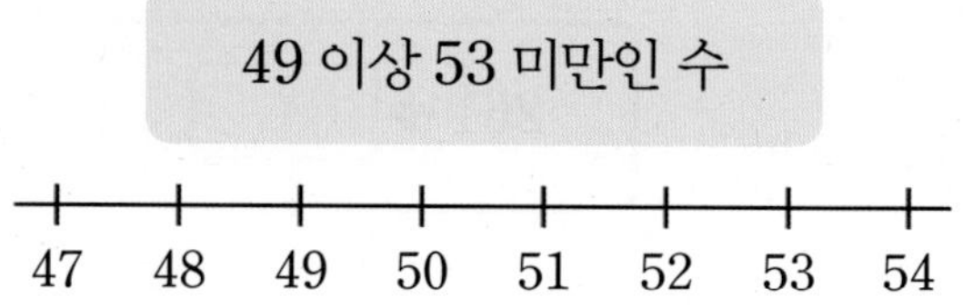

| 버림 |

06 버림하여 백의 자리까지 나타내었을 때 7300이 되는 수에 ○표 해 보세요.

중

7329 7299 7400

| 반올림 |

07 어림한 수를 찾아 선으로 이어 보세요.

중

3946을 반올림하여 백의 자리까지 나타낸 수

3951을 반올림하여 백의 자리까지 나타낸 수

4000 3900 3800

평가한 날 월 일

점수

| 초과와 미만 |

08 46 미만인 수로 이루어진 것에 ○표 하세요.

14, 3, 27, 50, 45 ( )

46, 40, 35, 7, 38 ( )

23, 16, 44, 40, 37 ( )

| 반올림 |

09 반올림하여 천의 자리까지 나타낸 수가 다른 하나를 찾아 기호를 써 보세요.

㉠ 5908 ㉡ 6208 ㉢ 5367

( )

| 이상과 이하 |

10 버스를 탈 때 만 6세 이상의 어린이는 요금을 내야 합니다. 다음 중 버스를 탈 때 요금을 내야 하는 어린이의 이름을 모두 써 보세요.

이름	지호	예린	서우	태진	시현
만 나이(세)	6	5	3	8	4

( )

| 올림, 버림 |

11 어림을 바르게 한 사람의 이름을 써 보세요.

태영: 4.718을 올림하여 소수 둘째 자리까지 나타내면 4.71이야.
윤아: 13.562를 버림하여 소수 첫째 자리까지 나타내면 13.5야.

( )

| 초과와 미만 |

12 세영이의 말을 읽고 □ 안에 알맞은 수를 써넣으세요.

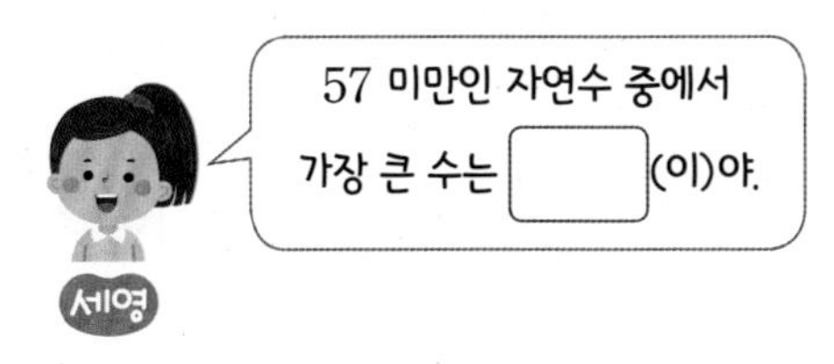

| 올림 |

13 도준이네 학교 학생 538명에게 지우개를 한 개씩 나누어 주려고 합니다. 지우개는 한 상자에 10개씩 들어 있고, 낱개로 살 수 없다고 합니다. 지우개를 최소 몇 개 사야 하는지 알맞은 말에 ○표 하고 답을 구해 보세요.

사야 하는 지우개의 수는 538개를 (올림 , 버림 , 반올림)하여 (백 , 십)의 자리까지 나타냅니다.

( )

| 수의 범위 나타내기 | 서술형

14 9 초과 13 이하인 자연수들의 합은 얼마인지 풀이 과정을 쓰고, 답을 구해 보세요.

풀이

답

| 수의 범위 나타내기 |

15 수의 범위에 속하는 자연수의 개수가 가장 적은 것을 찾아 기호를 써 보세요. (중)

㉠ 63 이상 70 이하인 수
㉡ 48 이상 55 미만인 수
㉢ 28 초과 34 이하인 수

(　　　　　　　　)

| 이상과 이하 |

16 다음은 □ 이상인 자연수입니다. □ 안에 들어갈 수 있는 가장 큰 자연수를 구해 보세요. (중)

47　　50　　52　　55

(　　　　　　　　)

| 반올림 |

17 수 카드 [8], [3], [7]을 한 번씩만 사용하여 만들 수 있는 가장 큰 세 자리 수를 반올림하여 백의 자리까지 나타내려고 합니다. 풀이 과정을 쓰고, 답을 구해 보세요. (중) 서술형

풀이

답

| 수의 범위 나타내기 |

18 자연수 부분이 5 이상 7 미만이고, 소수 첫째 자리가 7 초과 9 이하인 소수 한 자리 수를 만들려고 합니다. 만들 수 있는 소수 한 자리 수 중에서 가장 큰 수와 가장 작은 수의 합을 구해 보세요. (상)

(　　　　　　　　)

| 반올림 |

19 반올림하여 백의 자리까지 나타내었을 때 6300이 되는 수의 범위를 수직선에 나타내어 보세요. (상)

6200　　6300　　6400

| 버림 |

20 민호의 저금통에 500원짜리 동전이 13개, 100원짜리 동전이 89개 들어 있습니다. 이 돈을 천 원짜리 지폐로 바꾼다면 최대 몇 장까지 바꿀 수 있는지 풀이 과정을 쓰고, 답을 구해 보세요. (상) 서술형

풀이

답

실력 단원 평가 | 1. 수의 범위와 어림하기

평가한 날 월 일

점수

정답 및 풀이 | 99쪽

01~02 수를 보고 물음에 답해 보세요.

25	16.8	40	19
38	24	9.7	10.5

| 이상과 이하 |

01 17 이하인 수를 모두 찾아 써 보세요.

( )

| 초과와 미만 |

02 25 초과인 수를 모두 찾아 써 보세요.

( )

| 버림 |

03 수를 버림하여 주어진 자리까지 나타내어 보세요.

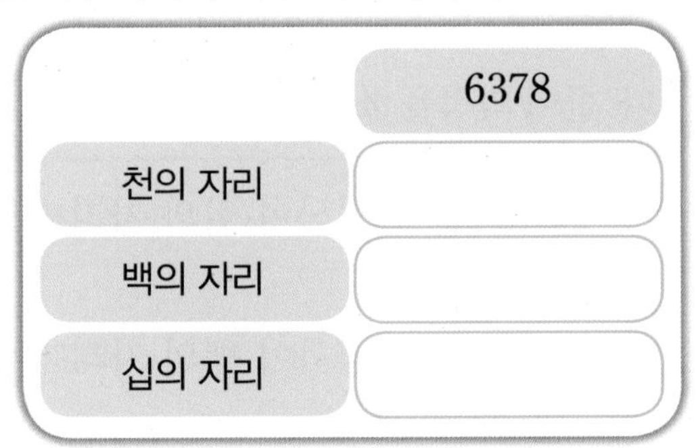

	6378
천의 자리	
백의 자리	
십의 자리	

| 반올림 |

04 9.41을 반올림하여 소수 첫째 자리까지 나타낸 수에 색칠해 보세요.

9.5	9.4	9.3

05~06 투호 놀이에서 넣은 화살 수에 따라 상품을 주려고 합니다. 표를 보고 물음에 답해 보세요.

투호 놀이 결과

이름	선웅	진규	수아	민재	예나
넣은 화살 수(개)	8	12	15	7	10

상품 증정 기준

상품	넣은 화살 수(개)
가방	15 이상
학용품 세트	10 이상 15 미만
색연필	5 이상 10 미만
공책	5 미만

| 수의 범위 나타내기 |

05 민재가 받는 상품은 무엇인가요?

( )

| 수의 범위 나타내기 |

06 상품으로 가방을 받는 친구는 누구인가요?

( )

| 수의 범위 나타내기 |

07 수직선에 나타낸 수의 범위에 속하지 않는 자연수를 찾아 기호를 써 보세요.

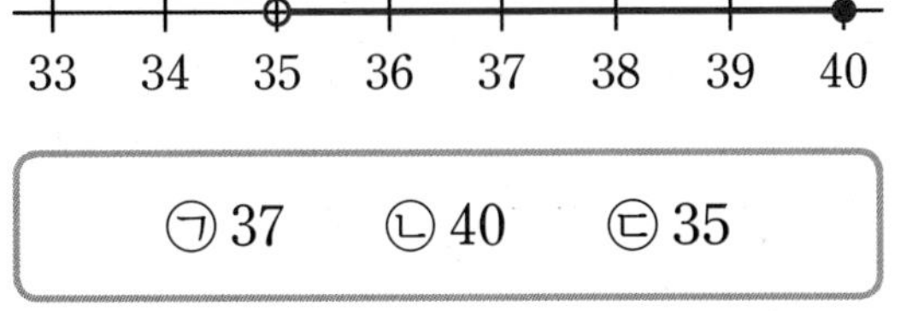

㉠ 37 ㉡ 40 ㉢ 35

( )

| 반올림 |

08 끈의 길이는 몇 m인지 반올림하여 일의 자리까지 나타내어 보세요.

중

67.92 m

(　　　　　　　　)

| 이상과 이하 |

09 55가 포함되지 않는 수의 범위를 말한 사람의 이름을 써 보세요.

중

(　　　　　　　　)

| 초과와 미만 |

10 8명까지 탈 수 있는 놀이 기구에 각각 다음과 같이 사람들이 타고 있습니다. 정원을 초과한 놀이 기구를 찾아 기호를 써 보세요.

중

㉠ 8명　㉡ 7명　㉢ 6명　㉣ 9명

(　　　　　　　　)

| 이상과 이하 |

11 주하네 반 학생들의 줄넘기 기록을 나타낸 표입니다. 줄넘기 횟수가 100회 이상인 학생이 줄넘기 대회에 나갈 수 있다고 할 때, 대회에 나갈 수 있는 학생은 모두 몇 명인가요?

중

이름	주하	승미	유찬	이나	시후
횟수(회)	84	131	96	110	75

(　　　　　　　　)

| 반올림 |

12 다음 수를 반올림하여 천의 자리까지 나타낸 수와 반올림하여 십의 자리까지 나타낸 수의 차를 구해 보세요.

중

5508

(　　　　　　　　)

| 올림, 버림, 반올림 |

13 올림, 버림, 반올림하여 십의 자리까지 나타낸 수가 모두 같은 수를 찾아 써 보세요.

중

5370　6389　4203

(　　　　　　　　)

| 올림, 버림 | 서술형

14 어림한 수가 더 큰 것을 찾아 기호를 쓰려고 합니다. 풀이 과정을 쓰고, 답을 구해 보세요.

중

㉠ 1504를 올림하여 십의 자리까지 나타낸 수
㉡ 1517을 버림하여 백의 자리까지 나타낸 수

풀이

| 올림, 버림 |

15 어림하는 방법이 다른 하나를 찾아 기호를 써 보세요.

중

> ㉠ 귤 84개를 한 봉지에 10개씩 담아 포장할 때 포장할 수 있는 귤의 수를 구하는 경우
> ㉡ 동전 61750원을 천 원짜리 지폐로 바꿀 때, 바꿀 수 있는 최대 금액을 구하는 경우
> ㉢ 12000원짜리 책값을 만 원짜리 지폐로만 낼 때 내야 하는 금액을 구하는 경우

( )

| 올림 |

16 보온병이 576개 필요합니다. 보온병은 10개씩 상자 단위로만 판다고 할 때 사야 할 보온병은 최소 몇 상자인가요?

중

( )

| 반올림 | 서술형

17 수를 반올림하여 십의 자리까지 나타내면 1490이 됩니다. □ 안에 들어갈 수 있는 숫자의 합은 얼마인지 풀이 과정을 쓰고, 답을 구해 보세요.

상

148□

풀이

답

| 수의 범위 나타내기 |

18 두 수직선에 나타낸 수의 범위에 공통으로 속하는 자연수를 모두 구해 보세요.

상

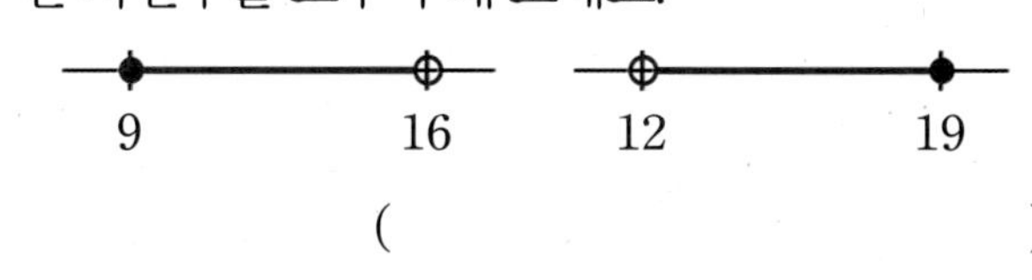

( )

| 수의 범위 나타내기 |

19 수빈이는 12세이고 언니는 16세입니다. 수빈이와 언니가 동물원에 입장하려면 입장료를 모두 얼마 내야 하나요?

상

동물원 입장료

구분	어린이	청소년	성인
요금(원)	800	1500	3000

• 어린이: 8세 이상 13세 이하 • 청소년: 13세 초과 20세 미만
• 성인: 20세 이상 65세 미만 ※ 8세 미만과 65세 이상은 무료

( )

| 올림 | 서술형

20 올림하여 백의 자리까지 나타내면 4100이 되는 자연수는 모두 몇 개인지 풀이 과정을 쓰고, 답을 구해 보세요.

상

풀이

답

서술형 평가 | 1. 수의 범위와 어림하기

Tip

❶ 나이가 만 18세 이상인 사람 모두 찾기

❷ 투표할 수 있는 사람은 모두 몇 명인지 구하기

01 우리나라에서는 나이가 만 18세 이상이면 투표할 수 있습니다. 다음은 각 사람의 현재 만 나이를 적은 표입니다. 이 중에서 투표할 수 있는 사람은 모두 몇 명인지 풀이 과정을 쓰고, 답을 구해 보세요.

이름	하은	선우	민준	하린	채아	소율
만 나이(세)	15	20	14	16	24	18

답

Tip

❶ 올림하여 백의 자리까지 나타내었을 때 8500이 될 수 있는 수의 범위 구하기

❷ 컴퓨터의 비밀번호 구하기

02 현준이의 컴퓨터 비밀번호를 올림하여 백의 자리까지 나타내면 8500입니다. 컴퓨터의 비밀번호는 얼마인지 풀이 과정을 쓰고, 답을 구해 보세요.

컴퓨터 비밀번호	□□27

풀이

답

정답 및 풀이 | 100쪽

❶ 팔 수 있는 감자는 몇 상자인지 구하기

❷ 감자를 판 돈은 최대 얼마인지 구하기

03 감자 132 kg을 한 상자에 10 kg씩 담아서 한 상자에 10000원씩 받고 팔았습니다. 감자를 판 돈은 최대 얼마인지 풀이 과정을 쓰고, 답을 구해 보세요.

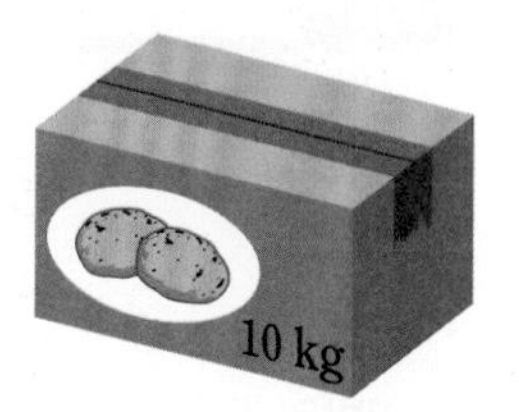

풀이

답

❶ 두 조건을 동시에 만족하는 자연수의 범위 구하기

❷ 두 조건을 동시에 만족하는 자연수 중 가장 작은 수와 가장 큰 수 구하기

❸ 두 조건을 동시에 만족하는 자연수는 모두 몇 개인지 구하기

04 두 조건을 동시에 만족하는 자연수는 모두 몇 개인지 풀이 과정을 쓰고, 답을 구해 보세요.

- 160 이상인 수입니다.
- 250 미만인 수입니다.

풀이

답

실전 서술형 평가 | 1. 수의 범위와 어림하기

Tip

❶ 꽃밭의 둘레는 몇 m인지 구하기

❷ 꽃밭의 둘레를 반올림하여 십의 자리까지 나타내기

01 한 변의 길이가 27 m인 정사각형 모양 꽃밭의 둘레는 몇 m인지 반올림하여 십의 자리까지 나타내려고 합니다. 풀이 과정을 쓰고, 답을 구해 보세요.

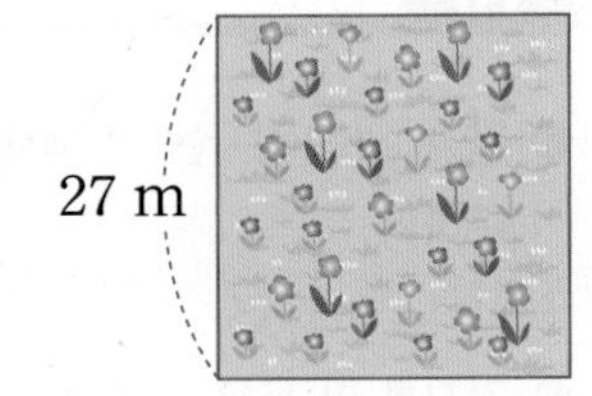

답

Tip

❶ 기본 요금에 추가 요금을 내야 하는 시간 구하기

❷ 내야 할 주차 요금은 얼마인지 구하기

02 어느 주차장의 요금표입니다. 이 주차장에 자동차를 1시간 20분 동안 주차하였다면 내야 할 주차 요금은 얼마인지 풀이 과정을 쓰고, 답을 구해 보세요.

주차 요금
- 기본 30분 요금: 1000원
- 30분 초과 시: 10분마다 500원씩 추가

답

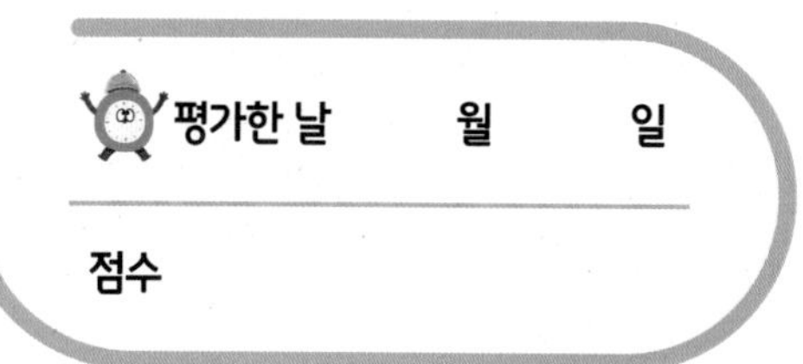

Tip

❶ 버림하여 십의 자리까지 나타내면 50이 되는 자연수의 범위 구하기

❷ 규선이가 처음에 생각한 자연수 구하기

03 두 사람의 대화를 읽고 규선이가 처음에 생각한 자연수를 구하려고 합니다. 풀이 과정을 쓰고, 답을 구해 보세요.

풀이

답

Tip

❶ 구슬을 봉지에 담는 데 필요한 봉지의 수 구하기

❷ 구슬을 상자에 담는 데 필요한 상자의 수 구하기

❸ 구슬을 봉지와 상자 중 어느 것에 담는 것이 비용이 더 적게 드는지 구하기

04 구슬 453개를 봉지 또는 상자에 모두 담으려고 합니다. 봉지 한 장의 가격이 20원, 상자 한 개의 가격은 100원입니다. 구슬을 봉지와 상자 중 어느 것에 담는 것이 비용이 더 적게 드는지 풀이 과정을 쓰고, 답을 구해 보세요.

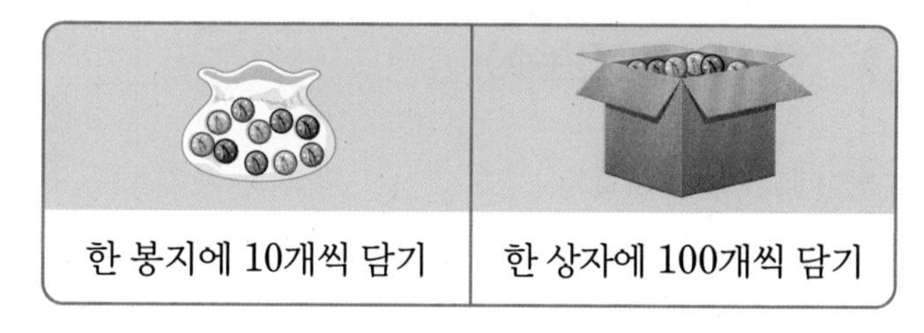

풀이

답

2 단원 교과서 핵심 개념

2 분수의 곱셈

수학 32~57쪽 수학 익힘 21~34쪽

개념 1 (진분수)×(자연수)

· $\frac{4}{5}\times3$을 계산하는 방법

(진분수)×(자연수)는 분수의 분모는 그대로 두고, 분수의 분자와 자연수를 곱하여 계산합니다.

$$\frac{4}{5}\times3=\frac{4}{5}+\frac{4}{5}+\frac{4}{5}=\frac{4\times3}{5}=\frac{12}{5}=2\frac{2}{5}$$

$$\frac{▲}{●}\times■=\frac{▲\times■}{●}$$

개념 2 (대분수)×(자연수)

· $1\frac{1}{2}\times5$를 계산하는 방법

방법 1 대분수를 자연수 부분과 진분수 부분으로 나누어 계산하기

$$1\frac{1}{2}\times5=1\frac{1}{2}+1\frac{1}{2}+1\frac{1}{2}+1\frac{1}{2}+1\frac{1}{2}$$
$$=(1\times5)+\left(\frac{1}{2}\times5\right)=5+\frac{5}{2}=7\frac{1}{2}$$

방법 2 대분수를 가분수로 바꾸어 계산하기

$$1\frac{1}{2}\times5=\frac{3}{2}\times5=\frac{3\times5}{2}=\frac{15}{2}=7\frac{1}{2}$$

개념 3 (자연수)×(진분수)

· $6\times\frac{4}{7}$를 계산하는 방법

(자연수)×(진분수)는 분수의 분모는 그대로 두고, 자연수와 분수의 분자를 곱하여 계산합니다.

$$6\times\frac{4}{7}=\left(6\times\frac{1}{7}\right)\times4=\frac{6}{7}\times4=\frac{6\times4}{7}$$
$$=\frac{24}{7}=3\frac{3}{7}$$

$$■\times\frac{▲}{●}=\frac{■\times▲}{●}$$

개념 4 (자연수)×(대분수)

· $7\times1\frac{2}{3}$를 계산하는 방법

방법 1 대분수를 자연수 부분과 진분수 부분으로 나누어 계산하기

$$7\times1\frac{2}{3}=(7\times1)+\left(7\times\frac{2}{3}\right)=7+\frac{14}{3}$$
$$=11\frac{2}{3}$$

방법 2 대분수를 가분수로 바꾸어 계산하기

$$7\times1\frac{2}{3}=7\times\frac{5}{3}=\frac{7\times5}{3}=\frac{35}{3}=11\frac{2}{3}$$

개념 5 (진분수)×(진분수)

· $\frac{7}{9}\times\frac{6}{7}$을 계산하는 방법

(진분수)×(진분수)는 분모는 분모끼리, 분자는 분자끼리 곱하여 계산합니다.

$$\frac{7}{9}\times\frac{6}{7}=\frac{7\times6}{9\times7}=\frac{\overset{2}{\cancel{42}}}{\underset{3}{\cancel{63}}}=\frac{2}{3}$$

· $\frac{1}{7}\times\frac{3}{5}\times\frac{1}{2}$을 계산하는 방법

세 분수의 곱셈도 분모는 분모끼리, 분자는 분자끼리 곱하여 계산합니다.

$$\frac{1}{7}\times\frac{3}{5}\times\frac{1}{2}=\frac{1\times3\times1}{7\times5\times2}=\frac{3}{70}$$

개념 6 (대분수)×(대분수)

· $1\frac{2}{5}\times1\frac{1}{3}$을 계산하는 방법

(대분수)×(대분수)는 대분수를 가분수로 바꾼 다음, 분모는 분모끼리, 분자는 분자끼리 곱하여 계산합니다.

$$1\frac{2}{5}\times1\frac{1}{3}=\frac{7}{5}\times\frac{4}{3}=\frac{7\times4}{5\times3}=\frac{28}{15}=1\frac{13}{15}$$

2. 분수의 곱셈 | (진분수)×(자연수) / (대분수)×(자연수)

평가한 날 월 일

점수

정답 및 풀이 | 101쪽

01~02 □ 안에 알맞은 수를 써넣으세요.

01 $\frac{4}{7}\times 2=\frac{\square\times\square}{7}=\frac{\square}{7}=\square\frac{\square}{7}$

02 $4\frac{1}{2}\times 3=\frac{\square}{2}\times 3=\frac{\square\times 3}{2}=\frac{\square}{2}$

$=\square\frac{\square}{2}$

03 바르게 계산한 것에 ○표 하세요.

$\frac{5}{9}\times 8=\frac{5\times 8}{9\times 8}=\frac{\overset{5}{\cancel{40}}}{\underset{9}{\cancel{72}}}=\frac{5}{9}$ ( )

$\frac{5}{9}\times 8=\frac{5\times 8}{9}=\frac{40}{9}=4\frac{4}{9}$ ( )

04 계산해 보세요.

(1) $\frac{13}{20}\times 6$

(2) $2\frac{2}{7}\times 14$

05 빈칸에 알맞은 수를 써넣으세요.

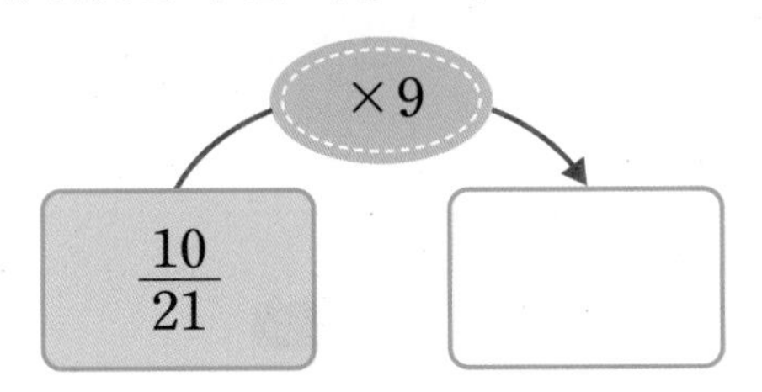

06 크기를 비교하여 ○ 안에 >, =, <를 알맞게 써넣으세요.

$5\frac{3}{4}\times 10$ ○ 52

07 계산에서 잘못된 부분을 찾아 바르게 계산해 보세요.

$3\frac{1}{\underset{1}{\cancel{8}}}\times\overset{3}{\cancel{24}}=3\times 3=9$

$3\frac{1}{8}\times 24$ ....

08 가장 큰 수와 가장 작은 수의 곱을 구해 보세요.

2	$7\frac{1}{5}$	$6\frac{8}{9}$

( )

09 두 식의 계산 결과의 차를 구해 보세요.

$\frac{4}{5}\times 6$	$\frac{3}{5}\times 13$

( )

10 한 상자의 무게가 $3\frac{3}{8}$ kg인 오렌지가 있습니다. 이 오렌지 10상자의 무게는 몇 kg인가요?

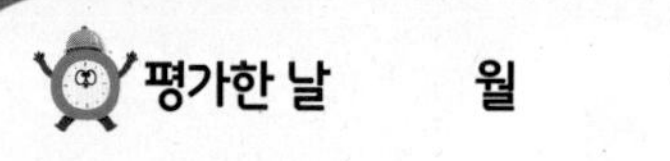

정답 및 풀이 | 101쪽

점수

01~02 □ 안에 알맞은 수를 써넣으세요.

01 $9\times\frac{7}{8}=\frac{\square\times\square}{8}=\frac{\square}{8}=\square\frac{\square}{8}$

02 $4\times2\frac{1}{7}=(4\times\square)+\left(4\times\frac{\square}{7}\right)$

$=\square+\frac{\square}{7}=\square\frac{\square}{7}$

03 곱셈식의 계산 결과에 ○표 하세요.

$8\times\frac{5}{6}$ ➔ ($6\frac{1}{3}$, $6\frac{2}{3}$, $8\frac{1}{3}$)

04 계산해 보세요.

(1) $12\times\frac{4}{7}$

(2) $15\times6\frac{4}{5}$

05 계산 결과가 6보다 큰 것에 ○표, 6보다 작은 것에 △표 하세요.

$6\times\frac{3}{4}$ $6\times1\frac{6}{7}$ 6×1

06 바르게 계산한 것의 기호를 써 보세요.

㉠ $8\times2\frac{1}{3}=18\frac{2}{3}$ ㉡ $7\times2\frac{1}{4}=14\frac{3}{4}$

( )

07 다음이 나타내는 수를 구해 보세요.

7의 $\frac{11}{25}$

( )

08 □ 안에 알맞은 수를 써넣으세요.

1 kg의 $\frac{3}{4}$은 □ g입니다.

09 계산 결과가 가장 큰 것을 찾아 기호를 써 보세요.

㉠ $5\times\frac{7}{15}$ ㉡ $4\times\frac{8}{9}$ ㉢ $7\times\frac{10}{21}$

( )

10 가로가 12 cm, 세로가 $3\frac{3}{4}$ cm인 직사각형의 넓이는 몇 cm^2인가요?

식

답

2. 분수의 곱셈 | (진분수)×(진분수)

평가한 날 월 일

점수

정답 및 풀이 | 102쪽

01 그림을 보고 □ 안에 알맞은 수를 써넣으세요.

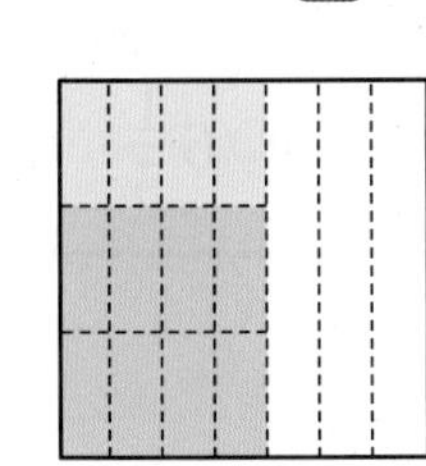

$$\frac{4}{7}\times\frac{2}{3}=\frac{4\times2}{\square\times\square}=\frac{\square}{\square}$$

02 □ 안에 알맞은 수를 써넣으세요.

$$\frac{1}{7}\times\frac{\overset{\square}{\cancel{4}}}{5}\times\frac{9}{\underset{\square}{\cancel{10}}}=\frac{1\times\square\times9}{7\times5\times\square}=\frac{\square}{\square}$$

03 계산해 보세요.

(1) $\frac{5}{8}\times\frac{5}{9}$

(2) $\frac{2}{5}\times\frac{3}{4}\times\frac{1}{2}$

04 두 수의 곱을 구해 보세요.

$\frac{9}{14}$	$\frac{7}{8}$

( )

05 계산 결과가 $\frac{8}{9}$보다 작은 식에 ○표 하세요.

$\frac{8}{9}\times\frac{5}{6}$ $\frac{8}{9}\times2$ $\frac{8}{9}\times1$

06 빈칸에 알맞은 수를 써넣으세요.

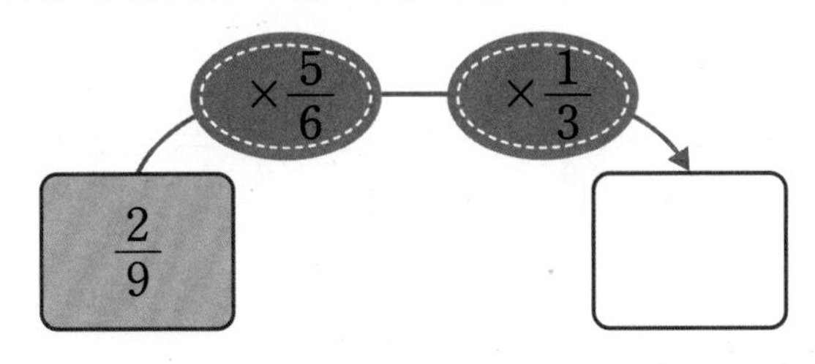

07 ㉠의 계산 결과와 ㉡의 차를 구해 보세요.

㉠ $\frac{4}{15}\times\frac{3}{11}$ ㉡ $\frac{7}{11}$

( )

08 계산 결과를 비교하여 ○ 안에 >, =, <를 알맞게 써넣으세요.

$\frac{1}{6}\times\frac{3}{8}\times\frac{1}{2}$ ○ $\frac{2}{3}\times\frac{2}{7}\times\frac{1}{4}$

09 주스가 $\frac{9}{10}$ L 있었습니다. 이 중에서 $\frac{1}{6}$만큼을 마셨다면 마신 주스는 몇 L인가요?

( )

10 수 카드 5, 7, 9 중에서 2장을 한 번씩만 사용하여 계산 결과가 가장 작은 곱셈식을 만들고 계산해 보세요.

$\frac{1}{\square}\times\frac{1}{\square}$ ➜ ( )

2. 분수의 곱셈 | (대분수)×(대분수)

정답 및 풀이 | 102쪽

평가한 날 월 일

점수

01~02 □ 안에 알맞은 수를 써넣으세요.

01 $1\frac{6}{7}\times1\frac{3}{4}=\frac{\square}{7}\times\frac{\square}{4}=\frac{\square}{4}$

$=\square\frac{\square}{4}$

02 $8\times2\frac{1}{5}=\frac{\square}{1}\times\frac{\square}{5}=\frac{\square}{5}$

$=\square\frac{\square}{5}$

03 계산해 보세요.

(1) $2\frac{2}{7}\times3\frac{1}{2}$

(2) $3\frac{5}{6}\times1\frac{2}{3}$

04 빈칸에 알맞은 수를 써넣으세요.

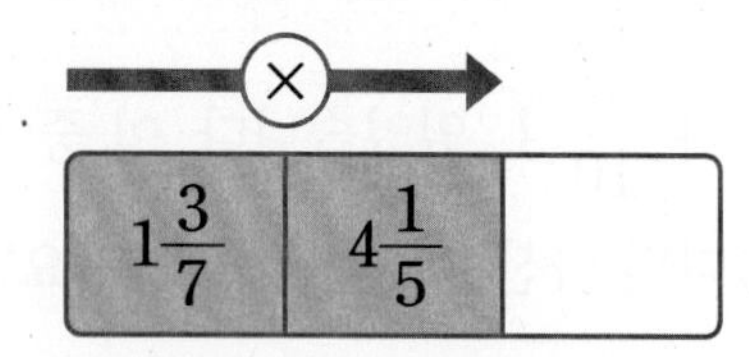

05 계산이 처음으로 잘못된 곳을 찾아 기호를 쓰고, 바르게 계산한 값을 구해 보세요.

$3\frac{1}{8}\times2\frac{3}{5}=3\frac{1}{8}\times\frac{13}{5}=3\frac{1\times13}{8\times5}=3\frac{13}{40}$

㉠ ㉡

( ), ( )

06 크기가 더 큰 것의 기호를 써 보세요.

㉠ $2\frac{2}{9}\times2\frac{3}{4}$ ㉡ $6\frac{1}{5}$

( )

07 가장 큰 수와 가장 작은 수의 곱을 구해 보세요.

$3\frac{8}{9}$ $6\frac{3}{4}$ $4\frac{4}{5}$

( )

08 두 식의 계산 결과의 합을 구해 보세요.

$1\frac{7}{8}\times1\frac{1}{5}$ $1\frac{4}{7}\times1\frac{3}{4}$

( )

09 한 변의 길이가 $2\frac{2}{3}$ cm인 정사각형의 넓이는 몇 cm^2인가요?

( )

10 성호의 몸무게는 $30\frac{5}{7}$ kg이고 아버지의 몸무게는 성호 몸무게의 $2\frac{4}{5}$배입니다. 아버지의 몸무게는 몇 kg인가요?

( )

기본 단원 평가 | 2. 분수의 곱셈

평가한 날 월 일

점수

정답 및 풀이 | 103쪽

| (진분수)×(자연수) |

01 그림을 보고 □ 안에 알맞은 수를 써넣으세요.

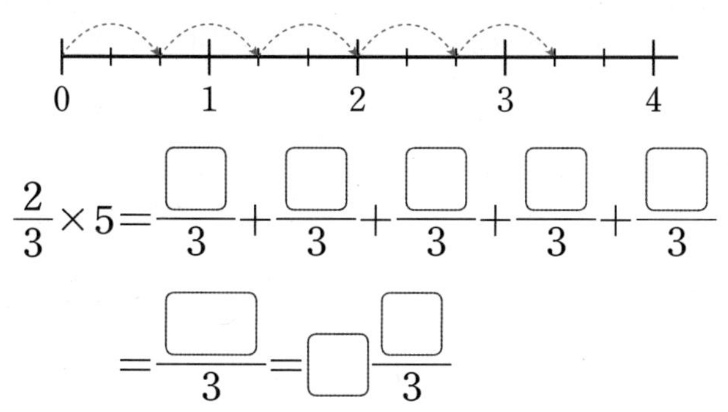

$\frac{2}{3}\times5=\frac{\square}{3}+\frac{\square}{3}+\frac{\square}{3}+\frac{\square}{3}+\frac{\square}{3}$

$=\frac{\square}{3}=\square\frac{\square}{3}$

| (자연수)×(대분수) |

02 □ 안에 알맞은 수를 써넣으세요.

$3\times2\frac{1}{4}=(3\times\square)+\left(3\times\frac{\square}{4}\right)$

$=\square+\frac{\square}{4}=\square\frac{\square}{4}$

| (진분수)×(진분수) |

03 보기 와 같은 방법으로 계산해 보세요.

보기

$\frac{5}{6}\times\frac{2}{9}=\frac{5\times2}{6\times9}=\frac{\overset{5}{\cancel{10}}}{\underset{27}{\cancel{54}}}=\frac{5}{27}$

$\frac{4}{5}\times\frac{3}{10}$ ....

| (자연수)×(진분수), (자연수)×(대분수) |

04 계산해 보세요.

(1) $16\times\frac{7}{8}$

(2) $30\times1\frac{1}{4}$

| (진분수)×(진분수) |

05 빈 곳에 두 분수의 곱을 써넣으세요.

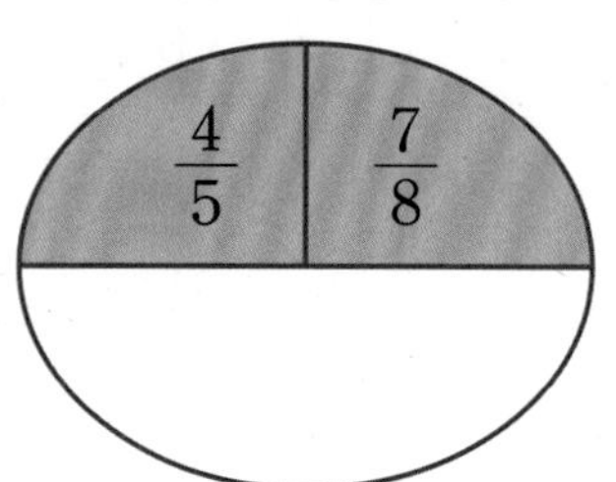

| (자연수)×(대분수) |

06 다음이 나타내는 수를 구해 보세요.

8의 $2\frac{3}{16}$배

( )

| (진분수)×(자연수), (자연수)×(진분수) |

07 계산 결과를 찾아 선으로 이어 보세요.

$\frac{5}{16}\times24$ ·	· $11\frac{2}{3}$
$15\times\frac{9}{10}$ ·	· $7\frac{1}{2}$
$20\times\frac{7}{12}$ ·	· $13\frac{1}{2}$

기본 단원 평가

| (진분수)×(진분수) |

08 세 수의 곱을 구해 보세요.

$\frac{5}{9}$ $\frac{6}{7}$ $\frac{1}{8}$

(   )

| (대분수)×(대분수) |

09 가장 큰 수와 가장 작은 수의 곱을 구해 보세요.

$2\frac{7}{9}$ $3\frac{2}{5}$ $4\frac{1}{5}$

(   )

| (진분수)×(자연수), (자연수)×(진분수) |

10 계산 결과가 자연수가 아닌 것을 찾아 기호를 써 보세요.

중

㉠ $28\times\frac{6}{7}$ ㉡ $\frac{4}{5}\times10$ ㉢ $\frac{5}{24}\times8$

(   )

| (진분수)×(자연수) |

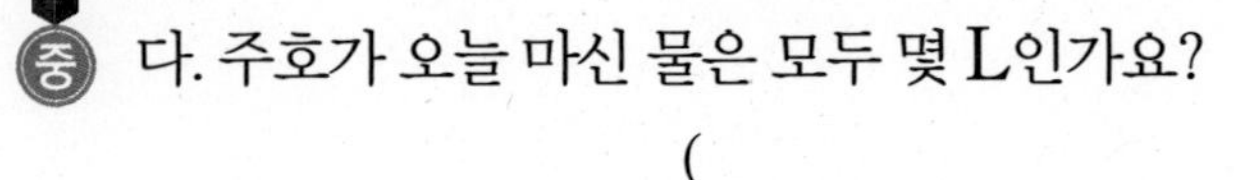

11 주호는 오늘 물을 한 번에 $\frac{2}{7}$ L씩 3번 마셨습니다. 주호가 오늘 마신 물은 모두 몇 L인가요?

중

(   )

| (자연수)×(진분수) |

12 옳게 말한 사람의 이름을 써 보세요.

단우: 1 L의 $\frac{1}{4}$은 200 mL야.

시현: 1시간의 $\frac{1}{3}$은 20분이야.

(   )

| (대분수)×(대분수) |

13 ☐ 안에 들어갈 수 있는 가장 큰 자연수를 구해 보세요.

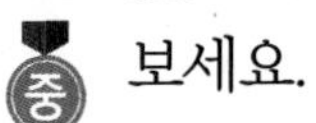

중

$1\frac{5}{7}\times3\frac{3}{4}>\square$

(   )

| (대분수)×(자연수) | 서술형

14 계산에서 잘못된 부분을 찾아 그 이유를 쓰고, 바르게 계산해 보세요.

$3\frac{1}{\overset{}{\cancel{16}}_{2}}\times\overset{3}{\cancel{24}}=3\frac{1}{2}\times3=\frac{7}{2}\times3$

$=\frac{21}{2}=10\frac{1}{2}$

이유

바르게 계산하기

$3\frac{1}{16}\times24$

| (자연수)×(대분수) |

15 계산 결과가 큰 것부터 차례로 기호를 써 보세요.

중

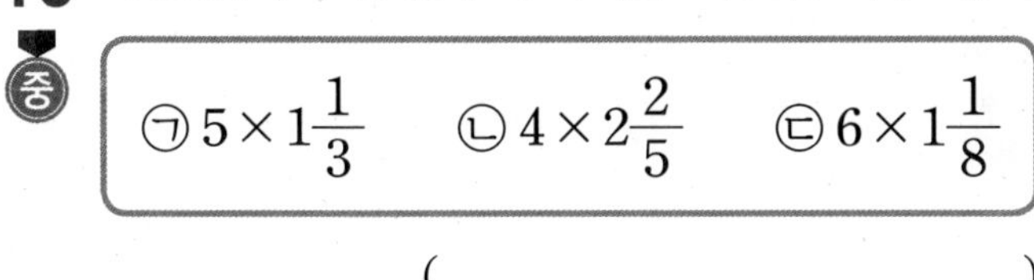

㉠ $5\times1\frac{1}{3}$　㉡ $4\times2\frac{2}{5}$　㉢ $6\times1\frac{1}{8}$

(　　　　　　　　　　)

| (진분수)×(진분수) |

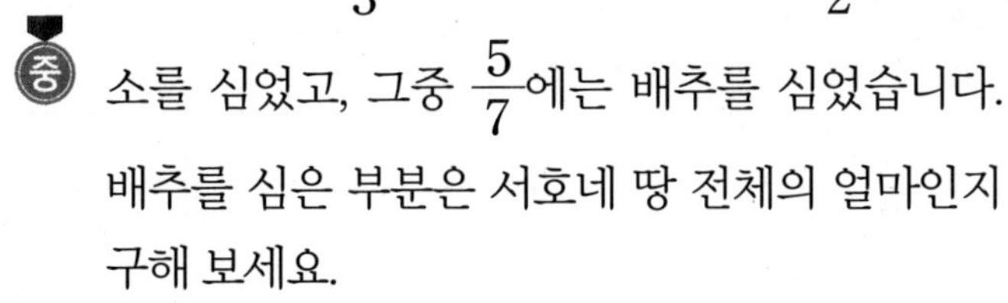

16 서호네 땅의 $\frac{2}{3}$는 텃밭입니다. 텃밭의 $\frac{1}{2}$에는 채소를 심었고, 그중 $\frac{5}{7}$에는 배추를 심었습니다. 배추를 심은 부분은 서호네 땅 전체의 얼마인지 구해 보세요.

중

(　　　　　　　　　　)

| (자연수)×(진분수) |　서술형

17 제윤이는 72쪽짜리 동화책을 전체의 $\frac{5}{8}$만큼 읽었습니다. 제윤이가 읽고 남은 동화책은 몇 쪽인지 풀이 과정을 쓰고, 답을 구해 보세요.

중

풀이

답 ....

| (대분수)×(자연수) |

18 숫자 카드를 한 번씩만 사용하여 계산 결과가 가장 큰 (대분수)×(자연수)를 만들고 계산 결과를 구해 보세요.

상

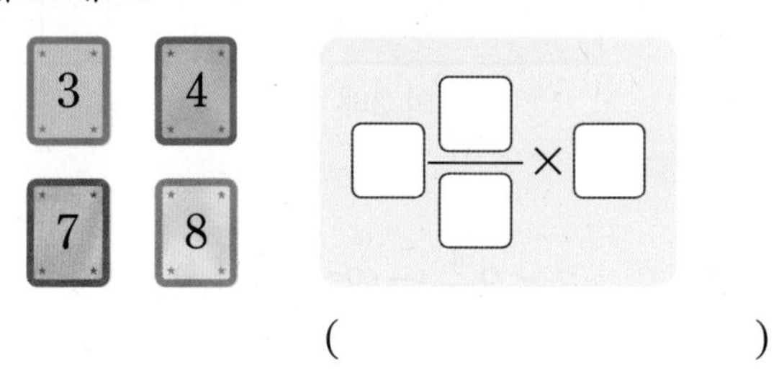

(　　　　　　　　　　)

| (대분수)×(대분수) |

19 정사각형 가와 직사각형 나가 있습니다. 가와 나 중 넓이가 더 넓은 것의 기호를 써 보세요.

상

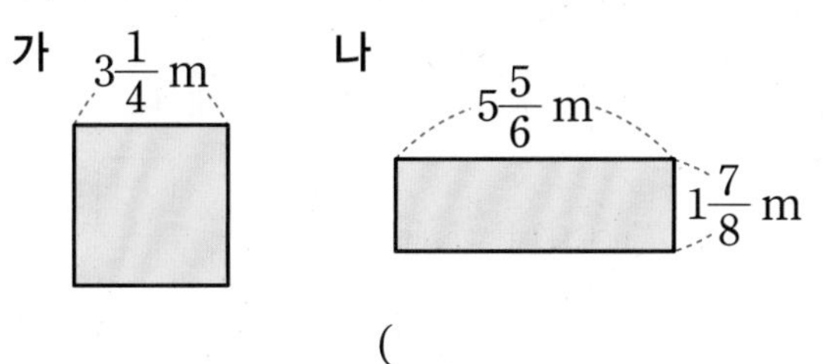

(　　　　　　　　　　)

| (대분수)×(대분수) |　서술형

20 은재는 한 시간에 $2\frac{5}{9}$ km를 걷습니다. 같은 빠르기로 1시간 20분 동안 걸었다면 은재가 걸은 거리는 몇 km인지 풀이 과정을 쓰고, 답을 구해 보세요.

상

풀이

답 ....

| (자연수)×(대분수) |

01 그림을 보고 □ 안에 알맞은 수를 써넣으세요.

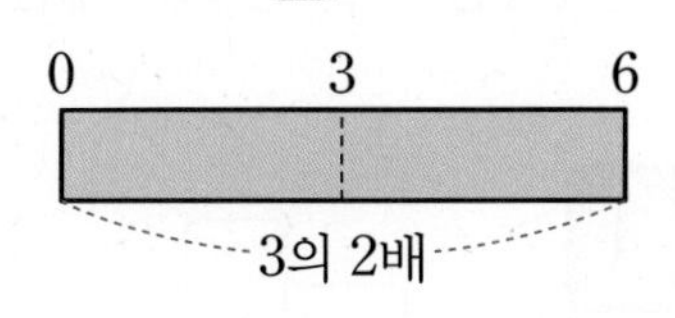

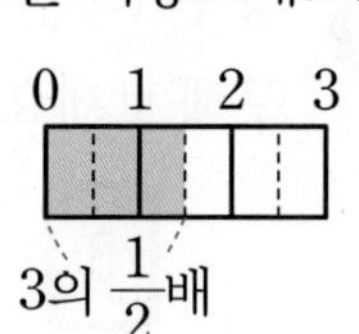

$$3\times2\frac{1}{2}=(3\times\square)+\left(3\times\frac{\square}{\square}\right)$$

$$=\square+\frac{\square}{2}=\square\frac{\square}{2}$$

| (자연수)×(진분수) |

02 □ 안에 알맞은 수를 써넣으세요.

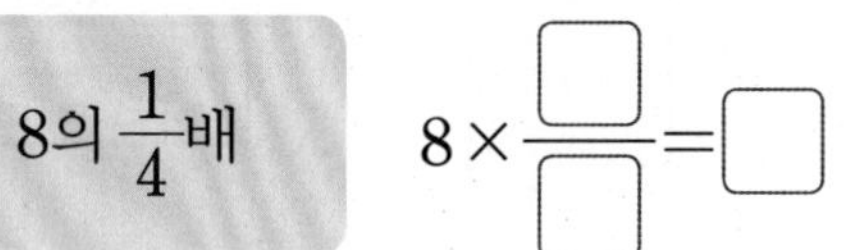

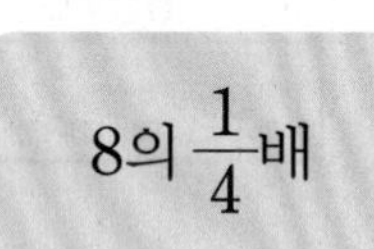

$8\times\frac{\square}{\square}=\square$

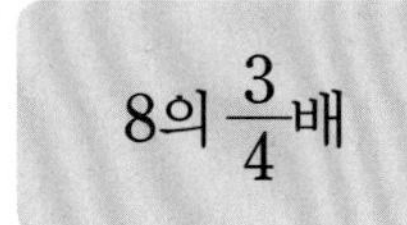

$8\times\frac{\square}{\square}=\square$

| (대분수)×(자연수) |

03 $2\frac{4}{5}\times6$의 계산 결과를 찾아 색칠해 보세요.

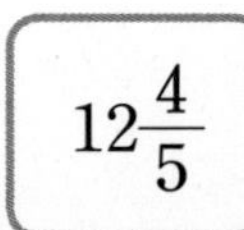

$12\frac{4}{5}$ $14\frac{2}{5}$ $16\frac{4}{5}$

| (자연수)×(진분수) |

04 두 수의 곱을 구해 보세요.

20 $\frac{7}{16}$

(　　　　　　　　)

| (대분수)×(대분수) |

05 계산 결과가 $6\frac{2}{9}$보다 큰 식에 ○표, $6\frac{2}{9}$보다 작은 식에 △표 하세요.

$6\frac{2}{9}\times\frac{3}{7}$ $6\frac{2}{9}\times2\frac{1}{3}$ $6\frac{2}{9}\times1$

| (진분수)×(진분수) |

06 ▲에 알맞은 수를 구해 보세요.

$$\frac{1}{9}\times\frac{1}{6}=\frac{1}{▲}$$

(　　　　　　　　)

| (진분수)×(자연수) |

07 계산 결과를 비교하여 ○ 안에 >, =, <를 알맞게 써넣으세요.

$$\frac{17}{40}\times12 \bigcirc \frac{11}{30}\times18$$

평가한 날 월 일

점수

| (대분수)×(자연수) |

08 계산 결과가 다른 하나를 찾아 기호를 써 보세요.

중

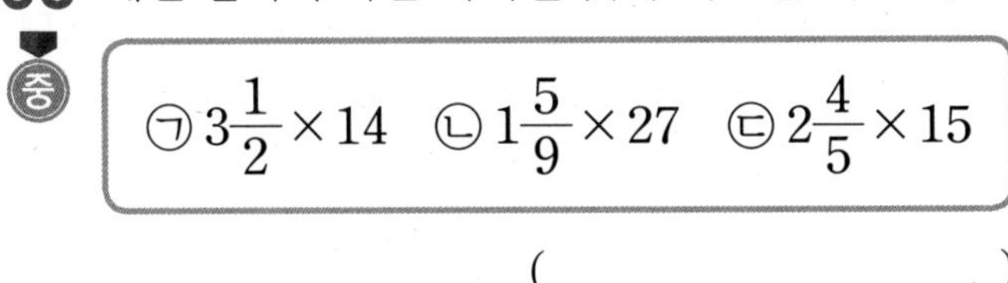
㉠ $3\frac{1}{2}\times14$ ㉡ $1\frac{5}{9}\times27$ ㉢ $2\frac{4}{5}\times15$

( )

| (진분수)×(진분수) |

09 계산을 잘못한 사람의 이름을 써 보세요.

중

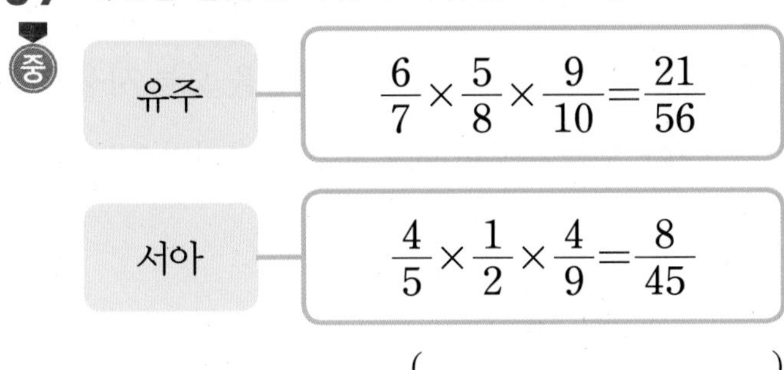
유주 — $\frac{6}{7}\times\frac{5}{8}\times\frac{9}{10}=\frac{21}{56}$

서아 — $\frac{4}{5}\times\frac{1}{2}\times\frac{4}{9}=\frac{8}{45}$

( )

| (진분수)×(자연수) |

10 한 명이 피자 한 판의 $\frac{1}{4}$씩 먹으려고 합니다. 12명이 먹으려면 피자는 모두 몇 판 필요한가요?

중

( )

| (대분수)×(자연수) |

11 두 식의 계산 결과의 차를 구해 보세요.

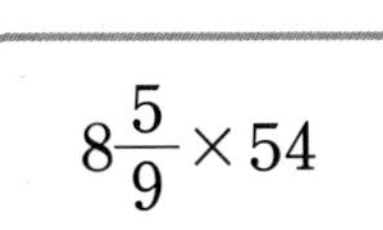
$8\frac{5}{9}\times54$

$6\frac{3}{5}\times40$

( )

| (자연수)×(대분수) |

12 평행사변형의 넓이는 몇 cm^2인가요?

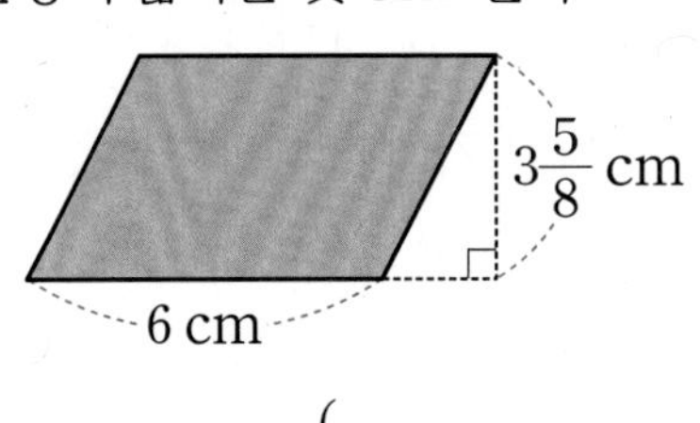

( )

| (진분수)×(진분수) |

13 미술 작품을 만드는 데 철사 $\frac{7}{10}$ m의 $\frac{5}{6}$만큼을 사용했습니다. 사용한 철사는 몇 m인가요?

중

( )

| (자연수)×(대분수) | 서술형

14 지오와 유찬이는 딸기 농장에서 딸기를 땄습니다. 지오는 3 kg을 땄고, 유찬이는 지오가 딴 딸기의 $1\frac{2}{5}$배만큼 땄습니다. 유찬이가 딴 딸기는 몇 kg인지 풀이 과정을 쓰고, 답을 구해 보세요.

중

답

| (자연수)×(진분수) |

15 어느 장난감 한 개의 가격은 9000원인데, 할인 기간에는 장난감 가격의 $\frac{5}{6}$만큼만 내면 된다고 합니다. 할인 기간에 판매하는 장난감 한 개의 가격은 얼마인가요?

중

(　　　　　　　　)

| (대분수)×(대분수) |

16 숫자 카드를 한 번씩만 사용하여 대분수를 만들려고 합니다. 만들 수 있는 가장 큰 대분수와 가장 작은 대분수의 곱은 얼마인지 구해 보세요.

중

(　　　　　　　　)

| (자연수)×(대분수) | 서술형

17 □ 안에 들어갈 수 있는 자연수는 모두 몇 개인지 풀이 과정을 쓰고, 답을 구해 보세요.

상

$$3\times1\frac{1}{8}>\square\frac{5}{8}$$

풀이

답

| (대분수)×(대분수) |

18 벽에 한 변의 길이가 $2\frac{3}{4}$ cm인 정사각형 모양의 타일 24장을 겹치지 않게 이어 붙였습니다. 타일을 붙인 부분의 넓이는 몇 cm^2인가요?

상

(　　　　　　　　)

| (자연수)×(진분수) |

19 하민이는 메모지 36장 중에서 $\frac{1}{9}$만큼을 어제 사용하고, 남은 메모지의 $\frac{5}{8}$만큼을 오늘 사용했습니다. 오늘 사용한 메모지는 몇 장인가요?

상

(　　　　　　　　)

| (대분수)×(대분수) | 서술형

20 어떤 수에 $1\frac{3}{4}$을 곱해야 할 것을 잘못하여 어떤 수에서 $1\frac{3}{4}$을 뺐더니 $\frac{7}{12}$이 되었습니다. 바르게 계산한 값은 얼마인지 풀이 과정을 쓰고, 답을 구해 보세요.

상

풀이

답

정답 및 풀이 | 106쪽

평가한 날 월 일

점수

Tip

❶ 계산 결과가 $\frac{3}{5}$보다 큰 식 모두 찾기

❷ 계산 결과가 $\frac{3}{5}$보다 큰 식은 모두 몇 개인지 구하기

01 다음에서 계산 결과가 $\frac{3}{5}$보다 큰 식은 모두 몇 개인지 풀이 과정을 쓰고, 답을 구해 보세요.

$\frac{3}{5}\times1$　　$\frac{3}{5}\times\frac{5}{6}$　　$\frac{3}{5}\times3\frac{1}{7}$　　$\frac{3}{5}\times2\frac{1}{3}$

풀이

답

Tip

❶ 주어진 곱셈식 각각 계산하기

❷ ▢ 안에 들어갈 수 있는 자연수 구하기

02 ▢ 안에 들어갈 수 있는 자연수를 구하려고 합니다. 풀이 과정을 쓰고, 답을 구해 보세요.

$1\frac{2}{7}\times4\frac{1}{6}<\square<3\frac{1}{3}\times2\frac{1}{10}$

풀이

답

Tip

❶ 할인 기간에 입장권 1장의 가격 구하기

❷ 할인 기간에 입장권 4장을 사려면 얼마를 내야 하는지 구하기

03 어느 키즈 카페의 입장권은 12000원입니다. 할인 기간에는 입장권 금액의 $\frac{3}{5}$만큼만 내면 된다고 합니다. 할인 기간에 입장권 4장을 사려면 얼마를 내야 하는지 풀이 과정을 쓰고, 답을 구해 보세요.

답

Tip

❶ 분모가 될 수 있는 세 수와 분자가 될 수 있는 세 수 각각 구하기

❷ 계산 결과가 가장 작을 때의 곱 구하기

04 숫자 카드를 한 번씩만 사용하여 진분수 3개를 만들어 곱하려고 합니다. 계산 결과가 가장 작을 때의 곱은 얼마인지 풀이 과정을 쓰고, 답을 구해 보세요. (분모, 분자에 각각 한 장의 카드만 사용합니다.)

풀이

답

실전 서술형 평가 | 2. 분수의 곱셈

정답 및 풀이 | 106쪽

평가한 날　　월　　일

점수

Tip

❶ 계산에서 잘못된 부분을 찾아 이유 쓰기

❷ 바르게 계산하기

01 계산에서 잘못된 부분을 찾아 그 이유를 쓰고, 바르게 계산해 보세요.

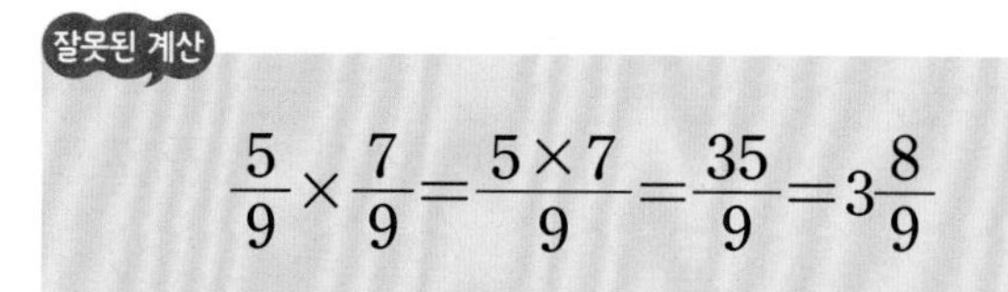

잘못된 계산

$$\frac{5}{9}\times\frac{7}{9}=\frac{5\times7}{9}=\frac{35}{9}=3\frac{8}{9}$$

바르게 계산하기

➡ $\frac{5}{9}\times\frac{7}{9}$

이유

Tip

❶ 버스를 타고 간 거리 구하기

❷ 걸어서 간 거리 구하기

02 민주네 집에서 수영장까지의 거리는 $2\frac{3}{4}$ km입니다. 민주의 말을 읽고 걸어서 간 거리는 몇 km인지 풀이 과정을 쓰고, 답을 구해 보세요.

집에서 수영장까지의 거리의 $\frac{2}{3}$는 버스를 타고 갔고, 나머지는 걸어서 갔어.

풀이

답

Tip

❶ 공이 땅에 한 번 닿았다가 튀어 올랐을 때의 높이 구하기

❷ 공이 땅에 두 번 닿았다가 튀어 올랐을 때의 높이 구하기

03 땅에 닿으면 떨어진 높이의 $\frac{3}{4}$만큼 튀어 오르는 공이 있습니다. 96 cm 높이에서 이 공을 떨어뜨렸을 때 공이 땅에 두 번 닿았다가 튀어 올랐을 때의 높이는 몇 cm인지 풀이 과정을 쓰고, 답을 구해 보세요.

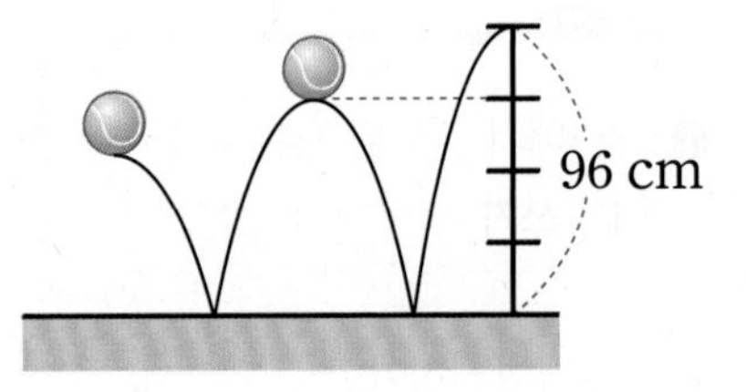

풀이

답

Tip

❶ 전체 직사각형의 넓이 구하기

❷ 나의 넓이 구하기

❸ 다의 넓이 구하기

04 하랑이는 오른쪽 직사각형 모양의 그림에서 다 부분을 색칠하려고 합니다. 가는 직사각형 전체 넓이의 $\frac{12}{25}$이고, 나는 가의 넓이의 $\frac{9}{16}$입니다. 다는 나의 넓이의 $\frac{25}{27}$일 때, 하랑이가 색칠해야 할 부분의 넓이는 몇 cm^2인지 풀이 과정을 쓰고, 답을 구해 보세요.

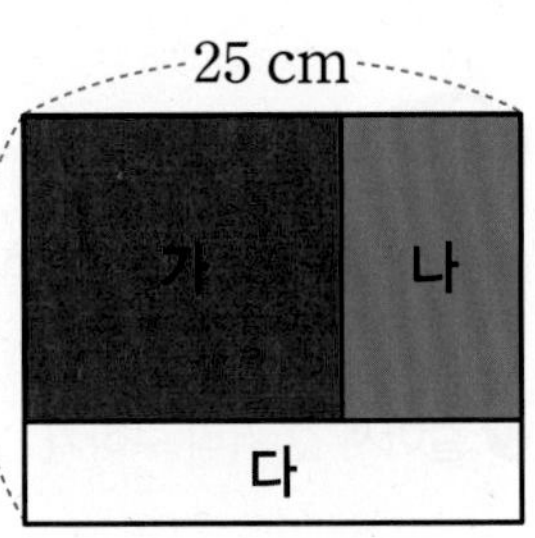

풀이

답

3 단원 교과서 핵심 개념

3 합동과 대칭

수학 58~85쪽 수학 익힘 35~46쪽

개념 1 도형의 합동

• 모양과 크기가 같아서 포개었을 때 완전히 겹치는 두 도형을 서로 합동이라고 합니다.

밀거나 뒤집거나, 돌렸을 때 포개어져도 서로 합동입니다.

• 서로 합동인 두 도형을 포개었을 때 완전히 겹치는 점을 대응점, 겹치는 변을 대응변, 겹치는 각을 대응각이라고 합니다.

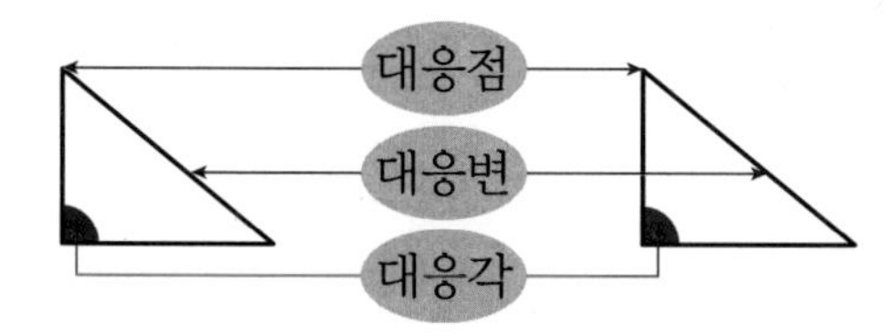

• 합동인 도형의 성질
(1) 각각의 대응변의 길이는 서로 같습니다.
(2) 각각의 대응각의 크기는 서로 같습니다.

개념 2 선대칭도형

• 한 직선을 따라 접었을 때 완전히 겹치는 도형을 선대칭도형이라고 합니다. 이때 그 직선을 대칭축이라고 합니다.
• 대칭축을 따라 접었을 때 겹치는 점을 **대응점**, 겹치는 변을 **대응변**, 겹치는 각을 **대응각**이라고 합니다.

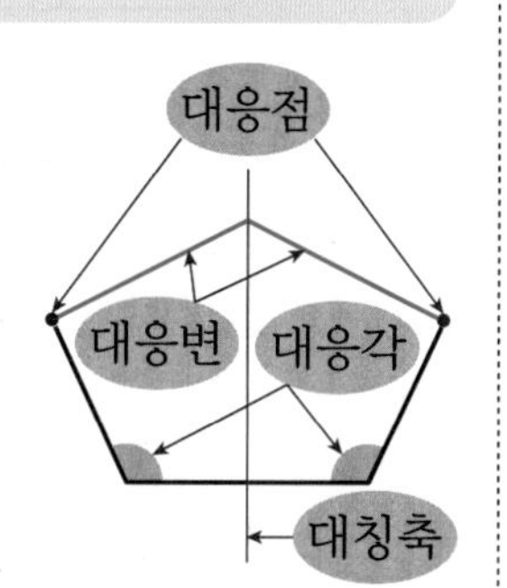

개념 3 선대칭도형의 성질

• 선대칭도형의 성질
(1) 각각의 대응변의 길이는 서로 같습니다.
(2) 각각의 대응각의 크기는 서로 같습니다.
(3) 대응점에서 대칭축까지의 거리가 서로 같습니다.
(4) 대응점끼리 이은 선분은 대칭축과 수직으로 만납니다.

• 선대칭도형을 그리는 방법

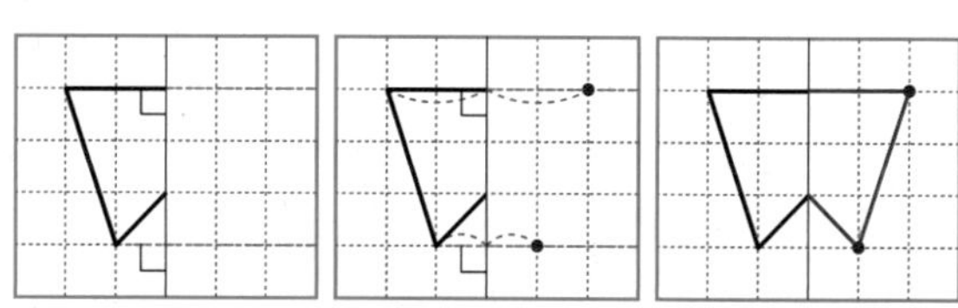

각 점에서 대칭축에 수선 긋기 → 각 점에서 대칭축까지의 거리가 같도록 대응점을 찾아 표시하기 → 각 대응점을 차례로 이어 선대칭도형 완성하기

개념 4 점대칭도형

• 한 도형을 어떤 점을 중심으로 180° 돌렸을 때 처음 도형과 완전히 겹치는 도형을 점대칭도형이라고 합니다. 이때 그 점을 대칭의 중심이라고 합니다.

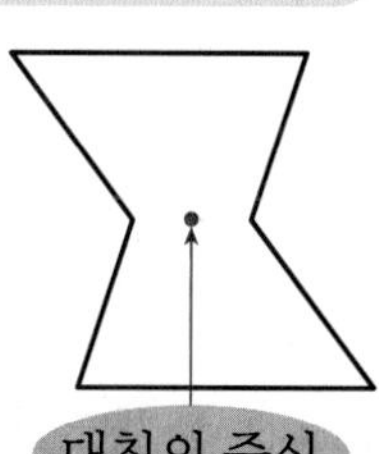

• 대칭의 중심을 중심으로 180° 돌렸을 때 겹치는 점을 **대응점**, 겹치는 변을 **대응변**, 겹치는 각을 **대응각**이라고 합니다.

개념 5 점대칭도형의 성질

• 점대칭도형의 성질
(1) 각각의 대응변의 길이는 서로 같습니다.
(2) 각각의 대응각의 크기는 서로 같습니다.
(3) 대응점끼리 이은 선분은 대칭의 중심을 지납니다.
(4) 대칭의 중심에서 두 대응점까지의 거리는 같습니다.

• 점대칭도형을 그리는 방법

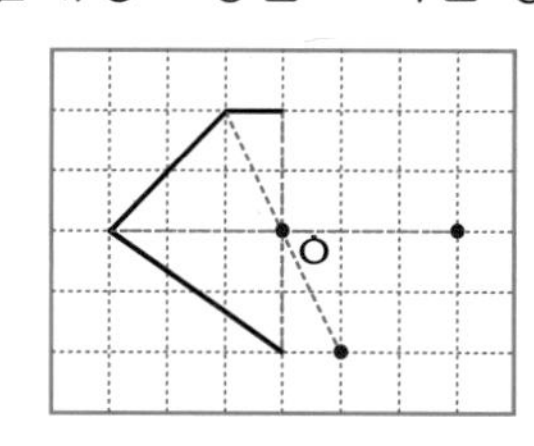

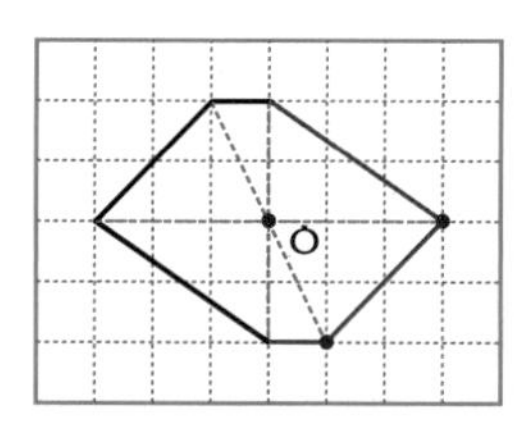

대칭의 중심에서 같은 거리만큼 떨어져 있는 대응점을 찾아 각각 표시하기 → 각 대응점을 차례로 이어 점대칭도형 완성하기

3. 합동과 대칭 | 도형의 합동

정답 및 풀이 | 107쪽

평가한 날 월 일

점수

01~02 서로 합동인 두 도형을 찾아 ○표 하세요.

01

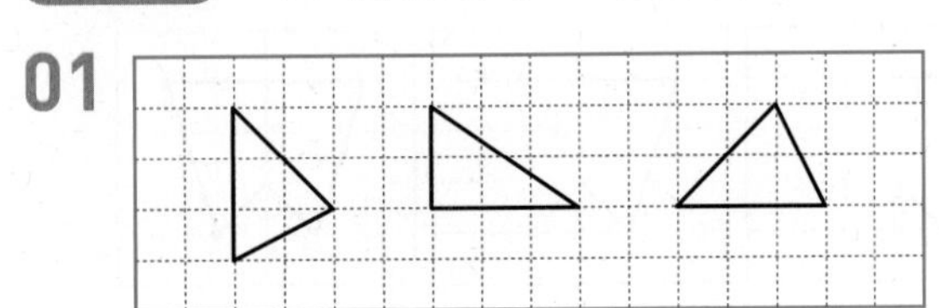

02

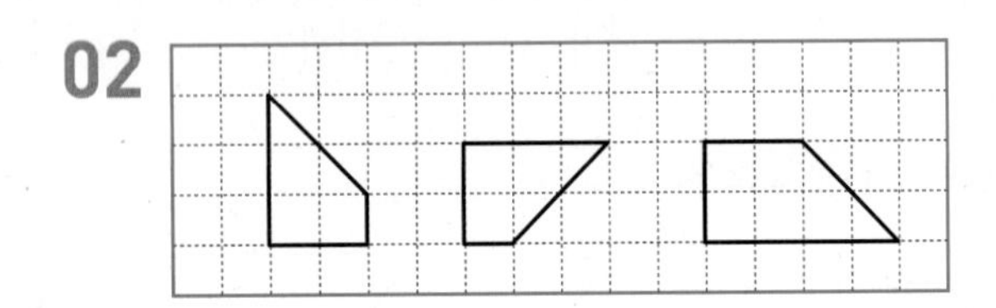

03 두 삼각형은 서로 합동입니다. □ 안에 알맞은 말을 써넣으세요.

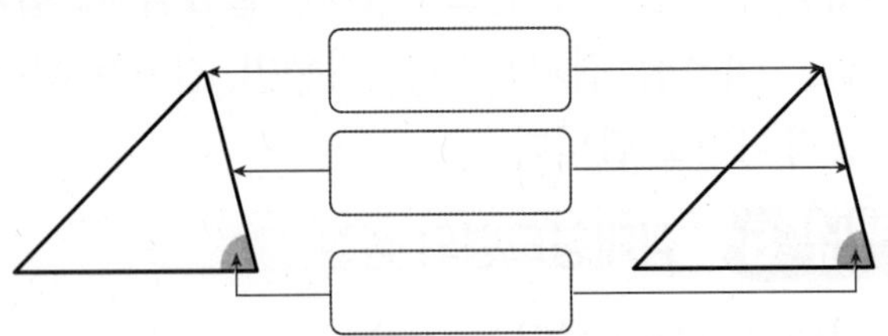

04~05 두 사각형은 서로 합동입니다. 대응변, 대응각을 각각 찾아 써 보세요.

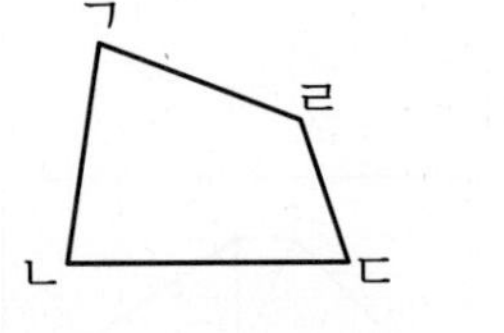

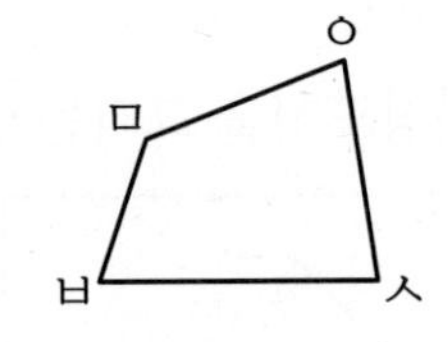

04 변 ㄱㄴ의 대응변 ( )

변 ㅂㅅ의 대응변 ( )

05 각 ㄱㄹㄷ의 대응각 ( )

각 ㅇㅅㅂ의 대응각 ( )

06~07 두 삼각형은 서로 합동입니다. □ 안에 알맞은 수를 써넣으세요.

06

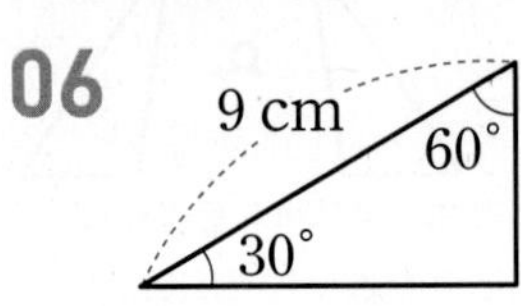

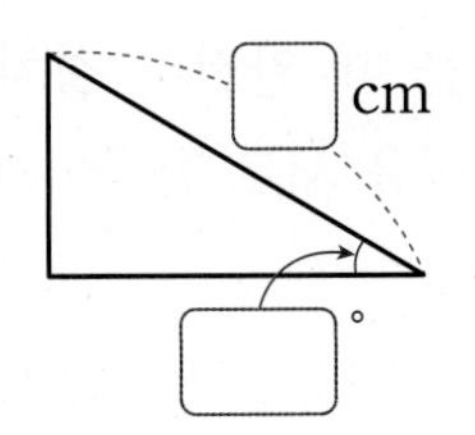

07

11 cm, 20°, 125°, □°, □ cm

08 주어진 도형과 서로 합동인 도형을 그려 보세요.

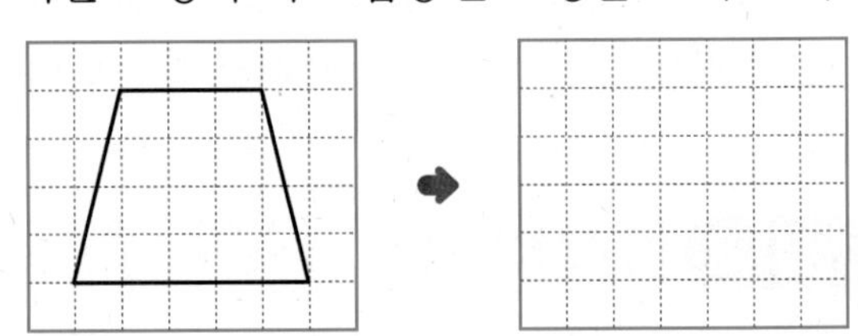

09 두 삼각형은 서로 합동입니다. 각 ㅁㄹㅂ의 크기는 몇 도인가요?

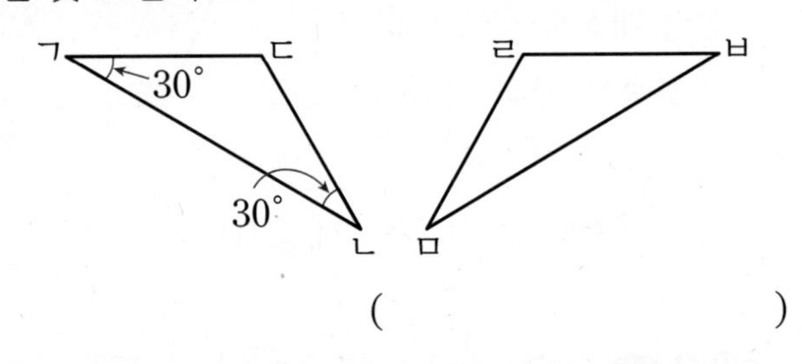

( )

10 두 사각형은 서로 합동입니다. 사각형 ㄱㄴㄷㄹ의 둘레는 몇 cm인가요?

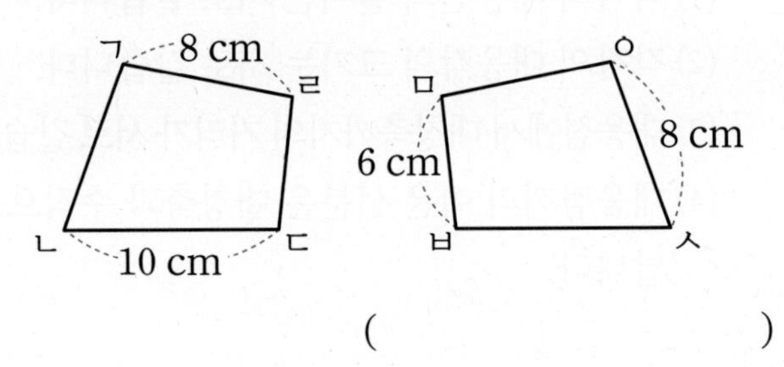

( )

3. 합동과 대칭 | 선대칭도형 / 선대칭도형의 성질

정답 및 풀이 | 108쪽

평가한 날 월 일

점수

01 선대칭도형을 찾아 기호를 써 보세요.

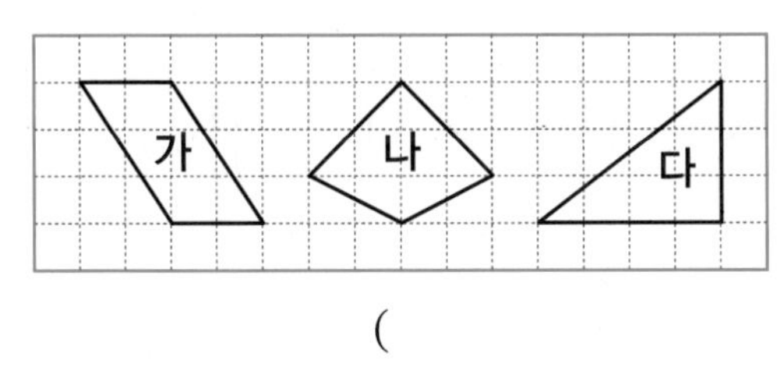

( )

02~03 선대칭도형을 보고 물음에 답해 보세요.

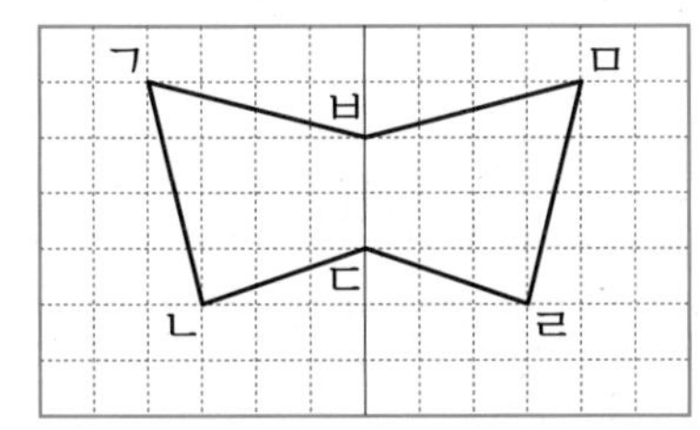

02 점 ㄴ의 대응점을 찾아 써 보세요.

( )

03 변 ㄱㅂ의 대응변을 찾아 써 보세요.

( )

04~05 다음은 선대칭도형입니다. 대칭축을 모두 찾아 그려 보세요.

04

05

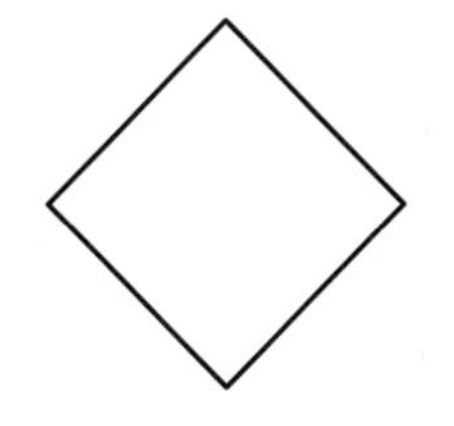

06~07 선대칭도형입니다. □ 안에 알맞은 수를 써넣으세요.

06

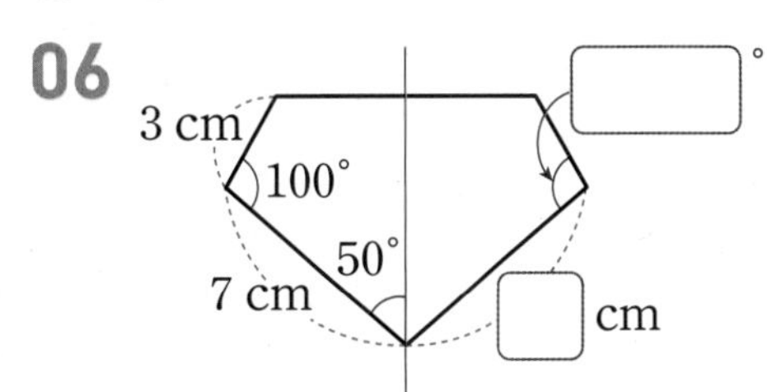

07

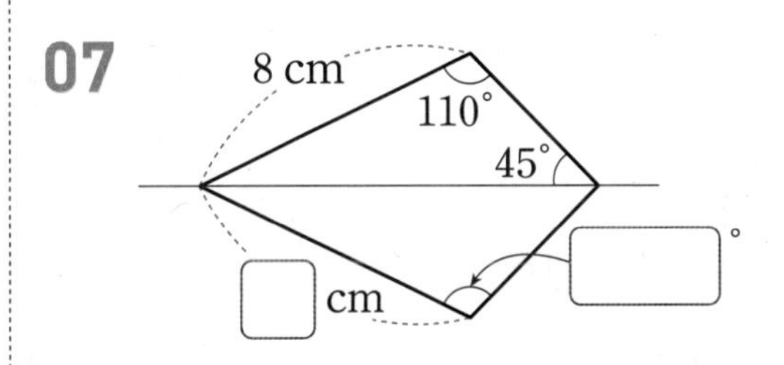

08~09 오른쪽은 직선 ㅈㅊ을 대칭축으로 하는 선대칭도형입니다. 물음에 답해 보세요.

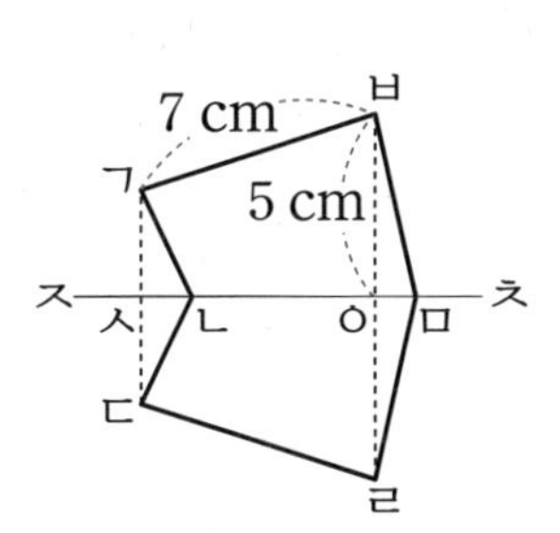

08 대칭축과 선분 ㅂㄹ이 만나서 이루는 각은 몇 도인가요?

( )

09 선분 ㅂㄹ은 몇 cm인가요?

( )

10 직선 ㄱㄴ을 대칭축으로 하는 선대칭도형입니다. ㉠의 각도를 구해 보세요.

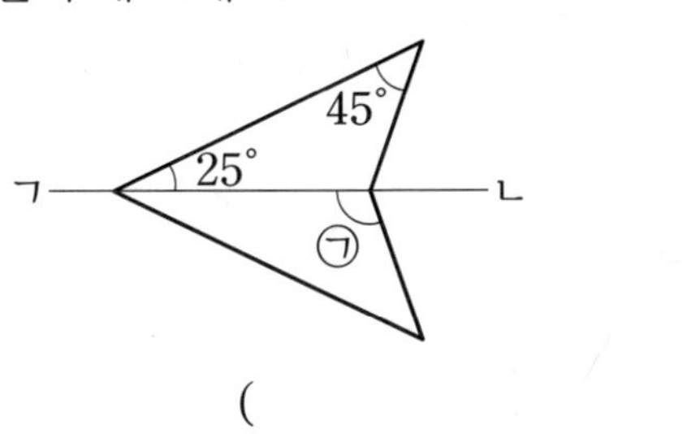

( )

3. 합동과 대칭 | 선대칭도형을 그리는 방법 / 점대칭도형

정답 및 풀이 | 108쪽

평가한 날 월 일

점수

01~02 선대칭도형이 되도록 완성하려고 합니다. 물음에 답해 보세요.

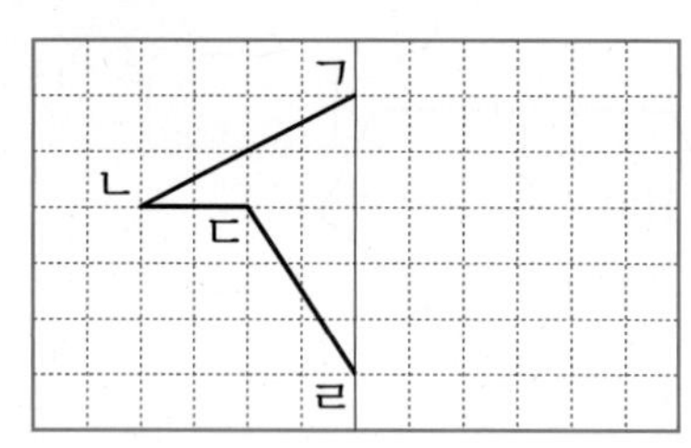

01 점 ㄴ, 점 ㄷ의 대응점을 각각 찾아 점 ㅂ, 점 ㅁ으로 표시해 보세요.

02 점 ㄹ, 점 ㅁ, 점 ㅂ, 점 ㄱ을 차례로 이어 선대칭도형을 완성해 보세요.

03~04 선대칭도형을 완성해 보세요.

03

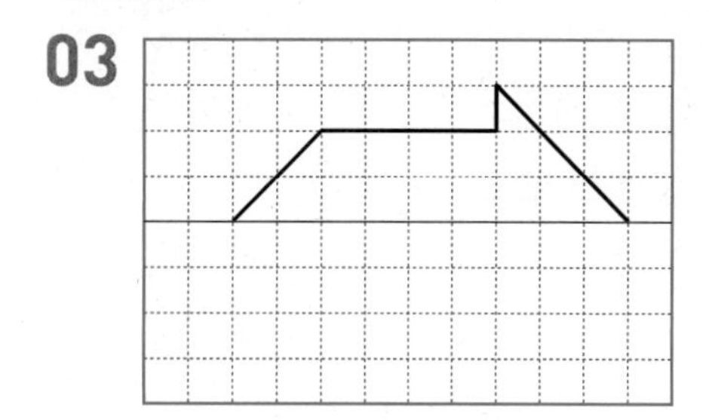

04

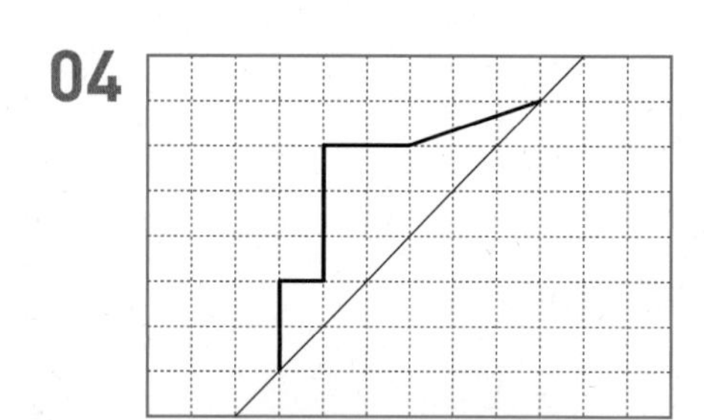

05 선대칭도형을 잘못 완성한 사람의 이름을 써 보세요.

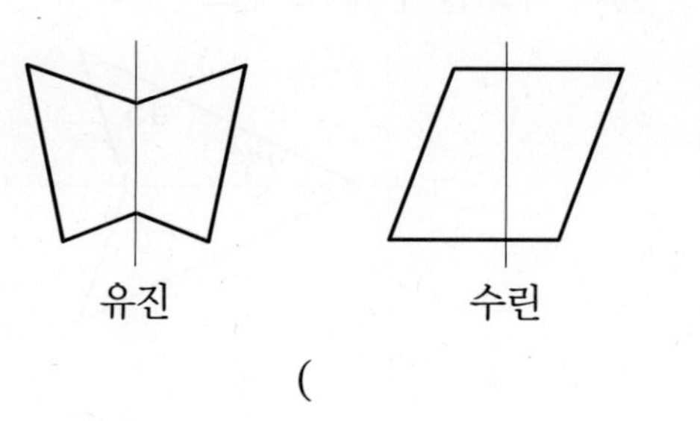

( )

06 점대칭도형을 찾아 ○표 하세요.

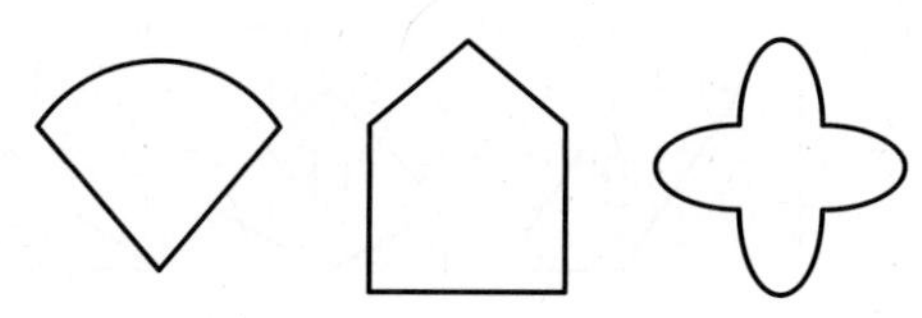

07~08 점 ㅇ을 대칭의 중심으로 하는 점대칭도형입니다. 물음에 답해 보세요.

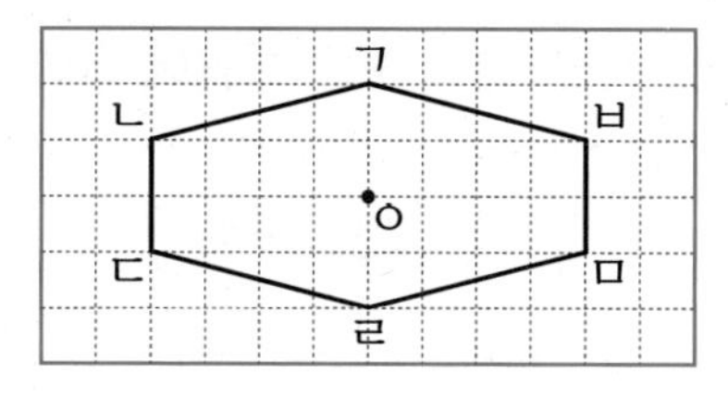

07 변 ㄱㄴ의 대응변을 찾아 써 보세요.

( )

08 각 ㄴㄱㅂ의 대응각을 찾아 써 보세요.

( )

09 다음 글자 중 모양이 점대칭도형인 것을 찾아 기호를 써 보세요.

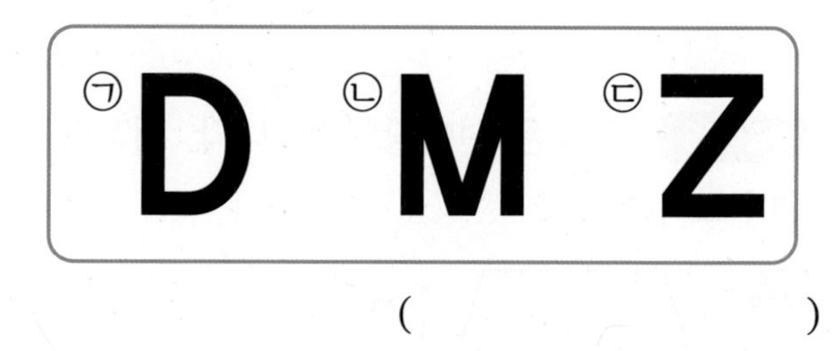

( )

10 선대칭도형도 되고 점대칭도형도 되는 것은 모두 몇 개인가요?

( )

3. 합동과 대칭 | 점대칭도형의 성질 / 점대칭도형을 그리는 방법

정답 및 풀이 | 109쪽

평가한 날 월 일

점수

01~03 점 ㅇ을 대칭의 중심으로 하는 점대칭도형입니다. 물음에 답해 보세요.

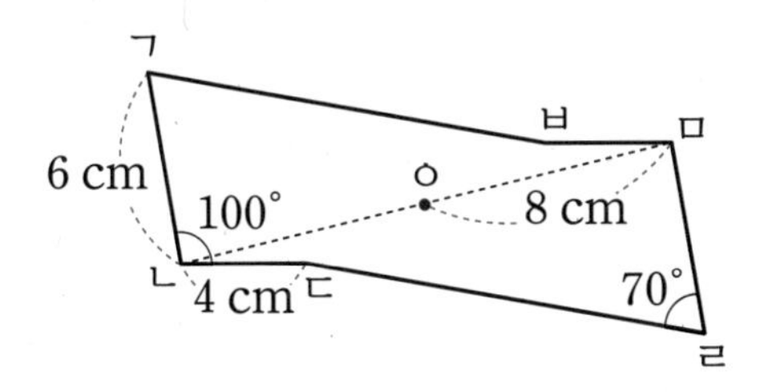

01 변 ㅂㅁ은 몇 cm인가요?

(　　　　　　　　)

02 각 ㄹㅁㅂ은 몇 도인가요?

(　　　　　　　　)

03 선분 ㄴㅁ은 몇 cm인가요?

(　　　　　　　　)

04~05 점대칭도형에서 대칭의 중심을 찾아 점 ㅇ으로 표시해 보세요.

04

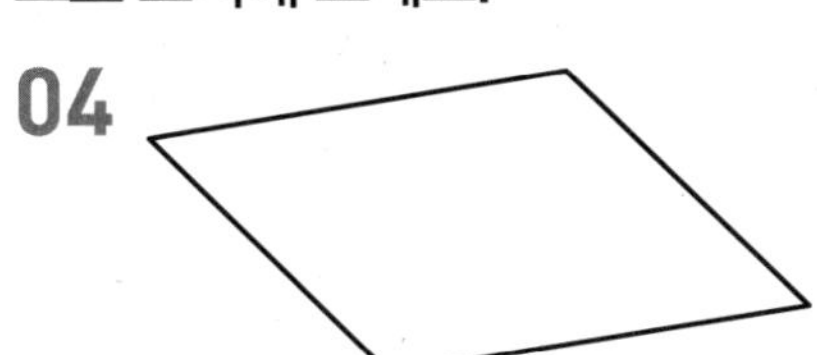

05

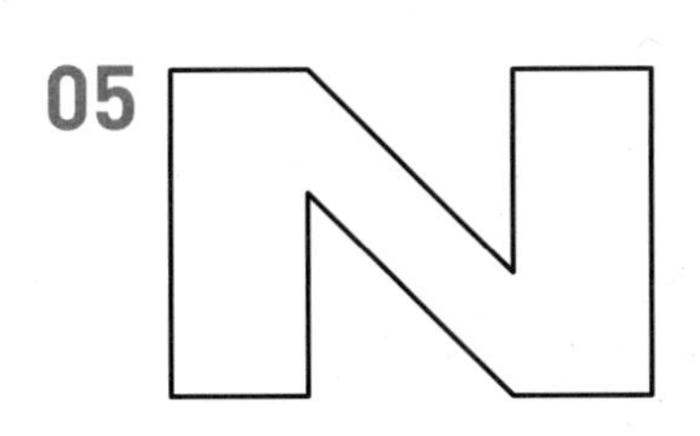

06~07 점대칭도형이 되도록 완성하려고 합니다. 물음에 답해 보세요.

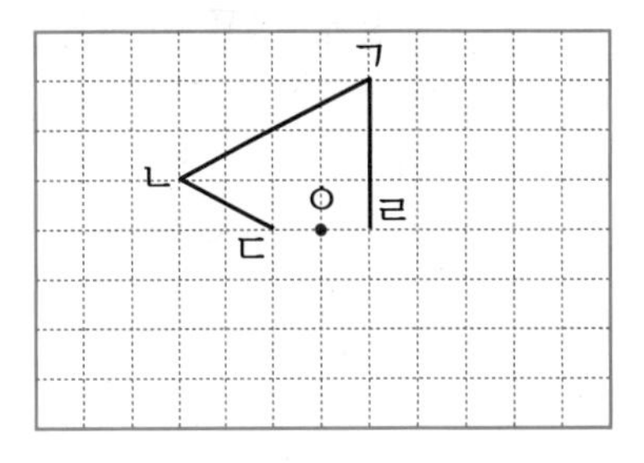

06 점 ㄱ, 점 ㄴ의 대응점을 찾아 점 ㅁ, 점 ㅂ으로 각각 표시해 보세요.

07 점 ㄷ, 점 ㅁ, 점 ㅂ, 점 ㄹ을 차례로 이어 점대칭도형을 완성해 보세요.

08~09 점 ㅇ을 대칭의 중심으로 하는 점대칭도형을 완성해 보세요.

08

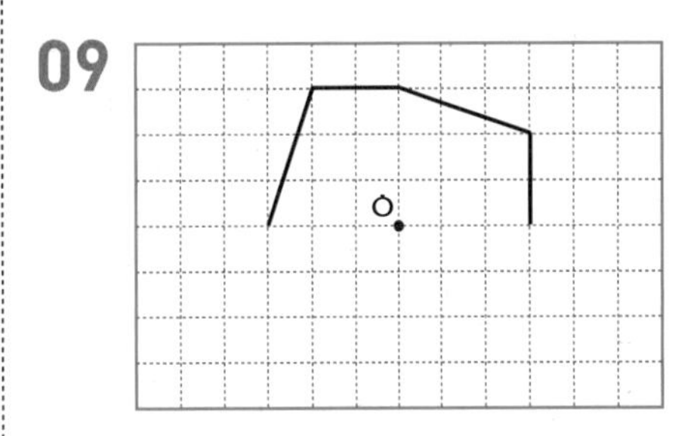

09

10 점 ㅇ을 대칭의 중심으로 하는 점대칭도형입니다. 도형의 둘레는 몇 cm인가요?

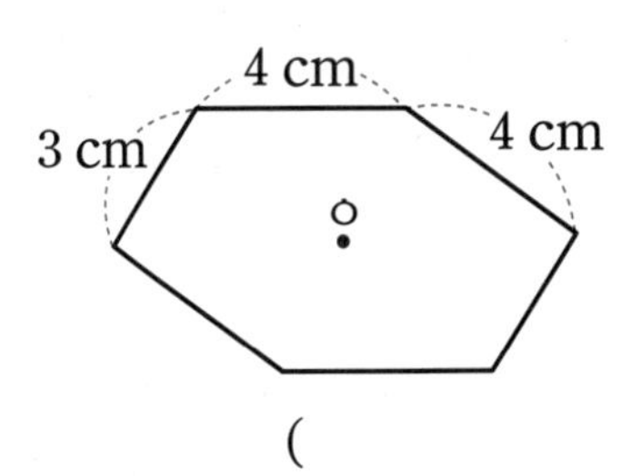

(　　　　　　　　)

| 점대칭도형 |

01 점 ㅇ을 중심으로 180° 돌렸을 때 처음 도형과 완전히 겹치는 도형에 ○표 하세요.

하

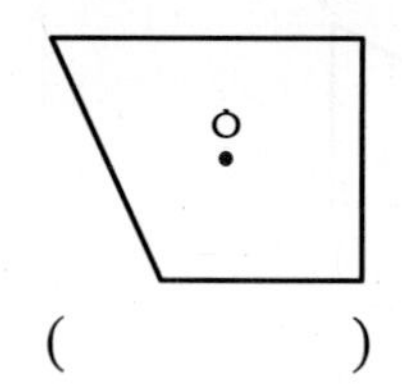

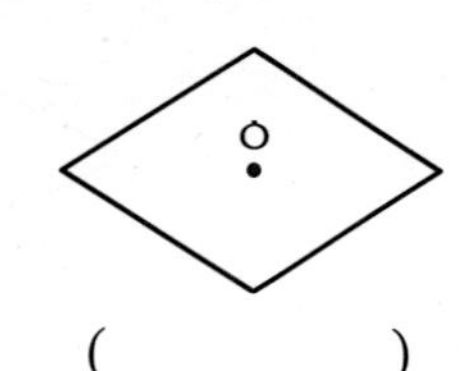

( ) ( )

| 도형의 합동 |

02 두 삼각형은 서로 합동입니다. 변 ㄴㄷ의 대응변을 찾아 써 보세요.

하

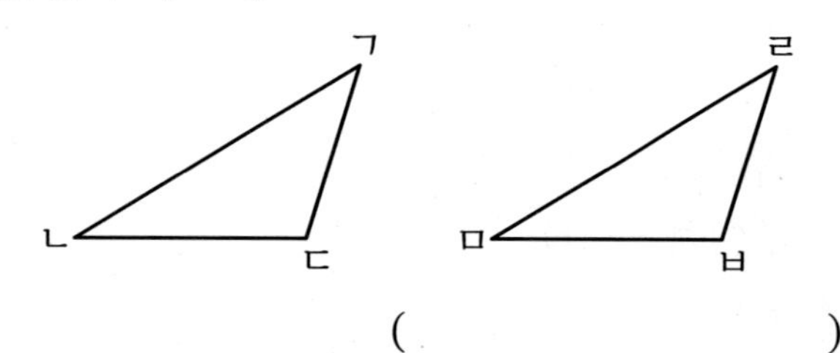

( )

03~04 도형을 보고 물음에 답해 보세요.

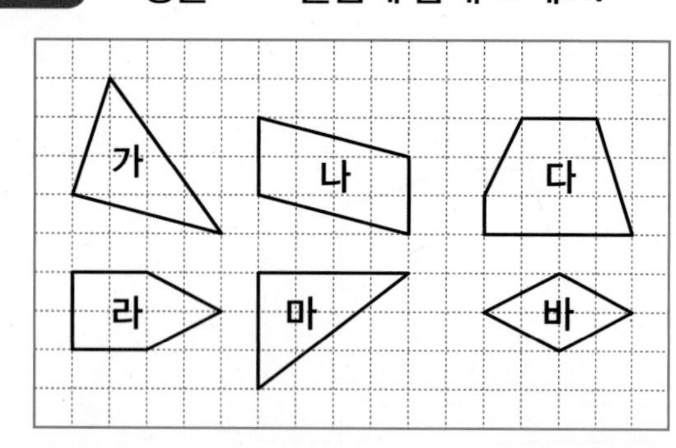

| 선대칭도형 |

03 선대칭도형을 모두 찾아 기호를 써 보세요.

하

( )

| 점대칭도형 |

04 점대칭도형을 모두 찾아 기호를 써 보세요.

하

( )

| 도형의 합동 |

05 도형을 점선을 따라 잘랐을 때 만들어지는 두 도형이 서로 합동인 것을 모두 고르세요.

중

( )

①
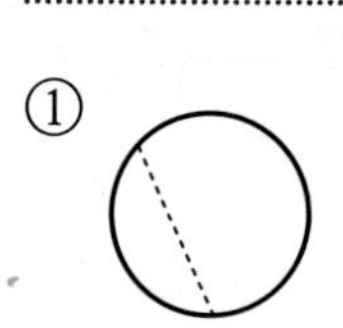
②
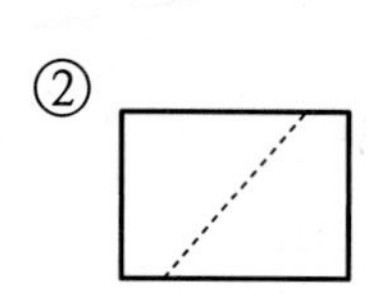
③
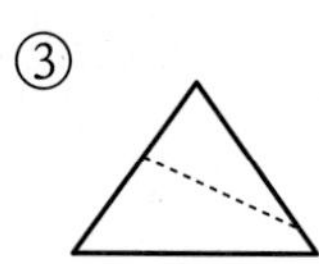
④
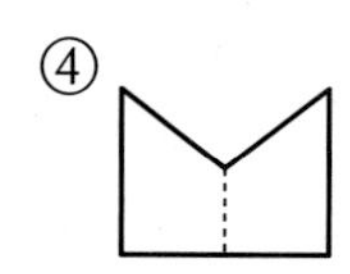
⑤
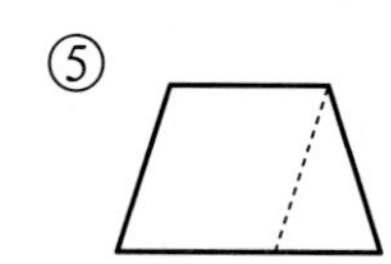

06~07 직선 ㅅㅇ을 대칭축으로 하는 선대칭도형입니다. 물음에 답해 보세요.

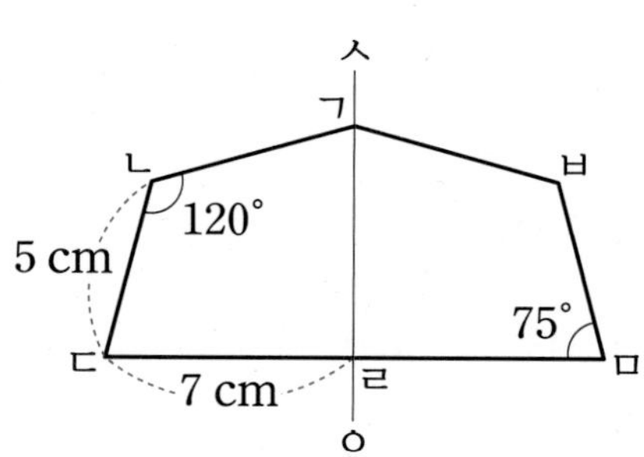

| 선대칭도형의 성질 |

06 변 ㅂㅁ의 길이는 몇 cm인가요?

중

( )

| 선대칭도형의 성질 |

07 각 ㄱㅂㅁ의 크기는 몇 도인가요?

중

( )

| 도형의 합동 |

08 주어진 도형과 서로 합동인 도형을 그려 보세요.

중

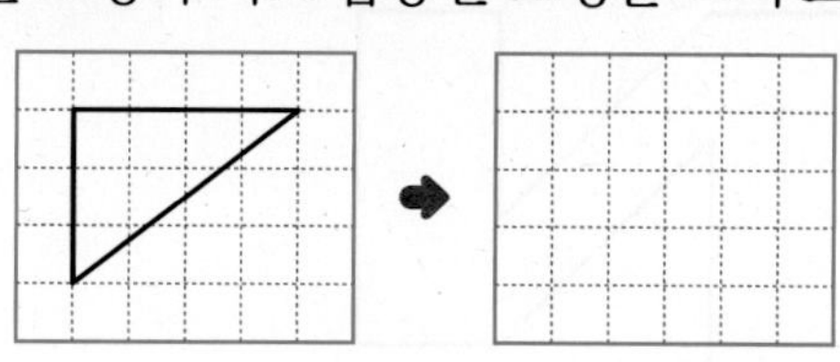

평가한 날 월 일

점수

| 점대칭도형 |

09 점 ㅇ을 대칭의 중심으로 하는 점대칭도형입니다. 대응점, 대응변, 대응각을 각각 찾아 써 보세요.

중

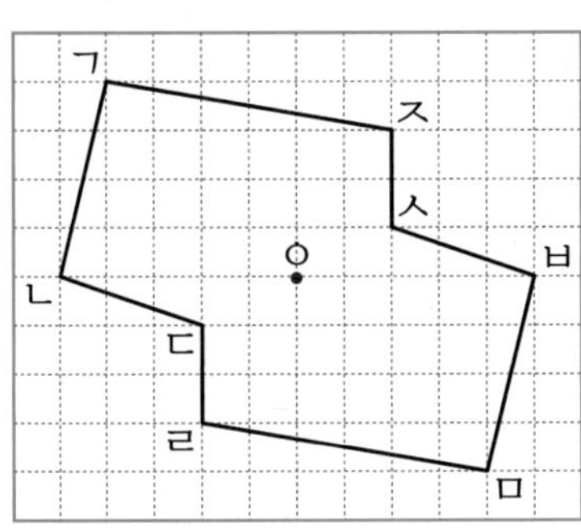

점 ㄷ의 대응점	
변 ㄹㅁ의 대응변	
각 ㅁㅂㅅ의 대응각	

| 도형의 합동 |

10 두 삼각형은 서로 합동입니다. 변 ㄴㄷ의 길이와 각 ㄴㄱㄷ의 크기를 각각 구해 보세요.

중

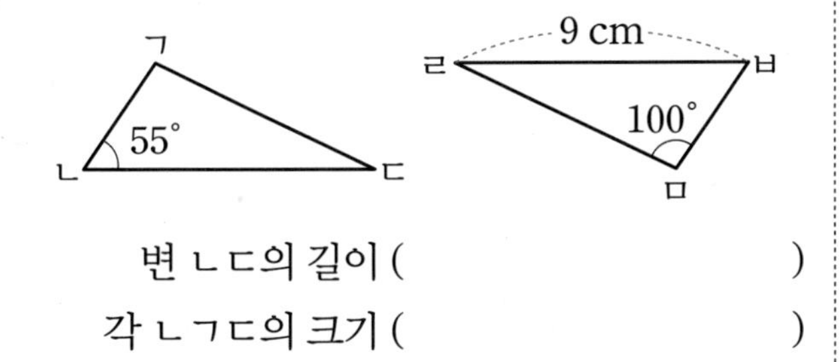

변 ㄴㄷ의 길이 ( )

각 ㄴㄱㄷ의 크기 ( )

| 선대칭도형의 성질 |

11 선대칭도형을 완성해 보세요.

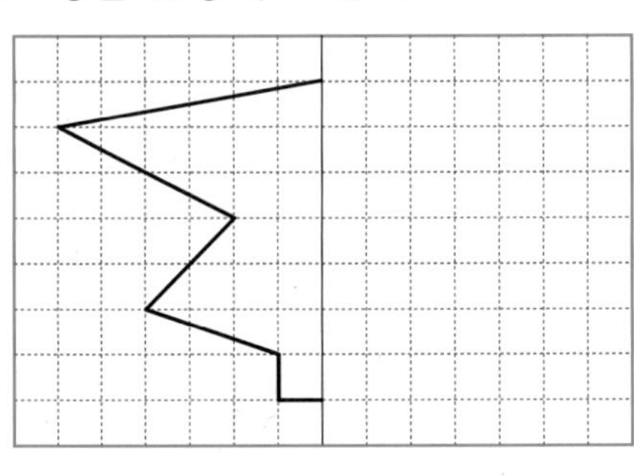

12~13 점 ㅇ을 대칭의 중심으로 하는 점대칭도형입니다. 물음에 답해 보세요.

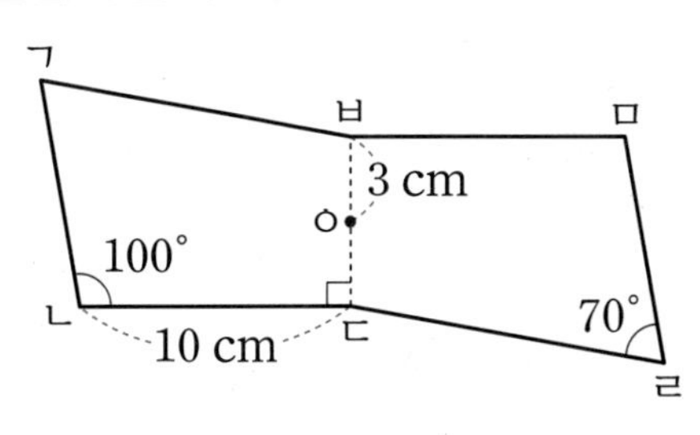

| 점대칭도형의 성질 |

12 선분 ㅂㄷ의 길이는 몇 cm인가요?

( )

| 점대칭도형의 성질 |

13 각 ㄱㅂㄷ의 크기는 몇 도인가요?

( )

| 선대칭도형 | 서술형

14 두 도형은 선대칭도형입니다. 대칭축의 수가 더 많은 도형은 어느 것인지 기호를 쓰려고 합니다. 풀이 과정을 쓰고, 답을 구해 보세요.

중

㉠

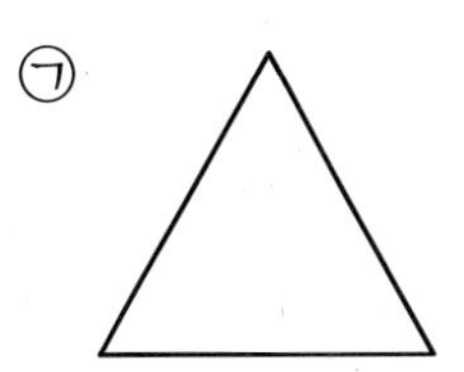

㉡

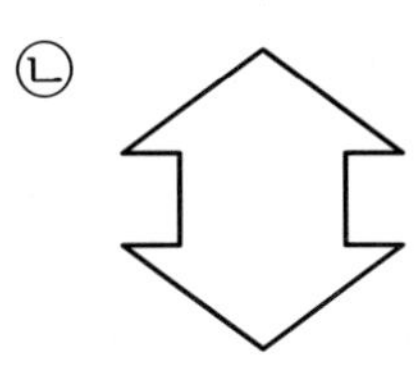

풀이

답

| 도형의 합동 |

15 두 삼각형은 서로 합동입니다. □ 안에 알맞은 수를 써넣으세요.

중

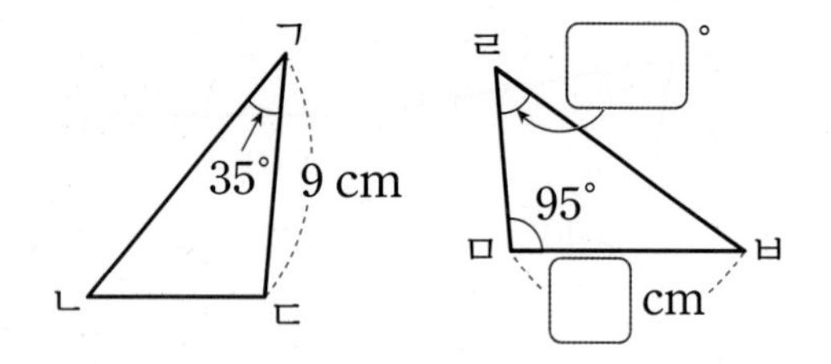

| 선대칭도형, 점대칭도형 |

16 다음 글자 중 모양이 선대칭도형도 되고 점대칭도형도 되는 것을 모두 찾아 기호를 써 보세요.

중

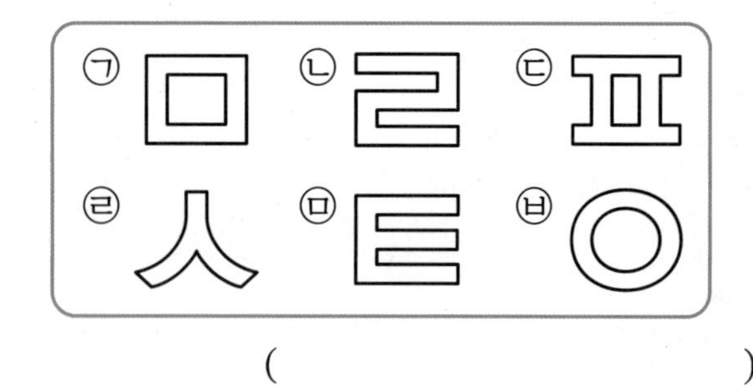

( )

| 선대칭도형의 성질 | 서술형

17 직선 ㅁㅂ을 대칭축으로 하는 선대칭도형입니다. ㉠의 각도는 몇 도인지 풀이 과정을 쓰고, 답을 구해 보세요.

중

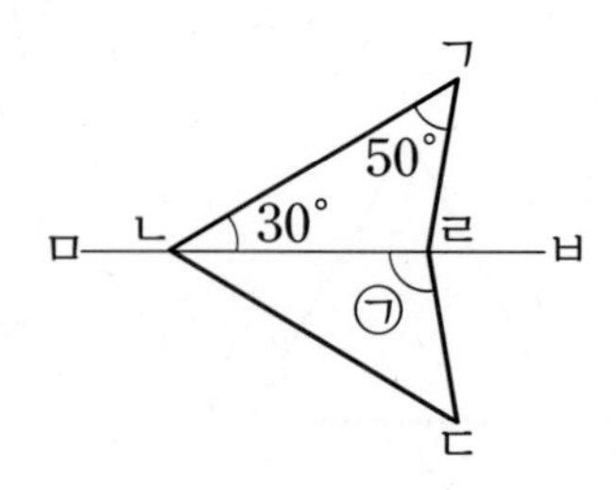

풀이

답

| 점대칭도형의 성질 |

18 점 ㅇ을 대칭의 중심으로 하는 점대칭도형의 일부분입니다. 점대칭도형을 완성했을 때, 완성한 점대칭도형의 둘레는 몇 cm인가요?

상

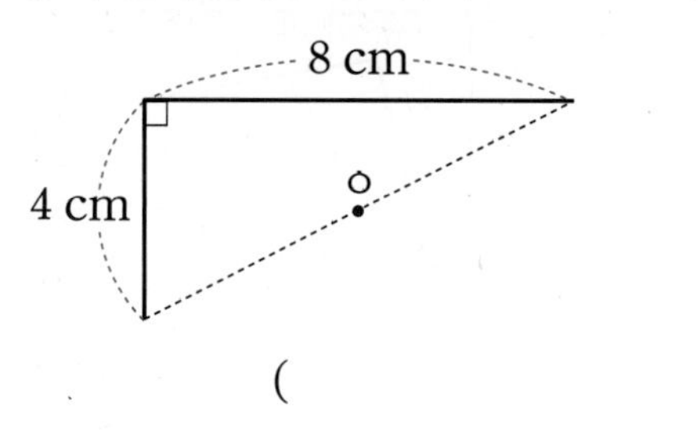

( )

| 점대칭도형의 성질 |

19 점 ㅇ을 대칭의 중심으로 하는 점대칭도형입니다. 선분 ㄴㅁ은 몇 cm인가요?

상

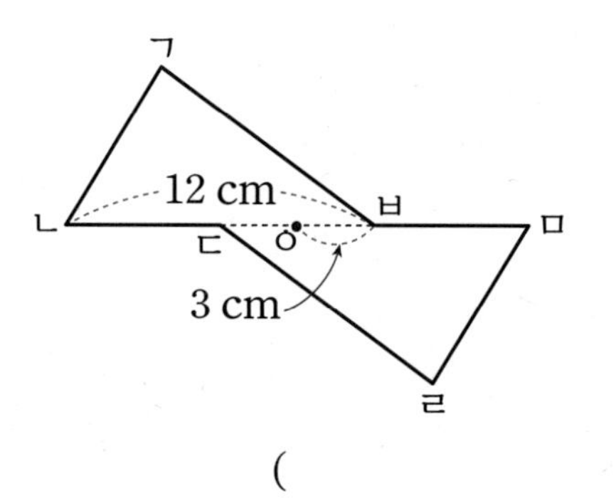

( )

| 선대칭도형의 성질 | 서술형

20 선분 ㄱㄹ을 대칭축으로 하는 선대칭도형의 둘레가 64 cm입니다. 선분 ㄴㄹ은 몇 cm인지 풀이 과정을 쓰고, 답을 구해 보세요.

상

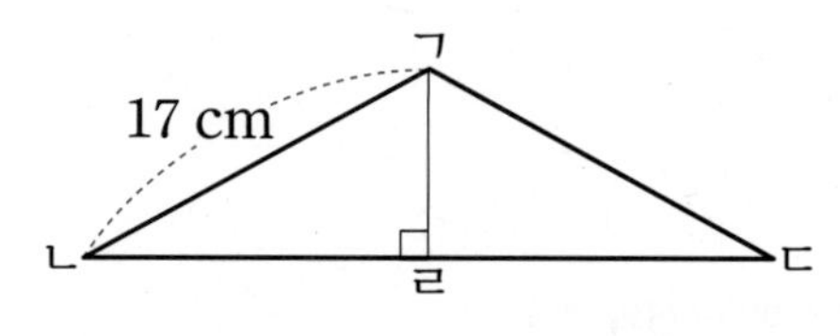

풀이

답

단원 평가 | 3. 합동과 대칭

정답 및 풀이 | 110쪽

평가한 날 월 일

점수

| 선대칭도형 |

01 오른쪽 도형과 같이 한 직선을 따라 접었을 때 완전히 겹치는 도형을 무엇이라고 하나요?

하

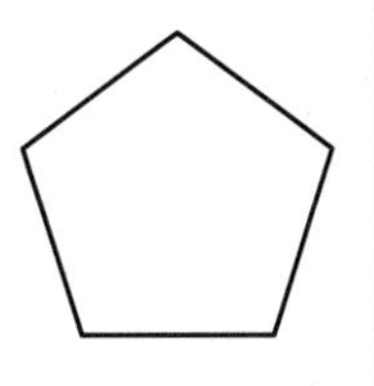

( )

| 도형의 합동 |

02 도형 가와 서로 합동인 도형을 찾아 기호를 써 보세요.

하

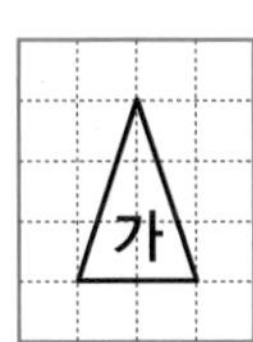

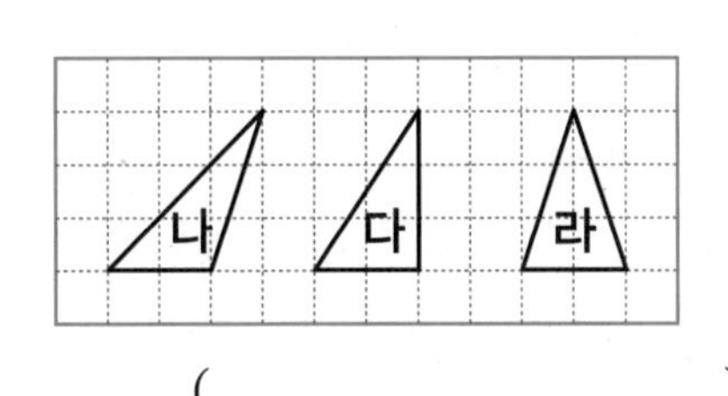

( )

03~04 점 ㅇ을 대칭의 중심으로 하는 점대칭도형입니다. 물음에 답해 보세요.

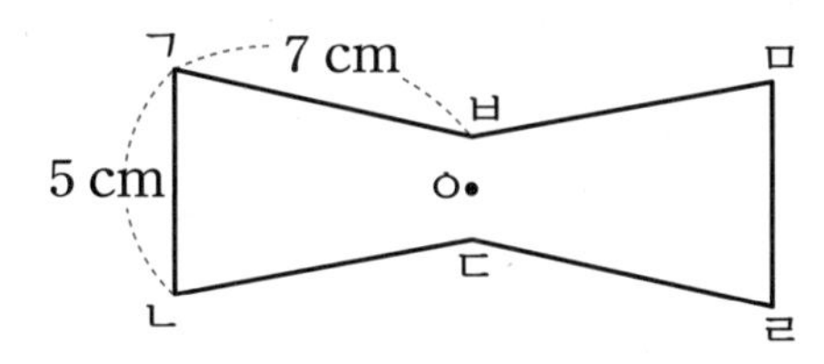

| 점대칭도형 |

03 변 ㄱㄴ의 대응변을 찾아 써 보세요.

하

( )

| 점대칭도형의 성질 |

04 변 ㄷㄹ은 몇 cm인가요?

( )

05~06 두 삼각형은 서로 합동입니다. 물음에 답해 보세요.

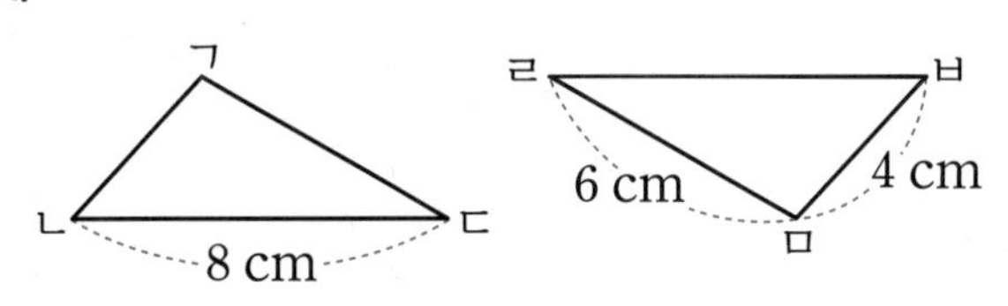

| 도형의 합동 |

05 대응각을 각각 찾아 써 보세요.

중

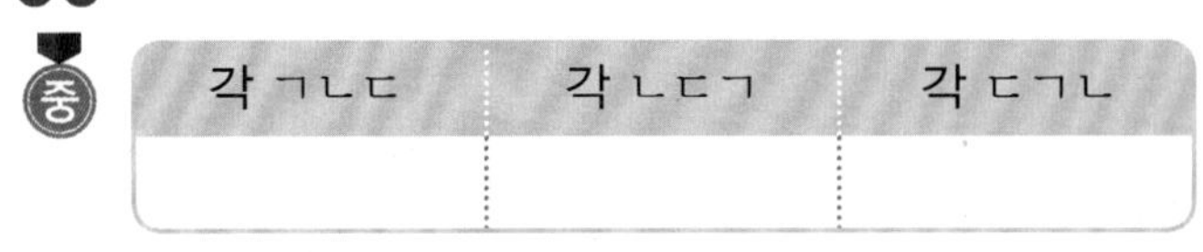

각 ㄱㄴㄷ	각 ㄴㄷㄱ	각 ㄷㄱㄴ

| 도형의 합동 |

06 변 ㄱㄴ의 길이는 몇 cm인가요?

중

( )

| 선대칭도형의 성질 |

07 선대칭도형입니다. □ 안에 알맞은 수를 써넣으세요.

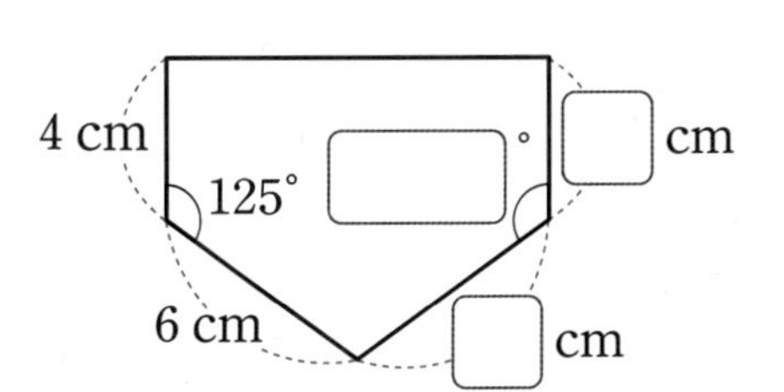

| 점대칭도형의 성질 |

08 다음 점대칭도형에서 대칭의 중심을 찾아 점 ㅇ으로 표시해 보세요.

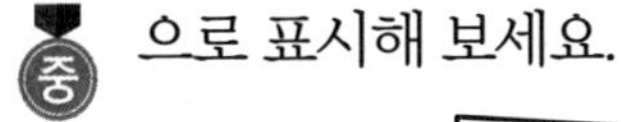

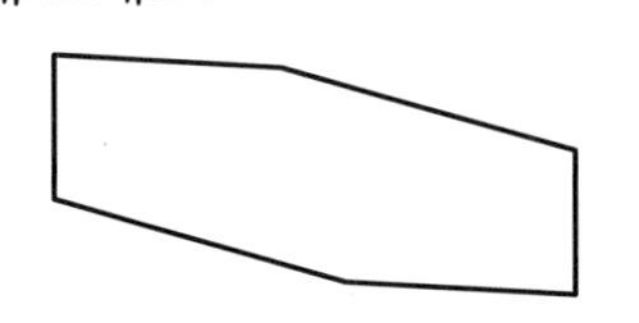

실력 단원 평가

| 선대칭도형 |

09 선대칭도형이 아닌 것을 찾아 기호를 써 보세요.

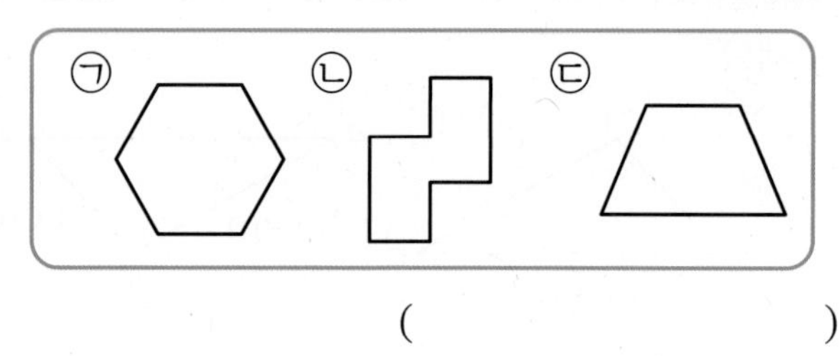

( )

| 선대칭도형의 성질 |

10 직선 ㄱㄴ을 대칭축으로 하는 선대칭도형을 완성해 보세요.

중

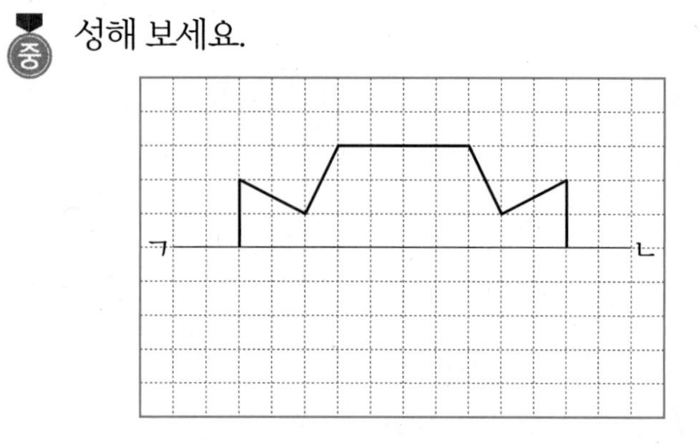

| 점대칭도형의 성질 |

11 점 ㅇ을 대칭의 중심으로 하는 점대칭도형을 완성해 보세요.

중

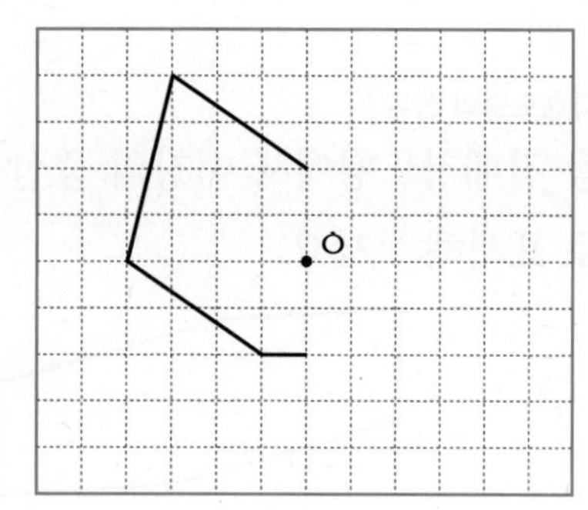

| 점대칭도형 |

12 점대칭도형에 대해 바르게 설명한 사람은 누구인가요?

중

점대칭도형에서 대칭의 중심은 여러 개 있을 수도 있어.

준호

( )

| 점대칭도형 | 서술형

13 정삼각형은 점대칭도형인지 아닌지 쓰고, 그렇게 생각한 이유를 써 보세요.

중

답

이유

| 선대칭도형의 성질 |

14 직선 ㅈㅊ을 대칭축으로 하는 선대칭도형입니다. 선분 ㅂㅅ과 선분 ㄷㅇ의 길이의 합은 몇 cm인가요?

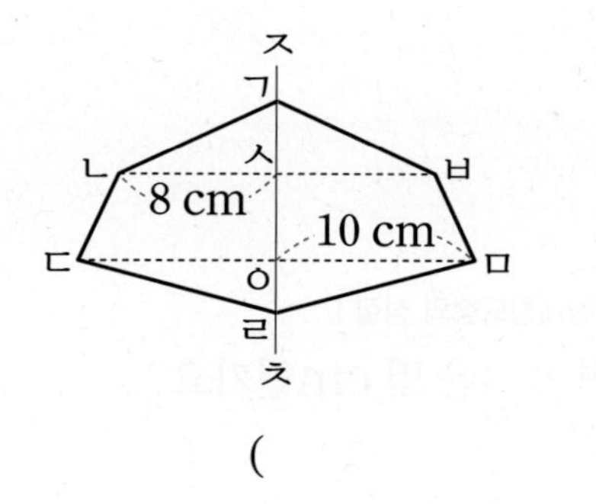

( )

| 선대칭도형 |

15 선대칭도형입니다. 대칭축의 수가 많은 것부터 차례로 기호를 써 보세요.

중

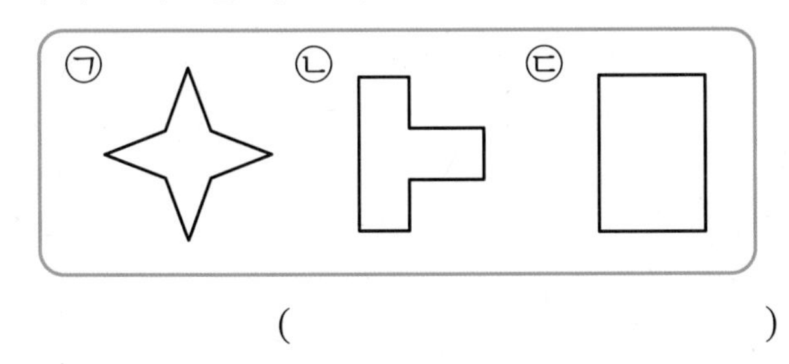

(   )

| 점대칭도형의 성질 |

16 점 ㅇ을 대칭의 중심으로 하는 점대칭도형입니다. 각 ㄱㄹㄷ의 크기는 몇 도인가요?

중

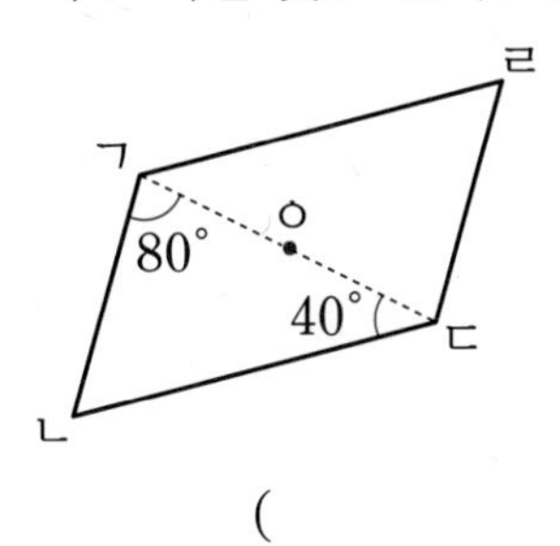

(   )

| 도형의 합동 |

서술형

17 두 삼각형은 서로 합동입니다. 삼각형 ㄱㄴㄷ의 둘레가 36 cm일 때 변 ㄱㄴ의 길이는 몇 cm인지 풀이 과정을 쓰고, 답을 구해 보세요.

상

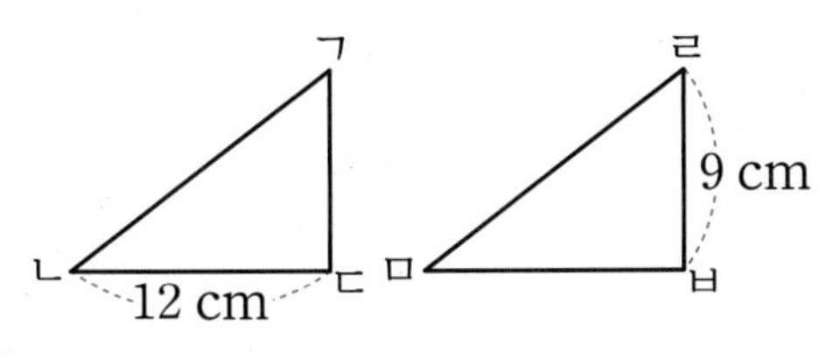

풀이

답

| 도형의 합동 |

18 한 직선 위에 놓인 두 삼각형은 서로 합동입니다. 각 ㄱㄷㅁ은 몇 도인가요?

상

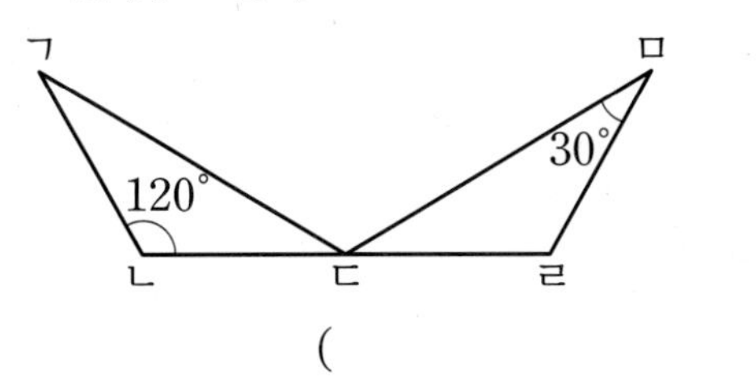

(   )

| 점대칭도형의 성질 |

19 사각형 ㄱㄴㄷㄹ은 점 ㅇ을 대칭의 중심으로 하는 점대칭도형입니다. 두 대각선의 길이의 합이 20 cm일 때 선분 ㄱㅇ은 몇 cm인가요?

상

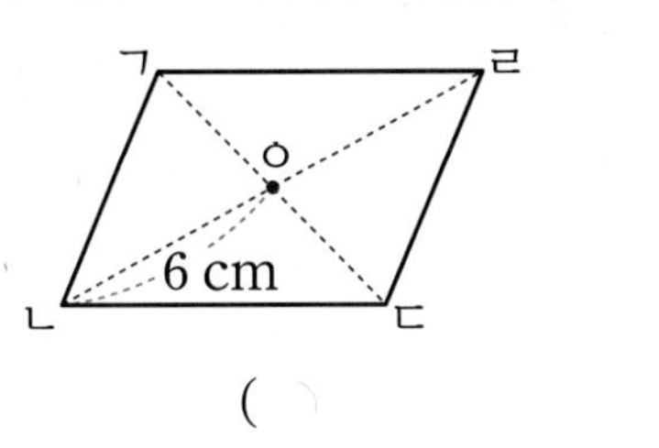

(   )

| 선대칭도형의 성질 |

서술형

20 직선 ㄱㄹ을 대칭축으로 하는 선대칭도형의 일부분입니다. 사각형 ㄱㄴㄷㄹ이 사다리꼴일 때 완성한 선대칭도형의 넓이는 몇 cm^2인지 풀이 과정을 쓰고, 답을 구해 보세요.

상

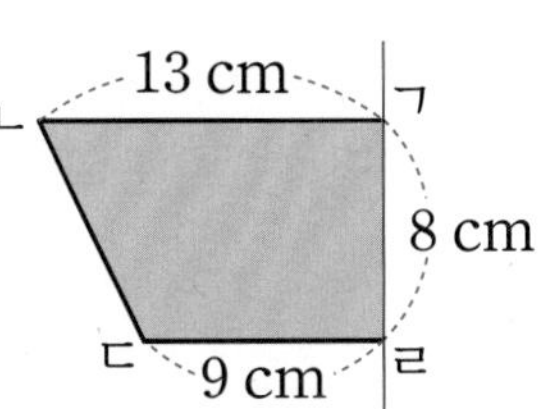

풀이

답

Tip

❶ 모양과 크기가 같은 세 도형 찾기

❷ 나머지 셋과 합동이 아닌 도형 구하기

01 나머지 셋과 합동이 아닌 도형은 어느 것인지 풀이 과정을 쓰고, 답을 구해 보세요.

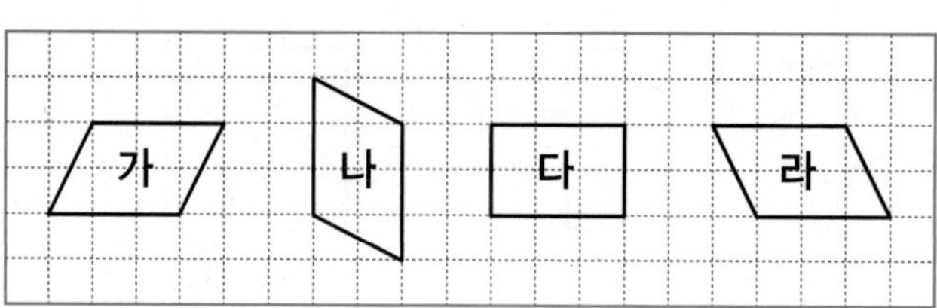

풀이

답

Tip

❶ 대응점끼리 이은 선분과 대칭의 중심 사이의 관계 설명하기

❷ 선분 ㄱㅇ의 길이 구하기

02 점 ㅇ을 대칭의 중심으로 하는 점대칭도형입니다. 선분 ㄱㅇ은 몇 cm인지 풀이 과정을 쓰고, 답을 구해 보세요.

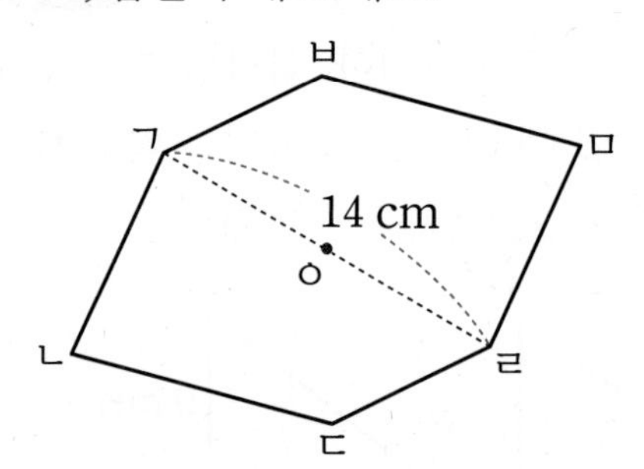

풀이

답

평가한 날 월 일

점수

Tip

❶ 변 ㄱㄴ, 변 ㄷㄹ, 변 ㅂㅁ의 길이 구하기

❷ 땅의 둘레 구하기

03 직선 ㅅㅇ을 대칭축으로 하는 선대칭도형 모양의 땅입니다. 땅의 둘레는 몇 m인지 풀이 과정을 쓰고, 답을 구해 보세요.

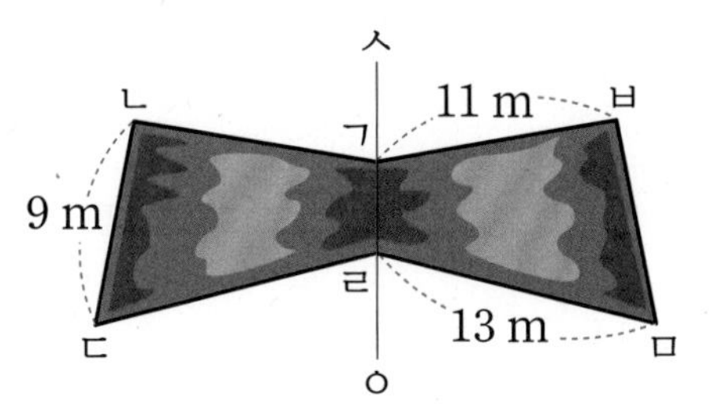

풀이

답

Tip

❶ 각 ㄹㄷㅂ의 크기 구하기

❷ 각 ㄱㄴㅂ의 크기 구하기

❸ 각 ㅁㄱㄴ의 크기 구하기

04 직선 ㅅㅇ을 대칭축으로 하는 선대칭도형입니다. 각 ㅁㄱㄴ은 몇 도인지 풀이 과정을 쓰고, 답을 구해 보세요.

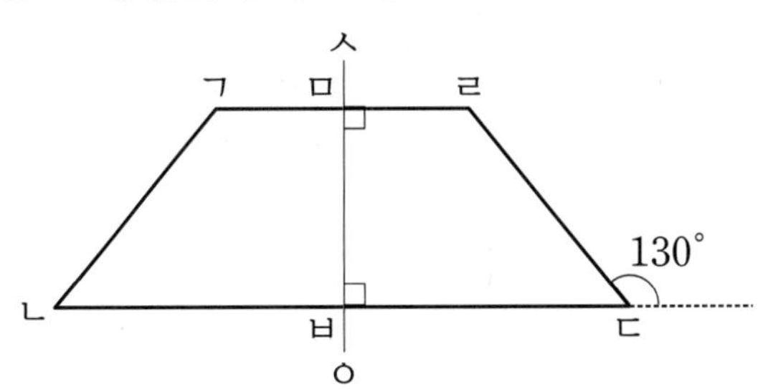

풀이

답

실전 서술형 평가 | 3. 합동과 대칭

Tip

❶ 변 ㄱㅅ의 대응변과 각 ㅅㅂㅁ의 대응각 구하기

❷ 잘못 설명한 사람은 누구인지 구하기

01 직선 ㅈㅊ을 대칭축으로 하는 선대칭도형입니다. 잘못 설명한 사람은 누구인지 풀이 과정을 쓰고, 답을 구해 보세요.

풀이

답

Tip

❶ 각 ㄴㄷㄹ의 크기 구하기

❷ 각 ㄱㄴㄷ의 크기 구하기

02 점 ㅇ을 대칭의 중심으로 하는 점대칭도형입니다. 각 ㄱㄴㄷ은 몇 도인지 풀이 과정을 쓰고, 답을 구해 보세요.

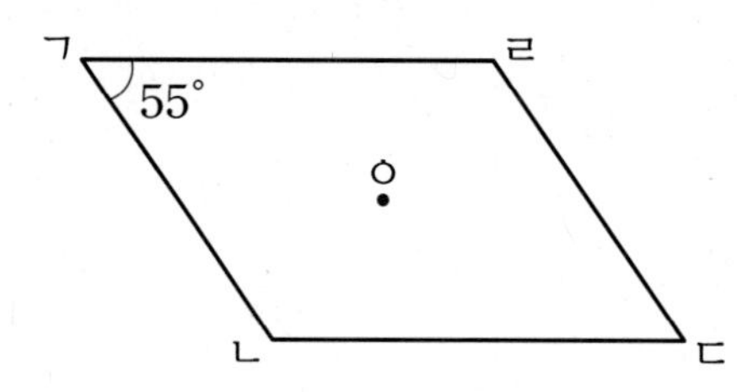

풀이

답

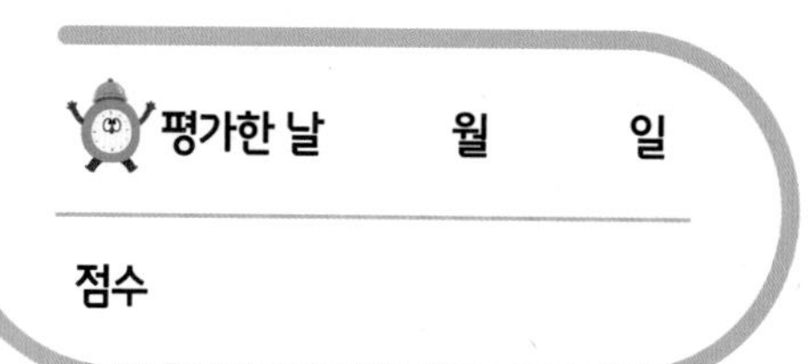

Tip

❶ 변 ㅁㅂ의 길이 구하기

❷ 삼각형 ㄹㅁㅂ의 넓이 구하기

03 윤서는 그림과 같이 색 도화지를 합동인 삼각형 모양으로 잘랐습니다. 삼각형 ㄹㅁㅂ의 넓이는 몇 cm^2인지 풀이 과정을 쓰고, 답을 구해 보세요.

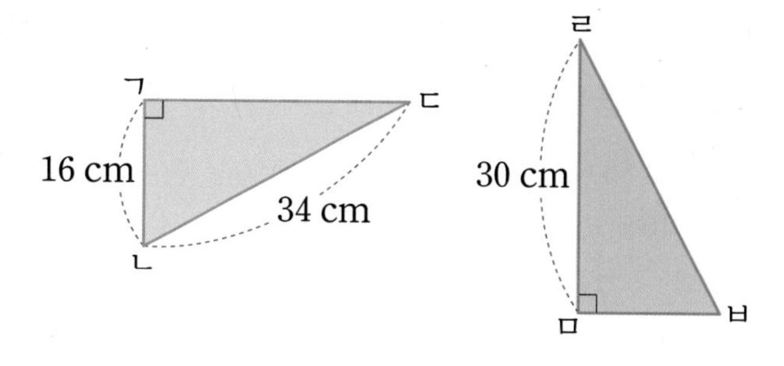

풀이

답

Tip

❶ 변 ㄱㄴ, 변 ㄴㄷ, 변 ㄷㄹ의 길이의 합 구하기

❷ 변 ㄷㄹ의 길이 구하기

04 점 ㅇ을 대칭의 중심으로 하는 점대칭도형의 일부분입니다. 완성된 점대칭도형의 둘레가 36 cm일 때, 변 ㄷㄹ은 몇 cm인지 풀이 과정을 쓰고, 답을 구해 보세요.

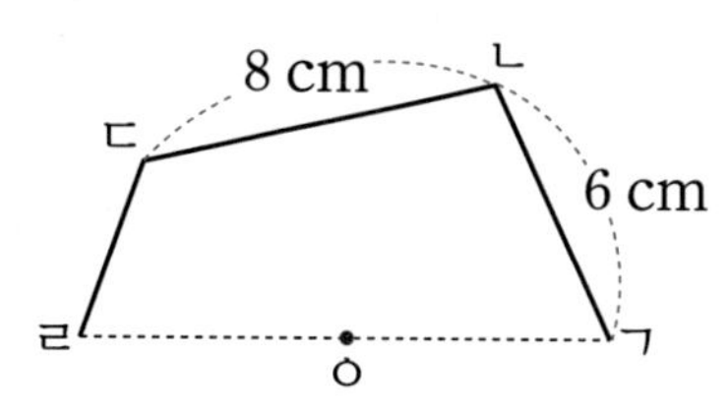

풀이

답

4 단원 교과서 핵심 개념

4 소수의 곱셈

수학 86~111쪽 수학 익힘 47~62쪽

개념 1 (소수) × (자연수) (1), (2)

· 0.7×4를 계산하는 방법

방법1 분수의 곱셈으로 계산하기

$$0.7 \times 4 = \frac{7}{10} \times 4 = \frac{7 \times 4}{10} = \frac{28}{10} = 2.8$$

방법2 자연수의 곱셈을 이용하여 계산하기

$0.7 \times 4 = 2.8$

10배 ↓ ↑ $\frac{1}{10}$배

$7 \times 4 = 28$

· 4.6×3을 계산하는 방법

방법1 분수의 곱셈으로 계산하기

$$4.6 \times 3 = \frac{46}{10} \times 3 = \frac{46 \times 3}{10} = \frac{138}{10} = 13.8$$

방법2 자연수의 곱셈을 이용하여 계산하기

$4.6 \times 3 = 13.8$

10배 ↓ ↑ $\frac{1}{10}$배

$46 \times 3 = 138$

개념 2 (자연수) × (소수) (1), (2)

· 6×0.8을 계산하는 방법

방법1 분수의 곱셈으로 계산하기

$$6 \times 0.8 = 6 \times \frac{8}{10} = \frac{6 \times 8}{10} = \frac{48}{10} = 4.8$$

방법2 자연수의 곱셈을 이용하여 계산하기

$6 \times 0.8 = 4.8$

10배 ↓ ↑ $\frac{1}{10}$배

$6 \times 8 = 48$

· 9×1.6을 계산하는 방법

방법1 분수의 곱셈으로 계산하기

$$9 \times 1.6 = 9 \times \frac{16}{10} = \frac{9 \times 16}{10} = \frac{144}{10} = 14.4$$

방법2 자연수의 곱셈을 이용하여 계산하기

$9 \times 1.6 = 14.4$

10배 ↓ ↑ $\frac{1}{10}$배

$9 \times 16 = 144$

개념 3 (소수) × (소수) (1), (2)

· 0.4×0.8을 계산하는 방법

방법1 분수의 곱셈으로 계산하기

$$0.4 \times 0.8 = \frac{4}{10} \times \frac{8}{10} = \frac{4 \times 8}{100} = \frac{32}{100} = 0.32$$

방법2 자연수의 곱셈을 이용하여 계산하기

```
    0.4  —10배→      4
  × 0.8  —10배→  ×   8
  -----          -----
   0.32 ←1/100배—   32
```

· 2.9×1.5를 계산하는 방법

방법1 분수의 곱셈으로 계산하기

$$2.9 \times 1.5 = \frac{29}{10} \times \frac{15}{10} = \frac{29 \times 15}{100} = \frac{435}{100}$$

$$= 4.35$$

방법2 자연수의 곱셈을 이용하여 계산하기

```
    2.9  —10배→      2 9
  × 1.5  —10배→  ×   1 5
  -----          -------
   1 4 5           1 4 5
   2 9             2 9
  -----          -------
   4.3 5 ←1/100배— 4 3 5
```

개념 4 곱의 소수점 위치 변화

곱의 소수점 위치 변화의 원리

· 곱하는 수를 10배, 100배, 1000배, ... 할 때마다 곱의 소수점이 오른쪽으로 한 자리씩 옮겨집니다.

· 곱하는 수를 0.1배, 0.01배, 0.001배, ... 할 때마다 곱의 소수점이 왼쪽으로 한 자리씩 옮겨집니다.

· 곱하는 두 수의 소수점 아래 자리 수를 더한 것과 계산 결과의 소수점 아래 자리 수가 같습니다.

4. 소수의 곱셈 | (소수)×(자연수) (1), (2)

평가한 날 월 일

점수

정답 및 풀이 | 113쪽

01 그림을 보고 □ 안에 알맞은 수를 써넣으세요.

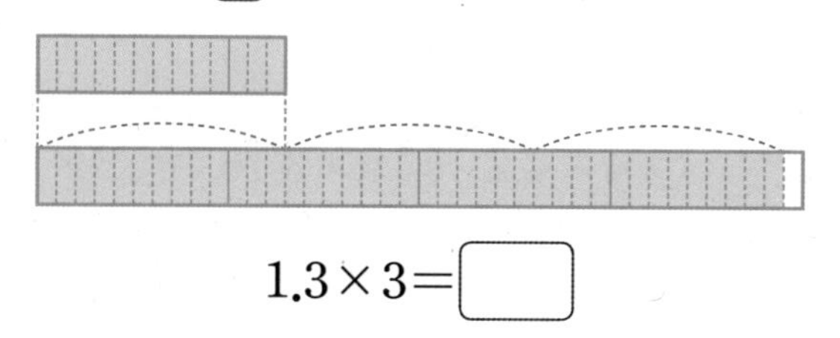

$1.3\times 3=$ □

02 □ 안에 알맞은 수를 써넣으세요.

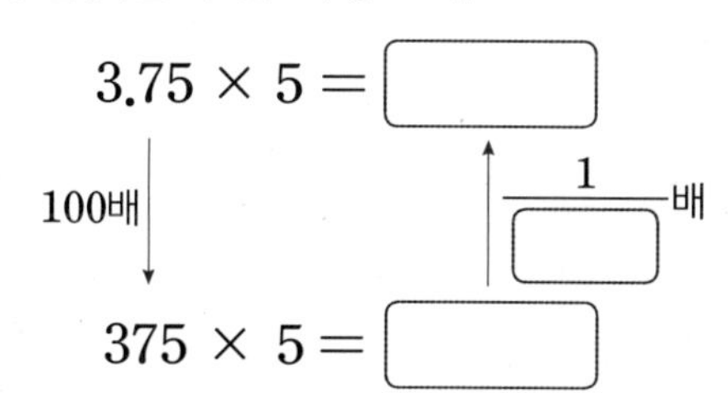

03~04 보기 와 같은 방법으로 계산해 보세요.

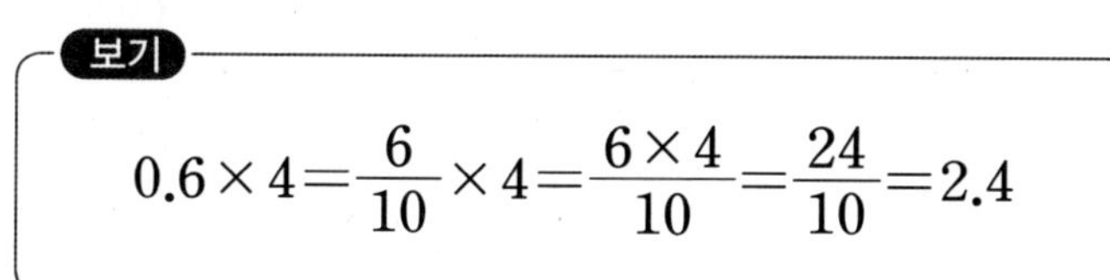

보기

$$0.6\times 4=\frac{6}{10}\times 4=\frac{6\times 4}{10}=\frac{24}{10}=2.4$$

03 0.29×5

04 1.9×14

05~06 계산해 보세요.

05 0.4×83

06 3.16×7

07 빈 곳에 알맞은 수를 써넣으세요.

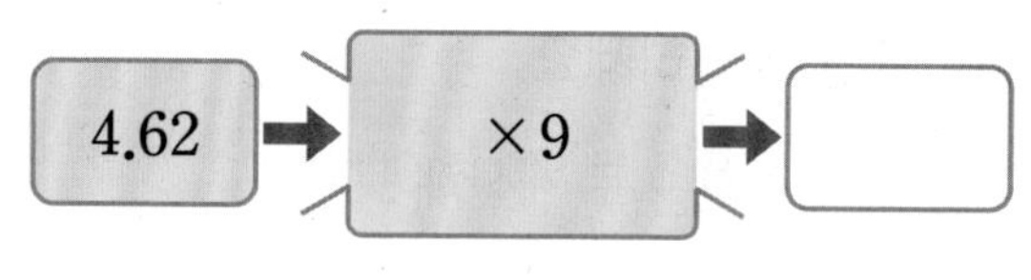

08 계산 결과를 비교하여 ○ 안에 >, =, <를 알맞게 써넣으세요.

5.3×4 ○ 0.7×38

09 다음 중 계산이 옳은 것을 찾아 기호를 써 보세요.

㉠ $2.4\times 9=21.4$
㉡ $0.57\times 4=2.28$
㉢ $3.04\times 5=15.02$

( )

10 정사각형의 네 변의 길이의 합은 몇 m인지 구해 보세요.

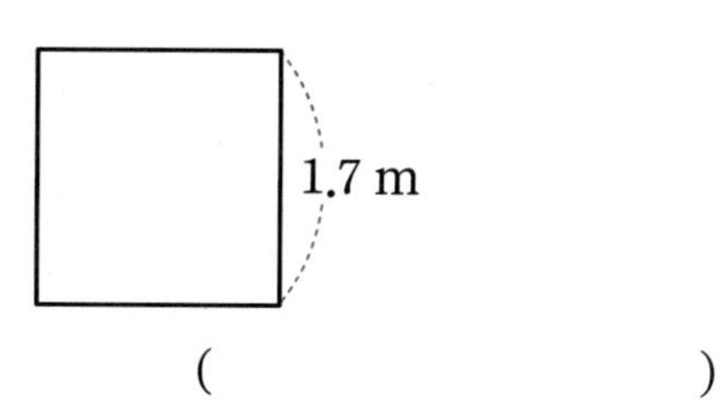

( )

4. 소수의 곱셈 | (자연수)×(소수) (1), (2)

정답 및 풀이 | 113쪽

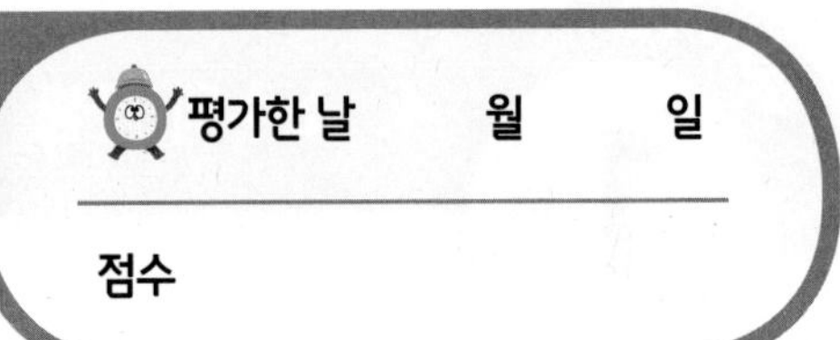

01~02 8×0.26을 두 가지 방법으로 계산하려고 합니다. 물음에 답하세요.

01 분수의 곱셈으로 계산해 보세요.

$$8\times0.26=8\times\frac{\square}{100}=\frac{8\times\square}{100}$$
$$=\frac{\square}{100}=\square$$

02 자연수의 곱셈을 이용하여 계산해 보세요.

$8\times0.26=\square$

100배 ↓　　↑ $\frac{1}{\square}$배

$8\times26=\square$

03~04 계산해 보세요.

03 7×1.2

04 5×3.87

05 빈 곳에 두 수의 곱을 써넣으세요.

16	0.9

06 어림하여 계산 결과가 15보다 작은 곱셈을 찾아 기호를 써 보세요.

㉠ 4×4.2　㉡ 5×3.16　㉢ 3×4.8

(　　　　　　)

07 설명하는 수를 구해 보세요.

12의 0.46배인 수

(　　　　　　)

08 가장 큰 수와 가장 작은 수의 곱을 구해 보세요.

6　1.42　1.8　13

(　　　　　　)

09 □ 안에 들어갈 수 있는 가장 작은 자연수를 구해 보세요.

9×2.8<□

(　　　　　　)

10 유진이네 가족은 일주일 동안 쌀 8 kg의 0.75배만큼을 먹었습니다. 유진이네 가족이 일주일 동안 먹은 쌀은 몇 kg인지 구해 보세요.

(　　　　　　)

4. 소수의 곱셈 | (소수) × (소수) (1), (2)

정답 및 풀이 | 113쪽

평가한 날 월 일

점수

01 그림을 보고 □ 안에 알맞은 수를 써넣으세요.

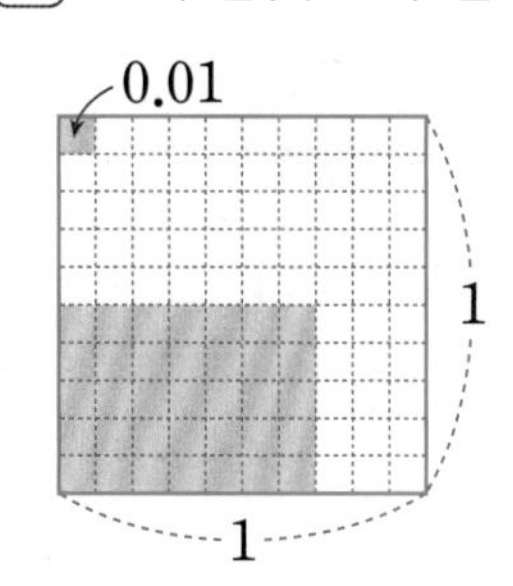

$0.7 \times 0.5 =$ □

02~03 계산해 보세요.

02 0.49×0.8

03 5.3×1.4

04 두 수의 곱을 구해 보세요.

1.7　　4.63

(　　　　　　)

05 2.8×3.6을 다음과 같이 잘못 계산하였습니다. 바르게 계산해 보세요.

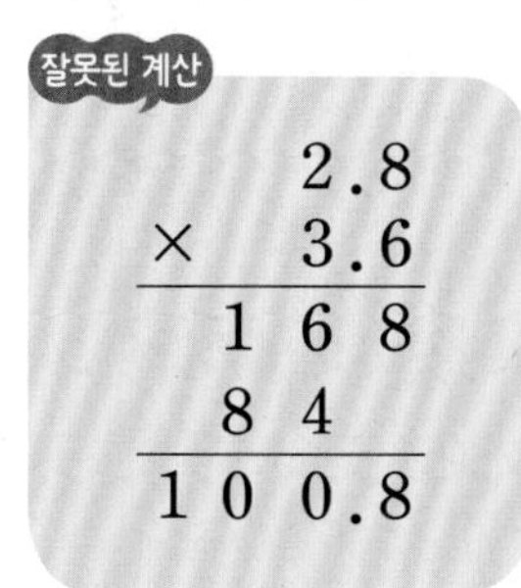

➜

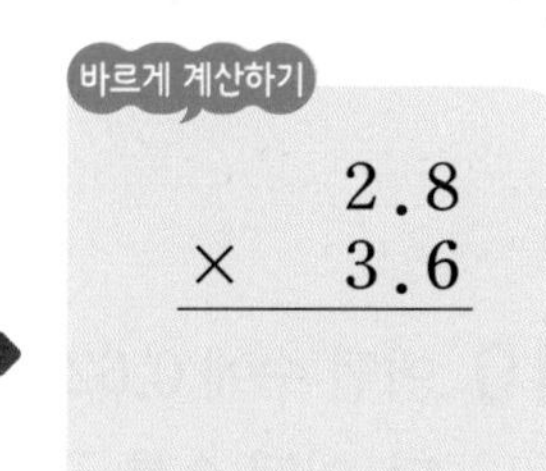

06 빈 곳에 알맞은 수를 써넣으세요.

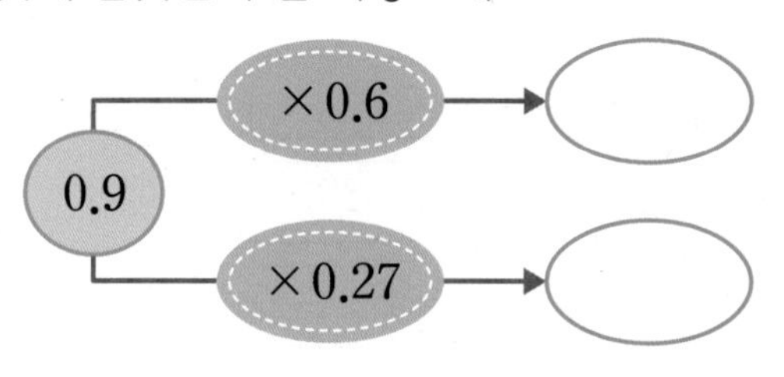

07 계산 결과가 더 큰 것의 기호를 써 보세요.

㉠ 0.86×0.5　　㉡ 0.8×0.55

(　　　　　　)

08 집에서 도서관까지의 거리는 0.7 km이고, 집에서 학교까지의 거리는 집에서 도서관까지 거리의 0.8배입니다. 집에서 학교까지의 거리는 몇 km인지 구해 보세요.

(　　　　　　)

09 ㉠과 ㉡에 알맞은 두 수의 곱을 구해 보세요.

㉠ 0.1이 45개인 수
㉡ 0.01이 24개인 수

(　　　　　　)

10 직사각형의 넓이는 몇 cm^2인지 구해 보세요.

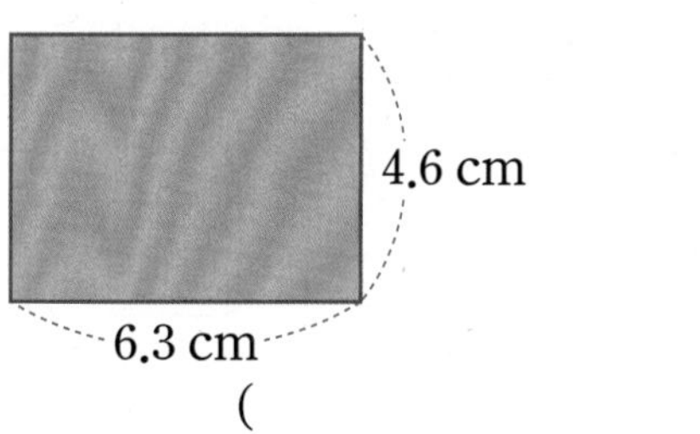

(　　　　　　)

4. 소수의 곱셈 | 곱의 소수점 위치 변화

정답 및 풀이 | 114쪽

평가한 날 월 일

점수

01~02 ▢ 안에 알맞은 수를 써넣으세요.

01 $2.196 \times 10 =$ ▢

$2.196 \times 100 =$ ▢

$2.196 \times 1000 =$ ▢

02 $307 \times 0.1 =$ ▢

$307 \times 0.01 =$ ▢

$307 \times 0.001 =$ ▢

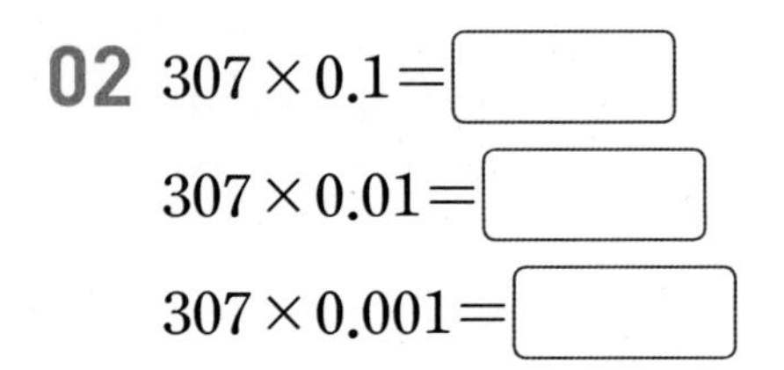

03 $293 \times 34 = 9962$입니다. 2.93×3.4의 계산 결과에 알맞게 소수점을 찍어 보세요.

$2.93 \times 3.4 = 9$ ▢ 9 ▢ 6 ▢ 2

04 $16 \times 427 = 6832$를 이용하여 계산해 보세요.

(1) 16×4.27

(2) 0.16×42.7

05 ▢ 안에 알맞은 수를 써넣으세요.

$0.705 \times$ ▢ $= 7.05$

$0.705 \times$ ▢ $= 70.5$

$0.705 \times$ ▢ $= 705$

06 빈 곳에 알맞은 수를 써넣으세요.

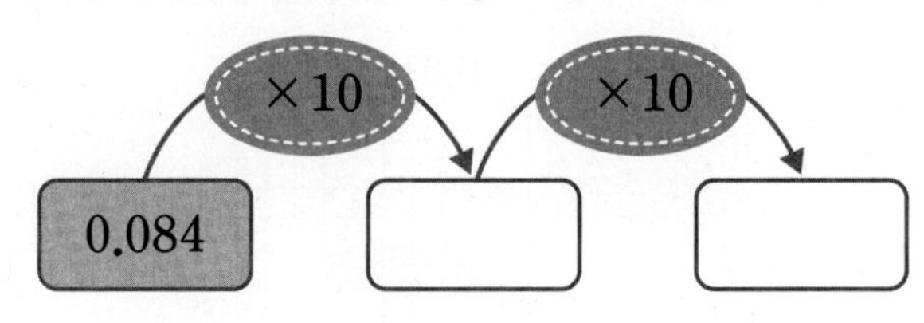

07~08 ▢ 안에 알맞은 수를 써넣으세요.

07 $19 \times 164 = 3116$

↓ ↓ ↓

▢ $\times 164 = 311.6$

08 $73 \times 28 = 2044$

↓ ↓ ↓

$7.3 \times$ ▢ $= 2.044$

09 철근 1 m의 무게는 45 kg입니다. 이 철근의 굵기가 일정할 때 0.01 m의 무게는 몇 kg인가요?

( )

10 어떤 수에 0.624를 곱하였더니 624가 되었습니다. 어떤 수를 구해 보세요.

( )

기본 단원 평가 | 4. 소수의 곱셈

평가한 날 월 일

점수

정답 및 풀이 | 114쪽

| (자연수)×(소수) (1) |

01 그림을 보고 ☐ 안에 알맞은 수를 써넣으세요. (하)

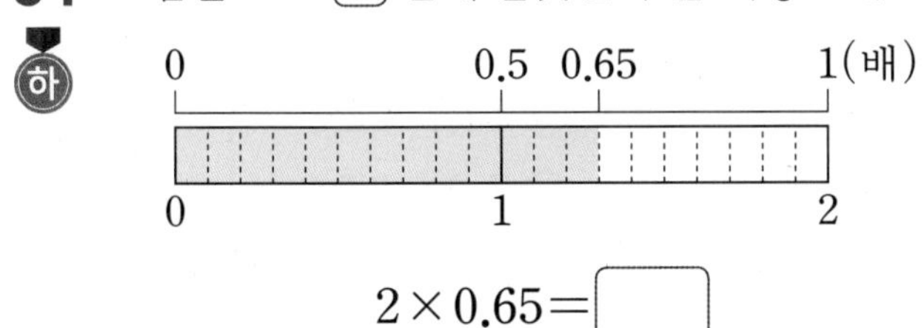

$2\times0.65=$ ☐

| (소수)×(자연수) (2) |

02 ☐ 안에 알맞은 수를 써넣으세요. (하)

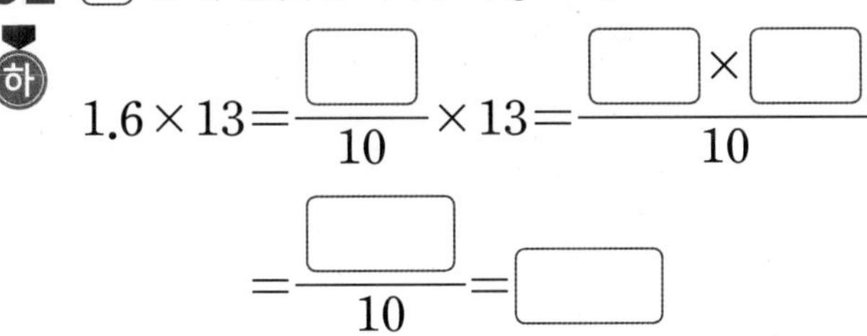

$1.6\times13=\frac{\square}{10}\times13=\frac{\square\times\square}{10}$

$=\frac{\square}{10}=$ ☐

| (자연수)×(소수) (1), (소수)×(소수) (1) |

03 계산해 보세요. (하)

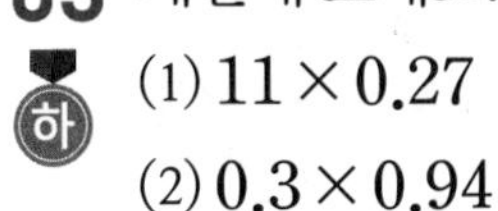

(1) 11×0.27

(2) 0.3×0.94

| 곱의 소수점 위치 변화 |

04 ☐ 안에 알맞은 수를 써넣으세요. (하)

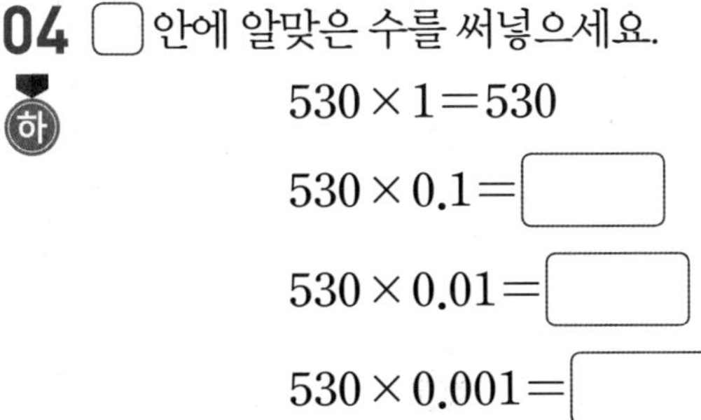

$530\times1=530$

$530\times0.1=$ ☐

$530\times0.01=$ ☐

$530\times0.001=$ ☐

| (소수)×(소수) (2) |

05 빈 곳에 알맞은 수를 써넣으세요. (중)

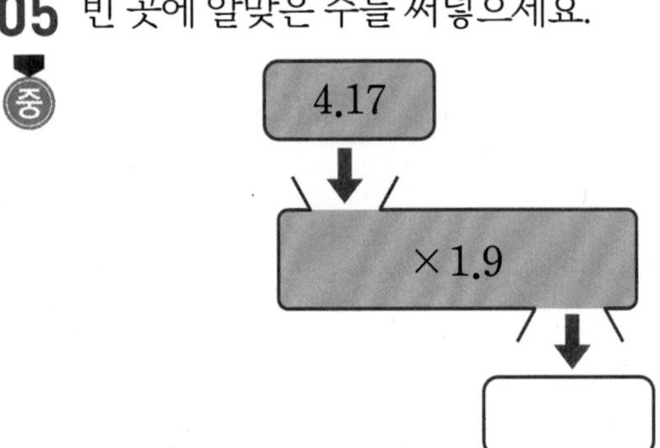

| (소수)×(자연수) (1), (소수)×(자연수) (2) |

06 관계있는 것끼리 선으로 이어 보세요. (중)

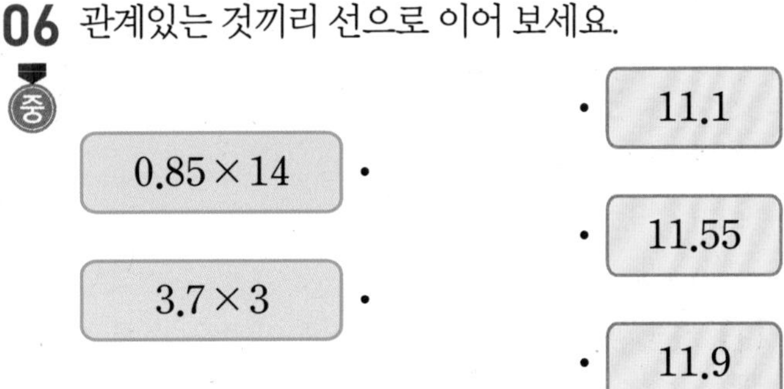

| (소수)×(소수) (1) |

07 0.73×0.4를 두 가지 방법으로 계산해 보세요. (중)

(1) 분수의 곱셈으로 계산해 보세요.

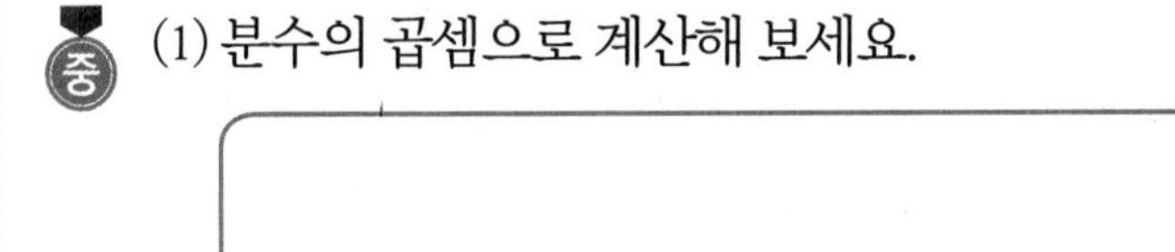

(2) 자연수의 곱셈을 이용하여 계산해 보세요.

기본 단원 평가

| (자연수)×(소수) (1), (자연수)×(소수) (2) |

08 계산 결과를 비교하여 ◯ 안에 $>$, $=$, $<$를 알맞게 써넣으세요.

중

$$23 \times 0.69 \bigcirc 6 \times 2.84$$

| (소수)×(소수) (2) |

09 가장 큰 수와 가장 작은 수의 곱을 구해 보세요.

중

3.6　1.65　1.7　2.37　3.8

(　　　　　　　　)

| 곱의 소수점 위치 변화 |

10 보기 를 이용하여 □ 안에 알맞은 수를 써넣으세요.

중

보기

$137 \times 46 = 6302$

$\square \times 4.6 = 63.02$

$13.7 \times \square = 6.302$

$\square \times 4.6 = 6.302$

| (자연수)×(소수) (2) |

11 나무의 높이는 4 m이고 건물의 높이는 나무 높이의 1.3배입니다. 이 건물의 높이는 몇 m인지 구해 보세요.

중

(　　　　　　　　)

| (소수)×(소수) (2) |

12 어림하여 계산 결과가 42보다 큰 것을 찾아 기호를 써 보세요.

중

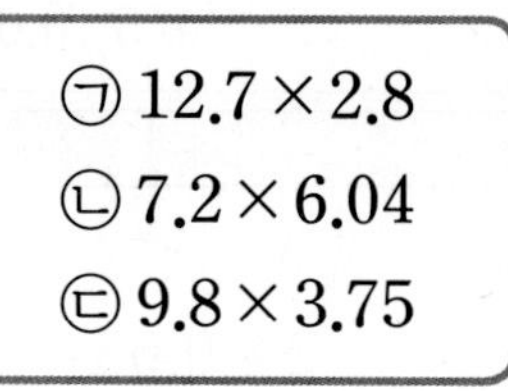

(　　　　　　　　)

| 곱의 소수점 위치 변화 |

13 빈 곳에 알맞은 수를 써넣으세요.

중

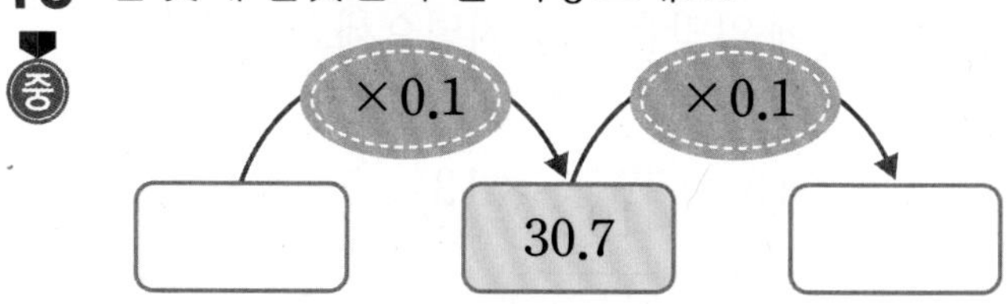

| (소수)×(자연수) (1) | 서술형

14 똑같은 인형의 무게를 재려고 합니다. ㉠에 들어갈 수는 얼마인지 풀이 과정을 쓰고, 답을 구해 보세요.

중

풀이

답

| (소수) × (자연수) (2) |

15 설명하는 두 수의 곱을 구해 보세요.

- 0.01이 305개인 수
- 2.4의 10배인 수

(　　　　　　　　)

| (소수) × (소수) (1) |

16 계산 결과가 가장 큰 것의 기호를 써 보세요.

㉠ 0.8×0.54
㉡ 0.5×0.9
㉢ 0.73×0.6

(　　　　　　　　)

| 곱의 소수점 위치 변화 | 서술형

17 어떤 수에 0.74를 곱해야 할 것을 잘못하여 74를 곱하였습니다. 잘못 계산한 값은 바르게 계산한 값의 몇 배인지 풀이 과정을 쓰고, 답을 구해 보세요.

중

풀이

답

| (자연수) × (소수) (1) |

18 민수, 진영, 승민이는 주스 2 L를 나누어 마셨습니다. 민수는 2 L의 0.35만큼을 마셨고, 진영이는 0.55 L를 마셨고, 승민이는 나머지 주스를 마셨습니다. 주스를 가장 많이 마신 사람은 누구인가요?

상

(　　　　　　　　)

| (소수) × (자연수) (2) |

19 □ 안에 들어갈 수 있는 가장 큰 자연수는 얼마인지 구해 보세요.

상

$3.7 \times \square < 20$

(　　　　　　　　)

| (소수) × (소수) (2) | 서술형

20 숫자 카드 중에서 3장을 모두 한 번씩만 사용하여 만들 수 있는 가장 큰 소수 한 자리 수와 가장 작은 소수 두 자리 수의 곱은 얼마인지 풀이 과정을 쓰고, 답을 구해 보세요.

상

2　4　5　8

풀이

답

단원 평가 | 4. 소수의 곱셈

| (소수)×(소수) (1), (소수)×(소수) (2) |

01 보기 와 같은 방법으로 계산해 보세요.

보기

$0.4 \times 0.7 = \frac{4}{10} \times \frac{7}{10} = \frac{28}{100} = 0.28$

1.7×3.26

| (소수)×(자연수) (1), (자연수)×(소수) (1) |

02 계산해 보세요.

(1) 0.68×26

(2) 14×0.9

| 곱의 소수점 위치 변화 |

03 □ 안에 알맞은 수를 써넣으세요.

$8 \times 12 = 96$

$0.8 \times 1.2 =$ □

$0.08 \times 1.2 =$ □

$0.08 \times 0.12 =$ □

| (소수)×(소수) (2) |

04 빈 곳에 두 수의 곱을 써넣으세요.

2.69	5.3

| 곱의 소수점 위치 변화 |

05 빈칸에 알맞은 수를 써넣으세요.

×	10	100	1000
0.086			

| (소수)×(자연수) (1), (소수)×(자연수) (2) |

06 계산 결과가 자연수인 것을 찾아 ○표 해 보세요.

0.96×35	1.35×24	1.76×25
(　　)	(　　)	(　　)

| (소수)×(자연수) (1), (소수)×(자연수) (2) |

07 어림하여 계산 결과가 30에 가장 가까운 것을 찾아 기호를 써 보세요.

중

㉠ 1.1×35
㉡ 2.85×7
㉢ 0.5×52

(　　　　　　)

평가한 날 월 일

점수

| (소수) × (자연수) (2), (자연수) × (소수) (2) |

08 빈칸에 알맞은 수를 써넣으세요.

중

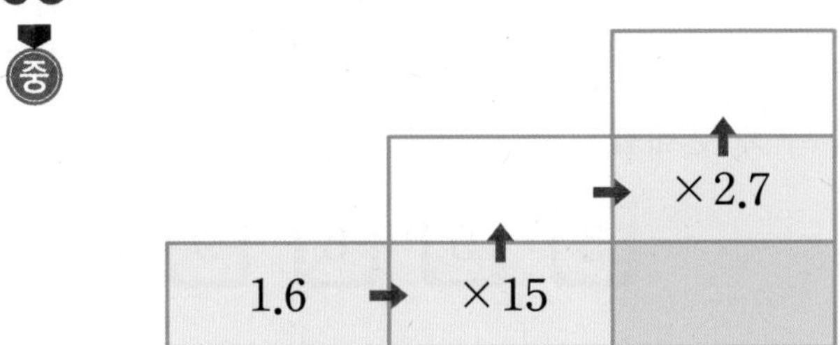

| (자연수) × (소수) (1), (자연수) × (소수) (2) |

09 곱이 같은 것끼리 같은 색으로 칠해 보세요.

12×0.7	16×0.45	25×0.64
5×1.44	6×1.4	20×0.8

| (소수) × (소수) (1) |

10 곱이 작은 것부터 차례로 ◯ 안에 1, 2, 3을 써넣으세요.

중

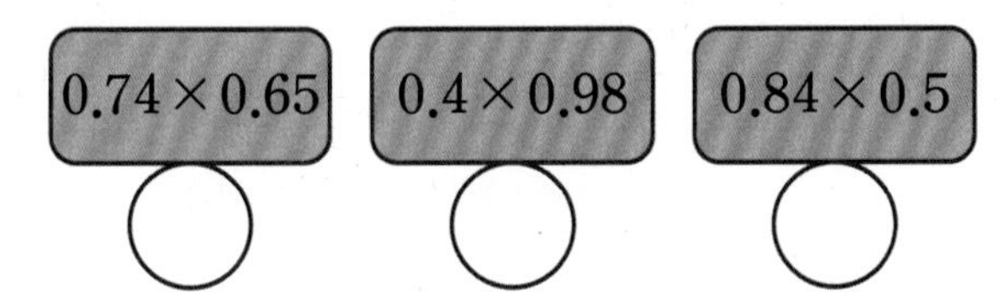

| (소수) × (자연수) (2) |

11 유진이는 매일 2.5 km씩 걷기 운동을 합니다. 유진이가 일주일 동안 걷기 운동을 한 거리는 몇 km인지 구해 보세요.

중

(　　　　　　　　)

| 곱의 소수점 위치 변화 |

12 $36\times52=1872$입니다. ☐ 안에 들어갈 수 있는 수 중에서 가장 작은 것을 찾아 기호를 써 보세요.

중

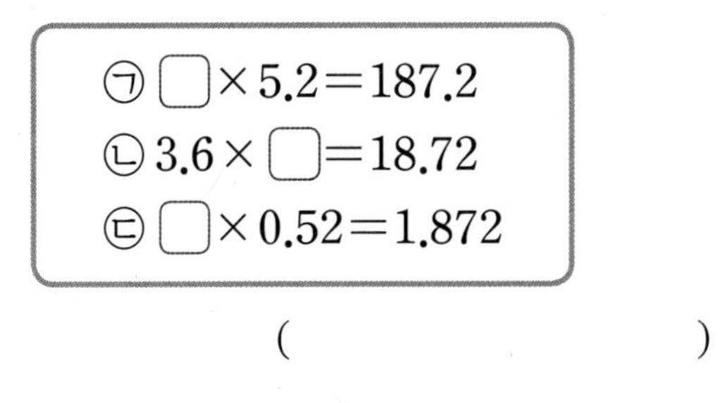

(　　　　　　　　)

| 곱의 소수점 위치 변화 |

13 ㉠과 ㉡에 알맞은 두 수의 곱을 구해 보세요.

중

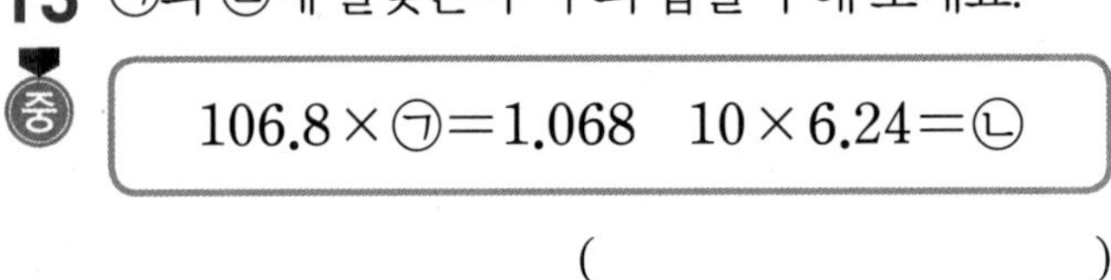

(　　　　　　　　)

| (자연수) × (소수) (1) | 서술형

14 ㉠과 ㉡을 만족하는 자연수는 모두 몇 개인지 풀이 과정을 쓰고, 답을 구해 보세요.

중

㉠ 26×0.3보다 큰 수입니다.
㉡ 18×0.85보다 작은 수입니다.

답

| (자연수) × (소수) (1), (자연수) × (소수) (2) |

15 중

지구에서 잰 몸무게를 화성에서 재면 0.38배가 되고 목성에서 재면 2.5배가 됩니다. 35 kg인 주원이의 몸무게를 화성과 목성에서 각각 잰 몸무게의 차는 몇 kg인지 구해 보세요.

(　　　　　　　　)

| (소수) × (소수) (2) |

16 중

□ 안에 알맞은 수를 써넣으세요.

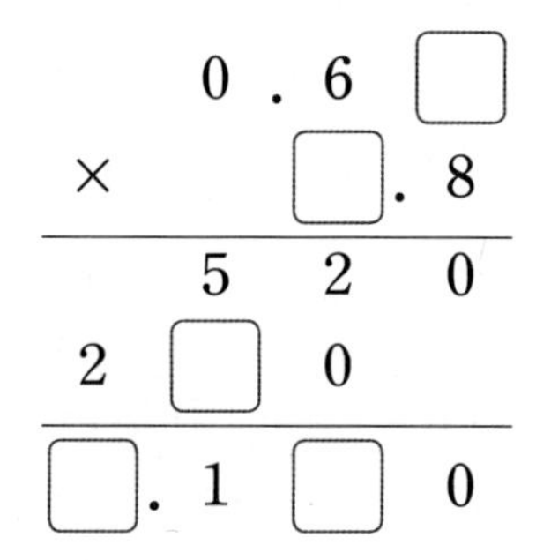

| (소수) × (자연수) (2) | 서술형

17 상

트럭에 물건을 최대 300 kg까지 실을 수 있습니다. 이 트럭에 한 상자에 4.7 kg인 상자를 몇 개까지 실을 수 있는지 풀이 과정을 쓰고, 답을 구해 보세요.

풀이

답

| (소수) × (소수) (2) |

18 상

숫자 카드를 모두 한 번씩만 사용하여 (소수 한 자리 수) × (소수 한 자리 수)의 곱셈식을 만들려고 합니다. 곱이 가장 큰 곱셈식을 만들고 곱을 구해 보세요.

3　5　6　9

(　　　　　　　　)

| 곱의 소수점 위치 변화 |

19 상

전통적으로 무게를 재는 단위에는 돈, 냥, 관 등을 사용하였습니다. 1돈은 3.75 g이고, 1냥은 10돈, 1관은 10냥을 나타냅니다. 금 6관의 무게는 몇 g인지 구해 보세요.

(　　　　　　　　)

| (소수) × (자연수) (2) | 서술형

20 상

길이가 7.4 cm인 종이테이프 3장을 1.8 cm씩 겹쳐서 이어 붙였습니다. 이어 붙인 전체 길이는 몇 cm인지 풀이 과정을 쓰고, 답을 구해 보세요.

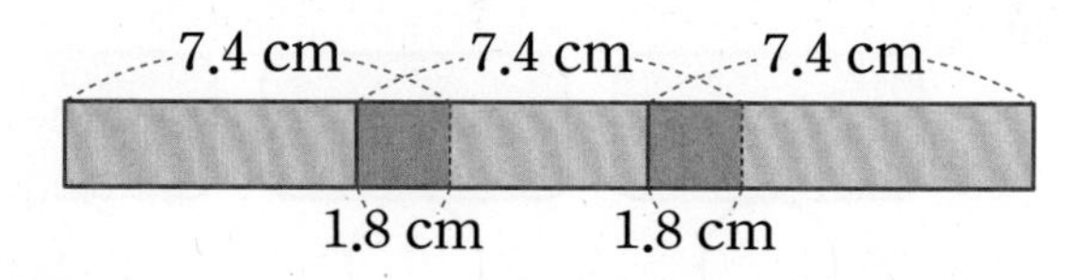

풀이

답

연습 서술형 평가 | 4. 소수의 곱셈

정답 및 풀이 | 117쪽

평가한 날　　월　　일

점수

Tip
❶ 9×0.42의 곱과 9×42의 곱의 관계 알아보기
❷ ㉠에 알맞은 수 구하기

01 하늘이가 9×0.42의 계산 결과를 어림하였습니다. ㉠에 알맞은 수는 얼마인지 풀이 과정을 쓰고, 답을 구해 보세요.

풀이

답

Tip
❶ 곱하는 두 수와 계산 결과가 각각 몇 배가 되는지 알아보기
❷ 계산한 값은 얼마인지 구하기

02 보기와 같은 방법으로 0.36×1.4를 계산해 보려고 합니다. 계산한 값은 얼마인지 풀이 과정을 쓰고, 답을 구해 보세요.

보기

0.7×0.3

$7 \times 3 = 21$에서 곱하는 두 수 7과 3이 각각 0.1배가 되면 계산 결과는 0.01배가 됩니다.
따라서 $0.7 \times 0.3 = 0.21$입니다.

풀이

답

Tip

❶ 2시간 30분은 몇 시간인지 소수로 나타내기

❷ 2시간 30분 동안 갈 수 있는 거리 구하기

03 지훈이는 자전거를 타고 한 시간에 3.8 km를 갈 수 있습니다. 같은 빠르기로 자전거를 타고 2시간 30분 동안 간다면 갈 수 있는 거리는 몇 km인지 풀이 과정을 쓰고, 답을 구해 보세요.

풀이

답

Tip

❶ 승준이가 계산하려는 값과 계산기에 찍힌 수 비교하기

❷ 승준이가 계산기에 누른 두 수 구하기

04 승준이가 계산기로 7.5×0.46을 계산하려고 두 수를 눌렀는데 수 하나의 소수점 위치를 잘못 눌러서 계산 결과가 34.5가 나왔습니다. 승준이가 누른 두 수는 무엇인지 풀이 과정을 쓰고, 답을 구해 보세요.

풀이

답

실전 서술형 평가 | 4. 소수의 곱셈

평가한 날 월 일

점수

정답 및 풀이 | 118쪽

Tip

❶ ☐ 안에 들어갈 수를 예상하여 넣어 보고 계산하여 비교하기

❷ ☐ 안에 들어갈 수 있는 자연수의 개수 구하기

01 1부터 9까지의 수 중에서 ☐ 안에 들어갈 수 있는 자연수는 모두 몇 개인지 풀이 과정을 쓰고, 답을 구해 보세요.

3.☐8 × 6 < 20.5

풀이

답

Tip

❶ 곱이 가장 작게 되는 곱셈식을 만드는 방법 설명하기

❷ 곱이 가장 작은 곱셈식의 곱 구하기

02 숫자 카드를 모두 한 번씩만 사용하여 (자연수) × (소수 두 자리 수)의 곱셈식을 만들려고 합니다. 만들 수 있는 곱셈식 중에서 곱이 가장 작은 곱셈식의 곱은 얼마인지 풀이 과정을 쓰고, 답을 구해 보세요.

풀이

답

Tip

❶ 새로 만든 종이의 가로와 세로 구하기

❷ 새로 만든 종이의 넓이 구하기

03 가로가 0.9 m, 세로가 0.5 m인 직사각형 모양의 종이가 있습니다. 이 종이의 가로와 세로를 각각 0.4배로 줄여서 새로운 직사각형 모양의 종이를 만들었습니다. 새로 만든 종이의 넓이는 몇 m^2인지 풀이 과정을 쓰고, 답을 구해 보세요.

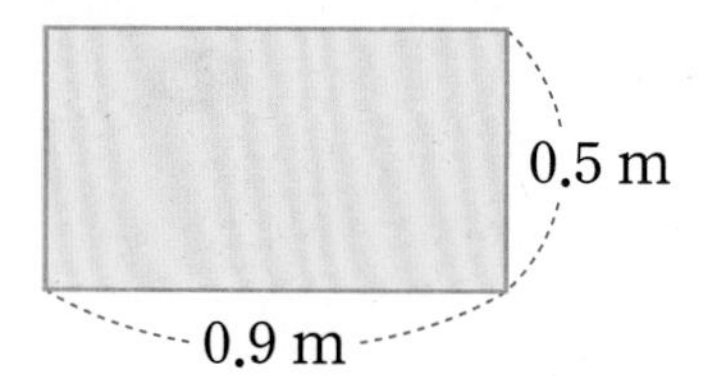

풀이

답

Tip

❶ ㉠에서 곱하는 두 수는 ㉡에서 곱하는 두 수의 몇 배인지 각각 구하기

❷ ㉠의 계산 결과는 ㉡의 계산 결과의 몇 배인지 구하기

04 ㉠의 계산 결과는 ㉡의 계산 결과의 몇 배인지 풀이 과정을 쓰고, 답을 구해 보세요.

㉠ 5.2×29.6　　㉡ 0.52×2.96

풀이

답

5 단원 교과서 핵심 개념

5 직육면체와 정육면체

수학 112~139쪽 수학 익힘 63~76쪽

개념 1 직육면체

- 직육면체: 직사각형 6개로 둘러싸인 도형

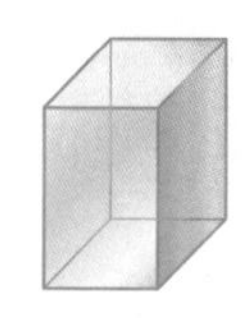
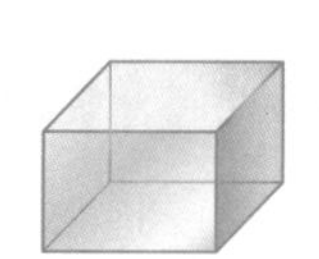

- 직육면체의 구성 요소

직육면체에서

면: 선분으로 둘러싸인 부분

모서리: 면과 면이 만나는 선분

꼭짓점: 모서리와 모서리가 만나는 점

꼭짓점
모서리
면

개념 2 정육면체

- 정육면체: 정사각형 6개로 둘러싸인 도형

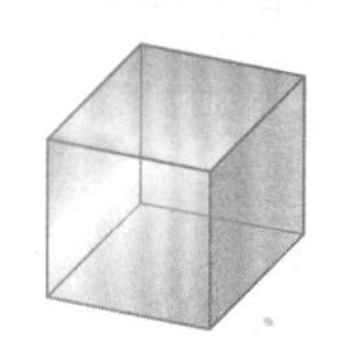
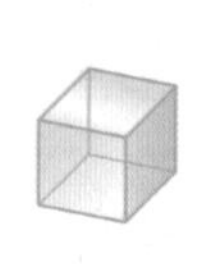

- 정육면체의 모서리 길이는 모두 같습니다.

	면의 수(개)	모서리의 수(개)	꼭짓점의 수(개)	면의 모양
직육면체	6	12	8	직사각형
정육면체	6	12	8	정사각형

개념 3 직육면체의 성질

- 밑면: 직육면체에서 평행한 두 면 (계속 늘여도 만나지 않는 두 면)
- 옆면: 직육면체에서 밑면과 수직인 면

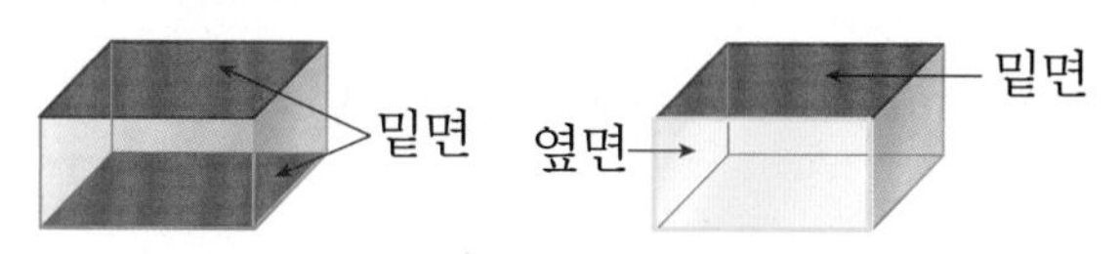

- 직육면체에서 두 밑면은 서로 평행합니다.
- 직육면체에는 평행한 면이 3쌍 있고, 이 평행한 면은 각각 밑면이 될 수 있습니다. (서로 마주 보는 면끼리 한 쌍입니다.)
- 직육면체에서 옆면은 4개 있습니다.

개념 4 직육면체의 겨냥도

- 겨냥도: 직육면체와 같은 도형의 모양을 잘 알 수 있도록 나타낸 그림

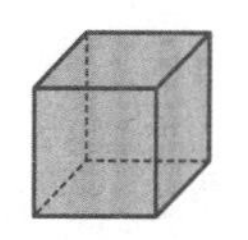
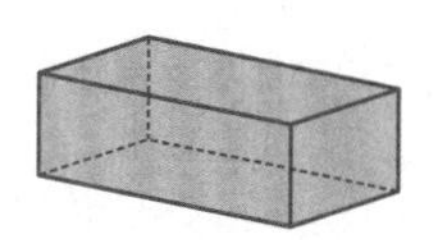

- 겨냥도에서는 보이는 모서리는 실선으로, 보이지 않는 모서리는 점선으로 그립니다.
- 직육면체에서 서로 평행하고 길이가 같은 모서리는 겨냥도에서도 서로 평행하고 길이가 같도록 그립니다.

개념 5 정육면체의 전개도

- 정육면체의 전개도: 정육면체의 모서리를 잘라서 평면 위에 펼쳐 나타낸 그림
- 정육면체의 전개도는

① 정사각형 6개로 이루어져 있습니다.

② 모든 모서리의 길이가 같습니다.

③ 접었을 때 서로 겹치는 면이 없습니다.

개념 6 직육면체의 전개도

- 직육면체의 전개도: 직육면체의 모서리를 잘라서 평면 위에 펼쳐 나타낸 그림

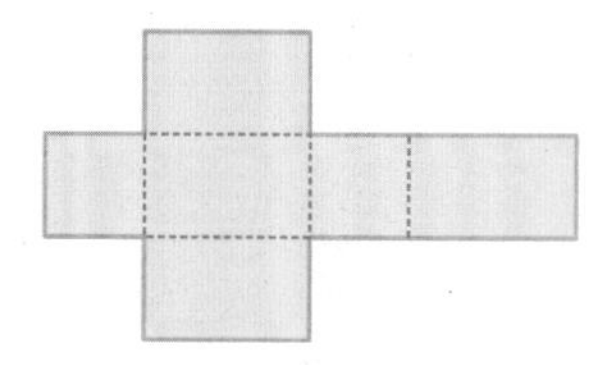

- 직육면체의 전개도를 접었을 때, 서로 마주 보는 면은 평행하고 합동입니다.
- 직육면체의 전개도를 접었을 때, 서로 겹치는 모서리의 길이가 같습니다.

참고 전개도를 그릴 때 자른 모서리는 실선으로, 자르지 않은 모서리는 점선으로 그립니다.

평가한 날 월 일

점수

정답 및 풀이 | 118쪽

01 오른쪽 그림을 보고 ☐ 안에 알맞은 수나 말을 써넣으세요.

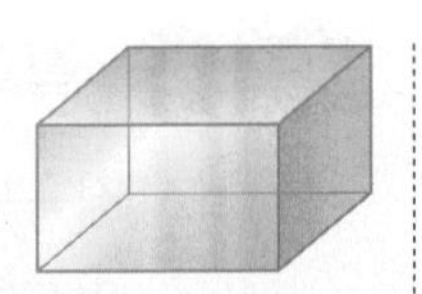

그림과 같이 직사각형 ☐개로 둘러싸인 도형을 ☐(이)라고 합니다.

02 직육면체를 찾아 ○표 해 보세요.

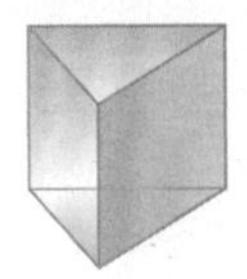 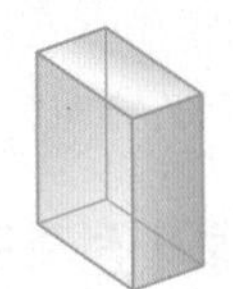 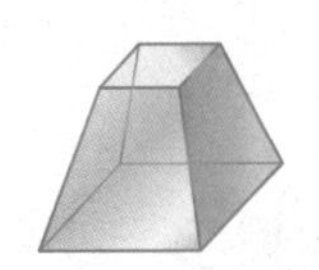

03 직육면체의 면이 될 수 있는 도형을 찾아 기호를 써 보세요.

가 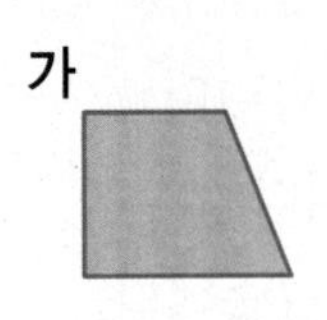 나 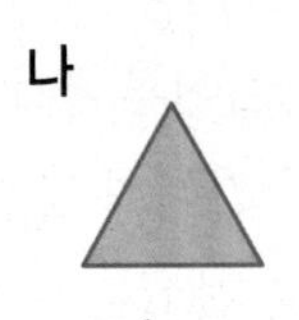 다 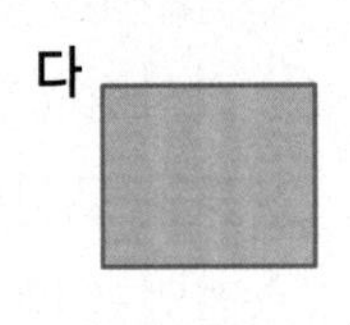

(　　　　　)

04 ☐ 안에 직육면체의 구성 요소의 이름을 알맞게 써넣으세요.

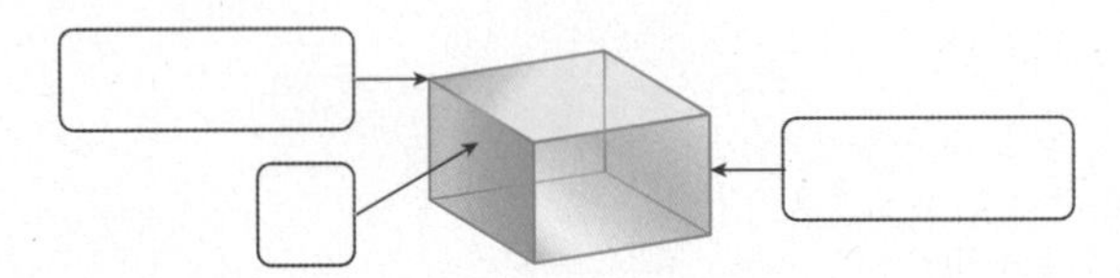

05 정육면체를 찾아 기호를 써 보세요.

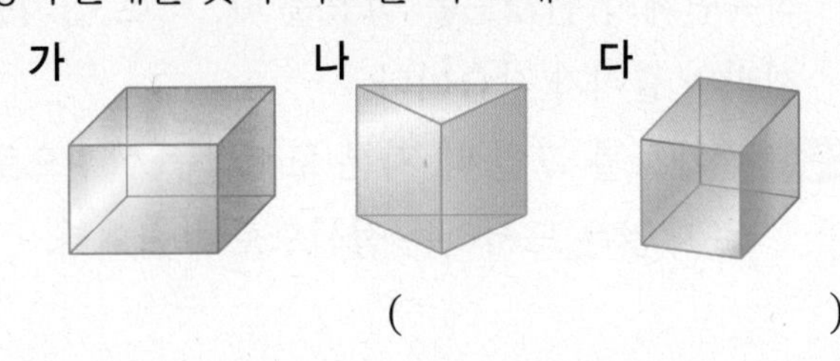

(　　　　　)

06 정육면체를 보고 빈칸에 알맞은 수를 써넣으세요.

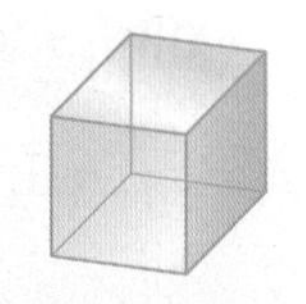

면의 수(개)	모서리의 수(개)	꼭짓점의 수(개)

07 정육면체의 한 면을 본떠 그렸을 때, 그려지는 도형은 어떤 도형인가요?

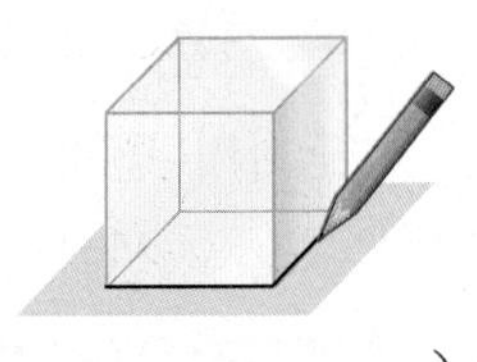

(　　　　　)

08 직육면체와 정육면체에 대한 설명으로 틀린 것을 찾아 기호를 써 보세요

㉠ 면은 6개입니다.
㉡ 꼭짓점은 8개입니다.
㉢ 모서리는 길이가 모두 같습니다.

(　　　　　)

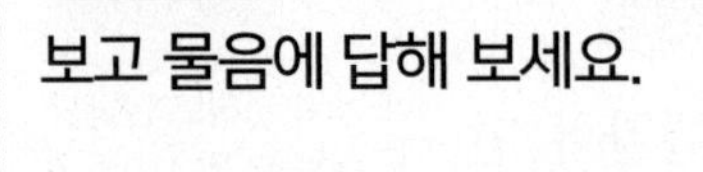

09~10 오른쪽 직육면체를 보고 물음에 답해 보세요.

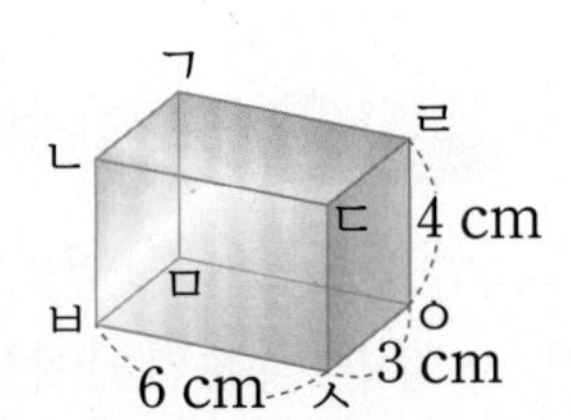

09 면 ㅁㅂㅅㅇ의 둘레는 몇 cm인가요?

(　　　　　)

10 직육면체를 잘라 만들 수 있는 가장 큰 정육면체의 한 모서리의 길이는 몇 cm인가요?

(　　　　　)

5. 직육면체와 정육면체 | 직육면체의 성질

평가한 날 월 일

점수

정답 및 풀이 | 118쪽

01 □ 안에 알맞은 말을 써넣으세요.

직육면체에서 평행한 두 면을 직육면체의 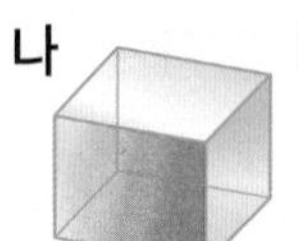(이)라 하고, 밑면과 수직인 면을 직육면체의 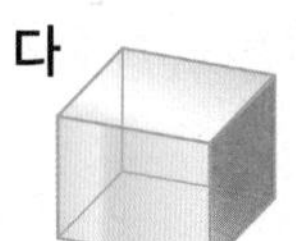(이)라고 합니다.

02~03 오른쪽 직육면체를 보고 물음에 답해 보세요.

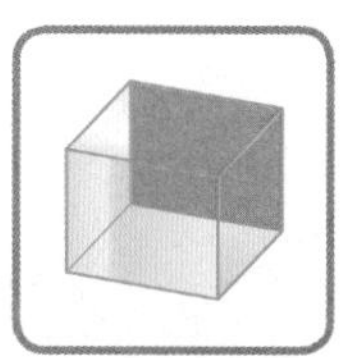

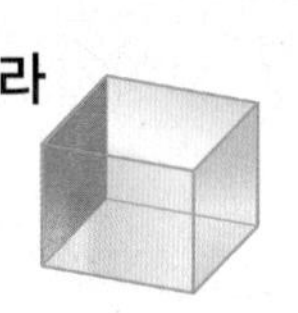

가 나 다 라

02 분홍색으로 색칠한 면과 평행한 면을 바르게 색칠한 면을 찾아 기호를 써 보세요.

( )

03 분홍색으로 색칠한 면과 수직인 면을 바르게 색칠한 면을 모두 찾아 기호를 써 보세요.

( )

04 색칠한 면이 한 밑면일 때 다른 밑면을 찾아 색칠해 보세요.

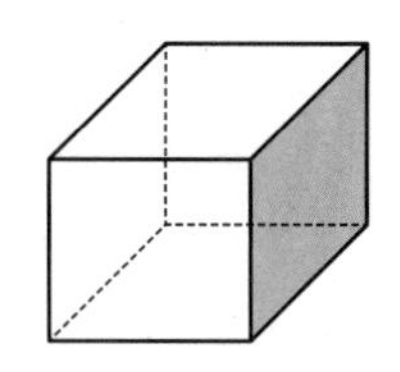

05 직육면체에서 서로 평행한 면은 모두 몇 쌍인가요?

( )

06~07 오른쪽 직육면체를 보고 물음에 답해 보세요.

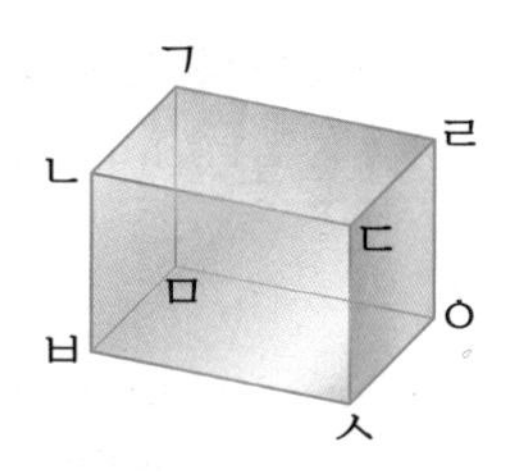

06 점 ㅂ과 만나는 면을 모두 써 보세요.

( )

07 모서리 ㄷㄹ과 길이가 같은 모서리를 모두 찾아 써 보세요. (모서리 ㄷㄹ은 제외합니다.)

( )

08 직육면체의 한 모서리에서 두 면이 만나 이루는 각도는 몇 도인가요?

( )

09 직육면체에 대한 설명으로 바른 것을 찾아 기호를 써 보세요.

㉠ 옆면은 밑면과 평행합니다.
㉡ 서로 평행한 두 면은 합동입니다.
㉢ 한 면과 수직으로 만나는 면은 3개입니다.

( )

10 주사위의 서로 평행한 두 면의 눈의 수의 합은 7입니다. 눈의 수가 4인 면이 한 밑면일 때 옆면의 눈의 수를 모두 구해 보세요.

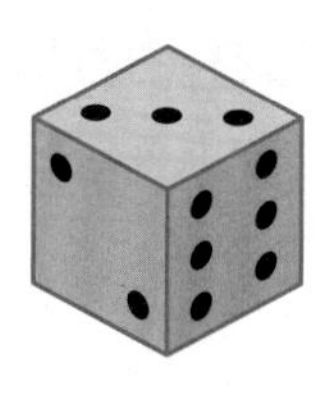

( )

평가한 날 월 일

점수

정답 및 풀이 | 119쪽

01 오른쪽 그림을 보고 ☐ 안에 알맞은 말을 써넣으세요.

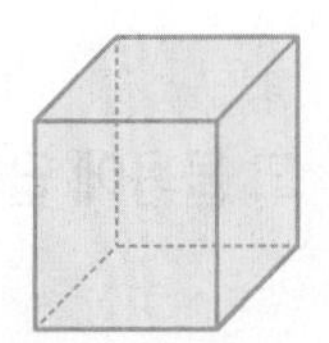

직육면체와 같은 도형의 모양을 잘 알 수 있도록 나타낸 그림을 ☐(이)라고 합니다.

02~03 직육면체의 겨냥도를 바르게 그렸으면 ○표, 잘못 그렸으면 ×표 해 보세요.

02

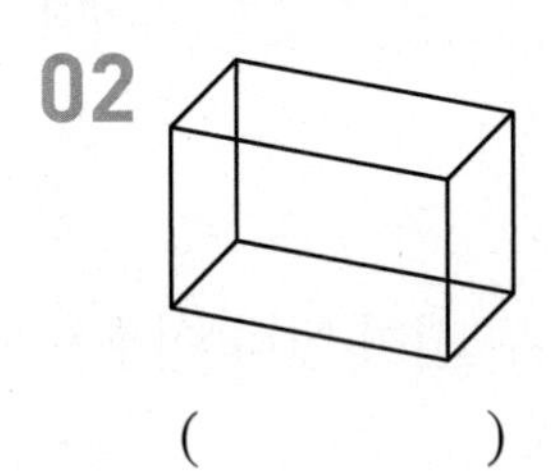

( )

03

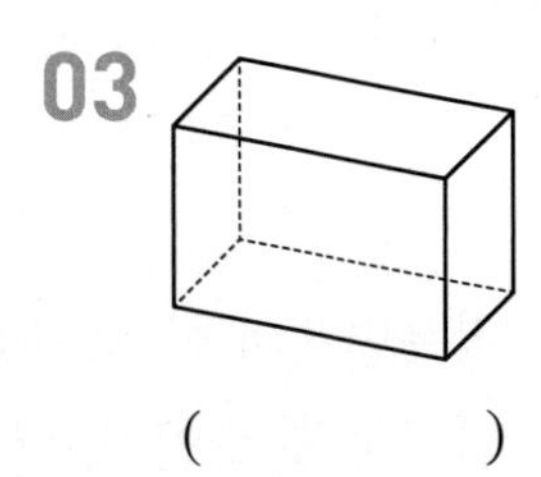

( )

04 직육면체의 겨냥도를 그리는 방법입니다. ☐ 안에 알맞은 말을 써넣으세요.

- 직육면체에서 서로 평행하고 길이가 같은 모서리는 겨냥도에서도 서로 ☐하고 길이가 같도록 그립니다.
- 보이는 모서리는 ☐으로, 보이지 않는 모서리는 ☐으로 그립니다.

05 직육면체에서 보이지 않는 모서리를 그려 넣어 겨냥도를 완성해 보세요.

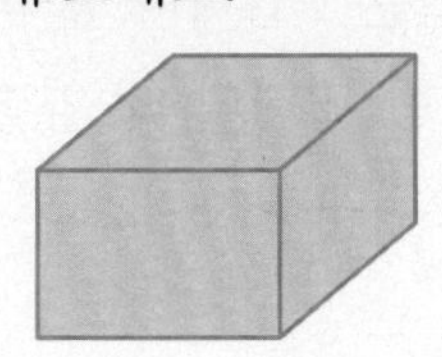

06~08 직육면체의 겨냥도를 보고 물음에 답해 보세요.

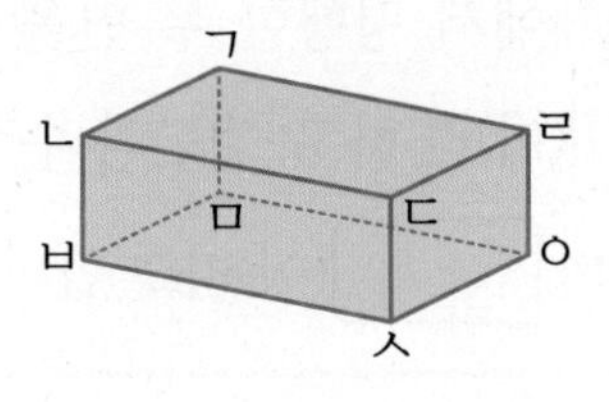

06 보이는 면을 모두 찾아 써 보세요.

( )

07 보이지 않는 꼭짓점을 찾아 써 보세요.

( )

08 보이는 모서리를 모두 찾아 ○표 해 보세요.

09~10 직육면체의 겨냥도를 완성해 보세요.

09

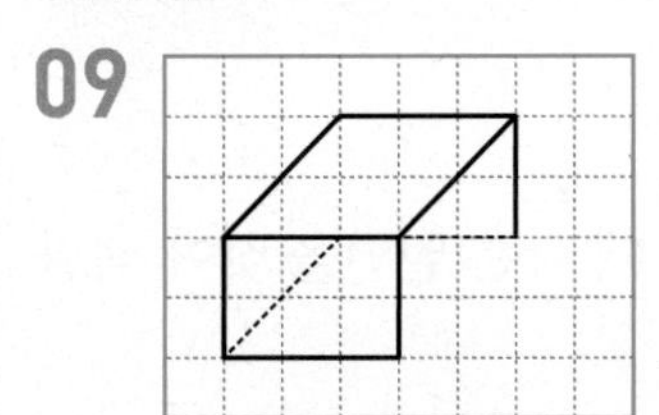

10

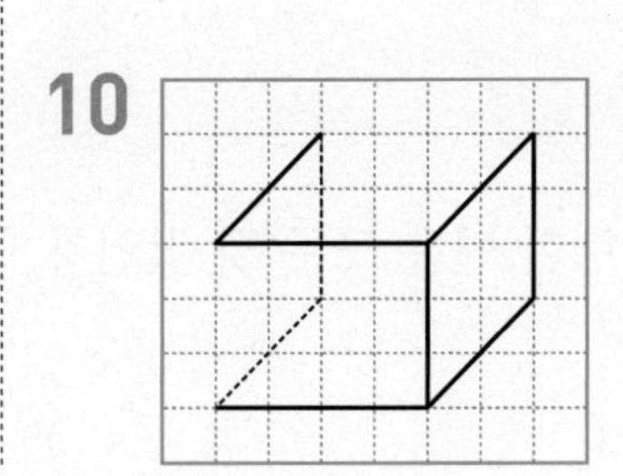

5. 직육면체와 정육면체 | 정육면체의 전개도 / 직육면체의 전개도

정답 및 풀이 | 119쪽

평가한 날 월 일

점수

01 ☐ 안에 알맞은 말을 써넣으세요.

> 정육면체와 같은 도형의 모서리를 잘라서 평면 위에 펼쳐 나타낸 그림을 ☐ (이)라고 합니다.

02~04 전개도를 접어서 정육면체를 만들었을 때 물음에 답해 보세요.

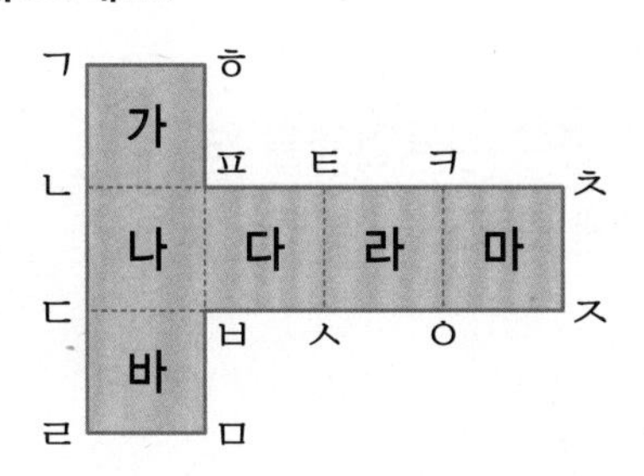

02 면 마와 평행한 면을 찾아 써 보세요.

( )

03 점 ㅁ과 만나는 점을 찾아 써 보세요.

( )

04 선분 ㄴㄷ과 겹치는 선분을 찾아 써 보세요.

( )

05 정육면체의 전개도에서 잘못 나타낸 곳을 찾아 ○표 해 보세요.

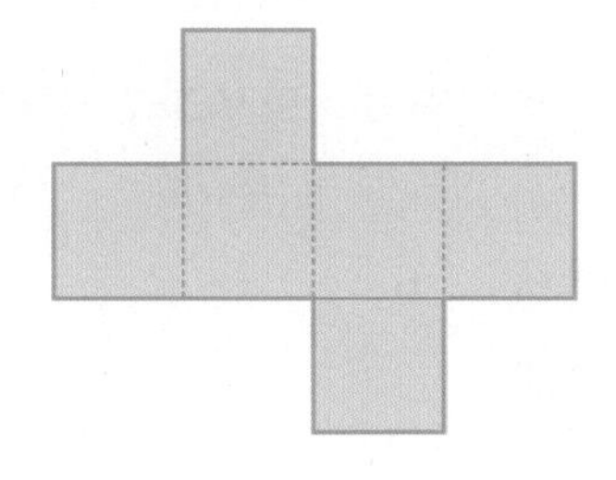

06~08 전개도를 접어서 직육면체를 만들었을 때 물음에 답해 보세요.

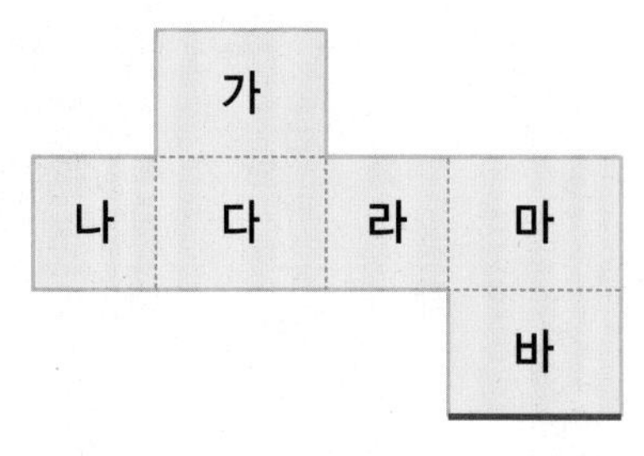

06 면 나와 마주 보는 면을 찾아 써 보세요.

( )

07 면 다와 수직인 면을 모두 찾아 써 보세요.

( )

08 빨간색 모서리와 겹치는 모서리에 ○표 해 보세요.

09 직육면체의 모서리를 잘라 전개도를 만들었습니다. ☐ 안에 알맞은 수를 써넣으세요.

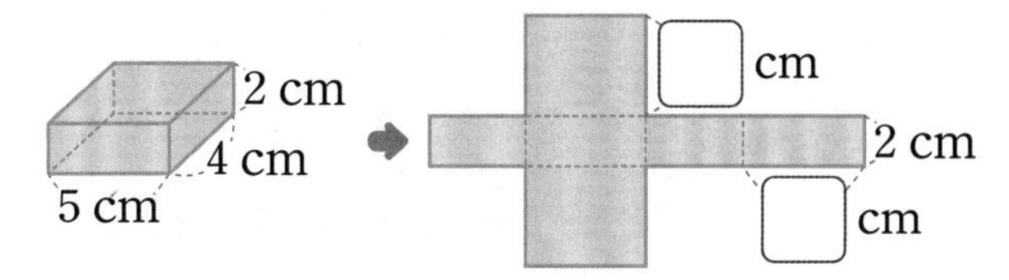

10 직육면체의 전개도를 완성해 보세요.

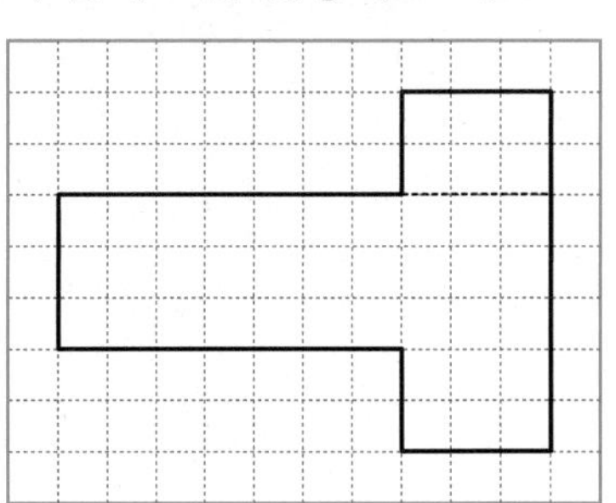

기본 단원 평가 | 5. 직육면체와 정육면체

01~02 입체도형을 보고 물음에 답해 보세요.

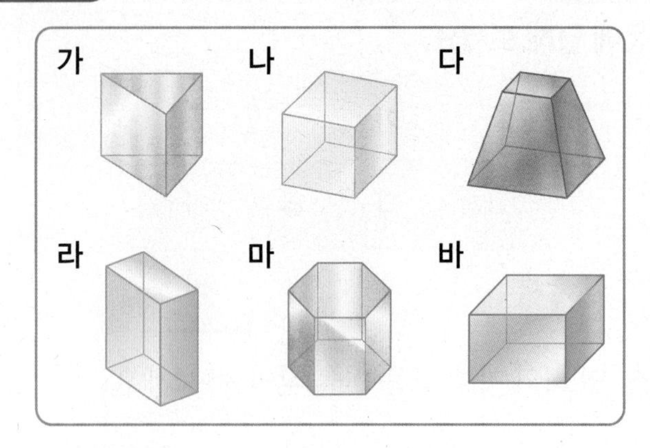

| 직육면체 |

01 직육면체를 모두 찾아 기호를 써 보세요.

하

( )

| 정육면체 |

02 정육면체를 찾아 기호를 써 보세요.

( )

| 정육면체 |

03 ☐ 안에 정육면체의 구성 요소의 이름을 알맞게 써넣으세요.

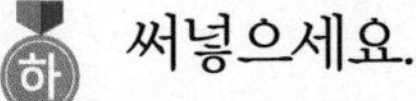

하

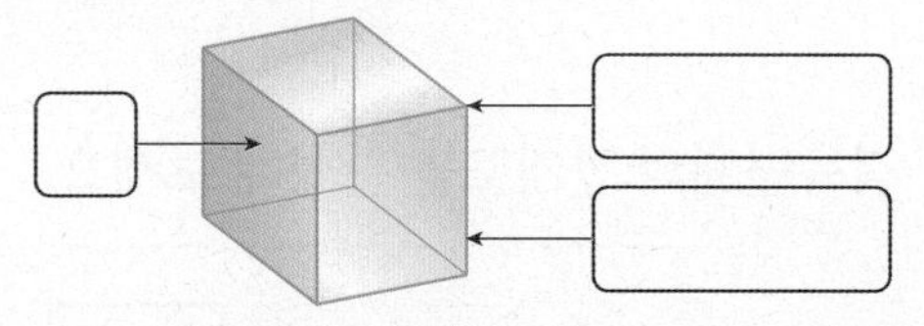

| 직육면체의 겨냥도 |

04 직육면체의 겨냥도를 바르게 그린 것을 찾아 기호를 써 보세요.

하

가 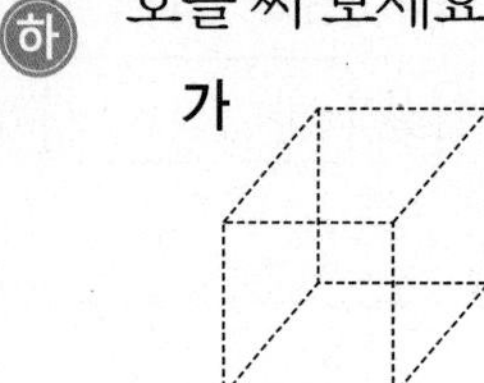 나 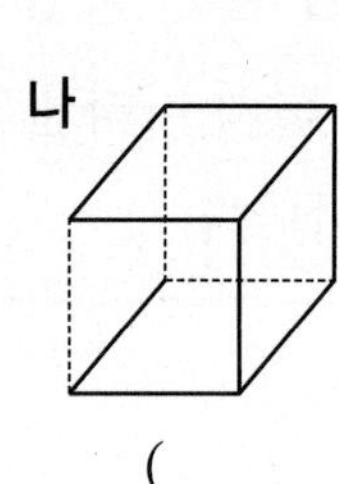 다 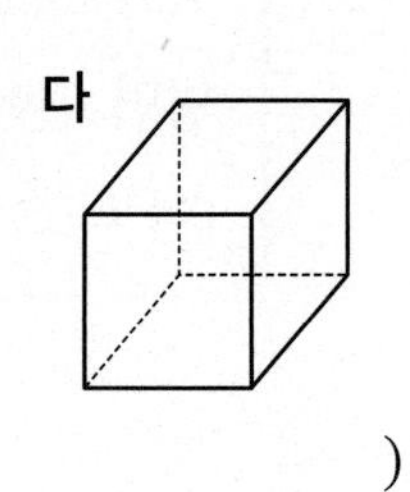

( )

05~06 오른쪽 직육면체를 보고 물음에 답해 보세요.

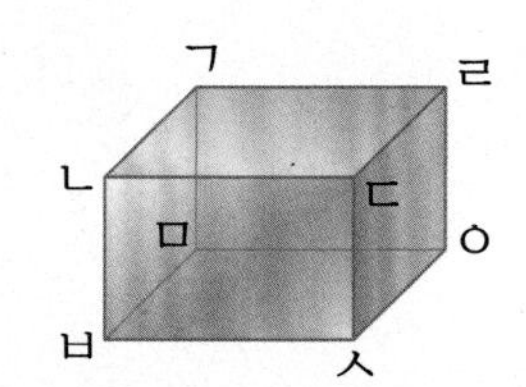

| 직육면체의 성질 |

05 직육면체에서 면 ㄴㅂㅅㄷ이 한 밑면일 때, 다른 밑면을 찾아 써 보세요.

중

( )

| 직육면체의 성질 |

06 직육면체에서 면 ㄴㅂㅅㄷ에 수직인 면은 모두 몇 개인가요?

중

( )

| 직육면체, 정육면체 |

07 빈칸에 알맞은 수나 말을 써넣으세요.

	면의 수(개)	모서리의 수(개)	꼭짓점의 수(개)	면의 모양
직육면체	6			
정육면체			8	

평가한 날 월 일

점수

| 정육면체 |

08 정육면체에 대한 설명으로 알맞은 것을 찾아 기호를 써 보세요.

중

㉠ 꼭짓점은 모두 6개입니다.
㉡ 모서리의 길이는 모두 같습니다.
㉢ 정사각형 모양이 아닌 면이 있습니다.

( )

| 직육면체 |

09 오른쪽 도형이 직육면체인지 아닌지 쓰고, 그 이유를 써 보세요. 서술형

중

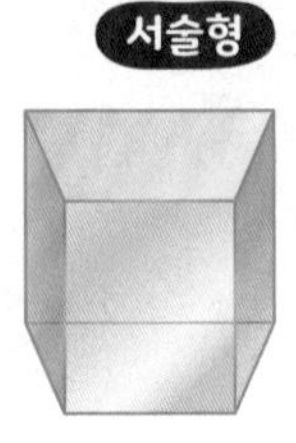

풀이

| 직육면체의 겨냥도 |

10 직육면체의 겨냥도를 완성해 보세요.

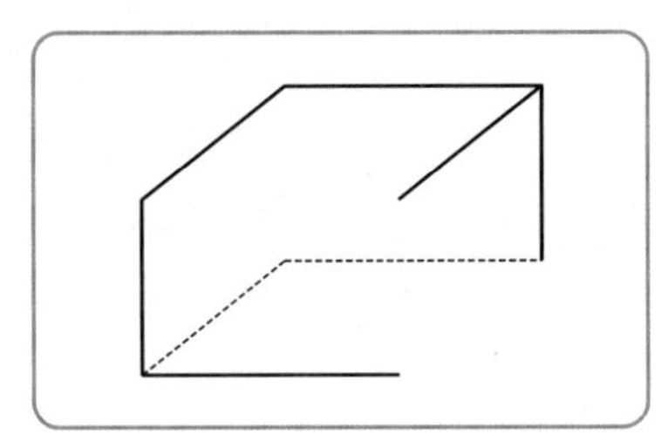

| 정육면체 |

11 오른쪽 정육면체의 모든 모서리의 길이의 합을 구해 보세요.

중

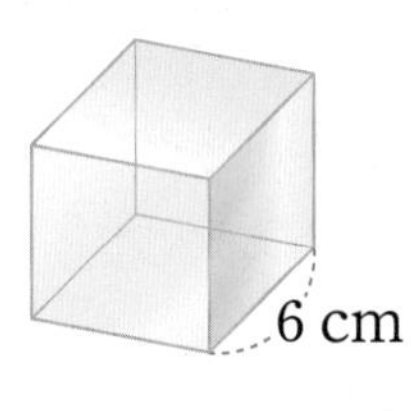

( )

12~13 전개도를 접어서 정육면체를 만들었습니다. 물음에 답해 보세요.

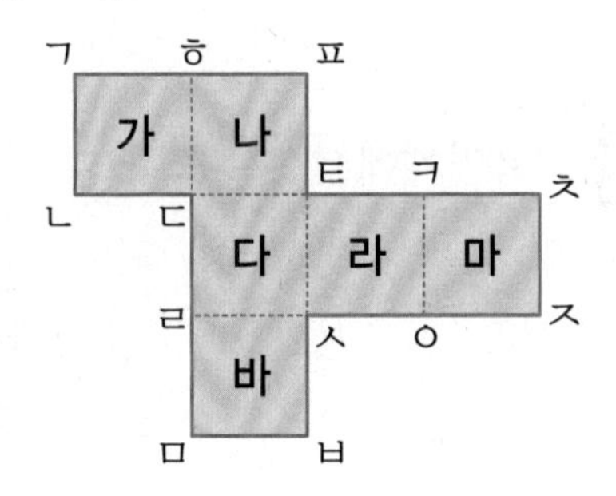

| 정육면체의 전개도 |

12 면 가와 수직인 면을 모두 찾아 써 보세요.

( )

| 정육면체의 전개도 |

13 선분 ㄹㅁ과 겹치는 선분을 찾아 써 보세요.

( )

| 직육면체의 성질 |

14 직육면체에 대해 잘못 설명한 것을 찾아 기호를 써 보세요.

중

㉠ 서로 평행한 면은 3쌍입니다.
㉡ 한 면에 수직인 면은 4개입니다.
㉢ 두 밑면은 서로 수직으로 만납니다.

( )

| 직육면체의 전개도 |

15 직육면체의 전개도를 완성해 보세요.

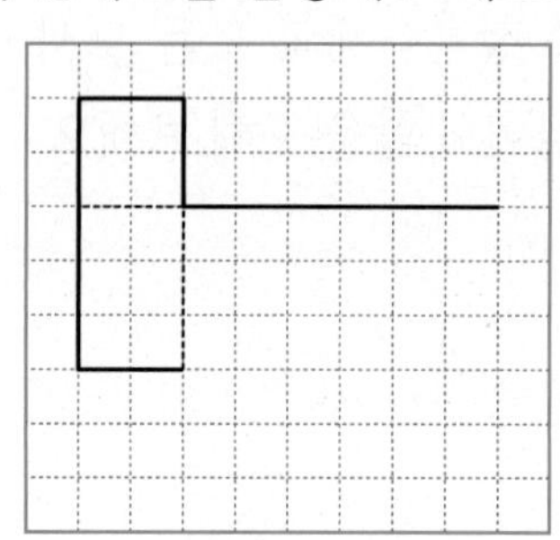

| 직육면체의 성질 |

16 오른쪽 직육면체에서 면 가와 평행한 면의 둘레는 몇 cm인가요?

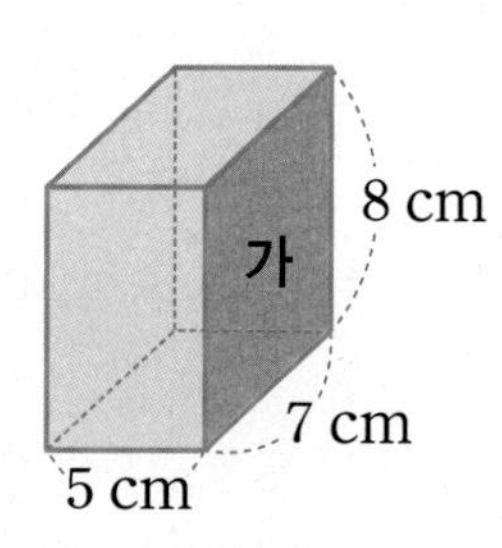

(　　　　　　　　)

| 직육면체의 겨냥도 |　서술형

17 직육면체에서 보이지 않는 모서리의 길이의 합은 몇 cm인지 풀이 과정을 쓰고, 답을 구해 보세요.

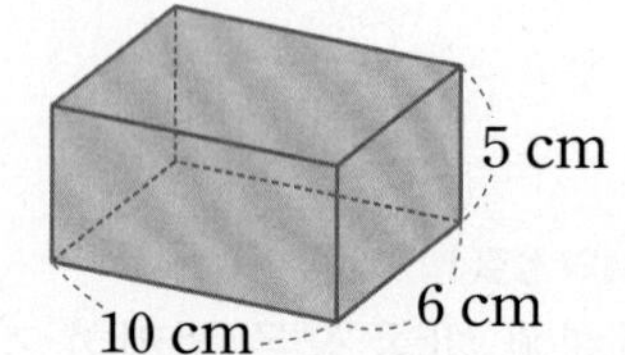

풀이

답

| 직육면체의 겨냥도 |

18 오른쪽 직육면체의 겨냥도를 보고 □ 안에 알맞은 수의 합을 구해 보세요.

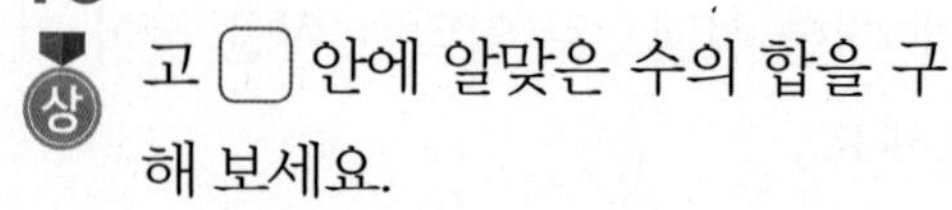

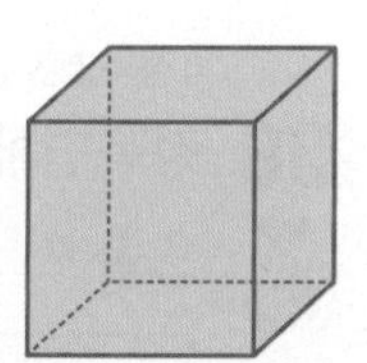

- 보이지 않는 면은 □개입니다.
- 보이는 꼭짓점은 □개입니다.

(　　　　　　　　)

| 직육면체의 전개도 |

19 겨냥도를 보고 전개도에 선분을 그려 넣으세요.

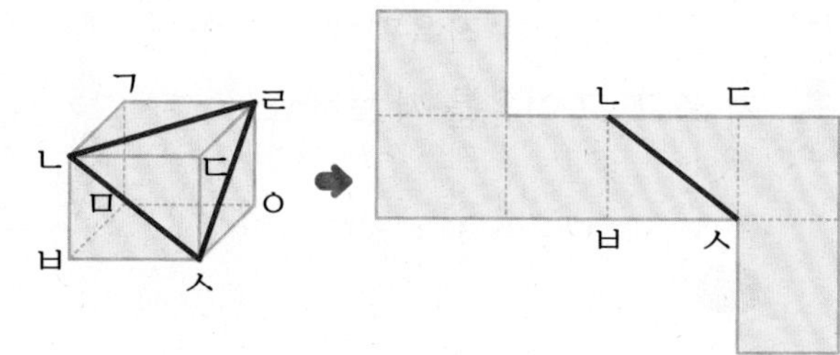

| 정육면체의 전개도 |　서술형

20 정육면체의 전개도에서 사각형 ㄱㄴㄷㄹ의 둘레는 몇 cm인지 풀이 과정을 쓰고, 답을 구해 보세요.

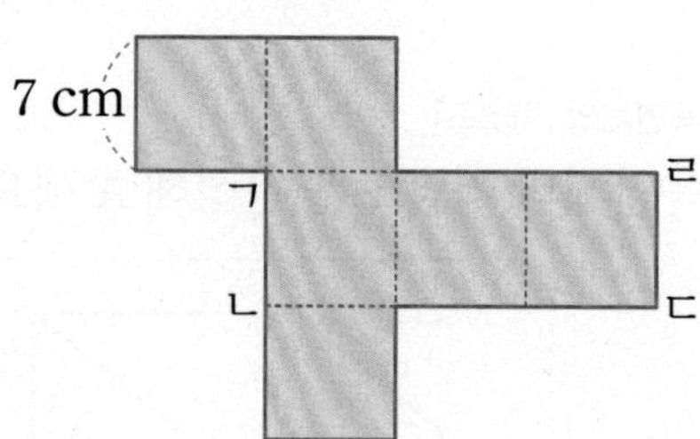

풀이

답

실력 단원 평가 | 5. 직육면체와 정육면체

평가한 날 월 일

점수

정답 및 풀이 | 121쪽

| 직육면체, 정육면체 |

01 하 직육면체와 정육면체를 모두 찾아 기호를 써 보세요.

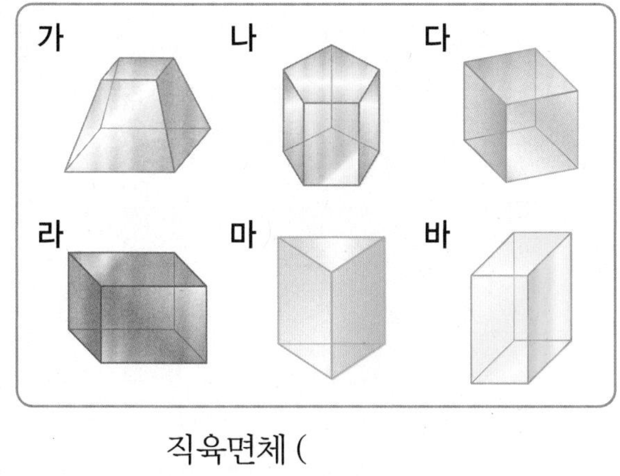

직육면체 ( )

정육면체 ( )

| 직육면체 |

02 하 직육면체에 대한 설명으로 틀린 것을 찾아 기호를 써 보세요.

㉠ 선분으로 둘러싸인 부분을 면이라고 합니다.
㉡ 면과 면이 만나는 선분을 모서리라고 합니다.
㉢ 모서리와 모서리가 만나는 점을 밑면이라고 합니다.

( )

| 직육면체의 겨냥도 |

03 하 직육면체의 겨냥도입니다. 보이지 않는 모서리를 모두 찾아 ○표 하고, 보이지 않는 꼭짓점에 △표 해 보세요.

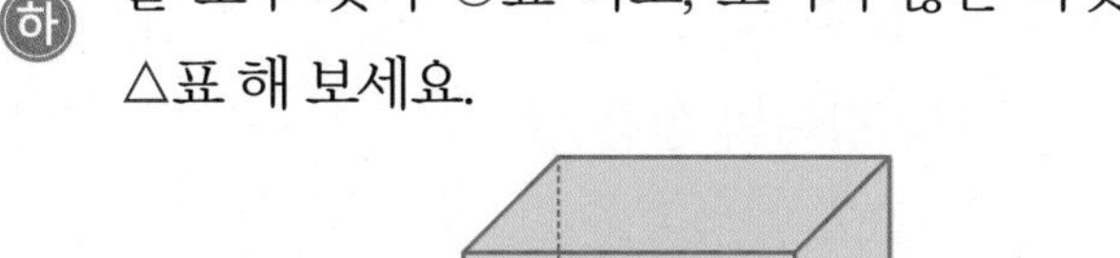
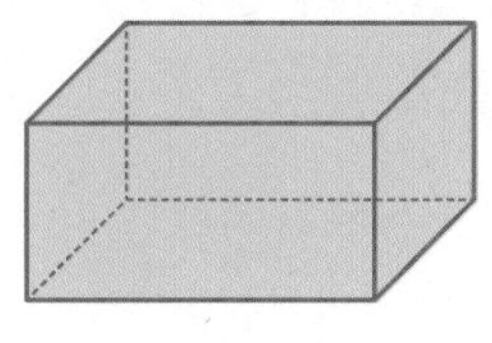

04~05 오른쪽 직육면체를 보고 물음에 답해 보세요.

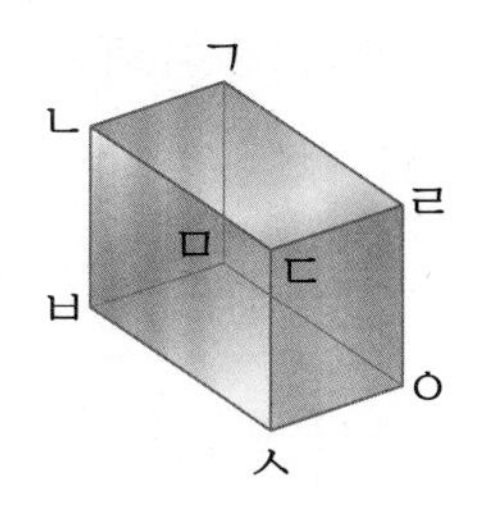

| 직육면체의 성질 |

04 중 면 ㄴㅂㅁㄱ이 한 밑면일 때 옆면을 모두 찾아 써 보세요.

( )

| 직육면체의 성질 |

05 중 꼭짓점 ㅇ과 만나는 면은 모두 몇 개인가요?

( )

| 정육면체의 전개도 |

06 중 정육면체의 전개도에서 평행한 면끼리 같은 색으로 칠해 보세요.

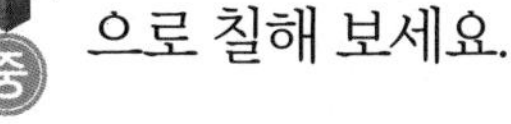
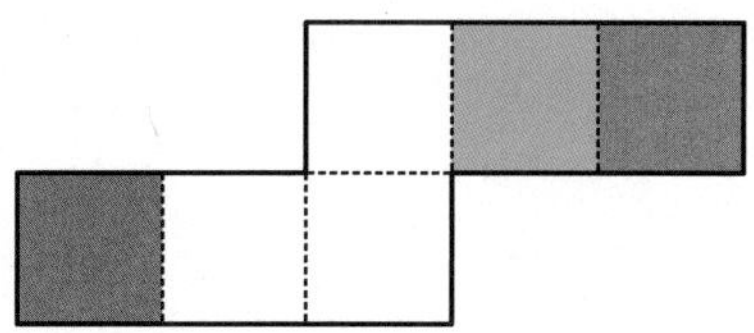

| 직육면체의 겨냥도 |

07 중 왼쪽 직육면체 모양 상자의 겨냥도를 그려 보세요.

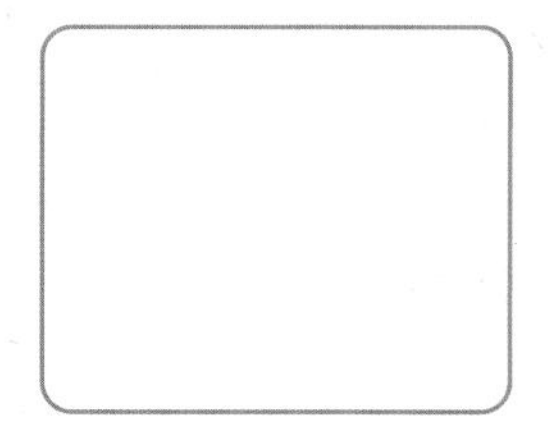

| 직육면체의 성질 |

08 직육면체와 정육면체의 공통점을 모두 찾아 기호를 써 보세요.

중

㉠ 면은 모두 6개입니다.
㉡ 면이 모두 정사각형 모양입니다.
㉢ 모서리의 길이는 모두 같습니다.
㉣ 한 모서리에서 만나는 두 면은 서로 수직입니다.

( )

| 직육면체 |

09 직육면체의 면의 수를 ㉠개, 모서리의 수를 ㉡개, 꼭짓점의 수를 ㉢개라고 할 때 ㉠+㉡−㉢의 값을 구해 보세요.

중

( )

10~11 전개도를 접어서 직육면체를 만들었습니다. 물음에 답해 보세요.

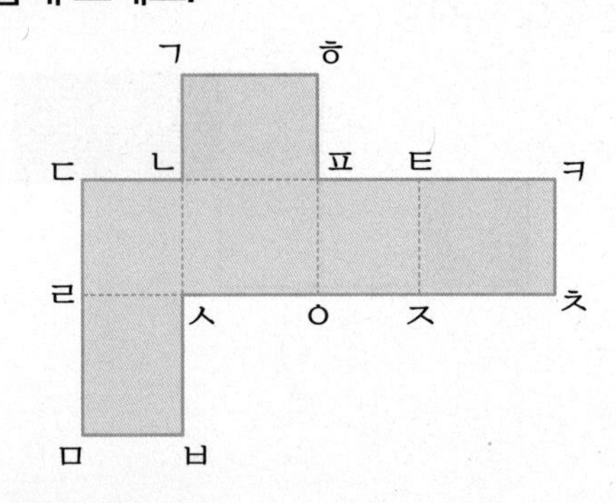

| 직육면체의 전개도 |

10 선분 ㅈㅊ과 겹치는 선분을 찾아 써 보세요.

중

( )

| 직육면체의 전개도 |

11 점 ㄱ과 만나는 점을 모두 찾아 써 보세요.

중

( )

| 정육면체의 전개도 |

12 정육면체의 전개도를 잘못 그린 것을 찾아 기호를 써 보세요.

중

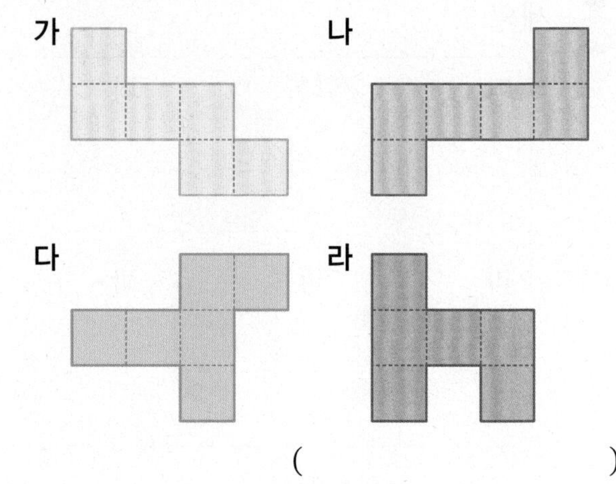

( )

| 직육면체의 겨냥도 |

13 직육면체의 겨냥도에서 수가 많은 것부터 차례로 기호를 쓰려고 합니다. 풀이 과정을 쓰고, 답을 구해 보세요.

중

㉠ 보이는 모서리의 수
㉡ 보이지 않는 꼭짓점의 수
㉢ 보이지 않는 면의 수

풀이

답

| 직육면체의 성질 |

14 오른쪽 직육면체의 모든 모서리의 길이의 합은 몇 cm인가요?

중

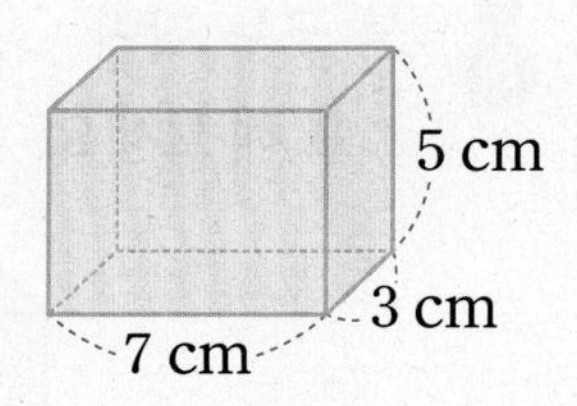

( )

| 정육면체의 전개도 |

15 정육면체의 전개도를 그려 보세요.

중

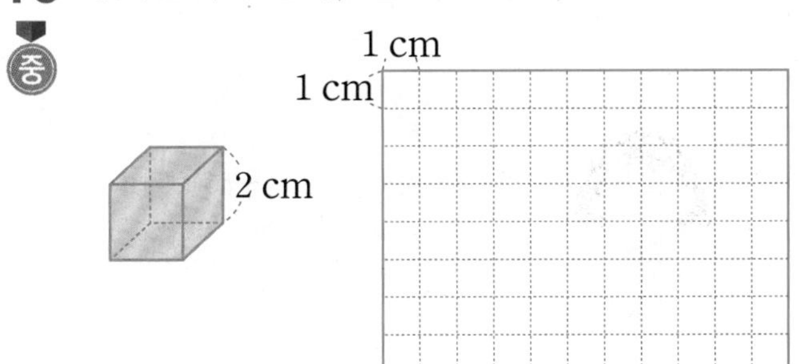

| 직육면체의 성질 |

16 직육면체에서 면 ㅁㅂㅅㅇ의 넓이가 45 cm^2일 때 모서리 ㄱㄴ의 길이는 몇 cm인지 구해 보세요.

중

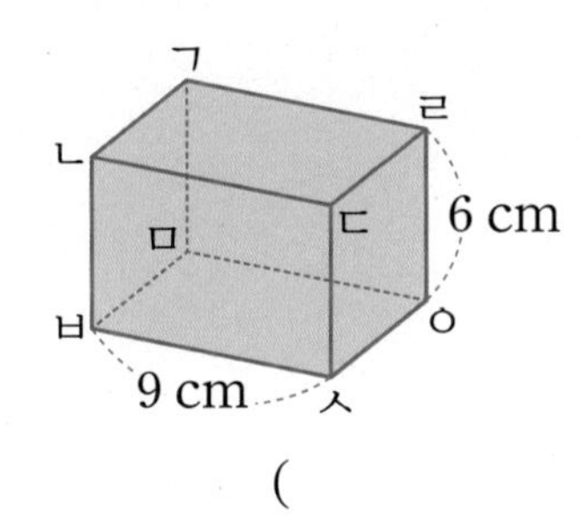

( )

| 직육면체의 전개도 |

17 직육면체의 전개도의 둘레는 몇 cm인지 풀이 과정을 쓰고, 답을 구해 보세요.

상

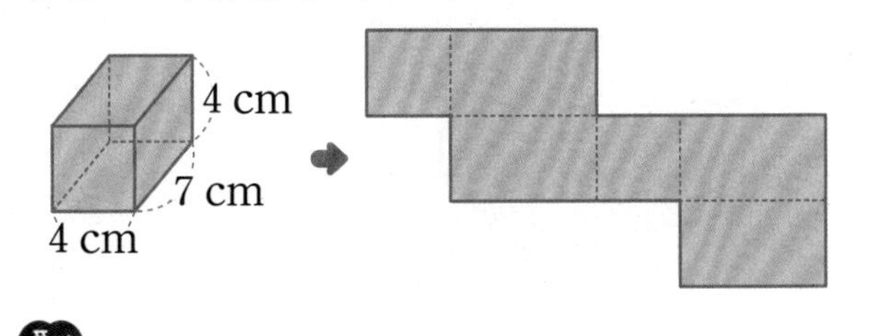

풀이

답

| 직육면체의 전개도 |

18 오른쪽 정육면체의 모든 모서리 길이의 합이 96 cm일 때 보이지 않는 모서리의 길이의 합을 구해 보세요.

상

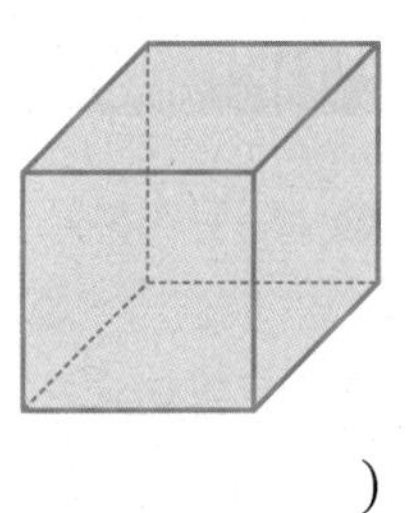

( )

| 직육면체의 전개도 |

19 전개도를 접어서 직육면체를 만들었을 때 면 가와 수직이면서 면 다와도 수직인 면을 모두 찾아 써 보세요.

상

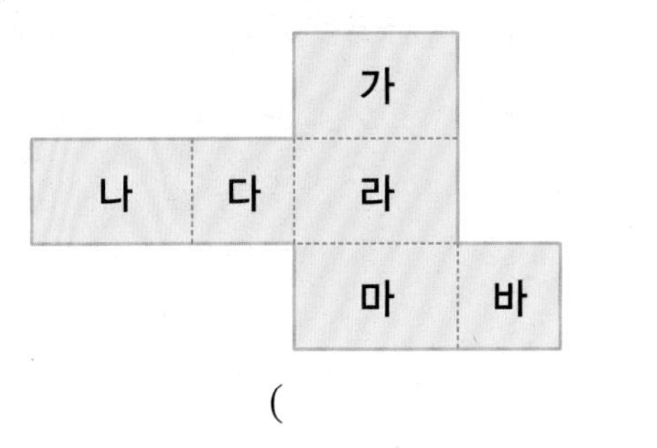

( )

| 정육면체 |

서술형

20 리본으로 한 모서리의 길이가 15 cm인 정육면체 모양 상자의 모든 면을 오른쪽과 같이 묶었습니다. 매듭 부분의 길이가 20 cm일 때 사용한 리본의 길이는 몇 cm인지 풀이 과정을 쓰고, 답을 구해 보세요.

상

풀이

답

Tip

❶ 잘못된 부분을 찾아 쓰기

❷ 잘못된 이유 쓰기

01 시아의 말에서 잘못된 부분을 찾아 쓰고, 잘못된 이유를 써 보세요.

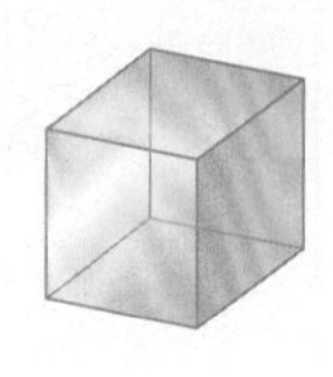

정육면체는 정사각형 6개로 둘러싸여 있어요. 그래서 정육면체는 직육면체라고 할 수 없어요.

풀이

Tip

❶ 빨간색 테이프를 붙이는 모서리의 길이와 개수 구하기

❷ 필요한 빨간색 테이프의 길이 구하기

02 직육면체의 모서리를 빨간색, 파란색, 보라색 테이프로 붙인 것입니다. 길이가 같은 모서리끼리 같은 색 테이프로 모두 붙일 때 필요한 빨간색 테이프는 몇 cm인지 풀이 과정을 쓰고, 답을 구해 보세요.

(사용한 빨간색 테이프도 포함합니다.)

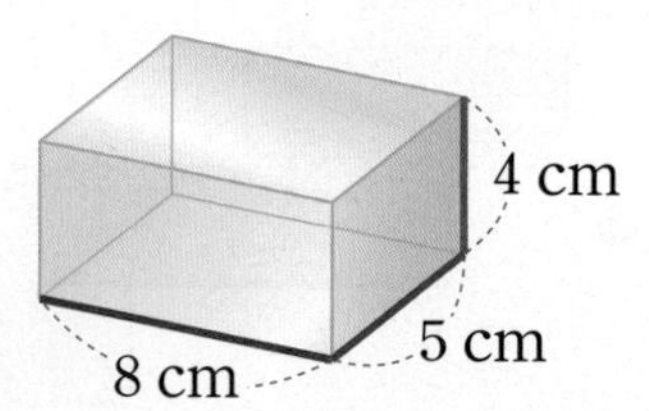

풀이

답

정답 및 풀이 | 122쪽

평가한 날 월 일

점수

❶ ㉠, ㉡, ㉢에 알맞은 수 각각 구하기

❷ ㉠+㉡−㉢의 값 구하기

03 오른쪽 직육면체의 겨냥도에서 보이지 않는 면의 수를 ㉠개, 보이는 꼭짓점의 수를 ㉡개, 보이지 않는 모서리의 수를 ㉢개라고 할 때, ㉠+㉡−㉢의 값은 얼마인지 풀이 과정을 쓰고, 답을 구해 보세요.

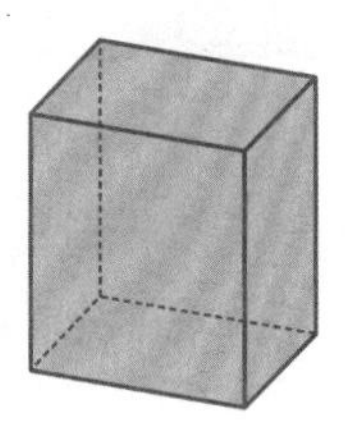

풀이

답

❶ ㉠, ㉡, ㉢과 평행한 면의 눈의 수 구하기

❷ ㉠, ㉡, ㉢에 알맞은 수 구하기

❸ ㉠×㉡−㉢의 값 구하기

04 주사위에서 평행한 두 면의 눈의 수의 합은 7입니다. 주사위의 전개도에서 빈 곳의 눈의 수를 각각 ㉠, ㉡, ㉢이라 할 때, ㉠×㉡−㉢의 값은 얼마인지 풀이 과정을 쓰고, 답을 구해 보세요.

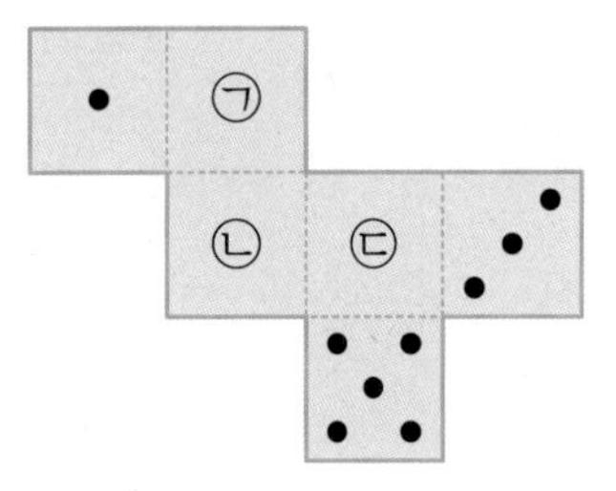

풀이

답

실전 서술형 평가 | 5. 직육면체와 정육면체

Tip
❶ 잘못된 이유 쓰기
❷ 바르게 그려 보기

01 직육면체의 겨냥도를 잘못 그린 것입니다. 잘못된 이유를 쓰고, 바르게 그려 보세요.

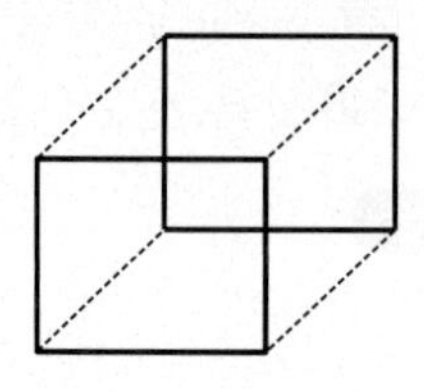

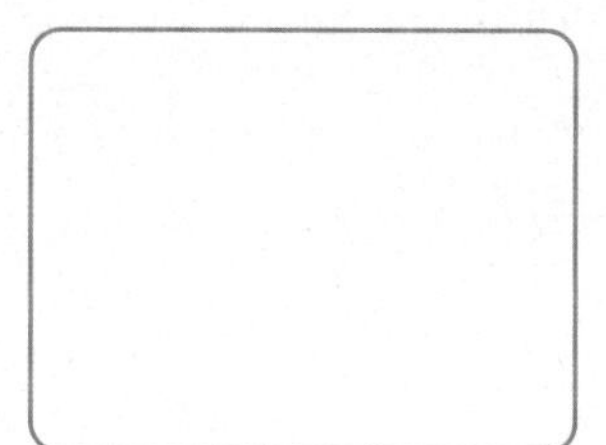

풀이

Tip
❶ 정육면체의 한 모서리의 길이와 모서리의 개수 구하기
❷ 정육면체의 모든 모서리의 길이의 합 구하기

02 다음과 같이 똑같은 직육면체 2개를 붙여서 정육면체를 만들었습니다. 정육면체의 모든 모서리의 길이의 합은 몇 cm인지 풀이 과정을 쓰고, 답을 구해 보세요.

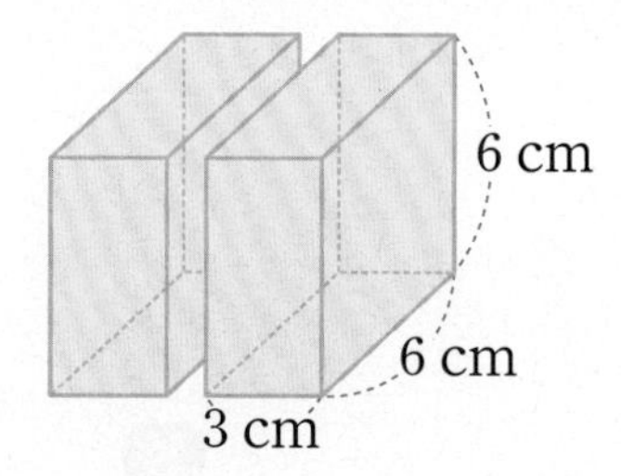

풀이

답

평가한 날 월 일

점수

Tip

❶ 쌓기나무로 쌓은 정육면체에서 색칠한 면이 2개인 쌓기나무의 위치 찾기

❷ 색칠한 면이 2개인 쌓기나무의 개수 구하기

03 쌓기나무 64개를 쌓아 정육면체를 만들고 겉면을 모두 초록색으로 색칠하였습니다. 초록색으로 색칠한 면이 2개인 쌓기나무는 모두 몇 개인지 풀이 과정을 쓰고, 답을 구해 보세요.

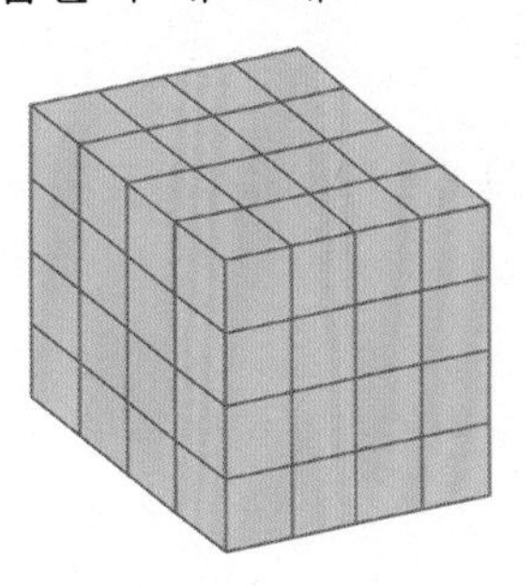

풀이

답

Tip

❶ 선분 ㄱㄹ의 길이 구하기

❷ 선분 ㄱㄴ의 길이 구하기

❸ 직사각형 ㄱㄴㄷㄹ의 둘레 구하기

04 직육면체의 겨냥도를 보고 전개도를 그렸습니다. 초록색 면이 한 밑면일 때 직사각형 ㄱㄴㄷㄹ의 둘레는 몇 cm인지 풀이 과정을 쓰고, 답을 구해 보세요.

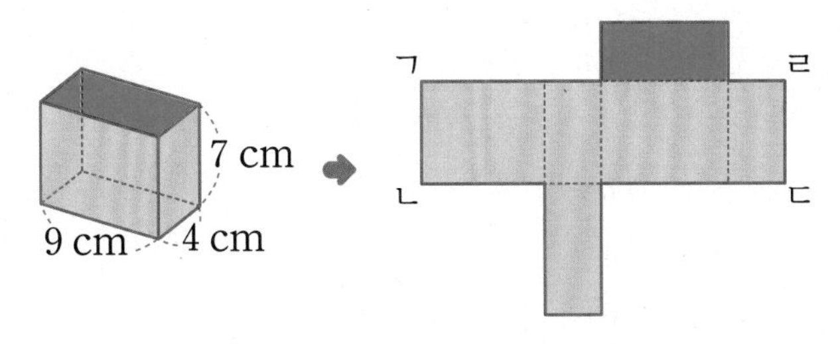

풀이

답

6 단원 교과서 핵심 개념

6 평균과 가능성

수학 140~165쪽 수학 익힘 77~86쪽

개념 1 평균

- 평균: 여러 자료의 값의 크기를 고르게 만든 값
- 평균은 자료의 값을 모두 더한 후 자료의 수로 나누어 구할 수 있습니다.

(평균)=(자료의 값의 합)÷(자료의 수)

예 평균 구하기

하늘이네 반 모둠별 학생 수

모둠	가	나	다
학생 수(명)	8	6	10

(평균)=(자료의 값의 합)÷(자료의 수)

$=(8+6+10)\div 3$

$=24\div 3=8$(명)

개념 2 평균의 활용

- 일상생활에서 평균을 이용하여 여러 자료를 비교할 수 있습니다.

예

윤서네 모둠의 턱걸이 기록

이름	윤서	하진	성민
기록(번)	8	4	9

민호네 모둠의 턱걸이 기록

이름	민호	우진	현준	세현
기록(번)	10	5	3	6

(윤서네 모둠의 평균)$=(8+4+9)\div 3=7$(번)

(민호네 모둠의 평균)

$=(10+5+3+6)\div 4=6$(번)

➜ 윤서네 모둠의 평균이 민호네 모둠의 평균보다 많으므로 윤서네 모둠의 턱걸이 기록이 더 좋다고 할 수 있습니다.

- 윤서네 모둠과 민호네 모둠의 사람 수가 달라서 기록의 합계로 비교하는 것은 공평하지 않으므로 평균으로 비교하는 것이 좋습니다.

개념 3 가능성을 말로 표현하고 비교하기

- 가능성: 어떤 상황에서 특정한 일이 일어나길 기대할 수 있는 정도
- 가능성은

불가능하다, ~아닐 것 같다, 반반이다,
~일 것 같다, 확실하다

등으로 표현할 수 있습니다.

오른쪽으로 갈수록 일이 일어날 가능성이 더 높습니다.

불가능하다 / 반반이다 / 확실하다

~아닐 것 같다 / ~일 것 같다

- **불가능하다**: 일이 일어날 가능성이 없는 경우
- **확실하다**: 일이 반드시 일어나는 경우
- **반반이다**: 일이 일어날 가능성과 일어나지 않을 가능성이 같은 경우
- **~아닐 것 같다**: 가능성이 '반반이다'를 기준으로 '불가능하다'에 가깝습니다.
- **~일 것 같다**: 가능성이 '반반이다'를 기준으로 '확실하다'에 가깝습니다.

개념 4 가능성을 수로 나타내기

- 어떤 일이 일어날 가능성을 0부터 1까지의 수로 나타낼 수 있습니다.
- 어떤 일이 일어날 가능성을 수로 나타내기

불가능하다	반반이다	확실하다
0	$\frac{1}{2}$	1
가능성이 가장 작습니다.	0과 1의 가운데	가능성이 가장 큽니다.

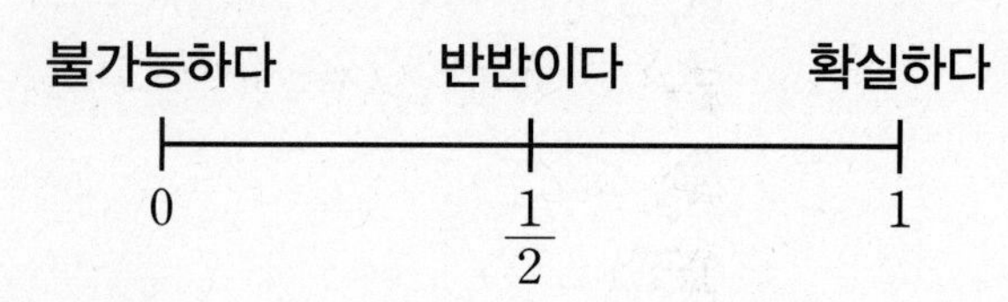

6. 평균과 가능성 | 평균

정답 및 풀이 | 123쪽

월 일

점수

01 접시 3개에 서로 다른 개수로 놓인 딸기를 개수를 고르게 하여 다시 놓았습니다. 이때 한 접시에 놓인 딸기 개수의 평균을 구해 보세요.

평균: ☐개

02~03 수영 모임 학생들의 나이를 나타낸 표입니다. ☐ 안에 알맞은 수를 써넣으세요.

수영 모임 학생들의 나이

15살	9살	13살	11살

02 수영 모임 학생들의 나이의 평균을 구하는 식을 써 보세요.

(15+☐+☐+☐)÷☐=☐

03 수영 모임 학생들의 나이의 평균을 구해 보세요.

(평균)=☐살

04~05 수의 평균을 구하려고 합니다. ☐ 안에 알맞은 수를 써넣으세요.

04

8 6 5 9

(평균)=(8+☐+☐+☐)÷☐=☐

05

16 28 34

(평균)=(☐+☐+☐)÷☐
=☐

06~07 표를 보고 학생 수의 평균을 구해 보세요.

06

지윤이네 반 모둠별 학생 수

모둠	1모둠	2모둠	3모둠	4모둠
학생 수(명)	6	7	4	7

( )

07

5학년 반별 학생 수

반	1반	2반	3반	4반	5반
학생 수(명)	27	26	24	26	27

( )

08~10 민호의 1회부터 4회까지 턱걸이 기록의 평균은 9번입니다. 턱걸이 기록이 다음과 같을 때, 물음에 답해 보세요.

민호네 모둠의 턱걸이 기록

회	1회	2회	3회	4회
기록(번)	6	8		12

08 민호의 1회부터 4회까지 턱걸이 기록의 전체 합을 구해 보세요.

( )

09 민호의 1회, 2회, 4회 턱걸이 기록의 합을 구해 보세요.

( )

10 민호의 3회 턱걸이 기록을 구해 보세요.

( )

6. 평균과 가능성 | 평균의 활용

평가한 날 월 일

점수

정답 및 풀이 | 123쪽

01~03 승호네 모둠과 지수네 모둠의 줄넘기 기록을 나타낸 표입니다. □ 안에 알맞은 수나 말을 써넣으세요.

승호네 모둠의 줄넘기 기록

이름	승호	유나	재현
기록(번)	26	18	31

지수네 모둠의 줄넘기 기록

이름	지수	민재	경민	승준
기록(번)	27	19	35	11

01 승호네 모둠의 줄넘기 기록의 평균은 □번입니다.

02 지수네 모둠의 줄넘기 기록의 평균은 □번입니다.

03 □네 모둠의 줄넘기 기록이 더 좋다고 할 수 있습니다.

04~05 연우네 반의 모둠별 받은 칭찬 붙임딱지 수를 나타낸 표입니다. 물음에 답해 보세요.

모둠별 받은 칭찬 붙임딱지 수

모둠	가 모둠	나 모둠	다 모둠	라 모둠
학생 수(명)	7	5	6	4
붙임딱지 수(개)	91	75	84	64

04 각 모둠의 칭찬 붙임딱지 수의 평균을 구하여 표를 완성해 보세요.

모둠별 받은 칭찬 붙임딱지 수의 평균

모둠	가 모둠	나 모둠	다 모둠	라 모둠
평균(개)				

05 학생 한 명당 받은 칭찬 붙임딱지가 가장 많은 모둠은 어느 모둠인가요?

( )

06~08 민수네 모둠과 세호네 모둠 친구들이 한 달 동안 읽은 책의 수를 나타낸 표입니다. 두 모둠의 평균이 같을 때, 물음에 답해 보세요.

민수네 모둠이 읽은 책의 수

이름	민수	우현	영민
책의 수(권)	13	8	12

세호네 모둠이 읽은 책의 수

이름	세호	주원	경진	지훈
책의 수(권)		9	14	10

06 민수네 모둠이 읽은 책 수의 평균을 구해 보세요.

( )

07 세호네 모둠이 읽은 책은 모두 몇 권인가요?

( )

08 세호가 읽은 책은 몇 권인가요?

( )

09~10 가 농장과 나 농장에서 각각 수확한 귤의 무게입니다. 물음에 답해 보세요.

09 두 농장에서 수확한 귤 무게의 평균은 각각 몇 kg인가요?

가 농장: □ kg, 나 농장: □ kg

10 두 농장 중 어느 농장이 한 상자에 담긴 귤 무게가 더 무겁다고 할 수 있나요?

( )

쪽지시험 3회

6. 평균과 가능성 | 가능성을 말로 표현하고 비교하기

정답 및 풀이 | 123쪽

평가한 날 월 일

점수

01 □ 안에 일이 일어날 가능성을 알맞게 써넣으세요.

불가능하다 □ 확실하다

~아닐 것 같다 □

02 일이 일어날 가능성이 '불가능하다'인 것에 ○표 해 보세요.

동전을 한 개 던지면 숫자 면이 나올 것입니다.	7월 30일 다음 날은 8월 1일일 것입니다.
(　　　)	(　　　)

03~04 일이 일어날 가능성으로 알맞은 말을 찾아 □ 안에 기호를 써넣으세요.

㉠ 불가능하다 ㉡ ~아닐 것 같다
㉢ 반반이다 ㉣ ~일 것 같다 ㉤ 확실하다

03 내년에 내 출석 번호는 2의 배수일 것입니다. □

04 내일 아침에 해가 동쪽에서 뜰 것입니다. □

05 일이 일어날 가능성을 생각해 보고, 알맞게 표현한 곳에 ○표 해 보세요.

	불가능하다	반반이다	확실하다
내년에는 5월에 30일까지 있을 것입니다.			
계산기로 3, ×, 0, = 을 차례로 누르면 0이 나올 것입니다.			

06~07 오른쪽 회전판을 돌렸을 때 물음에 답해 보세요. (화살은 움직이지 않습니다.)

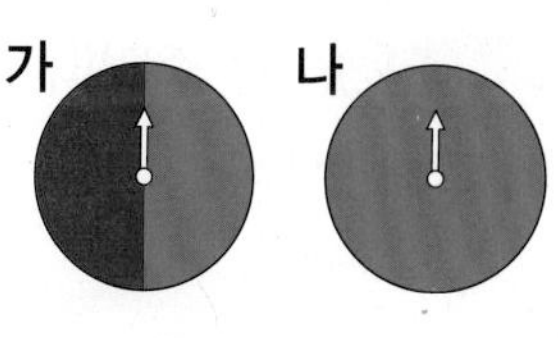

06 화살이 파란색 부분을 가리킬 가능성을 각각 말로 표현해 보세요.

가 (　　　　　　), 나 (　　　　　　)

07 화살이 파란색 부분을 가리킬 가능성이 더 높은 회전판의 기호를 써 보세요.

(　　　　　　)

08 주사위를 한 개 던졌을 때 일이 일어날 가능성이 더 높은 것의 기호를 써 보세요.

㉠ 나온 눈의 수는 3 이상인 수일 것입니다.	㉡ 나온 눈의 수는 2 미만인 수일 것입니다.

(　　　　　　)

09~10 오른쪽 주머니에서 공을 1개 꺼낼 때, 공이 나올 가능성을 찾아 물음에 답해 보세요.

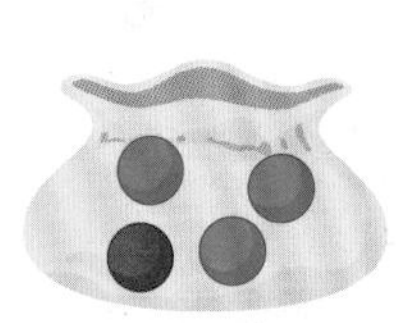

지효: 빨간색 공일 가능성
민서: 파란색 공일 가능성
은우: 초록색 공일 가능성

09 일이 일어날 가능성을 비교하여 빈칸에 이름을 써넣으세요.

불가능하다	반반이다	확실하다	~아닐 것 같다	~일 것 같다

10 일이 일어날 가능성이 가장 높은 사람은 누구인가요? (　　　　　　)

6. 평균과 가능성 | 가능성을 수로 나타내기

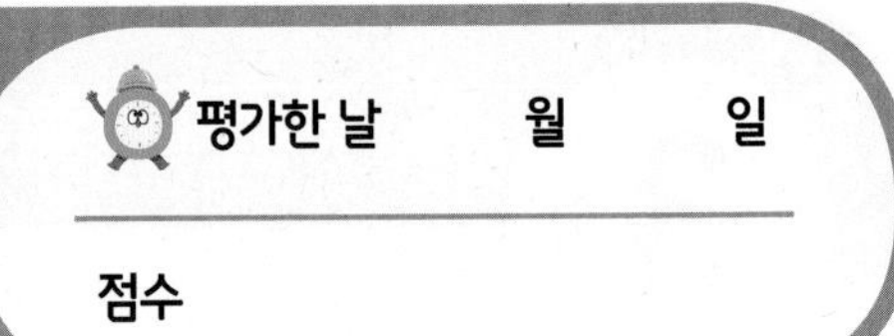
평가한 날 월 일
점수

정답 및 풀이 | 124쪽

01~03 각 주머니에서 구슬을 1개씩 꺼낼 때 물음에 답해 보세요.

가 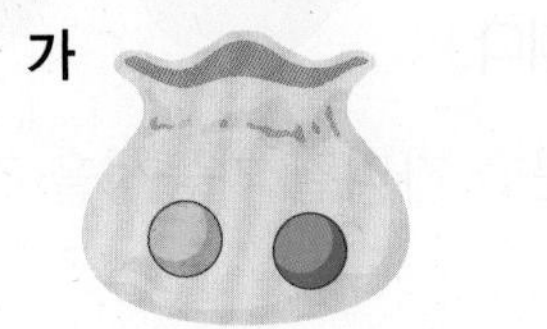 나 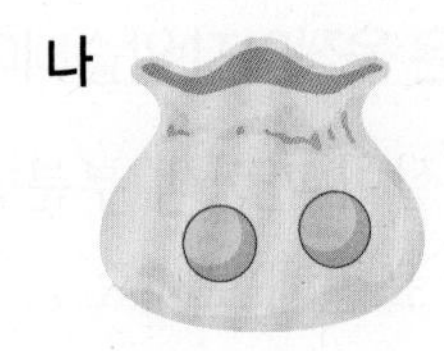

01 노란색 구슬이 나올 가능성을 각각 말로 표현해 보세요.

가 ( ), 나 ( )

02 가 주머니에서 노란색 구슬이 나올 가능성을 수로 나타내어 보세요.

( )

03 나 주머니에서 노란색 구슬이 나올 가능성을 수직선에 화살표(↓)로 표시해 보세요.

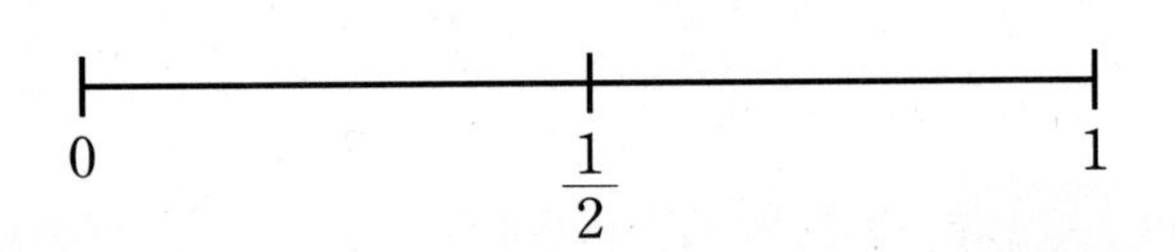

04~05 오른쪽 회전판을 돌렸을 때 물음에 답해 보세요. (화살은 움직이지 않습니다.)

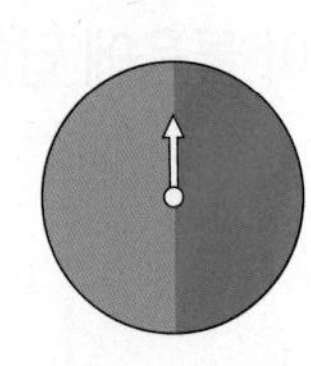

04 회전판에서 화살이 초록색 부분을 가리킬 가능성을 수로 나타내어 보세요.

( )

05 회전판에서 화살이 초록색 부분을 가리킬 가능성을 수직선에 화살표(↓)로 표시해 보세요.

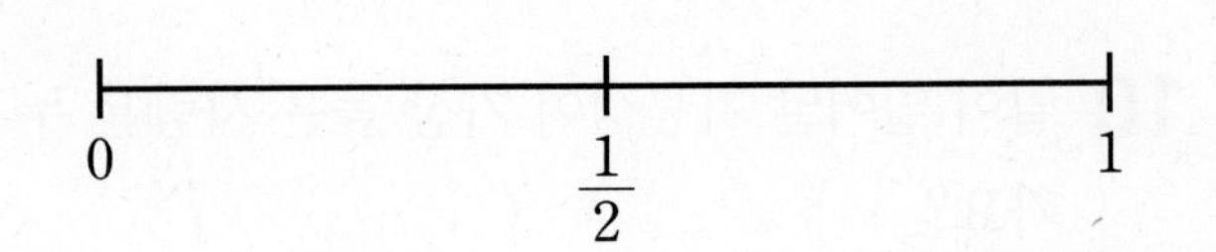

06~07 일이 일어날 가능성을 말로 표현하고 수로 나타내어 보세요.

06 자석 2개를 붙이면 S극과 S극이 만날 것입니다.

말 ( )
수 ( )

07 내년에는 9월에 30일까지 있을 것입니다.

말 ( )
수 ( )

08~10 그림과 같은 카드를 뒤집어 놓고 1장을 뽑을 때, 물음에 답해 보세요.

08 ♣가 나올 가능성을 수로 나타내어 보세요.

( )

09 ♥가 나올 가능성을 수직선에 화살표(↓)로 표시해 보세요.

0 ——— $\frac{1}{2}$ ——— 1

10 ♠가 나올 가능성을 수직선에 화살표(↓)로 표시해 보세요.

0 ——— $\frac{1}{2}$ ——— 1

기본 단원 평가 | 6. 평균과 가능성

평가한 날 월 일

점수

정답 및 풀이 | 125쪽

01~02 유나네 모둠 친구들이 투호에 넣은 화살 수만큼 ○를 그려서 표로 나타내었습니다. 물음에 답해 보세요.

	○			
○	○			
○	○		○	
○	○	○	○	
○	○	○	○	○
유나	승유	지호	민재	정민

| 평균 |

01 자료의 값이 고르게 되도록 ○를 옮긴 결과를 표에 그려 보세요. (하)

유나	승유	지호	민재	정민

| 평균 |

02 유나네 모둠 친구들이 투호에 넣은 화살 수의 평균을 구해 보세요. (하)

( )

| 평균 |

03 경준이의 팔굽혀펴기 기록을 나타낸 표입니다. 기록의 평균은 몇 번인지 □ 안에 알맞은 수를 써넣으세요. (하)

경준이의 팔굽혀펴기 기록

회	1회	2회	3회	4회
기록(번)	5	7	8	12

(평균)=(□+□+□+□)÷□

=□(번)

| 가능성을 말로 표현하고 비교하기 |

04 일이 일어날 가능성을 생각해 보고, 알맞게 표현한 곳에 ○표 해 보세요. (하)

	불가능하다	반반이다	확실하다
은행에서 뽑은 대기표의 번호는 홀수일 것입니다.			
일요일 다음 날은 월요일일 것입니다.			
상어가 땅을 걸어서 다닐 것입니다.			

05~06 경민이네 모둠과 하준이네 모둠의 공 멀리 던지기 기록을 나타낸 표입니다. 물음에 답해 보세요.

경민이네 모둠의 공 멀리 던지기 기록

이름	경민	준영	승희	유정
기록(m)	8	11	6	7

하준이네 모둠의 공 멀리 던지기 기록

이름	하준	재영	진호	세영	지호
기록(m)	12	4	6	8	5

| 평균의 활용 |

05 경민이네 모둠과 하준이네 모둠의 공 멀리 던지기 기록의 평균을 각각 구해 보세요. (중)

경민이네 모둠 ( )

하준이네 모둠 ( )

| 평균의 활용 |

06 어느 모둠의 기록이 더 좋다고 할 수 있나요?

( )

07~08 어느 해 4월의 달력입니다. 달력을 보고 가능성을 말로 표현해 보세요.

일	월	화	수	목	금	토
					1	2
3	4	5	6	7	8	9
10	11	12	13	14	15	16
17	18	19	20	21	22	23
24	25	26	27	28	29	30

| 가능성을 말로 표현하고 비교하기 |

07 중

토요일이 5번 있을 것입니다.

( )

| 가능성을 말로 표현하고 비교하기 |

08 중

세 번째 화요일은 17일일 것입니다.

( )

| 평균 |

09 중 10월의 요일별 최고 기온을 나타낸 표입니다. 평균 기온은 몇 °C인지 구해 보세요.

10월의 요일별 최고 기온

요일	월	화	수	목	금
기온(°C)	16	15	18	14	12

( )

| 평균 | 서술형

10 중 세영이가 평균에 대해 바르게 말한 것인지 쓰고, 그 이유를 써 보세요.

내 수학 단원 평가 점수의 평균은 85점이야. 나는 85점인 수학 점수가 있는 거야.

풀이

11~12 친구들이 말한 일이 일어날 가능성을 생각해 보고 물음에 답해 보세요.

- 진우: 동전을 던지면 그림 면이 나올 것입니다.
- 서진: 5부터 8까지의 자연수 중 하나를 고른 수가 7일 것입니다.
- 유나: 5월 다음에 6월이 될 것입니다.
- 승우: 해가 동쪽으로 질 것입니다.
- 세영: 주사위를 던졌을 때 나온 눈의 수는 4 이하인 수일 것입니다.

| 가능성을 말로 표현하고 비교하기 |

11 중 □ 안에 해당하는 친구들의 이름을 써넣으세요.

불가능하다 반반이다 확실하다

~아닐 것 같다 ~일 것 같다

□ □ □ □ □

| 가능성을 말로 표현하고 비교하기 |

12 중 일이 일어날 가능성이 높은 순서대로 이름을 써 보세요.

( )

13~14 오른쪽 상자 안에서 구슬을 1개 꺼낼 때, 물음에 답해 보세요.

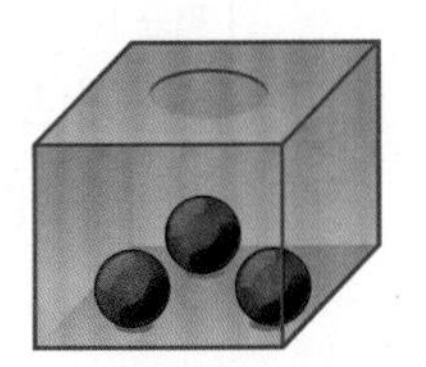

| 가능성을 수로 나타내기 |

13 중 꺼낸 구슬이 보라색일 가능성을 수로 나타내어 보세요.

( )

| 가능성을 수로 나타내기 |

14 중 꺼낸 구슬이 초록색일 가능성을 수직선에 화살표(↓)로 표시해 보세요.

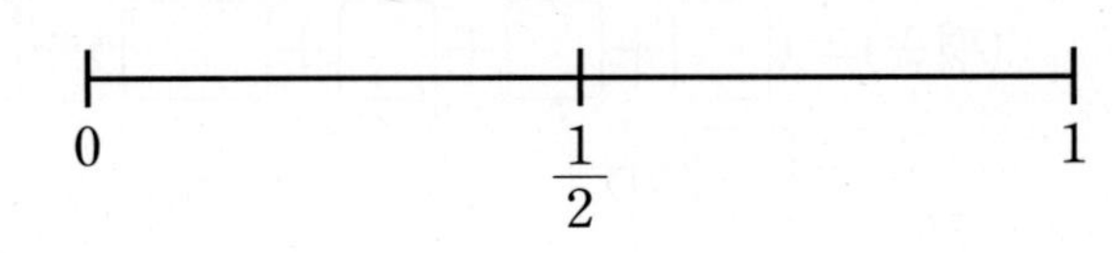

| 가능성을 수로 나타내기 |

15 중 회전판을 돌렸을 때 화살이 노란색 부분을 가리킬 가능성을 수로 나타낸 것을 찾아 선으로 이어 보세요. (화살은 움직이지 않습니다.)

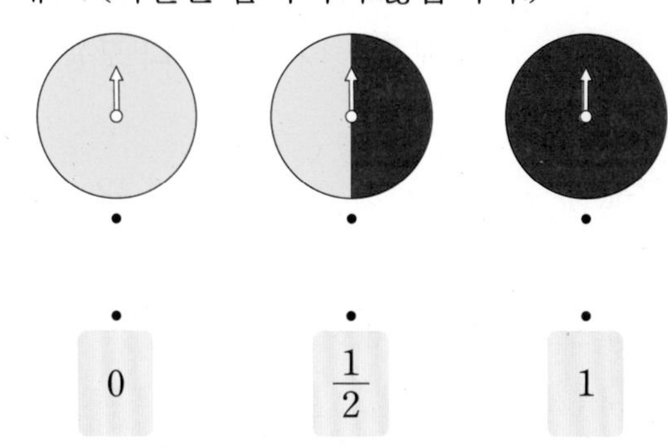

0　　$\frac{1}{2}$　　1

| 평균 |

16 중 선우네 학교의 5학년 반별 학생 수를 차례로 나타낸 것입니다. 학생 수가 평균보다 적은 것을 모두 찾아 ○표 하세요.

28명　24명　27명　30명　26명

| 평균 | 서술형

17 중 윤서네 모둠의 봉사 활동 시간을 나타낸 표입니다. 4명의 평균이 12시간일 때 윤서의 봉사 활동 시간은 몇 시간인지 풀이 과정을 쓰고, 답을 구해 보세요.

윤서네 모둠의 봉사 활동 시간

이름	윤서	지우	윤지	서연
시간(시간)		9	15	13

풀이

답

| 평균의 활용 |

18 상 농장 체험학습에서 반별로 캔 감자의 무게를 나타낸 표입니다. 각 반에서 캔 감자를 각각 고르게 나누어 가진다고 할 때, 한 명당 가질 수 있는 감자의 무게가 가장 무거운 반은 어느 반인가요?

반별 캔 감자의 무게

반	1반	2반	3반	4반
학생 수(명)	24	25	23	26
무게(kg)	168	125	138	104

(　　　　　　)

| 평균의 활용 |

19 상 우주네 모둠과 민수네 모둠이 빌린 책 수를 나타낸 표입니다. 민수네 모둠의 평균이 우주네 모둠의 평균보다 1권 더 많다면 민수가 빌린 책은 몇 권인가요?

우주네 모둠이 빌린 책 수

이름	우주	서준	아영
책 수(권)	9	13	8

민수네 모둠이 빌린 책 수

이름	민수	호진	성민	유진
책 수(권)		11	7	10

(　　　　　　)

| 가능성을 수로 나타내기 | 서술형

20 상 주사위를 한 개 던져서 나올 가능성을 수로 나타낼 때 ㉠과 ㉡에 알맞은 수의 합은 얼마인지 풀이 과정을 쓰고, 답을 구해 보세요.

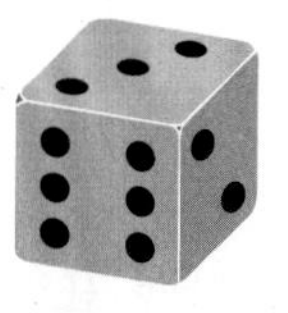

㉠ 10 이하의 눈이 나올 가능성
㉡ 4의 약수의 눈이 나올 가능성

풀이

답

| 평균 |

01 하 수의 평균을 구하려고 합니다. □ 안에 알맞은 수를 써넣으세요.

16 35 24 21

(평균)
=(□+□+□+□)÷□
=□

02~03 다음과 같이 주머니에 바둑돌이 들어 있습니다. 물음에 답해 보세요.

가 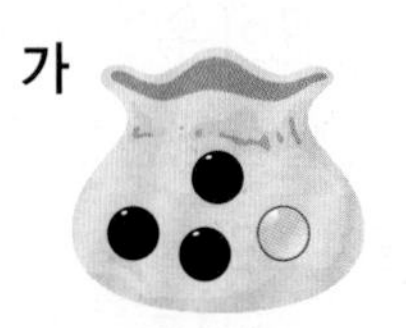 나 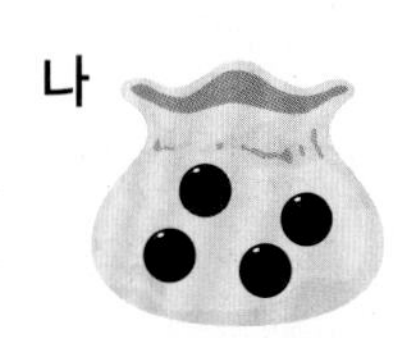

| 가능성을 말로 표현하고 비교하기 |

02 하 가 주머니에서 1개의 바둑돌을 꺼낼 때 꺼낸 바둑돌이 흰색일 가능성에 ○표 해 보세요.

불가능하다 ~아닐 것 같다
반반이다 ~일 것 같다 확실하다

| 가능성을 수로 나타내기 |

03 하 나 주머니에서 1개의 바둑돌을 꺼낼 때 꺼낸 바둑돌이 검은색일 가능성을 수로 나타내어 보세요.

( )

| 평균 |

04 중 유선이의 과녁 맞히기 기록을 나타낸 표입니다. 기록의 평균을 구해 보세요.

유선이의 과녁 맞히기 기록

회	1회	2회	3회	4회	5회
기록(점)	9	8	11	13	14

( )

05~06 태우네 반의 모둠별 고리 던지기 기록을 나타낸 표입니다. 물음에 답해 보세요.

태우네 반의 모둠별 고리 던지기 기록

모둠	가 모둠	나 모둠	다 모둠	라 모둠
학생 수(명)	5	7	4	6
합계(개)	35	56	32	54

| 평균의 활용 |

05 중 각 모둠의 고리 던지기 기록의 평균을 구하여 표를 완성해 보세요.

태우네 반의 모둠별 고리 던지기 기록의 평균

모둠	가 모둠	나 모둠	다 모둠	라 모둠
평균(개)				

| 평균의 활용 |

06 중 어느 모둠의 고리 던지기 기록이 가장 좋다고 할 수 있을까요?

( )

| 가능성을 말로 표현하고 비교하기 |

07 중 회전판을 돌렸을 때 화살이 초록색 부분을 가리킬 가능성이 낮은 회전판부터 순서대로 기호를 써 보세요. (화살은 움직이지 않습니다.)

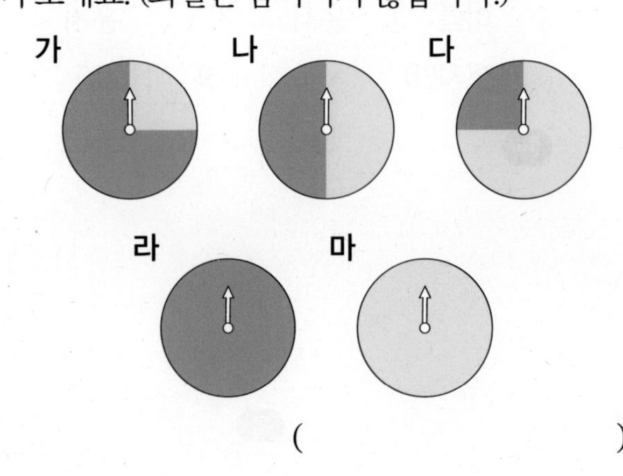

( )

평가한 날 월 일

점수

| 가능성을 말로 표현하고 비교하기 |

08 일이 일어날 가능성을 찾아 선으로 이어 보세요.

한 명의 아이가 태어난다면 여자일 것입니다. •		• 불가능하다
내년은 1월부터 12월까지 있을 것입니다. •		• 반반이다
내년에 나의 키는 올해보다 더 작아질 것입니다. •		• 확실하다

| 가능성을 수로 나타내기 |

09 100원짜리 동전 1개를 던졌을 때 그림 면이 나올 가능성을 말로 표현하고 수로 나타내어 보세요.

말 (   )

수 (   )

10~11 숫자 카드 중에서 한 장을 뽑을 때 물음에 답해 보세요.

| 가능성을 수로 나타내기 |

10 2의 배수가 나올 가능성을 수로 나타내어 보세요.

(   )

| 가능성을 수로 나타내기 |

11 9의 약수가 나올 가능성을 수직선에 화살표(↓)로 표시해 보세요.

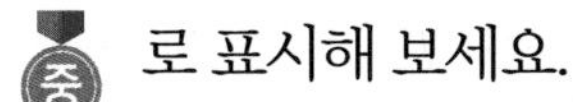

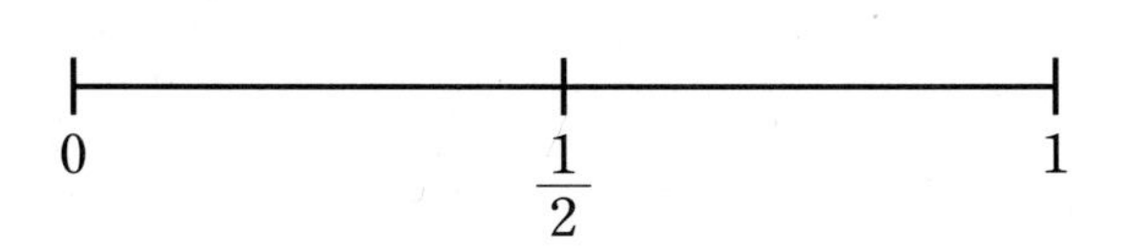

| 평균의 활용 |

12 진호와 하준이가 걷기 운동을 한 시간을 나타낸 표입니다. 누가 하루에 걷기 운동을 더 오래 했다고 할 수 있나요?

진호가 걷기 운동을 한 시간

날짜	1일	2일	3일	4일
시간(분)	40	45	25	50

하준이가 걷기 운동을 한 시간

날짜	1일	2일	3일	4일	5일
시간(분)	30	55	20	35	40

(   )

| 가능성을 말로 표현하고 비교하기 | 서술형

13 일이 일어날 가능성이 높은 순서대로 기호를 쓰려고 합니다. 풀이 과정을 쓰고, 답을 구해 보세요.

㉠ 기온이 30 ℃보다 높으므로 눈이 올 것입니다.

㉡ 자석 2개를 붙이면 N극과 S극이 만날 것입니다.

㉢ 주사위를 던져서 나온 눈의 수는 홀수일 것입니다.

풀이

답

| 가능성을 말로 표현하고 비교하기 |

14 여학생 1명과 남학생 3명이 번호가 적힌 옷을 입고 서 있습니다. 4명 중 번호를 하나 뽑을 때 남학생일 가능성을 말로 표현해 보세요.

(   )

| 평균 |

15 중 수지의 단원 평가 점수의 평균은 92점입니다. 과목별 점수가 다음과 같을 때 수학 점수는 몇 점일까요?

수지의 과목별 단원 평가 점수

과목	국어	영어	수학	과학
점수(점)	91	86		94

( )

| 평균의 활용 |

16 중 지효가 자전거를 탄 시간을 나타낸 표입니다. 지효가 자전거를 5일까지 탄 시간의 평균이 4일까지 탄 시간의 평균보다 더 길려면 5일에는 자전거를 적어도 몇 분 타야 하는지 구해 보세요.
(5일에 자전거를 탄 시간은 자연수로 구합니다.)

지효의 자전거를 탄 시간

날짜	1일	2일	3일	4일
시간(분)	26	32	29	45

( )

| 평균의 활용 | 서술형

17 상 가 상자와 나 상자에 들어 있는 고구마의 개수와 무게의 평균을 나타낸 표입니다. 두 상자에 들어 있는 고구마 전체 무게의 평균은 몇 g인지 풀이 과정을 쓰고, 답을 구해 보세요.

상자	개수	평균
가	12개	240 g
나	18개	210 g

풀이

답

| 평균의 활용 |

18 상 윤아네 모둠 4명과 승희네 모둠 5명이 책을 읽은 시간입니다. 두 모둠이 책을 읽은 시간의 평균이 같을 때, ㉠에 알맞은 수는 얼마인지 구해 보세요.

윤아네 모둠	35분	40분	26분	55분	
승희네 모둠	28분	34분	65분	15분	㉠분

( )

| 가능성을 말로 표현하고 비교하기 |

19 상 상자에 들어 있는 제비 100개 중 당첨 제비가 50개입니다. 상자에서 제비를 한 개 뽑을 때 당첨 제비가 나올 가능성과 회전판을 돌렸을 때 화살이 노란색 부분을 가리킬 가능성이 같도록 색칠해 보세요. (화살은 움직이지 않습니다.)

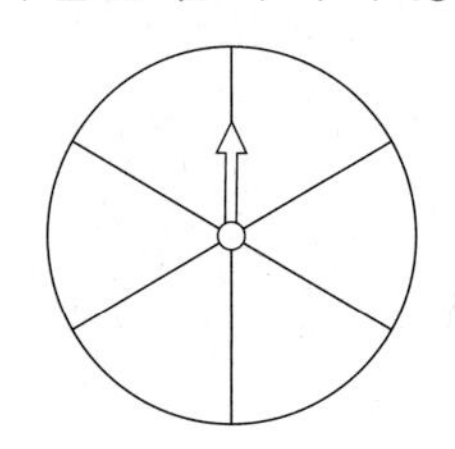

| 평균의 활용 | 서술형

20 상 100 m 달리기 대회에서 기록의 평균이 15초 이하이면 결선에 올라갈 수 있습니다. 현서가 결선에 올라가려면 4회 때 100 m 달리기 기록이 몇 초 이하여야 하는지 풀이 과정을 쓰고, 답을 구해 보세요.

현서의 100 m 달리기 기록

회	1회	2회	3회	4회
기록(초)	15.8	15.2	14.9	

풀이

답

서술형 평가 | 6. 평균과 가능성

정답 및 풀이 | 127쪽

평가한 날 월 일

점수

Tip

❶ 일주일 동안 박물관의 방문자 수의 합 구하기

❷ 박물관의 방문자 수의 평균 구하기

01 박물관의 요일별 방문자 수를 나타낸 표입니다. 일주일 동안 박물관의 방문자 수의 평균은 몇 명인지 풀이 과정을 쓰고, 답을 구해 보세요.

박물관의 요일별 방문자 수

요일	월	화	수	목	금	토	일
사람 수(명)	58	43	65	74	66	102	110

답

Tip

❶ 5 이상 9 미만인 홀수 구하기

❷ 꺼낸 공에 적힌 수가 5 이상 9 미만인 홀수일 가능성을 말로 표현하기

02 상자에 그림과 같이 숫자가 적힌 공이 들어 있습니다. 상자에서 한 개의 공을 꺼낼 때 꺼낸 공에 적힌 수가 5 이상 9 미만인 홀수일 가능성을 말로 표현하려고 합니다. 풀이 과정을 쓰고, 답을 구해 보세요.

풀이

답

Tip

❶ ㉠, ㉡, ㉢에 알맞은 수 각각 구하기

❷ ㉢－㉠＋㉡의 값 구하기

03 회전판을 돌렸을 때 화살이 보라색 부분을 가리킬 가능성을 □ 안에 각각 수로 나타내려고 합니다. ㉢－㉠＋㉡의 값은 얼마인지 풀이 과정을 쓰고, 답을 구해 보세요. (화살은 움직이지 않습니다.)

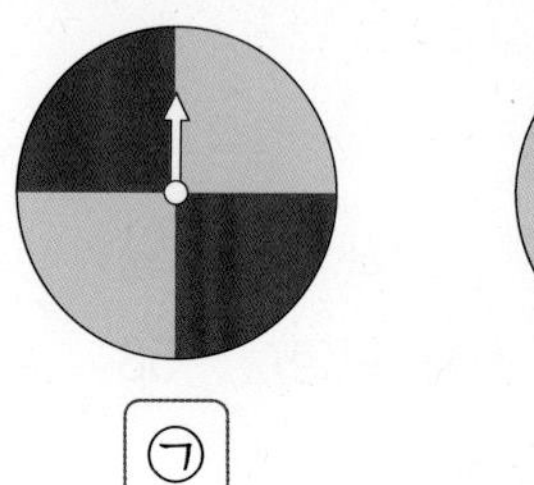

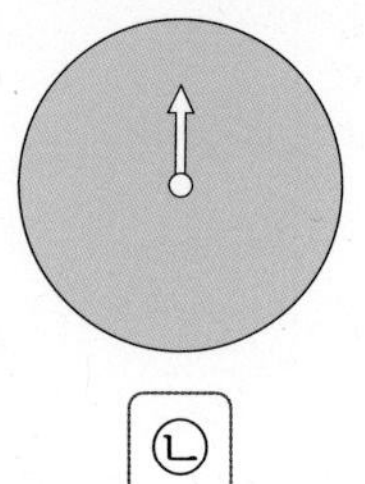

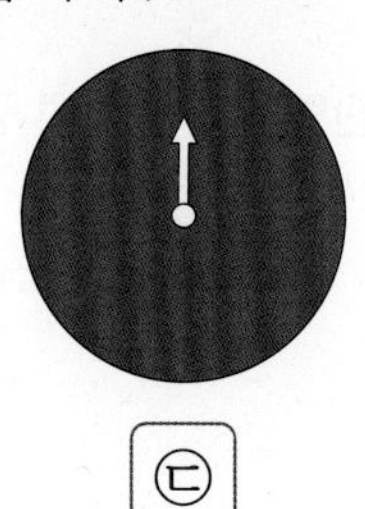

풀이

답

Tip

❶ 가 농장의 평균 구하기

❷ 나 농장의 평균 구하기

❸ 어느 농장이 한 통에 담긴 우유 생산량이 더 많다고 할 수 있는지 구하기

04 가 농장과 나 농장에서 각각 하루 동안 생산한 우유의 양입니다. 두 농장 중 어느 농장이 한 통에 담긴 우유 생산량이 더 많다고 할 수 있는지 풀이 과정을 쓰고, 답을 구해 보세요.

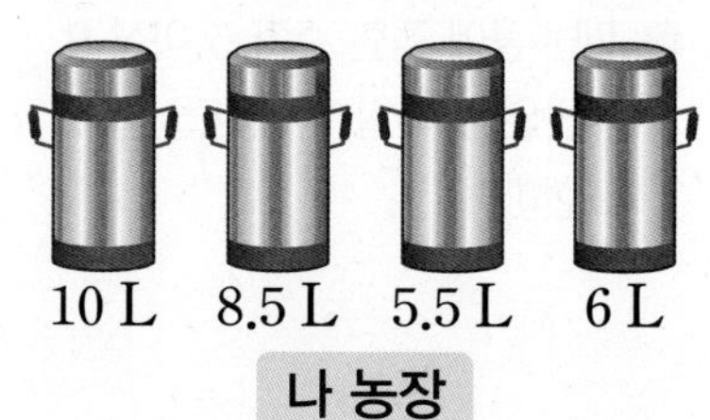

풀이

답

실전 서술형 평가 | 6. 평균과 가능성

평가한 날 월 일

점수

정답 및 풀이 | 128쪽

Tip

❶ 민주, 준현, 규선이가 말한 일이 일어날 가능성을 구하고, 가능성이 '불가능하다'인 일을 말한 사람 찾기

❷ '불가능하다'인 문장을 '확실하다'인 문장으로 바꾸기

01 친구들이 말한 일이 일어날 가능성 중 '불가능하다'인 문장을 '확실하다'가 되도록 바꾸려고 합니다. 풀이 과정을 쓰고, 답을 구해 보세요.

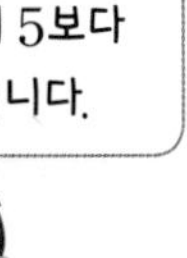

풀이

답

Tip

❶ 다섯 과수원의 수확량의 합과 싱싱, 푸름, 맑음 과수원의 수확량의 합 구하기

❷ 달콤 과수원의 수확량 구하기

02 어느 지역의 과수원별 사과 수확량을 나타낸 표입니다. 다섯 과수원의 사과 수확량의 평균은 45상자이고 달콤 과수원과 청청 과수원의 수확량이 같을 때 달콤 과수원의 수확량은 몇 상자인지 풀이 과정을 쓰고, 답을 구해 보세요.

과수원별 사과 수확량

과수원	싱싱	푸름	맑음	달콤	청청
수확량(상자)	52	37	44		

풀이

답

Tip

❶ ㉠, ㉡, ㉢, ㉣, ㉤의 가능성 각각 구하기

❷ 가능성을 수로 나타내고 수직선에서 알맞은 곳에 기호 써넣기

03 수민이가 주사위를 한 번 던지면 나오는 눈의 수가 다음과 같을 때 나올 가능성을 찾아 □ 안에 알맞은 기호를 써넣으려고 합니다. 풀이 과정을 쓰고, 기호를 써넣으세요.

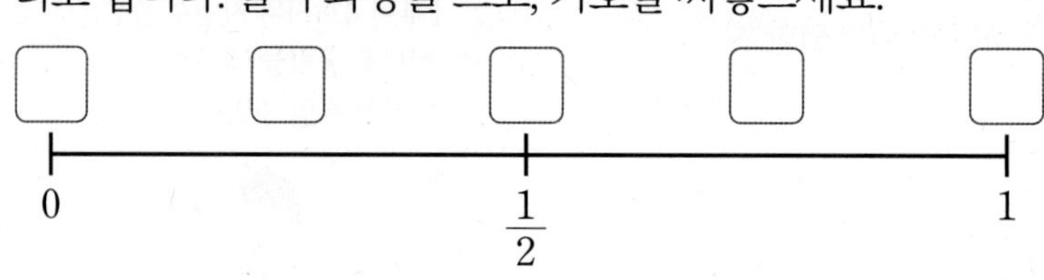

㉠ 3의 배수일 가능성　㉡ 6의 약수일 가능성
㉢ 약수가 2개인 수일 가능성　㉣ 7 미만인 수일 가능성
㉤ 4보다 큰 4의 배수일 가능성

풀이

Tip

❶ 윤호 기록의 평균 구하기

❷ 경민이의 전체 기록의 합이 몇 번 이상이어야 하는지 구하기

❸ 경민이는 4회에서 팔굽혀펴기를 적어도 몇 번 이상 해야 하는지 구하기

04 윤호와 경민이의 팔굽혀펴기 기록을 나타낸 표입니다. 경민이의 평균이 윤호의 평균보다 1번 이상 더 높으려면 경민이는 4회에서 팔굽혀펴기를 적어도 몇 번 이상 해야 하는지 풀이 과정을 쓰고 답을 구해 보세요.

윤호의 팔굽혀펴기 기록

회	1회	2회	3회
기록(번)	15	17	13

경민이의 팔굽혀펴기 기록

회	1회	2회	3회	4회
기록(번)	14	16	18	

풀이

답

5~6학년군

수학 5-2

평가 문제 다잡기

정답 및 풀이

1 수의 범위와 어림하기

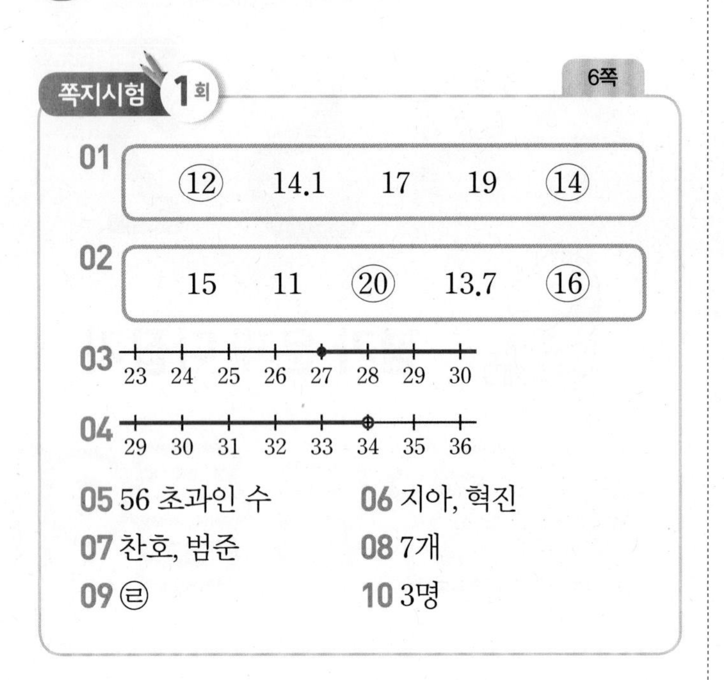

풀이

02 15보다 큰 수에 ○표 합니다.

03 27 이상인 수는 27과 같거나 큰 수입니다.
27을 ●와 같이 나타내고 오른쪽으로 선을 긋습니다.

04 34 미만인 수는 34보다 작은 수입니다.
34를 ○와 같이 나타내고 왼쪽으로 선을 긋습니다.

05 56을 ○와 같이 나타내고 오른쪽으로 선을 그었으므로 56 초과인 수입니다.

06 8 이상인 수는 8과 같거나 큰 수입니다. 따라서 붙임딱지를 8개 이상 모은 학생은 지아, 혁진입니다.

07 5 이하인 수는 5와 같거나 작은 수입니다. 따라서 붙임딱지를 5개 이하 모은 학생은 찬호, 범준입니다.

08 7 이하인 자연수는 1, 2, 3, 4, 5, 6, 7로 모두 7개입니다.

09 ㉣ 41 미만인 수는 41보다 작은 수이므로 40을 포함합니다.

10 130 미만인 수는 130보다 작은 수이므로 키가 130 cm 미만인 사람은 민재, 주원, 수혁입니다.
따라서 놀이 기구를 탈 수 없는 사람은 모두 3명입니다.

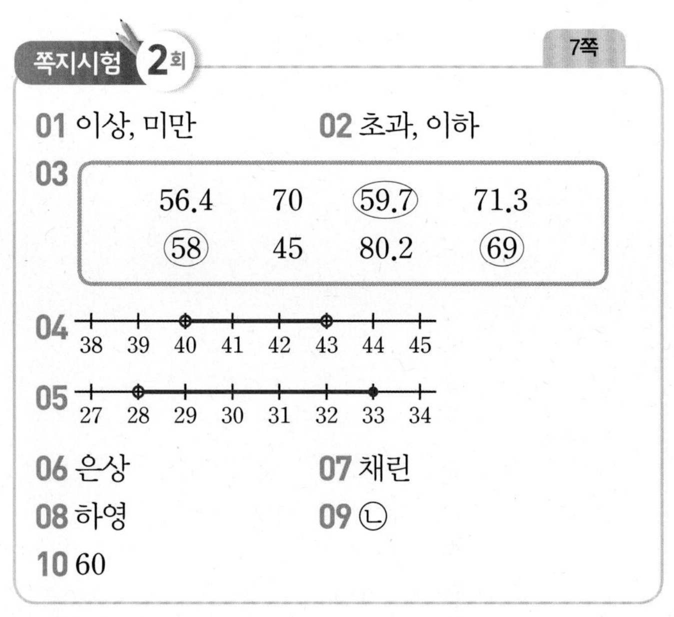

풀이

01 9를 포함하고 13을 포함하지 않으므로 9 이상 13 미만인 수입니다.

02 14를 포함하지 않고 19를 포함하므로 14 초과 19 이하인 수입니다.

03 58과 같거나 크고 70보다 작은 수에 ○표 합니다.

04 40을 ○, 43을 ○와 같이 나타내고 두 수 사이를 선으로 연결합니다.

05 28을 ○, 33을 ●와 같이 나타내고 두 수 사이를 선으로 연결합니다.

06 85점은 80점 이상 90점 미만에 속하므로 진욱이가 받는 상은 은상입니다.

07 90점 이상 100점 미만에 속하는 점수는 96점이므로 금상을 받는 친구는 채린입니다.

08 진욱이가 받는 상은 은상입니다. 은상을 받는 친구는 80점을 받은 하영입니다.

09 ㉡ 52보다 크고 65보다 작은 수이므로 65를 포함하지 않습니다.

10 수직선에 나타낸 수의 범위는 18 초과 21 이하인 수입니다. 수의 범위에 속하는 자연수는 19, 20, 21입니다. ➔ $19+20+21=60$

주의 18 초과이므로 18보다 커야 합니다. 따라서 18을 포함하지 않도록 주의합니다.

쪽지시험 3회

8쪽

01 ⑤468 ➔ 6000

02 7①12 ➔ 7100

03 20, 18.1

04 2, 2.39

05 547에 ○표

06 1745, 1701에 ○표

07 ㉡

08 버림에 ○표, 백에 ○표

09 6200개

10 18묶음

풀이

01 천의 자리 아래의 수인 468을 1000으로 보고 올림하면 6000입니다.

02 백의 자리 아래의 수를 모두 0으로 하여 7100으로 나타냅니다.

03 • 십의 자리 아래의 수인 8.09를 10으로 보고 올림하면 20입니다.
• 소수 첫째 자리 아래의 수인 0.09를 0.1로 보고 올림하면 18.1입니다.

04 • 일의 자리 아래의 수를 버려서 0으로 나타내면 2입니다.
• 소수 둘째 자리 아래의 수를 버려서 0으로 나타내면 2.39입니다.

05 수를 버림하여 십의 자리까지 나타내면
539 ➔ 530, 547 ➔ 540, 550 ➔ 550입니다.

06 수를 올림하여 백의 자리까지 나타내면
1745 ➔ 1800, 1890 ➔ 1900, 1675 ➔ 1700,
1701 ➔ 1800입니다.

07 수를 버림하여 백의 자리까지 나타내면 ㉠ 3300, ㉡ 3400, ㉢ 3300입니다. 따라서 버림하여 백의 자리까지 나타낸 수가 가장 큰 것은 ㉡입니다.

08 47개는 팔 수 없으므로 버림하여 백의 자리까지 나타냅니다.

09 6247을 버림하여 백의 자리까지 나타내면 6200이므로 팔 수 있는 컵은 6200개입니다.

10 공책을 모자라지 않게 사야 하므로 175를 올림하여 십의 자리까지 나타내면 180입니다. 따라서 최소 18묶음 사야 합니다.

쪽지시험 4회

9쪽

01 2⑥1 ➔ 260

02 1400에 ○표

03 0.7, 0.73

04 ○

05 유하

06 1850에 ○표

07 >

08 ㉡

09 1.5 km

10 280000명

풀이

01 십의 자리 바로 아래 자리의 숫자가 1이므로 버림하면 260입니다.

02 백의 자리 바로 아래 자리의 숫자가 4이므로 버림하면 1400입니다.

03 • 소수 첫째 자리 바로 아래 자리의 숫자가 2이므로 버림하면 0.7입니다.
• 소수 둘째 자리 바로 아래 자리의 숫자가 8이므로 올림하면 0.73입니다.

04 529에서 백의 자리 바로 아래 자리의 숫자가 2이므로 버림하면 500입니다. 따라서 설명이 맞습니다.

05 수찬: 930에서 십의 자리 바로 아래 자리의 숫자가 0이므로 버림하면 930입니다.

06 수를 반올림하여 백의 자리까지 나타내면
1845 ➔ 1800, 1982 ➔ 2000, 1850 ➔ 1900입니다.

07 207을 반올림하여 십의 자리까지 나타내면 210이고, 반올림하여 백의 자리까지 나타내면 200입니다. ➔ 210 > 200

08 652를 반올림하여 십의 자리까지 나타내면 650, 반올림하여 백의 자리까지 나타내면 700입니다. 따라서 반올림하여 나타낸 수가 아닌 것은 ㉡입니다.

09 1.475에서 소수 첫째 자리 바로 아래 자리의 숫자가 7이므로 올림하면 1.5입니다. 따라서 1.5 km입니다.

10 283756에서 만의 자리 바로 아래 자리의 숫자가 3이므로 버림하면 280000입니다.
따라서 280000명입니다.

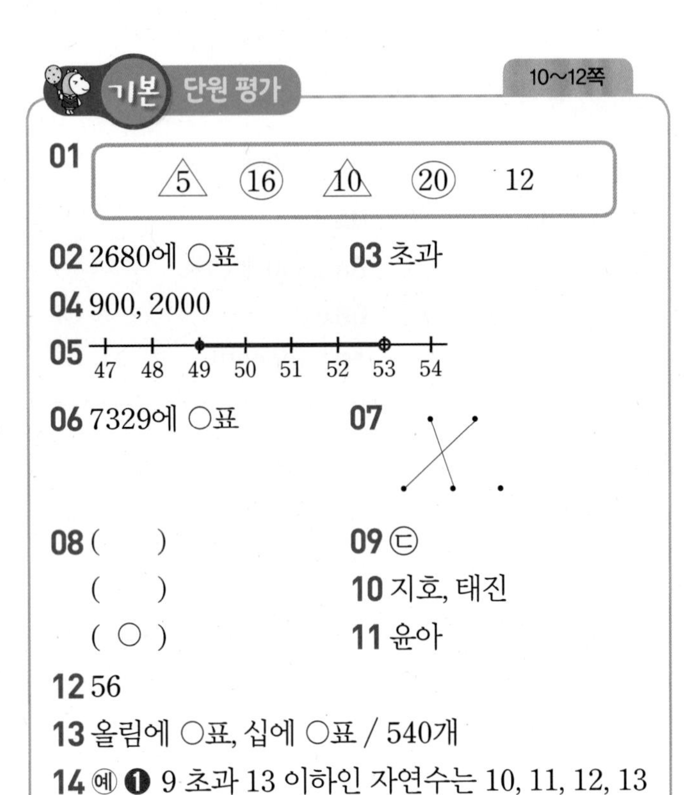

기본 단원 평가

10~12쪽

01 △5 ⑯ △10 ⑳ 12

02 2680에 ○표

03 초과

04 900, 2000

05 (수직선: 47, 48, 49, 50, 51, 52, 53, 54 — 49에 ●, 53에 ○, 두 수 사이를 선으로 연결)

06 7329에 ○표

07 (선 잇기)

08 ( ) ( ) (○)

09 ㉢

10 지호, 태진

11 윤아

12 56

13 올림에 ○표, 십에 ○표 / 540개

14 예 ❶ 9 초과 13 이하인 자연수는 10, 11, 12, 13입니다.
❷ 따라서 합은 $10+11+12+13=46$입니다.
/ 46

15 ㉢

16 47

17 예 ❶ 만들 수 있는 가장 큰 세 자리 수는 873입니다.
❷ 873을 반올림하여 백의 자리까지 나타내면 900입니다.
/ 900

18 12.7

19 (수직선: 6200, 6300, 6400 — 6250에 ●, 6350에 ○, 두 수 사이를 선으로 연결)

20 예 ❶ 민호의 저금통에 들어 있는 돈은 $500\times13+100\times89=15400$(원)입니다.
❷ 천 원보다 적은 돈은 천 원짜리 지폐로 바꿀 수 없습니다. 15400을 버림하여 천의 자리까지 나타내면 15000이므로 최대 15장까지 바꿀 수 있습니다.
/ 15장

풀이

05 49를 ●, 53을 ○와 같이 나타내고 두 수 사이를 선으로 연결합니다.

06 수를 버림하여 백의 자리까지 나타내면 7329 ➔ 7300, 7299 ➔ 7200, 7400 ➔ 7400입니다.

08 46보다 작은 수로 이루어진 것을 찾습니다.

09 수를 반올림하여 천의 자리까지 나타내면 ㉠ 6000, ㉡ 6000, ㉢ 5000입니다.

10 6 이상인 수는 6, 8입니다. 따라서 버스를 탈 때 요금을 내야 하는 어린이는 지호, 태진입니다.

11 태영: 4.718에서 소수 둘째 자리 아래의 수인 0.008을 0.01로 보고 올림하면 4.72입니다.

12 57 미만인 자연수는 56, 55, 54, 53, ...이므로 이 중에서 가장 큰 수는 56입니다.

13 지우개를 모자라지 않게 준비해야 하므로 올림하여 십의 자리까지 나타냅니다. 538을 올림하여 십의 자리까지 나타내면 540이므로 지우개를 최소 540개 사야 합니다.

14

채점 기준		
	❶ 9 초과 13 이하인 자연수 모두 구하기	3점
	❷ ❶에서 구한 수들의 합 구하기	2점

15 ㉠ 63, 64, 65, 66, 67, 68, 69, 70 ➔ 8개
㉡ 48, 49, 50, 51, 52, 53, 54 ➔ 7개
㉢ 29, 30, 31, 32, 33, 34 ➔ 6개

16 47, 50, 52, 55 ➔ 47과 같거나 큰 수
□ 안에 들어갈 수 있는 자연수는 47, 46, 45, ...이므로 이 중에서 가장 큰 수는 47입니다.

17

채점 기준		
	❶ 만들 수 있는 가장 큰 세 자리 수 구하기	2점
	❷ ❶에서 구한 수를 반올림하여 백의 자리까지 나타내기	3점

18 자연수 부분에는 5, 6이 올 수 있고, 소수 첫째 자리에는 8, 9가 올 수 있습니다. 따라서 만들 수 있는 소수 한 자리 수 중에서 가장 큰 수는 6.9이고, 가장 작은 수는 5.8입니다. ➔ $6.9+5.8=12.7$

19 반올림하여 백의 자리까지 나타내었을 때 6300이 될 수 있는 수의 범위는 6250 이상 6350 미만인 수입니다.

20

채점 기준		
	❶ 민호의 저금통에 들어 있는 돈은 얼마인지 구하기	2점
	❷ 천 원짜리 지폐로 바꾼다면 최대 몇 장까지 바꿀 수 있는지 구하기	3점

실력 단원 평가 13~15쪽

01 16.8, 9.7, 10.5
02 40, 38
03 6000, 6300, 6370
04 9.4에 색칠
05 색연필
06 수아
07 ㉢
08 68 m
09 민지
10 ㉣
11 2명
12 490
13 5370
14 예 ❶ ㉠ 1504를 올림하여 십의 자리까지 나타내면 1510입니다.
❷ ㉡ 1517을 버림하여 백의 자리까지 나타내면 1500입니다.
❸ 1510 > 1500이므로 어림한 수가 더 큰 것은 ㉠입니다.
/ ㉠
15 ㉢
16 58상자
17 예 ❶ 어림한 수의 십의 자리 숫자가 8에서 9로 1 커졌으므로 올림한 것입니다. 따라서 □ 안에 들어갈 수 있는 숫자는 5, 6, 7, 8, 9입니다.
❷ 5+6+7+8+9=35
/ 35
18 13, 14, 15
19 2300원
20 예 ❶ 올림하여 백의 자리까지 나타내면 4100이 되는 수의 범위는 4000 초과 4100 이하인 수입니다.
❷ 이 범위에 속하는 자연수는 4001부터 4100까지이므로 모두 100개입니다.
/ 100개

풀이

07 수직선에 나타낸 수의 범위는 35 초과 40 이하인 수입니다. 따라서 35는 속하지 않습니다.

08 67.92에서 일의 자리 바로 아래 자리의 숫자가 9이므로 올림하면 68 m입니다.

09 56 이상인 수는 56과 같거나 큰 수이므로 55가 포함되지 않습니다. 따라서 55가 포함되지 않는 수의 범위를 말한 사람은 민지입니다.

10 9명은 8명보다 많으므로 정원을 초과한 놀이 기구는 ㉣입니다.

11 줄넘기 횟수가 100회와 같거나 많은 사람은 승미와 이나입니다. 따라서 대회에 나갈 수 있는 학생은 모두 2명입니다.

12 5508을 반올림하여 천의 자리까지 나타내면 6000이고, 반올림하여 십의 자리까지 나타내면 5510입니다. ➜ 6000−5510=490

13

수	올림	버림	반올림
5370	5370	5370	5370
6389	6390	6380	6390
4203	4210	4200	4200

14

채점 기준	
❶ ㉠을 어림한 수 구하기	2점
❷ ㉡을 어림한 수 구하기	2점
❸ 어림한 수가 더 큰 것의 기호 쓰기	1점

15 ㉠ 버림 ㉡ 버림 ㉢ 올림
따라서 어림하는 방법이 다른 하나는 ㉢입니다.

16 보온병을 모자라지 않게 사야 하므로 올림을 이용합니다. 576을 올림하여 십의 자리까지 나타내면 580이므로 보온병을 최소 58상자 사야 합니다.

17

채점 기준	
❶ □ 안에 들어갈 수 있는 숫자 모두 구하기	3점
❷ □ 안에 들어갈 수 있는 숫자의 합 구하기	2점

18 • 9 이상 16 미만인 자연수: 9, 10, 11, 12, 13, 14, 15
• 12 초과 19 이하인 자연수: 13, 14, 15, 16, 17, 18, 19
따라서 공통으로 속하는 자연수는 13, 14, 15입니다.

19 수빈이는 8세 이상 13세 이하에 속하므로 입장료는 800원이고, 언니는 13세 초과 20세 미만에 속하므로 입장료는 1500원입니다. 따라서 입장료를 800+1500=2300(원) 내야 합니다.

20

채점 기준	
❶ 올림하여 백의 자리까지 나타내면 4100이 되는 수의 범위 구하기	3점
❷ 올림하여 백의 자리까지 나타내면 4100이 되는 자연수는 모두 몇 개인지 구하기	2점

연습 서술형 평가

16~17쪽

01 예 ❶ 나이가 만 18세 이상인 사람은 선우, 채아, 소율입니다.
❷ 따라서 투표할 수 있는 사람은 모두 3명입니다. / 3명

02 예 ❶ 올림하여 백의 자리까지 나타내었을 때 8500이 될 수 있는 수의 범위는 8400 초과 8500 이하인 수입니다.
❷ 따라서 컴퓨터의 비밀번호는 8427입니다. / 8427

03 예 ❶ 감자를 10 kg씩 상자에 담으면 13상자에 10 kg씩 담고 2 kg이 남으므로 팔 수 있는 감자는 13상자입니다.
❷ 따라서 감자를 판 돈은 최대 $10000 \times 13 = 130000$(원)입니다. / 130000원

04 예 ❶ 두 조건을 동시에 만족하는 자연수의 범위는 160 이상 250 미만인 자연수입니다.
❷ 이 중 가장 작은 수는 160이고, 가장 큰 수는 249입니다.
❸ 따라서 두 조건을 동시에 만족하는 자연수는 모두 $249-160+1=90$(개)입니다. / 90개

풀이

01

채점 기준		
	❶ 나이가 만 18세 이상인 사람 모두 찾기	15점
	❷ 투표할 수 있는 사람은 모두 몇 명인지 구하기	10점

02

채점 기준		
	❶ 올림하여 백의 자리까지 나타내었을 때 8500이 될 수 있는 수의 범위 구하기	15점
	❷ 컴퓨터의 비밀번호 구하기	10점

03

채점 기준		
	❶ 팔 수 있는 감자는 몇 상자인지 구하기	15점
	❷ 감자를 판 돈은 최대 얼마인지 구하기	10점

04

채점 기준		
	❶ 두 조건을 동시에 만족하는 자연수의 범위 구하기	8점
	❷ 두 조건을 동시에 만족하는 자연수 중 가장 작은 수와 가장 큰 수 구하기	8점
	❸ 두 조건을 동시에 만족하는 자연수는 모두 몇 개인지 구하기	9점

실전 서술형 평가

18~19쪽

01 예 ❶ (꽃밭의 둘레)$=27 \times 4=108$ (m)
❷ 108을 반올림하여 십의 자리까지 나타내면 110이므로 꽃밭의 둘레는 110 m입니다. / 110 m

02 예 ❶ 1시간 20분=80분=30분+50분이므로 기본 요금에 50분의 추가 요금을 내야 합니다.
❷ (내야 할 주차 요금)
=(기본 요금)+(추가 요금)
$=1000+500 \times 5$
$=1000+2500$
$=3500$(원)
/ 3500원

03 예 ❶ 버림하여 십의 자리까지 나타내면 50이 되는 자연수의 범위는 50 이상 60 미만인 수이므로 50부터 59까지입니다.
❷ 이 중에서 9의 배수를 찾으면 54입니다. 따라서 규선이가 처음에 생각한 자연수는 $54 \div 9=6$입니다. / 6

04 예 ❶ 453을 올림하여 십의 자리까지 나타내면 460이므로 봉지는 적어도 46장이 필요합니다.
❷ 453을 올림하여 백의 자리까지 나타내면 500이므로 상자는 적어도 5개가 필요합니다.
❸ 봉지는 한 장에 20원이므로
$20 \times 46=920$(원),
상자는 한 개에 100원이므로
$100 \times 5=500$(원)입니다.
따라서 구슬을 상자에 담는 것이 비용이 더 적게 듭니다. / 상자

풀이

01

채점 기준		
	❶ 꽃밭의 둘레는 몇 m인지 구하기	10점
	❷ 꽃밭의 둘레를 반올림하여 십의 자리까지 나타내기	15점

02

채점 기준		
	❶ 기본 요금에 추가 요금을 내야 하는 시간 구하기	10점
	❷ 내야 할 주차 요금은 얼마인지 구하기	15점

03

채점 기준		
	❶ 버림하여 십의 자리까지 나타내면 50이 되는 자연수의 범위 구하기	10점
	❷ 규선이가 처음에 생각한 자연수 구하기	15점

04

채점 기준		
	❶ 구슬을 봉지에 담는 데 필요한 봉지의 수 구하기	8점
	❷ 구슬을 상자에 담는 데 필요한 상자의 수 구하기	8점
	❸ 구슬을 봉지와 상자 중 어느 것에 담는 것이 비용이 더 적게 드는지 구하기	9점

2 분수의 곱셈

쪽지시험 1회 (21쪽)

01 $\frac{4}{7}\times 2=\frac{\boxed{4}\times\boxed{2}}{7}=\frac{\boxed{8}}{7}=\boxed{1}\frac{\boxed{1}}{7}$

02 $4\frac{1}{2}\times 3=\frac{\boxed{9}}{2}\times 3=\frac{\boxed{9}\times 3}{2}=\frac{\boxed{27}}{2}=\boxed{13}\frac{\boxed{1}}{2}$

03 (   )
(○)

04 (1) $\frac{39}{10}\left(=3\frac{9}{10}\right)$ (2) 32

05 $\frac{30}{7}\left(=4\frac{2}{7}\right)$

06 >

07 $3\frac{1}{8}\times 24=\frac{25}{\cancel{8}_1}\times \cancel{24}^3=25\times 3=75$

08 $\frac{72}{5}\left(=14\frac{2}{5}\right)$

09 3

10 $3\frac{3}{8}\times 10=\frac{135}{4}\left(=33\frac{3}{4}\right)$, $\frac{135}{4}\left(=33\frac{3}{4}\right)$ kg

풀이

04 (1) $\frac{13}{20}\times 6=\frac{13\times \cancel{6}^3}{\cancel{20}_{10}}=\frac{39}{10}=3\frac{9}{10}$

(2) $2\frac{2}{7}\times 14=(2\times 14)+\left(\frac{2}{\cancel{7}_1}\times \cancel{14}^2\right)=28+4=32$

05 $\frac{10}{21}\times 9=\frac{10\times \cancel{9}^3}{\cancel{21}_7}=\frac{30}{7}=4\frac{2}{7}$

06 $5\frac{3}{4}\times 10=\frac{23}{\cancel{4}_2}\times \cancel{10}^5=\frac{115}{2}=57\frac{1}{2}$ ➔ $57\frac{1}{2}>52$

07 대분수를 가분수로 바꾼 후에 약분해야 합니다.

08 가장 큰 수: $7\frac{1}{5}$, 가장 작은 수: 2

➔ $7\frac{1}{5}\times 2=\frac{36}{5}\times 2=\frac{72}{5}=14\frac{2}{5}$

09 $\frac{4}{5}\times 6=\frac{24}{5}=4\frac{4}{5}$, $\frac{3}{5}\times 13=\frac{39}{5}=7\frac{4}{5}$

➔ $7\frac{4}{5}-4\frac{4}{5}=3$

10 (오렌지 10상자의 무게)

$=3\frac{3}{8}\times 10=\frac{27}{\cancel{8}_4}\times \cancel{10}^5=\frac{135}{4}=33\frac{3}{4}$ (kg)

쪽지시험 2회 (22쪽)

01 $9\times\frac{7}{8}=\frac{\boxed{9}\times\boxed{7}}{8}=\frac{\boxed{63}}{8}=\boxed{7}\frac{\boxed{7}}{8}$

02 $4\times 2\frac{1}{7}=(4\times\boxed{2})+\left(4\times\frac{\boxed{1}}{7}\right)=\boxed{8}+\frac{\boxed{4}}{7}=\boxed{8}\frac{\boxed{4}}{7}$

03 $6\frac{2}{3}$에 ○표

04 (1) $\frac{48}{7}\left(=6\frac{6}{7}\right)$ (2) 102

05 $6\times\frac{3}{4}$ (△표) $6\times 1\frac{6}{7}$ (○표) 6×1

06 ㉠

07 $\frac{77}{25}\left(=3\frac{2}{25}\right)$

08 750

09 ㉡

10 $12\times 3\frac{3}{4}=45$, 45 cm^2

풀이

04 (1) $12\times\frac{4}{7}=\frac{12\times 4}{7}=\frac{48}{7}=6\frac{6}{7}$

(2) $15\times 6\frac{4}{5}=\cancel{15}^3\times\frac{34}{\cancel{5}_1}=3\times 34=102$

05 자연수에 진분수를 곱하면 곱한 값은 처음 수보다 작아지고, 대분수를 곱하면 곱한 값은 처음 수보다 커집니다.

06 ㉠ $8\times2\frac{1}{3}=8\times\frac{7}{3}=\frac{8\times7}{3}=\frac{56}{3}=18\frac{2}{3}$

㉡ $7\times2\frac{1}{4}=7\times\frac{9}{4}=\frac{7\times9}{4}=\frac{63}{4}=15\frac{3}{4}$

07 $7\times\frac{11}{25}=\frac{7\times11}{25}=\frac{77}{25}=3\frac{2}{25}$

08 1 kg=1000 g

➜ $\overset{250}{\cancel{1000}}\times\frac{3}{\underset{1}{\cancel{4}}}=250\times3=750$ (g)

09 각 식을 계산하면 ㉠ $2\frac{1}{3}$, ㉡ $3\frac{5}{9}$, ㉢ $3\frac{1}{3}\left(=3\frac{3}{9}\right)$ 이므로 계산 결과가 가장 큰 것은 ㉡입니다.

10 (직사각형의 넓이)$=12\times3\frac{3}{4}$

$=\overset{3}{\cancel{12}}\times\frac{15}{\underset{1}{\cancel{4}}}=45$ (cm^2)

쪽지시험 3회

23쪽

01 $\frac{4}{7}\times\frac{2}{3}=\frac{4\times2}{\boxed{7}\times\boxed{3}}=\frac{\boxed{8}}{\boxed{21}}$

02 $\frac{1}{7}\times\frac{\overset{\boxed{2}}{\cancel{4}}}{5}\times\frac{9}{\underset{\boxed{5}}{\cancel{10}}}=\frac{1\times\boxed{2}\times9}{7\times5\times\boxed{5}}=\frac{\boxed{18}}{\boxed{175}}$

03 (1) $\frac{25}{72}$ (2) $\frac{3}{20}$ **04** $\frac{9}{16}$

05 $\frac{8}{9}\times\frac{5}{6}$에 ○표 **06** $\frac{5}{81}$

07 $\frac{31}{55}$ **08** <

09 $\frac{3}{20}$ L **10** 예 $\frac{1}{\boxed{7}}\times\frac{1}{\boxed{9}}$, $\frac{1}{63}$

풀이

03 (1) $\frac{5}{8}\times\frac{5}{9}=\frac{5\times5}{8\times9}=\frac{25}{72}$

(2) $\frac{\overset{1}{\cancel{2}}}{5}\times\frac{3}{4}\times\frac{1}{\underset{1}{\cancel{2}}}=\frac{1\times3\times1}{5\times4\times1}=\frac{3}{20}$

04 $\frac{9}{14}\times\frac{7}{8}=\frac{9\times\overset{1}{\cancel{7}}}{\underset{2}{\cancel{14}}\times8}=\frac{9}{16}$

05 $\frac{8}{9}$에 1보다 작은 수를 곱하면 계산 결과가 $\frac{8}{9}$보다 작아집니다.

06 $\frac{\overset{1}{\cancel{2}}}{9}\times\frac{5}{\underset{3}{\cancel{6}}}\times\frac{1}{3}=\frac{1\times5\times1}{9\times3\times3}=\frac{5}{81}$

07 ㉠ $\frac{4}{\underset{5}{\cancel{15}}}\times\frac{\overset{1}{\cancel{3}}}{11}=\frac{4\times1}{5\times11}=\frac{4}{55}$

➜ $\frac{7}{11}-\frac{4}{55}=\frac{35}{55}-\frac{4}{55}=\frac{31}{55}$

08 $\frac{1}{\underset{2}{\cancel{6}}}\times\frac{\overset{1}{\cancel{3}}}{8}\times\frac{1}{2}=\frac{1}{32}$, $\frac{\overset{1}{\cancel{2}}}{3}\times\frac{\overset{1}{\cancel{2}}}{7}\times\frac{1}{\underset{1}{\underset{\cancel{2}}{\cancel{4}}}}=\frac{1}{21}$ ➜ $\frac{1}{32}<\frac{1}{21}$

09 (마신 주스의 양)$=\frac{\overset{3}{\cancel{9}}}{10}\times\frac{1}{\underset{2}{\cancel{6}}}=\frac{3}{20}$ (L)

10 계산 결과가 가장 작은 곱셈식을 만들려면 분모에 큰 수가 들어가야 합니다.

➜ $\frac{1}{7}\times\frac{1}{9}=\frac{1}{63}$ 또는 $\frac{1}{9}\times\frac{1}{7}=\frac{1}{63}$

참고 단위분수는 분모가 클수록 작은 수입니다.

쪽지시험 4회

24쪽

01 $1\frac{6}{7}\times1\frac{3}{4}=\frac{\boxed{13}}{7}\times\frac{\boxed{7}}{4}=\frac{\boxed{13}}{4}=\boxed{3}\frac{\boxed{1}}{4}$

02 $8\times2\frac{1}{5}=\frac{\boxed{8}}{1}\times\frac{\boxed{11}}{5}=\frac{\boxed{88}}{5}=\boxed{17}\frac{\boxed{3}}{5}$

03 (1) 8 (2) $\frac{115}{18}\left(=6\frac{7}{18}\right)$ **04** 6

05 ㉠, $\frac{65}{8}\left(=8\frac{1}{8}\right)$ **06** ㉡

07 $\frac{105}{4}\left(=26\frac{1}{4}\right)$ **08** 5

09 $\frac{64}{9}\left(=7\frac{1}{9}\right)$ cm^2 **10** 86 kg

풀이

03 (1) $2\frac{2}{7}\times3\frac{1}{2}=\frac{\overset{8}{\cancel{16}}}{\underset{1}{\cancel{7}}}\times\frac{\overset{1}{\cancel{7}}}{\underset{1}{\cancel{2}}}=8$

(2) $3\frac{5}{6}\times1\frac{2}{3}=\frac{23}{6}\times\frac{5}{3}=\frac{115}{18}=6\frac{7}{18}$

04 $1\frac{3}{7}\times4\frac{1}{5}=\frac{\overset{2}{\cancel{10}}}{\underset{1}{\cancel{7}}}\times\frac{\overset{3}{\cancel{21}}}{\underset{1}{\cancel{5}}}=6$

05 $3\frac{1}{8}\times2\frac{3}{5}=\frac{\overset{5}{\cancel{25}}}{8}\times\frac{13}{\underset{1}{\cancel{5}}}=\frac{65}{8}=8\frac{1}{8}$

06 ㉠ $2\frac{2}{9}\times2\frac{3}{4}=\frac{\overset{5}{\cancel{20}}}{9}\times\frac{11}{\underset{1}{\cancel{4}}}=\frac{55}{9}=6\frac{1}{9}$

➔ $6\frac{1}{9}<6\frac{1}{5}$

07 가장 큰 수: $6\frac{3}{4}$, 가장 작은 수: $3\frac{8}{9}$

➔ $6\frac{3}{4}\times3\frac{8}{9}=\frac{\overset{3}{\cancel{27}}}{4}\times\frac{35}{\underset{1}{\cancel{9}}}=\frac{105}{4}=26\frac{1}{4}$

08 $1\frac{7}{8}\times1\frac{1}{5}=2\frac{1}{4}$, $1\frac{4}{7}\times1\frac{3}{4}=2\frac{3}{4}$

➔ $2\frac{1}{4}+2\frac{3}{4}=5$

09 (정사각형의 넓이)

$=2\frac{2}{3}\times2\frac{2}{3}=\frac{8}{3}\times\frac{8}{3}=\frac{64}{9}=7\frac{1}{9}\,(\text{cm}^2)$

10 (아버지의 몸무게)

$=30\frac{5}{7}\times2\frac{4}{5}=\frac{\overset{43}{\cancel{215}}}{\underset{1}{\cancel{7}}}\times\frac{\overset{2}{\cancel{14}}}{\underset{1}{\cancel{5}}}=86\,(\text{kg})$

기본 단원 평가 25~27쪽

01 $\frac{2}{3}\times5=\frac{\boxed{2}}{3}+\frac{\boxed{2}}{3}+\frac{\boxed{2}}{3}+\frac{\boxed{2}}{3}+\frac{\boxed{2}}{3}$

$=\frac{\boxed{10}}{3}=\boxed{3}\frac{\boxed{1}}{3}$

02 $3\times2\frac{1}{4}=(3\times\boxed{2})+\left(3\times\frac{\boxed{1}}{4}\right)$

$=\boxed{6}+\frac{\boxed{3}}{4}=\boxed{6}\frac{\boxed{3}}{4}$

03 $\frac{4}{5}\times\frac{3}{10}=\frac{4\times3}{5\times10}=\frac{\overset{6}{\cancel{12}}}{\underset{25}{\cancel{50}}}=\frac{6}{25}$

04 (1) 14 (2) $\frac{75}{2}\left(=37\frac{1}{2}\right)$

05 $\frac{7}{10}$

06 $\frac{35}{2}\left(=17\frac{1}{2}\right)$

07

08 $\frac{5}{84}$

09 $\frac{35}{3}\left(=11\frac{2}{3}\right)$

10 ㉢

11 $\frac{6}{7}$ L

12 시현

13 6

14 ❶ 예 대분수를 가분수로 바꾸지 않고 약분하였습니다.

❷ $3\frac{1}{16}\times24=\frac{49}{\underset{2}{\cancel{16}}}\times\overset{3}{\cancel{24}}=\frac{147}{2}=73\frac{1}{2}$

15 ㉡, ㉢, ㉠

16 $\frac{5}{21}$

17 예 ❶ 읽은 동화책은 $\overset{9}{\cancel{72}}\times\frac{5}{\underset{1}{\cancel{8}}}=45$(쪽)입니다.

❷ 따라서 읽고 남은 동화책은

$72-45=27$(쪽)입니다.

/ 27쪽

18 $\boxed{7}\frac{\boxed{3}}{\boxed{4}}\times\boxed{8}$, 62

19 나

20 예 ❶ 1시간=60분이므로

1시간 20분$=1\frac{20}{60}$시간$=1\frac{1}{3}$시간입니다.

❷ 따라서 은재가 걸은 거리는

$2\frac{5}{9}\times1\frac{1}{3}=\frac{23}{9}\times\frac{4}{3}=\frac{92}{27}=3\frac{11}{27}\,(\text{km})$

입니다.

/ $\frac{92}{27}\left(=3\frac{11}{27}\right)$ km

풀이

05 $\frac{\overset{1}{\cancel{4}}}{5}\times\frac{7}{\underset{2}{\cancel{8}}}=\frac{1\times7}{5\times2}=\frac{7}{10}$

06 $8\times2\frac{3}{16}=\overset{1}{\cancel{8}}\times\frac{35}{\underset{2}{\cancel{16}}}=\frac{35}{2}=17\frac{1}{2}$

다른 풀이 $8\times2\frac{3}{16}=(8\times2)+\left(\overset{1}{\cancel{8}}\times\frac{3}{\underset{2}{\cancel{16}}}\right)=16+\frac{3}{2}$
$=17\frac{1}{2}$

08 $\frac{5}{\underset{3}{\cancel{9}}}\times\frac{\overset{\overset{1}{\cancel{2}}}{\cancel{6}}}{7}\times\frac{1}{\underset{4}{\cancel{8}}}=\frac{5\times1\times1}{3\times7\times4}=\frac{5}{84}$

09 $4\frac{1}{5}\times2\frac{7}{9}=\frac{\overset{7}{\cancel{21}}}{\underset{1}{\cancel{5}}}\times\frac{\overset{5}{\cancel{25}}}{\underset{3}{\cancel{9}}}=\frac{35}{3}=11\frac{2}{3}$

10 ㉠ $\overset{4}{\cancel{28}}\times\frac{6}{\underset{1}{\cancel{7}}}=24$ ㉡ $\frac{4}{\underset{1}{\cancel{5}}}\times\overset{2}{\cancel{10}}=8$

㉢ $\frac{5}{\underset{3}{\cancel{24}}}\times\overset{1}{\cancel{8}}=\frac{5}{3}=1\frac{2}{3}$

따라서 계산 결과가 자연수가 아닌 것은 ㉢입니다.

11 (마신 물의 양)$=\frac{2}{7}\times3=\frac{6}{7}$ (L)

12 단우: 1 L$=$1000 mL이므로
$\overset{250}{\cancel{1000}}\times\frac{1}{\underset{1}{\cancel{4}}}=250$ (mL)입니다.

시현: 1시간$=$60분이므로 $\overset{20}{\cancel{60}}\times\frac{1}{\underset{1}{\cancel{3}}}=20$(분)입니다.

13 $1\frac{5}{7}\times3\frac{3}{4}=\frac{\overset{3}{\cancel{12}}}{7}\times\frac{15}{\underset{1}{\cancel{4}}}=\frac{45}{7}=6\frac{3}{7}$

➜ $6\frac{3}{7}>\square$이므로 □ 안에 들어갈 수 있는 가장 큰 자연수는 6입니다.

14

채점 기준		
	❶ 계산에서 잘못된 부분을 찾아 이유 쓰기	3점
	❷ 바르게 계산하기	2점

15 ㉠ $5\times1\frac{1}{3}=5\times\frac{4}{3}=\frac{20}{3}=6\frac{2}{3}\left(=6\frac{8}{12}\right)$

㉡ $4\times2\frac{2}{5}=4\times\frac{12}{5}=\frac{48}{5}=9\frac{3}{5}$

㉢ $6\times1\frac{1}{8}=\overset{3}{\cancel{6}}\times\frac{9}{\underset{4}{\cancel{8}}}=\frac{27}{4}=6\frac{3}{4}\left(=6\frac{9}{12}\right)$

➜ ㉡>㉢>㉠

16 배추를 심은 부분은 서호네 땅 전체의

$\frac{\overset{1}{\cancel{2}}}{3}\times\frac{1}{\underset{1}{\cancel{2}}}\times\frac{5}{7}=\frac{1\times1\times5}{3\times1\times7}=\frac{5}{21}$입니다.

17

채점 기준		
	❶ 읽은 동화책의 쪽수 구하기	3점
	❷ 읽고 남은 동화책의 쪽수 구하기	2점

18 계산 결과가 가장 큰 (대분수)×(자연수)를 만들려면 가장 큰 수인 8을 곱하는 수에 놓고, 남은 세 숫자 카드로 만들 수 있는 대분수 중 가장 큰 분수인 $7\frac{3}{4}$을 곱해지는 수에 놓아야 합니다.

➜ $7\frac{3}{4}\times8=\frac{31}{\underset{1}{\cancel{4}}}\times\overset{2}{\cancel{8}}=62$

19 가: $3\frac{1}{4}\times3\frac{1}{4}=\frac{13}{4}\times\frac{13}{4}=\frac{169}{16}=10\frac{9}{16}$ (m^2)

나: $5\frac{5}{6}\times1\frac{7}{8}=\frac{35}{\underset{2}{\cancel{6}}}\times\frac{\overset{5}{\cancel{15}}}{8}=\frac{175}{16}=10\frac{15}{16}$ (m^2)

➜ $10\frac{9}{16}<10\frac{15}{16}$이므로 넓이가 더 넓은 것은 나입니다.

참고 (정사각형의 넓이)=(한 변의 길이)×(한 변의 길이)
(직사각형의 넓이)=(가로)×(세로)

20

채점 기준		
	❶ 1시간 20분은 몇 시간인지 분수로 나타내기	2점
	❷ 은재가 걸은 거리 구하기	3점

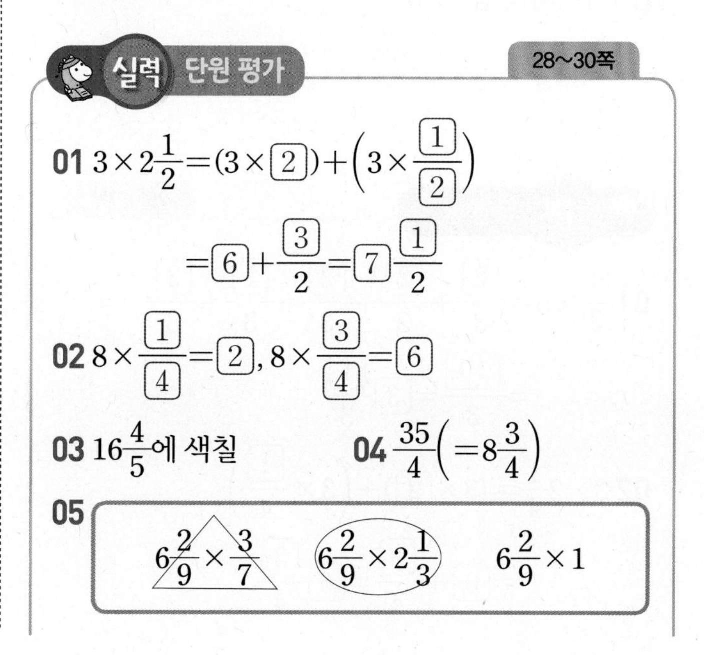

실력 단원 평가 28~30쪽

01 $3\times2\frac{1}{2}=(3\times\boxed{2})+\left(3\times\frac{\boxed{1}}{\boxed{2}}\right)$
$=\boxed{6}+\frac{\boxed{3}}{2}=\boxed{7}\frac{\boxed{1}}{2}$

02 $8\times\frac{\boxed{1}}{\boxed{4}}=\boxed{2}$, $8\times\frac{\boxed{3}}{\boxed{4}}=\boxed{6}$

03 $16\frac{4}{5}$에 색칠 **04** $\frac{35}{4}\left(=8\frac{3}{4}\right)$

05 $6\frac{2}{9}\times\frac{3}{7}$ (△), $6\frac{2}{9}\times2\frac{1}{3}$ (○), $6\frac{2}{9}\times1$

06 54　　**07** <

08 ㉠　　**09** 유주

10 3판　　**11** 198

12 $\frac{87}{4}\left(=21\frac{3}{4}\right)$ cm^2　　**13** $\frac{7}{12}$ m

14 예 ❶ 유찬이가 딴 딸기의 무게를 구하는 곱셈식을 세우면 $3\times1\frac{2}{5}$입니다.

❷ $3\times1\frac{2}{5}=3\times\frac{7}{5}=\frac{21}{5}=4\frac{1}{5}$ (kg)

/ $\frac{21}{5}\left(=4\frac{1}{5}\right)$ kg

15 7500원　　**16** $\frac{189}{20}\left(=9\frac{9}{20}\right)$

17 예 ❶ $3\times1\frac{1}{8}=3\times\frac{9}{8}=\frac{3\times9}{8}=\frac{27}{8}=3\frac{3}{8}$

이므로 $3\frac{3}{8}>\square\frac{5}{8}$입니다.

❷ □가 3이면 $3\frac{3}{8}<3\frac{5}{8}$이므로 □는 3보다 작아야 합니다. 따라서 □ 안에 들어갈 수 있는 자연수는 1, 2로 모두 2개입니다.

/ 2개

18 $\frac{363}{2}\left(=181\frac{1}{2}\right)$ cm^2　　**19** 20장

20 예 ❶ 어떤 수를 □라 하면 잘못 계산한 식은

$\square-1\frac{3}{4}=\frac{7}{12}$입니다.

$\square=\frac{7}{12}+1\frac{3}{4}=\frac{7}{12}+1\frac{9}{12}=2\frac{4}{12}=2\frac{1}{3}$

❷ 따라서 바르게 계산한 값은

$2\frac{1}{3}\times1\frac{3}{4}=\frac{7}{3}\times\frac{7}{4}=\frac{49}{12}=4\frac{1}{12}$입니다.

/ $\frac{49}{12}\left(=4\frac{1}{12}\right)$

풀이

05 $6\frac{2}{9}$에 1보다 작은 수를 곱하면 계산 결과가 $6\frac{2}{9}$보다 작아지고, 1보다 큰 수를 곱하면 계산 결과가 $6\frac{2}{9}$보다 커집니다.

06 $\frac{1}{9}\times\frac{1}{6}=\frac{1}{54}$ ➜ ▲$=54$

07 $\frac{17}{\cancel{40}_{10}}\times\cancel{12}^{3}=\frac{51}{10}=5\frac{1}{10}$, $\frac{11}{\cancel{30}_{5}}\times\cancel{18}^{3}=\frac{33}{5}=6\frac{3}{5}$

➜ $5\frac{1}{10}<6\frac{3}{5}$

08 ㉠ $3\frac{1}{2}\times14=49$　　㉡ $1\frac{5}{9}\times27=42$

㉢ $2\frac{4}{5}\times15=42$

09 유주: $\frac{6}{7}\times\frac{5}{8}\times\frac{9}{10}=\frac{\cancel{6}^{3}\times\cancel{5}^{1}\times9}{7\times\cancel{8}_{4}\times\cancel{10}_{2}}=\frac{27}{56}$

서아: $\frac{4}{5}\times\frac{1}{2}\times\frac{4}{9}=\frac{\cancel{4}^{2}\times1\times4}{5\times\cancel{2}_{1}\times9}=\frac{8}{45}$

10 피자는 모두 $\frac{1}{\cancel{4}_{1}}\times\cancel{12}^{3}=3$(판) 필요합니다.

11 $8\frac{5}{9}\times54=\frac{77}{\cancel{9}_{1}}\times\cancel{54}^{6}=462$,

$6\frac{3}{5}\times40=\frac{33}{\cancel{5}_{1}}\times\cancel{40}^{8}=264$

➜ $462-264=198$

12 (평행사변형의 넓이)

$=$(밑변의 길이)$\times$(높이)

$=6\times3\frac{5}{8}=\cancel{6}^{3}\times\frac{29}{\cancel{8}_{4}}=\frac{87}{4}=21\frac{3}{4}$ (cm^2)

13 (사용한 철사의 길이)$=\frac{7}{\cancel{10}_{2}}\times\frac{\cancel{5}^{1}}{6}=\frac{7}{12}$ (m)

14

채점 기준		
	❶ 유찬이가 딴 딸기의 무게를 구하는 곱셈식 세우기	2점
	❷ 계산하여 답 구하기	3점

15 (할인 기간에 판매하는 장난감 한 개의 가격)

$=\cancel{9000}^{1500}\times\frac{5}{\cancel{6}_{1}}=7500$(원)

16 만들 수 있는 가장 큰 대분수는 $5\frac{1}{4}$이고, 가장 작은 대분수는 $1\frac{4}{5}$입니다.

➜ $5\frac{1}{4}\times1\frac{4}{5}=\frac{21}{4}\times\frac{9}{5}=\frac{189}{20}=9\frac{9}{20}$

17

채점 기준		
	❶ 주어진 곱셈식을 계산하여 나타내기	3점
	❷ □ 안에 들어갈 수 있는 자연수는 모두 몇 개인지 구하기	2점

18 (타일을 붙인 부분의 넓이)

$=2\frac{3}{4}\times2\frac{3}{4}\times24=\frac{11}{4}\times\frac{11}{4}\times\frac{24}{1}$ (24와 첫 번째 4를 약분: 24 → 6, 4 → 1; 6과 두 번째 4를 약분: 6 → 3, 4 → 2)

$=\frac{363}{2}=181\frac{1}{2}\ (\mathrm{cm}^2)$

19 (어제 사용한 메모지의 수)$=36\times\frac{1}{9}=4$(장) (36과 9를 약분: 36 → 4, 9 → 1)

(어제 사용하고 남은 메모지의 수)$=36-4=32$(장)

(오늘 사용한 메모지의 수)$=32\times\frac{5}{8}=20$(장) (32와 8을 약분: 32 → 4, 8 → 1)

20

채점 기준		
	❶ 어떤 수 구하기	3점
	❷ 바르게 계산한 값 구하기	2점

연습 서술형 평가

31~32쪽

01 예 ❶ $\frac{3}{5}$에 1보다 큰 수를 곱하면 계산 결과가 $\frac{3}{5}$보다 커지므로 계산 결과가 $\frac{3}{5}$보다 큰 식은 $\frac{3}{5}\times3\frac{1}{7}$, $\frac{3}{5}\times2\frac{1}{3}$입니다.

❷ 따라서 모두 2개입니다.

/ 2개

02 예 ❶ $1\frac{2}{7}\times4\frac{1}{6}=\frac{9}{7}\times\frac{25}{6}=\frac{75}{14}=5\frac{5}{14}$, (9와 6을 약분: 9 → 3, 6 → 2)

$3\frac{1}{3}\times2\frac{1}{10}=\frac{10}{3}\times\frac{21}{10}=7$ (10과 10을 약분: 10 → 1, 10 → 1; 21과 3을 약분: 21 → 7, 3 → 1)

❷ $5\frac{5}{14}$<□<7이므로 □ 안에 들어갈 수 있는 자연수는 6입니다.

/ 6

03 예 ❶ 할인 기간에는 입장권 금액의 $\frac{3}{5}$만큼만 내면 되므로 입장권 1장은 $12000\times\frac{3}{5}=7200$(원)입니다. (12000과 5를 약분: 12000 → 2400, 5 → 1)

❷ 따라서 할인 기간에 입장권 4장을 사려면 $7200\times4=28800$(원)을 내야 합니다.

/ 28800원

04 예 ❶ 진분수는 분모가 클수록, 분자가 작을수록 작은 수가 되므로 분모가 될 수 있는 세 수는 6, 7, 9이고 분자가 될 수 있는 세 수는 1, 3, 4입니다.

❷ 따라서 계산 결과가 가장 작을 때의 곱은 $\frac{1\times3\times4}{6\times7\times9}=\frac{1\times1\times2}{1\times7\times9}=\frac{2}{63}$입니다. (3과 6을 약분: 3 → 1, 6 → 2; 4와 2를 약분: 4 → 2, 2 → 1)

/ $\frac{2}{63}$

풀이

01

채점 기준		
	❶ 계산 결과가 $\frac{3}{5}$보다 큰 식 모두 찾기	15점
	❷ 계산 결과가 $\frac{3}{5}$보다 큰 식은 모두 몇 개인지 구하기	10점

02

채점 기준		
	❶ 주어진 곱셈식 각각 계산하기	15점
	❷ □ 안에 들어갈 수 있는 자연수 구하기	10점

03

채점 기준		
	❶ 할인 기간에 입장권 1장의 가격 구하기	15점
	❷ 할인 기간에 입장권 4장을 사려면 얼마를 내야 하는지 구하기	10점

04

채점 기준		
	❶ 분모가 될 수 있는 세 수와 분자가 될 수 있는 세 수 각각 구하기	10점
	❷ 계산 결과가 가장 작을 때의 곱 구하기	15점

실전 서술형 평가

33~34쪽

01 ❶ 예 두 진분수의 곱셈을 계산할 때는 분모는 분모끼리, 분자는 분자끼리 곱해서 계산해야 하는데 분자끼리만 곱하였습니다.

❷ $\frac{5}{9}\times\frac{7}{9}=\frac{5\times7}{9\times9}=\frac{35}{81}$

02 예 ❶ (버스를 타고 간 거리)

$$=2\frac{3}{4}\times\frac{2}{3}=\frac{11}{\cancel{4}_{2}}\times\frac{\cancel{2}^{1}}{3}=\frac{11}{6}=1\frac{5}{6}\,(\text{km})$$

❷ (걸어서 간 거리) $=2\frac{3}{4}-1\frac{5}{6}=\frac{11}{4}-\frac{11}{6}$

$$=\frac{33}{12}-\frac{22}{12}=\frac{11}{12}\,(\text{km})$$

/ $\frac{11}{12}$ km

03 예 ❶ (공이 땅에 한 번 닿았다가 튀어 올랐을 때의 높이) $=\cancel{96}^{24}\times\frac{3}{\cancel{4}_{1}}=72\,(\text{cm})$

❷ (공이 땅에 두 번 닿았다가 튀어 올랐을 때의 높이) $=\cancel{72}^{18}\times\frac{3}{\cancel{4}_{1}}=54\,(\text{cm})$

/ 54 cm

04 예 ❶ (전체 직사각형의 넓이) $=25\times20$

$$=500\,(\text{cm}^2)$$

❷ (나의 넓이) $=\cancel{500}^{\cancel{20}^{5}}\times\frac{\cancel{12}^{3}}{\cancel{25}_{1}}\times\frac{9}{\cancel{16}_{\cancel{4}_{1}}}$

$$=135\,(\text{cm}^2)$$

❸ (다의 넓이) $=\cancel{135}^{5}\times\frac{25}{\cancel{27}_{1}}=125\,(\text{cm}^2)$

/ 125 cm²

풀이

01

채점 기준		
	❶ 계산에서 잘못된 부분을 찾아 이유 쓰기	15점
	❷ 바르게 계산하기	10점

02

채점 기준		
	❶ 버스를 타고 간 거리 구하기	15점
	❷ 걸어서 간 거리 구하기	10점

03

채점 기준		
	❶ 공이 땅에 한 번 닿았다가 튀어 올랐을 때의 높이 구하기	15점
	❷ 공이 땅에 두 번 닿았다가 튀어 올랐을 때의 높이 구하기	10점

04

채점 기준		
	❶ 전체 직사각형의 넓이 구하기	5점
	❷ 나의 넓이 구하기	10점
	❸ 다의 넓이 구하기	10점

3 합동과 대칭

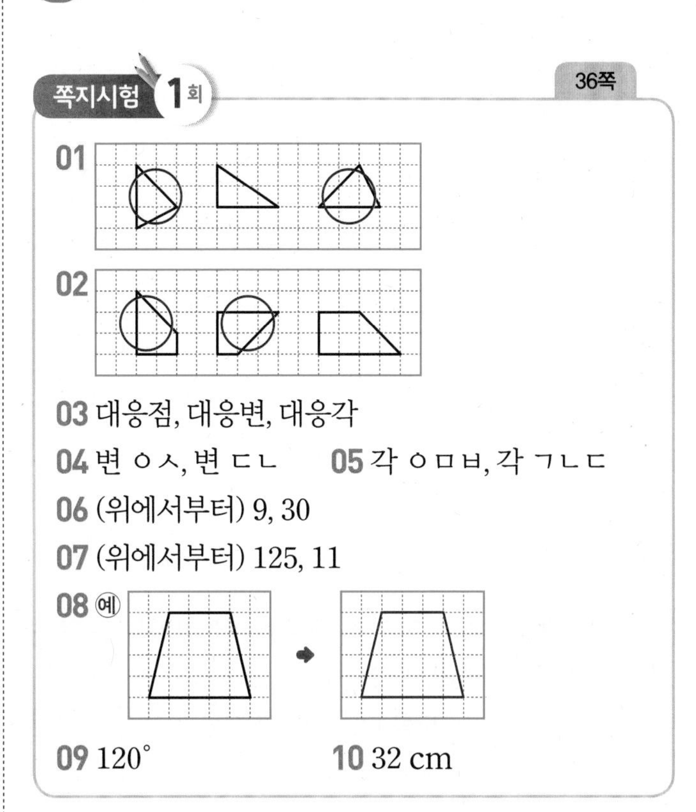

풀이

04 합동인 두 도형을 포개었을 때 변 ㄱㄴ은 변 ㅇㅅ과 겹치고, 변 ㅂㅅ은 변 ㄷㄴ과 겹칩니다.

05 합동인 두 도형을 포개었을 때 각 ㄱㄹㄷ은 각 ㅇㅁㅂ과 겹치고, 각 ㅇㅅㅂ은 각 ㄱㄴㄷ과 겹칩니다.

06~07 합동인 두 도형에서 각각의 대응변의 길이와 대응각의 크기는 서로 같습니다.

08 주어진 도형의 꼭짓점과 똑같은 위치에 점을 찍고, 찍은 점을 연결하여 합동인 도형을 그립니다.

09 각 ㅁㄹㅂ의 대응각은 각 ㄴㄷㄱ입니다.

(각 ㅁㄹㅂ) $=$ (각 ㄴㄷㄱ)

$$=180^\circ-(30^\circ+30^\circ)=120^\circ$$

10 (변 ㄱㄴ) $=$ (변 ㅇㅅ) $=8$ cm,

(변 ㄹㄷ) $=$ (변 ㅁㅂ) $=6$ cm

➜ (사각형 ㄱㄴㄷㄹ의 둘레) $=8+10+6+8$

$$=32\,(\text{cm})$$

쪽지시험 2회 37쪽

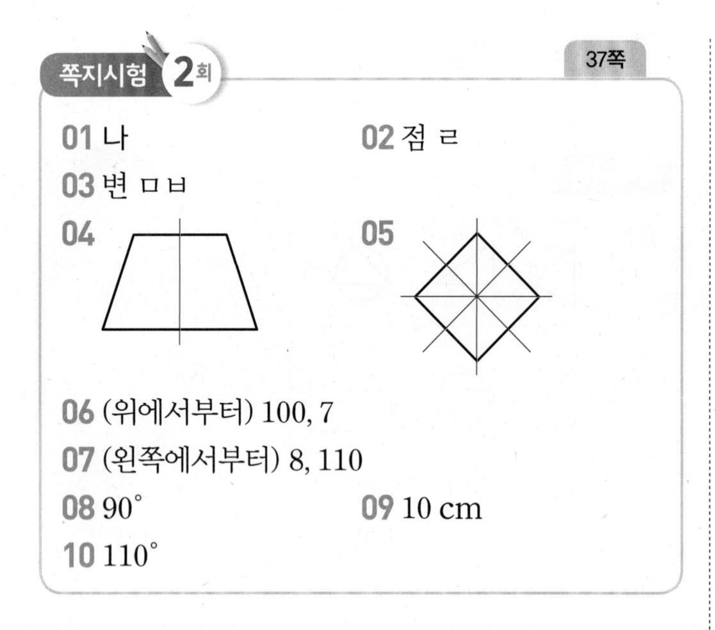

01 나　02 점 ㄹ

03 변 ㅁㅂ

04　05

06 (위에서부터) 100, 7

07 (왼쪽에서부터) 8, 110

08 90°　09 10 cm

10 110°

풀이

01 한 직선을 따라 접었을 때 완전히 겹치는 도형을 선대칭도형이라고 합니다.

참고 도형 가와 도형 다는 어떤 직선을 따라 접어도 완전히 겹쳐지지 않으므로 선대칭도형이 아닙니다.

02 대칭축을 따라 접었을 때 점 ㄴ과 점 ㄹ이 겹칩니다.

03 대칭축을 따라 접었을 때 변 ㄱㅂ과 변 ㅁㅂ이 겹칩니다.

04~05 도형을 완전히 겹치도록 반으로 접는 선을 그립니다.

참고 • 선대칭도형의 모양에 따라 대칭축은 1개일 수도 있고 여러 개일 수도 있습니다.
• 대칭축은 가로, 세로, 대각선 등 여러 가지 방향일 수 있으므로 다양하게 생각해 봅니다.

06~07 선대칭도형에서 각각의 대응변의 길이와 대응각의 크기는 서로 같습니다.

08 대응점끼리 이은 선분은 대칭축과 수직으로 만나므로 대칭축과 선분 ㅂㄹ이 만나서 이루는 각은 90°입니다.

09 대응점에서 대칭축까지의 거리가 서로 같으므로 (선분 ㅂㄹ)=(선분 ㅂㅇ)×2=5×2=10 (cm)입니다.

10 선대칭도형에서 대응각의 크기는 같으므로 ㉠=180°−(25°+45°)=110°입니다.

쪽지시험 3회 38쪽

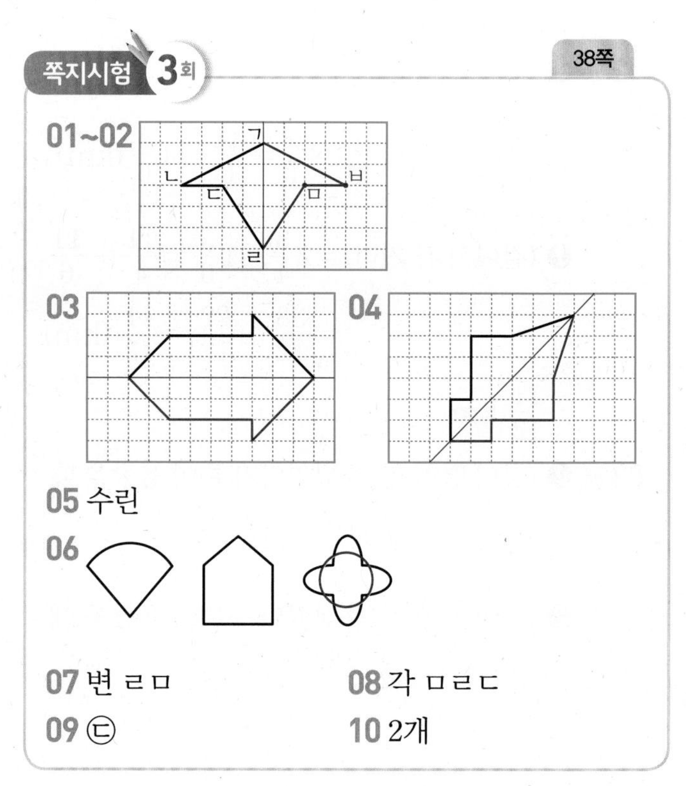

01~02

03　04

05 수린

06

07 변 ㄹㅁ　08 각 ㅁㄹㄷ

09 ㉢　10 2개

풀이

01 대칭축에 수선을 긋고 대칭축까지의 거리가 같도록 대응점을 찾아 표시합니다.

03~04 각 점에서 대칭축에 수선을 긋고 대칭축까지의 거리가 같도록 대응점을 찾아 표시한 후 각 대응점을 차례로 이어 선대칭도형을 완성합니다.

06 한 도형을 어떤 점을 중심으로 180° 돌렸을 때 처음 도형과 완전히 겹치는 도형을 점대칭도형이라고 합니다.

07 점 ㅇ을 중심으로 180° 돌렸을 때 변 ㄱㄴ은 변 ㄹㅁ과 겹칩니다.

08 점 ㅇ을 중심으로 180° 돌렸을 때 각 ㄴㄱㅂ은 각 ㅁㄹㄷ과 겹칩니다.

09 어떤 점을 중심으로 180° 돌렸을 때 처음 글자와 완전히 겹치는 글자를 찾습니다.

10

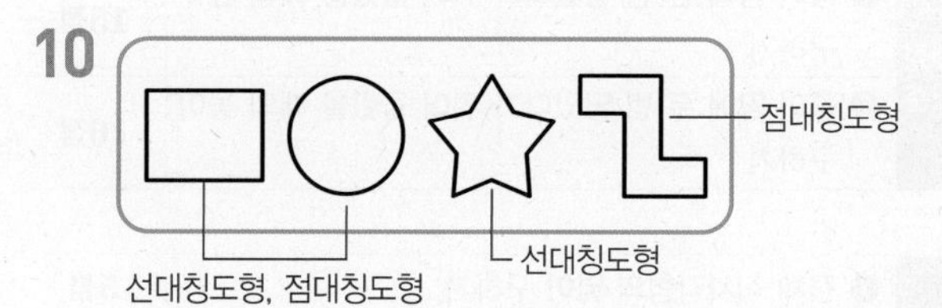

선대칭도형도 되고 점대칭도형도 되는 것은 첫 번째, 두 번째 도형으로 모두 2개입니다.

쪽지시험 4회 39쪽

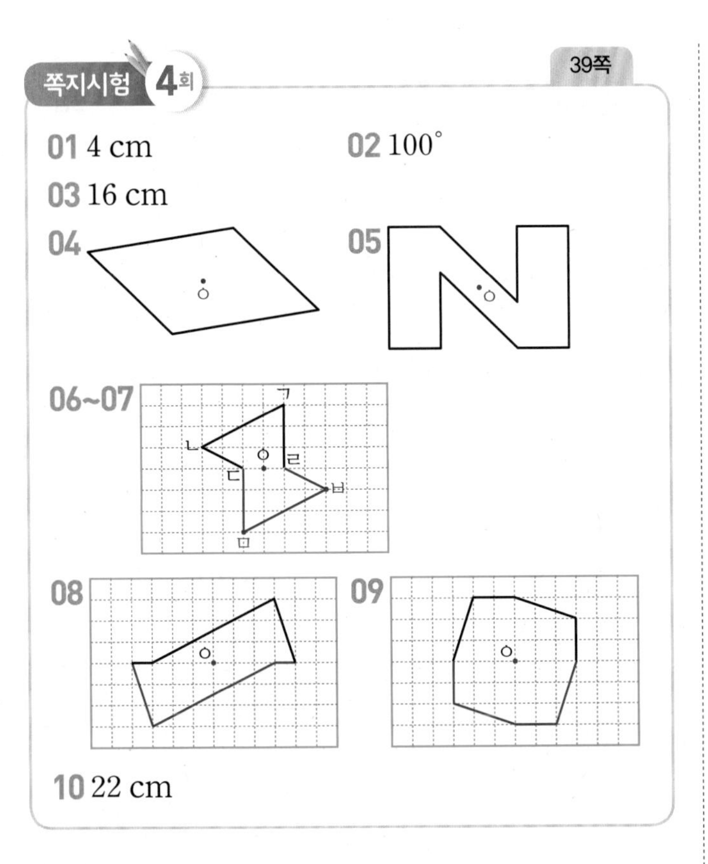

01 4 cm 02 100°

03 16 cm

04 05

06~07

08 09

10 22 cm

풀이

01 변 ㅂㅁ의 대응변은 변 ㄷㄴ이고, 대응변의 길이는 서로 같으므로 변 ㅂㅁ은 4 cm입니다.

02 각 ㄹㅁㅂ의 대응각은 각 ㄱㄴㄷ이고, 대응각의 크기는 서로 같으므로 각 ㄹㅁㅂ은 100°입니다.

03 대칭의 중심에서 두 대응점까지의 거리가 같으므로 (선분 ㄴㅁ)=(선분 ㅁㅇ)×2=8×2=16 (cm)입니다.

04~05 대응점끼리 이은 선분이 만나는 점이 대칭의 중심입니다.

06 대칭의 중심에서 같은 거리만큼 떨어져 있는 점을 찾아 각각 표시합니다.

08~09 대칭의 중심에서 같은 거리만큼 떨어져 있는 대응점을 찾아 각각 표시한 후 각 대응점을 차례로 이어 점대칭도형을 완성합니다.

10 점대칭도형에서 대응변의 길이는 서로 같으므로 (도형의 둘레)=(3+4+4)×2
=11×2=22 (cm)입니다.

기본 단원 평가 40~42쪽

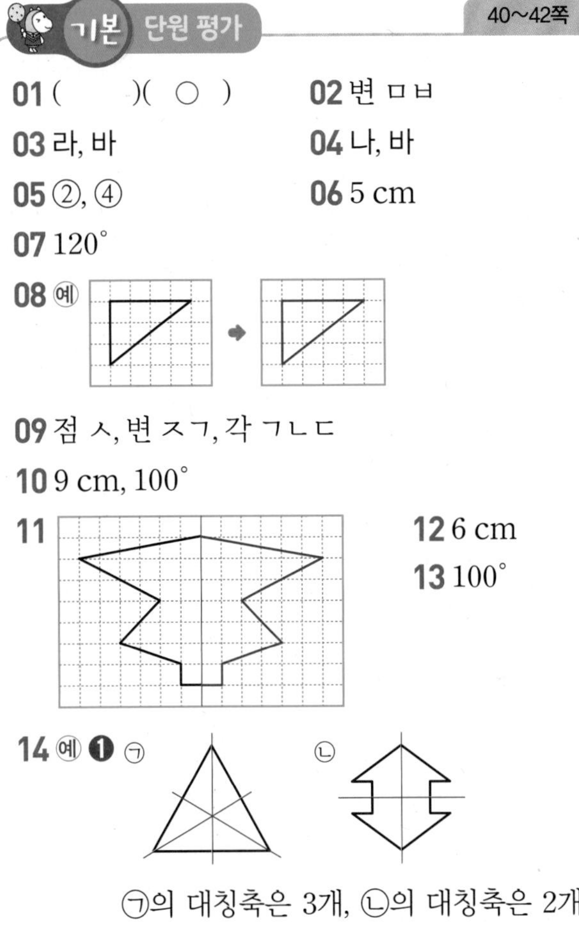

01 ( )(○) 02 변 ㅁㅂ

03 라, 바 04 나, 바

05 ②, ④ 06 5 cm

07 120°

08 예

09 점 ㅅ, 변 ㅈㄱ, 각 ㄱㄴㄷ

10 9 cm, 100°

11

12 6 cm

13 100°

14 예 ❶ ㉠ ㉡

㉠의 대칭축은 3개, ㉡의 대칭축은 2개입니다.

❷ 따라서 대칭축의 수가 더 많은 도형은 ㉠입니다.

/ ㉠

15 (위에서부터) 50, 9 16 ㉠, ㉢, ㉥

17 예 ❶ (각 ㄷㄴㄹ)=(각 ㄱㄴㄹ)=30°
(각 ㄴㄷㄹ)=(각 ㄴㄱㄹ)=50°

❷ 삼각형의 세 각의 크기의 합은 180°이므로 ㉠=180°−(30°+50°)=100°입니다.

/ 100°

18 24 cm 19 18 cm

20 예 ❶ (변 ㄱㄷ)=(변 ㄱㄴ)=17 cm

❷ (선분 ㄴㄹ)=(선분 ㄷㄹ)=□cm라 하면 선대칭도형의 둘레가 64 cm이므로 17+□+□+17=64, □+□=30, □=15입니다.
따라서 선분 ㄴㄹ은 15 cm입니다.

/ 15 cm

풀이

05 잘린 두 도형의 모양과 크기가 같은 것을 찾으면 ②, ④입니다.

06 변 ㅂㅁ의 대응변은 변 ㄴㄷ이고, 대응변의 길이는 같으므로 변 ㅂㅁ은 5 cm입니다.

07 각 ㄱㅂㅁ의 대응각은 각 ㄱㄴㄷ이고, 대응각의 크기는 같으므로 각 ㄱㅂㅁ은 120°입니다.

08 주어진 도형의 꼭짓점과 똑같은 위치에 점을 찍고, 찍은 점을 연결하여 합동인 도형을 그립니다.

09 점 ㅇ을 중심으로 180° 돌렸을 때 점 ㄷ과 점 ㅅ이 겹치고, 변 ㄹㅁ과 변 ㅈㄱ이 겹치고, 각 ㅁㅂㅅ과 각 ㄱㄴㄷ이 겹칩니다.

10 (변 ㄴㄷ)=(변 ㅂㄹ)=9 cm
(각 ㄴㄱㄷ)=(각 ㅂㅁㄹ)=100°

11 각 점에서 대칭축에 수선을 긋고 대칭축까지의 거리가 같도록 대응점을 찾아 표시한 후 각 대응점을 차례로 이어 선대칭도형을 완성합니다.

12 대칭의 중심에서 두 대응점까지의 거리가 같으므로 (선분 ㅂㄷ)=(선분 ㅂㅇ)×2=3×2=6 (cm)입니다.

13 (각 ㄴㄱㅂ)=(각 ㅁㄹㄷ)=70°
사각형의 네 각의 크기의 합은 360°이므로
(각 ㄱㅂㄷ)=360°−(70°+100°+90°)=100°입니다.

14

채점 기준		
	❶ ㉠과 ㉡의 대칭축의 수 구하기	3점
	❷ 대칭축의 수가 더 많은 도형의 기호 쓰기	2점

15 (변 ㅁㅂ)=(변 ㄷㄱ)=9 cm
(각 ㅁㅂㄹ)=(각 ㄷㄱㄴ)=35°이고,
삼각형의 세 각의 크기의 합은 180°이므로
(각 ㅁㄹㅂ)=180°−(95°+35°)=50°입니다.

16 • 선대칭도형: ㉠, ㉢, ㉣, ㉤, ㉥
• 점대칭도형: ㉠, ㉡, ㉢, ㉥
➜ 선대칭도형도 되고 점대칭도형도 되는 것은 ㉠, ㉢, ㉥입니다.

17

채점 기준		
	❶ 각 ㄷㄴㄹ과 각 ㄴㄷㄹ의 각도 구하기	3점
	❷ ㉠의 각도 구하기	2점

18

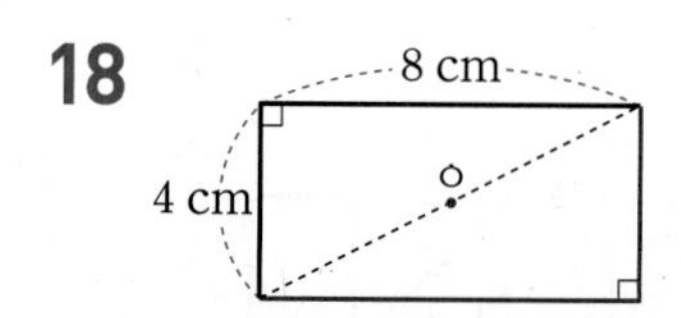

점대칭도형을 완성하면 가로가 8 cm, 세로가 4 cm인 직사각형이 됩니다.
(완성한 점대칭도형의 둘레)=(8+4)×2
=24 (cm)

19 (선분 ㅇㄷ)=(선분 ㅇㅂ)=3 cm이므로
(선분 ㄴㄷ)=12−(3+3)=6 (cm),
(선분 ㅁㅂ)=(선분 ㄴㄷ)=6 cm이므로
(선분 ㄴㅁ)=12+6=18 (cm)입니다.

20

채점 기준		
	❶ 변 ㄱㄷ의 길이 구하기	2점
	❷ 선분 ㄴㄹ의 길이 구하기	3점

실력 단원 평가

43~45쪽

01 선대칭도형 **02** 라
03 변 ㄹㅁ **04** 7 cm
05 각 ㅁㅂㄹ, 각 ㅂㄹㅁ, 각 ㄹㅁㅂ
06 4 cm **07** (위에서부터) 4, 125, 6
08 ㅇ **09** ㉡
10 ㄱ ㄴ
11 ㅇ
12 규선

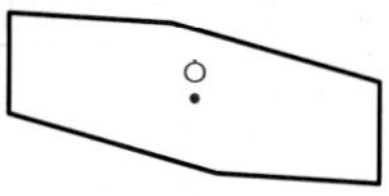

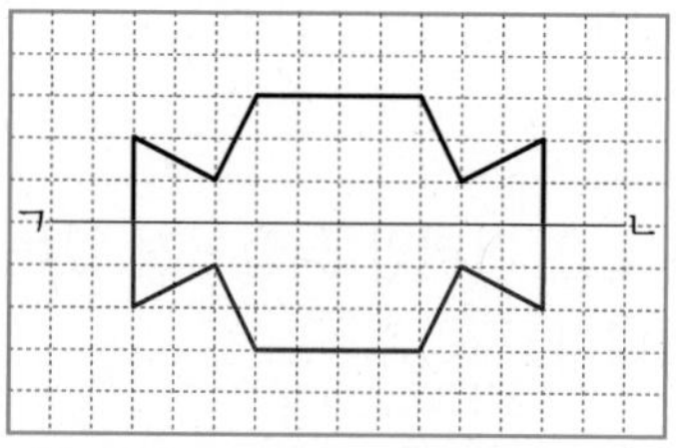

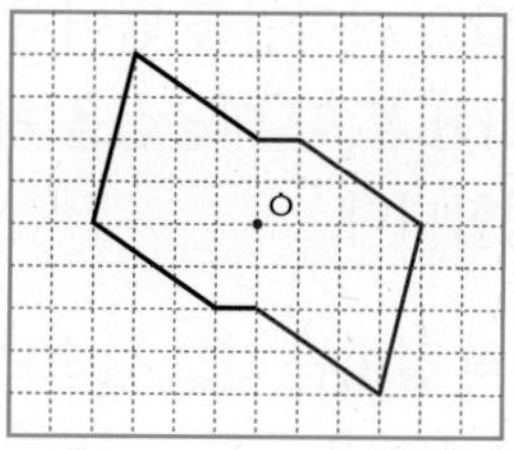

13 ❶ 점대칭도형이 아닙니다.

❷ 예 정삼각형은 어떠한 점을 중심으로 180° 돌려도 처음 도형과 완전히 겹치지 않으므로 점대칭도형이 아닙니다.

14 18 cm

15 ㉠, ㉢, ㉡

16 60°

17 예 ❶ 변 ㄱㄷ의 대응변은 변 ㄹㅂ이므로 (변 ㄱㄷ)$=$(변 ㄹㅂ)$=9$ cm입니다.

❷ 삼각형 ㄱㄴㄷ의 둘레가 36 cm이므로 (변 ㄱㄴ)$=36-(12+9)=15$ (cm)입니다.

/ 15 cm

18 120°

19 4 cm

20 예 ❶ (사다리꼴 ㄱㄴㄷㄹ의 넓이)
$=(13+9)\times8\div2=88$ (cm^2)

❷ (완성한 선대칭도형의 넓이)
$=88\times2=176$ (cm^2)

/ 176 cm^2

풀이

03 점 ㅇ을 중심으로 180° 돌렸을 때 변 ㄱㄴ과 변 ㄹㅁ이 겹칩니다.

04 변 ㄷㄹ의 대응변은 변 ㅂㄱ이고, 대응변의 길이는 같으므로 변 ㄷㄹ은 7 cm입니다.

05 서로 합동인 두 도형을 포개었을 때 완전히 겹치는 각을 대응각이라고 합니다.

06 변 ㄱㄴ의 대응변은 변 ㅁㅂ이고, 대응변의 길이는 같으므로 변 ㄱㄴ은 4 cm입니다.

07 선대칭도형에서 각각의 대응변의 길이와 대응각의 크기는 서로 같습니다.

08 대응점끼리 이은 선분이 만나는 점이 대칭의 중심입니다.

09 한 직선을 따라 접었을 때 완전히 겹치는 도형을 선대칭도형이라고 합니다.

10 각 점에서 대칭축에 수선을 긋고 대칭축까지의 거리가 같도록 대응점을 찾아 표시한 후 각 대응점을 차례로 이어 선대칭도형을 완성합니다.

11 대칭의 중심에서 같은 거리만큼 떨어져 있는 대응점을 찾아 각각 표시한 후 각 대응점을 차례로 이어 점대칭도형을 완성합니다.

12 정육각형은 점대칭도형입니다.
점대칭도형에서 대칭의 중심은 1개뿐입니다.
따라서 바르게 설명한 사람은 규선입니다.

13

채점 기준		
	❶ 정삼각형이 점대칭도형인지 아닌지 쓰기	2점
	❷ 이유 쓰기	3점

14 (선분 ㅂㅅ)$=$(선분 ㄴㅅ)$=8$ cm,
(선분 ㄷㅇ)$=$(선분 ㅁㅇ)$=10$ cm
➜ (선분 ㅂㅅ)$+$(선분 ㄷㅇ)$=8+10=18$ (cm)

15 ㉠ ㉡ ㉢

㉠ 4개
㉡ 1개
㉢ 2개

따라서 대칭축의 수가 많은 것부터 차례로 쓰면 ㉠, ㉢, ㉡입니다.

16 각 ㄱㄹㄷ의 대응각은 각 ㄷㄴㄱ입니다.
점대칭도형에서 대응각의 크기는 같으므로
(각 ㄱㄹㄷ)$=$(각 ㄷㄴㄱ)$=180^\circ-(80^\circ+40^\circ)=60^\circ$ 입니다.

17

채점 기준		
	❶ 변 ㄱㄷ의 길이 구하기	2점
	❷ 변 ㄱㄴ의 길이 구하기	3점

18 (각 ㄴㄱㄷ)$=$(각 ㄹㅁㄷ)$=30^\circ$,
(각 ㄱㄷㄴ)$=$(각 ㅁㄷㄹ)
$=180^\circ-(30^\circ+120^\circ)=30^\circ$
직선이 이루는 각도는 180°이므로
(각 ㄱㄷㅁ)$=180^\circ-(30^\circ+30^\circ)=120^\circ$입니다.

19 (선분 ㄴㄹ)$=6\times2=12$ (cm)이고,
두 대각선의 길이의 합이 20 cm이므로
(선분 ㄱㄷ)$=20-12=8$ (cm)입니다.
➜ (선분 ㄱㅇ)$=8\div2=4$ (cm)

20

채점 기준		
	❶ 사다리꼴 ㄱㄴㄷㄹ의 넓이 구하기	3점
	❷ 완성한 선대칭도형의 넓이 구하기	2점

참고 완성한 선대칭도형의 넓이는 사다리꼴 ㄱㄴㄷㄹ의 넓이의 2배입니다.

연습 서술형 평가 46~47쪽

01 예 ❶ 모양과 크기가 같아서 포개었을 때 완전히 겹치는 세 도형을 찾으면 가, 나, 라입니다.
❷ 따라서 나머지 셋과 합동이 아닌 도형은 다입니다. / 다

02 예 ❶ 점대칭도형에서 대응점끼리 이은 선분은 대칭의 중심을 지나고, 대칭의 중심에서 두 대응점까지의 거리는 같습니다.
❷ 따라서 선분 ㄱㅇ과 선분 ㄹㅇ의 길이가 같으므로 (선분 ㄱㅇ)$=14\div2=7$ (cm)입니다. / 7 cm

03 예 ❶ 선대칭도형에서 대응변의 길이는 서로 같으므로 (변 ㄱㄴ)=(변 ㄱㅂ)=11 m,
(변 ㄷㄹ)=(변 ㅁㄹ)=13 m,
(변 ㅂㅁ)=(변 ㄴㄷ)=9 m입니다.
❷ 따라서 땅의 둘레는
$(11+9+13)\times2=66$ (m)입니다.
/ 66 m

04 예 ❶ 직선이 이루는 각도는 $180°$이므로
(각 ㄹㄷㅂ)$=180°-130°=50°$입니다.
❷ 각 ㄱㄴㅂ의 대응각은 각 ㄹㄷㅂ이므로 각 ㄱㄴㅂ은 $50°$입니다.
❸ 사각형의 네 각의 크기의 합은 $360°$이므로
(각 ㅁㄱㄴ)$=360°-(50°+90°+90°)$
$=130°$입니다. / $130°$

풀이

01

채점 기준		
	❶ 모양과 크기가 같은 세 도형 찾기	15점
	❷ 나머지 셋과 합동이 아닌 도형 구하기	10점

02

채점 기준		
	❶ 대응점끼리 이은 선분과 대칭의 중심 사이의 관계 설명하기	10점
	❷ 선분 ㄱㅇ의 길이 구하기	15점

03

채점 기준		
	❶ 변 ㄱㄴ, 변 ㄷㄹ, 변 ㅂㅁ의 길이 구하기	15점
	❷ 땅의 둘레 구하기	10점

04

채점 기준		
	❶ 각 ㄹㄷㅂ의 크기 구하기	5점
	❷ 각 ㄱㄴㅂ의 크기 구하기	10점
	❸ 각 ㅁㄱㄴ의 크기 구하기	10점

실전 서술형 평가 48~49쪽

01 예 ❶ 변 ㄱㅅ의 대응변은 변 ㄴㄷ이고, 각 ㅅㅂㅁ의 대응각은 각 ㄷㄹㅁ입니다.
❷ 따라서 잘못 설명한 사람은 준현입니다.
/ 준현

02 예 ❶ 각 ㄹㄱㄴ의 대응각은 각 ㄴㄷㄹ이고, 대응각의 크기는 같으므로
(각 ㄴㄷㄹ)=(각 ㄹㄱㄴ)$=55°$입니다.
❷ (각 ㄱㄴㄷ)=(각 ㄷㄹㄱ)이므로
(각 ㄱㄴㄷ)$=(360°-55°-55°)\div2$
$=250°\div2=125°$입니다.
/ $125°$

03 예 ❶ 변 ㅁㅂ의 대응변은 변 ㄱㄴ이고, 대응변의 길이는 같으므로 변 ㅁㅂ은 16 cm입니다.
❷ 삼각형 ㄹㅁㅂ은 직각삼각형이므로
(삼각형 ㄹㅁㅂ의 넓이)$=16\times30\div2$
$=240$ (cm^2)
입니다.
/ 240 cm^2

04 예 ❶ 일부분인 점대칭도형에서 3개의 변의 길이의 합은 완성된 점대칭도형 둘레의 반입니다.
(변 ㄱㄴ)+(변 ㄴㄷ)+(변 ㄷㄹ)
$=36\div2=18$ (cm)
❷ (변 ㄷㄹ)$=18-(8+6)=4$ (cm)
/ 4 cm

풀이

01

채점 기준		
	❶ 변 ㄱㅅ의 대응변과 각 ㅅㅂㅁ의 대응각 구하기	15점
	❷ 잘못 설명한 사람은 누구인지 구하기	10점

02

채점 기준		
	❶ 각 ㄴㄷㄹ의 크기 구하기	10점
	❷ 각 ㄱㄴㄷ의 크기 구하기	15점

03

채점 기준		
	❶ 변 ㅁㅂ의 길이 구하기	15점
	❷ 삼각형 ㄹㅁㅂ의 넓이 구하기	10점

04

채점 기준		
	❶ 변 ㄱㄴ, 변 ㄴㄷ, 변 ㄷㄹ의 길이의 합 구하기	15점
	❷ 변 ㄷㄹ의 길이 구하기	10점

4 소수의 곱셈

쪽지시험 1회 51쪽

01 3.9　02 (위에서부터) 18.75, 100, 1875

03 $0.29 \times 5 = \frac{29}{100} \times 5 = \frac{29 \times 5}{100} = \frac{145}{100} = 1.45$

04 $1.9 \times 14 = \frac{19}{10} \times 14 = \frac{19 \times 14}{10} = \frac{266}{10} = 26.6$

05 33.2　06 22.12　07 41.58

08 <　09 ㉡　10 6.8 m

풀이

01 그림에서 1.3의 3배는 3.9입니다. ➜ $1.3 \times 3 = 3.9$

03 0.29를 분모가 100인 분수로 바꾸어 분수의 곱셈으로 계산합니다.

05 $4 \times 83 = 332$ ➜ $0.4 \times 83 = 33.2$

06 $316 \times 7 = 2212$ ➜ $3.16 \times 7 = 22.12$

07 $462 \times 9 = 4158$ ➜ $4.62 \times 9 = 41.58$

08 $5.3 \times 4 = 21.2$, $0.7 \times 38 = 26.6$ ➜ $21.2 < 26.6$

09 ㉠ $2.4 \times 9 = 21.6$　㉡ $0.57 \times 4 = 2.28$
㉢ $3.04 \times 5 = 15.2$

10 (정사각형의 네 변의 길이의 합)$=1.7 \times 4 = 6.8$ (m)

쪽지시험 2회 52쪽

01 26, 26, 208, 2.08

02 (위에서부터) 2.08, 100, 208

03 8.4　04 19.35　05 14.4

06 ㉢　07 5.52　08 18.46

09 26　10 6 kg

풀이

01 0.26을 분모가 100인 분수로 바꾸어 계산합니다.

02 0.26에서 26으로 100배 되었으므로 8×0.26의 곱은 8×26의 곱의 $\frac{1}{100}$배입니다.

03 $7 \times 12 = 84$ ➜ $7 \times 1.2 = 8.4$

04 $5 \times 387 = 1935$ ➜ $5 \times 3.87 = 19.35$

05 $16 \times 9 = 144$ ➜ $16 \times 0.9 = 14.4$

06 ㉠ 4.2를 4로 어림하면 $4 \times 4 = 16$이므로 4×4.2는 15보다 큽니다.
㉡ 3.16을 3으로 어림하면 $5 \times 3 = 15$이므로 5×3.16은 15보다 큽니다.
㉢ 4.8을 5로 어림하면 $3 \times 5 = 15$이므로 3×4.8은 15보다 작습니다.

07 12의 0.46배를 곱셈식으로 나타내면 $12 \times 0.46 = 5.52$입니다.

08 크기를 비교하면 $13 > 6 > 1.8 > 1.42$입니다.
가장 큰 수는 13, 가장 작은 수는 1.42이므로 곱하면 $13 \times 1.42 = 18.46$입니다.

09 $9 \times 2.8 = 25.2$이므로 $25.2 < \square$입니다.
따라서 □ 안에 들어갈 수 있는 가장 작은 자연수는 26입니다.

10 (일주일 동안 먹은 쌀의 양)$=8 \times 0.75 = 6$ (kg)

쪽지시험 3회 53쪽

01 0.35　02 0.392

03 7.42　04 7.871

05
$$\begin{array}{r} 2.8 \\ \times\ 3.6 \\ \hline 168 \\ 84 \\ \hline 10.08 \end{array}$$

06 0.54, 0.243

07 ㉡

08 0.56 km

09 1.08

10 28.98 cm^2

풀이

01 0.01이 35개이면 0.35입니다. ➜ $0.7 \times 0.5 = 0.35$

02 $49 \times 8 = 392$ ➜ $0.49 \times 0.8 = 0.392$

03 $53 \times 14 = 742$ ➜ $5.3 \times 1.4 = 7.42$

04 $17 \times 463 = 7871$ ➜ $1.7 \times 4.63 = 7.871$

05 소수 한 자리 수와 소수 한 자리 수의 곱은 소수 두 자리 수입니다.

06 $0.9 \times 0.6 = 0.54$, $0.9 \times 0.27 = 0.243$

07 ㉠ $0.86 \times 0.5 = 0.43$, ㉡ $0.8 \times 0.55 = 0.44$
➜ $0.43 < 0.44$

08 (집에서 학교까지의 거리)
=(집에서 도서관까지의 거리)×0.8
=0.7×0.8=0.56 (km)

09 ㉠ 0.1이 45개인 수는 4.5입니다.
㉡ 0.01이 24개인 수는 0.24입니다.
➜ 4.5×0.24=1.08

10 (직사각형의 넓이)=(가로)×(세로)
=6.3×4.6=28.98 (cm^2)

쪽지시험 4회 (54쪽)

01 21.96, 219.6, 2196	**02** 30.7, 3.07, 0.307
03 9⊡9□6□2	**04** (1) 68.32 (2) 6.832
05 10, 100, 1000	**06** 0.84, 8.4
07 1.9	**08** 0.28
09 0.45 kg	**10** 1000

풀이

04 (1) 4.27은 427의 $\frac{1}{100}$배이므로 16×4.27의 곱은 6832의 $\frac{1}{100}$배인 68.32입니다.
(2) 곱하는 두 수의 소수점 아래 자리 수를 더한 것과 계산 결과의 소수점 아래 자리 수가 같습니다.

05 곱의 소수점이 0.705에서 오른쪽으로 한 자리 옮겨지면 10배, 두 자리 옮겨지면 100배, 세 자리 옮겨지면 1000배 한 것입니다.

06 곱하는 수를 10배 할 때마다 곱의 소수점이 오른쪽으로 한 자리씩 옮겨집니다.

07 곱의 소수점이 3116에서 311.6으로 왼쪽으로 한 자리 옮겨졌으므로 곱해지는 수는 1.9입니다.

08 곱해지는 수 7.3이 소수 한 자리 수이고, 계산 결과 2.044가 소수 세 자리 수이므로 곱하는 수는 소수 두 자리 수입니다.

09 철근 0.01 m의 무게는 1 m 무게의 0.01배입니다. 45를 0.01배 하면 0.45이므로 철근 0.01 m의 무게는 45×0.01=0.45 (kg)입니다.

10 어떤 수를 □라고 하면 □×0.624=624입니다. 곱하는 수 0.624에서 소수점이 오른쪽으로 세 자리 옮겨져서 곱 624가 되었으므로 □=1000입니다.

기본 단원 평가 (55~57쪽)

01 1.3
02 16, 16, 13, 208, 20.8
03 (1) 2.97 (2) 0.282
04 53, 5.3, 0.53
05 7.923
06

07 (1) $0.73\times0.4=\frac{73}{100}\times\frac{4}{10}=\frac{73\times4}{1000}=\frac{292}{1000}$
$=0.292$
(2) 0.73 × 0.4 = 0.292
100배↓ 10배↓ ↑$\frac{1}{1000}$배
73 × 4 = 292

08 <
09 6.27
10 13.7, 0.46, 1.37
11 5.2 m
12 ㉡
13 307, 3.07

14 예 ❶ ㉠ kg은 인형 4개의 무게와 같습니다. 인형 한 개의 무게는 0.64 kg이므로 인형 4개의 무게는 0.64×4로 구할 수 있습니다.
❷ (인형 4개의 무게)
=0.64×4=2.56 (kg)
이므로 ㉠에 들어갈 수는 2.56입니다.
/ 2.56

15 73.2
16 ㉡

17 예 ❶ 어떤 수를 □라고 하면 잘못 계산한 값은 □×74이고, 바르게 계산한 값은 □×0.74입니다.
❷ □×74에서 74는 □×0.74에서 0.74의 100배이므로 잘못 계산한 값은 바르게 계산한 값의 100배가 됩니다.
/ 100배

18 승민
19 5

20 예 ❶ 숫자 카드 3장으로 만들 수 있는 가장 큰 소수 한 자리 수는 85.4이고, 가장 작은 소수 두 자리 수는 2.45입니다.
❷ 따라서 만들 수 있는 두 수의 곱은 85.4×2.45=209.23입니다.
/ 209.23

풀이

01 그림에서 2의 0.65배는 1.3입니다.
➔ $2\times0.65=1.3$

02 1.6을 분모가 10인 분수로 나타낸 다음 분자와 자연수를 곱하여 계산합니다.

03 (1) $11\times27=297$ ➔ $11\times0.27=2.97$
(2) $3\times94=282$ ➔ $0.3\times0.94=0.282$

04 곱하는 수를 0.1배, 0.01배, 0.001배, ... 할 때마다 곱의 소수점이 왼쪽으로 한 자리씩 옮겨집니다.

05 $4.17\times1.9=7.923$

06 $0.85\times14=11.9$, $3.7\times3=11.1$

07 (1) 0.73을 분모가 100인 분수로, 0.4를 분모가 10인 분수로 바꾸어 계산합니다.
(2) 곱하는 두 수의 소수점 아래 자리 수를 더한 것과 계산 결과의 소수점 아래 자리 수가 같습니다.

08 $23\times0.69=15.87$, $6\times2.84=17.04$
➔ $15.87<17.04$

09 수의 크기를 비교하면
$3.8>3.6>2.37>1.7>1.65$이므로 가장 큰 수는 3.8, 가장 작은 수는 1.65입니다.
➔ $3.8\times1.65=6.27$

10 곱하는 두 수의 소수점 아래 자리 수를 더한 것과 계산 결과의 소수점 아래 자리 수가 같음을 생각하여 □ 안에 들어갈 수를 알아봅니다.

11 (건물의 높이)=(나무의 높이)$\times1.3$
$=4\times1.3=5.2$ (m)

12 ㉠ 12.7을 13으로, 2.8을 3으로 어림하면 $13\times3=39$이므로 12.7×2.8은 39보다 작습니다.
㉡ 7.2를 7로, 6.04를 6으로 어림하면 $7\times6=42$이므로 7.2×6.04는 42보다 큽니다.
㉢ 9.8을 10으로, 3.75를 4로 어림하면 $10\times4=40$이므로 9.8×3.75는 40보다 작습니다.

13 □에 0.1배 하여 30.7이 되었으므로 30.7을 10배 하면 □입니다. ➔ □$=307$
30.7을 0.1배 하면 3.07입니다.

14

채점 기준		
	❶ 인형 4개의 무게를 구하는 식 세우기	2점
	❷ ㉠에 들어갈 수 구하기	3점

15 • 0.01이 305개인 수는 3.05입니다.
• 2.4의 10배인 수는 24입니다.
➔ $3.05\times24=73.2$

16 ㉠ $0.8\times0.54=0.432$
㉡ $0.5\times0.9=0.45$
㉢ $0.73\times0.6=0.438$
➔ $0.45>0.438>0.432$

17

채점 기준		
	❶ 잘못 계산한 값과 바르게 계산한 값을 □를 사용하여 나타내기	2점
	❷ 잘못 계산한 값은 바르게 계산한 값의 몇 배인지 구하기	3점

18 (민수가 마신 주스의 양)$=2\times0.35=0.7$ (L)
(진영이가 마신 주스의 양)$=0.55$ L
(승민이가 마신 주스의 양)$=2-0.7-0.55$
$=0.75$ (L)
따라서 주스를 가장 많이 마신 사람은 승민이입니다.

19 3.7을 4로 어림해 보면 $4\times$□$=20$에서 □$=5$입니다.
$3.7\times$□<20에서
□$=5$이면 $3.7\times5=18.5$,
□$=6$이면 $3.7\times6=22.2$입니다.
따라서 □ 안에 들어갈 수 있는 가장 큰 자연수는 5입니다.

20

채점 기준		
	❶ 만들 수 있는 가장 큰 소수 한 자리 수와 가장 작은 소수 두 자리 수 구하기	2점
	❷ 만들 수 있는 가장 큰 소수 한 자리 수와 가장 작은 소수 두 자리 수의 곱 구하기	3점

실력 단원 평가

58~60쪽

01 $1.7\times3.26=\frac{17}{10}\times\frac{326}{100}=\frac{5542}{1000}=5.542$

02 (1) 17.68 (2) 12.6

03 0.96, 0.096, 0.0096

04 14.257

05 0.86, 8.6, 86

06 ( )( )(○)

07 ㉢

08 (왼쪽에서부터) 24, 64.8

09

12×0.7	16×0.45	25×0.64
5×1.44	6×1.4	20×0.8

10 3, 1, 2

11 17.5 km

12 ㉢

13 0.624

14 예 ❶ ㉠ $26\times0.3=7.8$, ㉡ $18\times0.85=15.3$입니다.
❷ 따라서 7.8보다 크고 15.3보다 작은 자연수는 8, 9, 10, 11, 12, 13, 14, 15로 모두 8개입니다. / 8개

15 74.2 kg

16

$$\begin{array}{r} 0\,.\,6\,\boxed{5} \\ \times\quad \boxed{4}.\,8 \\ \hline 5\;2\;0 \\ 2\;\boxed{6}\;0\quad \\ \hline \boxed{3}.\,1\;\boxed{2}\;0 \end{array}$$

17 예 ❶ 트럭에 실을 수 있는 상자 수를 □개라고 하면 $4.7\times□=300$이거나 $4.7\times□<300$입니다.
❷ 4.7을 5로 어림하여 보면 $5\times60=300$이므로
□$=60$일 때 $4.7\times60=282(<300)$,
□$=61$일 때 $4.7\times61=286.7(<300)$,
□$=62$일 때 $4.7\times62=291.4(<300)$,
□$=63$일 때 $4.7\times63=296.1(<300)$,
□$=64$일 때 $4.7\times64=300.8(>300)$
입니다.
❸ 따라서 트럭에 상자를 63개까지 실을 수 있습니다. / 63개

18 $9.3\times6.5=60.45$

19 2250 g

20 예 ❶ (종이테이프 3장의 길이의 합)
$=7.4\times3=22.2$ (cm)
(겹쳐진 부분의 길이의 합)
$=1.8+1.8=3.6$ (cm)
❷ 따라서 이어 붙인 전체 길이는 $22.2-3.6=18.6$ (cm)입니다. / 18.6 cm

풀이

01 소수를 분수로 바꾸어 계산하는 방법입니다.

02 (1) $68\times26=1768$ ➔ $0.68\times26=17.68$
(2) $14\times9=126$ ➔ $14\times0.9=12.6$

03 곱하는 두 수의 소수점 아래 자리 수를 더한 것과 계산 결과의 소수점 아래 자리 수가 같습니다.

04 $2.69\times5.3=14.257$

05 곱하는 수를 10배, 100배, 1000배, ... 할 때마다 곱의 소수점이 오른쪽으로 한 자리씩 옮겨집니다.

06 $0.96\times35=33.6$, $1.35\times24=32.4$, $1.76\times25=44$

07 ㉠ 1.1을 1로 어림하면 $1\times35=35$이므로 1.1×35는 35보다 큽니다.
㉡ 2.85를 3으로 어림하면 $3\times7=21$이므로 2.85×7은 21보다 작습니다.
㉢ 52를 50으로 어림하면 $0.5\times50=25$이므로 0.5×52는 25보다 큽니다.
따라서 계산 결과가 30에 가장 가까운 것은 ㉢입니다.

08 $1.6\times15=24$, $24\times2.7=64.8$

09 $12\times0.7=8.4$, $16\times0.45=7.2$, $25\times0.64=16$, $5\times1.44=7.2$, $6\times1.4=8.4$, $20\times0.8=16$

10 $0.74\times0.65=0.481$, $0.4\times0.98=0.392$, $0.84\times0.5=0.42$
➔ $0.392<0.42<0.481$

11 일주일은 7일입니다.
(유진이가 일주일 동안 걷기 운동을 한 거리)
$=2.5\times7=17.5$ (km)

12 ㉠ □$\times 5.2=187.2$, $36\times 5.2=187.2$ ➔ □$=36$
㉡ $3.6\times$□$=18.72$, $3.6\times 5.2=18.72$ ➔ □$=5.2$
㉢ □$\times 0.52=1.872$, $3.6\times 0.52=1.872$
➔ □$=3.6$

13 $106.8\times$㉠$=1.068$에서 곱의 소수점이 왼쪽으로 두 자리 옮겨졌으므로 ㉠$=0.01$입니다.
$10\times 6.24=62.4$이므로 ㉡$=62.4$입니다.
➔ ㉠$\times$㉡$=0.01\times 62.4=0.624$

14

채점 기준		
	❶ ㉠, ㉡의 곱셈 계산하기	3점
	❷ ㉠과 ㉡을 만족하는 자연수의 개수 구하기	2점

15 (화성에서 잰 몸무게)$=35\times 0.38=13.3$ (kg)
(목성에서 잰 몸무게)$=35\times 2.5=87.5$ (kg)
➔ $87.5-13.3=74.2$ (kg)

16

```
    0 . 6 ㉠
×     ㉡ . 8
-----------
    5  2  0
 2  ㉢ 0
-----------
㉣ . 1 ㉤ 0
```

㉠$\times 8$의 곱의 일의 자리 숫자가 0이므로 ㉠$=0$ 또는 ㉠$=5$입니다.
$65\times 8=520$이므로 ㉠$=5$입니다.
$5\times$㉡의 곱의 일의 자리 숫자가 0이고, $65\times$㉡$=2$㉢0이므로 ㉡$=4$, ㉢$=6$입니다.
$0.65\times 4.8=3.12$이므로 ㉣$=3$, ㉤$=2$입니다.

17

채점 기준		
	❶ 상자 수를 □라고 하고 식 세우기	2점
	❷ □ 안에 수를 넣어 계산해 보기	2점
	❸ 트럭에 실을 수 있는 최대 상자 수 구하기	1점

18 곱이 가장 크려면 더 큰 수 6과 9를 자연수 부분에 놓습니다. ➔ $9.5\times 6.3=59.85$, $9.3\times 6.5=60.45$
따라서 곱이 가장 큰 곱셈식은 $9.3\times 6.5=60.45$입니다.

19 1냥은 1돈의 10배, 1관은 1냥의 10배이므로 1관은 1돈의 100배입니다.
1돈은 3.75 g이고 3.75의 100배는 $3.75\times 100=375$이므로 1관은 375 g입니다.
따라서 금 6관의 무게는 $375\times 6=2250$ (g)입니다.

20

채점 기준		
	❶ 종이테이프 3장의 길이의 합과 겹쳐진 부분의 길이의 합 구하기	3점
	❷ 이어 붙인 전체 길이 구하기	2점

연습 서술형 평가

61~62쪽

01 예 ❶ 0.42는 42의 $\frac{1}{100}$배이므로 9×0.42의 곱은 9×42의 곱의 $\frac{1}{100}$배입니다.
❷ 9와 42의 곱은 약 360이고 9와 0.42의 곱은 360의 $\frac{1}{100}$배쯤이므로 약 3.6입니다.
따라서 ㉠$=3.6$입니다. / 3.6

02 예 ❶ $36\times 14=504$에서 곱하는 두 수 중 36이 0.01배, 14가 0.1배가 되면 계산 결과는 0.001배가 됩니다.
❷ 따라서 $0.36\times 1.4=0.504$입니다.
/ 0.504

03 예 ❶ 30분은 0.5시간이므로 2시간 30분은 2.5시간입니다.
❷ (2시간 30분 동안 갈 수 있는 거리)
$=$(한 시간 동안 갈 수 있는 거리)$\times$(시간)
$=3.8\times 2.5=9.5$ (km)
/ 9.5 km

04 예 ❶ 승준이가 계산하려는 값은 $7.5\times 0.46=3.45$입니다.
3.45는 계산기에 찍힌 34.5의 $\frac{1}{10}$배입니다.
❷ 따라서 승준이가 누른 수는 7.5 또는 0.46을 10배 한 수이므로 승준이가 계산기에 누른 두 수는 75, 0.46 또는 7.5, 4.6입니다.
/ 75, 0.46 또는 7.5, 4.6

풀이

01

채점 기준		
	❶ 9×0.42의 곱과 9×42의 곱의 관계 알아보기	10점
	❷ ㉠에 알맞은 수 구하기	15점

02

채점 기준		
	❶ 곱하는 두 수와 계산 결과가 각각 몇 배가 되는지 알아보기	10점
	❷ 계산한 값은 얼마인지 구하기	15점

03

채점 기준		
	❶ 2시간 30분은 몇 시간인지 소수로 나타내기	10점
	❷ 2시간 30분 동안 갈 수 있는 거리 구하기	15점

04

채점 기준		
	❶ 승준이가 계산하려는 값과 계산기에 찍힌 수 비교하기	10점
	❷ 승준이가 계산기에 누른 두 수 구하기	15점

실전 서술형 평가

63~64쪽

01 예 ❶ □$=5$일 때 $3.58\times6=21.48(>20.5)$,
□$=4$일 때 $3.48\times6=20.88(>20.5)$,
□$=3$일 때 $3.38\times6=20.28(<20.5)$
❷ 따라서 □ 안에 들어갈 수 있는 자연수는 3이거나 3보다 작은 수이므로 1, 2, 3으로 모두 3개입니다. / 3개

02 예 ❶ 곱이 가장 작으려면 0이 아닌 가장 작은 수를 자연수에 놓고, 나머지 숫자로 가장 작은 소수 두 자리 수를 만듭니다.
❷ 만들 수 있는 곱셈식은 $3\times0.67=2.01$이므로 가장 작은 곱은 2.01입니다. / 2.01

03 예 ❶ 새로 만든 종이의 가로는 0.9 m의 0.4배이므로 $0.9\times0.4=0.36$ (m)이고,
세로는 0.5 m의 0.4배이므로
$0.5\times0.4=0.2$ (m)입니다.
❷ 따라서 새로 만든 종이의 넓이는
$0.36\times0.2=0.072$ (m^2)입니다.
/ 0.072 m^2

04 예 ❶ ㉠과 ㉡에서 곱하는 두 수를 각각 비교하면 5.2는 0.52의 10배, 29.6은 2.96의 10배입니다.
❷ 5.2×29.6의 계산 결과는 0.52×2.96의 계산 결과의 $10\times10=100$(배)입니다.
따라서 ㉠의 계산 결과는 ㉡의 계산 결과의 100배입니다. / 100배

풀이

01	채점 기준	❶ □ 안에 들어갈 수를 예상하여 넣어 보고 계산하여 비교하기	15점
		❷ □ 안에 들어갈 수 있는 자연수의 개수 구하기	10점
02	채점 기준	❶ 곱이 가장 작게 되는 곱셈식을 만드는 방법 설명하기	10점
		❷ 곱이 가장 작은 곱셈식의 곱 구하기	15점
03	채점 기준	❶ 새로 만든 종이의 가로와 세로 구하기	15점
		❷ 새로 만든 종이의 넓이 구하기	10점
04	채점 기준	❶ ㉠에서 곱하는 두 수는 ㉡에서 곱하는 두 수의 몇 배인지 각각 구하기	10점
		❷ ㉠의 계산 결과는 ㉡의 계산 결과의 몇 배인지 구하기	15점

5 직육면체와 정육면체

쪽지시험 1회

66쪽

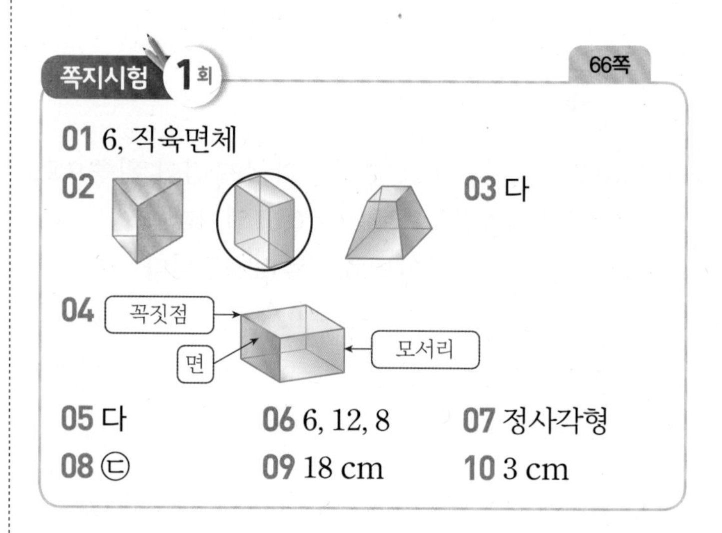

01 6, 직육면체
02 (그림)
03 다
04 (그림)
05 다
06 6, 12, 8
07 정사각형
08 ㉢
09 18 cm
10 3 cm

풀이

03 직육면체는 직사각형 6개로 둘러싸인 도형이므로 면이 될 수 있는 도형은 직사각형입니다.

06 정육면체의 면은 6개, 모서리는 12개, 꼭짓점은 8개입니다.

07 정육면체는 정사각형 6개로 둘러싸인 도형이므로 한 면을 본떠 그린 도형은 정사각형입니다.

08 ㉢ 직육면체의 모서리의 길이는 모두 같지는 않습니다.

09 면 ㅁㅂㅅㅇ은 가로 6 cm, 세로 3 cm인 직사각형이므로 둘레는 $(6+3)\times2=18$ (cm)입니다.

10 만들 수 있는 가장 큰 정육면체의 한 모서리의 길이는 직육면체의 가장 짧은 모서리의 길이인 3 cm입니다.

쪽지시험 2회

67쪽

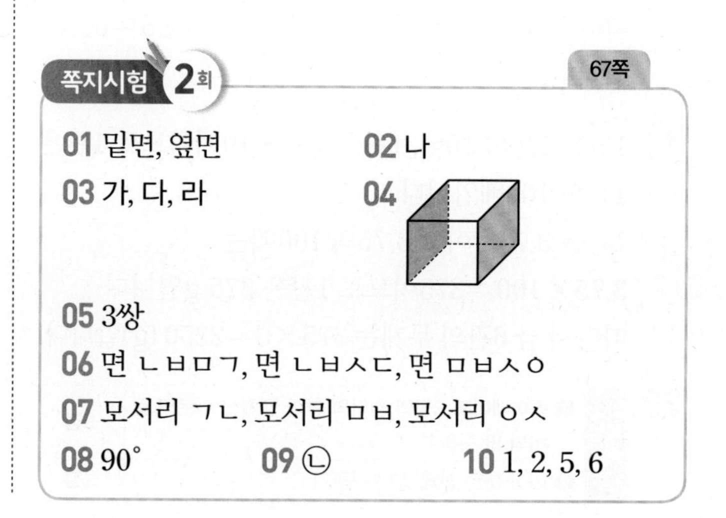

01 밑면, 옆면
02 나
03 가, 다, 라
04 (그림)
05 3쌍
06 면 ㄴㅂㅁㄱ, 면 ㄴㅂㅅㄷ, 면 ㅁㅂㅅㅇ
07 모서리 ㄱㄴ, 모서리 ㅁㅂ, 모서리 ㅇㅅ
08 90°
09 ㉡
10 1, 2, 5, 6

풀이

01 • 밑면: 직육면체에서 평행한 두 면
• 옆면: 밑면과 수직인 면

04 직육면체에서 밑면은 서로 평행한 두 면입니다.

05 직육면체에서 서로 마주 보는 두 면은 3쌍입니다.

06 점 ㅂ을 포함하는 면을 찾습니다.

07 마주 보는 모서리끼리 길이가 같습니다.

08 한 모서리에서 두 면은 수직으로 만납니다.
따라서 두 면이 만나 이루는 각도는 90°입니다.

09 ㉠ 옆면은 밑면과 수직으로 만납니다.
㉢ 한 면과 수직으로 만나는 면은 4개입니다.

10 다른 한 밑면의 눈의 수는 $7-4=3$이므로 옆면의 눈의 수는 1, 2, 5, 6입니다.

쪽지시험 3회

68쪽

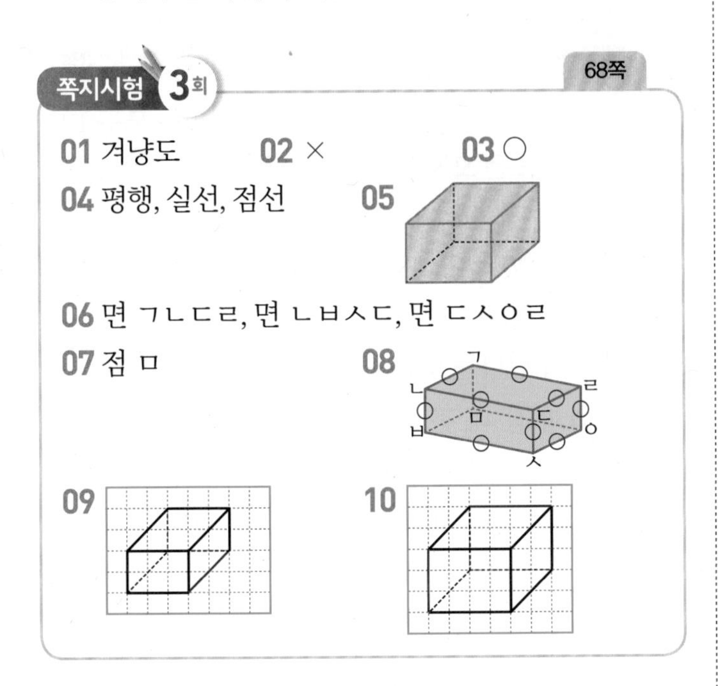

01 겨냥도 **02** × **03** ○
04 평행, 실선, 점선 **05**
06 면 ㄱㄴㄷㄹ, 면 ㄴㅂㅅㄷ, 면 ㄷㅅㅇㄹ
07 점 ㅁ **08**
09 **10**

풀이

02~03 겨냥도는 보이는 모서리는 실선으로, 보이지 않는 모서리는 점선으로 그립니다.

05 보이지 않는 모서리는 점선으로 그립니다.

06 실선으로 둘러싸인 면을 모두 찾습니다.

07 점선 3개가 만나는 꼭짓점은 보이지 않는 꼭짓점입니다.

08 점선으로 나타낸 모서리는 보이지 않는 모서리입니다. 실선을 모두 찾아 ○표 합니다.

09~10 보이는 모서리는 실선으로, 보이지 않는 모서리는 점선으로 그립니다.

쪽지시험 4회

69쪽

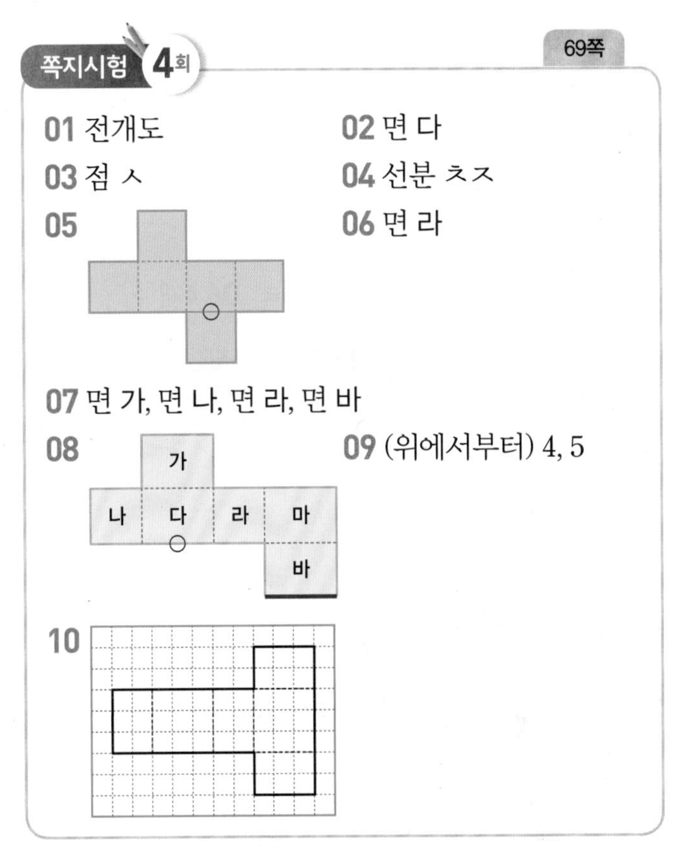

01 전개도 **02** 면 다
03 점 ㅅ **04** 선분 ㅊㅈ
05 **06** 면 라
07 면 가, 면 나, 면 라, 면 바
08 **09** (위에서부터) 4, 5

10

풀이

01 정육면체와 같은 도형의 모서리를 잘라서 평면 위에 펼쳐 나타낸 그림을 전개도라고 합니다.

02 전개도를 접었을 때 면 마와 평행한 면은 만나지 않는 면이므로 면 다입니다.

03 전개도를 접었을 때 점 ㅁ과 점 ㅅ이 만납니다.

04 전개도를 접었을 때 선분 ㄴㄷ과 선분 ㅊㅈ이 겹칩니다.

05 정육면체의 전개도에서 자른 모서리는 실선으로, 자르지 않은 모서리는 점선으로 나타냅니다.

06 면 나와 마주 보는 면은 만나지 않는 면으로 면 라입니다.

07 면 다와 수직인 면은 만나는 면으로 면 가, 면 나, 면 라, 면 바입니다.

08 전개도를 접었을 때 서로 만나는 점을 먼저 찾아봅니다.

09 전개도를 접었을 때 겹치는 모서리끼리 길이가 같습니다.

10 접히는 부분을 찾아 점선으로 나타냅니다.

기본 단원 평가

70~72쪽

01 나, 라, 바

02 나

03

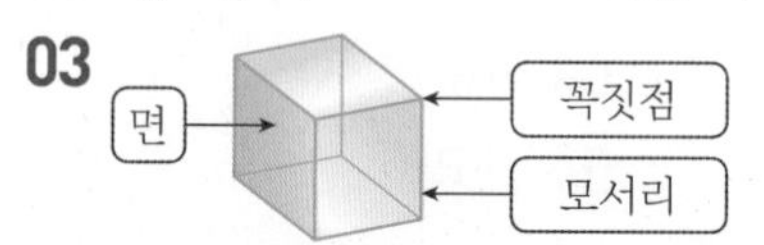

04 다

05 면 ㄱㅁㅇㄹ

06 4개

07

	면의 수(개)	모서리의 수(개)	꼭짓점의 수(개)	면의 모양
직육면체	6	12	8	직사각형
정육면체	6	12	8	정사각형

08 ㉡

09 예 ❶ 직육면체가 아닙니다.
❷ 이유: 직육면체는 직사각형 6개로 둘러싸인 도형인데, 직사각형이 아닌 면이 있기 때문입니다.

10

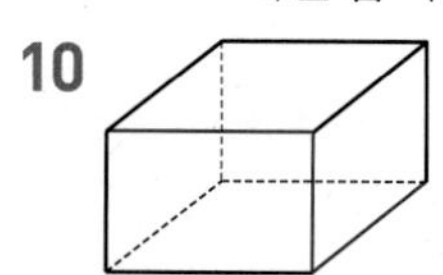

11 72 cm

12 면 나, 면 다, 면 마, 면 바

13 선분 ㄴㄱ

14 ㉢

15 예

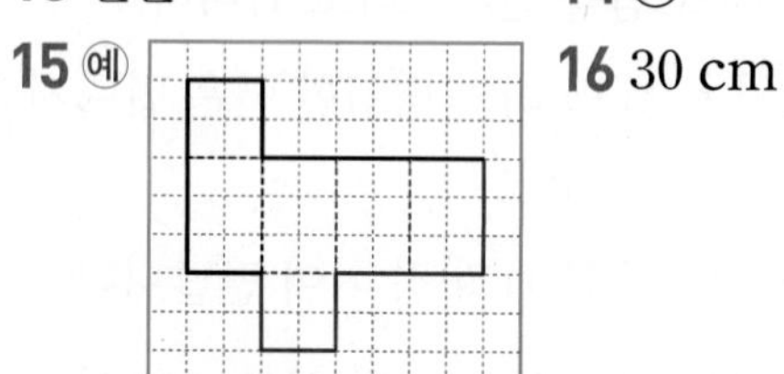

16 30 cm

17 예 ❶ 보이지 않는 모서리는 점선으로 그린 부분으로 5 cm, 6 cm, 10 cm인 모서리가 각각 1개씩 있습니다.
❷ 따라서 보이지 않는 모서리의 길이의 합은 $5+6+10=21$(cm)입니다. / 21 cm

18 10

19

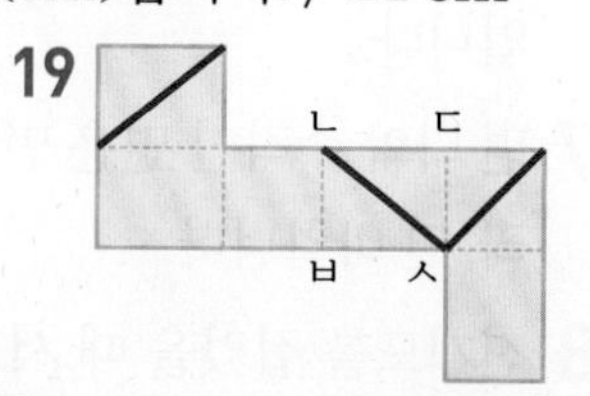

20 예 ❶ 사각형 ㄱㄴㄷㄹ은 7 cm인 선분 8개로 이루어진 직사각형입니다.
❷ 따라서 사각형 ㄱㄴㄷㄹ의 둘레는 $7\times8=56$ (cm)입니다. / 56 cm

풀이

04 겨냥도는 보이는 모서리는 실선으로, 보이지 않는 모서리는 점선으로 그립니다.

05 다른 밑면은 면 ㄴㅂㅅㄷ과 평행한 면으로 면 ㄱㅁㅇㄹ입니다.

06 면 ㄴㅂㅅㄷ과 만나는 면 ㄱㄴㄷㄹ, 면 ㄷㅅㅇㄹ, 면 ㅁㅂㅅㅇ, 면 ㄴㅂㅁㄱ은 모두 면 ㄴㅂㅅㄷ에 수직인 면입니다.

07 직육면체와 정육면체는 면의 수, 모서리의 수, 꼭짓점의 수가 같고, 면의 모양이 다릅니다.

08 ㉠ 꼭짓점은 모두 8개입니다.
㉢ 면은 모두 정사각형 모양입니다.

09

채점 기준		
	❶ 직육면체인지 아닌지 쓰기	2점
	❷ 이유 써 보기	3점

11 한 모서리의 길이가 6 cm이고, 모서리는 모두 12개이므로 모든 모서리의 길이의 합은 $6\times12=72$ (cm)입니다.

12 면 가와 평행한 면인 면 라를 제외한 모든 면은 면 가와 만납니다.
면 가와 만나는 면은 면 가와 수직인 면입니다.

13 점 ㄹ과 점 ㄴ, 점 ㅁ과 점 ㄱ이 만나므로 선분 ㄹㅁ과 선분 ㄴㄱ이 겹칩니다.

14 ㉢ 직육면체에서 두 밑면은 서로 평행합니다.

15 전개도를 그릴 때 자른 모서리는 실선으로, 자르지 않은 모서리는 점선으로 그립니다.

16 면 가와 평행한 면은 가로 7 cm, 세로 8 cm인 직사각형이므로 둘레는 $(7+8)\times2=30$ (cm)입니다.

17

채점 기준		
	❶ 보이지 않는 모서리 찾기	2점
	❷ 보이지 않는 모서리의 길이의 합 구하기	3점

18 • 보이지 않는 면은 3개입니다. → □=3
• 보이는 꼭짓점은 7개입니다. → □=7
➔ $3+7=10$

19 전개도에서 빨간색 선과 만나는 점을 확인하여 전개도를 접었을 때 만나는 점과 이어 그립니다.

20

채점 기준		
	❶ 사각형 ㄱㄴㄷㄹ은 어떤 사각형인지 알아보기	2점
	❷ 사각형 ㄱㄴㄷㄹ의 둘레 구하기	3점

실력 단원 평가 73~75쪽

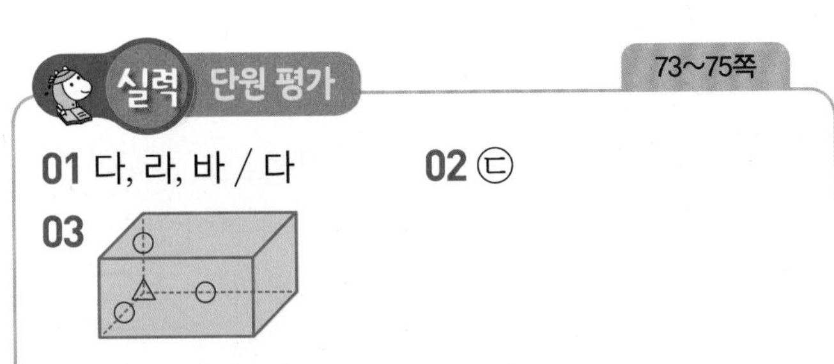

01 다, 라, 바 / 다　　02 ㉢

03

04 면 ㄱㄴㄷㄹ, 면 ㄴㅂㅅㄷ, 면 ㅁㅂㅅㅇ, 면 ㄱㅁㅇㄹ

05 3개

06 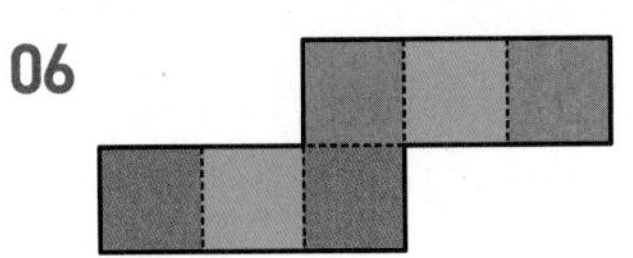

07 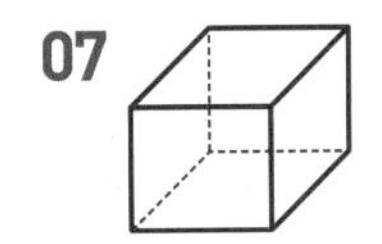

08 ㉠, ㉣　　09 10

10 선분 ㅁㄹ　　11 점 ㄷ, 점 ㅋ

12 라

13 예 ❶ ㉠ 보이는 모서리는 9개입니다.
㉡ 보이지 않는 꼭짓점은 1개입니다.
㉢ 보이지 않는 면은 3개입니다.
❷ $9>3>1$이므로 수가 많은 것부터 차례로 쓰면 ㉠, ㉢, ㉡입니다. / ㉠, ㉢, ㉡

14 60 cm

15 예

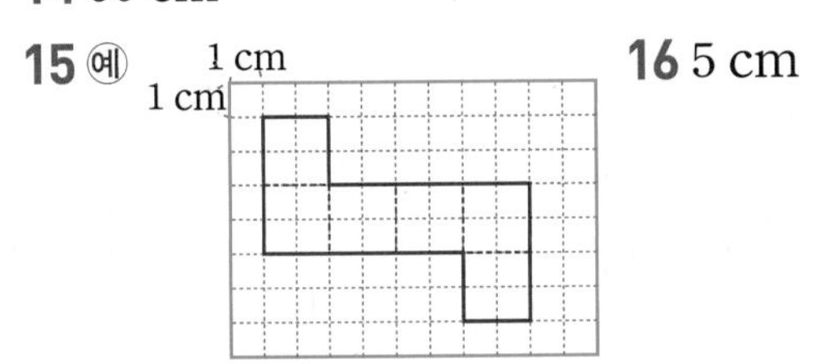

16 5 cm

17 예 ❶ 전개도의 둘레는 4 cm인 선분 10개, 7 cm인 선분 4개로 둘러싸여 있습니다.
❷ 따라서 전개도의 둘레는
$4\times10+7\times4=40+28=68$ (cm)입니다.
/ 68 cm

18 24 cm　　19 면 나, 면 라

20 예 ❶ 상자의 한 면과 만나는 부분의 리본의 길이는 모서리와 같은 15 cm입니다.
사용한 리본은 15 cm인 부분 8곳의 길이의 합과 매듭 부분의 길이의 합과 같습니다.
❷ (사용한 리본의 길이)
$=15\times8+20=120+20=140$ (cm)
/ 140 cm

풀이

04 옆면은 면 ㄴㅂㅁㄱ과 만나는 면으로 면 ㄱㄴㄷㄹ, 면 ㄴㅂㅅㄷ, 면 ㅁㅂㅅㅇ, 면 ㄱㅁㅇㄹ입니다.

05 꼭짓점 ㅇ과 만나는 면은 면 ㄷㅅㅇㄹ, 면 ㄱㅁㅇㄹ, 면 ㅁㅂㅅㅇ으로 모두 3개입니다.

08 ㉡ 직육면체의 면은 직사각형입니다.
㉢ 직육면체의 모서리는 길이가 다를 수 있습니다.

09
- 직육면체의 면은 6개입니다. → ㉠=6
- 직육면체의 모서리는 12개입니다. → ㉡=12
- 직육면체의 꼭짓점은 8개입니다. → ㉢=8

➔ ㉠+㉡−㉢$=6+12-8=10$

10 점 ㅈ과 점 ㅁ, 점 ㅊ과 점 ㄹ이 만나므로 선분 ㅈㅊ과 선분 ㅁㄹ이 겹칩니다.

11 점 ㄱ과 점 ㄷ이 만나고, 점 ㄷ과 점 ㅋ이 만나므로 점 ㄱ과 점 ㄷ, 점 ㅋ이 만납니다.

13

채점 기준		
	❶ ㉠, ㉡, ㉢에 알맞은 수 각각 구하기	3점
	❷ 수가 많은 것부터 차례로 기호 쓰기	2점

14 직육면체에서 길이가 같은 모서리는 4개씩이므로 모든 모서리의 길이의 합은
$7\times4+3\times4+5\times4=28+12+20=60$ (cm)입니다.

16 면 ㅁㅂㅅㅇ과 평행한 면 ㄱㄴㄷㄹ은 서로 합동이므로 면 ㄱㄴㄷㄹ의 넓이도 45 cm^2입니다.
모서리 ㄴㄷ의 길이가 9 cm이므로
$9\times$(모서리 ㄱㄴ의 길이)$=45$,
(모서리 ㄱㄴ의 길이)$=45\div9=5$ (cm)입니다.

17

채점 기준		
	❶ 전개도가 어떤 선분으로 이루어져 있는지 구하기	2점
	❷ 전개도의 둘레 구하기	3점

18 정육면체의 모서리는 12개이므로 한 모서리의 길이는 $96\div12=8$ (cm)입니다.
보이지 않는 모서리는 3개이므로 보이지 않는 모서리의 길이의 합은 $8\times3=24$ (cm)입니다.

19 면 가와 수직인 면: 면 나, 면 다, 면 라, 면 바
면 다와 수직인 면: 면 가, 면 나, 면 라, 면 마
➔ 면 가와 수직이면서 면 다와도 수직인 면: 면 나, 면 라

20

채점 기준		
	❶ 사용한 리본이 어떻게 이루어져 있는지 설명하기	2점
	❷ 사용한 리본의 길이 구하기	3점

연습 서술형 평가

76~77쪽

01 예 ❶ 잘못된 부분: 정육면체는 직육면체라고 할 수 없어요.

❷ 이유: 정사각형은 직사각형이라고 할 수 있으므로 정육면체는 직육면체라고 할 수 있습니다.

02 예 ❶ 빨간색 테이프를 붙인 모서리의 길이는 8 cm입니다. 길이가 8 cm인 모서리는 모두 4개입니다.

❷ 따라서 필요한 빨간색 테이프의 길이는 $8\times4=32$ (cm)입니다. / 32 cm

03 예 ❶ 직육면체의 겨냥도에서 보이는 모서리는 실선으로, 보이지 않는 모서리는 점선으로 나타내었습니다.

보이지 않는 면은 3개이므로 ㉠$=3$, 보이는 꼭짓점은 7개이므로 ㉡$=7$, 보이지 않는 모서리는 3개이므로 ㉢$=3$입니다.

❷ ㉠$+$㉡$-$㉢$=3+7-3=7$입니다. / 7

04 예 ❶ 주사위를 만들었을 때 평행한 면은 서로 마주 보는 면입니다.

㉠과 평행한 면은 5의 눈, ㉡과 평행한 면은 3의 눈, ㉢과 평행한 면은 1의 눈입니다.

❷ 평행한 두 면의 눈의 수의 합이 7이므로 ㉠$=7-5=2$, ㉡$=7-3=4$, ㉢$=7-1=6$입니다.

❸ ㉠$\times$㉡$-$㉢$=2\times4-6=2$입니다. / 2

풀이

번호		채점 기준	점수
01	채점 기준	❶ 잘못된 부분을 찾아 쓰기	10점
		❷ 잘못된 이유 쓰기	15점
02	채점 기준	❶ 빨간색 테이프를 붙이는 모서리의 길이와 개수 구하기	15점
		❷ 필요한 빨간색 테이프의 길이 구하기	10점
03	채점 기준	❶ ㉠, ㉡, ㉢에 알맞은 수 각각 구하기	15점
		❷ ㉠+㉡−㉢의 값 구하기	10점
04	채점 기준	❶ ㉠, ㉡, ㉢과 평행한 면의 눈의 수 구하기	10점
		❷ ㉠, ㉡, ㉢에 알맞은 수 구하기	10점
		❸ ㉠×㉡−㉢의 값 구하기	5점

실전 서술형 평가

78~79쪽

01 예 ❶ 이유: 보이는 모서리를 점선으로, 보이지 않는 모서리를 실선으로 그린 부분이 있습니다.

❷ 바르게 그리기: 직육면체의 겨냥도는 보이는 모서리는 실선으로, 보이지 않는 모서리는 점선으로 그립니다.

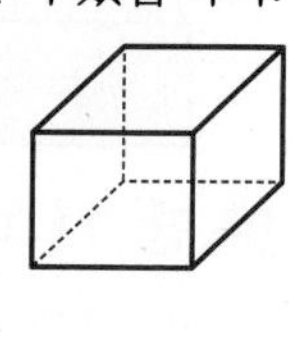

02 예 ❶ 주어진 직육면체 2개를 붙이면 한 모서리의 길이가 6 cm인 정육면체가 되고, 정육면체의 모서리는 12개입니다.

❷ 따라서 정육면체의 모든 모서리의 길이의 합은 $6\times12=72$ (cm)입니다. / 72 cm

03 예 ❶ 초록색으로 색칠한 면이 2개인 쌓기나무는 오른쪽과 같이 꼭짓점이 아닌 모서리에 있는 쌓기나무 2개씩입니다.

❷ 정육면체의 모서리는 모두 12개이므로 색칠한 면이 2개인 쌓기나무는 모두 $2\times12=24$(개)입니다. / 24개

04 예 ❶ 선분 ㄱㄹ의 길이는 초록색 면의 둘레와 같으므로 $9+4+9+4=26$ (cm)입니다.

❷ 선분 ㄱㄴ의 길이는 직육면체에서 7 cm인 모서리의 길이와 같으므로 7 cm입니다.

❸ 따라서 직사각형 ㄱㄴㄷㄹ의 둘레는 $26+7+26+7=66$ (cm)입니다. / 66 cm

풀이

번호		채점 기준	점수
01	채점 기준	❶ 잘못된 이유 쓰기	10점
		❷ 바르게 그려 보기	15점
02	채점 기준	❶ 정육면체의 한 모서리의 길이와 모서리의 개수 구하기	15점
		❷ 정육면체의 모든 모서리의 길이의 합 구하기	10점
03	채점 기준	❶ 쌓기나무로 쌓은 정육면체에서 색칠한 면이 2개인 쌓기나무의 위치 찾기	10점
		❷ 색칠한 면이 2개인 쌓기나무의 개수 구하기	15점
04	채점 기준	❶ 선분 ㄱㄹ의 길이 구하기	10점
		❷ 선분 ㄱㄴ의 길이 구하기	5점
		❸ 직사각형 ㄱㄴㄷㄹ의 둘레 구하기	10점

6 평균과 가능성

쪽지시험 1회 81쪽

01 5	02 예 9, 13, 11, 4, 12
03 12	04 예 6, 5, 9, 4, 7
05 예 16, 28, 34, 3, 26	06 6명
07 26명	08 36번
09 26번	10 10번

풀이

01 딸기를 고르게 하여 놓았을 때 한 접시에 놓인 딸기가 5개이므로 평균은 5개입니다.

02 전체 나이의 합을 학생 수로 나누어 구합니다.
➜ $(15+9+13+11)\div4=48\div4=12$

04 (평균)$=(8+6+5+9)\div4=28\div4=7$

05 (평균)$=(16+28+34)\div3=78\div3=26$

06 (평균)$=(6+7+4+7)\div4=24\div4=6$(명)

07 (평균)$=(27+26+24+26+27)\div5$
$=130\div5=26$(명)

08 (턱걸이 기록의 전체 합)
=(평균)×(횟수)$=9\times4=36$(번)

09 (1회, 2회, 4회 턱걸이 기록의 합)
$=6+8+12=26$(번)

10 (3회 턱걸이 기록)
=(턱걸이 기록의 전체 합)
−(1회, 2회, 4회 턱걸이 기록의 합)
$=36-26=10$(번)

쪽지시험 2회 82쪽

01 25	02 23	
03 승호	04 13, 15, 14, 16	
05 라 모둠	06 11권	07 44권
08 11권	09 7, 8	10 나 농장

풀이

01 (평균)$=(26+18+31)\div3=75\div3=25$(번)

02 (평균)$=(27+19+35+11)\div4$
$=92\div4=23$(번)

03 승호네 모둠의 평균이 더 높으므로 승호네 모둠의 줄넘기 기록이 더 좋다고 할 수 있습니다.

04 (가 모둠 평균)$=91\div7=13$(개),
(나 모둠 평균)$=75\div5=15$(개),
(다 모둠 평균)$=84\div6=14$(개),
(라 모둠 평균)$=64\div4=16$(개)

05 평균이 가장 높은 모둠으로 라 모둠입니다.

06 (민수네 모둠 평균)$=(13+8+12)\div3$
$=33\div3=11$(권)

07 (세호네 모둠이 읽은 책 수의 합)$=11\times4=44$(권)

08 (세호가 읽은 책의 수)$=44-(9+14+10)$
$=44-33=11$(권)

09 (가 농장 평균)
$=(7.5+5+7+8.5)\div4=28\div4=7$ (kg)
(나 농장 평균)
$=(6.5+8+9.5)\div3=24\div3=8$ (kg)

10 수확량의 평균이 더 높은 나 농장이 한 상자에 담긴 귤 무게가 더 무겁다고 할 수 있습니다.

쪽지시험 3회 83쪽

01 (위에서부터) 반반이다, ~일 것 같다

02 ( )(○) 03 ㉢ 04 ㉤

05

	불가능하다	반반이다	확실하다
내년에는 5월에 30일까지 있을 것입니다.	○		
계산기로 3, ×, 0, =을 차례로 누르면 0이 나올 것입니다.			○

06 반반이다, 확실하다

07 나 08 ㉠

09

불가능하다	반반이다	확실하다	~아닐 것 같다	~일 것 같다
은우			지효	민서

10 민서

풀이

01

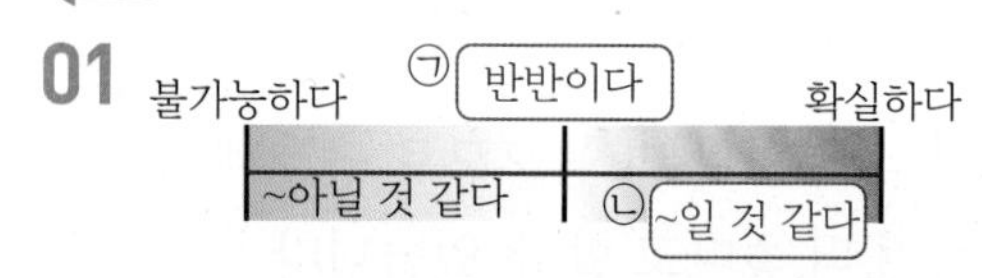

㉠ 일이 일어날 가능성과 일어나지 않을 가능성이 같으므로 가능성은 '반반이다'입니다.

㉡ 가능성이 '반반이다'를 기준으로 '확실하다'에 더 가까우므로 가능성은 '~일 것 같다'입니다.

02 • 동전을 던지면 그림 면과 숫자 면이 나올 가능성이 같으므로 숫자 면이 나올 가능성은 '반반이다'입니다.

• 7월은 31일까지 있으므로 7월 30일 다음 날은 7월 31일입니다. 따라서 가능성은 '불가능하다'입니다.

03 2의 배수일 가능성과 2의 배수가 아닐 가능성이 같으므로 '반반이다'입니다.

04 해는 항상 동쪽에서 뜨므로 '확실하다'입니다.

06 가: 빨간색 부분과 파란색 부분이 같으므로 파란색 부분을 가리킬 가능성은 '반반이다'입니다.

나: 모두 파란색이므로 파란색 부분을 가리킬 가능성은 '확실하다'입니다.

08 ㉠ 3 이상인 눈의 수는 3, 4, 5, 6이므로 3 이상인 수일 가능성은 '~일 것 같다'입니다.

㉡ 2 미만인 눈의 수는 1이므로 2 미만인 수일 가능성은 '~아닐 것 같다'입니다.

09 지효: 공 4개 중 빨간색 공이 1개이므로 빨간색 공이 나올 가능성은 '~아닐 것 같다'입니다.

민서: 공 4개 중 파란색 공이 3개이므로 파란색 공이 나올 가능성은 '~일 것 같다'입니다.

은우: 초록색 공은 없으므로 초록색 공이 나올 가능성은 '불가능하다'입니다.

10 가능성이 '~일 것 같다'인 민서가 가장 높습니다.

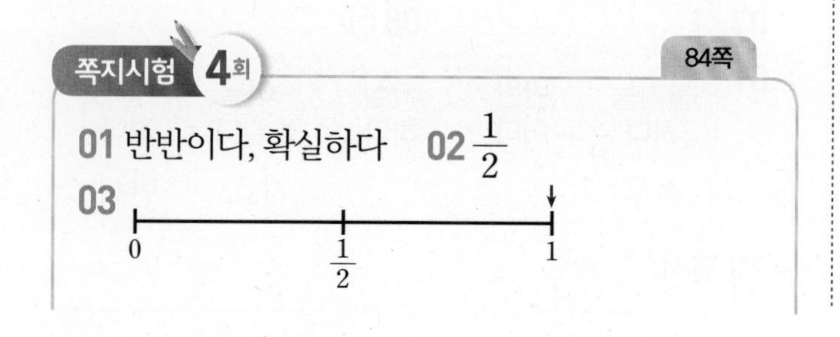

쪽지시험 4회 84쪽

01 반반이다, 확실하다 **02** $\frac{1}{2}$

03

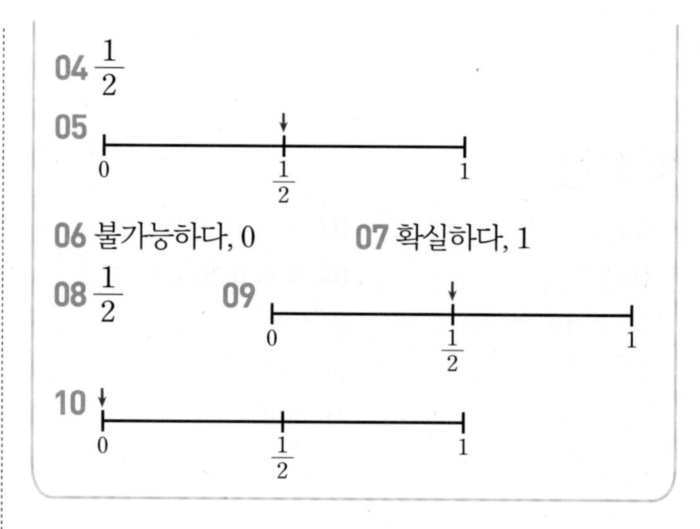

04 $\frac{1}{2}$

05

06 불가능하다, 0 **07** 확실하다, 1

08 $\frac{1}{2}$ **09**

10

풀이

01 가: 노란색 구슬과 초록색 구슬이 나올 가능성이 같으므로 노란색 구슬이 나올 가능성은 '반반이다'입니다.

나: 노란색 구슬만 있으므로 노란색 구슬이 나올 가능성은 '확실하다'입니다.

02 노란색 구슬이 나올 가능성은 '반반이다'이므로 수로 나타내면 $\frac{1}{2}$입니다.

03 노란색 구슬이 나올 가능성은 '확실하다'이므로 수로 나타내면 1입니다.

04 화살이 초록색 부분을 가리킬 가능성은 '반반이다'이므로 수로 나타내면 $\frac{1}{2}$입니다.

06 자석의 S극과 S극은 만나지 않으므로 가능성은 '불가능하다'이고 수로 나타내면 0입니다.

07 9월은 30일까지 있으므로 가능성은 '확실하다'이고 수로 나타내면 1입니다.

08 ♣가 나올 가능성은 '반반이다'이므로 수로 나타내면 $\frac{1}{2}$입니다.

09 ♥가 나올 가능성은 '반반이다'이므로 수로 나타내면 $\frac{1}{2}$입니다.

10 ♠는 없으므로 ♠가 나올 가능성은 '불가능하다'이고 수로 나타내면 0입니다.

기본 단원 평가 85~87쪽

01

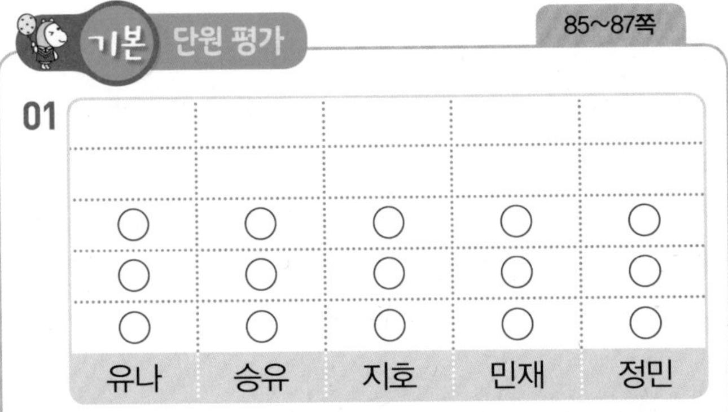

02 3개

03 ㉠ 5, 7, 8, 12, 4, 8

04

	불가능하다	반반이다	확실하다
은행에서 뽑은 대기표의 번호는 홀수일 것입니다.		○	
일요일 다음 날은 월요일일 것입니다.			○
상어가 땅을 걸어서 다닐 것입니다.	○		

05 8 m, 7 m

06 경민이네 모둠

07 확실하다

08 불가능하다

09 15 °C

10 ㉠ ❶ 잘못 말하였습니다.

❷ 이유: 평균은 자료의 값을 모두 더한 후 자료의 수로 나누어 나오는 값이기 때문에 점수 중 85점인 점수가 없어도 수학 점수의 평균이 85점이 될 수 있기 때문입니다.

11

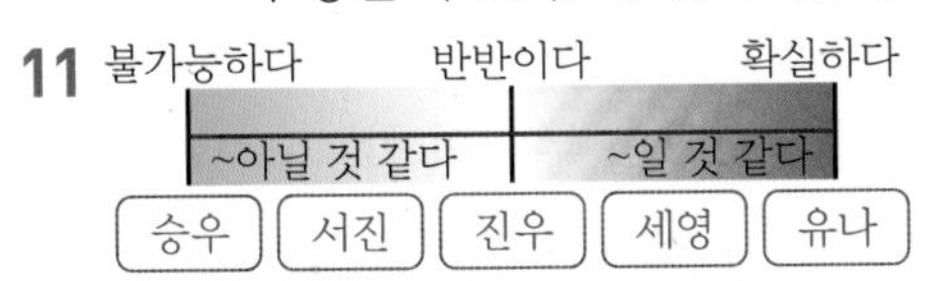

12 유나, 세영, 진우, 서진, 승우

13 1

14

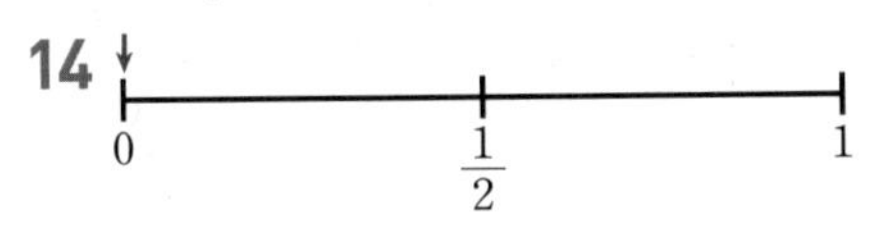

15 (점 잇기 그림)

16 24명, 26명에 ○표

17 ㉠ ❶ (윤서네 모둠 봉사 활동 시간의 합)

$=12\times4=48$(시간)

❷ (윤서의 봉사 활동 시간)

$=48-(9+15+13)=48-37$

$=11$(시간) / 11시간

18 1반

19 16권

20 ㉠ ❶ 주사위 눈의 수는 1, 2, 3, 4, 5, 6이므로 10 이하의 눈이 나올 가능성은 '확실하다'입니다. ➔ ㉠$=1$

❷ 4의 약수는 1, 2, 4이므로 4의 약수의 눈이 나올 가능성은 '반반이다'입니다. ➔ ㉡$=\frac{1}{2}$

❸ ㉠$+$㉡$=1+\frac{1}{2}=1\frac{1}{2}$입니다. / $1\frac{1}{2}$

풀이

01 고르게 나타내면 3개씩 그립니다.

02 고르게 나타내면 3개씩이므로 넣은 화살 수의 평균은 3개입니다.

03 (평균)$=$(기록의 합)$\div$(횟수)

$=(5+7+8+12)\div4=32\div4=8$(번)

04 • 짝수와 홀수가 나올 가능성이 같으므로 홀수일 가능성은 '반반이다'입니다.

• 일요일 다음 날은 월요일이므로 가능성은 '확실하다'입니다.

• 상어는 땅을 걸을 수 없으므로 가능성은 '불가능하다'입니다.

05 경민: (평균)$=(8+11+6+7)\div4=8$ (m)

하준: (평균)$=(12+4+6+8+5)\div5=7$ (m)

06 기록의 평균이 더 높은 경민이네 모둠의 기록이 더 좋다고 할 수 있습니다.

07 토요일이 5번 있으므로 가능성은 '확실하다'입니다.

08 세 번째 화요일은 19일이므로 가능성은 '불가능하다'입니다.

09 (평균)$=(16+15+18+14+12)\div5=15$ (°C)

10

채점 기준		
	❶ 바르게 말한 것인지 쓰기	2점
	❷ 이유 설명하기	3점

11 진우: 숫자 면과 그림 면이 나올 가능성이 같으므로 가능성은 '반반이다'입니다.

서진: 7은 4개의 숫자 중 1개이므로 가능성은 '~아닐 것 같다'입니다.

유나: 5월 다음 달은 6월이므로 가능성은 '확실하다'입니다.

승우: 해는 서쪽으로 지므로 가능성은 '불가능하다'입니다.

세영: 1, 2, 3, 4, 5, 6 중 4 이하인 수는 1, 2, 3, 4이므로 가능성은 '~일 것 같다'입니다.

13 보라색 구슬만 있으므로 꺼낸 구슬이 보라색일 가능성은 '확실하다'이므로 수로 나타내면 1입니다.

14 초록색 구슬은 없으므로 초록색일 가능성은 '불가능하다'이고 수로 나타내면 0입니다.

15 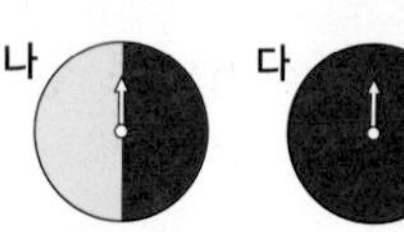

가: 모두 노란색이므로 가능성은 '확실하다'이고 수로 나타내면 1입니다.

나: 노란색과 빨간색일 가능성이 같으므로 가능성은 '반반이다'이고 수로 나타내면 $\frac{1}{2}$입니다.

다: 모두 빨간색이므로 가능성은 '불가능하다'이고 수로 나타내면 0입니다.

16 (평균)$=(28+24+27+30+26)\div5$

$=135\div5=27$(명)

따라서 학생 수가 27명보다 적은 반은 24명, 26명인 반입니다.

17

채점 기준		
	❶ 윤서네 모둠 봉사 활동 시간의 합 구하기	3점
	❷ 윤서의 봉사 활동 시간 구하기	2점

18 (1반 평균)$=168\div24=7$ (kg),

(2반 평균)$=125\div25=5$ (kg),

(3반 평균)$=138\div23=6$ (kg),

(4반 평균)$=104\div26=4$ (kg)

19 (우주네 모둠 평균)$=(9+13+8)\div3=30\div3$

$=10$(권)

(민수네 모둠이 빌린 책 수의 합)$=11\times4=44$(권)

(민수가 빌린 책 수)$=44-(11+7+10)$

$=44-28=16$(권)

20

채점 기준		
	❶ ㉠에 알맞은 수 구하기	2점
	❷ ㉡에 알맞은 수 구하기	2점
	❸ ㉠과 ㉡에 알맞은 수의 합 구하기	1점

실력 단원 평가

88~90쪽

01 예 16, 35, 24, 21, 4, 24 **02** ~아닐 것 같다에 ○표

03 1 **04** 11점

05 7, 8, 8, 9 **06** 라 모둠

07 마, 다, 나, 가, 라 **08** (선 잇기 그림)

09 반반이다, $\frac{1}{2}$ **10** $\frac{1}{2}$

11 (수직선: 0, $\frac{1}{2}$, 1 중 0에 ↓ 표시) **12** 진호

13 예 ❶ ㉠ 기온이 30 °C보다 높은 날에 눈이 올 가능성은 '불가능하다'입니다.

㉡ 자석 2개를 붙이면 N극과 S극이 만나므로 가능성은 '확실하다'입니다.

㉢ 홀수와 짝수가 나올 가능성은 같으므로 주사위를 던져서 홀수의 눈이 나올 가능성은 '반반이다'입니다.

❷ 확실하다, 반반이다, 불가능하다의 순서대로 가능성이 높으므로 기호로 쓰면 ㉡, ㉢, ㉠입니다. / ㉡, ㉢, ㉠

14 ~일 것 같다 **15** 97점 **16** 34분

17 예 ❶ (가 상자의 전체 고구마 무게)$=240\times12$

$=2880$ (g)

(나 상자의 전체 고구마 무게)$=210\times18$

$=3780$ (g)

❷ (두 상자의 고구마 무게의 합)

$=2880+3780=6660$ (g)

(고구마 개수의 합)$=12+18=30$(개)

➜ (평균)$=6660\div30=222$ (g) / 222 g

18 53 **19** 예 (회전판 그림)

20 예 ❶ 평균이 15초일 때 4회까지 기록의 합은 $15\times4=60$(초)입니다.

❷ $60-(15.8+15.2+14.9)=60-45.9$

$=14.1$(초)

따라서 4회 때 기록은 14.1초 이하여야 합니다. / 14.1초 이하

풀이

02 바둑돌 4개 중에서 흰색은 1개이므로 꺼낸 바둑돌이 흰색일 가능성은 '~아닐 것 같다'입니다.

04 (평균)$=(9+8+11+13+14)\div5=11$(점)

05 (가 모둠의 평균)$=35\div5=7$(개),
(나 모둠의 평균)$=56\div7=8$(개),
(다 모둠의 평균)$=32\div4=8$(개),
(라 모둠의 평균)$=54\div6=9$(개)

07 초록색 부분이 좁은 것부터 차례로 씁니다.

08 • 남자, 여자가 태어날 가능성은 '반반이다'입니다.
• 1년은 1월부터 12월까지 있으므로 가능성은 '확실하다'입니다.
• 키가 더 작아지지 않으므로 가능성은 '불가능하다'입니다.

10 숫자 카드 4장 중에서 2의 배수는 4, 6으로 2장이므로 가능성은 '반반이다'이고 수로 나타내면 $\frac{1}{2}$입니다.

11 9의 약수는 1, 3, 9이고 숫자 카드에는 1, 3, 9가 없으므로 9의 약수가 나올 가능성은 '불가능하다'이고 수로 나타내면 0입니다.

12 (진호의 평균)$=(40+45+25+50)\div4$
$=160\div4=40$(분)
(하준이의 평균)$=(30+55+20+35+40)\div5$
$=180\div5=36$(분)

13

채점 기준		
	❶ ㉠, ㉡, ㉢에 알맞은 가능성 구하기	3점
	❷ 가능성이 높은 순서대로 기호 쓰기	2점

15 (네 과목 점수의 합)$=92\times4=368$(점)
(수학 점수)$=368-(91+86+94)=97$(점)

16 (4일까지의 평균)$=(26+32+29+45)\div4$
$=132\div4=33$(분)
5일에는 33분보다 오래 타야 하므로 적어도 34분 타야 합니다.

참고 자전거를 5일까지 탄 시간의 평균이 4일까지 탄 시간의 평균보다 더 길려면 자전거를 5일에 탄 시간이 4일까지 탄 시간의 평균보다 길면 됩니다.

17

채점 기준		
	❶ 가, 나 상자의 전체 무게 각각 구하기	3점
	❷ 고구마 전체의 무게의 평균 구하기	2점

18 (윤아네 모둠의 평균)
$=(35+40+26+55)\div4=156\div4=39$(분)
(승희네 모둠이 책을 읽은 전체 시간)
$=39\times5=195$(분)
➔ ㉠$=195-(28+34+65+15)=53$

19 당첨 제비가 나올 가능성은 '반반이다'이므로 회전판의 6칸 중 3칸에 노란색을 칠하면 됩니다.

20

채점 기준		
	❶ 4회까지 기록의 합 구하기	2점
	❷ 4회 때 기록은 몇 초 이하여야 하는지 구하기	3점

연습 서술형 평가

91~92쪽

01 예 ❶ (일주일 동안 박물관의 방문자 수의 합)
$=58+43+65+74+66+102+110$
$=518$(명)
❷ (평균)
=(일주일 동안 박물관의 방문자 수의 합)
÷(날수)
$=518\div7=74$(명) / 74명

02 예 ❶ 5 이상 9 미만인 자연수는 5, 6, 7, 8이고 이 중에서 홀수는 5, 7입니다.
❷ 공에 적힌 숫자 중에서 5, 7은 없으므로 꺼낸 공에 적힌 수가 5 이상 9 미만인 홀수일 가능성은 '불가능하다'입니다. / 불가능하다

03 예 ❶ 4칸 중 2칸이 보라색이므로 보라색을 가리킬 가능성은 '반반이다'입니다. ➔ ㉠$=\frac{1}{2}$
모두 연두색이므로 보라색을 가리킬 가능성은 '불가능하다'입니다. ➔ ㉡$=0$
모두 보라색이므로 보라색을 가리킬 가능성은 '확실하다'입니다. ➔ ㉢$=1$
❷ ㉢$-$㉠$+$㉡$=1-\frac{1}{2}+0=\frac{1}{2}$ / $\frac{1}{2}$

04 예 ❶ (가 농장의 평균)
$=(6.5+8+9.5+7+9)\div5=8$ (L)
❷ (나 농장의 평균)
$=(10+8.5+5.5+6)\div4=7.5$ (L)
❸ 따라서 가 농장의 평균이 더 많으므로 가 농장이 한 통에 담긴 우유 생산량이 더 많다고 할 수 있습니다. / 가 농장

풀이

01	채점 기준	❶ 일주일 동안 박물관의 방문자 수의 합 구하기	10점
		❷ 박물관의 방문자 수의 평균 구하기	15점

02	채점 기준	❶ 5 이상 9 미만인 홀수 구하기	10점
		❷ 꺼낸 공에 적힌 수가 5 이상 9 미만인 홀수일 가능성을 말로 표현하기	15점

03	채점 기준	❶ ㉠, ㉡, ㉢에 알맞은 수 각각 구하기	15점
		❷ ㉢−㉠+㉡의 값 구하기	10점

04	채점 기준	❶ 가 농장의 평균 구하기	10점
		❷ 나 농장의 평균 구하기	10점
		❸ 어느 농장이 한 통에 담긴 우유 생산량이 더 많다고 할 수 있는지 구하기	5점

실전 서술형 평가

93~94쪽

01 예 ❶ 민주: 1, 2, 3, 4는 모두 5보다 작으므로 5보다 작은 수일 가능성은 '확실하다'입니다.
준현: ○, ×가 나올 가능성은 같으므로 정답이 ○일 가능성은 '반반이다'입니다.
규선: $2+3=5$이므로 6이 나올 가능성은 '불가능하다'입니다.
'불가능하다'인 문장을 말한 사람은 규선이입니다.
❷ '확실하다'가 되도록 바꾸면 '계산기로 2, +, 3, =을 차례로 누르면 5가 나올 것입니다.'입니다.
/ 계산기로 2, +, 3, =을 차례로 누르면 5가 나올 것입니다.

02 예 ❶ (다섯 과수원의 수확량의 합)
$=45\times5=225$(상자)
(싱싱, 푸름, 맑음 과수원의 수확량의 합)
$=52+37+44=133$(상자)
❷ (달콤, 청청 과수원의 수확량의 합)
$=225-133=92$(상자)
따라서 달콤 과수원과 청청 과수원의 수확량이 같으므로 달콤 과수원의 수확량은 $92\div2=46$(상자)입니다. / 46상자

03 예 ❶ 주사위의 눈의 수는 1, 2, 3, 4, 5, 6입니다.
㉠ 3의 배수는 3, 6이므로 3의 배수가 나올 가능성은 '~아닐 것 같다'입니다.
㉡ 6의 약수는 1, 2, 3, 6이므로 6의 약수가 나올 가능성은 '~일 것 같다'입니다.
㉢ 약수가 2개인 수는 2, 3, 5이므로 약수가 2개인 수일 가능성은 '반반이다'입니다.
㉣ 모든 눈의 수는 7 미만이므로 7 미만인 수일 가능성은 '확실하다'입니다.
㉤ 4보다 큰 수는 5, 6이고 이 중 4의 배수는 없으므로 4보다 큰 4의 배수일 가능성은 '불가능하다'입니다.
❷ ㉠: 0과 $\frac{1}{2}$ 사이, ㉡: $\frac{1}{2}$과 1 사이, ㉢: $\frac{1}{2}$, ㉣: 1, ㉤: 0
이므로 수직선에 각각 나타냅니다.
/ ㉤, ㉠, ㉢, ㉡, ㉣

04 예 ❶ (윤호 기록의 평균)
$=(15+17+13)\div3=45\div3=15$(번)
❷ 경민이의 기록은 4회까지의 평균이 $15+1=16$(번) 이상이어야 하므로 전체 기록의 합은 $16\times4=64$(번) 이상이어야 합니다.
❸ 따라서 경민이는 4회에서
$64-(14+16+18)=64-48=16$(번) 이상 해야 합니다. / 16번 이상

풀이

01	채점 기준	❶ 민주, 준현, 규선이가 말한 일이 일어날 가능성을 구하고, 가능성이 '불가능하다'인 일을 말한 사람 찾기	15점
		❷ '불가능하다'인 문장을 '확실하다'인 문장으로 바꾸기	10점

02	채점 기준	❶ 다섯 과수원의 수확량의 합과 싱싱, 푸름, 맑음 과수원의 수확량의 합 구하기	15점
		❷ 달콤 과수원의 수확량 구하기	10점

03	채점 기준	❶ ㉠, ㉡, ㉢, ㉣, ㉤의 가능성 각각 구하기	10점
		❷ 가능성을 수로 나타내고 수직선에서 알맞은 곳에 기호 써넣기	15점

04	채점 기준	❶ 윤호 기록의 평균 구하기	10점
		❷ 경민이의 전체 기록의 합이 몇 번 이상이어야 하는지 구하기	10점
		❸ 경민이는 4회에서 팔굽혀펴기를 적어도 몇 번 이상 해야 하는지 구하기	5점